DAS OKTOBERFEST

DAS OKTOBERFEST

EINHUNDERTFÜNFUNDSIEBZIG JAHRE
BAYERISCHER NATIONAL-RAUSCH

Jubiläumsausstellung im Münchner Stadtmuseum
25. Juli bis 3. November 1985

Veranstaltet vom
Münchner Stadtmuseum, Stadtarchiv München
und Verein Münchner Oktoberfestmuseum

MÜNCHNER STADTMUSEUM

Ausstellungskonzeption und Katalog:
Florian Dering (organisatorische Leitung) (FD), Sabine Sünwoldt (SS)
Barbara Krafft (BK), Burkhart Lauterbach, Susanne Preußler (SP)

Katalog-Layout und Herstellung: Peter Schneider

Lektorat: Stefanie Bielmeier, Sabine Klinkert

Ausstellungsgestaltung: Michael Hoffer, unter Mitarbeit
von Margot Staffa, Anna Schröder, Claudia Zattler

Restaurierung: Angela Hückel, Ruth Bellenberg, Johanna Engl,
Leni Gerg, Susanne Herbst, Birgit Kurz, Barbara Reichert,
Josef Riedl, Cornelia Wild, Manfred Wunderskirchner

Fotoarbeiten: Leila Bamberger, Dorothee Jordens-Meintker,
Julia Köbel, Patricia Partl, Wolfgang Pulfer, Kerstin Schuhbaum,
Wolfhart Weinelt

Ausstellungsorganisation: Peter Syr

Technik: Emil Baumann

Aufbau: Alfred Haas, Rudolf Schreib, Josef Wagner,
Siegfried Wagner und Mitarbeiter, Raimund Schorer und Mitarbeiter

Plakat: Michael Mathias Prechtl

Die Festschrift »175 Jahre Oktoberfest, 1810–1985«
(ISBN 3 7654 2027 1)
bietet weitere Information zum Thema.

Verlag: F. Bruckmann KG, München
Gesamtherstellung: F. Bruckmann KG, München
Graphische Kunstanstalten
Printed in Germany
ISBN 3 7654 2028 X

Rat und Hilfe gewährten:

Marianne Finkenzeller, München

BauOR Paul Forster, Baureferat, Tiefbau, München

Fremdenverkehrsamt München

Fa. Johann Gassner, Göggenhofen/Großhelfendorf

Gerd Giesler, Bayerisches Rotes Kreuz, Kreisverband München

BrandOR Günter Haas, Branddirektion München

Andreas Hartinger, München

P. Peregrin Hörndl, Thannhausen

Robert Huber, Münchner Verkehrsverein-Festring e.V.

Therese Huttenloher, Maisach

Dr. Georg Ritter von Kern, Bayerisches Armeemuseum, Ingolstadt

Ursula Kirsten, Bayerischer Bauernverband, München

Hannes König, Valentin-Musäum, München

Camillo Lehle, München

Richard Lemp, München

Elsa Leupold, München

Max Neher, Orillia, Kanada

BrandAmtm. Peter Paul, Branddirektion München

Dr. Werner Pöschl, Schwabering

OAR Helmut Schirmer, Baureferat, Wasser- und Brückenbau, München

Ferdinand Schmid, München

Erika Schmidt, Bayerisches Rotes Kreuz, Kreisverband München

B. H. Schneider, Bad Tölz

Kriemhilde Schlegel, München

Christa Sehr, Ottobrunn

Hans Seidel, Bayerischer Bauernverband, München

Richard Süßmeier, München

Johanna Teké, München

Anton Thalhammer, Bayerisches Rotes Kreuz, Kreisverband München

Pankraz Töffelmann, Passau

Arnulf Waldmann, München

Cornelius Wittmann, Dachau

Brigitte Wülfel, Bad Godesberg

Verein Münchner Brauereien

Viktor Zelger, München

Verzeichnis der Leihgeber:

Armbrustschützengilde Winzerer Fähndl e.V., München

Bayerische Staatsbibliothek, München

Bayerische Verwaltung der staatlichen Schlösser, Gärten und Seen, München

Bayerischer Bauernverband, München

Bayerisches Armeemuseum, Ingolstadt

Bayerisches Nationalmuseum, München

Bayerisches Rotes Kreuz, Kreisverband München

Fa. Ludwig Beck, München

Anton Bernbacher, München

Branddirektion München

Gisbert Brunner, München

Florian Dering, München

Herbert Diepold, München

Deutsches Modeinstitut, München

Egerländer Gmoi, München

Artur Fichtel, München

Marianne Finkenzeller, München

Fremdenverkehrsamt München

Maximilian Fritz, München

Fundbüro München

Johann Gassner, Maschinenfabrik, Göggenhofen/Großhelfendorf

Heinz Gebhardt, München

Gebirgsschützen-Kompanie Wackersberg

Walter Grasser, München

Hacker-Pschorr-Bräu, München

Ludwig Hagn, München

Willy Heide, Planegg

Inge Hermann, München

Richard Ihle, München

Barbara Krafft, München

Eugen Kübler, München

Landwirtschaftliche Lehranstalten, Landsberg am Lech

Andreas Ley, München

Franz Liebhardt, Isen

Hanna Lindner, München

Herbert Lipah, München

Löwenbräu, München

Ludwig-Maximilians-Universität München, Lehrstuhl für Tierzucht

Monacensia-Abteilung der Stadtbibliothek München

Münchner Verkehrsverein-Festring e.V., München

Ulrich Nefzger, München

Theodor Niederländer, Greding

Paulaner-Salvator-Thomasbräu, München

Ludwig Rösch, München

Michael Rötzer, München

Toni Roskowetz, München

Karl Sorg, München

Spaten-Franziskaner-Bräu, München

Staatliche Graphische Sammlung, München

Eva Stadtmüller, München

Städtische Galerie im Lenbachhaus, München

Adi Stahuber, Baierbrunn

Rupert Stöckl, München

Richard Süßmeier, München

Wolfgang Till, München

Valentin-Musäum, München

Verein gegen betrügerisches Einschenken e.V., München

Anton Weinfurtner, München

Fa. Max Wölfl, München

Max Zierer, München

Inhalt

Vorwort

Seit einhundertfünfundsiebzig Jahren ist eine etwa fünf Hektar große Freifläche am westlichen Rand der Innenstadt Schauplatz eines bedeutsamen Teils Münchner Stadtgeschichte: berühmt auch weit außerhalb von Bayern, vor allem aber für die Einheimischen mit unzähligen sentimentalen Erinnerungen verknüpft.

Anders als viele große europäische Feste hat das Oktoberfest stets am selben Ort, auf der Theresienwiese, stattgefunden. Faszinierend an der öden, von unscheinbaren Asphaltstraßen durchzogenen Wiese ist immer wieder ihr plötzliches Aufblühen, das heute innerhalb von sechzehn Tagen rund fünf Millionen Menschen anlockt. Bis auf einige Schrauben, Muttern und Krugscherben verschwindet alljährlich das Vergnügen spurlos. Ehrwürdig historisch und sehr flüchtig zugleich ist also das Phänomen, dem unsere Spurensuche gilt.

Zusammengetan haben sich dazu das Münchner Stadtmuseum und das Stadtarchiv München, großzügig unterstützt vom Verein Oktoberfestmuseum. In der Reihe der großen kulturhistorischen Ausstellungen, die in jüngster Zeit in Deutschland stattgefunden haben, ist unser Vorhaben der erste Versuch, ein lebendiges Fest in seinen historischen Strukturen und Veränderungen auszustellen. Die Inszenierung der Objekte soll dabei dem Besucher die Brücke zum eigenen Oktoberfest-Erlebnis bauen.

Die Intention des Festes hat sich im Laufe der Zeit geändert. Der Wandel vollzog sich vom monarchisch geprägten Fest des 19. Jahrhunderts zum überdimensionalen Volksfest des 20. Jahrhunderts mit seiner charakteristischen Ausrichtung zum »Munich Beer Festival«.

Beide Phasen, die schrittweise ineinander übergehen, sind in unterschiedlicher Weise *national* geprägt. Im 19. Jahrhundert steht der Begriff »Nation« für das bayerische Königreich, das bestrebt war, die seit 1800 zustande gekommene, völlig neue Zusammensetzung des Landes mit den Teilen Altbaiern, Schwaben, Franken und Pfalz zu einer nationalen Einheit zu verschmelzen. »National-Costüm«, »National-Charakter«, »National-Fest«, »National-Feier« sind geläufige Begriffe aus der Frühzeit des Festes, das als zentrale Veranstaltung für die neue Nation konzipiert worden war.

Das heutige Fest lebt zum Teil noch von der Erbschaft an jenem bayerischen Nationalgefühl, zu dessen Stärkung die Feste des 19. Jahrhunderts beitragen sollten. Seit sich mit dem Einzug der gewaltigen Bierpaläste das Bier in den Mittelpunkt geschoben hat, vollzieht sich das gemeinschaftliche Erleben des Oktoberfestes allerdings auf einer anderen, nicht weniger euphorisierenden Basis.

Wir haben nach einem Wort gesucht, das die national-politische Ausrichtung des frühen Festes und die unverwechselbare Stimmung der heutigen, aus echtem wie synthetischem Bayerntum, Vergnügungstaumel und Bierglück gemischten »Wies'n« auf einen gemeinsamen Begriff bringt. Der »bayerische National-Rausch« soll nun die Klammer um die wechselvolle Geschichte des Festes bilden: ein Untertitel, ganz ernsthaft gemeint, aber doch nicht zu ernst zu nehmen.

Christoph Stölzl
Münchner Stadtmuseum

Richard Bauer
Stadtarchiv München

Heinz Strobl
Verein Münchner Oktoberfestmuseum

Geschichte des Festes

Am 12. Oktober 1810 heiratete der bayerische Kronprinz Ludwig, der spätere König Ludwig I., Prinzessin Therese von Sachsen-Hildburghausen. Im Rahmen der Hochzeitsfeierlichkeiten veranstaltete die Nationalgarde III. Klasse am 17. Oktober ein Pferderennen, das in Anwesenheit der königlichen Familie als ein Fest für ganz Bayern gefeiert wurde. Durch den Beschluß, das Rennen im folgenden Jahr zur gleichen Zeit zu wiederholen, entstand die Tradition der ›Oktober‹-Feste. Der Veranstaltungsort, ein freies Feld vor den Toren der Stadt, erhielt zu Ehren der Braut den Namen »Theresien-Wiese«. Deshalb gehen die Münchner noch heute nicht ›zum Oktoberfest‹, sondern ›auf die Wies'n‹. 1811 kam zum Pferderennen das erste Landwirtschaftsfest als Fachausstellung zur Hebung der bayerischen Agrarwirtschaft. Während das Pferderennen als ältester und beliebtester Veranstaltungspunkt nach 1938 aus organisatorischen Gründen von der Wies'n verschwand, findet das »Zentrallandwirtschaftsfest« noch heute im Turnus von drei Jahren im Südteil des Areals während des Oktoberfestes statt.

Das Angebot an allgemeinen Vergnügungen war in den ersten Jahrzehnten bescheiden. 1818 wurden das erste Karussell und zwei Schaukeln aufgestellt.

In kleinen Buden, deren Zahl rasch anwuchs, konnten sich die Besucher mit Bier versorgen. Den Bierbuden folgten ab 1896 die ersten großen Bierburgen, aufgestellt von unternehmungslustigen Wirten in Zusammenarbeit mit den Brauereien. Bis heute konnten die Münchner Brauereien ihr Monopol für den Bierausschank auf dem Oktoberfest behaupten. Der andere Teil des Festgeländes wird durch das Vergnügungsangebot der Schausteller bestimmt. Das Angebot wuchs seit den 1870er Jahren mit der Entwicklung des Schaustellergewerbes in Deutschland.

Ein gesondertes Kapitel der Festgeschichte sind die Ein- und Festzüge. Den Beginn früherer Oktoberfeste bildete das festliche Hinausziehen von der Stadt zur Wies'n. Diesen Auftakt übernimmt heute der Einzug der Wies'n-Wirte am Samstagvormittag. Um 12.00 Uhr folgt der erste Bieranstich durch den Oberbürgermeister, der das Fest mit dem Ausspruch »O'zapft is« eröffnet. Zu besonderen Anlässen, wie 1835 zum Silbernen Hochzeitsjubiläum von König Ludwig, 1910 zum 100. und 1935 zum 125. Festjubiläum, wurden Festzüge veranstaltet. 1894 und 1895 gab es bereits Trachtenzüge, die sich allerdings nicht als dauerhafte Einrichtungen behaupten konnten. Seit 1949 gehört der »Oktoberfest Trachten- und Schützenzug« mit Beteiligung in- und ausländischer Gruppen zum Fest.

1985 feiert die Stadt München das 151. Oktoberfest, da es im Laufe seines 175jährigen Bestehens 24mal wegen Cholera, Krieg oder Inflation ausfallen mußte.

Ein Fest wird ausgestellt

Das Oktoberfest hat wie alle jährlich wiederkehrenden Feste einen lebendigen, komplizierten Organismus, der durch politische, wirtschaftliche und gesellschaftliche Faktoren bedingt eine laufende Veränderung erfährt. In der 175jährigen Geschichte des Festes haben sich das Erscheinungsbild, die einzelnen Bestandteile sowie die Festintention grundlegend gewandelt. Diesen Prozeß weitmöglichst nachvollziehbar zu machen, war das Ziel der Jubiläumsausstellung.

Beim Recherchieren nach Exponaten stellte sich bald heraus, daß von einem Fest selbst von der Größe und Bedeutung des Oktoberfestes im Laufe seiner Geschichte nur wenig ›Habhaftes‹ übrig bleibt. Erhalten haben sich als Primärquellen eine Fülle von Archivalien, deren mühevolle Auswertung detaillierte Informationen zur Festgeschichte liefert. Neben den schriftlich fixierten Vorgängen zum Fest finden sich hier Programme, Pläne, Bekanntmachungen und Plakate. Das Material bezieht sich fast ausschließlich auf die Organisation des Festes, auf seine Trägerschaft, auf die Bereitstellung und Ankündigung von Vergnügungseinrichtungen und Veranstaltungen. Vom eigentlichen Fest auf

der Theresienwiese sind verschwindend wenig Relikte als in der Ausstellung zeigbare Objekte erhalten.

Eine Ausnahme, das sei vorweggenommen, bilden die verschiedenen Preise für das Landwirtschaftsfest, die Pferderennen, Schießen und anderen Veranstaltungen, die vor dem Königszelt verliehen wurden, also nachweislich auf dem Fest präsent waren. Klammert man diesen – allerdings umfassenden – Bereich aus, bleibt die Ausbeute speziell für die ersten hundert Jahre des Festes spärlich.

Für das erste Oktoberfest 1810 können die beiden Monde als Bekrönung des zwar noch vorhandenen, aber nicht ausgestellten Königszeltes angeführt werden (Kat. Nr. 19). Das »Hauptbuch des Renngerichts« (1824 ff.), in das die Teilnehmer der Pferderennen eingetragen wurden, lag mit Sicherheit im Organisationszelt des Renngerichts (Kat. Nr. 211). Von den Münchner Schützenketten weiß man, daß sie ab 1816 auf dem Fest jährlich neu verliehen wurden (Kat. Nr. 327). Vom Ringstechen 1860 zeugen noch zwei Lanzen (Kat. Nr. 245). Den Rest der vormals so prächtigen Ausstattung der Preisfahnenträger bilden drei Bekrönungen von Fahnenstangen aus den 1830/50er Jahren (Kat. Nr. 387–389).

Zuschauer beim Pferderennen (Modell für die Ausstellung von Michael Hoffer)

Aus den ersten Jahrzehnten können noch einige Eintrittskarten für die Tribüne aufgeführt werden (1832 Kat. Nr. 61, 232; 1867 Kat. Nr. 233). Allerdings ist bei diesen Stücken die Frage, ob sie überhaupt auf dem Fest im Einsatz waren oder ob sie schon damals lieber direkt den unsterblichen Weg als behördliche Belegstücke in die Akten einschlugen. Von ähnlich geringer Authentizität des wirklich Dabeigewesen sind die gedruckten Huldigungsgedichte (Kat. Nr. 23 ff.). Dagegen gehören vier Lose vom Glückshafen 1871 zu den verbürgten Wies'n-Exponaten (Kat. Nr. 398). Für die Abteilung »Schießen« können erst 1896 zwei abgeschossene Adlerzungen den eindeutigen Nachweis bringen (Kat. Nr. 36). Noch schlimmer ist es um die so renommierte Sektion »Bier« bestellt, für die ein Blechorden des Festwirts Georg Lang (Kat. Nr. 606) und einige nicht einwandfrei oktoberfestgeprüfte Liedertexthefte (zum Beispiel Kat. Nr. 603) herhalten müssen. Es sei denn, der Steyrer Hans hat seinen Spazierstock auch auf dem Fest als Kraftstütze gebraucht (Kat. Nr. 498).

Bei den vorhandenen Schaustellerobjekten setzt die nachweisbare Oktoberfest-Präsenz erst nach dem Ersten Weltkrieg ein. Insgesamt sind es also rund 20 Exponate, die für das erste Jahrhundert des Festes in diesem Zusammenhang in Frage kommen!

Mit den Relikten vom Jubiläumsfest 1910 verbessert sich der Anteil an authentischen Stücken. Trotzdem bleibt er gering. In der gesamten Abteilung »Landwirtschaftsfest« können außer den Preisobjekten und den bereits erwähnten Eintrittskarten (Kat. Nr. 61, 258) keine Objekte gezeigt werden, die seit dem Bestehen 1811 auf der Theresienwiese Verwendung fanden.

Offenbar wird hier, daß die Gegenstände, die für die jeweils aktuelle Durchführung eines Festes notwendig sind, nach ihrem Gebrauch bedeutungslos werden. Dies zeigt sich besonders bei den Dekorationsteilen für Festzüge, deren Kurzlebigkeit durch die einmalige Verwendung bestimmt ist. Die Aufbauten von Festzugswagen zu erhalten, wäre allein räumlich nicht realisierbar, zumal niemand – berechtigterweise – einen Sinn in der Konservierung der Teile gesehen hätte.

Wenn wir heute das historische *Bild* des Festes zusammensetzen, sind wir auf die *sekundären* Quellen angewiesen. Neben den historisch-archivalischen stehen die bildhaften in Form von Gemälden und Graphiken verschiedener Technik. Ab den 1890er Jahren gibt es Fotografien; der erste Oktoberfest-Film wurde 1910 gedreht. Manche Ereignisse aus der Festgeschichte werden nicht zuletzt deshalb als herausragende Höhepunkte immer wieder zitiert, weil sie entsprechend umfangreich bildlich dokumentiert wurden. Die Lithographie-Serie von Gustav Kraus vom Festzug 1835 ist hierzu ein gutes Beispiel (Kat. Nr. 431). Dem stehen andere Festbestandteile von gleichrangiger Bedeutung gegenüber, die von den Bildberichterstattern nicht berücksichtigt wurden. So wurde etwa keine der vielzähligen Huldigungen vor dem Königszelt im Bild festgehalten. Die Schaustellervergnügungen tauchen erstmals auf Graphiken der 1880er Jahre auf, obwohl sie Jahrzehnte vorher schon zum Fest gehörten. Es muß deutlich gemacht werden, daß die erhaltenen Bilder bis hin zu gegenwärtigen Foto- und Filmreportagen geprägt sind von subjektiver Motivwahl, die keine historische Bestandsaufnahme des Festes beinhaltet. Dieser Hinweis ist wichtig, da sich der Großteil der Ausstellung aus diesen Bildquellen als rezipierte Festerlebnisse zusammensetzt.

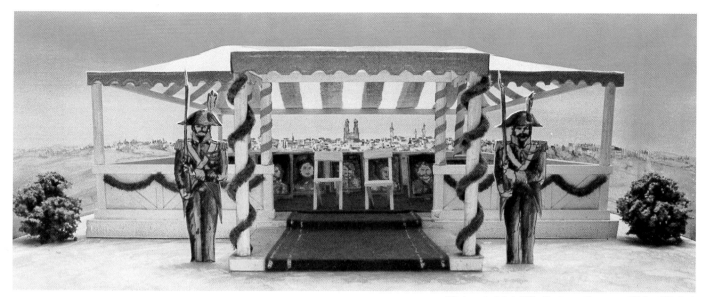

Königszelt (Modell für die Ausstellung von Michael Hoffer)

Bei der Erstellung des Konzeptes erwies sich bald, daß *die* Komponente des Festes, nämlich die Festbesucher, in der Ausstellung nicht *gezeigt* werden kann. Von den Millionen Besuchern des Festes (in den 1820er Jahren waren es bereits 50000 Zuschauer beim Pferderennen, die derzeitige jährliche Gesamtzahl liegt bei 5 Millionen) hat sich noch weniger Zeigbares erhalten als Objekte vom Fest selbst. Das Problem liegt vor allem in der Nachvollziehbarkeit historischen Festerlebens, für das sich allenfalls spärliche Beschreibungen in der Literatur finden. Als Kompromiß wurde versucht, für jede Abteilung möglichst viele Bildbelege auszuwählen, auf denen Festbesucher zu sehen sind, um sie so zumindest indirekt miteinzubeziehen.

Das *Fest* als Ausstellungsgegenstand – dies bestimmte von Anbeginn die Planung der Präsentation. Daß bei diesem Thema die Exponate nicht nur sachlich-trocken an Wände gereiht und in Vitrinen gruppiert präsentiert werden, sondern die ganze Ausstellung zu einem dem Fest entsprechenden Raumerlebnis werden sollte, lag nahe. Als Leitgedanke stand fest, die Exponate zu inszenieren, weshalb die Ausstellungsarchitektur dem Bühnenbildner Michael Hoffer übertragen wurde. Das für den Katalog zusammengestellte Material soll durch die Ausstellungsgestaltung eine zusätzliche Interpretation erfahren, die sich inhaltlich mit dem Konzept deckt.

Bei der optischen Präsentation wird auf Einheitlichkeit verzichtet zugunsten verschiedener Raumprägungen, die den jeweiligen Abteilungen entsprechen.

Durch das behutsam-traditionelle Eingangsportal betritt der Besucher das Areal des ersten Oktoberfestes mit dem Pferderennen. Als zentrales Zeichen für das national-monarchische Gepräge des Festes bis zum Ersten Weltkrieg steht im ersten Raum als Blickfang eine Nachempfindung des Königszeltes, unter dem sich die Abfolge der bayerischen Könige und Königinnen in Gemälden präsentiert. Im Vorfeld werden die gedruckten Texte der Huldigungsgeschichte bewußt auf niedrigen Sockeln vorgeführt, um so den Besucher in die gebückte Haltung vor dem Königszelt zu zwingen.

Nach der Abteilung *Festgeschichte* gelangt man durch die Rekonstruktion des Absprenggatters zum *Pferderennen*, dessen Wände als Markierung den Wiesenboden mit aufwirbelndem Staub tragen.

Die gesamte Abteilung *Landwirtschaftsfest* wird in einer modernen Halle aus Stahlrohrgerüst mit Plastikplane untergebracht, um das Lebendige dieses Festbestandteiles zu vermitteln. Als Stimulans werden hier der haptische sowie der Geruchssinn angesprochen. Typisch für das Durchschreiten der Hallen mit Viehbestand ist der gestreute Boden. Dazu kommt der Stallgeruch der Tiere. Die weiche Trittkraft des Bodens kann ausstellungstechnisch nachvollzogen werden, schwierig wird die Realisierung des Geruches. Neben den geplanten Strohballen als Raumbegrenzung wird man zu direkteren Mitteln greifen müssen. Grundsätzlich ist hier anzumerken, daß die Dokumentation von Geräusch- und Bewegungsabläufen möglich ist – authentischer Geruch kann bisher noch nicht fixiert werden.

Bei der Abteilung *Festzüge* bekommen die flachen Graphiken und Fotos, die als alleinige Exponate zur Verfügung stehen, durch Trachtenfiguren ein plastisches Gegengewicht. Der Besucher bewegt sich entlang von Absperrgittern, wie sie üblicherweise bei Festzügen aufgestellt werden. An der Wand begleitet ihn ein Figurenfries von Trachtengruppen in

Silhouettenmanier. Über Lautsprecher hört man das typische Umzugsgeräusch von herannahenden und sich entfernenden Musikkapellen, deren Spiel sich überschneidet.

Um die Kleinteiligkeit der frühesten *Bierbuden* zu verdeutlichen, wird die Frühzeit der Bewirtung auf dem Oktoberfest hinter der detailgetreuen Rekonstruktion einer Wirtsbudenfassade um 1860 präsentiert. Danach gelangt man in den großen Innenraum eines *Bierzeltes* mit entsprechender Deckendekoration und den kennzeichnenden dumpftrittigen Bodenbrettern. Nicht nur hier macht sich allerdings die für Ausstellungszwecke unzureichende Höhe der Museumsräume von drei Metern bedrückend bemerkbar. Um die Raumassoziation herzustellen, werden Biertische aufgestellt, auf der Platte und darunter am Boden entsprechend real bestückt mit vollen und leeren Maßkrügen, angegessenen Wies'n-Brotzeiten, Zigarettenkippen und sonstigen Spuren der Wies'n-Fröhlichkeit. Neben den wohlgeordneten Wänden bieten die Biertischflächen weiteren Raum für die Präsentation von Exponaten, vor allem Fotos, die der Besucher wie bei der mühseligen Platzsuche im Bierzeltgedränge selbst innerhalb des Ambientes auffinden muß. Der bekannte Geruch von übergeschwapptem Bier am Boden in Schenkennähe muß hier realisiert werden, dazu stimuliert der auf Tonband festgehaltene Originalton aus den Zelten.

Verläßt man das Bierzelt, blinken einem wie auf der nächtlichen Wies'n die Lichter der Abteilung *Schaustellerei* entgegen. Nach einigen Metern stört das hektische Blaulicht eines Unfallwagens – in einer separaten Koje blickt man unvermittelt auf ein Großfoto der Situation nach dem *Attentat* 1980; davor einer der städtischen Abfallkörbe, in dem die Bombe explodierte.

Innerhalb der Abteilung *Schaustellerei* werden die historischen Darstellungen an Graphiken, Plakaten und Fotos mit Karussellstücken und Fassadenteilen von Schau- und Schießständen untermalt, die nachweislich auf der Wies'n in Verwendung waren. Außer der entsprechenden Geräuschkulisse kommen hier zugunsten der vorhandenen originalen Versatzstücke kaum inszenatorische Mittel zum Tragen.

Dem Ausstellungsausklang zum Thema *Festerinnerung* und *Festexport* sollte ein forcierter Schlußpunkt folgen. Nach langen Überlegungen erinnerte sich eine Mitarbeiterin an eine Zeitungsnotiz aus dem Jahr 1983, in der ernsthaft der Vorschlag gemacht wurde, unter der Theresienwiese einen atomsicheren Bunker zur Rettung von Oktoberfestgut zu errichten.

Der Besucher blickt in einen kahlen, betongrauen Bunkerraum, an dessen Wänden sich Fächer mit erkennbaren Umrissen befinden, die »im Ernstfall« rasch mit den oktoberfestspezifischen Objekten bestückt werden können. – Es ist zu hoffen, daß die Stadt München im Jahre 2010 die ganz große Jubiläumsausstellung veranstalten kann und dabei nicht auf klägliche Bunkerbestände angewiesen ist.　　　*Florian Dering*

Ein Riesen-Luftschutzkeller
für die Wies'n?

Weil »im atomaren Zeitalter keine Stadt der Welt hundertprozentig gefeit ist«, hat sich ein »Freundeskreis Oktoberfest 2000« soeben zur Aufgabe gemacht, »das endgültige Aus für das Oktoberfest« zu verhindern. Dies soll unter anderem dadurch erreicht werden, daß die Wies'n als »schützenswertes Kulturgut nach der Haager Konvention anerkannt wird und die einzelnen Aufbauten mit dem entsprechenden internationalen Symbol gekennzeichnet werden dürfen«. Daneben wolle man, wie verlautete, eine »luftschutzsichere Lagerstätte nach dem neuesten technischen Stand erstellen lassen, die ein Mindestkontingent an Ausstattungs- und Aufbaumaterial aufnehmen« könne; wenn möglich, direkt unter der Bavaria. Die Kosten dafür will der Freundeskreis durch eine Inanspruchnahme der gesetzlich vorgesehenen Bundesmittel (Gesetz über den zivilen Luftschutz), aus Spenden, durch Gewinne aus Veranstaltungen »und nicht zuletzt aus eigenen Mitteln« erbringen. Schließlich macht sich der Kreis in Zusammenarbeit mit den Münchner Brauereien noch für ein »ständiges, vor Radioaktivität geschütztes Bierdepot« stark. Es soll durch vierteljährliche Volks- und Altbierfeste finanziert werden.　　　　　　ff.

Zitat: Süddeutsche Zeitung vom 13. 9. 1983

Auswahlbibliographie mit abgekürzt zitierter Literatur

Baumgartner Anton: Ansichten und Empfindungen bey Gelegenheit der baierischen Oktober-Nationalfeste in München. München 1812

Baumgartner 1820 = Baumgartner, Anton: Feyerlicher Auszug zum freyen Pferderennen und zum Vogelschießen bey dem Oktoberfeste 1820 in München. Nebst einer Beschreibung der silbernen Schützen-Ketten und des Dezenniums dieser National-Feste. München o. J.

Baumgartner 1823 = Baumgartner, Anton: Die Oktober-Feste auf der Theresien-Wiese bey München, von 1820 bis 1823. Nebst der Beschreibung der silbernen altbaierischen Regenten-Medaillen. München 1823

Bayerische Fest Spiele auf der Theresien Wiese bey München. In: Eos, Eine Zeitschrift aus Baiern zur Erheiterung und Belehrung. 1815

Beschreibung des großen Pferde-Rennens, zur Feyer der Vermählung Sr.K.H. des Kronprinzen von Baiern, mit I.K.H. d. Prinzessin v. S. Hildburghausen am 17. October 1810. München. Im Comtoir der National-Zeitung. (1810)

Chronik 1985 = 175 Jahre Oktoberfest, 1810–1985, herausgegeben von der Landeshauptstadt München, zusammengestellt von Richard Bauer und Fritz Fenzl. München 1985

Dall'Armi = Dall'Armi, Andreas von: Das Pferde-Rennen zur Vermählungs-Feyer Seiner Königlichen Hoheit des Kron-Prinzen von Baiern. München 1811

Destouches, Säkularchronik = Destouches, Ernst von: Säkular-Chronik des Münchener Oktoberfestes (Zentral-Landwirtschafts-Festes), 1810–1910, Festschrift zur Hundertjahrfeier, herausgegeben von der Stadt München. München 1910

Destouches, Ernst von: Das Münchener Oktoberfest (Zentral-Landwirtschafts-Fest) 1810–1910, Gedenkbuch zur Hundertjahrfeier unter Mitwirkung bayerischer Schriftsteller. München 1910

Destouches, Gedenkbuch 1912 = Destouches, Ernst von: Die Jahrhundertfeier des Münchener Oktoberfestes (Zentral-Landwirtschafts-Fest), Gedenkbuch. München 1912

Ulrich v. Destouches = Destouches, Ulrich von: Gedenkbuch der Oktober-Feste in München vom Jahre 1810 bis 1835. München 1835

Einladung zu den Oktober-Festen auf der Theresien-Wiese bey München 1811

Etwas über die Feyer des Zentrallandwirtschaftsfestes im Jahre 1832. München 1832

Das erste Oktoberfest in München am 10. Oktober 1810, oder Feierlichkeiten bei der Vermählung des damaligen Kronprinzen von Bayern, Seiner Majestät unseres jetzigen allergnädigsten Königs Ludwig I. Beschreibung von einem Augenzeugen. München 1842

Die Feier des Centrallandwirtschafts- oder Oktoberfestes im Jahre 1829. Herausgeber: Central-Comité des landwirtschaftlichen Vereins in Bayern. München 1830

Gallwas, Hans-Ullrich, Peter Gauweiler und Wolfgang Lippstreu: Das Oktoberfest. Ein Lehrstück zur Rechtswirklichkeit. Percha am Starnberger See 1984

Haller, Elfi M., Hermann-Joseph Busley und Christine Pressler: Festzug zur Feier der Jubeljahre des Königs Ludwig und der Königin Therese zu München am 4. Oktober 1835. München 1983

Hazzi, Joseph von: Über das 25jährige Wirken des Landwirthschaftlichen Vereins in Bayern und des Central-Landwirthschafts- oder Oktoberfestes… München 1835

Hoferichter/Strobl = Hoferichter, Ernst, und Heinz Strobl: 150 Jahre Oktoberfest 1810–1960, Bilder und Geschichten. München 1960

Hollweck, Ludwig: Auf geht's beim Schichtl. Geschichte und Geschichten rund um das Oktoberfest. Herausgegeben von Richard Süßmeier. München 1984

125 Jahre Münchener Oktoberfest 1810–1935. Festschrift. München 1935

Lewald = Lewald, August: Das Oktoberfest, im Jahre 1832. Skizzen aus München. München 1832

Lewald, August: Panorama von München, 2 Bde. Stuttgart 1835

Möhler 1980 = Möhler, Gerda: Das Münchner Oktoberfest. Brauchformen des Volksfestes zwischen Aufklärung und Gegenwart. MBM 100. München 1980

Möhler 1981 = Möhler, Gerda: Das Münchner Oktoberfest. Vom bayerischen Landwirtschaftsfest zum größten Volksfest der Welt. München, Wien, Zürich 1981

Münchens Festkalender zur Jubelfeier des Oktoberfestes im Jahre 1835. Herausgeber: F. M. Friedmann und A. Schallbrouck. O.O. und J.

Rudolph = Rudolph, F.: Münchens Octoberfeste. Ein Gedenkblein der bayerischen Nation gewidmet bei Gelegenheit der Vermählung Seiner Königl. Hoheit des Kronprinzen von Bayern. München 1842

Sailer = Sailer, Josef Benno: Das Münchner Oktoberfest in Wort und Bild. München 1907

Spiegel, Sybille: Das Herbstfest 1946 im Trümmermünchen: Kein Oktoberfest, aber eine richtige Wies'n. In: Trümmerzeit in München. Kultur und Gesellschaft einer deutschen Großstadt im Aufbruch 1945–1949. Herausgeber: Friedrich Prinz. München 1984, S. 339–345

Das Volksfest der Baiern im October. Von J. S. München 1825

Kat. Wittelsbach III/2 = Wittelsbach und Bayern, III/2. Krone und Verfassung. Ausstellungskatalog München 1980

Verzeichnis der Abkürzungen

BBV	Bayerischer Bauernverband	MSt	Münchner Stadtmuseum mit den Abteilungen bzw. Beständen:	
BNM	Bayerisches Nationalmuseum	A	Volkskunde	
BSB	Bayerische Staatsbibliothek	K	Kunsthandwerk	
Kat.	Katalog	M	Sammlung Maillinger	
Mon	Monacensia-Abteilung der Stadtbibliothek München	P	Sammlung Proebst	
		PuMu	Puppentheatermuseum	
		T	Textil-Trachten-Mode	
		Z	Sammlung Zettler	
		Slg.	Sammlung	

StadtAM	Stadtarchiv München mit den Beständen:
Av.Bibl.	Archivbibliothek
Hist.Ver.	Historischer Verein von Oberbayern
Hist.Ver.Bibl.	Bibliothek des Historischen Vereins
Okt.	Oktoberfest
ZA	Zeitungsausschnitt-Sammlung
ZS	Zeitgeschichtliche Sammlung

1810: Ein Hochzeitsfest für die Nation

Die Hochzeitsfeierlichkeiten
und das erste Pferderennen auf der Festwiese –
Programm und Programmatik

12. Oktober 1810: Bayern feiert seine erste Kronprinzenhochzeit! Vier Jahre nach der Erhebung Bayerns zum Königreich stand nun die Vermählung des ältesten Sohnes des Königspaares, des Kronprinzen Ludwig, bevor. Die Braut, Prinzessin Therese Charlotte Louise aus dem Duodezfürstentum Sachsen-Hildburghausen, kam nach einem wahren Triumphzug durch Bayern am 10. Oktober in München an. Sie und ihre herzogliche Familie wurden von einer festlich geschmückten Stadt empfangen. Den Straßenrand säumten jubelnde Mengen – schließlich war man begierig, die 18jährige künftige Kronprinzessin persönlich zu sehen.

Fünf Tage lang sollten die offiziellen Feierlichkeiten zur Hochzeit dauern. Gestaltet waren sie im Sinne einer großen Ovation an das Herrscherhaus des jungen Königreiches.

Die Monarchie hatte durch die unpopuläre Anbindung an Frankreich und die daraus folgenden Kriege, durch Gebietserweiterungen und verwaltungstechnische Neuorganisationen die Geduld der Bevölkerung auf eine harte Probe gestellt. Nun bot sich in einer besonders glänzenden und zugleich populären Inszenierung der Kronprinzenhochzeit eine Möglichkeit, die Dynastie der Wittelsbacher zu festigen. Am Tag der Trauung, dem Namenstag König Max' I. am 12. Oktober, zogen nach einer großen Parade die Schützen der Nationalgarde und die Mitglieder der Schützengesellschaft mit Preis- und Ehrenfahnen zur Residenz. Von hier aus ging es zur Schießstätte, wo anläßlich der Hochzeit ein Festschießen veranstaltet wurde; es endete erst am 21. Oktober.

Am Abend des 12. Oktober fand in der Hofkapelle der Residenz die Trauung statt. »Den erhabenen Moment der Trauung verkündeten das Geläute aller Glocken und der Donner der Kanonen. Die geweihte Stunde, sieben Uhr Abends, nahte heran und die ganze Bevölkerung Münchens heiligte sie durch stille Feier und die reinste Freude. Auf dem Hauptplatz ertönten Musikchöre und fernhin klingende Trompeten erschallten von der Gallerie des Petersthurmes.«[1]

Am Abend des folgenden Tages fand die große Festbeleuchtung statt. Ganz München erstrahlte im Lichterschmuck. Mit den Aufbauten zur Illumination auf dem Max-Joseph-Platz (Kat. Nr. 6) war bereits sechs Wochen zuvor begonnen worden. An den öffentlichen und privaten Gebäuden der Stadt leuchteten »transparente Gemälde« (von der Rückseite her angestrahlte Papiertransparente) und Inschriften. So trug

die Fassade des Rathauses ein allegorisches Bild mit Bezug zur Vermählung mit den Wappen des Brautpaares und der Unterschrift »Hymen Augustorum Felicitas Publica«[2]. Am Gebäude der königlichen Akademie der Wissenschaften und Künste leuchteten »Hymens Fackel, und Ludwigs und Theresens Namenszüge von Blumen« mit den Worten: »Der neuen Hoffnung des alten Hauses der Wittelsbacher huldigen Wissenschaft und Kunst.«[3] Auch die privaten Gebäude waren, soweit sich ihre Bewohner dies leisten konnten, aufwendig geschmückt und erleuchtet. Für Kaufleute, Gastwirte, Cafetiers, Weinhändler, Juweliere und Bierbrauer – die besonders gut situierten Kreise der Münchener Bürgerschaft also – bot sich hier die Gelegenheit, einander mit prunkvollen Illuminationen zu Ehren des Königshauses zu übertreffen.

Unter den Adelspalais erregte das des Ministers Montgelas besondere Aufmerksamkeit. »Letzteres war eigentlich hinter einem prächtigen dorischen Tempel verschwunden, der um dasselbe ausgeführt reichlich mit Grün und Blumengewinden geschmückt, und durch die Lichtmassen wie in eine Feuerwohnung verwandelt war.«[4] Schließlich tat sich auch der Bankier Andreas von Dall'Armi mit dem Schmuck seines Hauses am Rindermarkt hervor. Die Fassade trug »eine kolossale Bavaria mit dem ruhenden Löwen und […] mit der Inschrift, die den ganzen oberen Stock einnahm: ›Wittelsbachs Stamm blühe ewig!‹«[5]

An diesem Abend zeigten sich die Straßen Münchens dicht mit Passanten gefüllt. Es fanden sich in der Menge nicht nur Schaulustige, die die Illumination erleben und den Zug der Kutschen ansehen wollten, von welchen aus der Hof die huldigenden Bilder und Inschriften betrachtete. Auch die bei Fürstenhochzeiten übliche öffentliche Ausspeisung lockte die Bevölkerung an. »Die angesehenen Bürger, d. h. welche zur Nationalgarde gehörten, waren mit ihren Familien in vier großen Gasthäusern, bei 6000 an der Zahl, auf königliche Kosten zum Tanz und Abendessen versammelt.«[6] Für »die herbeygeströmten Volkshaufen« dagegen hatte man am Marienplatz, Promenadeplatz, in der Neuhauser Gasse und am Anger »Tische und Bänke hergerichtet, wo man ihnen zu essen und zu trinken bot«[7]. Aktenbelegen zufolge wurden am Abend des 13. Oktober 32065 »Laibln Semmelbrod«, 3992 Pfund Schweizerkäse, über 80 Zentner gebratenes

Schaffleisch, 8120 Cervelat-Würste und 13300 Paar geselchte Würste ausgegeben. Brauknechte verzapften rund 232 Hektoliter Bier; aus sieben Fässern wurden insgesamt knapp vier Hektoliter österreichischer Weißwein ausgeschenkt[8]. 150 Musikanten sorgten für Stimmung unter den Gästen. In zwei Volkstheatern wurden Vorstellungen zu freiem Eintritt gegeben. Sogar die Insassen der Münchener Gefängnisse erhielten Anlaß zur Freude über die Kronprinzenhochzeit: Bereits am Tag der Trauung hatte für sie eine gesonderte Ausspeisung stattgefunden, die von der israelitischen Gemeinde finanziert worden war.

Die Ausspeisung der Bevölkerung anläßlich der Kronprinzenhochzeit ist nicht nur als großzügige Geste des Königshauses zu verstehen. Die Einbeziehung des Volkes entspricht dem traditionellen Verständnis, daß jeder Rechtsakt das Zeugnis der Öffentlichkeit benötigt. Dennoch kann in der öffentlichen Ausspeisung am Abend des 13. Oktober nicht eine bloße ›Pflichtübung‹ der Monarchie gesehen werden. Sie nützte die Gelegenheit, die Bewirtung zu einem großen, werbenden Spektakel für die Dynastie auszugestalten. Die Auswahl des Speisenangebotes genügte nicht nur bescheidenen Ansprüchen und die Menge des Verzehrs läßt darauf schließen, daß ein riesiges Festtreiben die gesamte Innenstadt belebte. Dieser Abend mit der Illumination und der, bereits in der Quelle als »Volksfest« angesprochenen, Einbeziehung der Münchener Stadtbevölkerung stellte die zentrale Festveranstaltung zur Kronprinzenhochzeit dar.

Nach Veranstaltungen wie Opernaufführungen und Bällen in Herkulessaal und Opernhaus, deren Besuch nur einer kleinen Anzahl geladener Gäste vorbehalten war, kam es am 17. Oktober wieder zu einem Ereignis, das auch die breite Bevölkerung mit einbezog: einem Pferderennen. Der Kavallerie-Major der Nationalgarde 3. Klasse, der Bankier Andreas von Dall'Armi – erinnert sei an seine Fassadenaufschrift »Wittelsbachs Stamm blühe ewig!« – hatte ein Schreiben an den König verfaßt, in welchem die Nationalgarde um Erlaubnis bat, eine solche Veranstaltung ausrichten zu dürfen[9]. Zum Austragungsort bestimmte man das weite, unbebaute Areal »vor dem Sendlinger Thore, seitwärts der Straße, die nach Italien führt«[10].

Die Angehörigen der Nationalgarde, des Bürgermilitärs, entstammten führenden Münchener Bürgerfamilien. Seit 1808 eine zentralisierte staatliche Verwaltung geschaffen und damit der städtischen Selbstverwaltung ein Ende gesetzt worden war, übernahm die Nationalgarde praktisch die Repräsentation der Stadt. Die bisher beschriebenen Festveranstaltungen zur Hochzeit wurden vom Staat ausgerichtet. Die Stadt München besaß selbst kein Vermögen, aus dem sie einen Beitrag zu den Feierlichkeiten hätte leisten können. An ihrer Stelle trat nun das gehobene Bürgertum vor und richtete einen solchen Beitrag aus. Mit dem Vorschlag, ein Pferderennen abzuhalten, griff es die ›Tradition‹ der städtischen sogenannten »Scharlachrennen« auf, die in der Zeit von

1780 bis 1786 auf der Jacobidult ausgetragen worden waren. Am 17. Oktober war es soweit. In zwei Zügen marschierte die Nationalgarde mit Musik und Preisfahnen zur Festwiese. Auf die königliche Familie wartete an der ausgesteckten Rennstrecke ein Pavillon. Die Zuschauer sollten sich auf den Hang der westlichen Anhöhe, der einer natürlichen Tribüne glich, begeben.

Die Veranstalter des Pferderennes konnten sich über mangelndes Publikumsinteresse nicht beklagen. Auf dem Hang hatten »unzählige Schaaren Platz genommen. Seit zwei Stunden ergießt sich in drei Armen der Menschenstrom aus der Stadt über die Ebene, ununterbrochene Colonnen von Kutschen rollen dazwischen herbei und erfüllen stundenlang den Rücken, der den weiten Schauplatz einschließt.«[11] Lassen wir Dall'Armi beschreiben, wie es weiterging: »Die Schützen-Gesellschaft hatte das Scheibenschießen eingestellt, damit dieses keine Veranlassung zur Beunruhigung der Pferde gäbe. Die Preise-Fahnen wurden vor dem Pavillon tropheenartig aufgerichtet; zur Linken desselben stellte sich die erste Eskadron mit der Estandarte als Ehren-Wache auf, und die türkische Musik dem Pavillon gegenüber [...] am Fuße des vorbereiteten Amphitheaters. Die übrige National-Garde-Cavallerie vertheilte sich auf dem großen Rennplatze, um ihn geräumt zu halten.«[12]

In die gespannte Stille, die die letzten Vorbereitungen begleiteten, tönte der Donner des Artilleriefeuers. Fanfaren erschollen, die Musik begann zu spielen. Der König kam: »[...] eine Reihe heranfliegender Wagen, welche die höchsten Herrschaften herbeiführen, das freudige Getümmel, durchtönt von dem nahen Donner der Kanonen und den Chören der Musik – alles [...] ist einzig, groß, herzerhebend.«[13]

Nun folgte eine Demonstration besonderer Art: Gekleidet in verschiedene bayerische Landestrachten zog eine Gruppe von 16 Kinderpaaren zum Königspavillon, überreichte dort Blumen und Früchte des Landes und trug der königlichen Familie Huldigungsgedichte vor (vgl. Kat. Nr. 20). Sänger der Feiertagsschulen intonierten ein Lied, dessen Text die Treue der gesamten bayerischen Nation zu ihrem Herrscherhaus bekräftigte (Kat. Nr. 21).

Diese *organisierten* Huldigungen, in welchen einige ausgewählte ›Darsteller‹ als »Repräsentanten der bayerischen Volksstämme« auftraten und die Dynastie der Liebe und Zustimmung des Volkes versicherten, wurden zum ständigen Bestandteil des Programmes *aller* folgenden Nationalfeste auf der Theresienwiese bis zum Sturz der Monarchie.

Nach der Huldigung war im Verlauf der Feier eine Zäsur vorgesehen. Die königliche Familie nahm, bedient von Angehörigen der Nationalgarde, im Pavillon ein Frühstück ein. Auch für die Verpflegung der Festbesucher war gesorgt. Mitten unter den Kutschen auf der Anhöhe, die laut Festdisposition angewiesen wurden, sich hierhin zurückzuziehen, »ragten mehrere Gezelte hervor, in welchen Speisen und Getränke verabreicht wurden«[14].

Nun fiel das Startsignal für das Pferderennen. Es siegte das Pferd des Nationalgarde-Unteroffiziers Franz Baumgartner, der, Dall'Armi zufolge, den Vorschlag zur Veranstaltung des Rennens gemacht hatte.

Den Abschluß des Festes bildeten die Preisverteilung und die Belohnung der Jockeys mit goldenen Medaillen, die zur Vermählung des Kronprinzen geprägt worden waren.

Den Vorschlag, der Festwiese den Namen »Theresens-Wiese« zu geben, nahm der König »von Herzen gerne« an.

Mit dem Pferderennen auf der Theresienwiese 1810 wurde der erste Impuls zur Installierung eines Nationalfestes gegeben, das die Ausrichtung der bayerischen Bevölkerung auf die Haupt- und Residenzstadt und auf das bayerische Herrscherhaus stützen sollte. Es galt, eine Konsolidierung im Königreich herbeizuführen und auch den Bewohnern der hinzugekommenen Regionen die Annahme einer ›bayerischen Nationalidentität‹ zu erleichtern. Das ›gemeinsame Feiern‹ mit dem Monarchen, die gleichsam persönliche Begegnung mit der Königsfamilie konnte familiäres Zusammengehörigkeitsgefühl erzeugen. Ideologisch geprägte Festelemente, Schauereignisse und Vergnügungen sollten bei den folgenden Festen gerade die geeignete Mischung für einen Popularitätszugewinn der Dynastie bieten. *Sabine Sünwoldt*

(Abgekürzt zitierte Literatur siehe S. 17.)
[1] Rudolph, S. 6
[2] *Der Erhabenen Liebesbund ist Glück des Gemeinwohls.* Baierische National-Zeitung, Nr. 241, 15. Oktober 1810
[3] ebd.
[4] *Das erste Oktoberfest in München, beschrieben von einem Augenzeugen,* München 1842, S. 9
[5] Baier. National-Zeitung, Nr. 241
[6] Das erste Oktoberfest, S. 10
[7] Ulrich v. Destouches, S. 2
[8] StadtAM, Bürgermeister u. Rat 653/1
[9] vgl. Dall'Armi, S. 22
[10] Lewald, S. 25
[11] Das erste Oktoberfest, S. 13
[12] Dall'Armi, S. 13
[13] Das erste Oktoberfest, S. 13
[14] Rudolph, S. 10

Weitere Lit.: Artikel der Baierischen National-Zeitung, Nr. 237–244, 10. Oktober bis 18. Oktober 1810; Bayerisches Hauptstaatsarchiv, Geheimes Hausarchiv: Ministerium des kgl. Hauses, Hu 5433 (u. a. »Programm der Feyerlichkeiten«); Kat. Nr. 8, 14

1811 – Ein Fest wird wiederholt

Einer der Chronisten des Oktoberfestes führt aus: »Die Verabredungen und Vereinbarungen zwischen den Gründern und Leitern des ersten Münchener Oktoberfestes und dem Generalkomitee des Landwirtschaftlichen Vereins hatten dahin geführt, daß letzteres kurze Zeit nach dem Feste eine Bekanntmachung erließ, wonach die Volksfeier in der Maximilianswoche fortan alljährlich als gemeinsames Fest begangen werden sollte.«

Was war geschehen? Das Pferderennen von 1810 hatte sich als Publikumserfolg erwiesen – reichte diese Tatsache als Begründung für die Wiederholung eines einmaligen Festes aus? Natürlich nicht.

Das Königreich Bayern existierte in dieser Staatsform erst wenige Jahre. Noch gab es Probleme mit der Identifikation auf seiten der Untertanen. Was lag da näher, als eine allseits Sinn stiftende zentrale Veranstaltung zu erfinden? Was lag vor allem näher – und das ist ausschlaggebend für die Folgezeit –, als das vermeintlich Zweckfreie der Königshuldigung mit dem Nützlichen zu verbinden? Der Landwirtschaftliche Verein hatte dies erkannt und richtete danach seine Praxis, die während des Festablaufs darauf hinauslief, durch das Vorführen von Ergebnissen wirtschaftlicher Leistung Beispiele zu setzen und durch Aufmunterungsprämien und wirtschaftliche Anreize die Wettbewerbs-, aber auch die übrigen Festteilnehmer, in das entstehende Staatswesen einzubinden.

Die verbesserungsbedürftige Landwirtschaft war damals noch Bayerns wirtschaftliche Basis, so daß ein derartiges Fest in engem Bezug zur Landwirtschaft stand.

1811 fand das Fest dann unter Hinzufügung entsprechender Programmpunkte statt. Am 12. Oktober war Münchens Rathaus Ort der Einschreibung für das nun schon bekannte Pferderennen. Einen Tag später wurde das Rennen ausgetragen. 60 Pferde nahmen teil. Sie mußten die 9469 Schuh lange Bahn dreimal umrunden. Die Zuschauer, unter ihnen an hervorgehobener Position in einem Zeltpavillon die königliche Familie sowie die Regierung, konnten sich, anders als 1810, anhand eines gedruckten Verzeichnisses über sämtliche an dem Rennen Beteiligten informieren.

Aus der Hand von Staatsminister Graf Montgelas empfingen die Sieger ihre Geldpreise und die dazugehörigen Preisfahnen. Am dritten Tag erlebte das Publikum auf der Theresienwiese die erste bayerische – und ebenso erste deutsche – Landwirtschafts-Ausstellung, bei der 23 Hengste, 29 Zuchtstuten, 22 Stiere, 31 Kühe, 27 Schafböcke und 3 Schweine zur Auszeichnung durch eine Gruppe von Experten präsentiert wurden. Zu dieser Konkurrenz waren ausschließlich »Privat-Oekonomen« zugelassen, die anhand von Empfehlungsschreiben aus der Feder der entsprechenden Landgerichtsbehörde, des Pfarrers oder des Gemeindevorstehers nachweisen konnten, daß ihr Vieh aus Bayern stammte und von ihnen selbst oder einem anderen »inlaendischen« Landwirt aufgezogen worden war.

Anders als beim Pferderennen gingen die sechs ersten Preise bei der Viehprämiierung ausnahmslos an auswärtige Teilnehmer, in einem Fall gar an eine Frau, die Wirtin Maria Kraus aus Gauting.

Mit einem Viehmarkt, bei dem 1206 Stück Vieh zum Kauf angeboten wurden, endete das solchermaßen erweiterte Fest von 1811. *Burkhart Lauterbach*

Lit.: Destouches, Säkularchronik, S. 19

Kat. Nr. 1

Kat. Nr. 2

1 »Ludwig, Carl, August, Kronprinz von Bayern« (1786–1868)

Johann Georg Raber, Kupferstich nach Gemälde von Moritz Kellerhoven, 37,8×28,5 cm. Bez. u.: »Gemalt von M.. Kellerhoven. Gestochen in Paris von J.. G.. Raber Pensionist S.. M.. des Koenigs von Bayern.«

Halbfigur fast en face mit verschränkten Armen in Generaluniform mit Hubertus-, Georgs- und Militär-Max-Joseph-Orden.
Unten Mitte das Wappen des Königs, dem das Blatt gewidmet ist.

MSt, M II/523

2 Prinzessin Therese Charlotte Louise von Sachsen-Hildburghausen (1792–1854)

Lithographie, 32×26 cm.

Brustbild nach links im Oval mit leicht geneigtem Haupt: die nachdenkliche und anmutsvolle Idealhaltung des jungen Mädchens.

MSt, M II/582

3 Allegorisches Blatt, 1810

»Zur Vermaehlungs Feyer Seiner Koeniglichen Hoheit des Kronprinzen von Bayern und der Durchlauchtigsten Prinzesin Thresia von Hildburgshausen in tiefster Erfurcht gewidmet von

J. G. Rabes Kupferstecher u: k: b: Pensioniste«

Johann Georg Raber, Kupferstich, 28,7×32,3 cm.

Zwei geflügelte Genien – einer mit der hymeneischen Fackel, der andere mit einem Szepter – halten gemeinsam einen Blumenkranz über die antikisch idealisierten Gatten, die sich über einer Opferflamme die Hände reichen. Der Braut mit Diadem nimmt sich die jungfräuliche Pallas Athene mit dem bayerischen Königswappen an, hinter dem lorbeerbekränzten Bräutigam steht eine schleiertragende junonische Frauengestalt mit dem Sachsen-Hild-

Kat. Nr. 3

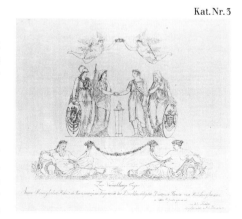

burghausener Wappen. So gehen nicht Ludwig und Therese in individueller Portraitähnlichkeit die Verbindung ein, sondern zwei Fürstenhäuser in allegorischer Überhöhung.
In der Sockelzone des streng symmetrisch komponierten Blattes lagern zwei Flußgottheiten, deren Blumenfüllhörner durch eine Blütengirlande verbunden sind. Wenn der bärtige Greis und die junge Frau nicht mit Sicherheit als die Flüsse Danubius (Donau) und Werra zu deuten sind, so doch als sich vereinigendes männliches und weibliches Lebensprinzip, denn das Wasser aus ihren beiden Urnen fließt in einen gewundenen Strom zusammen und strebt dem Horizont mit der heraufsteigenden Sonne zu. Die Darstellung verwendet in allgemeiner Sphäre gehaltene Zitate antiker Reliefskulptur und erinnert besonders an Vermählungsszenen in der Sarkophagplastik.   BK

MSt, M I/1826

4 Hochzeitskleid und Schleppe der Kronprinzessin Therese

Kleid: Länge 125 cm, Weite am Saum 276 cm; Schleppe: Länge 275 cm, Weite 150 cm.

Bodenlanges, tief dekolletiertes Empirekleid mit Puffärmeln aus rosa Seidenatlas. Das Überkleid aus naturfarbener, geklöppelter Seidenspitze mit Silberfaden hat ein in Längsstreifen angeordnetes Muster aus Kränzen und Blattstäben. Provenienz der Blonden (Spitzen) aus einem franco-flämischen Spitzenherstellungszentrum, vielleicht Lille. Schleppe auf einem Taillenband ansetzend. Silberstickerei mit motivisch vom Kleid übernommenen Laubkränzen und einer breiten Akanthus-Palmetten-Ranke längs der Kanten.
Laut altem Katalogeintrag befand sich bei dem Kleid eine (nicht mehr auffindbare) handschriftliche Notiz König Ludwigs I., der die Erinnerungsstücke 1858 dem Bayerischen Nationalmuseum schenkte.

Lit.: Kat. Wittelsbach III/2, S. 626f.
BNM, T 5296–97

Ansicht der großen Illumination auf dem Max Josephs Plaze zu München bey der Vermählung Sr. K. H. des Kronprinzen von Baiern mit I. D. der Prinzeßin Therese von Sachsen Hildburghausen.

Kat. Nr. 6

5 Jeton, 1810

Silberprägung, ⌀ 2,2 cm.

Auf der Vorderseite: »LVDOVICI PRINC. HAERED. BAV ET THERESIAE SAXON. NVPTIAE CELEB. MONACH. XII OCTOB. MDCCCX« (Hochzeit von Kronprinz Ludwig und Theresia von Sachsen, gefeiert München 12. Oktober 1810); Rückseite: »LAETITIA PVBLICA« (Volksfreude), Umkränzung mit Lorbeer- und Rosenzweig.

Jetons sind Auswurfmünzen, die bei besonderen Anlässen unters Volk verteilt – geworfen wurden.

Privatbesitz, München

Kat. Nr. 5

6 »Ansicht der großen Illumination auf dem Max Joseph Plaze zu München bey der Vermählung Sr.K:H: des Kronprinzen von Baiern mit I:D: der Prinzeßin Therese von Sachsen Hildburghausen.«, 1810

Heinrich Adam, Radierung, 18,8×24,6 cm. Bez. u. r.: »H. Adam fec.«.

Hauptattraktion der Stadtillumination am Abend des 13. Oktober war die effektvoll beleuchtete »architektonische Dekoration« an der Ostseite des Max-Joseph-Platzes. Sie wurde nach Plänen des Hofbauintendanten Johann Andreas Gärtner, des Vaters Friedrich von Gärtners, ausgeführt.

Als Hintergrund der Aufbauten waren Tannen aufgerichtet worden, »die durch ein magisches Licht von unten her beleuchtet, ihre Gipfel in der dunklen Nacht verlieren, und so einen ungewöhnlich schönen Anblick gewähren«. Vor dem Tannenhain erhob sich ein klassizistischer Tempelbau von ca. 13 m Giebelhöhe und 8 m Breite. Auf dem Architrav, der von sechs ionischen Säulen gestützt wurde, leuchtete die Inschrift »Tempel der ehelichen Eintracht«. Durch die Säulen blickte man auf die Statuen eines Mannes und einer Frau, die sich über einer Opferflamme die Hände zur Vermählung reichten. Vier Nischenfiguren stellten die Stärke, Schönheit, Weisheit und die Güte dar. Im Giebelfeld des römischen Frontispizes war eine von zwei Genien flankierte Figur der Fama zu sehen. Vor dem Tempel wölbte sich ein mit 80000 vielfarbig funkelnden Glassteinen besetzter Doppelbogen. In den transparenten Füllungen seiner Piedestale war zu lesen: »Heil Dir Ludwig!« und »Heil Dir Therese!«

Seitlich begrenzt wurde die Architektur von zwei 16 m hohen Säulen, die auf ihren ionischen Kapitellen vergoldete Feuerschalen trugen. Säulen- und

Bogenpiedestale waren durch über 6 m hohe und je 35 m lange »Mauern« verbunden. Hier waren sechs von der Rückseite her erleuchtete Papiertransparente eingesetzt. Diese sogenannten »transparenten Gemälde«, nach Skizzen Angelo Quaglios vom Historienmaler Andreas Seidl ausgeführt, stellten die »merkwürdigsten Thaten der aus der königl. Familie abstammenden Fürsten von Christian von Pfalz-Birkenfeld bis auf Seine K. Hoheit den Kronprinzen von Baiern« dar:

I. »Christian I. nimmt Stadt und Schloß bey Heidelberg ein, am 24. Mai 1633.«
II. »Christian II. zeichnet sich im Treffen bey St. Gotthard gegen die Türken aus. 22. Jul. 1664.«
III. »Christian III. pflanzt bey dem Sturm von Barcellona zuerst seine Fahne auf die Wälle. 7. Aug. 1697.«
IV. »Friedrich befreyt Dresden. 4. Sept. 1759.«
V. »Maximilian Joseph erwirbt sich mehr als eine Krone. 1799. 1806.«
VI. »Ludwig siegt bey Pultusk. 16. Mai 1807.«

Zur Thematik der Gemälde korrespondierend leuchteten in den Säulensokkeln die Worte: »Solche Väter«, »Solche Söhne«.   SS

Lit.: Kat. Nr. 7, 8
StadtAM, Hist. Ver., Ang. I/68, Beilage

7 Beschreibung der Stadtillumination zur Hochzeit 1810

»Beschreibung der großen Illumination auf dem Max-Joseph-Platze zu München, bei der Vermählung S.K.Hoheit des Kronprinzen von Baiern mit Ihro Durchl. der Prinzessin Therese von Sachsen-Hildburghausen am 13. Oktober 1810. München, im Comptoir der k.priv.baier.Nationalzeitung.«

8 S., 8°.

StadtAM, Hist. Ver., Ang. I/68

8 Denkschrift zur Stadtillumination anläßlich der Hochzeit 1810

»Denkmäler der Liebe. Oder vollständige Sammlung aller Devisen und In-

schriften bei der feierlichen Beleuchtung Münchens am Abend 13ten Oktober 1810. Zum Andenken der glücklichen Vermählung Seiner Königl. Hoheit des Kronprinzen von Baiern mit der durchlauchtigsten Prinzessin Theresia Carolina von Sachsen-Hildburghausen.« München o. J.

24 S., 8°.

StadtAM, Hist. Ver., Ang. I/71

9 Beschreibung der Preise beim Festschießen der Münchener Schützengesellschaft, dat. 19. September 1810

2 Bl., Typendruck, als Brief gefaltet und handschriftlich adressiert »an den königlichen Stadtmagistrat«, laut handschriftlichem Zusatz dort eingegangen am 27. September 1810, 34×21,5 cm.

Das Festschießen begann am 12. Oktober 1810, dem Tag der Fürstenhochzeit. Es waren Preise bis zu 100 fl. ausgesetzt; veranstaltet wurde ein Schießen auf Haupt-, Kranz- und Glückscheibe sowie ein Schießen auf den laufenden Hirsch (bewegliche Scheibe in Form eines Hirsches). Mit der Preisbeschreibung ist eine Einladung zur Teilnahme verbunden.

StadtAM, Bürgermeister u. Rat 653/1

10 Andreas Michael Edler von Dall'Armi (1765–1842)

Friedrich John, Punktierstich nach Gemälde von Johann Georg Edlinger, um 1790, 14,5×11 cm. Bez. unter dem Bildnisoval: »Painted by Mr. Edlinger. Engrav'd by F. John«.

In Trient als Kaufmannssohn geboren, erwarb Dall'Armi in München Bürgerrecht und Handelsgerechtigkeit. Er heiratete die reichste Erbin der Stadt und wurde neben seinem Schwager Jacob Nockher der bedeutendste Münchner Bankier und 1792 geadelt. Als Vorstand von Unternehmen wie der Getreidemagazingesellschaft, Salzhandelsgesellschaft und Staatsschuldentilgungskommission bewies er Geschäfts- und Bürgersinn.
Dall'Armi hat als Major der Bürgerkavallerie der Überlieferung nach die Idee des Unteroffiziers Franz Baumgartner aufgegriffen und das erste

Kat. Nr. 10

Pferderennen 1810 organisiert. Er vermittelte auch die Bitte der Nationalgarde und König Max' Bewilligung, die Wiese nach Kronprinzessin Therese benennen zu dürfen. Schließlich stellte er die Beschreibung des Pferderennens 1810 (Kat. Nr. 15) mit ihren dokumentarischen Beilagen und Vorschlägen zur »zweckmäßigen Verherrlichung« für die Zukunft zusammen. 1824 erhielt er dafür die erste goldene Bürgermedaille von München.   BK

MSt, M I/1518

11 Uniformen des Münchner Bürger-Militärs

Kolorierte Lithographien aus: Das Münchner Bürger-Militär [...] hrsg. v. V. Kolb, München 1834–36.

1. »Infanterie Offizier. 1807.«

24,5×16 cm.

Im Feldherrengestus, blaue Uniform, Zweispitz mit Kokarde, Epauletten, Schärpe, Degen.

2. »Infanterist. 1807.«

24,5×16 cm. Bez. u. r.: »A« (Spiegelschrift).

Zweispitz, Gewehr mit Bajonett, Säbel, Patronentasche.

3. »Grenadier Tambour. 1807.«

22,8×15 cm.

Bärenfellmütze, Schulterstücke mit Königsinitialen, große Trommel mit Tragegurt und Kniepolster.

Die Erhebung Bayerns zum Königreich brachte umfassende Militärreformen mit sich. In Abkehr vom zusammengewürfelten Söldnerheer rekrutierte sich das aktive königlich bayerische Heer nur mehr aus Landeskindern und besaß durch Patriotismus inneren Zusammenhalt. Die bisher freiwillige Bürgerwehr aber wurde nach französischem Vorbild 1809 in eine Nationalgarde umgewandelt, um die allgemeine Wehrbereitschaft der Bürger zu wecken – im wesentlichen ein Werk des Ministers Graf Montgelas. Die Nationalgarde I. Klasse wurde 1810 ins stehende Heer übernommen; die II. Klasse war zu Verteidigungsaufgaben innerhalb des Königreichs verpflichtet. Die Nationalgarde III. Klasse war eine Bürgerwehr ausschließlich für polizeiliche Aufgaben, die den staatlichen Behörden unterstand. Sie setzte sich aus Männern bis zum 60. Lebensjahr zusammen.

Anton Baumgartner, der spätere Oktoberfestchronist für die Jahre bis 1825 verfaßte ein Bändchen »Ueber die Entstehung und Organisirung des Bürgermilitärs in Baiern [...] bey Gelegenheit der feyerlichen Bürgerfahnen-Weyhe daselbst den 12ten October 1808« (München 1808). Darin heißt es über die durch königliche Reskripte 1807 neu festgelegten Uniformen: »In seiner eben so einfachen, als wohlbildenden Uniform erscheint bereits der neue Bürger überall bey seiner Bürgeraufnahme: und diese gleichen Uniformen bringen unter den Männern, welche sie tragen, auch unwiderstehlich eine gewisse Annäherung hervor. Wo der Baier, und Tyroller, der baierische Franke, und Schwabe sich treffen, reichen sie sich freundlich die Hand, und sehen sich als Brüder einer Familie an. Die Herren Offiziers der Linienregimenter begegnen mit Achtung [das entsprach mehr dem Wunschdenken als der Realität] den Männern, welche von einem reinen Gefühle der Ehre belebt, es der militärischen Vollkommenheit nahe zu bringen suchen, um sich dadurch immer mehr zu einem patrio-

Grenadier Tambour 1807.

Kat. Nr. 11.3

tischen Bunde mit ihnen zu vereinigen – gleichwie das nämliche Nationalzeichen, welches Seine Majestät der König trägt, als Kokarde auf allen unsern Hüten glänzt, und uns als Brüder und Unterthanen zu einem und dem nämlichen Nationalzweck verbindet« (Sp. 67). Diese Verbundenheit kommt auch 1810 aus der Einladung der Nationalgarde-Abordnungen anderer Städte zum Pferderennen zum Ausdruck. Die ersten Bildfolgen der neuen Uniformen stellte 1807 jener Ferdinand von Schiesl her, der auch den Plan des ersten Rennens (Kat. Nr. 18) gezeichnet hat, und der Kreisrat und Musterungs-Commissär Felix von Lipowsky, der Mitorganisator von 1810, machte sei-

nen »Bürgermilitär-Allmanach für das Königreich Bayern« (München 1809) zu einem Handbuch aller Vorschriften für Ausstattung und Verhalten des Bürgermilitärs, aller Verdienstmedaillenträger und der Offiziersbesetzung in 118 bayerischen Orten. Die Infanterie (Füsiliere und Grenadiere) trug blaue Uniformen mit hellblauen Vorstößen usw., die Schützen Dunkelgrün mit graumeliertem Beinkleid, die Artillerie Hechtgrau mit Rot und roten Federbusch.

Im Lauf ihres Bestehens seit dem Spätmittelalter hatte die Bürgerwehr in zunehmendem Maße repräsentative Funktionen bei festlichen Ereignissen nicht nur der Städte, sondern auch des Fürstenhauses wahrzunehmen. Die vornehmsten Aufgaben – Ehrengeleit und -wache für höchste Herrschaften – blieb der Bürger-Kavallerie vorbehalten, in der wiederum die vermögenderen Bürger dienten, die über Pferde verfügten.

Wenn die Bürger Gehorsam gegen die Obrigkeit und Achtung für das königliche Militär zeigten, gaben sie – wie Baumgartner das Wünschenswerte als Faktum formulierte – »tägliche Beweise, daß sie ihre Gränzlinien kennen, daß sie sich mit neuer Betriebsamkeit ihren Gewerben, als ihrer ursprünglichen Hauptbestimmung wiedmen, und durch dieses solide Betragen den Ehrenplatz zu behaupten verstehen, den als Lohn für ihre bewiesene Treue Seine königliche Majestät ihnen anzuweisen geruhten«. BK

MSt, Z 2138/16–18

12 Festzugsfahne, 1910, mit dem Motto des Kronprinzen Ludwig

Leinen, bemalt, 112×118 cm.

Im Mittelfeld Schriftzug in Eichenlaub- und Lorbeerkranz: »Volksfeste freuen mich besonders. Sie sprechen den Nationalcharakter aus, der sich auf Kinder und Kindeskinder vererbt.« Umrahmung mit weiß-blauen Wecken, Goldfransen, identische Rückseite. Fahnenblatt auf Querstange montiert,

Kat. Nr. 12

Garde dritter Klasse. Dall'Armi, Major.« gibt das Programm für die Feierlichkeiten am 17. Oktober 1810, dem Tag des Pferderennens, bekannt.

StadtAM, Okt. 3

15 Denkschrift zum ersten Pferderennen auf der Theresienwiese, 1810

»Das Pferde-Rennen zur Vermählungs-Feyer Seiner königlichen Hoheit des Kron-Prinzen von Baiern. Veranstaltet von der Cavallerie-Division der königlich-baierischen National-Garde dritter Klasse zu München am 17. Oktober 1810. München 1811«

46 S., 8°.

Im Anhang: Aufzeichnungen zur Benennung des Areals, Plan des Geländes 1810, Huldigungslied mit Text und Musiknoten. Verfasser der Schrift A. von Dall'Armi.

StadtAM, Hist. Ver., Ang. 73 b

16 Das Pferderennen auf dem Münchner Oktoberfest 1810

Peter Heß, 1810, Öl auf Leinwand, 72×101 cm.

In einem rückblickenden Dankschreiben von 1824 berichtet Andreas von Dall'Armi, daß er selbst und einige Kunstfreunde den gerade 18jährigen Akademieschüler Peter Heß dazu ermuntert hatten, als einen ersten größeren Versuch das Pferderennen vom 17. Oktober 1810 darzustellen. Es wurde also rechtzeitig an einen zur Vervielfältigung geeigneten bildlichen Augenzeugenbericht gedacht, den Heß »zeichnete, und hierauf auch zwey Kupfer-Platten in der Art gravierte, daß die Eine derselben vollständige schwarze Abdrücke gibt, während die Andere, in bloßen Contouren graviert, nur für Abdrücke bestimmt ist, welche coloriert werden und gleichsam als Original-Handzeichnungen erscheinen sollen«, um damit »eine bleibende Beurkundung jener ersten Feyer dieser Art in Bayern, oder vielmehr der erfreulichsten Veranlassung dazu, und

auf beiden Seiten vormals hellblau-weiße Seidenbänder.

Diese Worte und die auf der Fahne Kat. Nr. 13 äußerte Kronprinz Ludwig gegenüber der Deputation, die ihm das mit 4. Oktober 1810 datierte Einladungsschreiben zum Pferderennen überbrachte. Als programmatisches Motto für die Entstehungsgeschichte und Weiterführung des Festes wurden diese Sätze 1910 auf Fahnen gemalt und beim Historischen und Huldigungsfestzug von zwei Pagen in weiß-blauen Kostümen zu Pferd mitgeführt.   FD

Lit.: Destouches, Gedenkbuch 1912, S. 68; Destouches, Säkularchronik, S. 12
MSt, XII 131/4

13 Festzugsfahne, 1910

Leinen, bemalt, 112×118 cm.

Im Mittelfeld Schriftzug in Eichenlaub- und Lorbeerkranz: »Ich wünsche auch Kinder zu erhalten und sie müssen gute Bayern werden, denn sonst würde ich sie minder wünschen können, der König, mein Vater, hat mich auch zum guten Bayern gebildet«, identische Rückseite, sonst wie Kat. Nr. 12.

MSt, XII 131/4

14 »Disposition des Festes«, 11. Oktober 1810

2 Bl., 35,5×22,5 cm.

Die Disposition, vorgelegt »von Seite der Cavallerie-Division der National-

Kat. Nr. 16

des damahligen Geistes der Zeit zu hinterlassen«.

Die erstgenannte Ausführung ist eine Radierung mit kräftigen Schraffuren und dadurch gedrängter plastischer Gesamtwirkung (43,2×54,5 cm, bez: P: L: Hess fecit aqua forti. München 1810«, MSt, Z 1661). Die Bilderläuterung betont, daß das Rennen »von der Cavallerie der National Garde 3^r Klaße« veranstaltet wurde und das Blatt dem Königspaar in tiefster Ehrfurcht »von den Theilnehmern an den October-Festen« gewidmet ist. Der Konturenstich (Kat. Nr. 50) legt nur die zarte Umrißzeichnung fest und tritt hinter die individuelle Leistung des Koloristen zurück. Der Auftraggeber Dall'Armi hatte die Originalzeichnung und die beiden Druckplatten in seinem Besitz; dazu ein koloriertes Exemplar, welches er »von dem Herrn Miniaturmahler Rummel bereiten ließ, und das Herr Hofmahler Heß auch noch zu vidimiren [als richtig zu beglaubigen] die Güte hatte, so daß es für weitere derlei Colorierungen fernerhin zum Modell dienen kann«. Dieses Erinnerungsblatt der Bürgerkavallerie setzt den Blickpunkt hinter einer lebhaft gruppierten Zuschauermenge auf halber Hanghöhe kurz vor dem Königszelt an. Als Zeitpunkt ist das Einlaufen der ersten fünf Rennpferde in die Zielgerade unmittelbar vor den Preistrophäen gewählt. Am Horizont links die Stadtsilhouette von der Theatinerkirche bis zum dominanten Block des im Bau befindlichen Allgemeinen Krankenhauses, das sich 1810 wohl noch nicht so vollendet präsentierte und erst 1813 bezugsfertig war. Das Königszelt ist schräg von links vorne gesehen und fast genau in der Bildmitte plaziert. Die erste Eskadron Kavallerie bildet rechts die Ehrenwache, die Grenadierkompanie mit dem Musikkorps der Schützen links. Hinter ihnen sind die übrigen

27

Züge Kavallerie aufgestellt, hinter dem Zelt selbst wartet der Fuhrpark des Hofes. Besonders durch diese fast bildrandparallele Aufreihung des Bürgermilitärs bekommt die Darstellung eine ›erzählerische Breite‹ mit Betonung des zentralen Pavillons.

Möglicherweise als Alternativentwurf zu diesem Erinnerungsblatt schuf Heß eine zweite Ansicht dieser Szenerie. Der weiter nördlich in der Kurve gewählte Standpunkt bringt es mit sich, daß das Königszelt von der Schmalseite und in größerer Distanz zu sehen ist. Von dieser Komposition existieren eine akribisch detaillierte, aquarellierte Federzeichnung (Staatl. Graphische Sammlung München, 1910:51) und das hier gezeigte Ölbild (dessen Auftraggeber nicht bekannt ist). Dem amphitheatralischen Hang mit der Volksmenge wird größerer Raum gegeben; statt auf die Ehrengäste im Zelt und die huldigenden Kinder darunter fällt der Blick hier auf die türkische Musik, die sich laut Fest-Disposition dem Zelt gegenüber zwischen den Sängern der Feiertagsschule aufgestellt hatte. Die Fronten der Ehrenwache sind nur noch in Verkürzung zu sehen, dafür bekommen die Hangtribüne und der ganze kompositorische Reichtum des Publikums größeres Gewicht. Die anekdotischen und dramatischen Gruppen daraus sind jedoch mit geringfügigen Abweichungen in beiden Bildvarianten die gleichen, zum Beispiel das scheuende Pferd, vor dem eine Dame flüchtet, das Figurenknäuel um eine Chaise im Zentrum, jubelnde, anfeuernde oder galant-desinteressierte Zuschauer, der Bettelknabe und die Obstverkäuferinnen mit ihren Körben. Über allem die momentanen Elemente der in die Luft geworfenen Hüte und der grünseidenen schwebenden Sonnenschirmchen. Auf der Anhöhe eine geschlossene Reihe von Kutschen, die nach Anweisung der Disposition »hinter den Zelten der Traiteurs sich zurückziehen« sollten.

Beachtenswert ist, daß im Ölgemälde die insgesamt sechs zuerst einlaufenden Pferde in genau der Reihenfolge der Färbung dargestellt sind, die sie laut Rennverzeichnis hatten, allen voran zwei Apfelschimmel (sogar in der Radierung erkennbar); bei den später kolorierten Konturenstichen wurde darauf nicht immer geachtet.

Gegenüber der ›breiten‹ Darstellungsform des Erinnerungsblattes ist die des Ölbildes als ›zugespitzt‹ zu bezeichnen: Die perspektivische Flucht der militärischen Reihen, der Zuschauerkurve und des Wolkenzuges entspricht dem spannungsvollen Augenblick, da die Pferde erst die letzte Biegung durchlaufen. In dieser Version sind das Rennen und die Anteilnahme des Publikums der Bildgegenstand, in der anderen Fassung steht die Ehrenwache der Nationalgarde mit dem Königszelt im Mittelpunkt, und natürlich entsprach dies den Vorstellungen des Auftraggebers von einem Erinnerungsblatt.

So nimmt es auch nicht wunder, daß von dem Konturenstich ein Abdruck existiert (MSt, 28/800), in dem die zentrale Vordergrundsgruppe aus einem nach links weisenden Herrn und zwei Damen ersetzt ist durch vier Griechen (einer in Pluderhose, zwei im weißen Leibrock, der vierte ein Geistlicher in Schwarz). Die Vermutung liegt nahe, daß zu einem Zeitpunkt nach der Wahl Ottos zum König von Griechenland (1832) die Hellenen ›bildlich‹ unter das bayerische Volk gemischt wurden, um als Zeichen der Verbundenheit beider Nationen durch das Königshaus an dem historischen Ereignis teilzuhaben (Abb. in: Chronik 1985, S. 27).

Peter Heß erhielt später als Maler überwiegend militärischer Ereignisbilder zahlreiche Aufträge von Ludwig I. Er begleitete und dokumentierte auch Ottos Einzug in Griechenland. In seinen Schlachtengemälden gelang ihm wirkungsvolle Massenverteilung bei unbestechlicher Detailschilderung. Durch die Dramatik der Komposition und die Wärme des Kolorits unterscheidet er sich von den Anregungen Kobells. BK

MSt, II b/104

17 Das erste Pferderennen auf der Theresienwiese zu München am 17. Oktober 1810

Wilhelm von Kobell, 1810/11, Öl auf Leinwand, 77×134 cm.

Während der jugendliche Peter Heß als ein Erstlingswerk das erste Pferderennen im Auftrag der Veranstalter malte, entstand das Gemälde von Kobell auf Befehl des wichtigsten Ehrengastes, des Kronprinzen Ludwig. Der damals 44jährige Kobell war der vielbeschäftigte Schlachtenmaler Ludwigs. Seit 1808 arbeitete er an einem großen Schlachtenbilderzyklus von den Waffentaten der neubayerischen Truppenverbände. Zwischen dem »Treffen bei Pultusk« (das auch die Illumination bei der Hochzeit, Kat. Nr. 6, verherrlichte) und der »Schlacht bei Wagram 1809« malte Kobell das Pferderennen und bestätigte im Juli 1811 die Fertigstellung. Auch die Radierung (Kat. Nr. 49) ist 1811 datiert.

Von der Höhe des »Sendlinger Berges« herab – nach Beschriftung der zugehörigen Radierung »gezeichnet an dem Filserbräu-Stadel« – umfaßt der Blick das gesamte Oval der Rennbahn. Entsprechend der stets vor Ort studierten Topographie der Schlachten ist hier das Ereignis als Topographie des Festes dargeboten. In der Stadtsilhouette dominiert das neue Krankenhaus noch stärker als bei Heß. Dem Ausschnitthaften und dadurch Dramatischeren bei Heß steht in der Gesamtschau der ›Feldherrnblick‹ des geübten Schlachtenmalers gegenüber. Diese Ansicht läßt die Beobachtung zu, daß die Wiesenfläche sich in unterschiedlich grüne Felder aufteilt: die Anger gehörten verschiedenen Grundbesitzern und hatten durch den verschiedenen Zeitpunkt der Mahd ungleiche Färbung. Die Wiese ist von einem geschlossenen Zuschauerring umgeben; das ganze auseinandergezogene Feld der Rennpferde bewegt sich durch die Nordkurve auf das Ziel zu. Die Farbe der in Führung liegenden Pferde stimmt ebenfalls mit der Siegerliste überein. Das Königszelt ist ins rechte Bildviertel

Kat. Nr. 17

gerückt. Zwischen den Reihen der Ehrenwache steht vor dem Königszelt eine große Zuschauermenge. Das entspricht wohl mehr der Realität, als wenn Heß dort nur die Huldigungs-Kinder zeigt, an deren deutlicher Darstellung seinem Auftraggeber gelegen war. Dagegen ist vom königlichen Fuhrpark nichts zu sehen. Im Inneren des Pavillons, der proportional größer erscheint und auf dem die Mondsicheln nur eben zu ahnen sind, drängt sich der Hofstaat zu beiden Seiten und auf den Treppen. In der Zeltmitte stehen das Königs- und das Kronprinzenpaar allein.

Auch Kobell komponiert den Vordergrund mittels der vielgestaltigen Volksmenge. Vom dichten Ring der dem Rennen zugewandten Zuschauer zum Betrachter hin breitet sich eine Fülle von Einzelfiguren und Gruppen aus,

Trachten aus Stadt und Land, zahlreiche Kinder und Hunde, Händlerinnen mit ihren Körben, plaudernde und hingelagerte Festbesucher. Aber die Figuren wirken ruhiger, isolierter und vom Betrachter distanzierter als bei Heß. Ganz vorn läuft ein Rennknabe. Er bringt den Bewegungszug der entfernten Pferde auch in den Vordergrund und zeigt zugleich seine Montur: uniformartige blaue Jacke mit roten Aufschlägen, Schirmmütze, helles Beinkleid, Stiefel, Peitsche. Dem rechten Bildrand entspricht die Kammlinie der Anhöhe; hinter wartenden Zuschauerkutschen wird eines der Bewirtungszelte der »Traiteurs« sichtbar, danach die Sendlinger Kirche.

Dramatisches spielt sich bei Kobell nur im kleinsten Maßstab ab, etwa wenn links vor der Pappelreihe der Landsberger Straße ein scheuendes Pferd,

das den Rennbuben abgeworfen hat, Aufregung im Publikum verursacht, oder wenn auf der diagonal entfernten Seite der Rennbahn sich der Ring auflöst und die Zuschauer über die bisher völlig freigehaltene Wiese zur Preisverteilung auf den Pavillon zulaufen. Bei der künstlerischen Gestaltung des Rennens selbst lehnte sich Kobell an die verbreiteten englischen »sporting prints«, graphische Reproduktionen von Pferden und Pferderennen, an.

Während der Zuschauervordergrund kräftige lange Schlagschatten von der westlich stehenden Sonne zeigt, sprengen die Rennpferde wie in einem Wolkenschatten über milchiges Grün daher, ohne selbst Schatten zu werfen (das kann auch durch eine frühe Restaurierung bedingt sein). Der Oktoberhimmel ist von ungeheurer Höhe und Klarheit; er nimmt mehr als die

Hälfte des Bildes ein. Wo er am Ende der Stadtsilhouette an den flachen Horizont stößt, türmt sich eine leuchtend weiße Cumuluswolke über dem nur angedeuteten Gebirge und gibt der großen, doch umgrenzten Raumweite ihre Tiefendimension voll Ferne.

Gegenüber dem warmtonigen und bei aller Raumtiefe enger gefaßten Ölbild von Heß läßt Kobell die Landschaft vor München auch durch die kühle Farbigkeit distanziert-erhaben wirken; er reiht so das Bild im Sinne seines Auftraggebers in seine Darstellungen großer historischer Ereignisse ein.   BK

MSt, II b/33

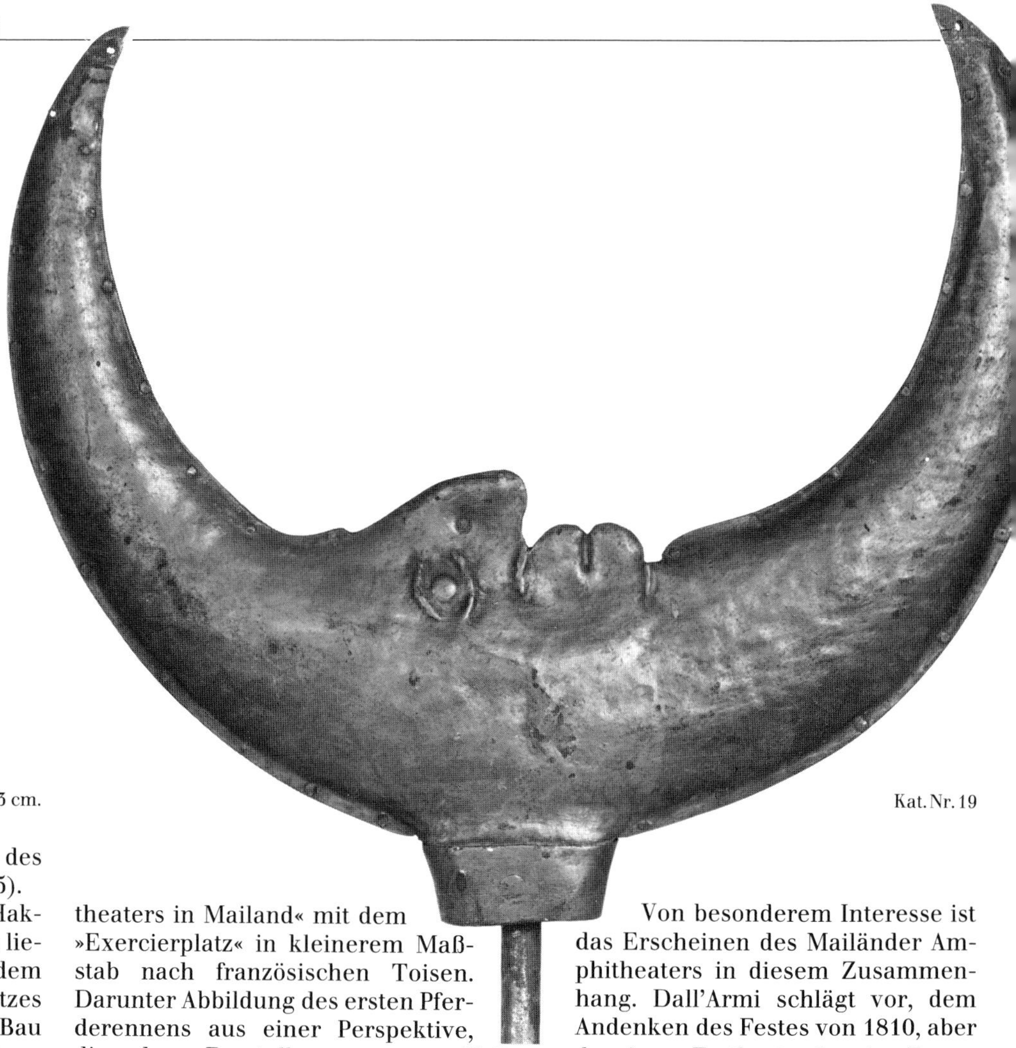

Kat. Nr. 19

18 »Plan der Rennbahn vom 17ten October 1810«

Ferdinand von Schiesl, Steingravur, 34×33,3 cm. Bez. u. M.: »Schiesl 1810 f.«

Der Plan ist die »Beylage XXI« des Büchleins von Dall'Armi (Kat. Nr. 15). Rechts unten die Stadtmauer des Hakkenviertels mit den vor der Bastion liegenden Anwesen und Gärten. Vor dem Rondell des Sendlinger-Tor-Platzes liegt der mächtige Block des im Bau befindlichen Allgemeinen Krankenhauses (heute die Medizinische Klinik) mit seinen Anlagen. Bis zur Landsberger Straße im Norden (= rechts) und zum »Sendlinger Berg« im Westen erstreckt sich »Theresens Wiese«, die also damals noch »bei München« lag. Auf ihr sind das Königszelt mit Zufahrtsstraße, die Hangtribüne und sechs Zelte der »Traiteurs« auf der Anhöhe eingetragen, außerdem die größere erste Rennbahn von 11 200 Schuh und eine von Dall'Armi vorgeschlagene, den Pavillon symmetrisch umschließende Bahn von 8470 Schuh.

Die »von Sendling« kommende Straße begrenzt den Plan links und gibt in der unteren Ecke ein Dreieckfeld frei. Dieses enthält oben den »Plan des Amphitheaters in Mailand« mit dem »Exercierplatz« in kleinerem Maßstab nach französischen Toisen. Darunter Abbildung des ersten Pferderennens aus einer Perspektive, die den Darstellungen von Heß (Kat. Nr. 16) und Kobell (Kat. Nr. 17) etwa entgegengesetzt ist. Zwischen aufgesteckten Tannenbäumen sieht man vorn die Kehrseite einer sehr gemischten, nicht ohne Humor wiedergegebenen Zuschauerfront, darunter eine Händlerin mit Eßwarenkorb und einen der in Abständen aufgestellten Posten. Zwischen den Zuschauern und dem Rennseil sprengen fünf Pferde mit Rennbuben vorbei. Auf der menschenleeren inneren Wiesenfläche stehen die Pferde und Wagen des Hofes, noch entfernter das Königszelt mit den Ehrenwachen; dahinter erhebt sich die mit Zuschauern übersäte Sendlinger Höhe mit den Zelten und wartenden Kutschen am Horizont.

Von besonderem Interesse ist das Erscheinen des Mailänder Amphitheaters in diesem Zusammenhang. Dall'Armi schlägt vor, dem Andenken des Festes von 1810, aber auch seinem Fortbestand ewige Dauer zu verleihen, indem man das natürlich-amphitheatralische Gelände monumental gestaltet. Die Stelle des königlichen Pavillons sollte eine überkuppelte Loge »in einem edeln Style auf Dauer und Würde berechnet« mit »Inschriften im Lapidar-Style« einnehmen. Die Anlage dürfe »nur benützt werden, um der schönste Circus in Deutschland zu seyn, und zur Verschönerung der Hauptstadt auf eine dem baierischen Gemeinsinne und Patriotismus entsprechende Weise beyzutragen«. Auch rät Dall'Armi bereits, den Grund der Rennbahn zu erwerben.

Als aktuelles Vergleichsbeispiel aber verweist er auf das damals noch nicht ganz fertiggestellte Mailänder Amphi-

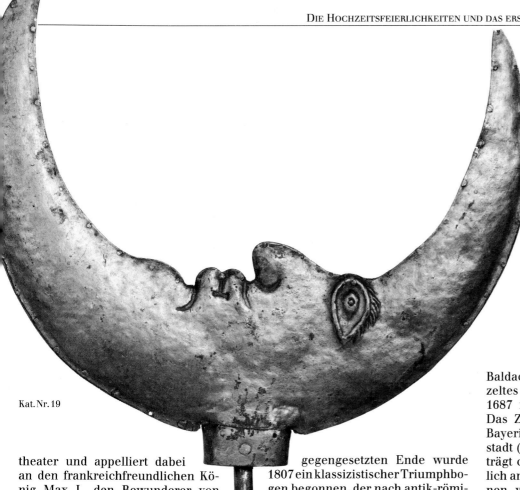

Kat. Nr. 19

theater und appelliert dabei an den frankreichfreundlichen König Max I., den Bewunderer von »Napoleon dem Großen«. Die französische Revolution ebenso wie konsequenterweise das aus ihr hervorgehende Kaiserreich richtete sich nach Idealen und nach Stilmerkmalen der römischen Antike aus, wobei die Revolution ihre Menschheitsideale an das republikanische Vorbild anlehnte, das napoleonische Kaiserreich aber den römisch-imperialen Prunk als Staatsstil propagierte. In diesem Geiste sollte in Mailand ein »Forum Buonaparte« entstehen, und im Zusammenhang damit wurde 1805 die Mailänder Arena dekretiert. Nicht das Forum als politischer Versammlungsort wurde Wirklichkeit, aber immerhin die Arena als Versammlungsplatz des Volkes. Das jetzige Parkgelände hinter dem Sforza-Kastell diente seit 1806 als Exerzierplatz. An seinem dem Kastell entgegengesetzten Ende wurde 1807 ein klassizistischer Triumphbogen begonnen, der nach antik-römischer Art die napoleonischen Siege verherrlichen sollte. An der Nordostseite des Parco entstand die Arena 1806/ 1807 als Nachbildung der klassischen römischen Amphitheater und wurde im Beisein Napoleons eingeweiht. Die Monumentalisierung der Theresienwiese wurde erst eine Generation später und bezeichnenderweise in ganz anderen Stillagen verwirklicht (vgl. Kat. Nr. 77). BK

Lit.: Dall'Armi, S. 17
MSt, M I/1830

19 Zwei sichelförmige Monde vom Königszelt 1810

Eisenblech, getrieben, zwei Teile vernietet, farbig gefaßt, 53×64 und 55×67 cm.

Dall'Armi setzt in seiner Darstellung des Pferderennens 1810 folgende Fußnote bei der Erwähnung des Königszel-

tes: »Dieses Pavillon war zehn Fuß über die Erde erhaben, mit dem von Baierns Churfürsten Maximilian Emanuel bey der Befreyung Wiens eroberten türkischen Zelte, und mit Blumen, Lorbeer- und Orangen-Bäumen aus dem Garten des königl. geheimen Staats-Rathes, Maximilian Grafen von Preysing, geziert. Das türkische Zelt hatte die königl. Zeughaus-Direktion die Güte nebst mehreren anderen, die auf dem Berge, gleich einem im Hintergrunde stehenden Lager, aufgerichtet wurden, eigens von Augsburg hierher bringen zu lassen.«

Als Königszelt wurde der Baldachin eines türkischen Audienzzeltes verwendet, das Max Emanuel 1687 im Türkenkrieg erbeutet hatte. Das Zelt befindet sich im Depot des Bayerischen Armeemuseums in Ingolstadt (Inv. Nr. A 1857). Seine Breite beträgt ca. 67 m. Das Zelt war ursprünglich an der Außenseite aus grünem Leinen, worauf später ein graues Leinen genäht wurde. Dies deckt sich mit der hellen Farbigkeit auf den Bildern von Kobell und Heß. Die beiden Monde als Bekrönung der Stützstangen sind auf dem Gemälde von Peter Heß zu erkennen (vgl. Kat. Nr. 16). Sie sind wahrscheinlich nicht türkischen Ursprungs, sondern kamen als Auszier im 18. Jahrhundert hinzu, da das Zelt von den bayerischen Kurfürsten zu verschiedenen Anlässen benutzt wurde. Wie lange dieses Türkenzelt als Königszelt auf dem Oktoberfest benutzt wurde, ist nicht bekannt. Ab 1820 ist auf den Darstellungen ein weiß-blau gestreiftes Zelt zu sehen, das für diesen Zweck wahrscheinlich eigens angefertigt wurde (vgl. Kat. Nr. 58). Das Türkenzelt und die beiden Monde sind authentische Stücke, die 1810 beim ersten Oktoberfest auf der Wies'n

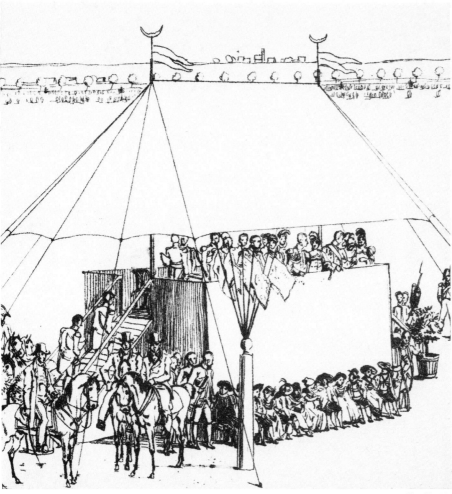

Kat. Nr. 20

die »bayerische Nation«, der königlichen Familie Huldigungsgrüße des Volkes. In der von Andreas Dall'Armi verfaßten Denkschrift – vier der Kinder stammten aus der Familie Dall'Armis – wird der Vorgang folgendermaßen beschrieben: »Sechzehn Paar Kinder, Knaben und Mädchen, das erste Paar mit einem Lorbeer- und einem Myrten-Kranze; neun Paare, die neun Kreise des Königreiches, durch eigene blaue und weiße Fähnchen, durch ihre Trachten, durch Früchte und andere Produkte aus denselben, vorstellend; fünf Paare, als Bauern und Bäuerinnen verschiedener baierischer Gegenden gekleidet, mit Blumen und Liedern, und ein Paar in der Tracht der alten Wittelsbacher, – traten aus einem vorbereiteten Zelte hervor und bestiegen das Pavillon. Die zwey Kleinsten überreichten, – das Mädchen Seiner königlichen Hoheit dem Kronprinzen, und der Knabe Ihrer königlichen Hoheit der Kronprinzessinn, – Lorbeer- und Myrten-Kränze. Die übrigen traten vor Ihre Majestäten den König und die Königinn. Die Knaben senkten ihre Fähnchen, und sprachen: ›Unsere Herzen huldigen!‹ Die Mädchen überreichten ihrer Majestät der Königinn die Früchte und Produkte, und sprachen: ›Der Segen des Landes!‹ Die Bauern und Bäuerinnen überreichten Blumen und Lieder, und sprachen: ›Auch das Landvolk freut sich!‹ Die alten Wittelsbacher kamen zuletzt. Das Mädchen überreichte Ihren königlichen Majestäten, dem Kronprinzen und der Kronprinzessinn königl. Hoheiten, und den übrigen höchsten Herrschaften Bouquets von Vergißmeinnicht, und ließ in ehrfurchtsvoller Stille das Blümchen sprechen. Der Knabe senkte seine Fahne, auf der, unter der Krone in einem Rosen- und Lorbeeren-Kranze, die Allianz-Wappen von Baiern und Sachsen-Hildburghausen, auf dem alten Wittelsbach ruhend, gemahlt waren. Er sprach: ›Auch der alte Stamm Wittelsbach freuet sich und jubelt: Es lebe hoch unser König!‹ Das Mädchen: ›Es lebe hoch unsere Königinn!‹ Der Kna-

Verwendung fanden. Da das Zelt aus räumlichen und konservatorischen Gründen nicht ausgestellt werden kann, sind die zwei Monde als ›profane Reliquien‹ von dem Jubiläumsereignis 1810 zu betrachten. An weiteren authentischen Objekten sind noch eine Standarte und eine Fahne der Nationalgarde (MSt, XIV/2120) zu erwähnen, die am 17. Oktober 1810 von der Ehrenwache am Königszelt mitgeführt wurden. Ansonsten haben sich zu diesem ersten Fest nur Archivalien erhalten. FD

Lit.: – zum Zelt: Dall'Armi, S. 10; Kat. Bayern Kunst und Kultur, München 1972, S. 409; – zu den Fah-

nen der Nationalgarde: Ulrich v. Destouches, S. 5; Destouches, Gedenkbuch 1912, S. 61
Bayerisches Armeemuseum, Ingolstadt

20 Paare aus der Huldigungsgruppe der Kinder zu Füßen des Königszeltes, 1810

Detail aus der Radierung von Peter Heß, vgl. Kat. Nr. 16.

Die Kinder, die von ihrem Platz beim Königspavillon aus das Pferderennen beobachten, waren sämtlich Töchter und Söhne von Angehörigen der k. b. Kavallerie-Division. Sie überbrachten, in verschiedene »Landestrachten« gekleidet, gleichsam stellvertretend für be: ›Es lebe hoch unser Kronprinz!‹ Das Mädchen: ›Es lebe hoch unsere Kronprinzessinn!‹ Beyde: ›Es lebe hoch das ganze königliche Haus Baiern! Vivat!‹ Die Kinder jubelten alle mit, und das lauteste Vivat widerhallte von vielen tausend Stimmen vom Berge her und von dem ganzen Umkreise, begleitet vom Schalle der Trompeten und der türkischen Musik.«

Dall'Armi lud die Kinder zu einem Abendessen in sein Haus, wo sie eine goldene Gedenkmünze erhielten. Felix von Lipowsky, der die Huldigung arrangiert hatte, hielt eine Ansprache, in welcher er den Kindern die Bedeutung ihres Erlebnisses vor Augen führte. In seiner Rede hieß es unter anderem: »Kinder! Vergeßt dieses Augenblickes nicht! Er war zu schön, zu herzlich, zu groß, als daß ihr ihn nicht auch, wenn wir nicht mehr sind, der spätesten Nachwelt übertragen, und von Mund zu Mund ihn verewigen solltet! Kinder! ihr saht den beßten König, die liebevolle Königinn als glückliche Aeltern, in Ihrer Familie, umgeben von Ihrem treuen Volke, von ihren Baiern, glücklich, zufrieden, vergnügt, und stolz auf Ihre Familie und Ihre guten Unterthanen. Ihr hörtet, wie der gute König, als ihm die Wittelsbacherinn das Blümchen: Vergiß mein nicht! darreichte, liebevoll und mit Herzensgüte sprach: Nein, Kinder! ich vergesse euch nie! – Ihr habt gesehen, wie gnädig und huldvoll euch die Königinn, der Kronprinz, die Kronprinzessinn und alle anwesenden höchsten Herrschaften aufnahmen, wie der Königinn Auge sprach: Lasset die Kleinen zu Mir kommen! und wie der Kronprinz und die Kronprinzessinn in euch froh erblickten die Freude, Treue und Geradheit der baierischen Nation, und mit Vergnügen bemerkten, daß Liebe, Treue und Ergebenheit gegen König und Vaterland sich auch in euch fortpflanze, daß jene Bürger-Tugenden, welche, Laut der Geschichte, Baierns Volk immer ausgezeichnet haben, von euch auf die Nachkommenschaft übergehen, und nur zu wahr den alten Satz bestätigen:

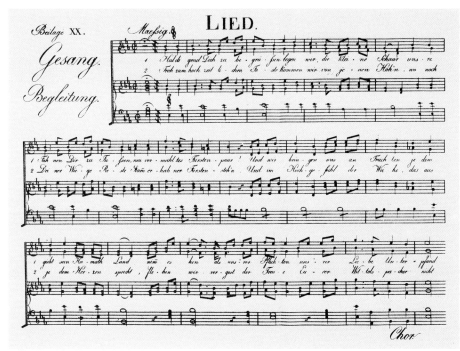

Kat. Nr. 21

Ein König von seinen treuen und tapfern Baiern umgeben, fürchtet nichts! Wo Liebe ist, ist Tapferkeit; wo Treue wohnt, ist Eintracht und wo Eintracht herrschet, ist auch Vertrauen und Stärke.«   SS

Lit.: Dall'Armi
StadtAM, Hist. Ver., Bilderslg. II/20

21 Huldigungslied der Feiertagsschüler, 1810

2 lithographierte Blätter mit Musiknoten für zwei- bzw. dreistimmigen Satz und Liedtext, 24×35 cm. Eingebunden in Kat. Nr. 15.

»Huldigend Dich zu begrüßen
legen wir, die kleine Schaar
unsre Fahnen Dir zu Füßen,
neuvermähltes Fürstenpaar!
Und wir bringen was an Früchten
jedem giebt sein Heimath Land
nimm es hin als uns'rer Pflichten
uns'rer Liebe Unterpfand.
(Chor) Sie mit Eifer zu verrichten,
schwoeren wir mit Herz und Hand.

Froh zum hochzeitlichen Feste
kommen wir von jenen Höh'n,
wo noch Deiner Wiege Reste

Stamm erhabner Fürsten steh'n.
Und im Hochgefühl der Weihe,
das aus jedem Herzen spricht,
flehen wir: vergest der Treue
Eurer Wittelspacher nicht.
(Chor) Baiern schwört Euch hier aufs Neue
Liebe, Treue Bürger Pflicht.«

Das Lied, dessen Text der Redakteur der Münchner politischen Zeitung, Sendtner, verfaßte und dessen Melodie vom Professor der königlichen Pagerie, Schlett, komponiert wurde, kam zum Vortrag, nachdem die Kinder der Nationalgardisten die Huldigungsgrüße überbracht hatten. Vorgetragen wurde es von Sängern der Feiertagsschulen »und viele Hunderte der Anwesenden, unter die es verteilt worden war, sangen mit«.   SS

Lit.: Dall'Armi
StadtAM, Hist. Ver., Ang. 73 b, Beilage XX

22 »Einladung zu den Oktober-Festen auf der Theresens-Wiese bey München. 1811«

15 S., 8°.

StadtAM, Av. Bibl.

»In unsrer Brust, da steht's geschrieben, dass wir die Wittelsbacher lieben«

Das Königszelt
und die Huldigung an die Dynastie

»Der Donner der Kanonen kündigte die Abfahrt Ihrer königlichen Majestäten [von der Residenz] an […] Es ertönte die Musik; im ganzen Umkreise wurde das Spiel gerührt, und das Gewähr präsentiert […] Die Wägen hielten an, und ein allgemeines Vivat von mehr als vierzigtausend erfreuten Zuschauern […] unterbrach die Musik und das Spiel, bis sich die allerhöchsten und höchsten Herrschaften im Pavillone niedergelassen hatten.« Wie die Schilderung Dall'Armis zeigt, war die Auffahrt des Hofes auf die Festwiese ein gut vorbereitetes, wirkungsvolles Spektakel. Die eskortierten offenen Sechsspänner, die – wie es stets heißt – »huldvoll nach allen Seiten grüßende« königliche Familie, die Parade der Uniformen – all das bot den Festbesuchern ein Schauereignis, das bereits als Teil sowohl des Festprogrammes, als auch seiner auf das Herrscherhaus ausgerichteten Programmatik gelten kann. Ziel der Auffahrt und somit wichtiges Attribut des Nationalfestes war der königliche Pavillon. Dieser Zeltbau, in dem das Königspaar mit Begleitung Platz nahm, um das Festprogramm zu verfolgen, befand sich am Geläuf des Pferderennens, den Zuschauertribünen gegenüber. Die Situation, die sich so ergab, hier der König – dort das Volk, hatte durchaus ihren Sinn: Sie markierte zum einen den ›königlichen Bereich‹, der auch bei der gemeinsamen Feier des Nationalfestes vom ›Bereich des Volkes‹ abgehoben war; in der propagierten ›Gemeinsamkeit‹ blieb die auch sonst vorherrschende Distanz gewahrt. Zum anderen wurden die Festbesucher durch die Situierung von Zuschauertribünen und Königszelt zum Publikum des Hofes, gleichsam zu Betrachtern der auf der ›königlichen Bühne‹ Agierenden.

Der Pavillon, wie ihn die ersten Bildquellen zum Oktoberfest zeigen, war über einer rechteckigen Grundfläche längs zur Rennbahn errichtet. Über ein laut Dall'Armi 10 Schuh (3 m) hohes Podium mit umlaufender Balustrade und seitlichem Treppenaufstieg spannte sich ein Leinwanddach, das an langen Seilen im Boden verankert war (vgl. Abb. Kat. Nr. 16, 17). Das Zeltdach stammte aus der Türkenbeute Kurfürst Max Emanuels und verwies somit auf die glorreiche Vergangenheit der Wittelsbacher. Auf dem weiten Areal der Anfangsjahre, die weder die »Budenstadt« auf der Festwiese

noch das bauliche Vordringen Münchens zur Theresienwiese hin kannten, war der schlanke Bau weithin sichtbares Zeichen für die Präsenz der Dynastie beim nationalen Volksfest.

Die Attraktivität des Festes wuchs, die Besucher strömten immer zahlreicher auf die Festwiese. Um der wachsenden Menge von Zuschauern gute Sicht auf das Königszelt zu bieten, wurden 1819 und in den Folgejahren Umbauten vorgenommen: Der Treppenaufgang rückte in die Mitte der Zeltfront. Er war verbreitert und mit einem Zwischenpodium versehen worden. Barrieren hielten den Raum vor dem Zelt beiderseits der Stufen von Zuschauern frei (Abb. Kat. Nr. 328). Die Anlage wirkte nun repräsentativer. Sie zentrierte die Aufmerksamkeit des Publikums auf die Person und die Handlungen des Königs bei der Preisverteilung, die wie auf einer Bühne auf dem Zwischenpodium stattfand.

Eine weitere Veränderung erfuhr das Königszelt im Jahre 1832. Das Oktoberfest zog nicht nur ›das Volk‹ an; die Anwesenheit beim Nationalfest war für Adel und gehobenes Bürgertum auch von gesellschaftlicher Bedeutung. Die Möglichkeit, Beziehungen zum Hof zu demonstrieren und die Aufmerksamkeit des Königs auf sich zu lenken, lockte auch diesen Personenkreis in immer größerer Zahl auf die Festwiese. Eine 1812 errichtete Tribüne gegenüber dem Königszelt, deren Benutzung dem Adel vorbehalten war, wurde zu klein. Die Herrschaften füllten allmählich die als Freizonen vorgesehenen Räume seitlich des Treppenaufgangs bis hin zur Rennbahn. Einem bei Ernst von Destouches zitierten Brief des Magistrates an die Regierung zufolge, konnten die Königin und ihre Begleitung im Pavillon vom Festgeschehen bald nichts mehr sehen. Der König habe sich bereits des öfteren an das Rennseil oder in das Menschengedränge jenseits der Rennbahn begeben müssen, um das Pferderennen verfolgen zu können. Um diesem Zustand abzuhelfen, wolle der Magistrat schon seit Jahren am Königszelt Tribünen für den Allerhöchsten Hof errichten lassen. Da dieser Plan das Placet der Regierung bisher nicht erhalten habe – mit dem Argument, der König habe sich nie über die Verhältnisse beschwert –, würden die Tribünen nun aus eigenen Mitteln des Magistrates erstellt (Säkularchronik, S. 45 f.). Tatsächlich erscheinen auf den bildlichen Darstellungen jener Jahre zwei niedrige Tribünen an der Frontseite des Pavillons (vgl. Abb. Kat.Nr. 35). Als 1858 der Städtische Baustadel in Flammen aufging, verbrannte auch das hier gelagert Zelt. Ein neuer, geräumiger Zeltbau wurde konstruiert, breit gelagert über fast quadratischem Grundriß. Die Front war zur Rennbahn vorgerückt, so daß die Sicht auf den königlichen Hof nicht mehr versperrt werden konnte. Nur noch wenige Stufen führten zum niedrigen Podium hinauf (vgl. Kat. Nr. 87).

Erfuhr das Königszelt auch im Laufe der Festgeschichte verschiedene Veränderungen, bewahrte es doch im Prinzip stets seinen Charakter. Der Königspavillon war jederzeit wiedererkennbar. Der *Wiedererkennungseffekt* stützte seine Funktion als Zeichen des beim Fest anwesenden Königshauses. Anders als dies bei den kommerziellen Festbauten der Fall war, war im Erscheinungsbild des Königszelts *Traditionalität* Gebot.

Das Königszelt mußte nicht durch architektonische Sensationen auf sich aufmerksam machen. Baumgartner schreibt 1820: »Wir sehen den königl. Pavillon aus der Erde sich emporheben [...] Der Berg vor dem Pavillon [...] wird mit Fahnen besezt, und zwischen dem Berge und dem Pavillon weht auf einer 60 Schuh hohen Stange die baierische weiß und blaue Fahne [...] und sie ist auf ihrer Spitze mit dem baier. Löwen geziert [...] Von allen Seiten, und selbst in weiter Entfernung, weiß man es also, wo Se. Maj. der König, und der Mittelpunkt ist, auf welchen alle Augen gerichtet sind.« (S. 31 f.) »Mittelpunkt« ist hier nicht im Sinne des Standortes zu verstehen, wohl aber im Sinn der Ausrichtung von Festplatz und Festgeschehen auf das Königszelt.

Als 1812 das Zelt für die Offiziere der Nationalgarde und jenes für die Mitglieder von Renngericht und Polizeidirektion errichtet wurden, geschah dies zu beiden Seiten des königlichen Pavillons. Der Glückshafen sowie Gatter und Aufbauten der landwirtschaftlichen Ausstellung waren im Inneren des Bahnovals mit Ausrichtung auf das Königszelt angeordnet. Dieses bestimmte auch die Anlage des Wirtsbuden- und Festhallenrondells, von dessen Mittelpunkt aus sich eine Achse über den Platz des Glückshafens zum Königszelt legen läßt (vgl. Abb. Kat. Nr. 85).

Start- und Ziellinie des Pferderennens waren beim Königszelt markiert; hier lockten auch die prächtigen, Lewalds Beschreibung zufolge »gleich Trophäen um das Zelt herum aufgestellten Preisfahnen« (S. 53). Sämtliche Preisverteilungen für Pferderennen, Festschießen und landwirtschaftliche Leistungen sowie die Vorführung und Auspreisung des Zuchtviehes fanden vor dem Königszelt statt. Sonderveranstaltungen wie die sportlichen Wettkämpfe der Wagner- und Bäckergesellen 1835 (Kat. Nr. 418, 419) oder die Turn- und Tanzvorführungen zum Jubiläum 1910 (Kat. Nr. 423) wurden ebenfalls hier ausgetragen.

Die Reihe ließe sich weiterführen – eine Reihe, die auf einen für die Programmatik des Festes bezeichnenden und wesentlichen Umstand hinweist: das Königszelt als Zeichen für die Dynastie Wittelsbach markierte das Zentrum des Festgeschehens.

Die räumliche Plazierung interessanter Elemente des Festprogrammes vor dem Zelt sowie sein Standort gegenüber den Zuschauertribünen garantierten, daß das Zelt – und damit die Dynastie – stets im Blickfeld, das heißt zugleich im Bewußtsein des Festbesuchers stand. Die Ausrichtung der Nation auf das Königshaus, die Programmatik des Nationalfestes – im Programm des Festes wurde sie optisch zur Realität.

Das Königszelt war zugleich Zeichen und Requisit. Es konnte darüber hinaus zur Bühne werden, auf der die Begegnung des Monarchen mit dem Volk zelebriert wurde. Zu solchen Begegnungen gaben verschiedene Festelemente mit Demonstrationscharakter Gelegenheit. Die Preisverteilungen gehören hierher – vor allem jedoch die sogenannte *Huldigung* am Königszelt. Sie war regelmäßiger Bestandteil des Festprogrammes und erfolgte meist nach Ankunft des Hofes vor dem Start zum Pferderennen.

Schon 1810 hatte eine solche Huldigung stattgefunden, damals arrangiert von Felix von Lipowsky. Als Stellvertreter der gesamten bayerischen Nation waren Kinder einer gehobenen Münchener Bürgerschicht, der Angehörigen der Nationalgarde, in die bayerischen »Nationalkostüme« gekleidet, in einem Festzug zum Königspavillon marschiert, hatten dort Gaben überrreicht und Gedichte an die Wittelsbacher vorgetragen (Kat. Nr. 20). In wesentlichen Zügen besaß diese erste Huldigung Vorbildcharakter für alle folgenden. Die Huldigungsgruppen zogen stets im Festzug auf die Theresienwiese und dort zum Königszelt, wo die eigentliche Huldigung stattfand. Solche Festzüge konnten aufwendig gestaltet und mit ›großer Besetzung‹ arrangiert sein wie jene von 1835 (Kat. Nr. 431) oder 1842 (Kat. Nr. 432). Sie konnten jedoch auch von bescheidenerem Umfang sein, wie zum Beispiel die Huldigungszüge der Mädchen (Kat. Nr. 25).

Oft traten die Huldigenden als ›Botschafter‹ der unter der Königskrone vereinten bayerischen Landesteile auf. Es war dabei nicht unbedingt notwendig, daß sie tatsächlich Einwohner der vertretenen Regionen waren. Eine ›Verkleidung‹ in regionaltypische Tracht konnte die Darsteller zu Stellvertretern werden lassen, so geschehen etwa bei den Kindergruppen 1810 und 1910 (Kat. Nr. 46). Neben der Bekleidung der Akteure mit verschiedenen Landestrachten kennzeichneten mitgeführte Wappen und andere Embleme oder regionaltypische Produkte die vertretenen Bezirke. Als Regionalsymbole fungierten, vor allem in den großen Huldigungszügen, auch geschmückte Festwägen. Gekennzeichnet als Wägen der bayerischen Kreise und ausstaffiert mit regionalspezifischen Landesprodukten, kam ihnen im Jubiläumszug von 1835 sogar die eigentliche Stellvertreterfunktion zu.

Dem Festzug als Schauereignis folgten die Huldigungshandlungen am Königszelt. Arrangiert wurden sie, soweit dies feststellbar ist, von Personen, die dem Hofe nahestanden – meist aus Kreisen der höheren Beamtenschaft oder des gutsituierten Münchener Bürgertums. Die Auswahl der Akteure erfolgte nach bestimmten Kriterien, wie zum Beispiel einwandfreier Leumund, geordnete Verhältnisse oder, bei Kindergruppen, besondere schulische Leistungen. Die »Repräsentanten des bayerischen Volkes« hatten zugleich dessen Vorbilder zu sein.

Die Huldigungshandlung bestand zum einen im Überreichen von Gaben an die königliche Familie. Diesen Gaben kam Symbolfunktion zu. So konnten sie zeichenhaft bestimmte Aussagen verdeutlichen wie der Vergißmeinnicht-Strauß, den das als »Altwittelsbacherin« gekleidete Mädchen 1810 der Königin überreichte. Wurden Agrar- oder Industrieprodukte übergeben, so standen diese für den Herkunftsbezirk und den Fleiß seiner Einwohner. Die Geste der Übergabe bekräftigte deren Bereitschaft, ihren Fleiß weiterhin in den Dienst des Wohlergehens des Königreiches zu stellen.

Zum anderen wurde dem Königshaus mit dem Vortrag von Gedichten und Liedern gehuldigt. Bei den Verfasserangaben stößt man immer wieder auf die gleichen Namen. Ihre Träger gehörten überwiegend den königlichen Bildungsinstitutionen an.

Die Texte der Gedichte und Lieder, deren Vortrag instrumental begleitet wurde, gaben sich als Artikulation der *gesamten bayerischen Nation*. Dies geht bereits aus Titeln wie »Volks-Gesang« (Kat. Nr. 29) oder »Der Baiern Chor« (Kat. Nr. 26) hervor. Gemeinsam ist ihnen weiterhin die Betonung der Einigkeit aller Bewohner des Königreiches in Liebe und Treue zur Dynastie Wittelsbach, die stets als »uraltes« Fürstengeschlecht erscheint. Oft wird das Bild der Landeskinder beschworen, die sich dankbar und freudig in die Obhut des »Vaters des Vaterlandes« begeben. Die königliche Familie fungiert als Vorbild für jede Familie im Lande. Ihr Glück und Wohlergehen wird mit jenem der Untertanen gleichgesetzt; soziale Unterschiede in der Bevölkerung nivellieren sich angesichts der Stärke und Größe des bayerischen Herrscherhauses. Die Huldigungstexte konstruieren das Idealbild des dankbaren, zufriedenen, von Zusammengehörigkeitsgefühl erfüllten Volkes, das bereit ist, dem König auch in schweren Zeiten die Treue zu halten. Dies wird gerade von Texten aus Krisenzeiten deutlich betont.

Die Huldigung demonstriert somit den Zuschauern, das heißt dem bayerischen Volk, einen von seiten der Regierung erwünschten Idealzustand des Verhältnisses Volk–Herrscher. Das erzieherische Ziel ist nicht zu übersehen. Die Huldigung wirbt für die absolute Treue des Volkes zum König, indem sie diese als tatsächlich vorhanden vorgibt. Auf dieser Ebene reagiert der König. Er dankt nicht nur den Stellvertretern, er dankt seinen treuen Bayern für die Bekundung ihrer Loyalität. Und auf dieser von der Realität abgehobenen Ebene kann es denn auch zu einer ›Gegenhuldigung‹ des Königs an das Volk kommen, wie sie Ludwig I. verfaßte. Sein in einer Oktoberfestbeschreibung von F. Rudolph 1842 abgedrucktes Gedicht »An die Baiern« (1834!) beginnt mit der Strophe:

>»Biedres Volk, in angestammter Treue
>Hältst du an dein altes Fürstenhaus,
>Dich verlocket nicht das falsche Neue,
>Nicht der Liebe Flamme löscht dir's aus.«

Es endet mit dem Vers:

>»Bayern, zu verderben seyd ihr nicht!«

Sabine Sünwoldt

Lit.: Baumgartner 1820; Dall'Armi; Destouches, Säkularchronik; Rudolph (Abgekürzt zitierte Literatur siehe S. 17.)

---

23 »Gesänge am Oktober-Feste zu München. 1815.«

2 Bl. in Umschlag, 16,1×10 cm.

1. Lied: »Heil unserm König! Heil!
  Des Volkes Vater Heil!
  Dem König Heil!
  Wem edler Thaten Klang
  Je zu dem Herzen drang,
  Stimm ein in unsern Sang
  Dem König Heil!

  Heil Carolinen! Heil!
  Der Frauen Krone Heil!
  Der Königin!
  In unserm Herzen lebt
  Ihr Bild, dem Mund entschwebt
  Ihr Lob; die Luft durchbebt
  Der Freude Ruf.

Dem Hause Baiern Heil!
  Den edlen Söhnen Heil!
  Des Landes Stolz!
  Der Väter hoher Muth
  Durchglüht mit heißer Gluth
  Der edlen Söhne Blut,
  Heil Baiern dir!

3. Lied, letzte Strophe:
  »Seht, siegreich flattert blau
    und weiß
  In froher Knaben Hand
  Die Fahne, die als schönen Preis
  Gereicht das Vaterland –
  Und dankend schallt der Freude Ruf
  Dem Fürsten, der sie schuf!«

Das Lied wurde nach der Preisverteilung für das Pferderennen von einem Chor angestimmt, der auf der Anhöhe dem Königszelt gegenüber postiert war.

StadtAM, Hist. Ver. Bibl.

---

24 Huldigungslied der Schulkinder, 1818

»Das Wiesen-Fest der Schul-Jugend am 11. Oktober 1818.«

Programmzettel, auf der Rückseite Abdruck des Huldigungsliedes mit Text und Musiknoten, 25,2×19,5 cm.

»[...] Und immer lieb und werth und teuer
  Bleibt Allen unser Königs-Haus,
  Es bricht der treuen Liebe Feuer
  Im freud'gen Jubelrufe aus,
  Stimmt freudetrunken Alle an,
  Es lebe Maximilian.«

Das Wiesenfest der Schuljugend, eine Veranstaltung zum Oktoberfest, begann vormittags mit einer Messe im Bürgersaal. Anschließend erhielten Kinder, die sich durch ihre schulischen Leistungen besonders ausgezeichnet hatten, von ihren Lehrern sogenannte »Schulzeichen«. Diese Abzeichen berechtigten sie, die »belustigenden Vorrichtungen« des Prater-Wirtes Gruber auf der Theresienwiese unentgeltlich zu besuchen. Den Abschluß des Festes bildete das Huldigungslied, das die Kinder im Königspavillon vortrugen. SS

StadtAM, Okt. 2/1

25 Huldigungsgedicht der Mädchen, 1820

»Patriotische Herzens-Ergüße baierischer Mädchen vor I. Majestät der Königin am ersten Tage der Oktober-Feste 1820.«

Handzettel, beidseitig bedruckt, auf der Rückseite xylographierte Blumenvignette, 16,1×9,3 cm.

Das Programm sah vor, daß am ersten Tag des Festes zwölf Mädchen in wei-

Patriotische Herzens = Ergüße
baierischer Mädchen
vor
J. Maj. der Königin
am ersten Tage der October = Feste 1820.

Vergönn' auch uns an diesem schönen Tage,
Daß wir Dir kindlich, herzlich dürfen nah'n,
Daß unser Blick, daß unser Herz Dir sage,
Wie froh wir diesem Fest entgegensah'n!

Sieh, Königin, dein treues Volk erscheinen!
Hieher mit Freudigkeit schaut Aller Blick!

Und Dir am Nächsten dürfen wir, die Kleinen,
Mit unsern Gaben steh'n, o welch' ein Glück!

Rings auf den Höh'n, mit freudigem Getümmel,
Hat sich gelagert Baierns biedre Welt,

Und aufgeschlossen seh'n wir Baierns Himmel
Hier unter diesem glanzerfüllten Zelt.

O reizend Bild, wo alle sich verbinden,
Wie treue Kinder in des Vaters Haus!

Wer spricht der Herzen seliges Empfinden, —
Wer ihre Wünsche und Gebete aus?

Kat. Nr. 25

ßen Kleidern mit blauen Schärpen und Schuhen den Hof erwarten und »ihm gleichsam im Namen des baierischen Gesammt-Volkes auf der Theresens-Wiese willkommen heißen, Blumen und die auserlesensten Früchte der Jahreszeit darbiethen sollten«. Nachdem die Anzahl der Mädchen, die hierzu auf die Theresienwiese kamen, von Jahr zu Jahr wuchs, wurde zur Auswahl der Huldigungs-Kinder 1820 ein festes Reglement eingeführt. Die Teilnahme der Mädchen erfolgte auf Vorschlag der Schulen. Beide Konfessionen sollten vertreten sein. Es wurden nur Mädchen zugelassen, die ein Alter von zwölf Jahren nicht überschritten hatten und deren »Ruf und Moral einwandfrei« waren.   SS

Lit.: Programm des Wiesen-Festes nebst der lithographierten Skizze zu einem Bilde, welches Hr. Lorenz Quaglio zur Feyer des nächsten Carolinen-Tages bereitet. Von E. A. Fleischmann. Augsburg 1820.
StadtAM, Hist. Ver., Ang. I/138

26 Huldigungslieder, 1823

»Freudengesang bey der bevorstehenden Vermählung Seiner Königl. Hoheit des Kronprinzen Friedrich Wilhelm von Preußen mit Ihro Königl. Hoheit der Königl. baierischen Prinzessinn Elise vom Volke den 5. Oktober 1823 bey dem Oktoberfeste zu München nach der Weberischen Musik gesungen.«

2 Bl., 17×10,4 cm.

Enthalten sind zwei Liedtexte Anton Baumgartners.
»Der Baiern Chor«, offenbar zur Melodie des Jägerchores aus dem III. Akt Carl Maria von Webers Oper »Der Freischütz« (1821!) gesungen, beginnt mit der Strophe:

»Was gleicht wohl Geliebte, der Baiern Vergnügen?
Wem sprudelt der Becher der Freude so reich?
Was will man mit diesen frohlockenden Zügen?
Was macht uns denn heute die Herzen so weich?
Den König zu sehen, ist unser Verlangen:
Er würzt uns als Vater das häusliche Mahl,
Und wenn wir als Brüder uns fröhlich umfangen,
So schäumet zum Vivat für Ihn der Pokal.«

»Der Jungfern Chor«, zur Melodie des Chores der Brautjungfern aus dem

II. Akt des »Freischütz«, wendet sich an die Braut (»Wir winden Dir den Jungfern-Kranz…«).   SS

StadtAM, Okt. 2/1

27 Huldigung, gewidmet von den Mitgliedern des Renngerichtes, 1823

»Huldigung zur Feier der Anwesenheit Seiner Königlichen Hoheit des Kronprinzen von Preußen, Friedrich Wilhelm. Von dem Renngerichte bei dem Oktober-Feste 1823 in München allerehrfurchtvollst gewidmet.
Joh. Bapt. Findl, Gemeindebevollmächtigter.
Ignaz Heckl, k. b. Poststallmeister.
Johann Grasser.
Anton Schitzinger, Hallerbräu.
Benno Furtmaier.«

2 Bl., 23×20 cm.

Die erste und die dritte Strophe des dreistrophigen Gedichtes von Friedrich Bruckbräu lauten:

»Wir Bürger der Stadt München,
    – tief durchdrungen
Von Liebe für den König und das Land,
Wir bringen uns'rer Brüder Huldigungen
Als Weihe-Gruß zum segensreichen Band,
womit die Vorsicht liebevoll umschlungen, –
Dort an der Spree und an der Isar Strand', –
Zwei edle Völker, jeder Tugend Erben,
Bereit, für Thron und Vaterland zu sterben!

Heil *Eurer Hoheit!* Heil dem festen Bunde,
Den nun der Adler mit dem Löwen schließt!
Heil der erlauchten *Braut,* und Heil der Stunde,
Die Zeugin von der Baiern Liebe ist!
Zu fernen Zonen rauscht die frohe Kunde,
wie jedes Herz von Jubel überfließt,
Und wie die Baiern freudig Gut und Leben
Für ihren königlichen *Vater* geben!«

StadtAM, Okt. 2/1

28 »Preiß-Vertheilung am Octoberfest zu München«, um 1824

Albrecht Adam, kolorierte Lithographie, 21×26 cm. Aus: Felix von Lipowsky, Sammlung Bayerischer National Costume, München o. J., ca. 1825 ff., Heft 5, Bl. 20.

In der Bildmitte das Königszelt mit vorgezogenem Baldachin und davor trophäenartig aufgepflanzten Preisfahnen. Über fünf Stufen erhöht steht Kö-

37

nig Max I. Joseph im blauen Rock, neben ihm ein Tisch mit den Preisen. Dort nimmt ein Bauer, den Hut unter den Arm geklemmt, ehrerbietig seinen Preis aus der Hand des Innenministers Friedrich Graf von Thürheim entgegen. Hinter der Brüstung ist das Königszelt dicht gefüllt mit vornehmem Publikum, darunter Galauniformen. Von rechts wird ein Preisstier vorgeführt, links entfernen sich prämierte Pferde mit ihren Besitzern, die Preisfahnen tragen. Rechts hinten erhöhte Tribüne mit Zuschauern (vgl. Kat. Nr. 301). BK

MSt, Z 1680

29 Huldigungsgedichte, 1824

»Lieder, gesungen am 3. Oktober 1824 bey dem landwirthschaftlichen Feste zu München.«

2 Bl., 24,9×19,8 cm.

Von den zwei enthaltenen Gedichten ist eines »Ihrer königlichen Hoheit Sophie Friederike, Prinzeßin von Baiern, ehrfurchtsvoll gewidmet.« Friedrich Bruckbräu nimmt darin Bezug auf die bevorstehende Heirat (4. November) Sophies mit Erzherzog Franz Karl von Österreich, dem jüngsten Sohn Kaiser Franz' I.

Das andere Gedicht, ein »Volks-Gesang«, rühmt König, Königin und die Wittelsbacher Dynastie. SS

StadtAM, Okt. 2/1

30 Huldigungsgedicht, 1824

»Huldigung, womit Seiner Majestät dem Könige, Ihrer Majestät der Königin, und Ihrer königlichen Hoheit, der Prinzeßin Sophie, am Tage des Oktoberfestes den 3. Oktober 1824, Blumen in allertiefster Ehrfurcht überreicht wurden. Gedichtet von Friedrich Bruckbräu. München.«

2 Bl., 24,3×19,4 cm.

Die erste der drei Strophen des Huldigungsgedichtes lautet:

»Dem Blumenbande, das uns zart umschlinget,
Ist *Deine* hohe Herrschermilde gleich,
Wohin der Segen *Deiner* Thaten dringet,
Durchrauschet Dankesruf das Königreich,
Der jubelnd sich zum Sternendome schwinget,
Wenn *Du* als Vater sprichst: *Ich liebe Euch!*
Für Baiern ist das Seligste auf Erden,
Vom besten *Könige* geliebt zu werden!«

StadtAM, Okt. 2/1

31 Huldigungsblatt »Zur Feyer des Octoberfestes«, 1825

Lithographie, 38,5×37,3 cm.

Verschlungene Initialen »M« (Maximilian) aus Lorbeerblättern und »C« (Caroline), aus Blumen und Blattranken gebildet; darüber Krone. Rund um die Initialen des Herrscherpaares, in Strahlenform angeordnet, die Verse des Huldigungsgedichtes. Der Anfangsbuchstabe jedes Verses ist in sternförmigem Feld als Schmuckletter ausgebildet. Im Uhrzeigersinn gelesen, setzen sich die Lettern zu den Worten »HEIL DEM VATER DES VATERLANDES« zusammen (Akrostichon). Unten mittig das Münchener Stadtwappen, darunter angegeben: »Bruckbräu gedichtet«. Der Text des Huldigungsgedichtes lautet:

»Heil dem König, Heil der Königinn!
Einer Sonne Strahlen gleicht Ihr Leben,
Ieder Strahl bringt Segen, uns zu geben
Lieb' für Lieb', des Glückes heitern Sinn!
Dankes-Iubel grüßt die hohen Gäste,
Eines treuen Volkes Iubel-Ruf,
Mitten unter Baiern – Baierns Beste!
Von der Thaten jede, die Er schuf,
Auf der Bahn von sechs und zwanzig Iahren,
Tragen, leuchtend über Raum und Zeit,
Engel, Sein Gedächtniß zu bewahren,
Ruhmvoll in das Buch der Ewigkeit!
Denn Ihn schirmet Gott in Baierns Auen,
Einen Edlern trägt die Erde nicht, –
Schirmt die Krone königlicher Frauen!
Von der reinsten Liebe süssen Pflicht
Allgewaltig zu Dir hingezogen,
Treu der Lust, ein frohes Volk zu schauen,
Eilen freudig Tausende heran,
Reich an hoher Wonne; denn gewogen
Lächelt sie Dein Auge freundlich an
Aus der Unschuld kindlich zarten Hand,
Nimm die Blumen-Gabe huldvoll auf;
Deine Huld ist ja Dein Vaterland
Eine himmlische: für jeden Stand
Segen bringend, wie der Sonne Lauf!«

Die Anzahl von 26 Initialen bezieht sich auf die 26 Regierungsjahre des Königs, der 1799 als Kurfürst Max IV. Joseph von Pfalz-Bayern in München eingezogen war.

Vorgetragen wurde das Huldigungsgedicht von Kindern, welche hierbei dem Königspaar Blumen überreichten. SS

Abb. in: Chronik 1985, S. 24
MSt, P 1839

32 Das Feuerwerk beim Oktoberfest 1826

Gustav Kraus, Aquarell, 26,3×45,8 cm. Bez. Rückseite u. r.: »G. Kraus fec. 1826.«

Das erste Oktoberfest unter der Regierung König Ludwigs I. fand seinen offiziellen Abschluß am 17. Oktober durch ein von der Landwehr-Artillerie-Kompagnie veranstaltetes und »von den Bürgern Herren Herrle, Oberleitner und Neudecker« verfertigtes Feuerwerk, das alle bisherigen übertraf und auch vom Wetter begünstigt war. Findel vermerkt in seiner Chronik (Kat. Nr. 207) die an ihn gerichteten Worte des Kronprinzen Max: »Dieses Feuerwerk hat mir viel Vergnügen gemacht,

Kat. Nr. 30

Kat. Nr. 32

es ist das erste, welches ich in meinem Leben gesehen habe, und werde es deßhalb nie vergessen.«

Das Feuerwerksgerüst wurde auf der Theresienhöhe gegenüber dem königlichen Pavillon errichtet, so daß die natürliche Tribüne des Geländes als Podest eingesetzt war. Dementsprechend verlagerte sich der Zuschauerstandpunkt nach unten und zur Seite. Kraus zeigt den von Wirtsbuden umschlossenen Platz mit einer Menge von Schaulustigen. Die Buden sind illuminiert und die Dachtribünen voll besetzt.

Vor dem dämmrig erhellten Nachthimmel strahlt das Festgerüst in der Schlußapotheose mit einem obeliskartigen Mittelturm, der die Initialen des Königspaares »LT« trägt; auf seitliche Arkaden folgen Eckrisalite mit dem Landeswappen (links) und dem Stadtwappen. Von bekrönenden Feuerpfannen ziehen leuchtende Wolken mit dem Wind, dahinter steigen Sternraketen auf. Vor dem Gerüst stehen Vorrichtungen für Feuerräder.

Das Aquarell zeigt die früheste Ansicht des Budenplatzes, des »gastlichen Hütten-Cirkus« von innen; links der tannengeschmückte, weiß-blau bemalte Aufgang zu einer Bude, rechts Käseverkauf.   BK

MSt, M II/256

33 Huldigungsgedicht, 1833

»Jubel-Gruss der BAYERN an LUDWIG I. IHREN GELIEBTEN König und Herrn. Am Volksfeste den 6. Oktober zu München 1833.«

2 Bl., rosa getöntes Papier, Goldschnitt, 26,2×21 cm.

»Mag darum auch der Dämon wildbewegter
    Zeiten
Mit seinen Stürmen wandern durch die Lande,
Ja, mag der Wahn im blendenden Gewande
Die Völker trügen, wo er blut'ge Zwietracht streut:
Ihm wird es auch in fernster Zukunft nie gelingen,
In Bayerns friedlich stille Gauen einzudringen!

Denn als ein theures Erbgut geht von Sohn
    zu Sohn,
so manch Jahrhundert schon der Bayern Treue;
Sie reiht das Volk um Wittelsbachs erhabnen
    Thron:
Und dass am heut'gen Fest der Bund erneue,
Jauchzt Alles *Dir* entgegen, ruft ganz Bayern aus:
Heil LUDW G *Dir! Heil dem geliebten Königshaus!«*

(3. und 4. Strophe)

StadtAM, Hist. Ver. Bibl.

Kat. Nr. 34

l.: »Lithogr. von G. Kraus«, u. r.: »Gedruckt von I.B. Dreseli«, u. M.: »Bei I. C. Hochwind in München.«

Am voll besetzten, fahnengeschmückten Königszelt bewegt sich der Jubiläumsfestzug vorüber. Auf den Stufen zum Zelt Ludwig I., von Offizieren umgeben. Beim Zelt angelangt ist der Wagen des Landgerichts München, den Herbst darstellend (vgl. Kat. Nr. 431, Bl. 3). Rechts entfernt sich der Kornwagen aus Fürstenfeld/Landgericht Bruck. Nach Kraus' lithographischer Zugfolge (Kat. Nr. 431, Bl. 6) waren die beiden Wägen durch viele Gruppen getrennt. Der Brucker Wagen wurde aber sicher in dieses Bild aufgenommen, weil er besonders gut beim Publikum ankam: Das Getreidefuder öffnete sich plötzlich zu einer Tenne, auf der im Vierschlag gedroschen wurde, und schloß sich wieder, was mehrmals da capo verlangt wurde. Den Weg des Zuges säumt ein Spalier von Landwehr-Grenadieren. Im Vordergrund bürgerlich und in ländliche Tracht gekleidetes Publikum, Militär, eine Obstverkäuferin.

MSt, M II/283

36 Huldigungsgedicht zu Jubiläums-Oktoberfest und Silberhochzeit des Königspaares, 1835

»Bayerisches Volkslied zum Oktober-Feste 1835. Melodie nach Körners Lied: ›Frisch auf mein Volk! die Flammenzeichen rauchen, die Saat ist reif, ihr Schnitter zögert nicht, etc.‹«

Handzettel, beidseitig bedruckt, Ornamentvignette auf der Vorderseite, 26×25 cm.

Das sechsstrophige »Volkslied« beginnt mit dem Vers: »Versammelt, Bayern! Euch zum schönen Feste.« Die letzten Verse der ersten Strophe lauten:

»Zum eignen Glück, zum Glück für's Vaterland,
Ist dieses schöne Fest zuerst entstanden,
Das durch ganz Bayern frohen Anklang fand.«

Carl Gemminger, der Verfasser des Textes, betont wiederholt die Einheit und Einigkeit der bayerischen Nation und ihre Treue zum Königshaus. Der Herrscher wird als »Vater des Volkes« beschrieben, die Bürgernähe des Hauses Wittelsbach hervorgehoben.

34 »Gedenkblatt auf die 25jährige Vermählungsfeier S.M. König Ludwigs I. v.B.«, 1835

Lithographie, 52×42 cm. Bez. u. M.: »erf. v. Frhr. v. Künsberg gez. v. Fröhlich.«

In einem Kranz unter einer Krone Profil-Portrait des Königspaares; darunter das sächsische und das bayerische Wappen mit Band »12ten Octbr. 1835«; über den Portraits ein Lorbeerkranz, der von Justitia und Athene gehalten wird; rund um die Darstellung ein Rahmen aus 25 Lorbeerkränzen mit Inschriften, welche die Verdienste des Königs auf den Gebieten der Kunst,

Wissenschaft, Politik, Wirtschaft und des Sozialwesens hervorheben.   SS

StadtAM, Hist. Ver. II/29

35 Königszelt mit vorbeiziehenden Festwägen beim Jubiläums-Oktoberfest 1835

»OCTOBERFEST ZU MÜNCHEN. im Jahr 1835. mit den geschmückten Wägen und berittenen Landleuten aus dem Isar Kreise, zur Feyer der 25jährigen Jubel Ehe I.I.M.M. des Königs Ludwig und der Königin Therese.«

Gustav Kraus, Lithographie, 36,2×47,2 cm. Bez. u.

OCTOBERFEST ZU MÜNCHEN.

im Jahr 1835

mit den geschmückten Wägen und berittenen Landleuten aus dem Isar Kreise zur Feyer der 25 jährigen Jubel Ehe I.I.M.M. des Königs

Ludwig und der Königin Therese

Kat. Nr. 35

Kat. Nr. 36

Bayerisches Volkslied

zum

Oktober-Feste

1835.

»[...]
Darum wird auch das Fürstenhaus der Bayern,
Mit vollem Recht das *Vaterhaus* genannt,
Und wenn darin die Fürsten Feste feyern,
Gibt's keinen Zwang, der *Sie* vom Volke bannt.«

(3. Strophe)

»Dem Vaterhaus der Bayern Heil und Segen!
Wo sich mit Purpur – Bürgertugend paart;
Der Liebe tritt die Liebe froh entgegen,
Wo zum Beglücken man kein Opfer spart.«

(6. Strophe)

StadtAM, Hist. Ver., Ang. III/53

**37 »Huldigungs-Gedicht.
Den königlichen Majestäten
von Bayern. Am Oktober-
feste 1842.«**

16 Bl., weißes Papier blau bedruckt, mit Schmuckrahmen.

Das sechsstrophige Gedicht nimmt Bezug auf die Hochzeit Kronprinz Maximilians mit Marie von Preußen. Zuvor
rühmt es König Ludwig I. und bekräf-
tigt die Liebe und Treue der Bayern
zum Hause Wittelsbach.

41

Kat. Nr. 37 (1. Strophe)

»Wann hätte Bayern jemals dieß vergessen,
DEIN Bayern! Eins mit DIR in Leid und Lust,
Kein Fremder kann das Mitgefühl ermessen,
Deß heute sich ein Jeglicher bewußt.
Und wahrer, als glückwünschende Adressen
Dieß je zu sagen wissen, sagt's die Brust,
Die treue, wo's mit Flammenschrift geschrieben,
Daß wir das Haus der Wittelsbacher Lieben.«

(2. Strophe)

StadtAM, Hist. Ver. Bibl.

38 Das Oktoberfest und die bayerische Nation, um 1845

Christian Hohbach, Lithographie, teilweise koloriert, 32×37 cm. Mittleres Bildfeld bez. u. l.: »Hohbach«.

In der Bildmitte über dem Wappen des bayerischen Königreiches das Pferderennen, von der Theresienhöhe aus gegen Nordosten gesehen, mit Königszelt, Budenaufbauten, Zuschauertribünen und Publikum. Hohbachs Zeichnung entstand in Anlehnung an eine früher entstandene Lithographie von Gustav Kraus (MSt, P 3348). Das Bild des Pferderennens wird umrahmt von Sinnbildern der Landwirtschaft, des Handwerks, der Kunst und des Gewerbes, der Jagd und der Viehzucht. Darüber, auf rustiziertem Sockel mit Löwenbrunnen, das Monument auf den

Donau-Main-Kanal mit der Sockelinschrift: »DONAU UND MAIN FÜR DIE SCHIFFAHRT VERBUNDEN, EIN WERK VON KARL DEM GROSSEN VERSUCHT DURCH LUDWIG DEN I. KÖNIG VON BAYERN NEU BEGONNEN UND VOLLENDET.«
Auf dem Postament die Allegorien der beiden Flüsse, flankierend links, mit Füllhorn und Merkurstab, die Allegorie des »öffentlichen Wohlergehens«, rechts mit Ruder die der Schiffahrt. In den Blattecken vier in Tracht gekleidete Paare: rechts oben, vor der Nürnberger Burg, das fränkische Paar, rechts unten das Pfälzer Paar vor dem Speyrer Dom, links unten ein Paar in schwäbischer Tracht – im Hintergrund der Dom von Augsburg, links oben das oberbayerische Trachtenpaar in einer voralpenländischen Landschaft. Rechts neben dem Königswappen die Walhalla, links die Würzburger Feste Marienberg mit Alter Mainbrücke und Fischerbooten auf dem Main.
Das Blatt verweist auf die Verschiedenartigkeit der neubayerischen Landesteile, die die Krone zu einem geeinten Königreich zusammenfaßt und deren Bewohner sich zum gemeinsamen Nationalfest in der Residenzstadt versammeln. Hervorgehoben werden weiterhin Kulturdenkmäler Bayerns, welchen die Walhalla und die Einrichtung des Donau-Main-Kanals durch Ludwig I. angegliedert werden. SS

MSt, P 1856

39 Auffahrt der königlichen Kutsche zum Pavillon, 1845

»Die Theresienwiese in München.«

Xylographie aus: Illustrirte Zeitung 1845, Nr. 120, 8,3×22,5 cm. Bez. u. l.: »GOETZ SC. – BRAUN u. SCHNEIDER«.

Kat. Nr. 38

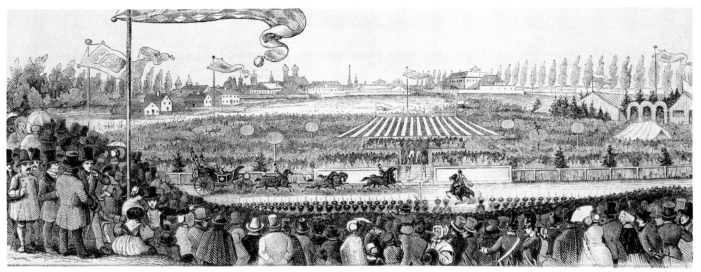

Kat. Nr. 39

Blick von der zuschauerbesetzten Theresienhöhe gegen Osten mit Stadtsilhouette und Buden- und Zeltaufbauten des Oktoberfestes. Im Mittelgrund, an der Rennstrecke, die zur Außenseite hin von zwei Reihen spalierstehender Soldaten abgesperrt ist, das mit Wartenden besetzte Königszelt. Im Inneren des Bahnovals zahlreiche Festbesucher, Fahnenschmuck. Auf der Rennbahn die von links einfahrende offene Königskutsche mit wappengeschmücktem Schlag und zwei Insassen; auf dem Tritt drei Lakaien. Zwei Kutscher fahren den Sechsspänner vom Sattel. Ein Begleiter ist der Kutsche vorangeritten und hält nun sein Pferd in Levade mit Front zum Königszelt.

Bereits die Auffahrt des Hofes beim Königszelt gehörte als Schauerlebnis zum ›Programm‹ des Nationalfestes. Verließ die königliche Familie die Residenz auf dem Weg zur Theresienwiese, wurde dies meist durch Böllerschüsse angezeigt. Erst nach Ankunft des Königs im Pavillon erfolgte der offizielle Festbeginn. SS

MSt, P 1853

40 Major Palmberger eskortiert den königlichen Wagen zum Oktoberfest 1863

Aloys Bach, Lithographie, 29×23,2 cm. Bez. u. r.: »ABach. f 1863«.

Franz Paul Palmberger (1823–1868) war Besitzer des Gasthofes zum Augsburger Hof in der Schützenstraße. Vor der Kulisse des alten Hauptbahnhofs ist der Landwehr-Kavalleriemajor nach rechts sprengend dargestellt – in einer Staubwolke, die ihn distanziert und heraushebt vor der nachfolgenden Kavalkade. Beim korpulenten Reiter

Kat. Nr. 40

mit gezogenem Säbel und Raupenhelm sind die Portraitzüge ebenso deutlich herausgearbeitet wie bei seinem englisierten Pferd mit Brandzeichen und königlicher Initiale »M« auf der Satteldecke.

Palmberger ritt rechts des sechsspännigen Wagens, von dem das Bild nur den hinteren bekränzten Teil mit Max II. und Marie zeigt. Im gleichen Maß, wie das Königspaar hier dem Major als Fond und Staffage dienen muß, erscheint er selbst zentral in der Würdeform des Reiterbildes und demonstriert die bürgerlich-repräsentative Funktion der Landwehr. BK

MSt, M III/801

41 Königszelt, 1895

A. Schmitz, Foto, auf Karton geklebt, 31×48 cm.

Vor den Stufen des Königszelts steht Prinzregent Luitpold, dahinter in Uniform die Honoratioren von Militär und Verwaltung. Auf der linken Seite haben die Damen Platz genommen, die sich mit Schirmen gegen die Sonne schützen, auf der rechten die geladenen Herren. Am linken Geländer des Aufgangs lehnen als dickes Bündel die einfachen Preisfahnen für die Verleihung bereit. Am Zelt vorbei ziehen oberbayerische Gruppen des »Festzugs

Kat. Nr. 41

der Bavaria«, der im Rahmen des »Historisch-Bayerischen Volkstrachten-Festes« zum Oktoberfest 1895 veranstaltet wurde. Vor dem Regenten ziehen die Zugteilnehmer den Hut, einer bekundet seine Huldigung durch einen Luftsprung. FD

MSt, 39/551/2

42 Einladungskarte zum Besuch des Königszeltes, 1895

Karton, bedruckt, mit handschriftlichen Eintragungen, 8,8×13,9 cm.

»Einladung. Herr Magistratsrat Nagler belieben am Sonntag, den 29. Sept. als stellv. Verwaltungsrat des Oktoberfestes im Königzelte auf der Theresienwiese gefälligst zu erscheinen.

Man erscheint in Uniform. Der Wagen kommt vor 12½ Uhr.«

StadtAM, Okt. 90

43 »Programm für das Kunstfeuerwerk«, 1902

Programmzettel, blau gedruckt, über dem Titel Münchner-Kindl-Wappen, 29,9×22,6 cm.

Neben bengalischer Beleuchtung, die Ruhmeshalle und Bavaria in wechselnd farbiges Licht tauchte, und verschiedenen Arten von Luftfeuerwerk brachte die Installation als Höhepunkt im Mittelteil eine »Pyrotechnische Phantasie«. Mehrere hundert Raketen, farbige Lichterketten, »elektrische Edelweiß-Bouquets«, »Kaiser-Polypen«, »Palmen-Bomben« und ein »römisches

Lichter-Bombardement« mit 30 auf dem Dach der Ruhmeshalle montierten Fächern und 1680 Leuchtkugeln wurden abgebrannt. Danach erschien ein »Pyrotechnisches Kolossal-Tableau« (Frontlänge 80 m): »Sockel der Bavaria mit den beiden bayerischen Löwen und der Königskrone des bayerischen Wappens in gelbem Licht und als Relief in der Apotheose 1 das Portrait Sr. Kgl. Hoheit des Prinz-Regenten Luitpold von Bayern in weissem Licht, in der Apotheose 2 erscheinen auf den Flanken links und rechts zwei riesige Münchner Kindln in weissem, gelbem und rothem Licht, die Conturen ebenfalls in Lichtern gezeigt [...] Beim Erscheinen des Portraits Sr. Kgl. Hoheit des Prinz-Regenten intonirt die Musik die bayerische National-Hymne.« SS

StadtAM, Okt. 2/1

44 Postkarte: Königszelt, 1908

Koloriertes Foto, 9×13,8 cm.

Königszelt mit Gästen in Zivil und Uniform, während der Vorführung eines preisgekrönten Pferdes. Prinzregent Luitpold steht mit Offizieren und Wachen unter dem Baldachin vor dem Zelt. Links unten Aufdruck »Gruss vom Münchner Oktoberfest«. Links oben, teilweise gerahmt von zwei Lorbeerzweigen, das Portrait des Prinzregenten. SS

StadtAM, Postkartenslg.

45 »Legitimations-Karte zum Eintritt in den Königs-Pavillon«, 1909

Karton, bedruckt, 7,9×11,8 cm.

Die Eintrittserlaubnis gestattete den Mitgliedern der Gemeindekollegien und ihren Familien, verschiedene Rennveranstaltungen vom Königszelt aus zu beobachten.

StadtAM, Okt. 2/1

Kat. Nr. 44

Kat. Nr. 45

LEGITIMATIONS-KARTE
zum Eintritt in den
Königs-Pavillon
für die
HH. Mitglieder beider Gemeinde-Kollegien
und deren Familien.

Gültig für Sonntag, den 19. September 1909 (Trabfahren) Beginn 3 Uhr.
„ „ Mittwoch, „ 29. September 1909 (Trabfahren) Beginn 3 Uhr.
„ „ Sonntag, „ 3. Oktober 1909 (Internationales Trabreiten.)
Beginn 3 Uhr.

46 »Die Huldigungsgruppe der Kinder bei der Hauptprobe im Elisabethen-Schulhaus am 18. Septbr.« 1910

Anton Möst, Foto.

Auf einer Wiese vor einem Wohnhaus 30 in verschiedene Trachten gekleidete Kinder, teilweise Blumenkörbe oder Rautenfahnen tragend. Inmitten der Kinder, den kleinsten Buben an der Hand haltend, eine junge Frau im Trachtengewand.

Der Festzug zum Oktoberfest-Jubiläum 1910 nahm in großen Teilen Bezug auf die Feierlichkeiten zum ersten Fest 1810. So marschierte in diesem Zug auch eine Schar von Kindern mit, die die kindliche Huldigungsgruppe von damals in Erinnerung brachte. »Wenn der Festzug vor dem Königszelt angelangt ist, treten die 16 in die alte Nationaltracht gekleideten Kinderpaare aus dem Zuge heraus vor den Regenten und sprechen die 9 Paar, welche die Kreise darstellen, gemeinsam ›Unsere Herzen huldigen!‹ und hierauf die fünf anderen: ›Auch das Landvolk freut sich!‹ Alsdann überreichen die zwei Kleinsten dem Regenten den Lorbeer- und Myrtenkranz und die Altwittelsbacherin einen Vergissmeinnichtstrauss, worauf der Altwittelsbacher mit gesenkter Fahne folgenden Huldigungsspruch spricht:

›Damals, vor hundert Jahren ist's gewesen,
Da brachte freudig eine kleine Schaar
An dieser Stätte *Ludwig* und *Theresen*,

Den Neuvermählten, ihre Huld'gung dar.
Sie kam zum Fest herab von jenen Höhen,
Wo einst des Herrscherhauses Wiege stand,
Ihm, seinem Glücke galt ihr brünstig' Flehen,
Gelobte Treue sie mit Herz und Hand.

[...]
O nimm, Du lieber Herr, der Du so teuer
Den Kindern allen Deines Volkes bist,
Bei des *Oktoberfests Jahrhundertfeier*,
Das ein Symbol der Bayerntreue ist,
Huldvoll der Kinder Herzenswunsch entgegen,
In Treue fest wir jubeln ihn hinaus:
*Hoch unser Prinz-Regent! Mit reichstem Segen,
Gott segne Ihn und unser Königshaus.*‹«

Unter den Vätern der Kinder waren acht Gemeindebevollmächtigte, zwei von ihnen ließen ein Geschwisterpaar teilnehmen. In der Gruppe waren überwiegend Söhne und Töchter von Akademikern, Fabrikanten und Geschäftsleuten vertreten.
An den Vortrag der Kinder schloß sich ein weiterer Huldigungsgruß an. Ein Herold, der dem zweiten Teil des Festzuges voranritt, hielt beim Königszelt und entbot »von den Bannerträgern der Kreise umgeben, dem Regenten folgenden Festgruss«:

Kat. Nr. 46

»[...]
D'rum schmettert Fanfaren, zum Gruss senkt
   die Banner,
Und im hunderttausendstimmigen Chor
Schall's bis zu den Bergen dort jubelnd hinüber,
Schall's stürmisch, schall's jauchzend zum
   Himmel empor:
Heil dem Sprossen des fürstlichen Paar's, dem
   zu Ehren
Vor einem Jahrhundert dies Fest ward geweiht!
Hoch Prinz-Regent Luitpold! Hoch Wittelsbach!
   Bayern!
Gottes Schutz, Schirm und Segen mit Euch sei
   allzeit!«

»Dem uralten Herkommen gemäß halten dann auch vor dem dritten Teile die Preisfahnenträger ihren Einzug in das Königszelt.« Den Huldigungsspruch des »Altwittelsbacher« Kindes und den des Herolds verfaßte der königliche Archivrat Ernst von Des-

touches, Stadtarchivar und Chronist des Oktoberfestes und der Jahrhundertfeier (vgl. Kat. Nr. 104–106).
Mit dem Bezug auf den Ursprung des Festes in den Huldigungstexten, mit der Kleidung der Kinder und der historisierenden Gestaltung des Festzuges wird einerseits auf die Programmatik des Nationalfestes verwiesen, andererseits die Gelegenheit ergriffen, dem 100 Jahre alten Fest und der kaum älteren Erhebung Wittelsbachs zum Königshaus ein »uraltes Herkommen« zu attestieren.   SS

Lit. und Textzitate: Programm für den Haupt-Festsonntag/25. September 1910/insbesondere für den Huldigungsfestzug mit darauffolgendem Pferderennen. StadtAM, ZS
StadtAM, Chronik-Bildband 1910/III, Nr. 11

47 Zinnkrug »Jubiläums Oktoberfest München 1910«

Ausführung: Zinngießerei Hiedl & Sohn/München, Höhe 18,3 cm, ⌀ 11,2 cm.

Achteckige Wandung auf rundem Standring, gewölbter Deckel mit Facettierung. Darauf umlaufende Gravur »Aus Dankbarkeit gew. v. d. Kindern d. Huldigungsgruppe, Johanna & Anna Sennebogen«. Die Schwestern Sennebogen übergaben diesen Krug dem Verwaltungsrat des Oktoberfestes. Sie stellten beim Festzug bei der in Landestrachten gekleideten Kindergruppe die Dunkelbäuerin und Holledauerin dar und nahmen in dieser Rolle auch an der Huldigung an den Prinzregenten teil.

MSt, XI b/52

175 Jahre Festgeschichte

Chronologie des Festes

Von 1810 bis 1985 wurde das Oktoberfest 24mal nicht veranstaltet oder nur als »Ersatzfest« abgehalten. 1985 wird das 151. wirklich durchgeführte Oktoberfest gefeiert.

Festausfälle:

1813: Völkerkrieg – am 8. Oktober trat Bayern dem Bund der Großmächte gegen Napoleon bei.

1854: Cholera-Epidemie – allein im Stadtkreis München starben 3000 Menschen an dieser fürchterlichen Krankheit.

1866: Bayern im Bruderkrieg – trotz des Prager Friedens im August 1866 fiel das Fest aus.

1870: Festabsage wegen des Deutsch-Französischen Kriegs

1873: Cholera-Epidemie – zum dritten Mal wurde Bayern im 19. Jahrhundert davon heimgesucht.

1914: Erster Weltkrieg – am 1. August 1914 erklärte das Deutsche Reich Rußland und kurze Zeit darauf auch Frankreich den Krieg.

1915: Krieg

1916: Krieg

1917: Krieg

1918: Krieg

1919: Ersatzfest – »Herbstfest«

1920: Ersatzfest – »Herbstfest«

1923: Inflation zwingt den Magistrat zur Festabsage

1924: Inflation zwingt den Magistrat zur Festabsage

1939: Zweiter Weltkrieg – am 1. September begann Hitlers Angriff auf Polen und damit der Zweite Weltkrieg.

1940: Krieg

1941: Krieg

1942: Krieg

1943: Krieg

1944: Krieg

1945: Krieg

1946: Ersatzfest – »Herbstfest«

1947: Ersatzfest – »Herbstfest«

1948: Ersatzfest – »Herbstfest«   SP

---

48 Plan der Theresienwiese von 1810   Abbildung S. 49

Ferdinand Schiesl, Lithographie, 35×34 cm. Bez. u. M.: »Schiesl 1810 f.«.

Der Plan zeigt das Gelände westlich der Münchner Altstadt, das seit 1810 »Theresens Wiese« genannt wurde (vgl. Kat. Nr. 18).
Wie Plan und Ansicht zeigen, war die Theresienwiese ein weitläufiges, unbebautes Gelände vor der Stadt. Im Westen begrenzt vom »Sendlinger Berg«, im Osten vom Areal des »Allgemeinen Krankenhauses« und der »Singstraße« erstreckte sich das Gelände zwischen den Straßen »von Sendling« und »von Landsberg«.
Während des Festrennens bevölkerten die Zuschauer vor allem den westlichen Teil des Festplatzes, den Sendlinger Berg. Dieser bot als eine Art natürliches ›Bergamphitheater‹ einen hervorragenden Blick auf die Hauptattraktionen: den königlichen Pavillon und die Start- sowie Ziellinie des Pferderennens. Zudem lockten die sechs Bewirtungszelte auf der Anhöhe die Zuschauer an.   SP

StadtAM, Hist. Ver. II/19

49 Oktoberfest 1810   Abbildung S. 50

»Das Pferde-Rennen Zur Vermählungs-Feier Seiner Königlichen Hoheit des Kronprinzen von Baiern veranstaltet von der Cavallerie-Division der Königlich Baierischen National-Garde dritter Klasse zu München am 17 October im Jahre 1810.«

Wilhelm von Kobell, Radierung 40,5×64 cm. Bez. u. r.: »gezeichnet an dem Filserbräu-Stadel von Wilhelm Kobell 1811«, u. l.: »Die Rennbahn von 11 200 Sch. wurde nach dreimaligem Umritte in 18 Minuten von den ersten Pferden gelaufen.«

Diese Radierung entspricht dem Ölbild Kat. Nr. 17.

MSt, Z 1660

50 »Das Pferde-Rennen bey der Vermählungs Feyer   Abbildung S. 48

Seiner Königlichen Hoheit des Kronprinzen von Bayern, veranstaltet am 17ten Octr 1810 auf der Theresens-Wiese bey München von der Cavallerie der National-Garde 3^r Klaße. Ihren Königlichen Majestäten von Bayern Maximilian Joseph und Karoline in tiefster Ehrfurcht gewidmet von den Theilnehmern an den October-Festen.«

Peter Heß, kolorierter Konturenstich, 40,5×51 cm.

Unter dem fein kolorierten Bild mit frei eingesetztem Gewölk ist mit Sepiatinte die Beschriftung angebracht, die nur geringfügig orthographisch vom Text der Radierung (vgl. bei Kat. Nr. 16) abweicht. Der handschriftliche Texteintrag soll den Charakter der »Original-Handzeichnung« unterstreichen, als welche der Konturenstich erscheinen möchte.

MSt, III c/8

Das Pferde-Rennen

bey der Vermählungs Feyer Seiner Königlichen Hoheit des Kronprinzen von Bayern, veranstaltet am 17ᵗᵉⁿ Oct. 1810 auf der Theresens-Wiese bey München von der Cavallerie der National Garde 3. Klasse.

Ihren Königlichen Majestaeten von Bayern:

Maximilian Joseph und Karoline

Kat. Nr. 50

51 Bekanntmachung der königlichen Polizei-Direktion zur »Begehung des Central-Festes der Landwirtschaft in der Residenzstadt München 1812«

4 Bl., Typendruck, 26,6×19,5 cm.

War das erste Oktoberfest 1810 hauptsächlich mit Geldern aus der Zentralstaatskasse bestritten worden, wurden die Folgefeste 1811 und 1812 größtenteils durch den neu gegründeten »Landwirtschaftlichen Verein in Bayern« finanziert und organisiert.

Das Programm von 1812 sah ein zweitägiges »National-Fest der Baiern« vor, wobei der erste Tag zwei Pferderennen vorbehalten blieb, der zweite Festtag mit einer »Ausstellung und Belohnung der vaterländischen Viehzucht« begangen wurde und verdiente Knechte und Mägde mit »Denkmünzen« ausgezeichnet wurden. An beiden Festtagen war die Anwesenheit des Monarchen vorgesehen. Preise und Fahnen wurden in Gegenwart des Königs vom Staatsminister Graf von Montgelas verteilt.   SP

StadtAM, Hist. Ver., Ang. I/77

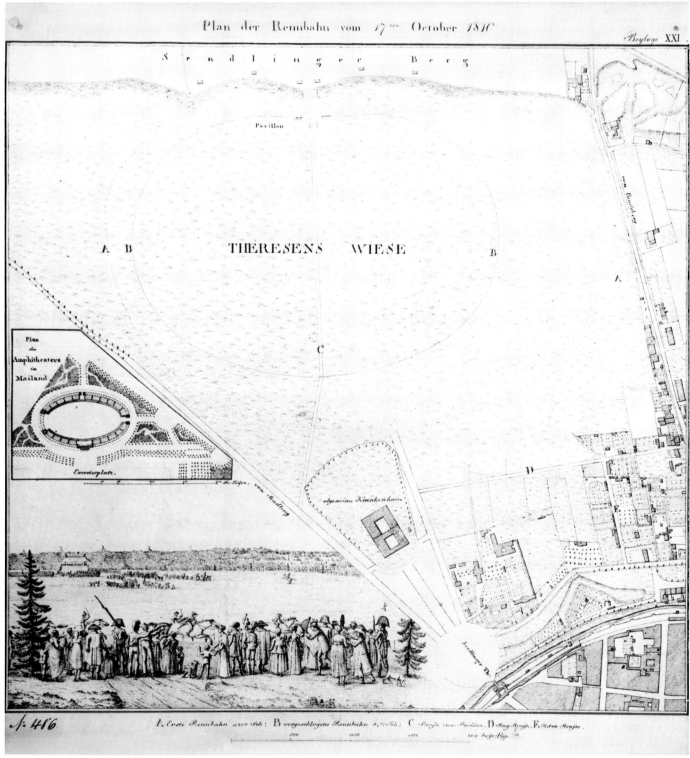

Plan der Rennbahn vom 17ten October 1810

Beylage XXI.

Sendlinger Berg

Pavillon

THERESENS WIESE

Plan des Amphitheaters in Mailand

A. Erste Rennbahn 1200 Sch: B vorgeschlagene Rennbahn 2470 Sch: C Brücke zum Pavillon. D Ring Strasse. E Reden Strasse.

N⁰ 486

Kat. Nr. 48

Kat. Nr. 52

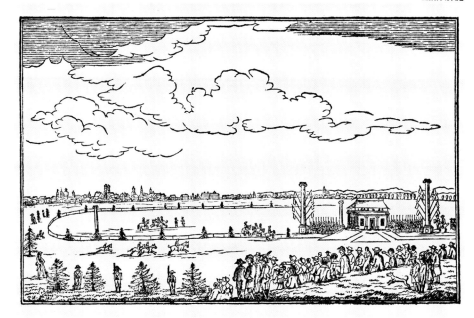

52 Ansicht der Theresens-Wiese bey München während den Oktober-Nationalfesten«, 1812

Thomas Neuer, Holzschnitt, 16×20,5 cm. Bez. u. l.: »TN«.

Blick in nördlicher Richtung auf die Theresienwiese während des Pferderennens. Rechts in der Mitte der Szene erhebt sich das Königszelt, flankiert von zwei säulenartigen Pfosten, in denen die Preisfahnen stecken. Im Vordergrund ist eine große Anzahl von Zuschauern abgebildet, die leger am Boden sitzen; der von der Rennbahn markierte Innenraum des Festplatzes ist ohne Zuschauer. Links im Bild: Nationalgardisten in Hab-Acht-Stellung.

Das Bild ist eine Illustration aus dem Gedenkbüchlein von Anton Baumgartner »Ansichten und Empfindungen, München 1812«. SP

MSt, Z 1661 b

53 Beschreibung des Oktoberfestes von 1815

»Das Volks-Fest der Baiern im October. Von J.S. München, in der Fleischmann-'schen Buchhandlung. 1815«.

40 S., 8°.

Der Autor dieses Büchleins stellt vor allem den nationalen Aspekt des Oktoberfestes in den Vordergrund seiner Betrachtung. In seinen einleitenden Worten charakterisiert er das herbstliche Fest mit folgenden Worten: »Als ein schöner Beweis unter so vielen andern rühmlichen Denkmälern, welche den hohen Schöpfergeist unsers geliebten Königs und seiner einsichtsvollen Räthe der Nachwelt überliefern, ragt das herrliche *Octoberfest* hervor.« Nachdem das Oktoberfest 1813 wegen der Kriegssituation ganz ausgefallen war und 1814 nur eintägig und ohne königliche Familie veranstaltet wurde, war man froh, 1815 wiederum ein »vollkommenes Nationalfest« feiern zu können. Finanzierung und Organisation des Festes wurden diesmal nicht mehr allein durch den Landwirtschaftlichen Verein bewerkstelligt, der von der Kavallerie-Division der Landwehr unterstützt wurde. Erstmals finanzierte die neuformierte »Gesellschaft hiesiger Bürger und Privaten« durch freiwillige Spenden das Fest mit.

Neben der Volksbelustigung in Form von Pferderennen, Viehprämierungen und Dienstbotenauszeichnungen kamen als Novum gymnastische Übungen und Wettrennen von Schülern hinzu. Ferner wurden in diesem Jahr auch 32 Feiertagsschüler aus München ausgezeichnet, die sich durch Fleiß und Gehorsam hervorgetan hatten. SP

StadtAM, Hist. Ver. Bibl.

54 Pferderennen beim Oktoberfest, um 1816

Joseph Pötzenhammer, Steingravur, 13,3×20,6 cm. Bez. u. r.: »Pötzenhamer grav.«.

Die miniaturhafte Darstellung wurde seitenrichtig in den Stein graviert und erscheint dadurch beim Druck spiegelverkehrt.

Durch das triumphbogenartig überwölbte Absprengtor jagen die Rennpferde heran. Das Publikum wird durch ein Rennseil und Wachen zurückgehalten. Zu seiten des Königszeltes steht die Ehrenwache zu Fuß und zu Pferd, vor dem Zelt halten beiderseits je sechs Knaben die Preisfahnen (die nicht mehr an Obelisken oder Säulen aufgesteckt sind). Vor dem Zelt ist die »Streu« (die aufgestreute Ziellinie) angegeben. Im Inneren des Rennrings die Kutschen des Hofes, Zelte, Buden und Viehstände. Am linken Bildrand, auf der Sendlinger Höhe, erhebt sich mitten aus der Zuschauermenge der Adler des Vogelschießens (daher Datierung nach 1816). Die Staffage im Vordergrund ist erzählerisch-abwechslungsvoll gehalten. Sänftenträger und ein Herr im Rollstuhl gesellen sich zu Hökerinnen, die an einem Tisch und einem Schubkarren mit Körben Ware verkaufen; unter modisch aufgeputzten Zuschauern ein Invalide. Vier hohe Fahnen, auf der vordersten ein Rennpferd erkennbar. BK

MSt, Z 1719

Kat. Nr. 53

Kat. Nr. 54

Rechnung
über
die Einnahmen und Ausgaben
des
Oktober. Festes
1819.
Das
Pferdrennen, Vogel. u. Scheibenschießen
auf der Theresen. Wiese
betr.

Kat. Nr. 55

55 Teilabrechnung des Magistrats über das Oktoberfest 1819

»Rechnung über die Einnahmen und Ausgaben des Oktober-Festes. 1819. Das Pferderennen, Vogel- u. Scheibenschießen auf der Theresen-Wiese betr.«

10 S., 35×21,5 cm.

Die sogenannten »Mehrausgaben« von 819 fl 35 kr wurden von der Stadt-Renten-Kasse übernommen.

Das Jahr 1819 stellte einen Wendepunkt in der Festgeschichte dar. Nachdem die auf privater Basis erfolgte Finanzierung der Feste zunehmend Schwierigkeiten bereitete, sah sich die neu organisierte Münchner Gemeindeverwaltung – der Stadtmagistrat – veranlaßt, das Fest zu einer städtischen Einrichtung zu machen. Ungeachtet ihres eigenen Schuldenstandes übernahm die Stadt nun auch noch die Kosten für diese herbstlichen Vergnügungen, da zu befürchten stand, daß das »ebenso angenehme als vorteilhafte Fest« ansonsten nicht mehr abzuhalten sei.

Die städtischen Aufwendungen betrafen unter anderem die Präparierung der Rennbahn, den Aufbau der Tribüne, die Herstellung der Preisfahnen, Medaillen und Denkmünzen sowie allgemeine Regiekosten (Bewachung und Dekoration des Festplatzes etc.). Die Stadt regelte den gesamten Festbetrieb – von der Standplatzvergabe bis hin zur Organisation des Glückshafens. Nur die Kosten für die landwirtschaftlichen Ausstellungen und die Prämierungen übernahm auch weiterhin der Landwirtschaftliche Verein.

Das Oktoberfest war somit zu einer städtischen Einrichtung geworden, man hatte es organisatorisch und finanziell vom Landwirtschaftsfest getrennt.

SP

StadtAM, Okt. 5

56 Katasterplan von 1849

»Stadt- und Landg[ericht] München. Nach der Aufnahme im 2500 th Maase reduziert im Jahre 1849. S. W. I. 1.«

55×55 cm, M = 1:5000.

In den 1820er Jahren mußte der Stadtmagistrat immer wieder Grundstücke auf dem Festareal ankaufen, um den Festbetrieb sicherstellen zu können. Wie der Plan von 1849 verdeutlicht, handelte es sich bei dem städtischen Besitz hauptsächlich um das Gelände im nördlichen Teil der Rennbahn. Der Bereich um das Königszelt und der südliche Rennbahnteil gehörten – wie die Grenzmarkierungen zeigen – nach wie vor verschiedenen Privatpersonen.

SP

StadtAM, Planslg. R 1997 II 28

57 Jubiläumsschrift 1820

»Feyerlicher Auszug zum freyen Pferderennen und zum Vogelschießen bey dem Oktoberfeste 1820 in München. Nebst einer Beschreibung der silbernen Schützen-Ketten und des Dezenniums dieser National-Feste. Von Anton Baumgartner, Königl. Baierischen Bau-Rath. München«, 1820.

64 S., mit einer Illustration, 8°.
Papierumschlag mit Titel: »Die Oktober-Feste auf der Theresien-Wiese bey München von 1810 bis 1820. Nebst der Luftfahrt der Frau Wilhelmine Reichard.« Titelholzstich mit Hirt und Kühen.

Baumgartner schildert in dieser Jubiläumsschrift die zehnjährige Geschichte des Festes. 1823 publizierte er als Folge »Die Oktober-Feste auf der Theresien-Wiese bey München, von 1820 bis 1823«. Was die Frühgeschichte des herbstlichen Vergnügens betrifft, beziehen sich spätere Autoren weitgehend auf diese beiden Veröffentlichungen.

Mit dem ersten Jubiläumsfest 1820

Auflistung der Teileinnahmen und -ausgaben für das Fest 1819:

Einnahmen (in Gulden = fl; in Kreuzer = kr):

– An freywilligen Beyträgen von Körperschaften	152 fl 49 kr
– An freywilligen Beyträgen von Privaten	64 fl 21 kr
– An Schützengefällen	128 fl 57 kr
Summe der Einnahmen	**346 fl 7 kr**

Ausgaben:

– Auf die Preise des Pferderennens	465 fl 36 kr
– Auf die Verfertigung der Fahnen	290 fl 56 kr
– Auf die Preise des Schiessens	78 fl
– Auf Verfertigung des Vogels u. der Scheiben	44 fl 20 kr
– Auf Musik	42 fl 48 kr
– Auf Druckerey, Schreibmaterialien	34 fl 30 kr
– Auf Deputaten, Douceurs	156 fl 12 kr
– Auf sonderbare Ausgaben	53 fl 21 kr
Summe der Ausgaben	**1165 fl 43 kr**

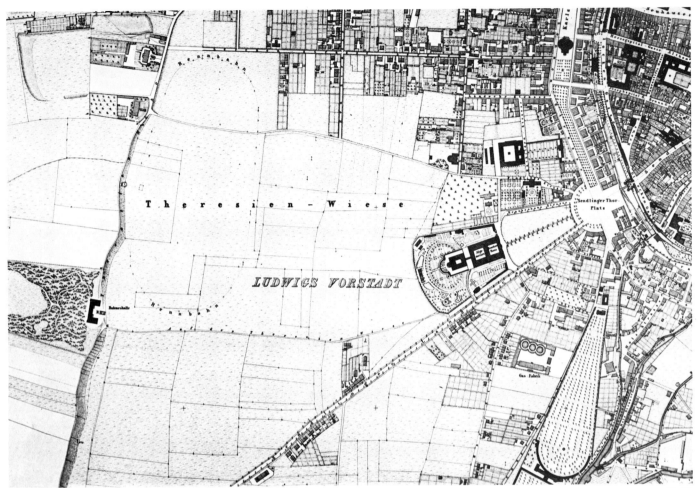

Kat. Nr. 56

wurde die Tradition begonnen, die jährlich abgehaltenen Oktoberfeste durch solche Pointierungen aufzuwerten.

Neben dem herkömmlichen Festablauf mit Pferderennen, landwirtschaftlicher Preisverleihung, Preisschießen mit vorherigem Schützenzug, boten die Organisatoren 1820 eine zusätzliche Attraktion: die Gasballonfahrt der »Madame Reichard«. Das Festende wurde mit einer weiteren Neueinführung – einem Feuerwerk – gekrönt.

Zur Feier des »ersten glücklich verlaufenen Dezeniums« organisierten die Wirte auf der Theresienwiese außer-

dem Belustigungen wie Sacklaufen, Baumsteigen und Hosenrennen für die Jugend. Diese Veranstaltungen sollten die Münchner auch unter der Woche zum Besuch des Oktoberfestes verleiten, und um den Bezug zum Hause Wittelsbach zu betonen, wurde darüber hinaus festgelegt, »daß in diesem Jahre, wo der Kronprinz das erste Dezenium seines glücklichen Ehestandes vollendet, das Pferderennen, [...] durch einen außerordentlichen ersten Preis von 50 bayerischen Talern nebst einer geeigneten Fahne verherrlicht werde«.

Lit.: Destouches, Säkularchronik, S. 26 f. StadtAM, Av. Bibl.

SP

58 »Das Oktober-Fest von 1820« mit Ballonaufstieg

Heinrich Adam, Aquarell, 12,9×19,8 cm. Bez. u. l.: »nach der Natur gez: von H Adam.« Eingeklebt in die »Findel-Chronik« (Kat. Nr. 207) bei der Schilderung des Ballonaufstiegs 1820 (nicht paginiert).

Blick etwa von der Stelle der späteren Bavaria aus nach Osten. Im Vordergrund teils auf Tribünen plaziert, teils im Gras hingelagerte Zuschauer; eine Frau mit Henkelkörben voll Gebäck schenkt ein Getränk aus einer dickbauchigen grünen Flasche in ein kleines Glas aus. Im Mittelgrund links das Königszelt nach der Preisverleihung, rechts die dichte Front der Kavallerie-

Kat. Nr. 58

Ehrenwache, dahinter die große hölzerne, innen von drei Stützen getragene Glückshafenbude. Über der Bude schwebt der Ballon mit Madame Reichard in der bewimpelten Gondel (vgl. Kat. Nr. 406). Unter das Bild setzte Findel den zufriedenen Rückblick: »Das Oktober-Fest von 1820 war eines der schönsten Feste, welches gegeben wurde.« BK

Mon, 2° Mon. 45

59 »Pferderennen am Octoberfeste zu München« um 1824

Heinrich Adam, kolorierte Radierung, 27×33,5 cm.
Bez. u. l.: »Heinrich Adam fecit«.

Blick in östlicher Richtung auf die Theresienwiese während des Zieleinlaufs der Rennpferde. Im Vordergrund drängen sich die Zuschauer auf der Sendlinger Anhöhe. Rechts vorn ist eine halboffene Holzbude mit qualmender Bratstelle abgebildet, davor eine Obstverkäuferin und Holzfässer. Im Innenkreis der Rennbahn befinden sich neben Königszelt, Versorgungszelten der Nationalgarde und den Ausstellungsörtlichkeiten des landwirtschaftlichen Vereines mehrere Holzbuden für die Bewirtung der Gäste.

Im Gegensatz zu den früheren Bildchronisten Kobell (Kat. Nr. 17) und Heß (Kat. Nr. 16) zeigt Adam einen Festplatz, der mit Besuchern gefüllt ist. Die Chronisten aus dieser Zeit berichten von 50000 bis 60000 Zuschauern, die sich vor allem zum Hauptfesttag das Pferderennen und natürlich auch die Anwesenheit des Königshauses nicht entgehen lassen wollten.

Seit der Magistrat der Stadt München zusammen mit dem Generalkomitee des Landwirtschaftlichen Vereins 1819 die Leitung des »Nationalfestes« übernommen hatte, wurden von Jahr zu Jahr – zur Durchführung dieses Unternehmens – »zweckmäßigere Anordnungen« getroffen. Das einwöchige Spektakel, nach 1829 findet es dann zweiwöchig statt, bedurfte in zunehmendem Maß einer verbesserten Organisation und erhöhter Investitionsmittel. Waren 1819 auf dem Festplatz »2 Cafetiers, 1 Weinwirt, 3 Likörhändler, 4 Konditoren, 12 Bierwirte, 1 Früchtehändler, 6 Köche, 1 Bäckermeister, 1 Küchelbäcker, 1 Pavesenbäcker und 1 Schwammhändler« vertreten, so vergibt der Magistrat bereits 20 Jahre später über 100 Plätze auf dem Festareal.

Die Buden, die anfänglich nur auf der Sendlinger Anhöhe standen, wurden verstärkt im Rennbahnrondell errichtet. Wie es sich bei der Radierung von Adam bereits ankündigte, bedurfte die »hölzerne Stadt«, die hinter dem zentral gelegenen Königspavillon immer stärker anwuchs, bald einer festgelegten Platzanordnung im Halbkreis hinter dem Königszelt. Die Pläne hierfür erarbeitete der Stadtbaumeister Arnold Zenetti.

In diesen Zeitraum fielen auch die Bemühungen der Stadt um eine Strukturierung des Festplatzes. 1828 erließ der Magistrat die Anordnung, »sämtliche Fahr- und Fußwege nach der Theresien-Wiese gut« herzurichten und »mit Laternen« auszustatten. Um die Wirte und Köche mit Wasser zu versorgen, ließ der Magistrat auf seine Kosten zwei Pumpbrunnen setzen; auch für die Dekoration des Platzes wurden Gelder bereitgestellt.

Parallel zur Festvergrößerung verlief der Kostenanstieg. Der 1828 festgelegte Etat von 6000 Gulden wurde jedes Jahr regelmäßig überschritten und mußte immer wieder höher veranschlagt werden.

In zunehmendem Maß wurde das Oktoberfest eine Unternehmung, die die Stadt vor organisatorische und finanzielle Aufgaben und Probleme stellte.

SP

Lit.: Destouches, Säkularchronik, S. 25 u. 64
MSt, M I/1851

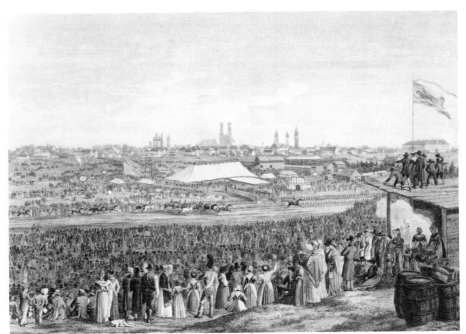

Kat. Nr. 59

Oktoberfest 1823

»Mehrere Tage vor dem Feste selbst füllt sich die Stadt mit Fremden, so daß sie in den Gasthöfen kaum unterzubringen sind. Man nimmt im Findlischen Kaffeehause schon im Voraus Theil an den in voller Pracht daselbst aufgestellten Preise-Fahnen und an der Thätigkeit, womit sich Hr. Findel dieses Geschäft hat angelegen seyn lassen. – Unter grünen zweckmäßigen Verzierungen wächst auf der Theresen-Wiese eine hölzerne Stadt mit wohlgeordneten Gassen mit Gallerien oben auf, mit allen ländlichen Spielen heraus, um mit allen Arten von Lebensmitteln und andern häuslichen Bedürfnissen beynahe 3 Wochen unter dem lustigsten Volksgetümmel in den Feyerstunden einen ununterbrochenen Verkehr daselbst zu treiben. In der Mitte, dem Berge gegenüber, ragt der Königl. Pavillon hervor, worin wir unsern Landesvater mit seiner höchsten Familie, die hochansehnlichen Fremden, und den ganzen Hof freudenvoll erblicken. – An den Seiten des Pavillons paradirt ein neu exerzirtes Bataillon der bürgerl. Landwehr, dessen Grenadiere mit neuen Mützen, und die Hautboisten mit neuen Uniformen geziert worden sind. [...] – An der Seite sind die Pyramiden für die Preisfahnen, und die eingefangten Stellen für das Preisvieh nach seinen Unterabtheilungen. – Im Hintergrunde erkennen wir an eigens aufgesteckten Fahnen die Zelten für die Preisgerichte des landwirthschaftlichen Vereins und des Pferde-Rennens. – Schon mit den frühesten werden die preiswürdigen Thiere, gepuzt, unter dem Kuhglokken-Geläute hinausgeführt, und da ströhmt schon alles hinaus, und besetzt die Berge, bis der glänzende Zug mit den Preisfahnen für die Rennpferde erscheint, und bis endlich auf einen Kanonenschuß durch die Ankunft des Königs und seiner Familie alles in eine freudige Bewegung geräth. – Zuvor hat man die schönen bürgerl. Sechspfünder-Kanonen bewundert, welche die bürgerl. Landwehr unter der Leitung des Hrn. Obersten v. Klöber in Augsburg hat gießen und bohren lassen, und worüber von letztern eine öffentliche gedruckte Danksagung erschienen ist. – Se. Majestät geruhen die schönsten Preisstücke in Augenschein zu nehmen; die Preise selbst werden von Sr. Excellenz dem K. baier. Minister des Innern Herrn Grafen von Thürheim an die verdienten Landwirthe vertheilt, wonach das Pferde-Rennen beginnt.

Die Rennbahn beträgt, wie in dem vorübergegangenen Jahre, 7400 baier. Schuhe, und muß dreymal umritten werden. Zum Absprengen hat man einen von drey Seiten eingeschlossenen hölzernen Schranken vorgerichtet, damit nicht zur Unzeit abgesprengt, und damit alles Unglück vermieden werde. – Auf ein vom Renngerichte gegebenes Zeichen wird der vordere Schranken gezogen, und die Renner fliegen gegen die Königl. Loge voran. Immer im Kreise laufend werden sie von allen Augen fortwährend verfolgt, viele tausend und tausend Stimmen der Muthmassung, des Beyfalls, des Wettens, des Frohseyns, und am Ende beym Einsprengen in das Ziel des lautesten Beyfalles erschallen in der Luft, und erfüllen mehr als 50.000 Zuseher mit Freude – ein Tableau, welches der Künstler Adam bereits so treffend im Kleinen entworfen hat, daß es in das Große ausgeführt zu werden verdiente. – Sechszehn Bürger, zugleich Landwehrmänner der bürg. Cavallerie haben freywillig das Auffangen der einsprengenden Renner übernommen. – In der Zwischenzeit erheben sich dem Pavillon Sr. Majestät des Königs gegenüber, unter der Leitung des Hrn. Wilhelm Legrand, vaterländische Gesänge, das *Heil unserm König,* der *Baiern Chor* und der *Jungfern-Chor,* letztere beyde nach der Freyschützen-Musik, und weñ das Fest beendet ist, entwickelt sich der freundliche Knaul von allen Seiten. – Tags darauf nehmen die Schützen-Uebungen ihren Anfang. Der heurige Zug mit mehreren Fahnen wird besonders sich ausnehmen. Bald knallen die Feuergewehre von den bekanntlich ausgezeichneten baier. Schützen abgedrückt, durch die wiederhallende Luft. [...] – Die Ballester-Schützen zeigen sich mit ihren nicht selten altmerkwürdigen Ballestern, und obwohlen sie sonst nur auf 30 Schuhe geschossen haben, werden sie es heuer auf 50, und in der Folge auf 100 Schuhe versuchen. – Mit Ende der Woche wird das mit höchster Erlaubniß veranstaltete Lotto auf ein schönes

gesatteltes Pferd, auf Silbergeschmeide, und verschiedene Kleinodien gezogen. – Gegen Abend gehen die ländlichen Spiele fort, und das 2te Pferde-Rennen am 12. Oktober beschließt diese Feste. – Die Strassenbeleuchtung bey der Nacht, welche der Magistrat nunmehro in der Maximilians- und Ludwigs-Vorstadt lobenswürdig vollendet hat, wird denjenigen, welche Abends nach Hause kehren, die erforderliche Sicherheit gewähren.«

Zitat: Baumgartner 1823, S. 12ff.

60 Oktoberfestprogramm des Magistrates, 1832

»Programm über das Pferde-Rennen. Vogel- und Scheiben-Schießen bey dem Oktober-Feste.«

2 Bl. mit Deckblatt, Lithographie und Typendruck. Titelblatt: Schriftzug umgeben von kalligraphischem Ornament mit Münchner Stadtwappen, 25×20 cm.

Das Programm, welches vom Magistrat herausgegeben wurde, umfaßt:
1. Anordnungen des Renngerichts zum Ablauf des Pferderennens,
2. Anordnungen der Haupt-Schützengesellschaft zum Vogel-, Hirsch-, Pistolen- und Scheibenschießen.

Zu den organisatorischen Aufgaben

Kat. Nr. 60

des Magistrats zählte die Erstellung der jährlichen Festprogramme.

MSt, 58/146/118

61 »Eintritts-Karte zum Amphitheater auf der Theresens-Wiese bei den Central-Landwirtschafts-Festen«, 1832

Lithographie auf rotem gestrichenem Papier, handschriftlich auf der Rückseite »Billet für den Adel«, 7×9,8 cm.
Der gleiche Aufdruck auf hellblauem gestrichenem Papier, handschriftlich auf der Rückseite »Billet für die übrigen Personen«, 6,9×10 cm.

MSt, 58/146/121–122

62 »GRIECHISCHE DEPUTIRTE welche im Monat October 1832 in München, dem König Otto die Huldigung ihrer Nation darbrachten.«

Gustav Kraus, 1833, kolorierte Lithographie, 28,5×37,3 cm. Beschriftung unter den Dargestellten v. l. n. r.: »Dimitrii Koliopulos Plaputas. Andreas Miaulis. Costa Bozaris.«, unter dem Titel: »Zu finden bey J. C. Hochwind in München.«

Vor angedeuteter Landschaft stehen die drei Abgeordneten aufgereiht, Admiral Miaulis in der Mitte mit Pluderhose, die beiden jüngeren Generäle (Koliopulos mit hüftlangem Haar) in Fustanella (Leibrock) und Waffenschmuck. Die Portraitzüge übernimmt Kraus aus einer im Dezember 1832 nach dem Leben gezeichneten Lithographie von K. Krazeisen (spiegelverkehrt), ergänzt aber die Halbfiguren zu einer volkstümlicheren Gesamtvorstellung.
Griechenland hatte sich – vom westeuropäischen Philhellenismus moralisch unterstützt – in den Freiheitskriegen der Türkenherrschaft entledigt und wurde 1829/30 zum unabhängigen Königreich erklärt. Die Schutzmächte England, Frankreich und Rußland einigten sich darauf, den 17jährigen Prinzen Otto von Bayern zum König von Griechenland auszurufen. Nach der Zustimmung der griechischen Nationalversammlung wurde eine zwölfköpfige Gesandtschaft zu seiner Huldigung nach München geschickt. Durch Quarantäne und Erkrankung verzögerte sich ihre Ankunft; König Ludwig

ließ das schon begonnene Oktoberfest verlängert und den Hauptsonntag um eine Woche verschieben, damit das bayerische Nationalfest und die griechische Königsproklamation sich gegenseitig zu um so denkwürdigerem Glanz erhöhten. August Lewald resümiert 1835: »Schon oftmals wurde das Octoberfest in München mit Festlichkeiten verbunden, die am Hofe statt fanden, und in der königlichen Familie eine Bewegung verursachten, die das ganze Land mitempfinden sollte. So ward vor zehn Jahren die Vermählung des Kronprinzen von Preußen mit einer baierischen Prinzessin während des Festes begangen, wodurch diesem eine nicht unbeträchtliche Beigabe von Glanz und Herrlichkeit zugemessen wurde. Ohne solche Veranlassung ist es jedoch nicht besonders erheblich zu nennen [...]« Lewald, der freundlich-ironische Reisende aus Preußen, gibt in seinem »Panorama von München« (Bd. 2, Stuttgart 1835, S. 194–213) die festlich gespannte Stimmung in der Stadt am Vorabend und am Festtag wieder, als man die malerische Erscheinung der drei Helden aus den Befreiungskriegen zu sehen hoffte. Eine halbe Stunde vor Ankunft der Könige Ludwig und Otto traf die griechische Deputation ein und begab sich aus zeremoniellen Gründen nicht ins Königszelt, sondern auf die Tribüne gegenüber, denn die Antrittsaudienz hatte noch nicht stattgefunden. »In der Mitte stand die interessanteste Person, der kühne, schlaue, greise Miaulis, jener verwegene Admiral, den die Gewässer alle kennen, welche die griechischen Inseln und die türkische Küste anspülen; der seit Jahren mit dem alten, wilden Elemente vertraut, sich selbst dessen Charakter aneignete, seinen Felsen Trotz, seinen Wellen Muth, seinen Stürmen List entgegensetzte [...] In ganz unscheinbarer Tracht, fast nach europäischer Weise war er gekleidet; weite dunkelfarbige Pantalons, eine eben solche Jacke auf Husarenmanier mit schwarzen Schnüren besetzt [...] dazu die bekannte griechische Mütze, be-

Dimitrii Koliopulos Plapulas   Andreas Miaulis   Costa Bozzaris

GRIECHISCHE DEPUTIRTE
welche im Monat October 1832 in München dem König Otto die Huldigung ihrer Nation darbrachten

Kat. Nr. 62

deutend hoch, mit dunklem Seidenbüschel versehen [...] Ihm zur Rechten befand sich Bozzaris, im nationellen, weißen Untergewande und reich gekleidet. Er hatte einen hellgrünen, kurzen Pelz übergeworfen und sah alt, bleich und grämlich aus. Koliopulos war im reichsten griechischen Costüm von rothem Sammt mit Gold, in funkelnden Waffen und schien der jugendlichste von den Dreien [...]«
Die Gäste zeigten besonderes Interesse für das Pferderennen. Am folgenden Tag, dem Namensfest der Königin Therese, boten sie dem Volk erneut ein Spektakel bei der feierlichen Auffahrt zur Huldigung ihres jungen Königs im Thronsaal der Residenz. Am 6. Dezember 1832 reiste Otto mit Familiengeleit nach Griechenland ab; die Deputation folgte ihm einen Tag später.
Ludwig I., »der Philhellene auf dem bayerischen Königsthron«, ließ 1841 bis 1844 einen Wandbilderzyklus von 39 Szenen aus dem griechischen Be-

freiungskrieg in den Hofgartenarkaden ausführen (nach Entwürfen von Peter von Heß; im Zweiten Weltkrieg zerstört; vgl. auch Kat. Nr. 16).   BK
MSt, 32/351

63 »Programm der bei dem Oktober-Feste 1835 stattfindenden Festlichkeiten [...]«
4 Bl., Typendruck, 23,5×19,5 cm.

Das Jubiläumsprogramm wurde vom Magistrat und vom »General-Comité des landwirthschaftlichen Vereins« zusammengestellt. Eine glanzvolle und abwechslungsreiche Festwoche sollte weite Teile der Bevölkerung ansprechen. Wie das Programmheftchen ankündigte, wurde das Doppeljubiläum mit einem prächtigen Festzug des Isarkreises am ersten Sonntag eröffnet. Schließlich feierte man diesmal nicht nur das 25jährige Bestehen des Oktoberfestes, sondern auch die Silberhochzeit des bayerischen Königspaa-

Zur Erinnerung
der silbernen Hochzeit-Feier
H.KK.Majestäten Ludwig u.Therese von Bayern.
den 12 October 1835.

Kat. Nr. 65

res. An den folgenden Tagen fanden Schützenfestzug und Preisschießen sowie Wagenrennen, Wett-Ringkämpfe und Radlauf der Wagnergesellen statt. Nach einem Feuerwerk und einer aeronautischen Darbietung endete die Festwoche mit dem Nachrennen.   SP
MSt, P 1850

64 Jubiläumsschrift 1835

»Gedenkbuch der Oktober-Feste in München vom Jahre 1810 bis 1835. Zusammengestellt und der Bürgerschaft Münchens gewidmet von Ulrich v. Destouches, München 1835.«
Auf dem Papierumschlag abweichend: »Herausgegeben bei Gelegenheit des fünfundzwanzigjährigen Jubiläums derselben.«
84 S., 8°.
Mon

65 »Zur Erinnerung der silbernen Hochzeit-Feier II. KK. Majestäten Ludwig u. Therese von Bayern. den 12. October 1835«

Lithographie, 26×19,2 cm.

Im kreisrunden, umkränzten Mittelfeld reliefartig dargestellte Profilbüsten von Ludwig und Therese. In der Rahmung verteilt in Ordenssternen die Namen der neun Kinder aus dieser Jubel-Ehe, dazwischen die Wappen der acht Kreisstädte. Die vier Ecken symbolisieren Malerei, Baukunst, Wissenschaft und Musik. Bekrönung: Bayerische Königskrone, Waffen und Fahnen.
Im Sockel ›gründet‹ die Komposition auf einer zweigeteilten Darstellung des Oktoberfestes: links sprengen Rennpferde am König vorbei, von rechts her wird Preisvieh zu ihm herangetrieben; zahlreiche Zuschauer. Unten Inschrift.
BK
MSt, Z 2371

66 Jubiläumsmedaille, 1835

Messingprägung, versilbert, ⌀ 0,3 cm.

Auf der Vorderseite: »Z. SILBERN. HOCHZEIT KÖNIG. LUDWIG I U. THERESE KÖNIG. V. BAY. – GEFEYERT 12 OCT. 1835«

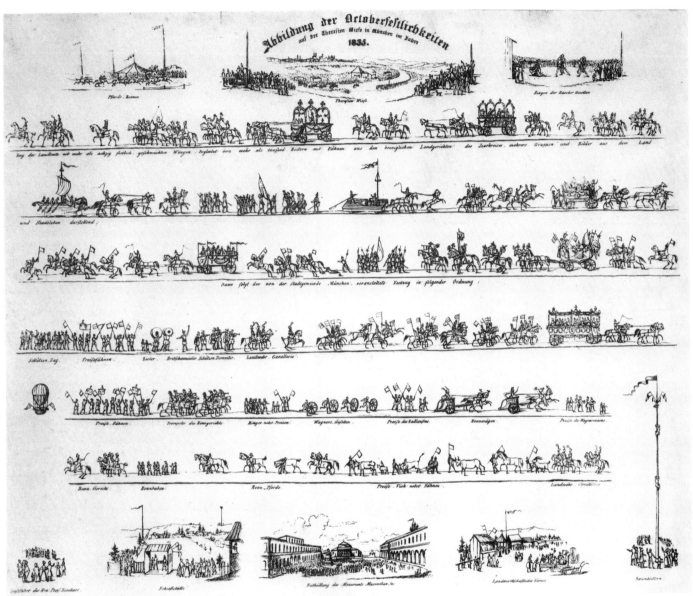

Kat. Nr. 67

Kat. Nr. 66

mit einander zugewandten Profilköpfen des Paares. Auf der Rückseite: »OCTOBERFEST IN MÜNCHEN«, Darstellung der Festwiese mit Pferderennen und Zelten, im Hintergrund die Stadtsilhouette.

MSt, K ohne Inv. Nr. (mit einfachem Pappetui in Schuber); 8947 (mit Öse)

67 »Abbildung der Octoberfestlichkeiten auf der Theresien-Wiese in München im Jahre 1835.«

Steingravur, 36×43 cm.

Miniaturhafte Darstellung der Festzüge in acht hin- und hergehenden Reihen mit begleitendem Text: »Zug der Landleute mit mehr als achzig festlich geschmückten Waegen, begleitet von mehr als tausend Reitern mit Fähnen aus den koeniglichen Landgerichten des Isarkreises, mehrere Gruppen und Bilder aus dem Land- und Stadtleben darstellend; Dann folgt der von der Stadtgemeinde München, veranstaltete Festzug in folgender Ordnung: Schützen-Zug. Preisefähnen. Zieler. Britschenmeister. Schützen-Trompeter. Landwehr-Cavallerie. Preisefähnen. Trompeter des Renngerichts. Ringer nebst Preisen. Wagners-Gesellen. Preise des Radlaufens. Rennwägen. Preise des Wagenrennens. Renn-Gericht. Rennbuben. Renn-Pferde. Preise-Vieh nebst Fähnen. Landwehr-Cavallerie.«

Oben (unterhalb des im Bogen angeordneten Titels) Blick auf die Festwiese mit seitenverkehrter Stadtsilhouette und Auffahrt der sechsspännigen königlichen Kutsche. In Einzelbildchen links das »Pferde-Rennen«, rechts das »Ringen der Baecker Gesellen«. Am unteren Rand in der Mitte »Enthüllung des Monuments Maximilian Jos.« (ein Ereignis, das im Rahmen des Festes stattfand), links die »Schießstätte« mit zwei Schießständen, von denen auf Scheiben und auf den laufenden Hirschen geschossen wird, das Adlerschießen im Hintergrund. Rechts »Landwirthschaftlicher Verein«: Gegenüber einer Reihe von Buden sind verschiedene landwirtschaftliche Geräte unter freiem Himmel aufgestellt (unter anderem ein Pflug und eine Spreutrommel) und werden von Besuchern begutachtet. Dies ist der früheste Bildnachweis für die Präsentation vorbildlicher landwirtschaftlicher Geräte. Rechts daneben erhebt sich vom unteren Rand bis fast zur Bildmitte der Kletterbaum mit Wimpeln und Kranz an der Spitze. Ein Zuschauerring beobachtet das »Baumklettern« zweier Knaben.

Entsprechend der Höhenerstreckung des Kletterbaums wird links der Raum genutzt, um die »Luftfahrt des Hrn. Prof. Reichart« zu zeigen: Eine Runde Schaulustiger sieht zum Ballon mit der bewimpelten Gondel empor (vgl. Kat. Nr. 410). BK

StadtAM, Slg. Birkmeyer 753

68 Festzug des Isarkreises zum 25jährigen Oktoberfestjubiläum

Gustav Kraus, kolorierte Lithographie, 38×48,5 cm.
Blatt 2: »K[önigliches] Landgericht München« (vgl. Kat. Nr. 431).

Das Blatt zeigt sieben der acht Vierspänner, die von verschiedenen Gemeinden des Landgerichtes München als einheitliche Zugnummer für den Jubiläumsfestzug 1835 gestellt wurden und die acht Kreise Bayerns symbolisierten.

MSt, Z 1726

69 Turnerische Darbietungen auf den Oktoberfesten 1835 und 1836

»Festspiele der Octoberfeste 1835 und 1836, welche unter der Leitung d. Turnlehrer Gruber ausgeführt wurden«.

Gustav Kraus, kolorierte Lithographie, 49,5×43,5 cm. Bez. u. l.: »Kraus lith.«

Sechs Detailansichten in drei Reihen übereinander. Links drei verschiedene Turnerszenen der Bäcker- und Wagnergesellen, die in »altdeutscher Tracht die Kampfspiele des Mittelalters« nachstellen. Rechts im Bild Pfeilwerfen, Steinschleudern sowie die Schlußgruppierung in Pyramidenform. Die turnerischen Darbietungen erfolgten vor dem Königszelt. SP

MSt, Z 1703

70 »Plan vom Oktober-Feste zu München im Jahre 1843 [...]«

Steingravur, Hrsg.: ›G. S.‹, Druck der J. Deschler-'schen Officin, München, 33×62 cm.

Lageplan der Festwiese mit Angabe der Bierzelte, der Schützenstände, des königlichen Pavillons und dem Areal der Industrie- und Landwirtschaftsausstellung.

Der Plan von 1843 ist der zweite bekannte Lageplan der Festwiese. Das

Kat. Nr. 70

Areal wurde durch die oval verlaufende Rennbahn bestimmt. Außerhalb des Rondells – im Westen – befanden sich zwischen dem Bauplatz der Bavaria, der Ruhmeshalle und der sogenannten »Ehemaligen Tribüne« der Standort für das Adlerschießen sowie die Plätze für die vier zugelassenen Wirte aus dem Landgericht München.

Den Innenraum des Rennrondells teilten sich der königliche Pavillon, das landwirtschaftliche Ausstellungsgelände, die 24 Bewirtungsbuden, der Glückshafen und zwei Schaustellerge-

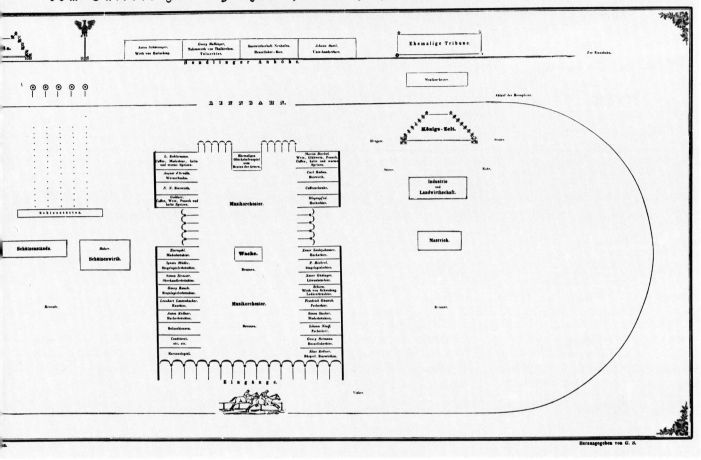

Abbildung S. 62

schäfte (Karussellspiel und Boltzschießen). Diese ›hölzerne Budenstadt‹ konnte nur durch Eingänge, die mit sogenannten Reiterfängern versehen waren, betreten werden.
Die Wasserversorgung des Festplatzes regelten zwei Brunnen; laut Plan standen den Besuchern zwei Retiraden (Abtritte) zur Verfügung. Auch für die Ordnungshüter war ein Unterstand vorgesehen.   SP

MSt, 35/1833

71 »Pferde-Rennen, bei dem Landwirtschaftlichen Octoberfeste in München«, 1844

Gustav Kraus, Lithographie, Druck: J. B. Dreseli, 40,5×55,5 cm. Bez. u. r.: »lith. G. Kraus 1844«.

Das Bild zeigt den Blick auf den südlichen Teil der Festwiese und erfaßt den Start der Pferde vor dem Königszelt. Im Vordergrund liegt die von Zuschauern belagerte Sendlinger Anhöhe, mit Fahnenschmuck und reicher Staffage sowie einer Zuschauertribüne in klassizistischem Baustil. Dessen Elemente kennzeichneten auch die Industrie- und Landwirtschafts-Ausstellungshalle hinter dem Königspavillon.
Daneben ist der Wirts- und Belustigungsbereich abgebildet.   SP

MSt, P 1852

72 »Programm zu dem Oktober-Feste auf der Theresienwiese am 3. Oktober 1841«

2 Bl., Typendruck, 25,8×21,3 cm.

StadtAM, ZS

PFERDE-RENNEN,
bei dem Landwirthschaftlichen Centralfeste in München.

Kat. Nr. 71

an welchen daselbst Pferderennen gehalten werden, also den 7., 11. und 14. d. Mts. verboten ist;

b) daß sämmtliches, die Theresienwiese während der Dauer des Festes befahrendes Fuhrwerk von 6 Uhr Abends an mit Schellengeläute und bei einbrechender Dunkelheit mit angezündeten Lichtern in den Laternen versehen sein muß.

München, den 2. Oktober 1855.
Kgl. Polizei-Direktion München.
Düring, kgl. Polizei-Direktor.
Schneider.«

StadtAM, Plakatslg.

Bekanntmachung.

Das Oktoberfest auf der Theresienwiese beginnt heute um **2 Uhr**.

Die Abfahrt Ihrer Königlichen Majestäten von der Residenz wird durch Kanonenschüsse angekündiget.

Am 7. Oktober 1855.

Magistrat der k. Haupt- und Residenzstadt München.

Bürgermeister: von Steinsdorf.

Stadelmann, Sekretär.

Druck von Dr. C. Wolf & Sohn.

Kat. Nr. 76

Kat. Nr. 73

Bekanntmachung.

Ihre Königliche Hoheiten der Kronprinz und die Kronprinzessin geruhen morgen Sonntag den 5. Oktober dem landwirthschaftlichen Centralfeste beizuwohnen und Nachmittag 2 Uhr auf dem Festplatze einzutreffen.

Das Fest beginnt mit der landwirthschaftlichen Preise-Vertheilung, an welche sich das Rennen und sofort die Vertheilung der Rennpreise anschließt.

Die bei Hofe präsentirten Herren und Damen finden den königl. Pavillon zu ihrer Aufnahme bereit.

Das
General-Comité des landwirthschaftlichen Vereins in Bayern.

Fürst von Oettingen-Wallerstein.

Boshart.

73 Bekanntmachung des Landwirtschaftlichen Vereins zur Festeröffnung 1845

Schriftplakat, 42×27 cm.

StadtAM, Okt. 2/1

74 Bekanntmachung des Magistrates zur Festeröffnung 1849

Schriftplakat, 39×23,5 cm.

»Das Oktoberfest auf der Theresienwiese beginnt heute um 2 Uhr und wird durch Kanonenschüsse angekündigt. Am 7. Oktober 1849. Magistrat der königlichen Haupt- und Residenzstadt München. Dr. Bauer, Bürgermeister. Knollmüller, Sekretär.«

StadtAM, Okt. 2/1

75 Bekanntmachung der Polizeidirektion, München 1855

Schriftplakat, 38×24 cm.

»Zur Verhütung von Unglücksfällen wird in Erinnerung gebracht:
a) daß das Mitnehmen von Hunden auf die Theresienwiese an den Tagen,

76 Bekanntmachung des Magistrats zur Festeröffnung 1855

Schriftplakat, 37,5×26,5 cm.

StadtAM, Okt. 2/1

77 »ZUR ERINNERUNG DER AUFSTELLUNG DES COLLOSSALEN EHERNEN STANDBILDES DER BAVARIA, nach Schwanthaler Modell, in Erz gegoßen von Inspector Müller [sic! spätere Auflage verbessert in Miller], u. erbaut v. König Ludwig den Iten v. Bayern unter der Leitung des Baurath Ritter v. Klenze. enthüllt den 9ten October 1850.« »gedruckt bei C. Hohfelder in München – Verlag v. G. Kraus in München. Löwenstrasse №. 19. – Lithographiert v. G[ustav] Kraus.« Bez. u. l. im Bild: »lith. v. G. Kraus 1850«.

Dall'Armi hatte 1810 sieben Seiten seines schmalen Bändchens den Vorschlägen gewidmet, wie das natürliche Amphitheater und der königliche Pavillon dauer- und denkmalhaft zu gestalten seien (vgl. Kat. Nr. 15).

Aus ganz anderer Intention ließ Ludwig I. 1843–1853 auf dem südwestlichen Zug der Theresienhöhe durch den Architekten Leo von Klenze die Ruhmeshalle erbauen. Nicht »der schönste Circus Deutschlands« nach römisch-französischem Vorbild, sondern eine Gedenkstätte für »ausgezeichnete Bayern« (in Analogie zur Walhalla für die größten Deutschen) entstand an dieser dominanten Stelle im edelsten griechischen Stil in Form eines dreiflügeligen dorischen Tempels.

Gleichzeitig strebte Ludwig mit der Errichtung der »Bavaria« ein gewaltiges Werk an, das nur mit der Antike vergleichbar war. Nach den Worten des Königs sind »Nero und ich die einzigen, die so großes gemacht haben, seit Nero keiner mehr«. Angespielt wird mit diesem stolzen Spruch auf die Kolossalstatue des Nero, die dem Colosseum in Rom den Namen gab. Klenze stellte sich zunächst in Verbindung mit der Ruhmeshalle, dieser »Akropolis des Isar-Athen«, eine Pallas-Athene-Statue vor, wie sie das Parthenon überragte. Ludwig Schwanthaler schuf schließlich eine »alt-germanische« Frauengestalt, mit einem Bärenfell bekleidet, einen Eichenlaubkranz in der erhobenen Linken, den bayerischen Löwen neben sich. Das Germanische war in romantischem Geiste zu einem neuen, auch im Kolossalen darstellbaren Ideal geworden.

Die Enthüllung wurde während des Oktoberfestes 1850 mit einem Festzug feierlich begangen (ebenfalls von Gustav Kraus lithographisch dokumen-

ZUR ERINNERUNG DER AUFSTELLUNG DES COLLOSSALEN EHERNEN STANDBILDES DER BAVARIA, nach Schwanthaler Modell in Erz gegossen von Inspector Müller, erbaut König Ludwig den 1ten Bayern unter der Leitung des Baurath Ritter v. Klenze enthüllt den 9ten October 1850.

Kat. Nr. 77

tiert). Die Ruhmeshalle war bis auf eine Giebelseite zu diesem Zeitpunkt noch von Gerüsten umschlossen. Das Erinnerungsblatt von Kraus zeigt 1850 schon die vollendete Ansicht, die sich erst drei Jahre später dem Auge bot. Seit der Errichtung dieser Anlage haben die Gesamtansichten der Festwiese, die sonst überwiegend auf die Stadtsilhouette ausgerichtet waren, eine neue Orientierung erhalten.

In den Darstellungen von Heß und Kobell (1810, Kat. Nr. 16 u. 17) dominiert das unproportional große, aber eben als ›groß‹ empfundene Krankenhausgebäude als Blickfang am südlichen Horizont. Ähnlich überproportioniert ist bei Gustav Kraus die Ruhmeshalle im Bildzentrum; die Budenstadt mit ihrer Arkadeneinfriedung liegt ihr buchstäblich zu Füßen und der Himmel verherrlicht die Erscheinung rechts durch eine Strahlengloriole oberhalb des Königszeltes (derartigen meteorologischen Effekten schenkte man große Beachtung – geradezu als ›himmlische Regie‹ bei der Enthüllung des Denkmals für Max I. Joseph 1825).

Dieser erhabenen Erscheinung senden die Kinder der biedermeierlichen Vordergrundstaffage ihre Papierdrachen entgegen.

In Wirklichkeit steht die Bavaria viel unabhängiger vor der Ruhmeshalle, die ihr lediglich ein ruhiger, niedriger Hintergrund ist. »Die ›Bavaria‹ steht für eine unbegrenzte Menschenmenge am Rande der Theresien-Festwiese; vor ihr öffnet sich die Weite des freien, grenzenlosen Raumes. Sie gehört zu der flachen Landschaft, nicht zur Architektur. Das kommt schon in der Mitte des Jahrhunderts in den Landschaftsbildern zum Ausdruck, die die ›Bavaria‹ in der Weite der Natur zeigen, die Ruhmeshalle jedoch kaum in Erscheinung treten lassen.« BK

Zitat: Frank Otten, Ludwig Michael Schwanthaler, München 1970, S. 64
MSt, P 793

78 Erinnerungsblatt zum Oktoberfest-Jubiläum 1860

Farblithographie mit Goldauflage, 33,5×26,7 cm.

In architektonischer Umrahmung ein Schriftfeld und drei Bildfelder. Im Mittelteil Schriftzug: »Zur Erinnerung an die fünfzigjährige Jubiläumsfeier des Oktoberfestes in München.« Darüber Darstellung des Pferderennens, bekrönt vom bayerischen Wappen. Flankierend Blumengebinde mit münzenbehangenen Preisfahnen, darauf in Gold lorbeerumrahmte Initiale »M« (Maximilian). Linkes Bildfeld: eine Frau in Tracht, zwei Körbe tragend. Die Darstellung verweist auf die Auszeichnung ländlicher Dienstboten durch den Landwirtschaftlichen Verein. Auf die Auspreisung von Zuchtvieh bezieht sich das Bild im rechten Feld: ein Mann in Tracht mit Preisfahne, dahinter, über einem Holzgatter, der Kopf eines Rindes.

Unten Sinnbilder des Fleißes und der Landwirtschaft mit Bienenkorb und landwirtschaftlichen Geräten als Zeichen des Landwirtschaftsfestes. Darunter Wappen mit Münchner Kindl.

Das Blatt faßt unter dem Königswappen die Bestandteile des Festes zusammen. Obwohl das Pferderennen an exponierter Stelle erscheint, dominieren die Bezüge auf die Veranstaltungen des Landwirtschaftsfestes. SS

Abb. in: Chronik 1985, S. 47
StadtAM, Plakatslg.

Kat. Nr. 79

79 Jubiläumsmedaille, 1860

Silberprägung, Ø 4,5 cm. Auf der Vorderseite bez. unter der Leiste: »LOEWENBACH«.

Auf der Vorderseite Rennknabe auf sprengendem Pferd, darüber die Preistiere Schaf, Stier, Pferd, Kuh mit Kalb

und Ziege in floraler Rahmung, darunter bayerisches und Münchner Wappen. Auf der Rückseite »ZUR ERINNNERUNG AN DAS 50 JAEHRIGE BESTEHEN DES OCTOBERFESTES IN MÜNCHEN IM JAHRE 1860«.

MSt, K 8083

80 Teilnehmerliste des Ringstechens 1860

»Verzeichnis der Herren Theilnehmer an dem Ringstechen bei dem Oktober-Feste in München am 9. Oktober 1860«.

2 Bl., Lithographie und Typendruck, 33,5×21 cm.

Auf dem Titelblatt Kopfvignette mit Ringstechen-Reiter in Umrahmung aus Blattgewinden.

Aus Anlaß des Festjubiläums wurde wieder ein Ringstechen veranstaltet, das es bisher nur 1830 gegeben hatte.

StadtAM, Okt. 2/1

81 Unterschriftensammlung gegen den geplanten Ausfall des Oktoberfestes 1866

33,5×20,5 cm.

»Gesuch/ Die Unterzeichneten stellen an den hohen Magistrat die Bitte, daß nachdem bereits der Friede gesichert ist, von dem Beschluße gegen nicht Abhaltung des Oktoberfestes Umgang genommen werde, da die vielen Geschäftsleute von diesen Wirren betroffen sind, und daher die Erwartung voraussetzen, daß bei Genehmigung vorstehender Bitte sich vieles Übel wieder beseitigt wird. In gehorsamster Erwartung zeichnen sich:
J. Danner   Cafetier
M. Ganer   Weinhändler [...]«
Die Sammellisten lagen in fünf Gaststätten auf, dem Cafe Probst, Cafe Danner, Gasthaus zum blauen Bock, Bamberger-Hof und dem Gasthof zum Adelmann. Sie wurden von 209 Münchner Bürgern unterzeichnet und Ende September 1866 dem Magistrat von München vorgelegt. Das Gesuch fand dort keine Zustimmung; 1866 wurde kein Oktoberfest veranstaltet. SP

StadtAM, Okt. 43

Kat. Nr. 80

82 Bekanntmachung der Polizeidirektion und des Magistrats zur Festeröffnung 1867

Plakat, Typendruck, 72×58 cm.

»Bekanntmachung. (Das Oktoberfest 1867 betreffend.) Die kgl. Polizeidirektion und der Stadtmagistrat München erlassen folgende ortspolizeiliche Vorschrift [...] zur Aufrechthaltung der öffentlichen Ruhe, Ordnung und Sicherheit bei dem Oktoberfeste auf der Theresienwiese. [...] München, am 16. September 1867. Polizeidirektion und Magistrat der kgl. Haupt- und Residenzstadt München.«

Mit diesem öffentlichen Aushang wurde der gesamte Betrieb und Ablauf des Festes in 21 Einzelpunkten reglementiert.

Die Anordnungen reichten von Vorschriften für die Beschicker der Festwiese und zur Feuersicherheit der Buden über allgemeine Fahranweisungen auf dem Festgelände, die Bekanntgabe der Polizeistunde bis hin zu Anweisungen während der Pferderennen. Für die Einhaltung dieser Bestimmungen sowie für die Aufrechterhaltung der allgemeinen Ordnung und Sicherheit auf dem Festareal war eine Wache der »königlichen Gendamerie-Mannschaft« auf den Festplatz abkommandiert. Erst 1880 errichtete die königliche Polizei-Direktion einen regelrechten Polizeijourdienst und ein Polizeidienstbüro auf dem Festplatz. »Grobe Exzeße auf der Theresiens-Wiese […] sowie die Erfahrung, daß dieses Fest nur als Zechgelegenheit für die arbeitende Bevölkerung benützt wird«, ließ diese Maßnahmen als notwendig erscheinen.

Die Bemühung der Polizeidirektion, die Festdauer zu verkürzen, um damit die Gelegenheit zum Bierkonsum und die häufig daraus resultierenden Verfehlungen einzuschränken, wurde von seiten der Organisatoren abgelehnt. Sie befürchteten Umsatzminderungen und somit steuerliche Nachteile für die Stadt und ließen die Vorschläge zur Verkürzung stets scheitern.   SP

Lit.: StadtAM, Okt. 50
StadtAM, Plakatslg.

83 Unerwartete Ankunft König Ludwigs II. auf dem Fest 1869

König Ludwig II. war bei den Hofbediensteten wegen der Unberechenbarkeit seiner Dispositionen gefürchtet, und die Verantwortlichen konnten durch seine plötzlichen Programmänderungen sehr in Verlegenheit kommen. 1869 erschien er nach zuvor erteilter Absage aus Berg überraschend doch noch zum Oktoberfest. Die Einladungen an das diplomatische Korps waren schon rückgängig gemacht und die Ehreneskorte der Landwehrkavallerie war fortgeschickt worden. Ein Brief des königlichen Obersthofstallmeisters Maximilian Grafen von Holnstein an seine Frau beleuchtet das Ereignis aus der Sicht des geplagten Hofmannes:

»München [3.] Okt. 69 Sontag 5¼
Mein liebes gutes Katzl. Heute war König 2 mal an – 3 mal ab gesagt – das letzte mal 1 Uhr. – Diplomaten Bürgermilitär kurz ganze Bevölkerung wußte daß nicht komt – Ich war schon wieder

in Joppe & Steyrer & ging von Rothenhofer [Café Rottenhöfer] um 2 Uhr 40 M. mit Chocolade heraus – komt ein schaumbedeckter 4späner ohne Jäger & Lakey & fahrt Konig am der Trabantenstiege an – ich laufe hin um wenigstens den Schlag auf zu machen – ganze Residenz leer & bei mir im Stall fast schon alles auf der Wiese, jetzt hattest Du dieses Gehetz sehen sollen um 2 4späner & sechsspäner noch herzurichten. Denke Dir daß Alles gut gegangen – Vogel & Kolb Ferdinand waren auf der Wiesen & sahen per Zufall auf der Sendlinger Landstrasse Konig heranfahren sprangen in Fiaker & so waren 2 Stangengesteller da & Kolb Johann kam von Berg – zog sich schnell um mit seinen Leuten & 2½ war Alles fertig

bei einem Zug saß ein Voreiter zum ersten mal im Dienst der Bengel kam blau am Zelt an – – ich habe gearbeitet wie ein Stallbub –

Jetzt gehe ich zurück – morgen Schießen am Verein – Rudl 14 Ende geschossen 12 P. gefehlt – ich noch keinen Schuß natürlich Herzog auch nicht – Adieu von Wallgau mehr […]

6½   Max«   BK

Handschriften-Abteilung der Stadtbibliothek München, Konvolut Holnstein (1958/3825)

84 Telegraphische Absage Ludwigs II. beim Oktoberfest 1871

»Telegramm. Herrn Bürgermeister Erhard. München.
Sr. Majestaet werden wegen der am 30ten stattfindenden Feier des Namenstages S.K.H. des Prinzen Otto in diesem Jahre dem Oktoberfeste nicht anwohnen.
Die vorgeschlagene Eröffnungsstunde ist Sr. Majestaet genehm. Eisenhart.«
Das Telegramm war am 29. September 1871 in Berg am Starnberger See aufgegeben und vom bayerischen Staatssekretär Johann August von Eisenhart unterzeichnet worden.
Verband man sein erstes Auftreten als König von Bayern 1864 mit einer Huldigungsfeier auf dem Oktoberfest – was eine »wahre Völkerwanderung

Kat. Nr. 84

nach München« auslöste, so versuchte der introvertierte Monarch in den Folgejahren den Volksmassen auf der Theresienwiese fernzubleiben. Dadurch unterschied er sich von seinen Vorgängern, die speziell in kritischen Zeiten einen Oktoberfestbesuch zur Förderung ihrer Popularität benutzten, eigenhändig Preisverteilungen vornahmen und kaum eines der Feste ausließen.

Ludwig II. war bei den 18 abgehaltenen Oktoberfesten während seiner Regierungszeit (1864–1886) nur bei fünf Festen zugegen. Die Gründe, die der Monarch für sein Fernbleiben angab, waren jedoch ähnlich wie in der Absage von 1871 stets einfallsreich und ›zwingend‹.   SP

StadtAM, Okt. 50

85 »Plan fuer das Münchener Volksfest pro 1872«

Tinte auf gewachstem Papier, koloriert, Hrsg.: Stadtbauamt München, Loewel, 56,5×70,5 cm.

Situierungsplan des Festplatzes mit Angabe der Rennbahn, der Schießstände, des Wirtsbudenrings mit Glückshafen und Tribüne, des königlichen Pavillons und des landwirtschaftlichen Ausstellungsareals sowie Angaben zu

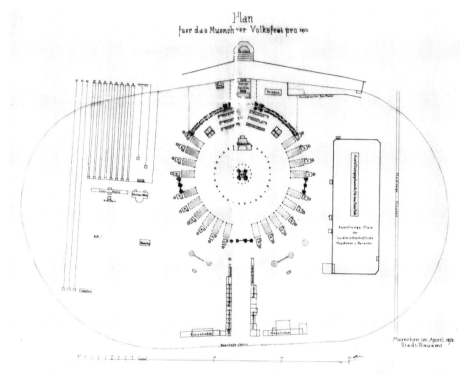

Plan
fuer das Muenchner Volksfest pro 1872

Muenchen im Aprl 1872
Stadt-Bauamt

Kat. Nr. 85

den Standplätzen für Schaustellungen. Der Plan gibt Aufschluß über den Standort der »6 Küchelbaecker«, »20 Wurstsküchen«, »30 Kaesstände« und »20 Wirthsbuden« sowie der »4 Caroussels«.

Diese Angaben sind jedoch unvollständig. Wie andere Pläne aus dieser Zeit und auch zahlreiche Aktenvermerke belegen, kann man davon ausgehen, daß zwischen den vier »Caroussels« – entlang des breiten zentralen Zugangsweges aus Richtung Innenstadt – allerlei Schau- und Verkaufsbuden aufgeschlagen waren. Hinzu kamen etliche »fliegende Stände«, die neben Brot, Obst, Zuckerwaren und andern Lebensmitteln Spielwaren, Schriften und anderes anboten.

Nachdem 1861 die Zulassungsbedingungen für Schausteller und Gewerbeleute erleichtert worden waren, wandelte sich »die Hauptstraße in eine Art Jahrmarkt [...], was nicht nur allein die Einnahmen vermehrte, sondern auch

bald den Anziehungspunkt des Festes bildete«.

Speziell in den 60er und 70er Jahren stiegen daraufhin die Anfragen von Wurst-, Käse-, Brot-, Zuckerwarenverkäufern, die beim Magistrat um Bezugserlaubnis des Festplatzes nachsuchten. Gab es 1864 ca. 360 Wirts- und Schaubuden, so waren es 1880 401 Wirts- und Schaubuden und fliegende Stände, welche die »hölzerne Stadt der Festwiese« bildeten. In den 90er Jahren stieg die Anzahl der Schaubuden, Wirtschaftsbetriebe und Standplätze auf über 550.

Der Ausbau des Festbetriebes ging mit dem starken Anwachsen der Besucherzahlen einher. Der Eisenbahnbau vergrößerte das Einzugsgebiet des Festes erheblich. Besuchten 1861 während der gesamten Festzeit 80 000 Personen das Fest, wurden 1882 allein am Festsonntag – also an einem einzigen Tag – mehr Besucher gezählt. Das wachsende Besucherinteresse schlug sich bei-

spielsweise auch im steigenden Bierverbrauch nieder. 1887 wurden 2700 Hektoliter konsumiert, wozu in einem Zeitungsartikel aus diesem Jahr bemerkt wird, es »wurden also im heurigen Oktoberfeste von der hiesigen Bevölkerung und den Gästen aus der Provinz 81 000 Mark in flüssiger Nahrung umgesetzt, wobei noch der Umstand ins Gewicht fällt, daß durchschnittlich eine rauhe Witterung vorherrschend war und an drei Regentagen nicht das Geringste verkauft wurde«.　　SP

Lit.: StadtAM, Okt. 50, Okt. 53
StadtAM, Planslg.

86 »Das Oktoberfest in München«, 1872

Holzstich nach Zeichnung von C. Stauber, 1872, aus einer illustrierten Zeitung, 35,5×51,5 cm.

Im Zentrum des Schmuckblattes wird die Ansicht des mit Zuschauern gefüllten Festplatzes während des Zieleinlaufes der Rennpferde, in südwestlicher Blickrichtung wiedergegeben. Hinter dem Königspavillon erkennt man die Wirtsbuden, die sich auf dem mit Fahnen geschmückten Platz um eine Tribüne reihen; daneben die Ausstellungshalle für landwirtschaftliche Maschinen und Geräte. Das Bild ist ›umrahmt‹ von vier Medaillons, in denen Zuchttiere der landwirtschaftlichen Ausstellung dargestellt sind. Die zwei unteren Medaillons zeigen Schafe und Schweine in ihren Boxen, die zwei oberen die Vorführung eines preisgekrönten Pferdes und eines Preisstieres vor dem Königszelt. Zwischen diesen beiden Eckbildern befindet sich eine Komposition aus landwirtschaftlichen Erzeugnissen und Geräten, um die sich auf einem Band der Titel des Bildes »Das Oktoberfest in München« rankt. Am linken Rand des Stiches ist ein Festzug mit Preisträgern angedeutet, am rechten ein Schützenzug.　　SP

Spaten-Franziskaner-Bräu, München

»Auf der Theresienwiese, die sich hart vor den Thoren Münchens auf dem breiten, rechten Isarufergelände ausbreitet, und auf welche die monumentale Kolossalstatue der Bavaria gleichsam segnend herabschaut,

Kat. Nr. 86

erstehen einige Gassen von Zelten und Buden um eine Tribüne herum, welche als Standort für den König, die königliche Familie, den Hof, und die obersten Staatsbehörden errichtet ist. Zur bestimmten Stunde erscheint der König mit seinem Gefolge, besichtigt die vorübergeführten, preisgekrönten Zuchtthiere, und wohnt dann von seinem Zelte aus dem Wettrennen einer Anzahl Pferde von innländischer Zucht bei, welches auf dem weiten Plan der Theresienwiese stattfindet.

Sind die Rennpreise an die Sieger ausgetheilt, so ist das offizielle Programm für diesen Tag erschöpft, und das Volksleben beginnt in großer Ungezwungenheit und Behäbigkeit. Tausende von Eimer Bier und Hunderttausende von Würsteln werden unter den Zelten und Buden und an den offenen Bänken oder ständlings verzehrt. Mu-

sikbanden und Drehorgeln erfüllen die Luft mit einem Chaos von Tönen, Gaukler, Bänkelsänger, Jongleurs, Seiltänzer, Kunstreiter, abgerichtete Thiere, Wachsfigurenkabinette, Puppentheater und alle anderen Arten von Sehenswürdigkeiten suchen die Schaulust der Menge zu fesseln. Sonntags und Montags ist das Gewurrl am größten. Jeder Tag hat sein eigenes Programm, Scheibenschießen, Volkstänze, Sacklaufen u. s. w. Am Donnerstag findet ein zweites Wettrennen statt. Der echte Münchner kann es nicht über sich gewinnen, auch nur einen Tag des Oktoberfestes ganz zu verlieren. Er muß wenigstens einige Stunden draußen gewesen sein. Dem Künstler aber und dem Sittenforscher bietet das Oktoberfest eine unerschöpfliche Ausbeute.«

Zitat: Allgemeine Familien-Zeitung, Nr. 6, Jahrgang 1872

87 Oktoberfest 1886

Foto, 15,2×18,4 cm.

Blick auf den königlichen Pavillon mit Auffahrt, die von Uniformierten gesäumt ist; entlang der Auffahrt Zuschauermassen. Das Foto erfaßt die Situation auf dem Festplatz vor Ankunft des Prinzregenten mit Gefolge, der von den Zuschauern erwartet wird. Dieses Bild ist offenbar das erste Foto vom Oktoberfest überhaupt. Der Grund, warum man das Fest nicht früher als fotowürdig erachtete, war vielleicht der, daß der verstorbene König Ludwig II. so selten auf dem Fest anwesend war. Der seit 1886 mit der Reichsverwesung beauftragte Prinzregent Luitpold ließ

67

Kat. Nr. 87

im Gegensatz zu seinem Vorgänger keine Möglichkeit zum Besuch aus. Mit publikumswirksamem, volksnahem Auftreten unterstrich er dabei den monarchisch-patriotischen Grundgedanken des Festes.

Seit seinem Amtsantritt wurde das Oktoberfest als dokumentationswürdiges Objekt von den Fotografen betrachtet.

SP

StadtAM, Chronik-Bildband 1886

88 Programmheft für das Oktoberfest 1886

»Programm für das Oktoberfest in München vom 3. Oktober bis 10. Oktober 1886«.

Lithographie und Typendruck, mit farbigem Titelblatt, 7 S., 8°.

StadtAM, Okt. 71

89 Gegenüberstellung der Pläne 1826 und 1927:

Die Festschreibung des Areals »Theresienwiese«

Dem Stadtplan von 1826, der die Parzellierung der Festwiese zeigt, wird maßstabsgleich ein Plan von 1927 gegenübergestellt. Befand sich das Gebiet Anfang des 19. Jahrhunderts vor den Toren der Stadt auf freiem Gelände, so ist es 100 Jahre später praktisch von der Stadt umbaut und klar in seinen Grenzen festgelegt.

Das Gelände, das man seit 1810 als Theresienwiese bezeichnet, gehörte zum größten Teil Münchner Privatleuten, die ihre Wiesen und Anger zur Oktoberfestzeit der Stadt unentgeltlich zur Benützung überließen. Durch die Jahr für Jahr zunehmende Ausdehnung des Festes wuchs jedoch die Beschädigung der an sich landwirtschaft-

lich genutzten Flächen; ein Umstand, der zunehmend Ärger und Probleme mit den Grundstückseignern hervorbrachte. Zur Sicherung des Platzes und somit auch des Festes sah sich der Magistrat gezwungen, einen größeren Teil der Theresienwiese anzukaufen. Zu den 17 Tagwerk, die seit 1803 in städtischem Besitz waren, erwarb 1824 der Magistrat weitere 58 Tagwerk hinzu. Es handelte sich um Flächen, die von dem jährlichen Nationalfest besonders in Anspruch genommen wurden. 1826, als im Norden des Festplatzes die Neubebauung der Lerchenstraße (heute Schwanthalerstraße) die Rennbahn und den Anfahrtsweg zur Festwiese abzuschneiden drohte, konnte der Magistrat abermals nur durch Ankauf von weiteren 28 Tagwerk den Festplatz sichern.

Diese rund 100 Tagwerk Grund bildeten nun in Verbindung mit einigen staatlichen und dem Heilig-Geist-Spital gehörigen Wiesen einen nahezu geschlossenen Besitz – von der Bayerstraße bis über die Sendlinger Landstraße hinweg.

Nach weiteren vereinzelten Parzellenankäufen drohte in den 1880er Jahren, durch das Anwachsen der Stadt, die Theresienwiese abermals beschnitten zu werden. Die Auseinandersetzungen darüber gingen so weit, daß einige Privatbesitzer ihre Anger auf der Theresienwiese einzäunten und sie damit dem Festplatz entzogen. Um die Platzfrage endgültig zu regeln, erwarb die Stadt von 1884 bis 1886 die fehlenden Besitzrechte und erteilte als Gegenleistung den Verkäufern die Bebauungserlaubnis auf dem gleichzeitig geschaffenen Bavariaring. Dieser geschickte Tauschhandel sicherte die Existenz der »Theresienwiese«. Nachdem die Stadt Ende des Jahrhunderts auch die staatlichen Besitzungen aufgekauft hatte, war sie 1906 alleinige Besitzerin der rund 205 Tagwerk großen Theresienwiese.

An diesen letzten Ankauf wurde eine wichtige Bedingung geknüpft. Sie besagt, daß das abschließend erworbene,

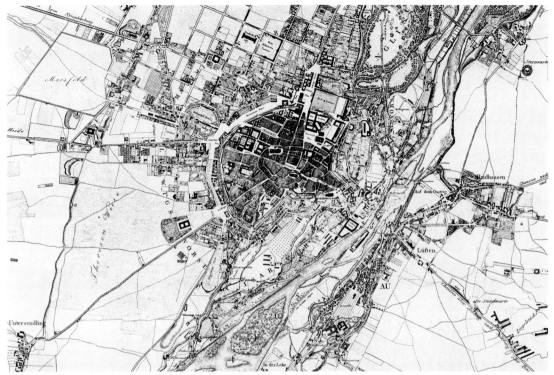

Kat. Nr. 89
(1826)

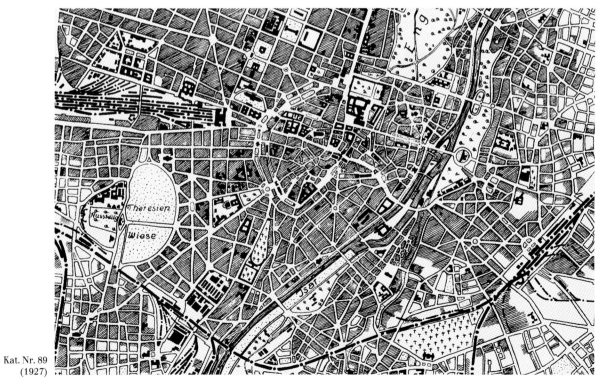

Kat. Nr. 89
(1927)

Kat. Nr. 91

Kat. Nr. 92

im Zentrum gelegene Areal von zwölf Tagwerk nur »zur Errichtung von Bauwerke für Ausstellungs- und Festzwekke, zur Schaffung gärtnerischer Anlagen sowie zur Herstellung von Wegen und Straßen« verwendet werden dürfe. Ein Passus, der bis in die Gegenwart jeden Bebauungsversuch vereitelt hat.

Um ein Bild von dem früheren Gelände »Theresienwiese« geben zu können, sei angemerkt, daß sich der nördliche Teil der Rennbahn bis in die 70er Jahre des 19. Jahrhunderts bis zur heutigen Paulskirche hin erstreckte.   SP

Lit.: StadtAM, BA 565; StadtAM, BA 989 StadtAM, Planslg.

90 Oktoberfest, um 1895

Foto, 8,4×12 cm.

Im Vordergrund links die Einzäunung einer Völkerschau mit Zulu-Kaffern, aus den Schaustellergeschäften ragt ein Schiffskarussell heraus, auf der Theresienhöhe die Alte Schießstätte und die ersten Wohnbauten.

MSt, 59/899/2

91 Oktoberfest, 1897

Foto.

Schaustellerstraße mit Besuchern. Im Hintergrund ist die noch eingerüstete Paulskirche zu sehen, die 1898 eingeweiht wurde.

StadtAM, Slg. Valentin

92 Oktoberfest, 1897

Foto.

Blick in die mit Besuchern gefüllte Feststraße. Auf der linken Straßenseite eine Schiffschaukel und ein Karussell; gegenüber »Photographie Automat« und Verkaufsbude mit »Cocos-Nüssen«. Im Hintergrund links die Türme der Bierburgen »Winzerer Fähndl« und »Schottenhamel«.   SP

StadtAM, Slg. Valentin

93 Situierungsplan der Theresienwiese 1895

»Die Einrichtung des Oktoberfestes in den Jahren 1888–1891 mit den Änderungen & Budenaufstellungen im Jahre 1895.«

Lithographie in zwei Farben mit handschriftlichen Eintragungen in roter Tinte, 79×116 cm, M = 1:1000, Entwurf: städtischer Bauamtmann Hans Grässl.

Der Plan zeigt das nierenförmige Festgelände, wie es seit 1886 durch die Anlage des Bavariaringes beschrieben wurde und in seiner Form bis heute nahezu gleich geblieben ist. Neben den Versorgungseinrichtungen wie Wasserleitung, Kanalverlauf, Standplatz der Hydranten sowie Leitungsnetz und Standorte der »elektrischen Bogenlampen« sind handschriftlich, in roter Tinte, Fahr- und Schaustellergeschäfte sowie Bewirtungsbuden und deren Besitzer angegeben.

Die Rennbahn mit 1640 m Länge umgibt nach wie vor das Festgelände. Dieses gliedert sich in das süd-westlich gelegene Areal des Schießplatzes, das Zentrum mit Königszelt, Wirtsbudenring und Schaustellergeschäften sowie in das nördlich gelegene Gelände der »Landwirtschaftlichen Maschinen- und Viehausstellung«.

Im Unterschied zu früheren Plänen und Festbeschreibungen kann man auf dem Plan von 1895 eine massive Zunahme der Wirts- und Schaubuden feststellen. Das Wirtsbudenrondell hinter dem königlichen Pavillon ist zwar noch vorhanden, jedoch erscheinen außerhalb dieses Kreises die Grundrisse der in den 90er Jahren errichteten »Bierburgen«, wie die »Restaurationshalle der Gebr. Thomas« (= Winzerer Fähndl) und die »Weissbierhalle der Gebr. Schneider« südwestlich des Ringes. Neben diesen zwei ›Großbuden‹ befinden sich noch andere Wirtsplätze außerhalb des Rondells, wie z. B. die Weinbuden von Wisintainer, Jardin, Habisreitinger oder Peukert (Bo-

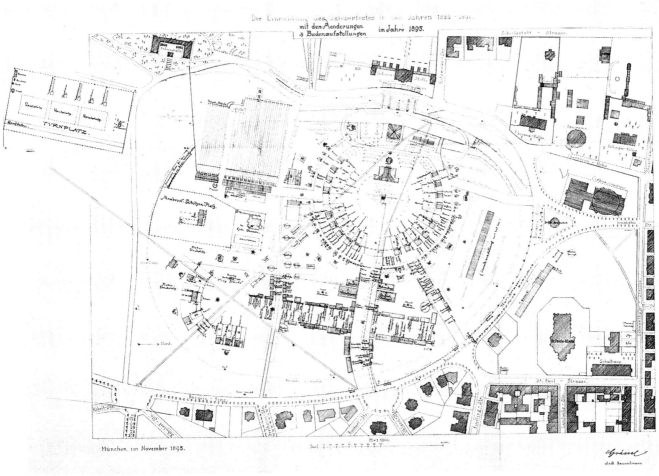

△ Kat. Nr. 93   ▽ Kat. Nr. 94

dega). Die im Plan von 1878 (vgl. Kat. Nr. 85) nur angedeutete Schaustellerstraße ist in diesem Plan klar ausgewiesen mit Menagerie, Abnormitätenschau, Photographen, Schaukeln, Karussells, Schießbuden und anderen Geschäften. Um sich eine Vorstellung von der Festgröße machen zu können, seien hier die Beschickerzahlen von 1896 angeführt, die sich nur wenig von denen von 1895 unterschieden haben dürften: »Nahezu 100 Schaubuden [...] und 563 Wirtschaftsbetriebe, darunter 29 Bierwirts-, 5 Weinbuden, und 401 fliegende Stände bildeten die Feststadt.« SP

Lit.: Destouches, Säkularchronik, S. 132
StadtAM, Planslg.

Abbildung S. 71

94 Oktoberfest-Panorama 1895

A. Schmitz, Foto, 31×38 cm.

Blick vom nördlichen Bavariaring auf die Oktoberfestwiese mit der Landwirtschaftsmaschinen-Ausstellung im Vordergrund. Neben Königszelt, Glückshafen und Wirtsbudenrondell erkennt man südlich der Bavaria den Turm der neuen Bierburg des Winzerer Fähndls. Im Vordergrund ist neben der Bodega die Schaustellerstraße klar ersichtlich.

MSt, 39/551/3

95 »Programm für das Oktoberfest auf der Theresienwiese in München 1899«

Plakat, Typendruck mit Lithographie, 178,5×71,7 cm.

Blau gedruckter Bortenrahmen. Im oberen Drittel des Plakates der offizielle Oktoberfest-Schmucktitel der Stadt München. Er wurde zu dieser Zeit jährlich gleichbleibend verwendet. Hier blau mit rotem Schriftzug.
In der Mitte Münchner Kindl vor den Türmen der Frauenkirche. Darunter bayerisches Wappen. Links, als Zeichen für das Pferderennen, Pferdekopf unter überdimensionalem Hufeisen; Lorbeer, Jockeymütze und Reitgerte. Rechts für das Landwirtschaftsfest Rin

Kat. Nr. 95

derkopf mit Eichenlaubkranz. Unter dem Königswappen Sinnbilder der Landwirtschaft und Industrie. An der oberen Bildkante Embleme der Radfahrer (geflügeltes Rad mit Pfeil, Devise »All Heil«), der Turnerschaft (vier »F« für »Frisch, Fromm, Fröhlich, Frei«, Devise »Gut Heil«) und der Schützen (Armbrust auf Schießscheibe, Devise »Schützen Heil«).
Der Schmucktitel faßt die Veranstaltungen des Oktoberfestes zusammen. Pferderennen und Landwirtschaftsfest stehen als ursprüngliche Komponenten des Festes immer noch im Vordergrund. Es sind jedoch nicht mehr die verschiedenen Programmpunkte des Landwirtschaftsfestes aufgeführt (wie in Kat. Nr. 78). Statt dessen werden neben dem Schießen die später hinzugekommenen Veranstaltungen wie Turnen und Radfahren als konstante, gleichwertige Festelemente hervorgehoben. Dies entspricht der Verdichtung, die das Festprogramm während der 1890er Jahre erlebte. SS

StadtAM, Plakatslg.

96 Lageplan für Gas-, Strom- und Wasserversorgung sowie Entwässerung auf der Theresienwiese 1905

Lithographie mit handschriftlichen Eintragungen in verschiedenfarbiger Tinte, 76,5×128 cm, Entwurf: F. Stengel.

Der Situierungsplan zeigt, wie das gesamte Festgelände 1905 mit Strom

(rot), Gas (grün) und Wasser (blau) versorgt und durch Abwässergruben (blau) entsorgt wurde.
Neben diesen Angaben kann man dem Plan entnehmen, daß sich im nördlichen Teil des Festgeländes der städtische Bauhof mit Gebäuden befindet. Außerdem werden Organisations- und Dienstleistungsbehörden verzeichnet wie die Feuer-, Sanitäts- und Polizeiwache sowie die magistratischen »Wies'n-Büros«.
Mit Zunahme der Besucher und Beschicker sowie der Vergrößerung der gesamten Festdimension überhaupt sahen sich die Träger und Organisatoren gezwungen, für das Areal einen technischen Strukturplan zu verwirklichen.
So legte der Magistrat neben der bereits 1879 erbauten ersten befestigten Straße (Mozartstraße = heute Matthias-Pschorr-Straße) in den 1890er Jahren weitere Straßen an. Die anfänglich nur wenig befestigten Wege wurden zu Beginn des 20. Jahrhunderts makadamisiert und 1936 geteert.
Der Anschluß des Festplatzes an die öffentliche Wasserleitung erfolgte 1890, im Rahmen des neu erstellten Bavariaringes. Die nächsten beiden Jahrzehnte brachten eine Erweiterung des Wasserrohrnetzes und die Aufstellung von Hydranten. Auch die Strom- bzw. Gasversorgung wurde gegen Ende des 19. Jahrhunderts Angelegenheit der Stadt. Nachdem anfänglich ein paar Wirte auf eigene Faust und Rechnung mittels Dynamo-Maschinen die ersten Bogenlampen auf dem Festplatz elektrisch erstrahlen ließen, installierte 1885 die Firma Einstein & Cie im Auftrag des Magistrats 16 Bogenlampen. Die Stromversorgung erfolgte durch eine stationäre Dampfmaschine über eine 6500 m lange Freileitung.
In den 1890er Jahren wurde die Beleuchtung zudem durch gasbetriebene Leuchtkörper ergänzt, bis dann 1901 die Stromversorgung und damit fast die gesamte Illumination auf der Festwiese über die städtisch betriebenen Elektrizitätswerke abgewickelt werden

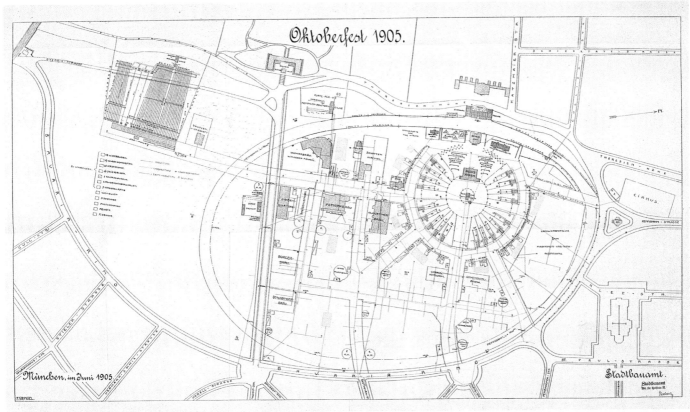

Kat. Nr. 96

konnte. Vor dieser technischen Neuerung dienten Kerzen in Windlichtern, Petroleumpfannen und Petroleumlampen als Beleuchtung. 1955 erhellten erstmals Leuchtstoffröhren die Feststadt.   SP

Lit.: StadtAM, Okt. 50, 51
StadtAM, Planslg.

97 »Bekanntmachung.
Die Fahrordnung für das
Oktoberfest 1908 betr.«

Schriftplakat, Typendruck, 70,3×48,8 cm.

Der von der Polizeidirektion öffentlich ausgehängte Anschlag regelte mit sieben Anweisungen den Verkehr auf dem Festplatz, informierte über Anfahrts- und Abfahrtsstraßen und wies die Parkplätze aus.

StadtAM, Plakatslg.

Das Oktoberfest-Jubiläum 1910

Was die Ausgestaltung anbelangt, so bleibt das Jubiläum 1910 auch nach 1985 das aufwendigste in der Geschichte der Oktoberfeste. Die Planungsphase begann bereits im März 1909. Von Anbeginn wurde das Jubiläum als eine repräsentative Veranstaltung der Stadt gewertet, die als Huldigung an das Königshaus und das Königreich Bayern ausgerichtet war. Der enorme finanzielle Aufwand wurde durch eine Jubiläums-Geldlotterie geschickt reduziert. Gemessen an heutigen Aktivitäten besticht insgesamt der organisatorische Aufwand des Festes, der von der detaillierten Programmausrichtung bis zur künstlerisch hochrangigen Gestaltung von Festzeichen reicht.

Als Einleitung zur Jahrhundertfeier wurde im Historischen Museum der Stadt München, dem heutigen Stadtmuseum, am 3. Juli 1910 die »Oktoberfest-Jubiläums-Ausstellung« eröffnet, die bis 30. April 1911 eine Besucherzahl von 60000 registrieren konnte. Zusammengestellt wurde die Ausstellung von Ernst von Destouches, Vorstand des Stadtarchivs und des Stadtmuseums, zugleich Verfasser der Jubiläumsschriften für das Jahr 1910.

Das eigentliche Festprogramm bot im Laufe der Festdauer vom 17. September bis 2. Oktober neben den üblichen Bestandteilen wie Pferderennen und Schießen vor allem Veranstaltungen, die sich historisch auf das Fest bezogen. So knüpft der Wettlauf der Münchener Wagnergehilfen mit den Wagenrädern und der »Original-Bäckerwettkampf« an die Veranstaltungen von 1835 an. In diesem Zusammen-

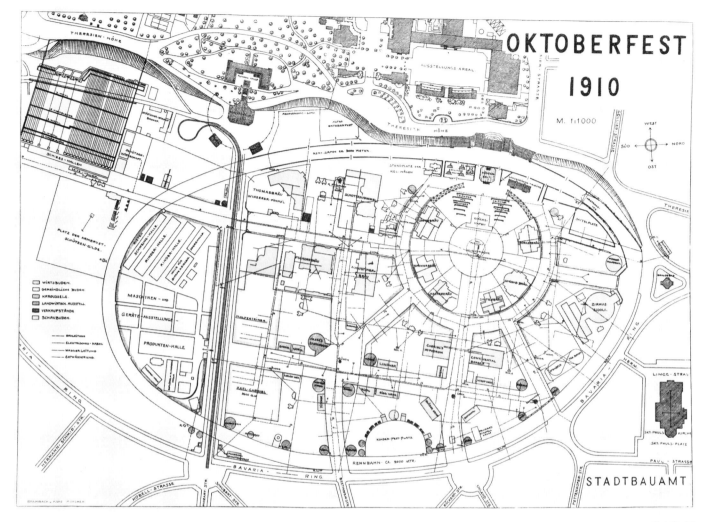

Kat. Nr. 98

hang sind ebenso die Ballonaufstiege des Deutschen Touring-Clubs und das Ringelstechen zu sehen. Am Hauptfesttag, Sonntag, den 25. September, fand um 14 Uhr die »Feierliche Auffahrt« des Prinzregenten, um 14.30 die »Vorführung der Preistiere vor dem Königszelt« statt. Um 14.45 setzte sich der »Historische- und Huldigungs-Festzug« in Bewegung. Nach dem Vorbeimarsch vor dem Königszelt mit »Huldigung vor dem Prinzregenten und vor dem Kgl. Hause« begann das Pferderennen. – Insgesamt gesehen also ein volles Programm für einen Nachmittag!

Die Wochentage der beiden Festwochen waren angefüllt mit turnerischen Vorführungen, Aufführung volkstümlicher Tänze von Teilnehmern des Festzuges, Volksspielen wie Sackhüpfen und Reiftreiben für Knaben und Serenade vor der Bavaria mit Beleuchtung der Ruhmeshalle.

München feierte zweiwöchig das Jubiläum seines Oktoberfestes, dessen ›normale‹ Vergnügungen während dieser Zeit ebenfalls noch zur Verfügung standen.   FD

Lit.: Destouches, Gedenkbuch 1912

98 Situierungsplan der Theresienwiese 1910

Kolorierte Lithographie, Hrsg.: Stadtbauamt München, 80,5×135,5 cm, M = 1:1000.

Der Plan umreißt den Festplatz, umschrieben von der ca. 2000 m langen Rennbahn. Außerhalb dieses Ovals liegen südlich der Ruhmeshalle die Bauten für das Festschießen: Schießhallen, Schützenwirtschaft und der Platz für das Armbrustschießen.

Der Lageplan ist mit farbigen Eintragungen versehen und gibt den Standort für Wirtsbuden, »Gemeindliche Buden«, Karussells, Schaubuden, Verkaufsstände sowie für die landwirtschaftliche Ausstellung an. Darüber hinaus ist der Verlauf der Gas-, Strom- und Wasserleitung sowie der Kanalverlauf eingezeichnet.

Der Festplatz hat seine Ausrichtung auf den Königspavillon verloren. Er weitet sich nach Süden aus. Hinter dem Pavillon bilden sechs Brauereihallen das Wirtsrondell, in dessen Zentrum das 1910 errichtete Postamt mit der Musiktribüne liegt. Südlich des Rondells schließen sich vier vis-à-vis aufgebaute Bierburgen an. Der östliche Teil des Festplatzes ist von Schausteller-, Fahrgeschäften und Verkaufsbuden belegt. Die Gesamtfläche der Feststadt betrug 1910 83 000 m². Der Magistrat hatte 192 Plätze für Buden und Fahrgeschäfte vergeben. Neben sechs Wirtsbuden innerhalb und sechs außerhalb des Rondells, der Bodega und der Reformweißbierbude gab es 14 Branntwein- und Likörbuden, 14 Wurstküchen, 6 Hühner-, 2 Kron- und 10 Fischbratereien, 14 Küchelbäckereien und 11 sonstige Verkaufsstände. An Fahrgeschäften verzeichnet der Plan 22 Karussells, 9 Schiffsschaukeln, 2 Toboggans, 8 Rutsch- und Rodelbahnen etc. Die Schaubuden lassen sich in 8 Menagerien, 18 Museen und Panoptiken, 5 Kinematographen, 5 Photographie- und 21 Schießbuden, 6 Zirkusse und Varietés aufteilen. Außer an diese hatte der Magistrat noch an 450 weitere Bewerber Lizenzen vergeben, die in ihren sogenannten »fliegenden Ständen« Tabakwaren, Obst, Süßigkeiten, Scherzartikel, Brot, Käse, Wurst und anderes feilboten. SP

StadtAM, Planslg.

99 Gesamtansicht des Oktoberfestes 1910

Traut, Foto.

Die Aufnahme vom Turm der Paulskirche zeigt den Festplatz aus der Vogelschau mit Blick auf die Schaustellerstraße.

Im Bildvordergrund Stehbecks Achterbahn; rechts im Bildhintergrund sechs

Kat. Nr. 99

Bierburgen im Kreis hinter dem Königszelt. Daneben die Bierburgen »Bräurosl« der Pschorrbrauerei, »Schottenhamel«, beliefert von der Franziskaner-Leistbrauerei, »Winzerer Fähndl« der Thomasbrauerei und die »Langbude« der Augustinerbrauerei. SP

StadtAM, Chronik-Bildband 1910/III, Nr. 12

100 Das Münchner Oktoberfest bei Nacht 1910

Traut, Foto, 20,5×33,5 cm.

Nachtaufnahme vom Turm der Paulskirche aus mit Blick auf die Schaustellerstraße.

StadtAM, Slg. Valentin

101 Blick auf das Oktoberfest bei der Hundertjahrfeier 1910

Michael Zeno Diemer, Öl auf Leinwand, 301×808 cm.

Zur Ausgestaltung des Jubiläumsoktoberfestes wurde an der Kreuzung der Mozart- und Schützenstraße, heute Kreuzung Matthias-Pschorr- und Wirtsbudenstraße, ein Portal errichtet, das auf beiden Seiten mit riesigen Öl-

gemälden von Zeno Diemer geschmückt war (vgl. Kat. Nr. 198). Die Eingangsseite zur Stadt zeigte das Oktoberfest 1810 nach dem kolorierten Konturenstich von Peter Heß. Auf der dem Festplatz zugekehrten Seite war die Vogelschau auf den westlichen Teil des Oktoberfestes 1910 zu sehen. Da das Gemälde bereits zum Jubiläum am Portal montiert war, mußte sich Diemer bei seiner Darstellung an den Planungen für das Fest orientieren. Das Bild zeigt – also im Vorgriff – im Vordergrund die Bierburg des Bürgerbräu, den Glückshafen, dann Löwenbräuburg, dahinter, mit grüner Turmspitze, den Schottenhamel. Links vorne das Musikpodium, dahinter die Augustinerburg. Am Ende der Straße steht das Portal mit der beschriebenen Ansicht. Auf der rechten, hinteren Bildseite zieht vor dem weißen Königszelt auf der Pferderennbahn der Festzug vorbei. An den Hängen unterhalb der Bavaria erheben sich die Zuschauertribünen. FD

Lit.: Destouches, Gedenkbuch 1912, S. 12, Abb. S. 15 u. nach S. 58
MSt, II b/65

Kat. Nr. 102

102 Oktoberfest 1910

Michael Zeno Diemer, Gouache, 33,5×72 cm. Bez. u. r.: »M. Zeno Diemer«.

Vorlage für die Supraporte Kat. Nr. 101.

MSt, VII b/55

103 Offizielles Plakat für das »Jubiläums-Oktober-Fest München 1910 auf der Theresienwiese [...]«

Farbdruck, 120,8×84,8 cm; Entwurf: Paul Neu, Druck: G. Schuh & Cie.

Im Mittelfeld des Plakates Programmankündigung für die Jubiläums-Festwochen vom 17. September bis 2. Oktober. Darüber zwischen den Jahreszahlen 1810 und 1910 Königswappen. Unterhalb des Schriftfeldes Medaillon mit Münchner Kindl.

Links und rechts des Schriftfeldes bändergeschmückte Maibäume mit jeweils vier Trachtenpaaren, die die acht bayerischen Kreise darstellen.

Linker Figurenbaum: Trachtenpaare »Ober Bayern«, »Nieder Bayern«, »Ober Pfalz«, »Rhein Pfalz«. Darüber drei Medaillons mit Darstellungen eines Pferde- und eines Rinderkopfes sowie der Adlerfigur des Armbrustschießens.

Rechter Figurenbaum: Trachtenpaare »Schwaben«, »Unter Franken«, »Mittel Franken«, »Ober Franken«. Darüber drei Medaillons mit Darstellung einer Lyra, einer Zielscheibe und dem Emblem der Turnerschaft. SP

Abb. in: Chronik 1985, S. 77
StadtAM, Plakatslg.

104 »SÄKULAR-CHRONIK DES MÜNCHENER OKTOBERFESTES (ZENTRAL-LANDWIRTSCHAFTS-FESTES), 1810–1910, FESTSCHRIFT ZUR HUNDERTJAHRFEIER VON ERNST v. DESTOUCHES, KÖNIGLICH BAYERISCHER ARCHIVRAT, VORSTAND DES STADTARCHIVS UND HISTORISCHEN STADTMUSEUMS UND CHRONIST DER STADT MÜNCHEN, HERAUSGEGEBEN VON DER STADT MÜNCHEN, MÜNCHEN 1910«

189 S. u. XXXVIII S. Anhang, mit 228 Abb., 2°, Umschlagentwurf von Ludwig Hohlwein. Bez.: »LH«.

Auf dem blauen Leinenumschlag mit Silberprägung Münchner Kindl, darunter Schriftzug »SÄKULARCHRONIK DES MÜNCHENER OKTOBERFESTES 1810–1910«. Diese bis dato umfassendste Darstellung des Festes erschien in einer Auflage von 1200 Exemplaren. Als Quelle für Fakten aus den ersten 100 Festjahren bleibt die Chronik ein unersetzliches Handbuch.

Destouches' Wertung der Frühgeschichte des Festes als bürgerliche Initiative sowie die Gewichtung der von ihm dargelegten Festbestandteile, die er betont auf dynastischer Tradition basieren läßt, muß aus heutiger Sicht modifiziert werden.

Mon

105 »DAS MÜNCHENER OKTOBERFEST (ZENTRAL-LANDWIRTSCHAFTS-FEST) 1810–1910, GEDENKBUCH ZUR HUNDERTJAHRFEIER UNTER MITWIRKUNG BAYERI-

SCHER SCHRIFTSTELLER, VERFASST VON ERNST v. DESTOUCHES, HERAUSGEGEBEN VON DER STADT MÜNCHEN, MÜNCHEN 1910«

114 S., mit 82 Abb., 4°, Umschlagentwurf: Paul Neu. Bez.: »PN«.

Auf dem Umschlag das Münchner Kindl auf Podest, flankiert von Schütze, Bäuerin, Rennknabe und Bauer, die jeweils eine Preisfahne in ihren Händen halten. Darunter Schriftzug »Das Oktober-fest zu München 1810 – 1910«. Das Gedenkbuch ist eine »Volksausgabe« der Säkularchronik, der Anhang mit Beiträgen bayerischer Schriftsteller zum Fest wurde von Paul Neu illustriert. Es erschien in einer Auflage von 4500 Exemplaren.

Mon

106 »DIE JAHRHUNDERTFEIER DES MÜNCHENER OKTOBERFESTES (ZENTRAL-LANDWIRTSCHAFTS-FEST), GEDENKBUCH VON ERNST VON DESTOUCHES, HERAUSGEGEBEN VON DER STADT MÜNCHEN DURCH DAS STÄDTISCHE STATISTISCHE AMT, MÜNCHEN 1912«

101 S., mit 106 Abb., 4°, Umschlagentwurf: Paul Neu.

Auf dem Umschlag ist ein Kavallerist der Nationalgarde zu sehen mit Münchner-Kindl-Fahne auf einem Pferd in ovalem Rahmen. Darunter Schriftzug »Die Jubiläumsfeier des Münchener Oktoberfestes«. Diese Publikation, die ausschließlich die Aktivitäten zum Fest 1910 schildert, unterstreicht als Selbstdarstellung der Stadt die Bedeutung des Jubiläums.

Mon

107 »Der Festausschuß der Hundertjahrfeier des Münchener Oktoberfestes 1910«

Franz Grainer, Foto auf Karton, 41,3×59 cm.

Gruppenbild vom 27. April 1910 im kleinen Sitzungssaal des Münchner Rathauses. Der großen Oktoberfest-kommission, die erstmals am 27. November 1909 zusammentrat, gehörten 50 Herren an. Sie setzten sich zusammen aus Vertretern der Stadtverwaltung, des Landwirtschaftsrates, der Polizeidirektion, der Schützenverbände, des Renngerichts, des Glückshafenkomitees, der Schausteller, der Brauereien, der Künstler und der Presse. Aus ihnen bildeten sich 15 Sonderkommissionen für die einzelnen organisatorischen Aufgabenbereiche.

Namentlich zählten zum Festausschuß beispielsweise:
Oberst-Zeremonienmeister Max Graf von Moy,
Brauereibesitzer August Pschorr,
Schulrat Georg Kerschensteiner,
Archiv- und Museumsvorstand sowie Säkular-Chronist Ernst von Destouches,
die Architekten Wilhelm Bertsch und Ludwig Hohlwein,
der Schausteller Carl Gabriel,
der Enkel des Festinitiators, Kommerzienrat Heinrich von Dall'Armi.

Lit.: Destouches, Säkularchronik, S. 162–172, 185–188
MSt, VI f/187

Kat. Nr. 108

108 Festabzeichen für die Mitglieder des Festausschusses, 1910

Metallprägung, bemalt, 6,7×5,3 cm, mit Pappschuber; Entwurf: Ludwig Hohlwein.

Münchner Kindl auf gelbem Grund, die Jahreszahlen »1810« und »1910« auf weißem Grund, Einfassung mit weißblauen Seidenfransen.

MSt, VII a/13 a, K 58/672

Kat. Nr. 116

109 Plakat der »Jubiläums-Geld-Lotterie« 1910

Paul Neu, Lithographie, 90,5×62 cm. Bez. Mitte l.: »PAUL NEU MÜNCHEN«.

Für das Jubelfest war mit großen Ausgaben des Magistrats zu rechnen, so daß zusätzliche Einnahmequellen fließen mußten. Die XIII. Unterkommission des Festausschusses wurde mit der »Veranstaltung einer Festlotterie mit Geld- und landwirtschaftlichen Gewinsten behufs Mittelgewinnung zur Durchführung des Festprogramms« beauftragt. Von den »landwirtschaftlichen Gewinsten«, womit lebende Tiere gemeint waren, ging man aus praktischen Erwägungen wieder ab. In einer reinen Geldlotterie, die das Emissionshaus A. & B. Schuler durchführte, kamen mit 210000 Losen Gewinne von insgesamt 60000 Mark zur Ausspielung. Das Plakat in blauer Schrift kündigt die Gewinnmöglichkeiten an. Unter der Darstellung eines gewinnbeglückten Bauern steht:

»B'sinn' di' net u. greif' schnell zua,
Treffer hab'n ma ja grad gnua!«

Die Lose zum Preis von einer Mark wurden in Kartenbriefen ausgegeben. Die Lose wurden sämtlich abgesetzt und der Reingewinn von 50000 Mark machte im zusätzlichen Festetat den bedeutendsten Posten aus.   BK

StadtAM, Plakatslg.

110 Niete der Jubiläums-Geld-Lotterie 1910

Farbige Kunstpostkarte mit einer idyllischen Darstellung des römischen Forums nach einem Gemälde von C. Wuttke. Auf der Rückseite u. a. der Aufdruck:

»Dösmal hast koan Treffer g'macht
Aber tua di nur net b'sinna
Steck dein Losbrief recht guat ei
Kannst damit ja öfter g'winna!«

Handschriftlich vom Absender: »Das Wetter ist trostlos, seit 8 Tagen regnet es ununterbrochen [...] Diese Karte ist mein Gewinn von der Oktoberfestlotterie, es ist verdamt wenig [...]«   BK

Ulrich Nefzger, München

111 Historischer Huldigungs- und Jubiläumsfestzug, 1910: »Kronenwagen mit den Gruppen der acht Kreise«

M. Obergassner, Foto.

Unter einer tannengrün besteckten Krone sitzen Paare in typischen Trachten der Kreise.

StadtAM, Chronik-Bildband 1910/III, Nr. 21

112 Festabzeichen für die Festzugsteilnehmer »JUBILÄUMS. OKTOBERFEST 1810 . 1910«

Metallprägung, ∅ 4 cm; Entwurf: Heinrich Blecken.

Scheibe mit schwarz-gelben Rauten, mit herabhängenden Bändern in den Landes- und Stadtfarben.

MSt, VIIa/13b

113 Festzugsstandarte 1910

Baumwollsatin, bemalt, 59×59 cm, mit Stange 273 cm.

Bekrönte Initialen »MJK« für König Max Joseph mit Eichenlaubumkränzung, Rückseite identisch, Silberfransen, zwei hellblaue Fahnenbänder mit aufgenähten Initialen »T« für Therese aus ausgesägtem Holz. Stangenspitze in Form eines Löwen mit bayerischem Wappenschild.
Diese Kopie einer um 1810 gebräuchlichen Standarte wurde beim Historischen und Huldigungsfestzug am 25. September 1910 bei der Sektion »Nationalgarde-Kavallerie« mitgeführt.

MSt, XII 131/1

114 Programmzettel zur Hundertjahrfeier 1910

»Programm für die altdeutschen Kraftspiele ausgeführt vom Athletik-Gau München anläßlich der Hundertjahr-Feier des Oktoberfestes München 1910«

Typendruck, 28,4×18,7 cm; Druck: Jos. Osterhuber.

Der Ankündigungszettel – zum Preis von zehn Pfennig – lädt zu vier turnerischen Vorführungen des Münchner Athletik-Gaus auf dem Festplatz ein:

1. 150-Meter-Lauf;
2. Original-Bäcker-Ringkampf;
3. Mannschaftstauziehen;
4. Hahnenkampf.

MSt, 58/658/5

115 Programmzettel zur Hundertjahrfeier 1910

»Jubiläums-Oktoberfest 1910. Programm für die am Montag [...] stattfindende Volksbelustigung vor dem Königszelt: Altherkömmlicher Wettlauf der Münchner Wagnergehilfen mit Wagenrädern«

Typendruck auf grauem Papier, 28,4×18,7 cm; Druck: Jos. Osterhuber.

Die hiermit angekündigte Darbietung – bewußt historisierend angelegt – bestand aus zwei Wettläufen:

»1. aus einem Radtreiben, ausgeführt von 12 Wagnergehilfen und Lehrlingen unter 17 Jahren,
2. aus einem Radwettlauf mit Hindernissen, von 12 Gehilfen über 17 Jahre ausgeführt.«

Eingeleitet wurde dieses Spiel mit der »feierlichen Teilnahme« aller Wagner am historischen Festzug.
Eine Preisverteilung beendete diese »historische Aufführung«.   SP

MSt, 58/658/7

116 Ausstellung zum »Jubiläums-Octoberfest München. 1810–1910«   Abbildung S. 77

Wilhelm Beyer, Öl auf Leinwand, 37×60 cm. Bez. u. r.: »W. BEYER 1911«.

Zur Jubiläumsausstellung im Historischen Museum der Stadt München wurde eine Gruppe von 18 kostümierten Figuren aufgestellt, die im Zusammenhang mit dem Oktoberfest stehen: ein Offizier und zwei Gemeine der National-Garde-Kavallerie III. Klasse um 1810, ein Herold, drei Fahnenträger mit Preisfahnen, zwei Rennknaben, ein Zieler, zwei Feuerschützen in älterer und neuerer Uniform, vier Armbrustschützen mit Querpfeife, Trommel und

Armbrüsten, zwei Stadttrabanten mit Hellebarden.

Die originalen Kostüme wie die des Herolds und der Fahnenträger stammten aus dem städtischen Oktoberfestinventar. Die anderen wie die der Rennknaben und Nationalgardisten waren Neuanfertigungen von der Fa. F. u. A. Diringer/München nach alten Vorlagen. Ein Großteil dieser Kostüme (MSt, XII/125) ging durch Kriegs- und andere Einwirkungen verloren.

Das Bild zeigt die Kostümfiguren in ihrer Aufreihung während der Ausstellung. Der Hintergrund mit Zelten und Frauenkirche wurde vom Maler frei hinzugefügt. FD

MSt, II b/53

117 Mannschaftsuniform der kgl. bayer. National-Garde-Kavallerie III. Klasse, um 1810 (Kopie)

Rock aus blauem Tuch mit hellblauem Kragen und Aufschlägen, silberne Knöpfe; silbernes Achselband; blaue Epauletten mit wollenem Fransenbesatz; Hose aus blauem Tuch; schwarze Schaftstiefel; Zweispitz 1985 rekonstruiert.

Die Uniform wurde für die Jubiläumsausstellung 1910 nach Vorlagen aus der Zeit um 1810 nachgeschneidert (vgl. Kat. Nr. 116). Ebensolche Uniformen wurden für den Historischen und Huldigungsfestzug angefertigt.

MSt, XII/125 a

118 Offizielle Jubiläumsmedaille der Stadt München, 1910

Silber- und Bronzeprägung, ⌀ 3,1 cm. Bez. auf der Vorderseite im Abschnitt: »D–« (Maximilian Dasio).

Auf der Vorderseite Profilkopf des Prinzregenten gegenüber den Profilköpfen von Ludwig und Therese, Umschrift: »LVITPOLD . LVDWIG . THERESE«, im Abschnitt: »MDCCCX« und »MCMX«.

Auf der Rückseite: Königszelt mit vorbeisprengenden Pferden, darüber Münchner Wappen, Umschrift: »Z.E.

◁ Kat. Nr. 118 ▷

A.D. JAHRHVNDERTFEIER. D. MVNCHNER OKTOBERFEST . GEWIDMET. V. D.« im Abschnitt: »STADT MVNCHEN«.

Von dieser Medaille wurden zwei Stücke in Gold, 1300 in Silber und 2270 in Bronze geprägt. Die beiden goldenen widmete die Stadt München dem Prinzregenten und dem Prinzen Ludwig, die silbernen den Personen und Verbänden, die sich um die Jahrhundertfeier verdient gemacht haben. Die bronzene Ausführung bekamen die bei den Festaufführungen beteiligten Schulkinder. FD

Lit.: Destouches, Gedenkbuch 1912, S. 25
MSt, K 64/229/7 (Silber, in hellblauem Lederetui mit aufgeprägtem Stadtwappen); Florian Dering, München (Bronze, in hellblauem Pappschuber)

119 Offizielle Jubiläumsmedaille des Landwirtschaftlichen Vereins, 1910

Silberprägung, ⌀ 6 cm, Entwurf: Aigner (Vorderseite), Waldemar Schnetky (Rückseite).

Auf der Vorderseite Profilkopf des Prinzregenten, Umschrift: »LUITPOLD PRINZREGENT VON BAYERN . PROTEKTOR«, auf der Rückseite: Pflug mit Ährenkranz, Schriftzug: »DER . LANDWIRTSCHAFTLICHE . VEREIN . IN . BAYERN . 1810 . 1910.«

Die Medaille wurde in Gold, Silber und Bronze von der Fa. Karl Poellath/Schrobenhausen geprägt.

MSt, K 8399

120 Offizielle Jubiläumsmedaille für das Feuerschießen, 1910

Silberprägung, ⌀ 3,5 cm. Bez. auf der Rückseite u.: »M[aximilian] DASIO«

Auf der Vorderseite Profilköpfe des Prinzregenten und Ludwigs I., Umschrift: »LVDWIG . KRONPRINZ . LVITPOLD. REG . OKTOBERFESTIVBILÄVM . 1810 . 1910«. Auf der Rückseite stehen-

Kat. Nr. 120

der Schütze mit Scheibe und Gewehr, Umschrift: »IVBILÄVMSMVNZE FVR DAS FEVERSCHIESSEN«.

Von der Medaille wurden 1600 Stück vom königlichen Hauptmünzamt geprägt.

MSt, K 9692/1, 3

Kat. Nr. 127

121 Offizielle Jubiläumsmedaille für das Zimmerstutzenschießen, 1910

Silberprägung, ∅ 3,3 cm; Entwurf: Georg Ritzer.

Auf der Vorderseite: Brustbild von Ludwig und Therese unter einer Krone, Umschrift: »PRINZESSIN THERESE, KRONPRINZ LUDWIG, 1810«. Auf der Rückseite: Brustbild des Prinzregenten zwischen zwei Zweigen, die zwischen den Türmen der Frauenkirche herauswachsen. Schriftzug: »JUBILÄUMSOKTOBERFEST. ZIMMERSTUTZEN 1910«.
Von der Medaille wurden 1200 Stück von der Fa. Karl Poellath/Schrobenhausen geprägt.

Lit.: Destouches, Gedenkbuch 1912, S. 25
Privatbesitz, München

122 Kleine Jubiläumsmedaille, 1910

Silberprägung, ∅ 2,3 cm.

Auf der Vorderseite Umschrift: »LUITPOLD PRINZREGENT VON BAYERN« mit Profilkopf des Regenten. Auf der Rückseite Schrift: »JAHRHUNDERTFEIER DES OKTOBERFESTES 1910«.

MSt, K 8143, 8144

123 Jubiläumsmedaille, 1910

Bronzeguß, ziseliert, ∅ 8,5 cm. Bez. auf der Rückseite u.: »K[arl] GOETZ«.

Auf der Vorderseite Therese, Ludwig und Prinzregent in Brustbild. Auf der Rückseite Maibaum mit den Stadtwappen der acht bayerischen Kreisstädte, zu beiden Seiten Schriftzug: »1810 . 1910 OKTOBERFEST ZU MÜNCHEN / I. Z. VERMÄHLUNG D. KRONPRINZEN LUDWIG U. PRZ THERESE / 100. UNTER PRINZREGENT LUITPOLD VON BAYERN«.

Kat. Nr. 123

Darunter zwei sprengende Pferde mit Rennknaben.
Neben den offiziellen Medaillen wurde diese von dem Münchner Medailleur Karl Goetz herausgegeben. Eine kleinere Ausgabe gab es in Silber- und Aluminiumprägung, geprägt von der Fa. Deschler.

Lit.: Destouches, Gedenkbuch 1912, S. 25
MSt, K 8393, 62/484/17

124 Ovale Jubiläumsmedaille, 1910

Bronzeprägung, vergoldet, 4×3,3 cm.

Auf der Vorderseite Umschrift: »MAXIMILIAN JOSEPH I. KÖNIG VON BAYERN« mit Brustbild des Königs. Auf der Rückseite Schriftzug: »ZUR ERINNERUNG AN DAS 100. OKTOBERFEST MÜNCHEN / I. UNTER KÖNIG MAX JOSEPH I 1810 / 100. UNTER PRINZREGENT LUITPOLD 1910«.

MSt, K 8127, 8128

125 Maßkrug »Zur Erinnerung an das 100jährige Jubiläum des Münchner Oktoberfestes«, 1910

Steinzeug mit farbiger Bemalung, Höhe 23 cm, ∅ 10 cm (Maßkrug); Höhe 16 cm, ∅ 9,5 cm (Halbliterkrug); Entwurf: Franz Ringer. Bez.: »FR«; Ausführung: Porzellanmalerei G. Wiesinger, Zinnmontierung mit Firmenmarke: »BRÜDER THANNHAUSER MÜNCHEN«.

Münchner Kindl, flankiert von den Jahreszahlen 1810 und 1910, darüber bayerisches Wappen. Verbindung der Motive durch Lorbeerkränze und Girlanden. Am Gefäßboden Aufschrift: »Offizieller Festkrug Oktoberfest 1910«. Der Jubiläumskrug wurde auch als Halbe-Krug hergestellt.

Ludwig Hagn, München (Maßkrug); MSt, K 64/829 (Halbe-Krug)

126 Maßkrug zum Jubiläumsfest 1910

Steinzeug mit farbiger Bemalung und Zinnmontierung, Höhe 18 cm, ∅ 10,5 cm; Entwurf: Franz Ringer. Bez. u. r.: »FR«; Hersteller: Merkelbach & Wick, Höhr-Grenzhausen.

Das Münchner Kindl trägt auf seiner Linken ein Kissen mit der Königskrone, die rechte Hand stützt es auf das bayerische Wappen, im Hintergrund die Frauentürme. Darüber Schriftzug: »ZUR ERINNERUNG AN DAS 100j. JUBILÄUM DES OKTOBERFESTES«, daneben

Kat. Nr. 125

Kat. Nr. 128

Farb- und Lichtdruck, teils in Kupferdruck-Imitation ausgeführt und in den Handel gebracht«. Neben den künstlerisch gestalteten Karten bilden die Fotopostkarten vom Festzug und anderen Programmpunkten den Großteil dieser enormen Zahl verschiedener Motive.

FD

Lit.: Destouches, Gedenkbuch 1912, S. 22
StadtAM; MSt

128 Programmheft für das Oktoberfest 1912

»Programm für das Oktoberfest 1912 auf der Theresienwiese in München vom 21. September bis 6. Oktober veranstaltet vom Magistrat d. Kgl. Haupt- u. Residenzstadt München.«

Typendruck, 15 S., 4°.

Entwurf des Umschlagblattes mit Oktoberfestemblemen von Paul Neu.

MSt, 35/1641

129 Prinzregent Ludwig von Bayern auf dem Oktoberfest 1913

Foto, 34,5×24,5 cm.

Der letzte bayerische Monarch besuchte bei seinem Rundgang auf der Festwiese 1913 den neuen Riesenbau der Bräurosl. Zum letzten Mal in der Geschichte dieses Festes kam der dynastisch-nationale Charakter dieser Ver-

anstaltung zum Tragen. Bei dem 1919 nach fünf Kriegsjahren erstmals wieder veranstaltetem Ersatzfest, dem sogenannten Herbstfest, gab es in Deutschland keine Monarchie mehr. Ein Jahr zuvor, am 7. November 1918 war in München die Revolution ausgerufen worden, die zum Sturz des bayerischen Königs führte.

Somit hatte das Fest seine dynastische Ausrichtung und die Prägung durch

Kat. Nr. 129

links in einem Kranz das Zeichen der Landwirtschaft, rechts das von Kunst und Gewerbe. Im Rahmen links »1810«, rechts »1910«. Am unteren Rand des Kruges schwarz-gelbes Band. Auf dem Zinndeckel Gravur: »Pschorr-Bräu MÜNCHEN«.

Der Krug wurde neben dem offiziellen Jubiläumskrug eventuell von der Pschorr-Brauerei in Auftrag gegeben.

Privatbesitz, München

127 Festpostkarten 1910

Der ›Ansichtskartensport‹ zu Beginn des 20. Jahrhunderts wirkte sich entsprechend auf die Produktion von Postkarten zum Jubiläum aus. Allein die Firma Ottmar Zieher, »welcher vom Magistrat und Festausschuß die Herstellung der offiziellen Postkarten übertragen worden war, hat nicht weniger denn 120 verschiedene, teils in

das Haus Wittelsbach verloren. Es war das Ende einer Festepoche, die von 1810 bis 1913 gedauert hatte.   SP

StadtAM, Fotoslg.

130 Legitimationsplakette des Magistrats 1914

Messing, gegossen und bemalt, 7,5×6 cm.

Ovales Schild mit unten eingezogenen Ecken, in der Mitte Münchner Kindl, darüber Schriftzug »OKTOBER-FEST · 1914«, darunter Nummer »425«.
Die Plakette wurde vom Magistrat als Legitimation für ambulante Händler und Verkäufer auf dem Oktoberfest ausgegeben.
Deutschland erklärte am 1. August 1914 Rußland und am 3. August Frankreich den Krieg. Infolge der Kriegsereignisse wurde das Oktoberfest abgesagt. Die Vorbereitungen zum Fest waren jedoch schon so gediehen, daß unter anderem diese Plaketten bereits angefertigt worden waren.

Florian Dering, München

131 Feldzeitung »Der Drahtverhau«, 1916

»Der Drahtverhau, Nr. 4, 2. Jahrgang, Schützengrab. Zeitung d. bayr. L. I. Rgt. [Landwehr Infanterie Regiment] Nr. 1 Vogesen, Okt. 1916. Schriftleitg U. off. Fr. Grundner 3. K.«

4 Bl., 34×21,5 cm; Druck: Albert Jess, Colmar; Illustrationen: Eugen Osswald.

Der »Drahtverhau« finanzierte sich aus Spenden. Sein Reingewinn floß dem Hinterbliebenenfonds zu, verfaßt wurde er von Feldsoldaten.
Die ›Oktoberfestnummer‹ bringt den bayerischen Soldaten in 14 kommentierten Zeichnungen Vertrautes, ein ›Stück Heimat‹ in Erinnerung. Der »Wies'n-Dackl« ist vertreten, »nix als Bier, Bier, lauta Bier« und »der Stolz von der Au« als Schaukelbursch bei der Schiffschaukel. Es gibt die Viehauspreisung, Pferderennen, Ballwerfen, Steckerlfischbraten und einen Tanzbären. Auf dem Titel lacht eine pralle Wies'n-Kellnerin. Ein in bayerischem Dialekt gedruckter Brief berichtet von

Kat. Nr. 130

einem Volksfest an der Front. Illustriert wird er durch drei Bilder, die den Festzug und »das Rennats« vorstellen. Auf satirische Weise wird hier der Zeitbezug hergestellt. Beim Festzug werden weiße geflickte Fahnen geschwenkt, das Rennen wird als Huckepack-Wettlauf ausgetragen, bei dem die ›Jockeys‹ auf den Schultern ihrer Kameraden sitzen.   SP/SS

Abb. in: Chronik 1985, S. 82
StadtAM, ZS

132 Fotopostkarten, Oktoberfestszenen, 1920er Jahre

Georg Pettendorfer, mit Prägestempel, ca. 8,5×13,5 cm.

Von Pettendorfer ist eine Vielzahl von Oktoberfestfotos bekannt. Er gehört zu den ersten Fotografen, die gezielt den Festbesucher bei der Wahl ihrer Motive mitberücksichtigt haben.

MSt, PuMu

133 »...die andere Seite des Münchener Oktoberfestes«, um 1926

2 S., mit Fotoillustrationen aus einer illustrierten Zeitung.

StadtAM, ZS

134 »Amtlicher Plan des Festplatzes«, 1926   Abbildung S. 84

M = 1:1000, Plan aus Oktoberfestzeitung 1926 (Kat. Nr. 816.5).

Auf dem Plan ist das ursprüngliche Wirtsbuden-Rondell noch erkennbar. Das sich abzeichnende Halbrund war jedoch funktionslos geworden, da die Bierburgen damals schon in einem einzigen Straßenzug aufgebaut worden waren.

StadtAM, ZS

135 Luftaufnahme vom Oktoberfest 1927   Abbildung S. 84

Foto.

Das Foto erfaßt die gesamte Festplatzanlage einschließlich des Zentrallandwirtschafts-Festes im südlichen Teil des Areals.
Analog zu dem Plan von 1926 kann man die halbrunde Anlage des ehemaligen Wirtsbuden-Rondells noch erkennen, in dem aber nur noch eine Bierhalle steht. Die sechs anderen Großbauten der Brauereien sind entlang der sich bildenden Wirtsbudenstraße plaziert.

StadtAM, Fotoslg.

136 Oktoberfest 1929

Helgo Pohle, Öl auf Holz, 49×66 cm. Bez. u. r.: »HELGO POHLE«.

Blick von der Theresienhöhe herab auf die Mozartstraße mit Thomasbräu- und Löwenbräu-Zelt. Kopf an Kopf drängt sich die Volksmasse, innerhalb derer in der rechten Bildecke ein Bewegungsstrom erkennbar ist: ein Festzug, der sich im Getümmel verliert. Von der Menschenmenge ist links ein buntgeschmücktes Prunkgespann umschlossen. Um den Blick auf das pointillistisch hingetupfte Gewimmel zu akzentuieren, geben die Bäume des nahen Vordergrunds den Blick auf einen leeren Platz mit Verkehrsschild frei, den ein Schutzmann verteidigt; über den Platz eilt ein Fotograf. An den Laternenmasten werben ovale Schilder für die »PLAKATSCHAU« (auf dem Messegelände fand 1929 die Ausstel-

...die andere Seite des Münchener Oktoberfestes

Leere Tische, freie Stühle . . .

Es reicht nicht zu einem Glas Bier

Am Abfallkasten

Der kleine Junge hat auch Hunger

Kat. Nr. 133

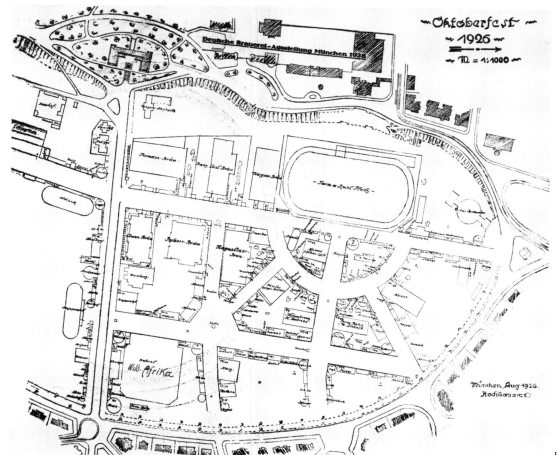

Kat. Nr. 134

Kat. Nr. 135

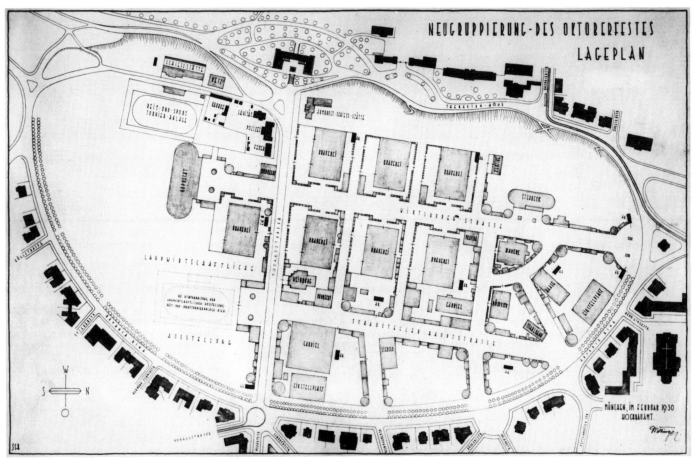

Kat. Nr. 137

lung »Das Internationale Plakat« statt); rechts eine Plankenabsperrung mit Zaungästen, die dem Zug zuschauen.

BK

MSt, 35/979

137 »Oktoberfest 1930 Lageplan«

Foto, 28,5×43 cm, M = 1:1000.

Der Plan zeigt den Festplatz in neuer Anlage. Das Areal ist in die von Norden nach Süden verlaufende »Wirtsbudenstraße« und die »Schaustellerstraße« sowie in die west-östlich verlaufende Mozartstraße (heute Matthias-Pschorr-Straße) geteilt.
Entlang der Wirtsbudenstraße stehen sechs Brauerei-Großzelte mit den Fassaden zueinander; in der Verlängerung über die Mozartstraße hinaus erhebt sich die Festhalle der Ochsenbraterei. Zwischen Wirts- und Schaustellerstraße ist der Standort für die Weinburg Schneider und das Hippodrom eingezeichnet sowie Stellplätze für Schausteller. Am Ende der Mozartstraße liegen der Bauhof und der Behördenhof mit Sanitäts-, Feuer- und Polizeiwache. Die 1930 angelegten Achsen der Theresienwiese und die damit vorgeschriebene Festplatzstruktur ist bis heute nahezu unverändert geblieben und könnte wegen der installierten Versorgungsanlagen entlang der Straßenführungen (Gas, Wasser, Strom, Kanalisation etc.) nur schwer verändert werden.

Waren die Wirtsbuden in den Anfangsjahren der Oktoberfeste erst im Halbkreis, später kreisförmig angeordnet und auf den Königspavillon und die Musiktribüne ausgerichtet, lockerte sich diese strenge Ordnung gegen Ende des 19. Jahrhunderts etwas. Wie beispielsweise der Plan von 1895 (Kat. Nr. 93) belegt, durften jetzt einige größere Wirtsbuden außerhalb des Rondells aufgebaut werden. Anfang des 20. Jahrhunderts – wie die Pläne von 1905 (Kat. Nr. 96) und 1926 (Kat. Nr. 134) zeigen – verschwinden dann die Großbierhallen ganz aus dem Rondell und werden parallel zueinander entlang einer Straße errichtet. Der Plan von 1930 beendet diese Entwicklung. Die Wirtsbudenstraße wurde auf 35 m ver-

85

breitert und die Hallen aus Feuer- und Verkehrssicherheitsgründen so auseinandergerückt, daß regelrecht Straßen zwischen den Bierhallen entstanden. Um dem in den Vorjahren bei schlechtem Wetter entstandenen »uferlosen Morast« vorzubeugen, ließ die Stadtverwaltung die neuangelegten Straßen makadamisieren; 1936 wurde geteert und heute durchziehen rund 5 km Asphaltstraße das Festgelände. SP

StadtAM, Fotoslg.

Kat. Nr. 138

138 Szene auf der Festwiese, 1920er Jahre

Kester Lichtbild-Archiv, Foto.

Drei ältere Frauen sammeln in ihre aufgehobenen Schürzen Papier zwischen den Wohnwägen.

MSt, 35/1664

139 Anstecker »OKTOBERFEST«, 1934

Messing, gedrückt, 4,8×3,6 cm.

Münchner Kindl mit Maßkrug und Rettich, auf Sockel mit Schriftzug »OKTO-BERFEST«, davor Hakenkreuzemblem der Organisation »Kraft durch Freude«. Interessant dabei ist, daß das Münchner Kindl seine Mönchserscheinung verlor, statt dessen zeigt es sich in säkularisierter Form als junges Mädchen.

Artur Fichtel, München

140 Festpostkarten aus den 1930er Jahren

1. 1931
Farbdruck, 9,2×14 cm, Kunstanstalt Emil Köhn, München.
2. 1934
Farbdruck, 9×14,2 cm, Verlag A. Lengauer.
3. 1935
Farbdruck, 9,2×14 cm, Verlag Ottmar Zieher, München.
4. 1936
Farbdruck, 9,2×14 cm, Kunstanstalt Emil Köhn, München.
5. 1938
Farbdruck nach Zeichnung von J. P. Junghanns, 10,6×14,9 cm, Kunstverlag Emil Köhn, München.

Die Zusammenstellung der Grußpostkarten aus den 1930er Jahren demonstriert, wie der Festschmuck der politischen Entwicklung in Deutschland angepaßt wurde.

Finden sich 1935 noch vereinzelt Fahnen in städtischer Farbe (schwarz-gelb) und mit dem Weiß-Blau der bayerischen Landesfarbe, so dominiert nach 1936 die schwarz-rot-weiße Beflaggung mit Hakenkreuzemblem.

1936 wurde das Aufziehen von weiß-blauen und schwarz-gelben Fahnen generell verboten. Der Festplatz wies nur noch den Fahnenschmuck des nationalsozialistischen Regimes auf. SP

Vgl. auch Abb. in: Chronik 1985, S. 94
StadtAM, Postkartenslg.

Kat. Nr. 139

141 Festplatz, um 1935

J. Schiekofer, Foto.

Übersichtsbild aus zwei zusammenmontierten Fotos. Blick von der Bavaria auf die Matthias-Pschorr-Straße und den Festplatz. Straßen und Festzelte sind mit Hakenkreuz-Fahnen beflaggt.

MSt, 35/1364

142 Offizielles Festplakat zum Oktoberfest-Jubiläum 1935

Farblithographie, 158×83 cm; Entwurf: R. P. Strube; Druck: C. Wolf & Sohn.

Frau in Tracht mit Maßkrug und Blumenstrauß in den Händen auf blumengeschmücktem Pferd (»Bräurosl«). Darüber Schriftzug »125 Jahre Münchener Oktoberfest 1810–1935«. Darunter Termine für verschiedene Veranstaltungen während der Festwochen.

Kat. Nr. 142

Das Jubiläums-Oktoberfest sollte durch den Einzug der Wirte und einen Trachtenfestzug eröffnet werden. Für die Festtage unter der Woche sah man Festschießen, sportliche Veranstaltungen, SS-Reiterspiele sowie mehrere Pferderennen vor. Die nationalsozistische Stadtverwaltung ließ die Gelegenheit nicht aus, durch Aufmärsche, Veranstaltungen und Ausstellungen das Jubiläumsfest in ihrem Sinne zu gestalten und unter das Motto »Stolze Stadt – Fröhlich Land« zu stellen.

Das Historische Museum der Stadt München hatte wiederum eine Jubiläumsausstellung zusammengestellt.

SP

StadtAM, Plakatslg.

143 Offizielle Festpostkarte
»125 JAHRE MÜNCHENER OKTOBERFEST 1810–1935«

Farbdruck, 14,7×10,6 cm; Entwurf: Edmund Liebisch; Kunstverlag Andelfinger, München.

Vor der Oktoberfestkulisse mit Bavaria und Ruhmeshalle steht ein lustig-fidel wirkender Städter mit Maßkrug neben einem schuhplattelnden Bauern in Tracht. Die beiden Figuren symbolisieren das Motto »Stolze Stadt – Fröhlich Land«.

Die Festschrift von 1935 vermerkt dazu: »Der Bauer soll nicht in die Stadt kommen, um die Augen aufzureißen über die Wunder der Zivilisation und der Lustbarkeiten, die es bei ihm draußen nicht gibt; die Tierschau und die Ausstellung seiner Erzeugnisse, die Belohnung mit den höchsten Preisen für seine Leistung soll ihm das stolze Gefühl vermitteln, daß er der wahrhaft Gebende und kein geringerer Träger des Volksgefüges ist als irgendein anderer Stand.

Wenn eine neue Zeit dem Landmann wieder den vollen Adel des Bauern zuerkennt und von Blut und Boden sich den unerschütterlichen Grund einer besseren Zukunft erhofft, so soll auch das Oktoberfest, das immer zugleich das Zentrallandwirtschaftsfest war, dazu weiterhin eine der festesten Stützen sein« (S. 14).

SP

Abb. in: Chronik 1985, S. 92
StadtAM, Postkartenslg.

144 »125 Jahre Münchener Oktoberfest, 1810–1935, Festschrift«

46 S., mit Abb. und Anzeigen, 2°, Umschlagentwurf von Paul Neu.

Kat. Nr. 140.5

Paul Neu gestaltete den Umschlag auf Vorder- und Rückseite mit figuralen Szenen aus dem historischen und aktuellen Wies'n-Geschehen. Der Tribut an den Nationalsozialismus wird durch Einbeziehen der Hakenkreuzfahne gezollt: Auf der Vorderseite weht sie hinter dem Bierfuhrwerk, auf der Rückseite flankiert sie mit der Münchener Fahne ein Bouquet aus Ähren, Korn- und Mohnblumen. Die an sich dünne Schrift zur Festgeschichte wurde durch allgemeine Artikel wie »München, die schöne Fest-Stadt« oder »Geselliges München« erweitert.

Mon

145 Festzugsprogramm zum Jubiläums-Oktoberfest 1935

»Stolze Stadt – Fröhlich Land. Jubiläums-Oktober-Festzug 1935«.

31 S., 8°, Herausgeber: Baumgärtner, auf Titelblatt Abbildung der offiziellen Oktoberfest-Postkarte.

Ausführliche Beschreibung des Festzuges von 1935. Inhalt:

1. Teil: 11 Gruppen des Landesschützenzuges,
2. Teil: 26 Gruppen »historischer Aufmarsch«,
3. Teil: 9 Gruppen »Bayrisch Land in Sitt' und Tracht«,
4. Teil: 36 Gruppen »Kreishandwerkerschaft«,
5. Teil: Programm für die Pferderennen.

In der Einleitung zu diesem Büchlein schreibt der damalige Münchner Oberbürgermeister Karl Fiehler u. a.: »Möge die Bevölkerung Münchens, eingedenk des guten Rufes, den Münchner Lebensart und Festfreude in aller Welt hat, dazu beitragen, daß das diesjährige Jubiläumsfest Zeugnis ablegt von der freudig disziplinvollen Lebensbejahung unseres wiedererstandenen Vaterlandes.«

SP

StadtAM, ZS

146 Szene auf dem Oktoberfest 1935

Foto.

Situation vor der Ehrentribüne, die im südlichen Teil des Festplatzes vor der

Rennbahn aufgebaut worden war; an der Balustrade eine Hakenkreuzfahne, mit Girlanden geschmückt.

In der ersten Reihe von links nach rechts, stehend einen Maßkrug in der Hand, Ratsherr Emil Maurike, Oberbürgermeister Karl Fiehler und Reichsstatthalter Franz Xaver von Epp, der mit einem Festteilnehmer in historischem Kostüm anstößt. Neben Epp Ministerpräsident Ludwig Siebert; schräg links hinter Epp Kreistagspräsident und Organisationsmitglied der Oktoberfestkommission Christian Weber und andere. Neben den genannten Herren, die in Uniform dem Fest beiwohnten, finden sich weitere uniformierte SS- und Wehrmachtsangehörige auf der Tribüne. SP

StadtAM, Fotoslg.

147 Maßkrug »Jubiläums Oktoberfest München 1810–1935«

Graues Steinzeug mit Zinnmontierung, Schrift und Konturen in schwarzem Umdruck, mehrfarbig bemalt, Höhe 22,4 cm, Ø 10,3 cm; Entwurf: Paul Neu. Bez. auf der Wandung u. r.: »P. NEU«.

Münchner Kindl in Wappenschild, flankiert von vier Personengruppen (Musikanten, Bäuerin mit Preisstier, Kellnerin und Schützen), darunter Schriftzug: »Froher Sinn,/Gemütlichkeit/Sind Münchens Art/seit alter Zeit«.

MSt, K 35/1409

Kat. Nr. 147

Kat. Nr. 146

148 Halbliterkrug »Jubiläums Oktoberfest München 1810–1935«

Steinzeug mit Zinnmontierung, Höhe 16,4 cm, Ø 9,6 cm; Entwurf: Paul Neu.

Münchner Kindl in Wappenschild, flankiert von Musikanten und Schützen. Im übrigen gleiche Ausführung wie Maßkrug Kat. Nr. 147.

MSt, K 35/1408

149 Maßkrug »125 Jahre Münchener Oktoberfest« 1935

Graues Steinzeug mit schwarzem Umdruck, farbig bemalt, Zinnmontierung, Höhe 22 cm, Ø 10,5 cm.

Über dem Stadtwappen mit Mauerkrone obiger Schriftzug, darunter »1810–1935«.

MSt, K 35/1584

150 Jubiläumsmedaille, 1935

Bronzeguß, Ø 12 cm. Bez. auf der Vorderseite: »K[arl] G[oetz]«.

Auf der Vorderseite Umschrift: »PRZ. THERESE. KRONPRINZ LUDWIG V. BAYERN«, im Abschnitt: »I. OKTOBERFEST

Kat. Nr. 150

Im Vordergrund Wegweiser zu den Toiletten: nackter Putto auf Topf, der mit Pfeil und Bogen in die einzuschlagende Richtung zielt. Darunter Schriftzug »Dort kann man ... wenn man muß!«

Ebenso wie dieser Klo-Amor stammt auch der bekannte Toilettenwegweiser, auf dem eine Frau ein Kind über einen Nachttopf hält, von 1936. Beide Figuren haben bis heute ›überlebt‹, auch wenn sie nun aus Polyester hergestellt sind. SP

StadtAM, Postkartenslg.

152 Szene auf dem Oktoberfest, 1938

Wilhelm Nortz, Foto, 18×13,3 cm.

Gruppe von Festbesucherinnen in der Schaustellerstraße.

StadtAM, Fotoslg.

153 Nationalsozialistische Bebauungspläne für die Theresienwiese, 1934 bis 1938

Foto, vgl. Lit.

Für die Umgestaltung als »Hauptstadt der Bewegung« existieren Pläne, deren Realisierung eine unvorstellbare städtebauliche Veränderung gebracht hätte. Von einer Prachtstraße, die in einer Breite von 100 m vom Hauptbahnhof bis Pasing geplant war, hätte eine Nord-Süd-Achse zur Theresienwiese und zum Ausstellungsgelände geführt. Ihr Endpunkt wäre ein neuer Südbahnhof in Sendling gewesen. Für die Neugestaltung des Wies'n-Areals als »Maifeld« liegen verschiedene Pläne vor: Bereits 1934 plante der Architekt German Bestelmeyer den Abriß der Ruhmeshalle, um dort ein Versammlungsgebäude zu errichten. Die Wiese wäre von radialen Aufmarschstraßen durchzogen worden. Eine andere Variante, von Georg W. Buchner 1935 vorgelegt, hätte ebenfalls die Beseitigung der Ruhmeshalle mit Bavaria vorgesehen. Statt dessen hätte sich an der Theresienhöhe eine riesige Kongreßhalle erhoben, in deren unterem Teil eine Heldengedenkstätte vorgesehen war. Wei-

Kat. Nr. 151

tere Entwürfe aus dem Jahre 1938 der Sonderbaubehörden lassen zwar Bavaria und Ruhmeshalle bestehen, flankieren jedoch das Ensemble mit Bauten, zwischen denen das erzene Riesenstandbild als kleine Figur erscheint. Das Oval der Theresienwiese wurde durch Kolonnadenbauten quadriert. Ob die Planer das Oktoberfest in die-

Kat. Nr. 153

1810« mit Brustbild des Brautpaares. Auf der Rückseite: Spitze eines Maibaumes, in der Mitte Münchner Kindl, daneben als Zeichen Pferd mit Rennknaben, Preisstier, darunter zwei Schießscheiben. Als Bekrönung Hakenkreuz zwischen Ähren und Hopfendolde, darauf Adler mit ausgebreiteten Schwingen.

Die Medaille wurde auch in kleiner Ausführung (⌀ 3,6 cm) in Silber und Bronze geprägt.

MSt, K 37/1310 (Bronzeguß); MSt, K 37/700 (2 Exemplare Bronzeprägung)

151 Toilettenwegweiser, 1936

Fotopostkarte, 13,8×9 cm; Verlag: Ottmar Zieher.

Besuchergefüllte Wirtsbudenstraße, die mit Hakenkreuzfahnen geschmückt ist.

Kat. Nr. 157

sem überdimensionierten architektonischen Rahmen belassen wollten, ist nicht bekannt. Aufschlußreich ist eine Anordnung Hitlers vom 28. April 1938: Bei der vorgesehenen Bekanntgabe der Bauvorhaben für München sollen »die nur für eine gewisse Zeit, nämlich für Ausstellungszwecke zu erstellenden Baulichkeiten auf der Wiese im Planbild weggelassen werden«, denn die »Wiese sei für den Münchener etwas Heiliges, mit ihr verbindet sich eine alte Tradition und an sie darf nicht getastet werden«.	FD

Lit.: Hans-Peter Rasp, Eine Stadt für tausend Jahre, München – Bauten und Projekte für die Hauptstadt der Bewegung, München 1981, S. 80f.

154 Volksfest auf der Zirkuswiese 1940

Foto, 18×24,5 cm.

Blick auf Teilbereich des Ersatzfestes mit Zuschauern vor Fahrgeschäften. Im Vordergrund – durch Seile abgetrennt – angelegte Splittergräben.
Während des Krieges gab es 1940 auf dem kleinen Areal der sogenannten

»Zirkuswiese« (Höhe Schwanthalerstraße) ein Ersatzfest.

StadtAM, Fotoslg.

155 Verhaltensvorschriften bei Fliegeralarm, 1941

»Bekanntgabe an die Festbesucher und -bezieher.
Die Festbesucher und -bezieher verlassen bei Fliegeralarm sofort den Festplatz und begeben sich in die zunächst gelegenen Luftschutzräume [...].«

Schriftplakat, 83×58,5 cm.

Das Plakat, veröffentlicht im August 1941 und unterzeichnet vom »Oberbürgermeister der Hauptstadt der Bewegung«, gibt fünf Luftschutzräume in der Nähe des Festplatzes an, in die sich die Bezieher und Besucher des Festes bei Fliegeralarm oder Luftangriff flüchten konnten. Zusätzlich wird vermerkt, daß die Stadt »selbstverständlich« bei Personen- oder Sachschaden keinerlei Haftung übernimmt.   SP

StadtAM, Plakatslg.

156 Theresienwiese 1943

Hugo Friedrich Engel, Foto, 18×24,5 cm.

Blick auf die Theresienwiese mit Paulskirche im Hintergrund. Um sich bei Luftangriffen schützen zu können, legte man 1943 zahlreiche Splittergräben auf dem Gelände an.

StadtAM, Fotoslg.

157 »Politischer Jahrmarkt 1945«

Farbdruck nach einer kolorierten Zeichnung von Max Radler, Schwabinger Bilderbogen Nr. 1, 1. Auflage München 1946, 37,5×48 cm. Bez. u. r.: »Max Radler 1945«.

Der Bilderbogen beschreibt die Zeit des Dritten Reiches als Jahrmarkt mit zahlreichen Anspielungen auf das Oktoberfest. Auf dem Festplatz, den ein Turm mit brennender Feuerschale, dem Hakenkreuz und der SS-Rune überragt, sind vertreten: »Heinrich Himmlers Geisterbahn«, ein Schrägflieger – an der Dachkante die Aufschrift »Räder müssen rollen!« – die Portraits und Initialen Goebbels' (mit Schlange) und Hitlers. Daneben die Aufschriften »Achsen müssen brechen« und »Köpfe müssen rollen«. In der Flugzeug-Besatzung des Karussells fahren Marine, Infanterie, Luftwaffe (Göring), die Reichsmark (rückwärts) und ein Zivilist mit japanischen Flaggen in den Händen. Es gibt ein Zelt »Zum ewigen Nachtwächter«, eine Schaubude »Das Tausendjährige Reich«, eine »NS-Rutschbahn« und einen »Zirkus Heß«. In »Josef Goebbels' Panoptikum (Neu!)« sind »Blut, Ehre, Boden, Glaube, Schönheit, My-

Kat. Nr. 154

thos« zu besichtigen. Daneben drehen sich die Lostrommeln im Glückshafen von BDM und HJ. Im Café »Der Stürmer« ist »Juden Zutritt verboten«, serviert wird »Nürnberger Streicherwurst«. Vor dem Transparent der »großen deutschen Kunstausstellung« die große Bude von »Hermanns Affentheater«, auf deren Plakat ein riesiger ordengeschmückter Affe mit der Physiognomie Görings prangt. »Die verkaufte Braut – Ein kurzes Eheglück« wird in einer Bude gegeben – auf der Fassade ein Bild Hitlers mit der Braut Deutschland. Die Mastspitze eines Kraftmessers trägt über Hakenkreuz-Flaggen eine Figur Goebbels' mit ausgestrecktem Arm und aufgerissenem Mund. Zwischen einer Vortragetafel »opfern nicht spenden« und dem Transparent »Wir dank[en] …« die klassizistische Fassade des Zelts »Der geniale Feldherr – nur 50 ₰« mit lorbeerumrahmtem Portrait Hitlers mit Schwert. Auf

dem Dach des Zeltes sitzt der gerupfte deutsche Adler, eine Wehrmachtskapelle spielt. Im »Foto-Atelier Hoffmann – konkurrenzlos!« (H. Hoffmann war Hitlers ›Leibfotograf‹) unter freiem Himmel läßt sich ein Uniformierter ablichten. Im Publikum viele Uniformen, Hakenkreuz-Luftballons. Einem begeistert mit Hitlergruß empfangenen Festzug wird die »Blut-Fahne« vorangetragen.   SS

StadtAM, Bilderslg.

158 Herbstfest 1946   Abbildung S. 92

Walter Bernard Francé, Foto.

Blick zur Paulskirche mit zerstörtem Dachstuhl. Links ›Eingangs-Portal‹ von der Uhlandstraße her. Ein riesiger Fahrradabstellplatz neben Schutthaufen bestimmt das Bild am Wies'n-Rand. Unter den wenigen Autos sind amerikanische Militärfahrzeuge.

MSt, 54/1138 (623)

Kat. Nr. 158

159 Auf dem Heimweg vom Herbstfest 1946

Foto.

Pia Arnold, München

160 »MÜNCHNER Herbstfest 1947, vom 13. mit 28. September«

Typendruck auf rosa Papier, 85,5×60 cm.

»Sonderanschlag der Münchener Anzeigen-Tafeln« mit Werbeanzeigen von Schaustellern und Gastronomen.

MSt, PuMu

161 »Oktoberfest München 1949 Offizielle Festschrift

zusammengestellt von Hanns Vogel«, herausgegeben vom »Münchener Festkreis«

32 S., mit Illustrationen, 4°, farbiger Umschlag nach Entwurf von Paul Neu.

Auf dem Umschlag schwungvoll tanzendes Trachtenpaar, darüber Schriftzug »Oktoberfest München 1949«, darunter »Offizielle Festschrift«. Mit oktoberfestbezogenen Textbeiträgen von Hans Fitz, Adolf Gondrell, Alois Hahn, Ernst Hoferichter, Josef Maria Lutz, Kurt Preis, Theo Prosel, Eugen Roth, Carl Borro Schwerla, Karl Steinacker, Eduard Stemplinger, Emil und Willy Vierlinger, Hanns Vogel. Anlaß für die Festschrift war das erste ›richtige‹ Oktoberfest nach dem Zweiten Weltkrieg. Beigelegt ist ein Faltblatt mit der Zugfolge zum »Oktoberfestzug 1949«.

Mon

162 Festabzeichen »OKTOBERFEST MÜNCHEN 1949«

Blech, gedrückt, 5×3,7 cm.

Mit Maßkrug, Steckerlfisch, Hendl, Luftballons und Schießscheibe – alles war, zumindest in Blech, wieder da, was zu einem ›richtigen‹ Oktoberfest gehört!

MSt, K

163 Lageplan »Oktoberfest 1951 u. Bayer. Zentrallandwirtschaftsfest«   Abbildung S. 94

Herausgeber: Stadtbauamt München, Planfertiger: Gebhard, 86,5×126,5 cm.

Der Plan teilt den Festplatz in die beiden von Norden nach Süden verlaufenden Hauptstraßen »Wirtsbudenstraße« und »Schaustellerstraße«, die in west-östlicher Richtung verlaufende »Matthias-Pschorr-Straße« sowie in die Seitenstraßen 1–4. Im Südteil der Theresienwiese befindet sich das Ausstellungsareal des vom Bayerischen Bauernverband organisierten Zentrallandwirtschaftsfestes.

Neben den sieben Brauereifesthallen finden sich vier weitere gastronomische Großbetriebe (Ochsenbraterei Rössler, Fischer-Vroni, Hippodrom und Weinschiff Bucentaurus am Ende der Wirtsbudenstraße) sowie eine Vielzahl gastronomischer Mittel- und Kleinbetriebe (zum Beispiel Hühner-, Wurstbratereien, Fischbratereien sowie Ver-

kaufsbuden für Feinkost, Süßwaren, Obst, Scherzartikel, Tabak). Neben den städtisch betriebenen Buden und fliegenden Ständen wird die große Anzahl der Fahr- und Schaugeschäfte deutlich. 1951 wurden 743 Unternehmen zugelassen, davon waren 33 Gaststättenbetriebe, 66 Verkaufsgeschäfte und Ausschankstellen (zum Beispiel Wein, Likör), 47 Fahrgeschäfte, 25 Schaugeschäfte, 13 Belustigungsbuden, 40 Schieß- und Wurfbuden, 24 Kindergeschäfte und zwei Fotografen. Dazu kamen 108 Mastenplätze (Schlaghämmer, Personenwaagen, Scherzartikel- und Eisverkauf etc.), 96 städtische Buden (Feinkost, Tabak, Süßwaren), 130 städtische »fliegende Stände« (Fein-

Kat. Nr. 162

kost, Süßwaren, Tabak, Scherzartikel), 114 »Verkaufszeichen für Brot« und 45 Platzvergaben an die unterschiedlichsten Betreiber.

Veranstalter des Oktoberfestes 1951 war das Wirtschaftsreferat der Stadt München. Die wesentlichen Entscheidungen hinsichtlich Vorbereitung und Durchführung traf der Wirtschaftsausschuß des Münchner Stadtrates. Der Festplatz, auf dem das Oktoberfest stattfindet, beträgt rund 25 ha, die bebaute Straßenfront hat eine Länge von rund 5 km.

Das dritte Oktoberfest nach Kriegsende stand schon ganz unter dem Zeichen des wirtschaftlichen Aufschwungs. Wie die Rechnungsbücher und Statistiken für das Jahr 1951 zeigen, verzeichnete die Wies'n bereits wieder Rekorde in Besucherzahlen, verzapften und getrunkenen Biermengen und verzehrten Würsteln, Hendln und Steckerlfischen. Die Brauereizelte zeigten sich ihren Besuchern in neuen, dekorativen Fassaden; die Hotels waren überbelegt, sämtliche Straßenbahnen überlastet… Der Umsatz der vergnügungssteuerpflichtigen Betriebe wurde mit 2 500 000 DM angege-

Kat. Nr. 159

93

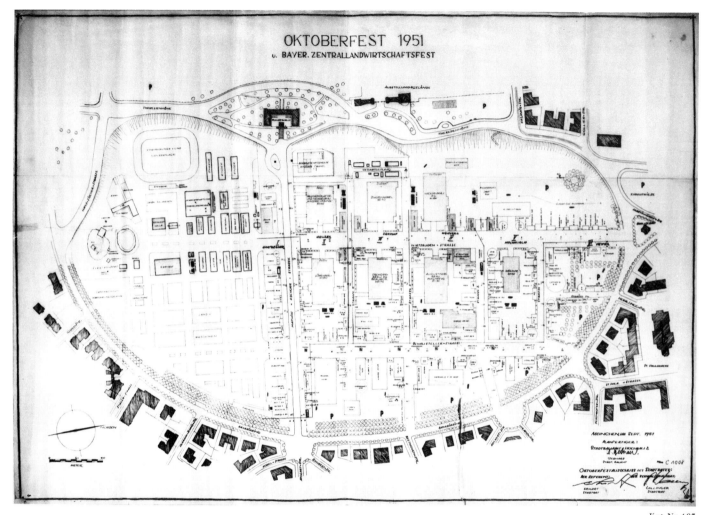

OKTOBERFEST 1951
u. BAYER. ZENTRALLANDWIRTSCHAFTSFEST

Kat. Nr. 163

ben. Die Stadt – vertreten durch das Wirtschaftsreferat – konnte rund 508000 DM Einnahmen an Platzgeldern, Anschlußgebühren und Fremdwerbung verzeichnen. Denen standen rund 510000 DM an Ausgaben für Aufbauarbeiten, Erstellung der organisatorischen und technischen Einrichtungen (Ver- und Entsorgung, Bau- und Behördenhof), Herstellung und Wiederinstandsetzung des Festplatzes gegenüber.

Neben diesen Geldern werden in den Büchern unter »finanzielle Ergebnisse« 492000 DM Einnahmen für Verkehrs-

betriebe angegeben, 186000 DM für das Stadtsteueramt an Vergnügungs-, Getränke, Speiseeis- und Schankerlaubnissteuer, 88441 DM Gebühreneinnahmen durch Strom und anderes mehr.

Das Oktoberfest wurde für die bayerische Landeshauptstadt zusehends zum Wirtschaftsfaktor ersten Ranges und ist es mit den jährlichen Millionenumsätzen bis heute geblieben. SP

Lit.: StadtAM, Okt. 263/1
StadtAM, Planslg.

164 Ansicht des Oktoberfestes 1951

W. von Poswik, Foto.

Blick von der Paulskirche auf den Festplatz, mit Schaustellerstraße und Wirtsbudenstraße. Im Hintergrund Ausstellungsgelände des Zentrallandwirtschaftsfestes.

StadtAM, Fotoslg.

Kat. Nr. 164

165 Bilder vom Oktoberfest, 1950er Jahre

Fotos.

1. Parkende Busse und Autos
   vor der Achterbahn
   (Foto: Poehlmann)

2. Paar in einem Fahrgeschäft
   (Foto: Georg Schödl)

3. Zwei Mädchen mit Maßkrug,
   Lebkuchenherzen und Luftballons
   (Foto: Poehlmann)

Kat. Nr. 165.6

Werbefotos, die von der Stadt München
herausgegeben wurden:

4. »Auf dem Pferdlkarussell«
   (Foto: Hans Reiter)

5. »Auf der Wies'n«
   (Foto: Christl Reiter)

6. »Pferdegespann«
   (Foto: Christl Reiter)

StadtAM, Fotoslg.

166 Bilder vom Oktoberfest, 1950er Jahre

Fotos.

1. Kinder sammeln beim Abbau der Festzelte Zweige als Heizmaterial.
2. »Betreuung von Wohlfahrtsrentnern durch das Wiesenreferat.« Die Bewirtung der Rentner mit Bier und einer Wies'n-Brotzeit findet auch heute noch statt. Sie hat ihre ›Vorläuferin‹ in der »Ausspeisung der Armen«, die im Rahmen des Oktoberfestes bereits unter König Max I. durchgeführt wurde.

Kat. Nr. 166.2

3. Holz und Reisig aus dem Festschmuck trugen dazu bei, daß der Ofen im Winter nicht kalt blieb.
4. Buben beim Auflesen von Zündhütchenhülsen, die beim »Hau den Lukas« abfallen.

StadtAM, Fotoslg.

167 Jubiläumsplakat »150 Jahre Oktoberfest 1810–1960«

Farbdruck, 84×59 cm; Entwurf: Ernst Wild.

Verglichen mit früheren Jubiläen war die zusätzliche Ausgestaltung dieses Festes relativ bescheiden. Der Trachten- und Schützenzug wurde durch eine Jubiläumsgruppe angereichert: Der »Ausfahrt des Kronprinzen Ludwig und Prinzessin Therese zu den Pferderennen« folgten »Xaver Krenkl, der bekannte Preisträger der damaligen Pfer-

derennen« und »Oktoberfestbesucher 1810«. In den Räumen des Münchner Kunstvereins konnte eine Oktoberfestausstellung besucht werden, vom Münchner Stadtmuseum zusammengestellt.

StadtAM, Plakatslg.

168 »150 Jahre Oktoberfest 1810–1960, BILDER UND G'SCHICHTEN
Zusammengestellt von Ernst Hoferichter und Heinz Strobl, HERAUSGEGEBEN VOM WIRTSCHAFTSREFERAT DER LANDESHAUPTSTADT MÜNCHEN«, München 1960.

150 S., mit Abb., 8°.

Mon

169 Jubiläumsmedaille, 1960

Goldprägung, ⌀ 4 cm.

Auf der Vorderseite Brauereigespann, Straße mit Buden und Karussells, Bavaria mit Ruhmeshalle, Umschrift: »150 JAHRE MÜNCHENER OKTOBERFEST/1810 1960«. Auf der Rückseite Stadtansicht vom Isartor gesehen, nach der Ansicht aus der Schedelschen Weltchronik von 1493.
Private Prägung einer Bank.

MSt, K 60/511

170 Szene auf dem Oktoberfest 1960
Foto.

Wie auf der Rückseite des Fotos vermerkt wurde, ist der abgebildete Mann 81 Jahre alt und besucht seit seiner Kindheit »jedes Oktoberfest zu einem Maßerl Bier«. Da er zum Zeitpunkt der Aufnahme »noch evakuiert ist, kommt er von auswärts auf das Fest«.

MSt, 61/1061

171 Offizielle Plakate und Prospekte zum Oktoberfest, 1952–1985

Verschiedene Formate in Normgrößen.

Das Oktoberfestplakat als allgemeine Werbung für das Fest gibt es kontinuierlich erst seit 1952. Als Vorläufer sind die Jubiläumsplakate von 1910 und 1935 zu sehen. Alle früheren auf das

Kat. Nr. 170

Oktoberfest bezogenen Plakate sind im Auftrag von einzelnen Brauereien, Festwirten oder Schaustellern entstanden. Von seiten des Magistrats gab es lediglich die relativ nüchternen Programmanschläge in Plakatformat.
Aus einem jährlich neu veranstalteten Wettbewerb wird das jeweilige Oktoberfestplakat von einer Kommission ausgewählt. Ein vorrangiges Kriterium ist dabei die Werbewirksamkeit im Ausland, da das Plakat als Hauptwerbeträger weltweit verschickt wird. Dies erklärt die wiederkehrenden Motive wie Münchner Kindl, Maßkrug, Brezen und Herzerl, die dem Fest als Stereotypen zugeordnet werden. Diese Einschränkung mag dazu geführt haben, daß eine Reihe von Oktoberfestplakaten, speziell der letzten Jahre, gemessen an zeitgenössisch möglicher Plakatkunst etwas dürftig ausgefallen sind. Zum Plakat erscheint ein Faltprospekt mit Informationen zum Fest, dessen Titel mit dem Plakatmotiv versehen ist. FD

Offizielle Oktoberfestplakate
mit dem Namen des Entwerfers:

1952 Eugen Maria Cordier
1953 Hans Kuh
1954 Max Härtl
1955 Ernst Kößlinger
1956 Ernst Kößlinger
1957 Ernst Strom
1958 Ernst Strom

1959 Wolfgang Niesner
1960 Ernst Wild
1961 Ernst Wild
1962 Ernst Wild
1963 Ernst Wild
1964 Franz Joseph Ott
1965 Ernst Wild
1966 Roman Spiro
1967 Ernst Strom
1968 Roman Spiro

1969 Ingeburg Rothemund
1970 Roman Spiro
1971 Ernst Kößlinger
1972 Franz Wischnewski
1973 Ursula Bauer
1974 Franz Wischnewski
1975 Franz Wischnewski
1976 Franz Wischnewski
1977 Fritz Wagner
1978 Cornelia v. Seidlein

1979 Fritz Wagner
1980 Fritz Dommel
1981 Ernst Strom
1982 Ursula Bauer
1983 Fritz Wagner
1984 Emil Sogor
1985 Fritz Dommel

MSt u. StadtAM

Kat. Nr. 171

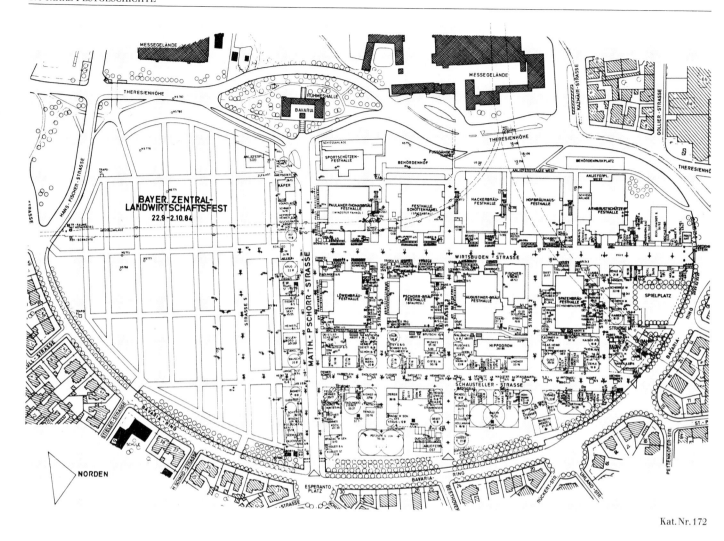

Kat. Nr. 172

172 Plan vom Oktoberfest 1984

Lichtpause, 90×130 cm, M = 1:1000.

Unterzeichnet von Bürgermeister W. Zehetmeier und Fremdenverkehrsdirektor H. Strobl. 1984 war eine sogenannte »Kleine Wies'n«, bei der die Beschickung der Straße 5 wegen des Zentral-Landwirtschaftsfestes, das alle drei Jahre veranstaltet wird, entfällt.

MSt, PuMu

173 Aufbauphasen des Oktoberfestes 1984

Fotos: Florian Dering, Julia Köbel, Patricia Partl, Elisabeth Philippi, Wolfgang Pulfer, Kerstin Schuhbaum.

Bereits Anfang Juli beginnt die Bautätigkeit auf der Wies'n: Als erstes werden die Gerüste der Bierzelte aufgestellt. Ende August belegen die ersten Schausteller ihre Plätze, die nach dem Oktoberfest-Plan genau vermessen und mit Markierungen versehen worden sind. Das Gelände wächst anfangs nur langsam zu. In der letzten Woche sind nur mehr einige Lücken zu erkennen, dafür stehen die Straßen voll mit Packwägen, Zugmaschinen und Zuliefererfahrzeugen. Wenn die Festbesucher dann am Eröffnungssamstag in die fertige Wies'n-Stadt strömen, denken wohl die meisten nicht daran, daß sie sich ausschließlich zwischen fliegenden Bauten bewegen.

Um das Anwachsen des Oktoberfestes zu dokumentieren, stieg das Fototeam des Stadtmuseums im Abstand von vier bis fünf Tagen auf den Turm der Paulskirche.

MSt, PuMu

174 Gesamtschau auf die Wies'n, 1984   Abbildung S. 100/101

Wolfgang Pulfer, Foto.

Blick gegen Süden, vom Turm der Paulskirche aus.

Wolfgang Pulfer, München

98

Kat. Nr. 173

Kat. Nr. 173

Kat. Nr. 173

Das organisierte Vergnügen

Phänomen Oktoberfest

Es heißt Oktoberfest, findet überwiegend aber im September statt. 1985 wird es 175 Jahre alt; im Jahr zuvor, 1984, jedoch wurde es zum 150. Mal gefeiert (des Rätsels Lösung: fünfundzwanzigmal in seiner Geschichte ist es wegen Kriegs- und Nachkriegszeit oder wegen Seuchen ausgefallen). Das Oktoberfest gilt als »Bayerisches Nationalfest«, zugleich aber auch als größtes Volksfest der Welt. Organisatorisch ist es (seit 10 Jahren) beim Fremdenverkehrsamt der Landeshauptstadt München angesiedelt, nach dem Haushalts-Kennziffern-Schema zählt es jedoch zum Bereich der Kultur. Viele traditionsreiche Volksfeste und Jahrmärkte sind, teilweise sogar um Jahrhunderte, älter; dennoch ist das Oktoberfest, mit seinem Alter von »nur« 175 Jahren, inzwischen das berühmteste Volksfest der Welt, das nachzuahmen Veranstalter in aller Welt versuchen. Das Oktoberfest: ein Phänomen.

Was bewirkt diese Einmaligkeit, worin liegt die Faszination, die für solche Erfolge unerläßlich ist? Wie konnte es geschehen, daß das Oktoberfest 1984 als das bisher erfolgreichste in die Geschiche eingegangen ist mit der höchsten je verzeichneten Besucherzahl von über sieben Millionen, mit dem höchsten Ausschank an Bier und mit dem höchsten Verzehr an Brathendl'n – dies sind die Indikatoren für den Erfolg einer Wies'n –, und das in einer Zeit wirtschaftlicher Stagnation, relativ hoher Arbeitslosigkeit und zum Teil ganz erheblicher Einbußen bei den meisten anderen Volksfesten?

Zu diesen Erfolgen, zu dieser Entwicklung des Oktoberfestes trägt eine Vielzahl von Faktoren bei. Der Festplatz selbst, die Theresienwiese, die, gäbe es das Oktoberfest nicht, schon längst verbaut und als Freifläche verschwunden wäre, bildet die entscheidende Grundlage. Seit der Anlage des Bavariarings vor ziemlich genau 100 Jahren ist sie nicht mehr verändert worden. Durch das Wachstum der Stadt, dank bester Verkehrsanbindung, haben sich die Entfernungsbegriffe grundlegend verschoben: Lag die Theresienwiese zur Zeit der Entstehung des Oktoberfestes noch weit draußen vor den Toren der Stadt, so zählt sie heute bereits zum erweiterten Innenstadtbereich.

Von gleicher Bedeutung ist die Anlage, die Einteilung des Festplatzes: Die in der Welt einmalige Wirtsbudenstraße mit ihrer großzügigen Breite von 30 Metern, an der die neun großen Festhallen (mit jeweils bis über 6000 Besuchern Fassungsvermögen) und die »Fischer-Vroni« mit ihren prachtvollen Fassaden liegen. Nicht weniger großzügig ist die Schaustellerstraße mit der Paulskirche als Orientierungs-

punkt im Norden und einem der höchsten reisenden Riesenräder, 50 Meter hoch, als südlichem Abschluß. Und schließlich die Matthias-Pschorr-Straße mit der alles krönenden Bavaria und der Ruhmeshalle im Hintergrund. Fürwahr: Etwas Vergleichbares, einen solchen Festplatz gibt es nicht noch einmal auf der Welt.

Dazu kommt die wohlausgewogene, in vielen Jahrzehnten behutsam entwickelte und bewährte Mischung von gastronomischem Bereich und Schaustellerteil, wobei Tradition und Fortschritt stets im rechten Verhältnis gehalten werden konnten.

Dies alles sind die äußeren Vorbedingungen für den Ruf des Oktoberfestes. Mit Leben erfüllt wird es aber erst von den Menschen. Von den Festwirten und den Schaustellern, von den Marktkaufleuten, den Brotfrauen, den Bedienungen, dem Hilfspersonal an Schenken und an Schießbuden, vor und hinter den Kulissen. Dies alles auf der einen Seite; auf der anderen aber von den Besuchern selbst, von den Besuchern aus aller Welt, aus Amerika oder aus Niederbayern, aus Südtirol oder Japan, aus Rom, Zürich oder aus München selbst. Von Besuchern, die sich einfangen lassen von der Wies'n-Stimmung, von der Geräuschkulisse der Blaskapellen und der prächtigen Schausteller-Orgeln, die den Festplatz in reicher Zahl verschönern, von der Symphonie der Wohlgerüche von gebrannten Mandeln und Steckerlfischen, von gebratenen Hendl'n und Ochsen. Da gibt es keine Stammes- und keine Standesunterschiede, das ist so recht der Ort, die Sorgen des Alltags zu vergessen, da gedeiht im besten Sinne das, was neudeutsch als »zwischenmenschliche Kommunikation« umschrieben wird. Fausts viel zitierter Ausspruch »Hier bin ich Mensch, hier darf ich's sein« – besser läßt sich das Lebens-, das Wohlgefühl der Oktoberfestbesucher aus aller Welt nicht beschreiben.

Wie kommt nun dieses Fest zustande, das in den gastronomischen Bereichen nahezu 100 000 Gästen gleichzeitig Platz bietet, auf dem sich an Spitzentagen bis zu 700000 und mehr Besucher Kopf an Kopf drängen? Welche Organisation steht dahinter, von der der Besucher normalerweise nichts bemerkt (und auch gar nichts merken soll)? Der unmittelbare Apparat ist verblüffend klein: Es ist die Abteilung Veranstaltungen im Fremdenverkehrsamt mit sechs Mitarbeitern im verwaltenden Bereich und zehn technischen Kräften im Oktoberfestbauhof. Neben dem Oktoberfest hat diese Abteilung aber auch noch dreimal die Auer Dult im Jahr, den Christkindlmarkt und die offiziellen Flohmärkte zu organisieren und ganzjährig die Theresienwiese zu verwalten. Mit einbe-

erns Grenzen hinaus zu verbreiten). Am Vormittag des 30. September versammelten sich die Schausteller zu einem ökumenischen Gottesdienst in der nahe der Festwiese gelegenen St.-Pauls-Kirche. Die offizielle Anordnung, den Oktoberfestbetrieb den ganzen Tag über ruhen zu lassen, stieß allerdings nicht überall auf Verständnis oder gar Gegenliebe. Jedenfalls kommentierte ihn die Besitzerin eines Wies'n-Wurststandls folgendermaßen: »I versteh's net, denn die Leut nach der Trauerfeier, die san doch hungrig!« Um 16.00 Uhr, zu Beginn der offiziellen Trauerfeier, legten Arbeiter und Angestellte aller städtischen und privaten Betriebe und Verwaltungen in München eine Gedenkminute für die Opfer des Anschlags ein. In Stuttgart wurde das Volksfest Canstatter Wasen für eine Stunde unterbrochen, das »Berliner Oktoberfest« hielt seine Pforten den ganzen Tag lang geschlossen. Die Hinterbliebenen und Trauergäste hatten sich zusammen mit zahlreichen Repräsentanten des politischen Lebens aus München, Bayern und der Bundesrepublik zur Trauerfeier im Münchner Rathaussaal eingefunden. Dabei empfanden einige Trauergäste die Anwesenheit zahlreicher Pressephotographen als störend und unpassend, und doch war das Surren der Blitzlichter ebenso wie die Fernseh-Life-Übertragung der Trauerfeier nur die Bestätigung einer alten Regel: Politische Prominenz fordert ihren publizistischen Preis. Die Münchner Stadtverwaltung hatte übrigens aus Rücksichtnahme auf die Hinterbliebenen der Opfer davon abgesehen, auch die Eltern des beim Anschlag ums Leben gekommenen mutmaßlichen Attentäters an der Trauerfeier teilnehmen zu lassen. Wenige Stunden nach Abschluß der offiziellen Trauerfeier verstarb als 13. Opfer des Oktoberfestattentats ein 17jähriger Münchner Lehrling, dem Bombensplitter ins Gehirn eingedrungen waren.

Wie soll man 13 Tote und 215 teilweise schwer Verletzte aus dieser rein quantitativen Angabe heraus faßbar machen als Opfer eines Attentats, das nicht irgendwo, sondern hier, in nächster Nähe geschehen war? Indem man die Opfer individualisierte, sich den Einzelschicksalen widmete. So berichtete die Münchner Presse über das 13. Todesopfer, den 17jährigen Lehrling, den eine hoffnungsvolle berufliche Zukunft zu erwarten schien, über das Leid eines Familienvaters, der bei dem Anschlag seine Kinder verloren hatte und dessen Frau schwerverletzt im Krankenhaus lag, über eine ebenfalls im Krankenhaus liegende junge Frau, von der es in der Presse hieß, »man sieht ihr nicht an, daß ihre Beine von Granatsplittern durchzogen sind, daß ihr die Milz entfernt werden mußte« (!). Nichtmünchnerische Zeitungen bzw. solche von außerhalb Bayerns wandten sich ihrerseits besonders den Schicksalen auswärtiger Attentatsopfer zu. Die »Gießener Allgemeine« etwa berichtete am 1. Oktober von einer jungen, aus der Umgebung Gießens stammenden Frau, auch sie schwerverletzt in einem Münchner Krankenhaus befindlich, und kam zu dem Schluß: »Plötzlich sahen sich viele Bürger direkt betroffen von diesem Anschlag.«

Denkmal für die Opfer des Bombenanschlags

Wie gesagt, wahrscheinlich wurden die Opfer leichter faßbar und konkreter, wenn man sie aus der Anonymität der bloßen Zahlenangabe heraushob. Unbeteiligte sahen sich betroffen, wobei allerdings angemerkt werden muß, daß dieser Form von »Betroffenheit« eine mehrfache, in gewisser Hinsicht sogar schillernde Bedeutung zukam: einmal tatsächliche Trauer über die Opfer, zum zweiten Angst davor, es könne auch einmal einen selbst und die eigene Familie treffen (gerade das Oktoberfestattentat hatte gezeigt, daß man als gutgelaunter Festbesucher unversehens innerhalb weniger Sekunden zum Opfer werden kann), und schließlich auch Erleichterung darüber, diesmal selbst nicht betroffen worden zu sein. Von diesem Individualisierungsprozeß innerhalb der Presse blieb der mutmaßliche Attentäter nicht ausgespart, er machte sich, was seine Absicht gewesen sein dürfte, gleichsam nachträglich einen Namen. Die Darstellung seiner Person entwickelte sich parallel zur These von der Einzeltäterschaft, ja sie wurde ihr sogar, so hat man wenigstens den Eindruck, angeglichen: Gundolf Köhler, schon immer ein schwieriger und verschrobener Einzelgänger, der heimatliche Sagen aufgespürt und in deutschen Wäldern Fossilien gesammelt haben soll; einer, der nie als politisch engagiert aufgefallen sei. Eher beiläufig wollen sich einige seiner Bekannten an eine politisch brisante Äußerung Köhlers etliche Wochen vor dem Anschlag erinnert haben. Man könne, so soll Köhler gesagt haben, durch einen Anschlag, vielleicht auf das Oktoberfest, die Stimmung im Lande und damit das Ergebnis des Bundestagswahlkampfes entscheidend beeinflussen.

War die Berichterstattung im September den Opfern und auch dem mutmaßlichen Täter vorbehalten, so konzentrierte sie sich im Oktober insbesondere auf die Spendenverteilung. Die Stadt München hatte nach dem Anschlag ein Spendensonderkonto eingerichtet, wobei an Soforthilfe und auch an Finanzmittel zur Nachsorge für die Verletzten und Hinterbliebenen gedacht war. Dieses Sonderkonto füllte sich aufgrund der enormen Spendenbereitschaft der Bevölkerung schnell auf, zumal auch die Arbeiterwohlfahrt, die Kirchen und die Münchner Zeitungen, etwa die »Abendzeitung« und die »tz«, Spendenaktionen initiierten. Am 7. Oktober lautete die Schlagzeile der »Süddeutschen Zeitung«: »Fünf Idealisten sammelten unwahrscheinlich hohe Summe«, nämlich mehr als 86 000 DM auf dem Oktoberfest. Das Motiv, das die Spendensammler angaben, deckte sich mit dem, was viele Menschen zu spenden bewog: grenzenlose Erleichterung darüber, selbst unversehrt davongekommen zu sein, und soziale Mitverantwortung gegenüber den direkt Betroffenen. Die Münchner Ausgabe der »Bild-Zeitung« versuchte ihre Leser am 10. Oktober zu weiteren Spenden anzuregen, ihr Spendenaufruf schien allerdings vom eigentlichen tragischen Anlaß weit entfernt: »Für Wies'n-Opfer! Super-Stars in der Olympiahalle! Da wackelt die Olympiahalle! Super-Stars machen mit, Super-Mädchen rollen an, Super-Gruppen machen Musik.« Die städtischen und staatlichen Behörden hatten den Opfern, wie in solchen Fällen üblich, »schnelle und unbürokratische Hilfe« zugesichert; die »zähe« Spendenverteilung jedoch, die diesem Versprechen folgte, forderte denkbar kritische Kommentare der Münchner Presse heraus. Die »Abendzeitung« etwa stellte ihren Lesern am 21. Oktober die Tatsache zur Diskussion, daß von den über zwei Millionen DM an eingegangenen Spenden erst 183 000 DM ausbezahlt worden seien. Vor allem der damalige Sozialreferent der Landeshauptstadt geriet ins Kreuzfeuer der Kritik, und zwar wegen seiner Formulierung von den »publicitytüchtigen Unfallopfern«. Es läßt sich nur erahnen, wie verletzend diese abwertende Formulierung auf die Hinterbliebenen und in Krankenhäusern Liegenden gewirkt haben muß. In jedem Fall kann auch sie zu den bleibenden Dokumenten eines schlechten Umgangstones gerechnet werden. Am 22. Oktober meldete der »Münchner Merkur«, daß der Freistaat Bayern seine 400 000-DM-Spende selbst und »unbürokratisch« verteilen wolle, während der städti-

sche »Punkte-Katalog« für die Spendenverteilung, wiederum einer Meldung des »Münchner Merkur« zufolge, erst am 5. Dezember 1980, also rund zweieinhalb Monate nach dem Attentat fertiggestellt war. Der Münchner Sozialreferent hatte vorab noch einmal sein Konzept einer Spendenverteilung, die nicht nach dem »Gießkannenprinzip« ablaufen dürfe, verteidigt.

Im Dezember des Jahres 1982 stellte die Bundesanwaltschaft in Karlsruhe das Ermittlungsverfahren zum Oktoberfestattentat ein. Für eine Gruppentäterschaft hätten sich, so das Ergebnis, keine Anhaltspunkte ergeben, man müsse wohl davon ausgehen, daß Köhler, der dem Bombenexplosionszentrum offensichtlich am nächsten gestanden hat, als einzelner die Tat geplant und durchgeführt habe. An diesem Ergebnis wurden später wiederholt Zweifel angemeldet, weil einige Augenzeugen Köhler in Begleitung mehrerer Männer am Tag des Anschlags in der Nähe der Theresienwiese gesehen haben wollen. Was letztendlich bleibt, ist die Problematik des Gedenkens. Vor dem ersten Jahrestag des Oktoberfestattentats ließ die Münchner Stadtverwaltung provisorisch errichtete Mahnmale nicht offizieller Herkunft rigoros entfernen. Wie eingangs erwähnt, griff der damalige Oberbürgermeister eine Anregung seiner Stadtratsfraktion zur Errichtung einer Gedenktafel auf. Es scheint so, als wollte die Stadt München damit ihren alleinigen Anspruch auf das Gedenken und auf »die ständige Erinnerung und Mahnung an den Bombenanschlag des 26. Septembers« demonstrieren.

Gottesdienste, Fackelzüge, aber auch von neonazistischen Gruppen ausgelöste Schlägereien vor dem offiziellen Mahnmal begleiteten die jeweiligen Jahrestage des Attentats. Anläßlich der Diskussion, wie der fünfte Jahrestag zu begehen sei, meldete die »Abendzeitung« am 7. Februar 1985: »Wies'n-Opfer: Kein Gedenken.« Die meisten der Opfer, die immer noch unter den Auswirkungen und Spätfolgen des Anschlags leiden müssen, lehnten demnach eine Unterbrechung des Oktoberfestes in Verbindung mit einer Gedenkfeier ab; sie wollten nicht mehr an das Geschehene erinnert werden. Auffallend übrigens noch, daß bei der neuerlichen Diskussion über eine Festunterbrechung dieselben Sachzwänge wie schon vor fünf Jahren ins Feld geführt wurden. Am 24. Oktober 1980 hatte Dieter E. Zimmer in der »Zeit« festgestellt, Trauer sei ein rein individuelles Gefühl, kein soziales. Vielleicht gilt es wirklich, an jene Möglichkeit der individuellen Trauer zu erinnern und sich das persönliche Bewußtsein darüber zu wahren, daß die Wies'n »nie mehr so sein wird« und kann »wie vorher«.

Nina A. Krieg

Lit.: Ansprache des Oberbürgermeisters zur Enthüllung einer Gedenksäule für die Opfer des Anschlags auf das Oktoberfest, StadtAM, Av. Bibl.; Süddeutsche Zeitung, Münchner Merkur, Abendzeitung, tz, Münchner Stadtanzeiger, Münchner Rathaus-Umschau, weiterhin Die Zeit, Lahrer Zeitung, Gießener Allgemeine, alle im Berichtszeitraum Ende September bis Ende Dezember 1980 und Februar bis März 1985; brandschutz. Deutsche Feuerwehr-Zeitung, Nr. 5, Mai 1981

Heute Hinrichtung

1

Ich kam nicht gerade zufällig am Tatort vorbei, drei Tage nach der Explosion. Ich war aber auch nicht eigens zu seiner Besichtigung aufgebrochen. Es traf sich. Ich hatte die Kamera dabei, wer weiß. Wegen der Trauerzeremonien stand das Oktoberfest an diesem Dienstag still, eine Drehpause. Vom Spektakel blieb seine bloße Kulisse.

2

Inzwischen befand sich die Katastrophe fest im Griff der veröffentlichten Meinung. Wörter und Bilder hatten den Anschlag und seine Folgen aufgesogen. Nur einer völligen Abstinenz von Medien und Mitmenschen wäre der blutige, schreckliche, entsetzliche, furchtbare Hergang entgangen. Jeder kannte die Aufnahmen des Mannes mit der Lederjacke, der mit seiner Familie auch das Recht am eigenen Bild verloren hatte. Keiner konnte der Nachricht entkommen, daß der durch die Explosion getötete mutmaßliche Bombenleger als schüchtern galt.

Über den Abgrund zwischen Ereignis und Erfahrung häufte sich bedrucktes Papier. Die Empfangsgeräte füllten ihn mit optischen und akustischen Zeichen. Ein Schrecken wie nach einem heftigen Erdstoß lag in der Luft. Ganz in der Nähe hat sich etwas sehr Vertrautes im Grund verändert, das unerschütterlich schien. Die Erschütterung geht unter die Haut, aber nichts Greifbares bleibt zurück. Etwas ist passiert, aber alles sieht so aus wie vorher.

Leichen und Särge unter dem Spruchband WILLKOMMEN ZUM OKTOBERFEST: die Bilder der nächtlichen Bergungsarbeiten hatten in ihrer Wiederholung die Schwelle zur Banalität rasch überschritten. Sie stapelten sich im Gehirn neben Aufnahmen aus der Terroristenfahndung, der Russen auf dem Flugplatz von Kabul, der besetzten Botschaft in Teheran. Sie vermischten sich mit anderen reproduzierten Bildern der Gewalt und wurden austauschbar wie die auf Glück und Vertrauen gestimmten Plakate von Schmidt, Strauß und Löwenbräu auf den Anschlagflächen rings um die Theresienwiese.

Betroffen waren Leute wie du und ich. Hinter Neugier und Schlagzeilenpathos schien man plötzlich von der Macht des Zufalls berührt: »Als Festbesucher hätte es mich treffen können. Glück gehabt.« Das grausende Entzücken, eine Triebkraft der Jahrmarktsschau seit ihren Anfängen, lauerte in den Falten des Mitgefühls.

Man wußte bereits seit Sonntag früh, daß schon zwölf Stunden nach der Explosion deren Spuren vom Tatort entfernt worden waren. Nur die Zeiger der zersplitterten Uhr stünden immer noch auf 22.19. Für den Schauplatz galt der wiederhergestellte Normalzustand und für die Medien das uneingeschränkte Erinnerungsmonopol. Die Wägen der städtischen Reinigung hatten den Boden gesäubert und herbeigeeilte Landespolitiker den Wahlkampf nicht vergessen, der kurz vor dem Stimmtag ohnehin den Bodensatz erreichte. Hier wie dort war vom Interesse öffentlicher Sicherheit und Ordnung die Rede. An ihrer Aufrechterhaltung müsse gerade angesichts einer solcher Wahnsinnstat jedem ordentlichen Bürger gelegen sein.

Beim größten Volksfest der Welt öffnet sich die weißblaue Seele sowieso aufs archaische Urgestein. Dort hatte der Anschlag auch die beharrlichen Muster von Schuld und Sühne freigelegt, die der Aufklärung schon immer zu schaffen machten. Schnell und deutlich führten die Spuren der Täter ins rechte Unterholz. Doch in jenen Tiefenschichten der heimischen Psyche, in denen die Orte für Abbilder des Bösen festliegen, scheinen die Orte für Abbilder des Linken zumindest benachbart. Im Schock fließen die Grenzen. Das

Grauen vor dem konkreten Verbrechen wurde mit allgemeinen Schuld-Floskeln bedient: »Verharmlosung des Terrorismus«; »Verunsicherung und Demoralisierung der Sicherheitsdienste«. Über diesen sprachlichen Transformator kam man wieder zur Tagespolitik. Dort konnte man sich die politisch Verantwortlichen ausmalen: den sozialdemokratischen Bundeskanzler und seinen liberalen Innenminister. Das aufgeschreckte Gewissen ließ sich durch den Stimmzettel entlasten.

Heute um halb vier im Alten Rathaussaal: ich stelle mir vor, wie der Schmidt und der Baum mit dem Strauß und dem Tandler in der gemeinsamen Eigenschaft der Trauergäste zusammentreffen werden.

3

»Heute Hinrichtung« steht seit Jahrzehnten vor Schichtls Schaubude als Publikumsfang. Auch sie muß heute wegen der Trauerfeierlichkeiten ausfallen. Im Paris des 18. Jahrhunderts gehörte eine Hinrichtung zur öffentlichen Schaulust. Damen der Gesellschaft sollen dabei einen Orgasmus bekommen haben. In der trivialen Nachahmung beim Schichtl gings nicht so weit auf, aber der Kitzel muß irgendeinen Zusammenhang bewahrt haben. Im Spannungsfeld von Volksfest, Attentat und Medien biedert sich eine makabre Symbolik überall schnulzenhaft an. Aber gerade in dieser Trivialität zeigt sich etwas vollständig Fremdes, Unverständliches und Bestürzendes.

Die Gewalttätigkeit, die homöopathisch verdünnt auf dem Fest zwei Wochen lang Autos rempelt, auf den Lukas haut, Porzellanhülsen zerschießt, sich in rasenden Fahrten das Blut aus dem Gesicht pressen läßt, in Bierdunst und Blechmusik versinkt, hatte sich in einem einzigen Schlag geballt. Aber das Ausmaß der Vergnügungsmaschine, die gebuchten Besucherfahrten, die Kalkulation der Wirte und Schausteller, der Anspruch auf das für den Wiesenbesuch reservierte Wochenende ließen wie bei Glatteis keine Vollbremsung zu. »Das Leben geht weiter«, war in Meinungsumfragen vom Samstag zu hören, an dem das Fest noch einmal groß in Fahrt gekommen sein soll.

Außerdem gab es ein Münchner Vorbild: »The games must go on« – das war nach dem Terroranschlag auf die Olympiade 1972.

4

Macht der Einbildung. Ich war in dem Alter, in dem jedem Kind noch unfreiwillig einprägsame Wortschöpfungen gelingen, als mein Vater nach Hause kam: in Laim hat der Bahnhof gebrannt, und er hat's gesehen.

Ich stellte mir ein großes Haus vor, das lichterloh brennt wie Paulinchen im Struwwelpeter. Es bekam in meiner Phantasie einen festen Platz zwischen Gauting und München-Hauptbahnhof und in meinem Wortschatz als »Laim-gebrannter-Bahnhof« eine verläßliche Bezeichnung. Bei gelegentlichen Stadtfahrten beschäftigte mich nichts so sehr wie der Laim-gebrannte-Bahnhof. Aber es roch wie überall, und am Stationsgebäude konnte ich höchstens einige hellere Ziegel erkennen. Der Augenschein gab nichts her, was mit dem Namen oder gar dem Phantasiebild irgendeine Ähnlichkeit hatte.

Ein Jahrzehnt später fand der Augenschein auf derselben

Strecke fast nur Ruinen. Aber der nie gesehene, lebhaft eingebildete Laim-gebrannte-Bahnhof hielt sich auch hinter dem Anblick der zerbombten Stadt. Die Realität hatte die Reichweite der Phantasie soweit überholt, daß sie sich mehr mit den Utopien des Unbeschädigten beschäftigte. Jetzt erreichen die Schreckensbilder in Reportagen und Katastrophenfilmen eine abgehärtete Wahrnehmungsschicht. Etwas ratlos geht der Blick in die Leere zwischen der Realität der vervielfältigten Nachrichten und der Realität des aufgeräumten Tatortes.

5

Auch die Normaluhr war wieder intakt. Sie zeigte auf allen vier Seiten 11 Uhr 13. Die großen Zeiger rückten nach einer Minute verläßlich auf den nächsten Strich. Auf dem Asphalt lagen Blätter. Wie bei frisch ausgebesserten Schlaglöchern hoben sich einzelne Teerfladen durch ihre flach gewölbte, weniger vergraute Oberfläche von der Straßendecke ab. Die unteren Äste der Linde trugen vergilbtes Laub, etwas spärlicher als die oberen, die ebenfalls von der Jahreszeit gezeichnet waren. Daneben der weißlackierte Erfrischungsstand mit Bluna- und Africola-Schildern, die Eckpfosten von der Thekenhöhe zum Dach mit grünen Kunststoff-Girlanden spiralförmig umwickelt, nur die Verkleidung am unteren Eck in Bodennähe wie von unzähligen Füßen abgestoßen. Allerdings hatten die ausgebreiteten Arme des Münchner Kindls über der tannengrünen Eingangskulisse zum Festplatz die Bedeutung gewechselt: statt »Hereinspaziert« zeigten sie jetzt »Straße gesperrt«. Die festlichen Fahnen zu beiden Seiten hingen auf Halbmast.

Der Erfrischungsstand befand sich knapp außerhalb, der Stamm der Linde bereits innerhalb eines Areals von gut zehn Metern Durchmesser. Es wurde von denselben rotweiß gestrichenen Absperrelementen begrenzt, die man von Polizeieinsätzen zum Gebäudeschutz bei Demonstrationen oder bei Umzügen als Riegel gegen Zuschauer kennt. Dieser Zaun schnitt nichts als ein Stück Straße am Rand der Sauf- und Schaustadt aus ihrem Verlauf, wie durch den antiken Temenos ein heiliger Ort aus dem Verlauf der Landschaft ausgegrenzt worden war.

Dieser Ort, das Explosionszentrum, gehörte dem ungesteuerten Ausdruck kollektiver Gefühle, noch ehe die Kommunalverwaltung auch diesen Platz mit dem Repertoire offizieller Trauer verstellen konnte. Es gab eine Schauseite und eine Rückseite, die sich nicht darum bemühte, die schnell herbeigeschafften Plastikeimer und Gewürzgurkenkübel für die Blumen zu verbergen. Es sah aus wie an offenen Gräbern, ohne daß die routinierte Hand eines Friedhofsgärtners das Arrangement hätte glätten können. Obwohl sich ein geschäftiger Mensch im Innern der Absperrung, der immer neue Blumen in Empfang nahm, eben darum zu bemühen schien, behielt das aus konventionellen Teilen zusammenwachsende Mal etwas Wildes; Art brut als Gemeinschaftswerk im Ursprungszustand, ohne daß Begriffe wie Kunst und Kult dazwischengetreten wären.

Im Zentrum hing auf einem dreifüßigen Eisengestell ein voluminöser Kranz mit der Schleife: »Die Bedienungen der Schottenhamel-Festhalle«. Als Übergang zwischen Blumensträußen und Boden lagen aufgefächert große Lebkuchenherzen in ihrer Cellophanhülle: »Bleib glücklich lieber

6

Schatz«, »Gruß vom Oktoberfest«, »Sei lieb zu mir«, »Bleib mir treu«. Die ursprüngliche Beseelung der trivialen Sprüche lag vollkommen frei. Die Folklore-Artikel mit ihren Aufschriften aus weißem Zuckerguß hatten sich in Votivgaben verwandelt. Absurd wie das Ereignis, dem sie dargebracht wurden, umgab sie die Aura sakraler Gegenstände, um die sich das Ausstellungsdesign an den Artefakten bayerischer Frömmigkeit der gleichzeitigen Wittelsbacher-Schau in der Residenz vergeblich und mit Millionen-Defizit bemüht hatte.

Aus dem Lindenstamm war eine Gedenksäule geworden. Dort erhob sich das Memento zum Aufruf praktischer Caritas: zuoberst ein gedruckter Spendenaufruf, darunter das Hinweisschild auf einen Informationsstand gegenüber, eine Zeitungsseite mit Bildern der Toten darunter, von drei Tesastreifen rund um den Stamm gehalten. Unten hing wieder ein Lebkuchenherz: »Vergiß mein nicht«.

Die Leute. Ein dichter Ring um die Schauseite. Man mußte warten, um ans Sperrgitter zu kommen. Geredet wurde wenig, ab und zu geknipst. Manchmal deutete jemand auf einen der Zettel zwischen den Blumen oder wiederholte halblaut, was auf den Lebkuchenherzen stand. Es gab auch wenig Bewegung. Einige Frauen hielten sich noch nach einer Stunde mit ihren Einkaufstaschen am selben Fleck.

Wer fotografieren wollte, mußte sich gedulden oder im Hintergrund Kisten besteigen. Um den Baumstamm zu bekommen, waren Verrenkungen nötig. Aber auch dann noch konnte eine Schulter, ein Haarschopf, eine Hutkrempe im Sucher erscheinen.

Mit der gebotenen Diskretion hatte sich ein Fernsehteam unter das Publikum gemischt. Die wie zur Tagesschau-Ansage aufgemachte Redakteurin trug zu den Regieanweisungen einen Bleistift. Die Kamera solle von hier aus die Tafel OKTOBERFEST HEUTE GESCHLOSSEN als Hintergrund erfassen. Ein Lederjackenreporter sammelte Interviews. Er manipulierte das Mikrophon vor verschlossene Gesichter, ohne wahrzunehmen, daß nichts beredter wäre als die herrschende Sprachlosigkeit. Der Kameramann kniete innerhalb der Absperrung am Boden, um von hinten durch die Blumengebinde hindurch das Publikum einzufangen. Das weiße Hemd zog sich in Querfalten um den wulstigen Oberkörper. Ich stand dahinter, die unauffällige Rollei vor dem Bauch, um auch davon ein Bild zu machen. Wozu? Bewaffnet mit dem Apparat gibt es keine Position außerhalb, die sich nicht an der ästhetischen Ausbeute beteiligte, um Personen, Ereignisse und Erfahrungen in Abbilder umzumünzen.

Eine junge Frau bot dem Blumenarrangeur ihre Mithilfe an, gratis, das wiederholte sie mehrmals, aber der wollte sein Privileg nicht teilen.

Ein Mann mittleren Alters redete in einiger Entfernung auf einen jungen Polizisten ein, der sich an seinem Sprechfunkgerät festhielt. Die Worte kamen stoßweise, in den Pausen zog er hastig an einer zerdrückten Zigarette: »Denen gehört genau das gleiche, was die den anderen gemacht haben, genau das gleiche, Aug um Aug, Zahn um Zahn.« Dabei fuhr der Zeigefinger auf seine Brust, und als er »das ist meine Meinung« sagte, krümmte sich sein Oberkörper, als hätte ihn dort der Schlag getroffen. Dem Beamten war das Dilemma anzusehen: er mußte die Normen des Rechtsstaates verkörpern und wollte zugleich den Mann wieder loswerden, ohne ihn durch eine Belehrung zu weiteren Bekenntnissen hinzureißen. So trat er von einem Bein aufs andere und sagte in die Richtung, in der gerade niemand stand: »Na ja, so geht's halt auch nicht.«

7

Ein Trauerzug erscheint, fünf bis sieben Personen, ein Kranz wird vorneweg getragen.

Ich war im Weggehen, halte ein.

Eine Bewegung geht durch die Leute, etwas Elektrisiertes. Jeder Schausteller erträumt diesen Zustand, wenn seine Freaks die Bühne betreten.

Obwohl er nicht in der Lederjacke, sondern im schwarzen Anzug kommt: jeder ist im Bild. Augen und Mund sind zu Strichen zusammengezogen wie auf den Zeitungsfotos, die sich als Ikonen des Schmerzensmannes eingeprägt haben. Der ihn führt, wird wohl sein Bruder sein. Dieselbe Statur, derselbe kantige Kopf, nur etwas jünger. In drei Stunden wird er mit Schmidt und Strauß in der Reihe sitzen als unverletzter Hauptbetroffener. Wie auf der Zeitungsseite am Baumstamm angekündigt, wird die Feier life übertragen werden.

Es ist unmöglich, dies mitzuerleben, ohne nicht auch als Gaffer in der Gratisvorstellung zu stehen, als Unglücksfledderer, Bild-Zeitungs-Kumpan. Nur Weggehen; kein Foto. Die reflektierende Sprache versucht, im Beschreiben zwischen Kitsch und Zynismus durchzufinden.

8

Längst war die Wahl gelaufen, Schmidt hat gegen Strauß gewonnen. Die Bierzelte sind im Abbruch. Das Altarzelt für den Papstbesuch ist im Aufbau. Die spontane Gedenkstätte wurde durch Betonkästen mit Heidekraut ersetzt.

Am 17. Oktober überträgt das Bayerische Fernsehen aus einem Münchner Bierkeller die Diskussion zwischen Bürgern und Politikern, die ich zufällig eingeschaltet habe. Der Ministerpräsident sitzt tapfer vor seinem Glas mitten im Volk, etwas mitgenommen von Rede- und Lachbeiträgen junger Leute, die er mit grimmiger Geduld aushält. Warum er in der Nacht des Attentats zum Katastrophenort gekommen sei und ob er Blut gespendet habe, wird er gefragt. Wie hätte die Öffentlichkeit wohl reagiert, wenn er nicht gekommen wäre, ist seine Antwort.

Ein Mann aus dem Volk bekommt das Wort, das ihn weder als Linken noch als geübten Redner, sondern als Einheimischen zeigt. Seine Erregung scheint einen Stau zu durchbrechen. Sie gilt zunächst dem Anschlag im besonderen, dann der Obrigkeit im allgemeinen, um sie natürlich nicht wegen der Tat, sondern wegen der Dekoration des Tatortes zu beschimpfen: eine Schande, daß unsere Regierung nichts für die Pietät übrig hat, daß es nicht einmal für einen Stadtgärtner gelangt hat, um diesem entsetzlichen Unglück, um diesem Platz ein anständiges Aussehen zu geben, wo die Blumen und alles anständig hingerichtet wird. Der Landesvater verweist darauf, daß hierfür nicht die Staatsregierung, sondern die Stadtverwaltung zuständig gewesen sei, und daß er im übrigen eine rasche, unbürokratische Hilfe für die Verletzten und Hinterbliebenen angeordnet habe.

Thomas Zacharias, 1980

»Zur Hebung inländischer Pferdezucht«

Pferderennen auf dem Oktoberfest

Mehr als hundert Jahre lang, von 1810 bis 1913, stand das Pferderennen als konstanter Bestandteil im Mittelpunkt der Oktoberfestlichkeiten mit einer sich nur unbemerkt vermindernden dominanten Bedeutung, die von 1934 bis 1938 unter veränderten Bedingungen noch einmal zu erwecken gesucht wurde.

Zu dem beliebten Hauptrennen am ersten Festsonntag gesellte sich von 1818 bis 1875 ein Nachrennen eine Woche später. Dazu kam ein Trabrennen, erst versuchsweise von 1847 bis 1855, dann endgültig von 1864 bis zum Ersten Weltkrieg. Es fand so viele Freunde, daß in den Jahren 1902 bis 1906 ein zweites Trabrennen ausgeschrieben wurde. Das aus dem Lande des Pferdesportes, aus England, importierte Trabfahren mit dem leichten einachsigen, zweirädrigen, luftbereiften »Sulky« machte als Innovation auf der Rennbahn des Oktoberfestes sein Debüt 1867, fand aber erst 1890 Eingang ins regelmäßige Festprogramm. Gestrichen wurde es nur in den Jahren, in denen ein zweites Trabrennen ohne Wagen stattfand. Auch das Trabfahren im Sulky wurde 1907 um ein zweites Rennen erweitert und damit die jährlichen pferdesportlichen Ereignisse auf der Festwiese bis 1913 auf vier erhöht: Hauptrennen, Trabrennen und zweimal Trabfahren mit dem Sulky. 1934 bis 1938 wurden Rennen und Trabrennen wieder aufgenommen, in diesem Zeitraum aber auch Reitturniere veranstaltet, denen 1856 und 1867 privat von Wirten mit Stadtzuschuß organisiert zwei Sprungreiten mit »Ökonomiepferden« vorangegangen waren. Nur diese Reitturniere fanden noch nach dem Zweiten Weltkrieg von 1949 bis 1970 ihren Platz im Rahmen der Zentrallandwirtschaftsfeste, bis auch sie nach dem Bau des Olympiastadions 1972 endgültig vom Festplatz verschwanden.

Die Erweiterung des oktoberfestlichen Rennprogramms im 19. Jahrhundert geschah also mittels spezialisierter Sportveranstaltungen, die hochgezüchtete Pferde voraussetzten, zugleich aber auch nur ein besonders interessiertes Publikum ansprachen. Diese Grundlagen waren 1810 noch keineswegs gegeben, jedoch die Veränderungen vom volkstümlichen Pferderennen zur Zuchtleistungsschau und zur Sportveranstaltung schon am Anfang der Festgeschichte angelegt. Die Zielsetzungen der Veranstalter bei der Einführung des Pferderennens wie die keineswegs homogenen Ansprüche der Zuschauer ergaben ein Konglomerat von unterschiedlichen, zum Teil einander widersprechenden Motivationen, die die nicht selten auftretenden Konflikte im Organisationsbereich erklären.

Es sind – der Zeit um 1800 entsprechend – sowohl festliche wie nützliche Beweggründe, die zur Durchführung des »Volksfestes Pferderennen« bei der Hochzeit im Königshaus 1810 führten. Mit der Aufnahmebereitschaft einer zahlreichen, sozialschichtlich differenzierten Zuschauermenge durfte dabei gerechnet werden. Vom Volksfest, das den Nationalcharakter ausdrückt, sprach Kronprinz Ludwig 1810 bei Genehmigung des Pferderennens, und auf die nützlichen wirtschaftlichen Aspekte, auf die Förderung der bayerischen Pferdezucht, wies Andreas von Dall'Armi hin, als er dem König den Antrag der Nationalgarde III. Klasse überreichte, ein Pferderennen aus Anlaß der Kronprinzenhochzeit zu veranstalten.

Das festliche Unterfangen 1810 fand seinen Niederschlag in dem »Gedenkbuch über die Pferde Rennen« des Wirts und Kaffeehausbesitzers und damaligen Gemeindebevollmächtigten Johann Baptist Findl, der in den Jahren 1818 bis 1836 als erster Rennrichter die Pferderennen leitete: »[…] unter dem Jubelgeschrey des Volkes, aus dessen Munde sich die Acclamation der ganzen Nation aussprach, schmolzen die Herzen und vergingen die Augen vor Freudenthränen und man glaubte in jedem Nachbar seinen Bruder zu sehen.«

Volksvergnügen, wirtschaftlicher Nutzen und Vereinigung der Nation – dies sind zusammen mit dem dynastischen und damit profanen Festanlaß Elemente einer Festtheorie des 18. Jahrhunderts, die 1810 mit einem Rahmenprogramm in die Form des Pferderennens umgesetzt wurden und auf ungeheure Resonanz stießen.

Solche Aufnahmebereitschaft – die dem Oktoberfest insgesamt zu seinem frühen Erfolg verhalf – stützte sich auf die allgemeine Vertrautheit mit Pferderennen in Bayern. Sie boten vor allem an kirchlichen Feiertagen in einer Umwelt, deren Arbeitsalltag vom Pferd bestimmt wurde, ländliches Freizeitvergnügen, meist auf der Straße oder einer Wiese als Rennbahn. Mit der staatlich verordneten Abschaffung kirchlicher Feiertage wandelten sich der Anlaß und der Termin des Rennvergnügens ohne Änderung der Form an sich.

Daß auch das Oktoberfest-Pferderennen hier zunächst kein neues Muster einführte, beweisen die frühen Maler des Festgeschehens, die ein weit auseinandergezogenes Reiterfeld mit offensichtlich sehr unterschiedlichen, ungesattelten Pferden vor Augen hatten (vgl. Kat.-Nr. 17). Die Tatsache, daß es nicht wie später mit Gewichts- und Distanzvorgaben ausgleichende oder gar ausschließende Zulassungsbestim-

mungen zum Rennen gab, erhöhte den Reiz des Wettkampfes
für die Zuschauer sehr, nicht selten durch reinste Schadenfreude.

Jeder Pferdebesitzer konnte sich
bei dem Vorsitzenden des vorher bestallten, ehrenamtlichen
Renngerichtes am Tag vor dem
»Freyen Rennen« einschreiben
und erhielt die ausgeloste Startnummer. 1810 organisierte die
Nationalgarde III. Klasse das
Rennen, ab 1811 stellte der landwirtschaftliche Verein das Renngericht, bis 1818 ein bürgerliches
Renngericht diese Funktion
übernahm und bei dem Übergang der Organisation des Pferderennens in die Obhut der
Stadtverwaltung 1819 beibehielt.

Kat. Nr. 206

Am Renntag selbst bewegte sich
der Zug aller Beteiligten mit den Rennpferden hinter den
Preisfahnenträgern von dem Haus des ersten Rennrichters
zur Festwiese hinaus, wo die Rennpferde, ehe sie sich im
Wettbewerb maßen, den Zuschauern vorgeführt wurden.
Die Rennrichter mit umgebundener Schärpe als Kennzeichen stellten sich an der mit Stroh bezeichneten Ziellinie
auf. Der Gewinn galt dem Pferd, das als erstes mit dem Huf
über das Stroh sprengte.

Diesem einfachen Handlungsablauf entsprach die Gepflo-
genheit, daß die Rennbuben, die die Pferde wegen des leichten Gewichtes ritten, nur am Anfang der Festgeschichte
auch Bauernsöhne oder Söhne von Rennmeistern waren.
Bald kamen sie aus der untersten Schicht des »Lohnerwer-
bes« und des Lehrlingsstandes. Sie trugen keine besondere
Kleidung auf den ungesattelten Pferden, die Reitpeitsche
durfte allerdings nicht fehlen und wurde häufig benutzt.
Zwar sollten sie sich mindestens mit dem Feiertagsschul-
zeugnis ausweisen, aber oft konnten sie nicht einmal das
beibringen. Dafür bescheinigte dann zuweilen der Lehr-
herr, daß sie auch für diese minimale Schulbildung keine
Zeit gehabt hatten, aber brav seien. Erst als rücksichtslose
Rohheit und – nur allzu verständliche – Trinkgeldbettelei
einrissen, versuchte man Regelungen einzuführen, auch für
die Kleidung.

In der zweiten Hälfte des 19. Jahrhunderts mit zunehmender Ausbildung der Rennbuben zu professionellen Jockeys
ist dann deren übliche Kleidung mit Blouson und Kappe, dazu weißlederne Hosen und Stulpstiefel vorgeschrieben. Vor
dieser Neuerung 1871 fürchtete der Magistrat der Stadt
München sehr um die Anziehungskraft des bis dahin volkstümlichen Rennens. Es gab jahrelange heftige Zeitungsdis-

kussionen, und der Tierschutzverein beklagte die Rohheit
des Schauspiels und die lange Bahn.

Bis circa 1860 kamen die Rennmeister mit solchen Pferden,
die sie ohnedies im Stall stehen hatten. Es waren Bauern,
Wirte, Brauer, Lohnkutscher, Posthalter und einzelne Handwerker, die sich überwiegend aus den altbayerischen Landgerichten zum Oktoberfesttermin nach München aufmach-
ten. Dabei erhielt der Teilnehmer, der am weitesten herrei-
ste, die Weitfahne, die unabhängig von einem Sieg zusätzlich zu den Preisfahnen mit einem Geldbetrag ausgegeben
wurde.

Die so gar nicht gleichwertigen Pferde, die diese Rennmeister mitbrachten, bedeuteten einen Vorteil für den richtigen
Pferdezüchter oder für Pferdehändler wie zum Beispiel den
stadtbekannten Xaver Krenkl, der mit importierten englischen Pferden bei solchen Rennen, nicht nur auf dem Oktoberfest, siegte. Die Überlegenheit der ausländischen Pferde
führte schließlich zu der einschränkenden Bestimmung, daß
bei dem Hauptrennen nur inländische Pferde zugelassen
wurden, um die bayerische Pferdezucht zu fördern. Krenkl
errang deshalb 1826 erst beim Nachrennen am zweiten
Festsonntag den Preis.

Der Versuch, weitere Zulassungsschranken für die Rennen
durchzusetzen, der vor allem immer wieder vom landwirtschaftlichen Verein ausging, scheiterte am Stadtmagistrat,
der sein Volksvergnügen erhalten wollte. Die sogenannten
»Zuchtrennen« verlangten zudem hohe Geldpreise, um die
Eigner oder »Aktionäre« anzuregen, ihre wertvollen Pferde
auf die Rennbahn zu schicken. So wurden für solche Rennen
im allgemeinen Eintrittsgebühren erhoben – zum Beispiel
auch auf dem Cannstatter Wasen, dem großen Volksfest bei

Stuttgart – während auf der Münchner Wies'n die Menge kostenlos zum Schauen herzuströmen konnte.

Wirtschaftlicher Fortschritt, sprich die verbesserte Pferdezucht, veränderten die Modalitäten der Rennen enorm, die in der zweiten Hälfte des 19. Jahrhunderts von speziell für Rennzwecke gezüchteten, teuren Pferden bestritten wurden. Diese Pferde waren zugleich empfindlicher, was sich in Verkürzungen der Rennstrecken niederschlug, und gleichmäßig schneller in der Leistung, was zum geschlossenen Reiterpulk führte.

Im Zuge dieser Entwicklungen verlor auch das aus unabhängigen Bürgern gewählte Renngericht seine besondere Stellung. Ab 1875 bestimmte die Stadtverwaltung in eigener Regie ein Komitee, dessen Vorsitzender nicht mehr öffentlich namentlich genannt wurde. In der gleichen Zeit wurden vorübergehend die Preisfahnen durch Pokale ersetzt gemäß englischer Sitte, die sich über das Amateurreiten der Herrenreiter in der Oberschicht verbreitete.

Das »Hauptbuch des Renngerichtes« im Stadtarchiv München, das von 1824 bis 1893 regelmäßig jährlich geführt wurde (Kat. Nr. 211), gibt die Berufe der Rennmeister an. Dabei läßt sich für das Hauptrennen eine konstante Abnahme der Bauern feststellen. Sie geht parallel mit dem Verschwinden der Landgerichte als Herkunftsangabe der Pferde und ist so früh, daß nicht die erst im 20. Jahrhundert erfolgte landwirtschaftliche Umstrukturierung, die das Pferd aus dem bäuerlichen Arbeitsalltag verbannte, als Ursache gelten kann. Im letzten Berichtsjahr stellten nur noch die Städte Pferde beim Rennen, allen voran München mit acht und Regensburg mit fünf von 18 Teilnehmern. Unter den Rennmeistern im gleichen Jahr waren fünf Wirte, vier Bereiter, drei Pferdehändler und nur je zwei Ökonomen, Brauer und Metzger. 18 Nennungen insgesamt sind dabei äußerst wenig im Vergleich zu den mehr als 30 Teilnehmern am Anfang der Festgeschichte, wenn man sich das immens gewachsene Oktoberfest vor Augen führt. Die Erklärung bietet wiederum die Pferdezucht, die nicht nur die Formen der Rennen veränderte, sondern auch eine neue städtische Rennmeisterschicht hervorbrachte. Hobbyreitende Großbürger, die sich ein Zuchtpferd leisten konnten, stellten auf dem Oktoberfest 1864 mit fünf Privatiers, zwei Kaufleuten und zwei Fabrikanten mehr als ein Drittel (neun von 24) der Rennmeister. Der Pferdesport gewinnt Exklusivität, je teurer die Rennpferde werden. Mit Gründung der Rennvereine, die neue Rennplätze anlegten und ganzjährig hochdotierte Rennen abhielten, wanderten diese Rennmeister vom Oktoberfestplatz ab. Jene Sportrennen, die auf der Wiese blieben, vor allem alle Trabvorführungen, waren nun nicht mehr festliche Einzelereignisse, sondern Vereinsdarbietungen, die ausnahmsweise nicht auf dem speziellen Rennplatz stattfanden. In München wurde der Rennverein 1867 gegründet. Friedenheim-Laim und das Oberwiesenfeld wurden als Rennplatz benutzt bis zur Anlage in Riem 1897.

Solche sportlich-professionellen Gründe, verbunden mit hohen Ansprüchen an die Bahn, führten zur Aufgabe der Rennen auf dem Volksfestplatz nach dem Ersten Weltkrieg. Erst zu den Oktoberfesten unter großdeutschen Vorzeichen holte man wieder Reitveranstaltungen auf die veränderte Festwiese, initiiert durch den Rennvereinspräsidenten und Oktoberfest-Verwaltungsrat Christian Weber. Träger dieser Rennen und Turniere waren der Rennverein München-Riem, die Reiter-SS und die Reiter-HJ, die an mehreren Tagen hintereinander in Aktion traten. Nach diesem Zwischenspiel setzte der Ausbruch des Zweiten Weltkrieges den Oktoberfestrennen ihr endgültiges Ende.

Wenn wir den Kreis der Betrachtung noch einmal mit einem Blick auf die Bedeutung des Pferderennens als Kernbestandteil des Oktoberfestes schließen, so finden wir sie nicht nur in der langen Tradition oder den großen Besucherzahlen ausgedrückt, sondern auch in der Gestaltung des Festplatzes. Bis heute bewahrt die Wies'n die ovale Form der ersten Rennbahn, deren Platz trotz aller Randbebauungen durch Straßenregelungen 1888 freigehalten wurde, zum letzten Mal, als Prinzregent Luitpold Bauspekulationen 1894 Einhalt gebot. Die Festlegung dieser Rennbahn war am Anfang der Festgeschichte bei weitgehendem Privatbesitz der vor den Toren der Stadt gelegenen Wiesen schwierig. Findl spricht 1810 von der enormen Rennbahnlänge von 11 565 Schuh (ca. 3370 m), die dreimal umritten werden mußte. 1826/27 versuchte die Stadtverwaltung nach dem Erwerb etlicher Grundstücke eine dauerhafte Lösung zu finden, einen »bleibenden Circus für alle Rennfälle« zu schaffen. Das mit eichenen Pfählen nur auf städtischem Grund abgesteckte Oval erhielt eine Länge von 6351,5 Fuß (ca. 1850 m), wurde aber 1861 wieder verkürzt auf 5558 Fuß (ca. 1622 m). Es folgten Verminderungen der Rundenzahlen von vier auf drei und schließlich auf zwei, was 1898 nach 1640 Meter Länge ein endgültiges Maß von 1800 Meter brachte.

Welche Veränderungen sind es, die hinter diesen nüchternen Zahlen stehen! Aus der »öffentlichen Belustigung zum Vergnügen des allerhöchsten Hofes« und der »Volksmasse«, wie der Stadtmagistrat 1827 formulierte, aus dem »bloßen Possenspiel«, wie es Staatsrat von Hazzi bezeichnete, war das sportliche Pferderennen geworden, zu dem im 20. Jahrhundert die Pferdenarren und Wettliebhaber auf die Rennplätze zogen, nicht mehr auf das Volksfest Oktoberfest.

Gerda Möhler

Lit.: Baumgartner 1820; Otto Christ, Das hohe Lied des deutschen Amateurrennsports 1827–1938, Hannover 1938; Dall'Armi; Destouches, Säkularchronik; Ulrich v. Destouches; Johann Baptist Findl, Hs. (Kat. Nr. 207); Joseph von Hazzi, Über die Pferderennen als wesentliches Beförderungsmittel der bessern, vielmehr edlen Pferdezucht in Deutschland und besonders in Bayern, München 1826; Möhler 1980, S. 85–106, Tab. 6–10 (enthält weiterführende Literatur zum Pferderennen)
(Abgekürzt zitierte Literatur siehe S. 17.)

206 Pferderennen, 1810 Abbildung S. 127

Kolorierte Radierung, 7,7×13,5 cm (vielleicht in Anlehnung an Kobell, Kat. Nr. 17 bzw. 49).

Das nicht datierte Blatt kann durch die noch leere Wiese dem ersten Fest zugeordnet werden.

MSt, P 1829

207 »Findel-Chronik«, 1823–1837

(den Zeitraum 1810–1836 umfassend)

Folioband, in dunkelrotes Leder gebunden, goldgeprägte ornamentale Rahmenleisten auf den Deckeln, goldverzierte Bünde, Goldschnitt. Goldschrift auf dem Deckel: »GEDENKBUCH ÜBER DIE PFERDE RENNEN UND NOTIZEN MERKWÜRDIEG EREIGNISE BEY DEM OKTOBERFEST IN MÜNCHEN. VON IOH. BAPT. FINDEL.« Am Rücken dunkelgrünes Lederschild »GEDENKBUCH über die Pferde Rennen bey dem Octoberfeste in München«. Hellblaues gestrichenes Vorsatzpapier.

Es dürfte sich um dasjenige Werk handeln, von dem Baumgartner (1823, S. 12) berichtet, »es ist ein im rothen Saffian gebundenes Buch vorgerichtet, worin die jährliche Geschichte dieser Volksfeste eingetragen ist«. Das Blanko-Buch ist handschriftlich etwa bis zur Mitte beschrieben. Die Seiten sind nicht paginiert. Am Ende des Bandes sind mehrere Lagen herausgerissen. Bis einschließlich 1823 ist der Text von *einer* Hand geschrieben; in den folgenden Jahren lassen sich mehrere verschiedene Hände unterscheiden – durchwegs geübte, schön zu lesende Handschriften. Drei kalligraphische Sonderleistungen (Schmuckblätter 1833) sind bezeichnet »Max Kirchgrabner script:«.

Titelseite: »Verzeichniß über sämmtliche Preiseträger der Pferderennen bey den OCTOBER FESTEN in München 1810 von IOHANN BAPT. FINDEL Gemeinde Bevollmächten und ersten Rennen-Richter.« Oben Aquarell in Grisaille, 15,3×19 cm (queroval), mit Darstellung von zwei nach links sprengenden sattellosen Rennpferden mit

Kat. Nr. 207

Rennbuben vor Seilabsperrung und Fahne. Unten geprägtes Papiersiegel »RENNGERICHT BEY DEN OKTOB. FESTEN MÜNCHEN«.

Die »Findel-Chronik« übernimmt den Wortlaut der Büchlein von Baumgartner (1820 und 1823), soweit die Rennen und wichtige Ereignisse, vor allem bezüglich des Herrscherhauses, betroffen sind. Beim Abschreiben entstanden Flüchtigkeits-Auslassungen und groteske Fehler, so wird aus dem »heitersten« der »hinteste« Himmel, aus »Nationalfreude« bei Baumgartner wird »Nationalfahne« bei Findel. Von 1810 ab werden die Preisträger jeweils kalligraphisch mit vorangestelltem Familiennamen hervorgehoben. Ab 1819 werden die alljährlich gedruckten Programme der Pferderennen abgeschrieben und die Gewinner nach den eigenen Listen des Renngerichts, zum Teil in abweichender Schreibweise, angegeben.

Von 1823 an kann die Findel-Chronik

nicht mehr auf Baumgartner zurückgreifen und dient fortan selbst als Quelle, in erster Linie für Ulrich von Destouches (1835).

Der Band ist mit Abschriften vieler Huldigungsgedichte und mit einer Reihe von meist lithographischen Bildbeilagen ausgestattet.

1820: Aquarell des Ballonaufstiegs (Kat. Nr. 58).

1825: Bildnis König Max' mit Betrachtung über seine doppelte Abstammung »von dem uralten und erhabenen Wittelsbacher Regentenhause her«; Widmungsblatt (Kat. Nr. 31); anschließend an die Todesnachricht Abschriften von Zeitungsmeldungen aus dem »Journal des Debats« und der »Times«; Bildnisse Ludwigs und Thereses.

1832: Bildnis König Ottos von Griechenland mit Erwähnung der griechischen Deputierten und Ottos Abreise im Dezember; aus diesem Anlaß überreichte ihm Findel eine Tasse mit Ansicht von München, worauf er 1833 eine goldene Medaille von Otto erhielt.

1833: Aquarell der bayrisch-hessischen Brautfahnen.

1835: Mehrere kolorierte Blätter des Festzuges von Gustav Kraus (Kat. Nr. 431); Aquarell des Ballons und Doppelbildnis der Luftschiffer (Kat. Nr. 409) mit Bericht aller Feierlichkeiten zur Silberhochzeit; Bildnis Kronprinz Max'. Nach dem Jubiläumsbericht läßt Findel sein Schlußwort folgen: »Und so blicke ich, als Mitbegründer, und als der Einzige, welcher durch volle 25 Jahre bei diesem National-Feste mitgewirkt, mit Rührung und Freude, und im Bewußtseyn, auch das Meinige zur Verherrlichung, zum Fortbestehen und zum Glanze dieser bayerischen Feste, redlich beigetragen zu haben, auf die Vergangenheit zurück, und schließe dieses Gedenkbuch des ersten Vierteläculums der Oktoberfeste mit dem Wunsche meines für Fürst und Vaterland erglühenden Herzens:

›Gott erhalte noch lange unsern König, er lasse Ihn und Sein Volk die Freude der goldenen Hochzeit erleben, und verleihe dereinst Seinen würdigen

erstgebornen, dem Allgeliebten Kronprinzen Maximilian, dem Erlauchten Erben des Namens und des beßten Herzens eines unvergeßlichen Monarchen, dasselbe hehre Fürstenglück, in der unwandelbaren Liebe des bayerischen Volkes, die König Ludwig stark und kräftig erhielt in dem Sturme einer wildbewegten Zeit! –‹
München den 1ten November 1835
Joh: Bapt Findel
bürgerl: Weingastgeber
Hauptmañ u: Chef der Landwehr-Artillerie Senior der Gemeindebevollmächtigten, Mitglied des goldenen Ehrenzeichen des k: b: Civil-Verdienst Ordens und Ritter des Romischen Ordens vom goldenen Sporn.«

Die Chronik schließt mit dem Rennen von 1836 und der Abschrift der Briefe, die Bürgermeister Teng nach überstandener Cholera an Ludwig und Therese richtete als Dankadresse dafür, daß die königliche Familie während dieser Zeit in München geblieben war. Am Ende des Bandes ist der »Plan der Rennbahn vom 17ten October 1810« (vgl. Kat. Nr. 18) eingeklebt, jedoch in einem früheren Druckzustand, wo die Rennbahnen, die Mailänder Arena und die Abbildung des Rennens noch fehlen.

Findel ließ 1833 ein 16 Seiten starkes Heft »Ueber den Ursprung des Pferderennens in Bayern« im Druck erscheinen, das er dem Erbprinzen Ludwig von Hessen-Darmstadt, dem Bräutigam der Prinzessin Mathilde, widmete (StadtAM, Hist. Ver., Ang., III 34).   BK
Mon, 2°Mon. 45

208 Tasse und Untertasse
mit Darstellung des Oktoberfestes, Geschenk von Johann Baptist Findl an König Max I. Joseph, wohl zum Regierungsjubiläum 1824

Porzellan mit buntem Muffelfarben- und Golddekor, Manufaktur Nymphenburg; Kurrentbeschriftung von Jakob Peter Sedlmair, radierte Goldornamente von Joseph Hämmerl. Tasse: Höhe 11 cm, ⌀ 8,5 cm; Untertasse: Höhe 3,9 cm, ⌀ 17 cm.

Auf der Vorderseite der Bouillon-Tasse

Kat. Nr. 209

rechteckiges Bildfeld mit der Darstellung des Festes frei nach der Radierung von Heinrich Adam 1824 (Kat. Nr. 59). An der Oberseite der Untertasse Schriftzug: »Andenken von einem treuen Unterthan des Königs«, auf der Unterseite: »Joh. Bapt. Findl«.

Lit.: Kat. Wittelsbach III/2, Kat. Nr. 1038; Rainer Rückert, Wittelsbacher Porzellane, in: Kunst & Antiquitäten, 1980, H. 1, S. 30ff. u. bes. H. 2, S. 24–32
BNM, Ker 2176, 2177

209 »Aus dem Renngericht«
G. Sundblad, Xylographie aus: »Münchner Oktoberfest«, in: Illustrirte Zeitung 1864, Nr. 43.

Das Renngericht war ein Komitee, dem die Organisation und Überwachung des Pferderennens oblag. Es setzte sich aus wohlsituierten Münchner Bürgern zusammen. In den Auflistungen der Mitglieder finden sich vor allem Cafetiers, Gastwirte und Brauer, die oft zugleich ein öffentliches Amt bekleideten.

Auf der Rennbahn reiten zwei Mitglieder des Renngerichtes nebeneinander. Im Hintergrund schemenhaft weitere Reiter, durch Schärpen ebenfalls als dem Renngericht zugehörig erkenn-bar. Hinter der Bahnabsperrung Publikum, Buden und Fahnenschmuck.

In grotesken Gegensatz zur Feingliedrigkeit der hochbeinigen, elegant galoppierenden Pferde steht die Schwergewichtigkeit ihrer Reiter. Selbstbewußt sitzen diese, Repräsentanten einer finanziell äußerst gut gestellten Honoratiorenschicht, auf ihren edlen Pferden. Einer der beiden trägt seinen Zylinder weit in das Gesicht gezogen, zwischen den Lippen glimmt eine dicke Zigarre. Die fleischigen Backen verdecken den ohnehin kurzen Hals völlig. Um den unförmigen Leib windet sich die Schärpe des Renngerichtes. Ein kurzer Arm ist nach vorne ausgestreckt, in der Hand hält er Zügel und Gerte. Die andere Hand stemmt er gegen die Hüfte. Der andere Reiter, einen Zweispitz mit Feder auf dem Kopf, lehnt sich im Sattel leicht nach vorne. Die überlangen Schleifenenden seiner Schärpe flattern im Wind. Sein Gesicht mit deutlichem Ansatz zum Doppelkinn, wird von einem mächtigen Schnauzbart und langen Koteletten geziert.   SS

StadtAM, Av. Bibl.

210 Ernst Baumgartner, Gasthofbesitzer und Vorstand des Renngerichts, um 1840

Foto nach einem Ölgemälde aus: Destouches, Säkularchronik, S. 78.

Von 1837 bis 1848 war Baumgartner als Nachfolger von Johann Baptist Findel Vorstand des Renngerichts. Zuerst war er Besitzer des »Stachusgartens« am Karlsplatz, dann führte er das Gasthaus »Zu den drei Rosen« am Rindermarkt. Am Tag vor dem Pferderennen fand in diesen Lokalen die Einschreibung der Rennmeister und Pferde in das Rennbuch statt.

211 »Hauptbuch des Renngerichts«

4°, nicht paginiert, in Leinen gebunden.

2 Bde.: 1. Bd.: Verzeichnis sämtlicher stattgefundener Rennen von 1824 bis 1857; 2. Bd.: Verzeichnis der Rennen von 1858 bis 1893. Die beiden Bände enthalten Angaben über Rennmeister, Beschreibung der startenden Pferde, teilweise Nennung der Rennknaben

sowie die Plazierung in den einzelnen Rennen.
Seit den 1830er Jahren werden die Gewinner in einer zusätzlichen Übersicht jedes Jahr aufgeführt; ab und zu stehen – bei spektakulären Rennen oder Vorkommnissen – Bemerkungen unter den Rennlisten, ansonsten sind die tabellarischen Übersichten nicht kommentiert.   SP

StadtAM, Okt. 10/1, 2

212 Der Sieger des Pferderennens

Xylographie aus: Ephraim Longinus, Erlebnisse des Straubinger Ausnahmsbauern Schoberl beim Oktoberfest, München 1877.

Ein Rennmeister in niederbayerischer Tracht hält seine Preisfahne mit den Preismünzen in die Höhe. Auf der Fahne die Initiale »L« mit Krone. Zwischen dem Pferdebesitzer und seinem Pferd, in gekrümmter Haltung, der Rennknabe.
»Mit dera Gaudi hätt'n ma aber bald die Preisvertheilung überseh'n – und richti, die Musi hat an Tusch blas'n und da

Kat. Nr. 212

is scho der Hinterhuber daher kommen mit seiner Preisfahne und sein b'soffenen Rennbuben.« (Longinus, S. 14f.)

StadtAM, Hist. Ver. Bibl.

Der Rennmeister
Franz Xaver Krenkl

Was soll man über einen Mann schreiben, der bereits zu seinen Lebzeiten zur Legende geworden ist und Jahr für Jahr als Münchner Original und Urvieh durch die Presse gezerrt wird? Seit dem ersten Nachruf 1860 wird Franz Xaver Krenkl in steter Wiederkehr mit den Worten neubelebt: »Er war ein Mann von seltener Herzensgüte und von echter, wenn auch derber Geradheit, der seinem Unwillen durch einen treffenden Volkswitz, als Mann aus dem Volke, Luft machte. In ihm fanden wir den Mann Altbayerns, dem man rohe Gemütsart beimißt, aber unter seiner rauhen Sprache die Stimme eines wohltuenden, aufrichtigen Herzens trägt. Ein Edelstein in rauher Schale!« – »Ungekrönter König«, »Abgott der Menge«, ein »Unsterblicher Münchens« sind die Schlagworte, mit denen Krenkl noch hundert Jahre nach seinem Ableben in Zeitungen und Journalen gezeichnet wird. Seine ›urwüchsige Gestalt‹ gilt als ›Prototyp des Münchners im 19. Jahrhundert‹ und in den Annalen des Oktoberfestes zählt er zu den wenigen »Wies'n-Matadoren«.

Aber was verbirgt sich wirklich hinter diesem Vorzeige-Münchner? Die vielen bunten, zumeist derben Geschichten, die sich um seine Person ranken, sind sie pure Dichtung oder haben sie einen wahren Kern?
Sicher ist – da stimmen die Krenkl-Biographen überein –, daß er am 15. November 1780 als viertes Kind des in Landshut ansässigen Kleinuhrmachermeisters Xaver Krenkl das Licht der Welt erblickt. Er erlernt das Bäckerhandwerk und geht wie damals üblich auf die Walz. Die politischen Ereignisse bringen für Krenkl ein kurzes Zwischenspiel bei der bayerischen Kavallerie mit sich, bevor er 1806 in München auftaucht. Vorübergehend arbeitet er in der Residenzstadt beim Bäckermeister Griener, seinem späteren Schwiegervater – kurze Zeit danach finden wir ihn im Korps der Freiwilligen Jäger wieder. Gleichzeitig betritt Krenkl in dieser Zeit zum ersten Mal auch die Bühne der Münchner Öffentlichkeit.
Beim ersten Pferderennen auf der Theresienwiese 1810 be-

131

legt er als Rennmeister überraschenderweise den 3. Platz. Bereits ein Jahr später läuft sein Pferd als unbestrittener Sieger durchs Ziel. Das pferdesportbegeisterte München hat damit einen neuen Liebling. Die Erfolge beim Rennsport bestimmen sein weiteres Leben – nun ist der Pferdenarr Krenkl in seinem Element.

Seinen weiteren Werdegang in München kann man anhand der Rennregister verfolgen (vgl. Kat. Nr. 211). Über den Umweg vom »Neugartenwirth« zum »Pferdehändler« und »Bäck von München« wird er seit 1817 ausschließlich als »bürgerlicher Lohnkutscher« in den Rennbüchern geführt. Seine Erfolgsbilanz ist dabei einzigartig: Von 1810 bis 1855 laufen bis auf elf Rennjahre Pferde unter dem Namen Krenkl. Nehmen in den ersten Jahren auch Pferde unter dem Namen seines Vaters Xaver Krenkl teil, so ist seit 1836 auch der »Lohnkutscherssohn« Karl Krenkl als Rennmeister mit von der Partie. Insgesamt kassieren die Krenkls bei 55 bestrittenen Rennen 31mal Siegprämien für Plazierungen unter den ersten drei. Stolze 14mal erzielen Pferde aus Franz Xaver Krenkls Stall sogar den 1. Preis.

Der damit verbundene Prestigewert ist um so höher einzuschätzen, wenn man berücksichtigt, daß allein die Rennmeister gefeiert werden. Ja sogar die Anfeuerungsrufe während der Rennen gelten fast ausschließlich den Rennmeistern – nur selten den Pferden, nie den Reitern. Die Jockeys, Rennknaben genannt, werden als derart nebensächlich betrachtet, daß sie teilweise nicht einmal namentlich in den Rennbüchern genannt werden. Doch zurück zu Franz Xaver Krenkl, der nicht nur als Rennmeister, sondern auch als Geschäftsmann erfolgreich ist.

Bereits in den 1820er Jahren baut er seine Lohnkutscherei und den Handel mit Pferden aus. Als einer der ersten »Roßteuscher« beginnt Krenkl mit englischen und ungarischen Pferden zu handeln und wird damit zum Wegbereiter der bayerischen Vollblutzucht. Hof und Adel versorgt er mit prächtigen Rössern, und man darf davon ausgehen, daß ihm dabei seine Siege auf dem Oktoberfest von Nutzen sind. Die Solidität seiner Geschäftsführung, die Güte seiner Pferde, nicht zuletzt aber auch sein ungehobeltes – ihn kennzeichnendes – Auftreten machen den anfangs mittellosen Bäckergesellen aus Landshut zu einer stadtbekannten Persönlichkeit, die in München 50 Jahre lang immer wieder zum Tagesgespräch avanciert. Niemand außer ihm hat sich schließlich so kontinuierlich und so häufig die Siegestrophäen der Pferderennen erkämpft. Diese außergewöhnliche Erfolgsbilanz verleitet sogar die mit Kommentaren ansonst geizenden Schreiber des Rennbuches, Franz Xaver Krenkl 1844 nach seinem Doppelsieg als »Löwen« der Rennbahn zu titulieren.

Aber wie schon gesagt, Krenkl versteht nicht nur etwas von Rennpferden. Als Betreiber einer Lohnkutscherei organisiert er zahlreiche und abenteuerliche Fahrten von München nach Triest. Schließlich reisen um diese Zeit nicht wenige Münchner Bürger auf dem Seeweg nach Griechenland, um dem dortigen König Otto – dem jüngeren Bruder des Kronprinzen Maximilian – zu huldigen oder um Geschäfte zu treiben.

Als die Residenzstadt 1854 von einer Choleraepidemie heimgesucht wird, steht wiederum Krenkl im Mittelpunkt – diesmal als Wohltäter. Er ist der Einzige, der seine Pferde und Wagen zur Verfügung stellt, um die Choleratoten auf die Friedhöfe zu schaffen.

Doch wie so oft sind es auch bei Krenkl nicht derartige Verdienste um das Gemeinwohl, die ihn zur Legende werden lassen. Nein, seinen ›Ruhm‹ verdankt er vorrangig seiner Derbheit, seiner Schlagfertigkeit und seinen – aus heutiger Sicht beurteilt – ebenso grobschlächtigen wie schlechten Witzen und Aussprüchen. Vor allem nach seinem Tod, 1860, erfreuen sich letztere größter Beliebtheit. Wesentlichen Anteil daran hat sicherlich die Tatsache, daß sie nicht nur gesammelt und ihm angedichtet, sondern auch publiziert werden. Allein 1860 werden in München mehrere verschiedene Sammlungen sogenannter »Krenkliaden« veröffentlicht.

Die heute wohl bekannteste Anekdote schildert Krenkl, wie er verbotenerweise im Englischen Garten die trabfahrende Equipage des Königs mit seinem Sechsspänner überholt. Auf die Zurechtweisung des erzürnten Monarchen entgegnet der stolze Fiaker: »Des is mir wurscht, Majestät, wer ko, der ko.« Obwohl der Wahrheitsgehalt dieser Anekdote mehr als fragwürdig ist, denn in keiner der 1860 publizierten Sammlungen erscheint sie, soll die Frage der Authentizität nicht weiterverfolgt werden. Interessant ist hier allein die angebliche Akzeptanz derartiger unverblümter, respektloser Sprache.

Diese nährt sich hauptsächlich von der Endstation des menschlichen Verdauungsorgans und bemüht in vielfältigsten Variationen Götz von Berlichingen. Gerade das ist es, was in ›höheren Kreisen‹ gefällt. Man lacht, wenn auch hinter vorgehaltener Hand. Denn schließlich ist Krenkl ja längst selbst unbestritten Mitglied jener ›besseren Gesellschaft‹ – eine Persönlichkeit, die man noch zu Lebzeiten sogar in einem Theaterstück verewigt. Im Schweigerschen Volkstheater findet sich Franz Xaver Krenkl in »Staberl auf der Eisenbahn oder das Oktoberfest in München« 1850 als Xaver Ehrlich auf der Bühne wieder. Verfasser des Stückes war unter dem Pseudonym »Ernst« der Stadtchronist Ulrich von Destouches. Krenkl soll für die Aufführung sein eigenes Gewand als Kostüm zur Verfügung gestellt haben, und läßt sich als Bühnenfigur ebenso wie als Parkettbesucher bejubeln.

Sicher war Krenkl sich seiner Publikumswirksamkeit bestens bewußt. Und er hat, das läßt sich nachweisen, selbst nicht wenig an seinem Denkmal der Grobschlächtigkeit gebastelt. Wußte er doch, daß »just die feingebildete Welt an dergleichen Witzen mehr Beifall findet, als man oft glauben möchte«.

Damit relativiert sich nicht nur die Frage nach dem Wahrheitsgehalt der Legenden, die sich um Franz Xaver Krenkl ranken – auch seine tatsächliche Biographie tritt in den Hintergrund. Was allgemein gewünscht, gefördert und stilisiert wurde und auch heute noch wird, ist allein ein gesellschaftsfähiger, möglichst derber Volksapostel – und hierzu eignet sich Krenkl in nahezu idealer Weise. Damit teilt er das Schicksal mit einer Vielzahl bayerischer Figuren des öffentlichen Lebens, deren Ruhm nicht auf ihrem Leben und Wirken aufgebaut ist, sondern auf dem ihnen zugesprochenen klischeehaften, lauten Bayerntum.   *Susanne Preußler*

Lit.: August Alckens, Franz Xaver Krenkl, der Rennmeister der Münchner Oktoberfestrennen, München 1964; Gedenkblatt an Xaver Krenkl, München ⁴1860, 6 Seiten; Rennregister (vgl. Kat. Nr. 211); Destouches, Säkularchronik, S. 80; StadtAM, ZA, Krenkl, Franz Xaver, Lohnkutscher

Kat. Nr. 213

213 Rennmeister Franz Xaver Krenkl, Pferdehändler und Lohnkutscher in München

Ferdinand Wagner, um 1840/45, Öl auf Leinwand, auf Karton aufgezogen, 25,8×21,8 cm. Bez. u. r.: »Ferd. Wagner[...]«, auf der Rückseite handschriftlich identifiziert »Krenkl Franz Xaver«.

Dreiviertelfigur, den linken Unterarm auf einen Tisch mit Büchern und Schreibpapier gestützt. Der stattliche schnurrbärtige Herr mittleren Alters hat graue Schläfen und gelichtetes Stirnhaar, aber eine keck abstehende Locke am Oberkopf. Die Kleidung zeigt betont modische Sorgfalt. Über brauner Hose und schwarzer Weste mit Silberknöpfen trägt er einen Rock mit großem Karo in Rot-Grün-Schwarz. Die ernsthafte Nachdenklichkeit des Blicks verbindet sich mit diesem ›großkarierten‹ Auftreten zu einem lebendigen Persönlichkeitsbild.

Das Gemälde zeigt große Ähnlichkeit mit dem Titelportrait der dritten Auflage von »Xaver Krenkel's Leben und Sprüchen« (München o. J.). Dort heißt es: »Nach einer Lithographie aus dem Jahre 1847, als er im 67. Lebensjahre stand. Dieses Portrait wurde uns von Leuten, die Krenkel noch kannten, als das Beste bezeichnet.«

Das Gemälde befand sich im Besitz von Karl Valentin, der es 1929 ans Münchner Stadtmuseum verkaufte.   BK

MSt, 29/1039

133

214 »XAVER KRENKL, im 80ten Lebensjahre«, 1859

Benno Adam, Lithographie, 52,5×44,5 cm. Bez. u. l.: »Adam«.

Der hochbetagte Krenkl (1780–1860) ließ sich von Adam hoch zu Roß in Reiterpose mit Gehrock und Zylinder portraitieren.

MSt, Z 2706

215 »PFERDERENNEN BEY DEM OCTOBERFESTE 1822,

bey welchen dieses vorzügliche englische Pferd den Weg von 21900 baier. Schuhen in 9 Minuten mit der größten Leichtigkeit zurück legte. Eigenthümer dieses Pferdes ist Herr Pferdehändler Krenkl zu München.«

Albrecht Adam, Lithographie, 48×63 cm. Bez. u. r.: »Nach der Natur gezeichnet und lithogr. von Albrecht Adam«.

MSt, P 1837

216 Rennmeister Sebastian Rechel, Posthalter von Hohenlinden, um 1840

Öl auf Leinwand, 89×70 cm, in zeitgenössischem vergoldetem Stuckrahmen.

Das Brustportrait zeigt Rechel in schwarzem Rock und schwarzer Halsschleife, in seiner Rechten hält er eine

△ Kat. Nr. 214　　　　▽ Kat. Nr. 215

PFERDERENNEN BEY DEM OCTOBERFESTE 1822,

bey welchen dieses vorzügliche englische Pferd den Weg von 21900 baier. Schuhen in 9 Minuten mit der größten Leichtigkeit zurück legte. Eigenthümer dieses Pferdes ist Herr Pferdehändler Krenkl zu München.

Zeitung, auf seiner weißen Hemdbrust steckt eine prismenförmige Nadel mit zwei goldenen Anhängern.

Als Posthalter standen Rechel gute Pferde zur Verfügung. Dementsprechend erfolgreich waren seine Beteiligungen an den Oktoberfestrennen:

1826 1. Platz/1. Rennen
1826 2. Platz/2. Rennen
1827 2. Platz/1. Rennen
1828 6. Platz/2. Rennen
1829 5. Platz/1. Rennen
1829 8. Platz/2. Rennen
1833 1. Platz/2. Rennen
1835 Beteiligung ohne Plazierung
1839 ist Rechel mit Nr. 23 in der Rennliste verzeichnet, da er aber nicht wie vorgeschrieben am Max-Josephs-Platz zur Parade mit seinem Rennpferd erschienen war, wurde er für das Rennen nicht zugelassen. Danach ist er in den Rennlisten nicht mehr vertreten. SP

Lit.: Kat. Nr. 211
Münchner Oktoberfestmuseum e.V.

217 Preisfahne für das erste Pferderennen 1826, 1. Preis, gewonnen von Sebastian Rechel, Posthalter von Hohenlinden

Hellblaue Seide, bestickt, 76×106 cm, in furniertem Rahmen montiert (Maße des Rahmens: 85×106 cm).

Im Mittelfeld bekrönte Initialen »LT« für Ludwig und Therese in goldener Sprengarbeit, Krone mit farbigen Glasperlen und -steinen; kreisförmige Umrahmung mit gelegter Silberfolie, darum Strahlenkrone mit Bouillon- und Paillettenstickerei, links und rechts davon Lorbeer- und Palmenzweig in Bouillonstickerei mit Folie; Umrandung mit Rosetten und Ellipsendekor mit Pailletten, Folie und Bouillon. Einfassung mit Silberfransen, die für die Montierung in den Rahmen nach innen gelegt wurden.

Die Fahne stammt aus dem Besitz von Sebastian Rechel, der insgesamt sieben Preisfahnen bei Oktoberfestrennen gewonnen hatte (siehe Kat. Nr. 216). Nur diese eine nicht datierte Fahne hat sich im Familienbesitz erhalten. Anhand der Fahnenbeschreibungen in den je-

Kat. Nr. 216

weiligen Jahrgängen der Oktoberfestprogramme konnte Rechel nur 1826 eine Fahne mit den Initialen »LT« gewonnen haben. Dazu hatte er eine silberne Münze mit dem Bildnis König Ludwigs I. sowie 20 weitere silberne Denkmünzen mit den Bildnissen bayerischer Herrscher von Otto dem Großen bis König Max I. Joseph erhalten.

Münchner Oktoberfestmuseum e.V. FD

218 Rennmeister Georg Bader, 1887

A. v. Rummel, Öl auf Holz, 60×39,5 cm. Bez. u. r.: »Rummel 87«.

Der Gastwirt Georg Bader aus München gewann mit seinem Pferd das Flachrennen 1887. Er trägt die für Rennmeister typische Kleidung mit Zylinder, schwarzem Frack, darüber weiß-blaue Schärpe, weiße Hose und schwarze Stulpenstiefel. Der stolze Ge-

Kat. Nr. 218

winner Bader ließ sich als Gastwirt mit einem Maßkrug in der Hand portraitieren. Im Hintergrund rechts steht der Rennbub mit dem Pferd. Festbesucher sitzen unter freiem Himmel vor den hölzernen Bierbuden, von denen eine die Aufschrift »Schottenhamel« trägt.
MSt, 30/1820

219 »Verzeichnis derjenigen Herren Rennmeister, welche beim I. Pferderennen am 5. October 1845 Pferde laufen lassen.«
2 Bl., Lithographie und Typendruck, 33,8×20,4 cm.

Illustrierter Titel mit Rennpferd und Rennknaben in dekorativer Rahmung, darunter das bayerische, darüber das Münchner Wappen. Zu beiden Seiten kleine Bilder mit dem Absprenggatter und dem Königszelt. Rahmung des Schriftzuges durch Preisfahnen mit den Initialen »L« und »T«.
Die Rennmeister waren die Besitzer der Pferde. Sie traten nur beim feierlichen Auszug zum Pferderennen und bei der Preisverteilung in Erscheinung. Das Reiten der Pferde während des Rennens war Aufgabe der Rennknaben.
MSt, P 1855

220 »Verzeichniß derjenigen Rennmeister, welche beim II. Pferde-Rennen am 11. Oktober 1863 Pferde laufen lassen.«
2 Bl., Typendruck mit lithographiertem Titelschmuck, 33,8×21,3 cm.

Die Schrift des Titelblattes ist auf drei Seiten von einem Wein- und Blattranken tragenden ›Spalier‹ umgeben. Über der Schrift weitet sich der Blattschmuck in Form eines Medaillons und gibt so ein Bildfeld frei mit der Darstellung eines galoppierenden Pferdes samt Jockey. Das Pferd wird ohne Sattel geritten. Im Hintergrund Fahnen und Stadtsilhouette. Über dem Medaillon die Figur des Münchner Kindls, darunter das bayerische Königswappen. Seitlich ragen zwei Preis-

Kat. Nr. 220

Kat. Nr. 221

Kat. Nr. 222

fahnen mit der Initiale »M« (Maximilian) aus dem Spalier.

Den Rennmeisterverzeichnissen, jährlich zu jedem Rennen ausgegeben, sind Informationen zu den ausgesetzten Preisen und zur Anzahl der Bahnumritte zu entnehmen. Die startenden Pferde werden kurz beschrieben, ihr Alter und ihre Startnummer angegeben sowie Namen, Berufe und Herkunft der Besitzer. Eine Spalte ist freigehalten zur Eintragung der Reihenfolge beim Zieleinlauf.

Im Nachrennen von 1863 starteten 17 Pferde. Vier Rennmeister ließen zwei ihrer Pferde laufen. Als Beruf des Rennmeisters wird in fünf Fällen Gastwirt, Gastgeber oder Gasthofbesitzer genannt, zwei Lohnkutscher sind vertreten, ein Spediteur, ein Ziegelmeister, ein Ziegeleibesitzer, ein Pferdehändler und ein Bauer. In einem Fall bezeichnet sich der Rennmeister als Privatier. Die Starter kamen aus München, Bogenhausen und den Gerichten Moosburg, Freising, Schrobenhausen, Vilsbiburg, Straubing und Braunau.

Das Nachrennen kann sowohl hinsichtlich der Teilnehmerzahl als auch der sozialen und regionalen Herkunft

der Rennmeister als dem Durchschnitt entsprechend angesehen werden.   SS

StadtAM, ZS

221 »Verzeichniß derjenigen Rennmeister, welche beim Trab-Wett-Fahren am 10. Oktober 1867 Pferde laufen lassen.«

2 Bl., Typendruck mit lithographierter Titelillustration, 33,5×21,8 cm.

Titelschmuck wie Rennmeisterverzeichnis Kat. Nr. 220, hier jedoch blau gedruckt. Auf den Preisfahnen Initiale »L« (Ludwig II.). Im Medaillon trabendes Pferd, das vor einen Einsitzer mit hohen Rädern gespannt ist. Der Sitz des mit Gehrock und Zylinder bekleideten Wagenlenkers befindet sich über Risthöhe des Pferdes.

1867 nahm der Magistrat auf Antrag des Renngerichtes anstelle des Trabreitens ein Trabwettfahren in das Programm auf. Das Renngericht nahm an, daß das Trabfahren »wegen seiner Neuheit auf eine größere Teilnahme von seiten des Publikums sowohl als der Pferdebesitzer rechnen dürfte«. Mit acht Pferden war das Starterfeld jedoch so klein, daß von einer Wiederver-

staltung in den folgenden Jahren abgesehen wurde.   SS

Lit.: Destouches, Säkularchronik, S. 104f.
StadtAM, Okt. 30

222 »Verzeichniß derjenigen Rennmeister, welche beim Trab-Reiten am 5. Oktober 1871 Pferde laufen lassen.«

2 Bl., Typendruck mit lithographierter Titelillustration, 34,4×20,9 cm.

Titelschmuck wie Rennmeisterverzeichnis Kat. Nr. 220, hier jedoch blau gedruckt. Auf den Preisfahnen Initiale »L« (Ludwig II.). Im Medaillon vor der Stadtsilhouette zwei trabende Pferde mit Reitern in Reitkleidung mit Rock und Zylinder.

Das Trabreiten wurde 1847 in das Rennprogramm aufgenommen.

StadtAM, Okt. 30

223 »München. Oktober-Fest 1909. Verzeichnis der Rennpferde-Besitzer beim Trabfahren im Sulky am 19. September 1909.«

2 Bl., Titelschrift blau mit schwarz gedruckter Illustration, 33,2×21,5 cm.

Auf dem mit einer Borte umrahmten Titelblatt die Zeichnung eines Sulky-

137

Gespannes in starkem Trab mit Fahrer.

Die Liste gibt neben Startnummer, Namen, Farbe und Geschlecht des Pferdes die Namen der Rennmeister, ihre Berufe und die Namen der Jockeys an. Die Stallfarben und die Distanz, über die jedes Pferd zu gehen hat, sind ebenfalls verzeichnet. Als Preise waren in diesem Jahr ausgesetzt: 1000 Mark mit gezierter Fahne, 700 Mark mit gezierter Fahne, 400 Mark, 300 Mark und 200 Mark mit einfacher Fahne.

Das Trabfahren im Sulky wurde 1890 zum ersten Mal veranstaltet, um »jene Teile des Festes, welche den Volksbelustigungen gewidmet sind, etwas reichhaltiger zu gestalten«. Das Trabfahren wechselte sich nun in unregelmäßiger Folge mit dem Trabreiten im Rennprogramm ab.   SS

Lit.: Destouches, Säkularchronik, S. 124
StadtAM, Okt. 30

Kat. Nr. 223

224 Führungszeugnis eines Rennbuben, 1819

2 Bl., handschriftlich, rot gesiegelt, oben links behördlicher Gebührenstempel: »3 k[reuzer]«, 33,3×19,5 cm.

»München am 12. Oktober 1819
Zeugniß

Für den als Reitknecht und Rennbub in meinen Diensten stehenden Bartholomä Obermayer, gebürtig aus Margaretten Landgerichts Vilsbiburg. Derselbe kam voriges Jahr, versehen mit den besten Zeugnißen über stets bewiesene Ehrlichkeit, ordentliches Betragen und Geschicklichkeit in seiner Metier, als Renn-bub bey angesehenen Bürgern, wo er früher gedient hat, in meinen Diensten.

Bartholomä Obermayer hat sich während dieser Zeit äußerst brav und redlich benommen, seiner Religion ergeben sich in seinem Stande vervollkommt, worüber sich die öfentliche Meinung bey jeder vorkommenden Gelegenheit ausspricht, und in Lesen und Schreiben aus eigenem Antriebe bedeutende Fortschritte gemacht, derselbe verspricht seiner Zeit ein guter

Kutscher zu werden. Dieß bezeugt mit Siegel und Unterschrift
der königliche Kaimera und Rittmeister im Garde du Corps Regiment Graf Taufkirchen«

Jockeys (»Rennbuben«), die sich während des Rennens durch sportlich-faires Betragen ausgezeichnet hatten, wurden mit einer besonderen Gedenkmünze belohnt. Voraussetzung hierfür war allerdings die Vorlage eines Zeugnisses des jeweiligen Dienstherren, Pfarrers oder Ortsvorstandes, das dem Buben gute Führung und fleißigen Schulbesuch attestierte.   SS

Lit.: »Programm zu dem Oktoberfeste auf der Theresienwiese zu München am ersten Oktober 1826« (Bedingungen des Pferderennens), StadtAM, Hist. Ver., Ang. II/127; »Einladung zu den Oktober-Festen auf der Theresens-Wiese bey München 1811«, StadtAM, Av. Bibl.
StadtAM, Okt. 5

225 Rennknaben-Kostüm

Schwarzseidene Schirmmütze mit Band aus schwarzem Filz und ledernem Fangriemen; Jacke aus rotem

Tuch mit gelben Kordelschnüren und goldenen Knöpfen, an der Unterkante schwarzer Besatz mit weißer Paspel, am rechten Arm weiße Leinenbinde mit Nummer »5«; Hose aus beigem Wollfilz mit weißem Lederbesatz am Gesäß; schwarze Schaftstiefel.

Dieses Kostüm wurde von der Fa. Diringer, München für die Jubiläumsausstellung 1910 im Historischen Museum der Stadt München nach einer lithographischen Vorlage von Albrecht Adam aus dem Jahr 1826 (MSt, MI/1891/7) nachgeschneidert.

MSt, XII/125 d

226 Rennknaben-Kostüm

Schirmmütze mit Band aus weißem Filz, Jacke aus blauem Tuch mit weißer Kordel, schwarzem Kragen und schwarzem Revers, am rechten Arm Leinenbinde mit Nummer »1«, sonst wie Kat. Nr. 225.

MSt, XII/125 d

227 Rennknabe auf sprengendem Pferd, 1815

Lithographie, 38,4×52,2 cm.

An der Unterseite Schriftzug: »MÜNCHEN AM I.en SONNTAG IM OCTOBER MDCCCXV«, Silhouette von Pferd und Reiter ausgeschnitten und aufgeklebt. Entsprechend den Rennregeln mußte auf ungesattelten Pferden geritten werden.

MSt, P 1833

228 »WIESEN-FEST am MAXIMILIANS-TAGE 1819«, drei Rennknaben auf sprengenden Pferden

Lithographie, 39,5×52,7 cm. Bez. u. l.: »Raph. Wintter«.

Als Erweiterung des Oktoberfestes 1819 wurde am 12. Oktober, dem Patronstag des hl. Maximilian, ein »Wiesenfest« veranstaltet. Nach der Verlosung zu Gunsten des Polytechnischen Vereins folgte ein Pferderennen. Das Hauptrennen fand bereits am 3. Oktober statt.

MSt, M I/1846

Kat. Nr. 226

WIESEN-FEST am MAXIMILIANS-TAGE 1819

△ Kat. Nr. 228   ▽ Kat. Nr. 229

229 **»Pferderennen bey dem Oktoberfeste in München«,** Rennknabe auf sprengendem Pferd um 1820

Lithographie, 45,7×53 cm.

Papierabzug einer Lithographie, die für das Bedrucken seidener Preisfahnen bestimmt war. 1820 erwähnt Baumgartner nach der Beschreibung der gestickten Fahnen für die drei ersten Preise: »Die weiters darauf folgenden Rennpreise mit einem von Herrn Bataillen-Maler, Peter Heß gezeichneten Rennpferde im vollen Laufe im Steindruck, als das Sinnbild der baierischen Thätigkeit, wenn es darauf an-

139

Kat. Nr. 232

kommt im Drange der Dinge, für die Sache des Vaterlandes Etwas mit Schnelligkeit zu bereiten.« Im Programm zum Pferderennen 1822 heißt es nach der Auflistung der ersten elf Fahnen: »Auf den übrigen Fahnen befindet sich ein Renn-Pferd im Steinabdrucke.«   FD

Lit.: Baumgartner 1820, S. 35; Programm 1822, StadtAM, Hist. Ver., Ang. II/12
MSt, M I/1848

230 Rennknabe auf sprengendem Pferd, um 1820

Lithographie, 38,3×55,6 cm.

Abdruck vom selben Stein wie Kat. Nr. 229, allerdings ohne Schriftzug.
MSt, M I/1849

Abbildung S. 142

231 »Die Rennbuben«, um 1895

Henry Albrecht, Farblithographie aus: »Auf der Wiesen! Das Octoberfest in München von H. Albrecht«, Verlag Piloty & Loehle, München, Druck: Lith. Anst. Dr. C. Wolf & Sohn, München, 11,4×32 cm (Leporello).

StadtAM, Hist. Ver., Bilderslg., B 4/49

232 Abonnements- Eintrittskarte »October Fest auf der Theresens-Wiese«, 1832

Steingravur, 7,1×10,3 cm.

Im querovalen Medaillonfeld »Abonnement zum Pferderennen«, darunter Vignette: ein langgeschweiftes und ein englisiertes Rennpferd mit Reitern. Unten Aufdruck »Mittel-Gallerie«.

MSt, 58/146/120

233 Platzkarte für die Magistrats-Tribüne II, 1867

Gelbes Papier, Typendruck mit xylographiertem Schmuckrahmen, 9,9×22,3 cm.

StadtAM, Okt. 2/1

234 Pferderennen, um 1850

Alois Bach, Lithographie, 36,5×50,2 cm. Bez. u. l.: »Lithgr. u. herausgegeben v. Alois Bach in München«.

Vorbeisprengender Rennknabe, verfolgt von anderen Reitern, im Hintergrund rechts Zuschauer hinter der Seilabsperrung. Zu beiden Seiten als Rahmung Trophäen aus Preisfahnen, Peitschen und Hufeisen.

MSt, 30/1782

235 »Das Oktoberfest in München«, um 1860

J. Klink, kolorierte Lithographie, 29×43 cm. Bez. u. r.: »J. Klink lith.« Druck: Carl Hohfelder, München.

Blick nach Süden auf die Festwiese, die schon von lockerer Bebauung begrenzt ist, rechts Bavaria und Ruhmeshalle. Vor einer großen Zuschauermenge beiderseits der Rennbahn, auf den Tribünen und im Königszelt sprengen die Rennpferde mit den Jockeys durch die Nordkurve, rechts das offene Absprengtor. Das Publikum erscheint in leicht karikaturhafter, die Kavalkade in dramatischer Überzeichnung; einem

Kat. Nr. 236

Rennbuben fliegt die Mütze davon. Die Rennbuben tragen einheitliche Kleidung mit Nummern am Ärmel. Vornehme Zuschauer beobachten das Rennen vom Wagen aus. Im inneren Ring stolzieren Preisträger mit ihren Tieren und Fahnen, dahinter der Festplatz mit den Arkaden zu beiden Seiten des Glückshafens, großen Wirtsbuden und dem Musikpavillon unterm Kronenbaum.

MSt, P 1861

236 Pferderennen 1874

Alois Bach, Aquarell, 17×36,3 cm. Bez. u. r.: »L. Bach [?]/1874«.

Das Feld der Rennpferde bewegt sich nach rechts auf den Festplatz zu, der sich in atmosphärischer Ferne abzeichnet. Die Jockeys wirken erwachsener als die früher dargestellten Rennbuben. Als letztes läuft ein Pferd, das seinen Reiter abgeworfen hat.
Laut Maillingers Bilderchronik (Bd. 3, S. 26) handelt es sich um das erste Rennen 1874; die Pferde sind Portraits.

MSt, M III/312

237 »Jetzt kemma's«
oder der praktische Münchner
beim »Rennat's«, 1881

Adolf Oberländer, Sepia-Tuschzeichnung, auf Karton aufgezogen, 31,5×21 cm. Bez. u. r.: »Oberländer 1881«.

Karikatur der Zuschauer beim Rennen, von der Kehrseite her gesehen. Die praktischen Münchner in der hintersten Reihe vergrößern ihr Blickfeld, indem sie mit jedem Fuß auf einem umgedrehten Maßkrug stehen. Schwankend sucht man im Gedränge aneinander Halt, vorn ist ein Bub schon von seinem tönernen Ausguck heruntergekippt. Unter den Volkstypen hält rechts eine rundliche, herausgeputzte Mamsell mit Schleierhütchen würdevoll die Balance. Die Zeichnung wurde bei Braun & Schneider, München, im »Oberländer-Album« abgedruckt.   BK

Staatliche Graphische Sammlung, München, 38779

Kat. Nr. 237

DIE RENNBUBEN.

42 43

Kat. Nr. 231

238 Scherzpostkarte mit Pferde-rennen, 1897

Chromolithographie, 9×14 cm, Verlag: Ottmar Zieher, München.   FD, BK, SP, SS

StadtAM, Postkartenslg.

239 Traber »Lord Chaffrey«, 1902

Mathias Pfister, Öl auf Leinwand, 58×80,5 cm. Bez. u. r.: »Mathias Pfister 1902«.

Der Rappe umläuft mit Sulky und Fahrer die Rennbahn auf der Theresienwiese. Im Hintergrund Bavaria mit Ruhmeshalle und Alte Schießstätte. Am unteren Bildrand Schriftzug: »Lord Chaffrey«.

1899 gewann der dreizehnjährige, schwarzbraune Hengst »Lord Chaffrey« des Trainers Klement Ederer aus Wien den ersten Preis beim Trabfahren im Sulky. Beim Trabreiten am nächsten Tag errang das Pferd wieder den Sieg. Auch das Abschluß-Trabrennen 1901 gewann der Hengst, der sich nun im Besitz des Privatiers Max Ballauf befand.

Abb. in: Chronik 1985, S. 218
Lit.: Destouches, Säkularchronik, S. 139, 141
MSt, P 1236

240 »Internationales Trabreiten«, 1910

Foto.

Das Foto zeigt den Start des Rennens. Zum Öffnen des Absprengtores waren zwei Hilfskräfte notwendig, die sich, nachdem sie den Riegel zurückgeschoben hatten, am Torflügel festhielten. So gerieten sie beim Zurückschwenken der Torflügel nicht in Gefahr, durch die absprengenden Pferde verletzt zu werden.

StadtAM, Chronik-Bildband 1910/III, Nr. 11

241 Pferderennen, 1934

Richard Benno Adam, Öl auf Leinwand, 104×167 cm. Bez. u. l.: »Richard B. Adam/München 1934/35«.

1913 war das letzte Pferderennen, bei dem das ovale Areal der Festwiese umritten wurde. Von 1934 bis 1938 wurden auf dem Südteil der Theresienwiese nochmals Pferderennen veranstaltet, initiiert von dem pferdebegeisterten NS-Ratsherren Christian Weber.

Gruss vom Octoberfest.

Kat. Nr. 238

Der Verlauf der alten Rennstrecke war durch die Umgestaltung des Festgeländes im Laufe der 1930er Jahre nicht mehr realisierbar.

Bei genauer Betrachtung des Bildes erkennt man die nationalsozialistische Prägung des Festes:

Anstelle der weiß-blauen Fahnen sind rote getreten, mit (etwas versteckt gemalten) Hakenkreuzen. Die Zuschauer bilden einen idealtypischen Querschnitt durch die Oktoberfestbesucher. Zu der Mischung aus Stadt und Land reihen sich Festzugsteilnehmer und Uniformierte des neuen Regimes. Der Hintergrund reicht von der Bavaria auf der linken Seite über die Bierzelte zur großen Gebirgsbahn, die das Schaustellerareal markiert.

Richard B. Adam setzte mit diesem Ge-

mälde den Schlußstrich unter die Tradition der Gesamtschauen auf das Oktoberfest mit Pferderennen, die mit den Bildern von Heß und Kobell 1810 (Kat. Nr. 16, 17) begonnen hatte.   FD

MSt, 35/1113

242 SS-Reiterspiele während des Oktoberfestes, 1935

Wilhelm Nortz, Foto.

Bocksprung eines Turners mit SS-Emblem am Trikot über lebendes Pferd.

StadtAM, Fotoslg.

243 Verkauf von Wettlosen während eines Pferderennens, um 1936

Wilhelm Nortz, Foto.

StadtAM, Fotoslg.

143

Kat. Nr. 244

244 Ring vom Ringelstechen, 1830

Foto aus: Destouches, Säkularchronik, S. 43.

Eisenring mit zwei inneren Ringen, die durch kreuzförmige Stege miteinander verbunden sind, an Scharnier Aufhängung mit der Jahreszahl »1830«, Ø ca. 17 cm.

Laut Inventar befindet sich dieser Ring im Münchner Stadtmuseum (XIb/7a), ebenso gibt es dort vier Ringe vom Ringstechen 1910 (XIb/7b).

»Das Ringelstechen geschah in drei Abtheilungen. In der ersten wurde dreimal 400 Schuh weit geradeaus in starkem Trott geritten und nach dem Ring, der in einer Höhe von 10 Schuhen aufgehängt war und drei Kreise zu 1½, 4½ und 7 Zoll im Licht enthielt, gestochen; in der zweiten Abtheilung wurde der ganze 860 Schuh lange Umkreis der Reitbahn dreimal in gestreckten Galopp umritten, und mit Rapieren [Degen] nach auf Pfählen aufgesteckten Türkenköpfen gehauen; in der dritten Abtheilung wurde dreimal im Karriere geritten und nach dem Ringe gestochen. Dieses Ringelstechen, welches allgemeine Unterhaltung verschaffte, dauerte bis gegen 6 Uhr. Das Wetter

war überaus angenehm, und die Versammlung von circa 30 000 Menschen von dem heitersten Geiste beseelt.« (1 bayr. Schuh = 29 cm; 1 Zoll = 2,4 cm) Das Stechen mit der Lanze nach dem Ring sowie das Schlagen mit Säbel oder Degen auf Kopfattrappen wurde als höfische Reiterübung bis ins 18. Jahrhundert gepflegt. In volkstümlicher Form hat sich das Ringstechen bis heute zum Beispiel in Schleswig-Holstein erhalten. Ringelstechen gab es als Sonderveranstaltungen zu den Oktoberfesten 1830, 1860, 1863 und 1910.   FD

Lit.: Ulrich v. Destouches, S. 63

245 Zwei Lanzen vom Ringstechen 1860

Fichtenschaft, geschmiedete Eisenspitze, Eisenschuh, Messingring in Griffhöhe, 315 cm.

Die Lanzen wurden 1860 von dem Gemeindebevollmächtigten und Metzgermeister Joseph Ernst verwendet.

Die erhaltenen Ringstechlanzen von 1860 und 1910 waren nicht mit Inventarnummern versehen. Da sich diese

beiden Lanzen in Länge, Spitze und Schuh von den anderen unterscheiden, sind sie wohl die von 1860.

MSt, VIIb/49

246 Lanze vom Ringstechen 1910

Fichtenstange, geschmiedete Eisenspitze mit Auffangring, Messingring in Griffhöhe, 311 cm.

Vom Ringstechen 1910 befinden sich im Stadtmuseum zehn (laut Inventar ursprünglich 14) Lanzen.

MSt, VII/50a

247 »Das Jubiläums-Preis-ringelstechen 1910«

G. Heine, kolorierte Federzeichnung, 29×30 cm. Bez. M. r.: »G. Heine«.

Das Ringstechen war einer der Programmpunkte des Jubiläums, die auf historische Veranstaltungen Bezug nahmen. Für die Beteiligung war ein Anzug in der Herrenmode von 1830 vorgeschrieben: »Enganliegende weiße oder helle Hose, Stulpstiefel, kurztailliger, dunkelfarbiger Frack, Vatermörder und geschweifter Zylinderhut«.

Kat. Nr. 247 (Ausschnitt)

Das Jubiläums-Preisringelstechen 1910.

Kat. Nr. 248

Die Pferde mußten mit englischem Sattel und Kandaren-Zaum ausgerüstet sein. Für das Stechen meldeten sich elf Teilnehmer.

»Das Ringelstechen hatte sich in drei Abschnitten auf der 200 m langen Bahn zu vollziehen. Der Start befand sich 150 m vor, das Ziel 50 m hinter den Ringelpfosten. Das erstemal war im Exerziertrab, das zweitemal im abgekürzten Galopp und das drittemal im Exerziergalopp je zweimal mit gefällter Lanze nach dem Ring zu stechen. Der getroffene Ring mußte an der Lanze behalten und auf dieser den Preisrichtern vorgezeigt werden. Fiel der

Ring auf den Boden, so zählte der Treffer nicht. Ein Treffer war ferner ungültig, wenn die vorgeschriebene Gangart nicht eingehalten wurde. Der Ring war in einer Höhe von 3 m aufgehängt und enthielt drei Kreise. Der äußerste Kreis zählte einen, der mittlere zwei und der innerste drei Punkte. Die Treffer aller sechs Ritte wurden zusammen gezählt. [...] Die drei Ersten erzielten gleichheitlich 12 Treffer. Bei der Plazierung war schließlich die Punktwertung der Richter bezüglich Gangart, Sitz und Haltung maßgebend.« FD

Lit.: Destouches, Gedenkbuch 1912, S. 85
MSt, VIIb/56

248 Preismünzen für das 1. Pferderennen 1833, 1. Preis, gewonnen von D. Schloder, Lohnkutscher von München
21 Silbermünzen in Lederetui (20,7×30,8 cm).

Lederbezogenes Etui mit Goldprägung, auf der Oberseite in der Mitte das Stadtwappen mit Lorbeerumkränzung, auf der Unterseite Schriftzug: »OCTOBER-FEST 1833.« Dazwischen samtbezogene Platte mit 21 Aussparungen für die Münzen, die so von beiden Seiten betrachtet werden können. Nr. 1 bis 18 Denkmünzen mit den Portraits bayerischer Herrscher von Herzog Otto III. bis Kurfürst Maximilian III. Auf der Rückseite der letzten Münze bezeichnet: »FR. ANDR. SCHEGA FECIT« (∅ 3,9 cm).

Nr. 19 mit dem Portrait Kurfürst Carl Theodors, auf der Rückseite bezeichnet: »A. SCHAEFER F.« (∅ 4 cm). Diese Medaille stammt aus der Serie der pfälzischen Wittelsbacher, die Schäfer im Auftrag der Pfälzischen Akademie der Wissenschaften schnitt. Schegas Serie entstand auf Veranlassung der Baierischen Akademie.

Nr. 20 Gedenkmünze auf das Regierungsjubiläum König Max' I. Joseph 1824, mit dem Portrait des Königs, auf der Rückseite bezeichnet: »LOSCH« (∅ 4,7 cm).

Nr. 21 Gedenkmünze mit dem Portrait König Ludwigs I., am Halsansatz des Profilkopfes bezeichnet: »ST. F.« (∅ 4,2 cm).

In manchen Jahren, so 1823, 1826 und 1827, wurden beim Pferderennen als erste Preise diese Denkmünzen anstelle der Geldpreise vergeben. Im Gegensatz zu den Münzen bayerischer Währung, die von den Gewinnern in Umlauf gebracht wurden, hat sich diese Zusammenstellung von Medaillen erhalten. 1823 beschreibt Baumgartner die Serie mit Ausführungen zu den dargestellten Regenten, die als anschauliche Geschichte des bayerischen Herrscherhauses gedacht war.

Der Gewinner D. Schloder aus München bekam zusätzlich eine gestickte Preisfahne mit den Initialen »LT«. Eigentümer des Pferdes war jedoch Sebastian Rechel, Posthalter von Hohenlinden, der sich 1833 beim zweiten Rennen als Rennmeister eingeschrieben hatte und hier den 1. Preis gewann (vgl. Kat. Nr. 216). FD

Lit.: Baumgartner 1823, S. 16 f.; Ulrich v. Destouches, S. 75

MSt, K XII/284 (8566-8586)

Kat. Nr. 249 (Rückseite)

249 Preisfahne für das 1. Pferderennen 1858, 2. Preis, gewonnen von Joseph Finkl, Wirt von Ottmaring

Seide, schabloniert, 80×91 cm; Gemälde von Sebastian Habenschaden, Öl auf Leinwand, 47×64,5 cm.

Destouches erwähnt in der Säkularchronik, daß dem Maler Sebastian Habenschaden 1858 die Herstellung von 20 Fahnengemälden übertragen wurde. Mittelstück als Gemälde, mit der Darstellung eines Mannes in Reitkleidung, der ein Pferd einem elegant gekleideten Herrn vorführt, im Hintergrund Parklandschaft mit Herrschaftshaus; Umrahmung aus ursprünglich hellblauem Seidentaft mit schabloniertem floralem Golddekor, Einfassung des Fahnenblattes und des Volants mit Goldfransen. Kordel als Aufhängung mit zwei Quasten, auf den Volant dekorativ aufgenäht. Goldschnur mit 30 roten Schleifen, an denen die 30 Zweiguldenstücke des 2. Preises aufgeknüpft waren. Rückseitig Futter aus ursprünglich hellblauem Seidenpongé mit schabloniertem silbernem Schriftzug: »Münchener Oktober-Fest 1858« und schabloniertem Golddekor an den vier Ecken.

Das Besondere an den drei Fahnen Kat. Nr. 249–251 ist, daß der Gewinner Finkl bei seiner privaten Montierung der Fahnen in Rahmen, die nicht mehr vorhanden sind, die Schnüre für die Aufhängung der Goldstücke in dekorativer Form miteinbezogen hat. Deshalb haben sie sich als einzige Belege erhalten. FD

MSt, 39/610

250 Preisfahne für das 2. Pferderennen 1858, 3. Preis, gewonnen von Joseph Finkl, Wirt von Ottmaring

Seide, schabloniert, 81×94 cm; Gemälde von Sebastian Habenschaden, Öl auf Leinwand, 48×64,5 cm.

Mittelstück als Gemälde, mit der Darstellung eines Bauern, der ein entlau-

Kat. Nr. 249 (Vorderseite)

fenes Pferd aus einem Krautacker zu locken versucht, im Hintergrund ein strohgedecktes Fachwerkhaus, davor eine Frau mit zwei Kindern, die den Bauern beobachten. Zur weiteren Ausführung der Fahne siehe Kat. Nr. 249. Hier 15 rote Schleifen, an denen die 15 Zweiguldenstücke des 3. Preises vom zweiten Rennen befestigt waren. Auf der Rückseite goldener Schriftzug:

»Münchener Oktober-Fest 1858« mit schabloniertem Golddekor an den vier Ecken.

Lit.: Rennbuch, Kat. Nr. 211; Destouches, Säkularchronik, S. 94
MSt, 39/609

**251 Preisfahne
für Pferderennen 1859,
gewonnen von Joseph Finkl,
Wirt von Ottmaring**

Seidentaft, schabloniert, 98×78 cm; Gemälde: Öl auf Leinwand, 68×48 cm.

Mittelstück als Gemälde mit der Darstellung einer weihnachtlichen Stube: Eine Frau in alpenländischer Tracht schmückt einen Christbaum mit Leb-

147

Kat. Nr. 252

kuchenfiguren und Äpfeln, im Hintergrund schläft ein Kind im Bett.

Umrahmung aus naturfarbenem Seidentaft mit schabloniertem Golddekor, schwarz gehöht, an allen Seiten Einfassung mit Goldfransen. Volant aus hellblauem Seidentaft (erneuert), Kordel als Aufhängung mit zwei Quasten, auf den Volant dekorativ aufgenäht. Goldschnur mit 22 roten Schleifen, mit denen die Münzen des Geldpreises aufgeknüpft waren.

Rückseitiges Futter aus hellblauem Seidentaft mit schabloniertem goldenem Münchner Kindl in Wappenschild, teilweise schwarz gehöht, darunter schablonierter Schriftzug »Münchener-Oktober-Fest. 1859«, an den vier Ecken schablonierter Golddekor.

MSt, 39/608

252 Preisfahne für Pferderennen, 1897

Gelbe Seide, 90×79,5 cm; Gemälde: Öl auf Leinwand, 48,5×49,5 cm; Rahmen, 96×90,5 cm.

Im Mittelteil Gemälde mit der Darstellung eines sich aufbäumenden Pferdes mit Jockey in Landschaft, Umrandung mit Silberborten; Fahnenblatt mit Silberbortenumrandung und Fransen am unteren Rand; ehemalige Aufhängung – mit Silberkordel und zwei Quasten – wurde auf das Fahnenblatt dekorativ montiert, links schwarz-gelbe Seidenbänder mit Schriftzug »Münchener Oktoberfest«, rechts weiß-blaue Bänder mit Jahreszahl »1897«; Montierung in einfachem Kastenrahmen, bezogen mit schwarzem Buchbinderleinen.

MSt, 67/329

253 Pokal »Hinderniß-Fahren 1. Preis. Oktober-Fest 1898«

Silber, getrieben und vergoldet, Höhe 15,5 cm, ⌀ 9,5 cm. Marke auf der Unterseite: WOLLENWEBER«.

Konisches Gefäß mit reliefgetriebenen Rippen und Halbkugeln, drei Kugelfüße. Unter dem Rand obiger umlaufender Schriftzug. In den 1880/90er Jahren wurden teilweise an Stelle der Fahnen Pokale vergeben.

Ludwig Hagn, München

Kat. Nr. 253

Kat. Nr. 255

254 Drei Preisfahnen für Pferderennen, 1910

Ludwig Hohlwein, Dreifarbenlithographie auf naturfarbenem Seidentoile, 79×78 cm, Stange 224 cm. Bez. M.: »LH«.

Jockey auf schwarzem Pferd, das von einem Mann geführt wird. Oben links die Jahreszahlen »1810 1910«, oben rechts das Münchner Kindl. Montierung an Stange, Spitze in Form eines ausgesägten Löwen.

Diese einfachen Fahnen waren 1910 der 9. Preis zum Flachrennen (d 30), sowie die 6. und 8. Preise zum Trabfahren im Sulky (d 31 a und b).

Abb. in: Chronik 1985, S. 80
MSt, XI/d 30; XI/d 31 a und b

255 Ehrenbecher für das Pferderennen »JAHRHUNDERTFEIER OCTOBERFEST MÜNCHEN 1810–1910.«

Silber, teilweise Vergoldung, Höhe 9,5 cm, ⌀ 5,4 cm. Entwurf: Ludwig Hohlwein; Ausführung: Juwelier Carl Winterhalter, München.

Konischer Becher mit rundumlaufender gravierter Schrift, aufgesetztes Medaillon mit der Silhouette eines trabenden Pferdes mit Rennbuben.

MSt, K XI a/21

256 Preisfahne für Pferderennen, 1935

Brokat, 100×68 cm; Gemälde: Öl auf Leinwand, 37×47 cm. Bez. u. r.: »L. B.«. Dazu: zeitgenössische Fotos von H. Diepold und Pferd Randolph.

Im Mittelstück Gemälde mit der Darstellung des Pferderennens 1810, unter freier Verwendung einiger Staffagefiguren aus dem Bild von Peter Heß (Kat. Nr. 50). Einfassung mit rot unterlegter Goldborte, darüber Schriftzug in Wolleinlegearbeit: »Jubiläums-Flachrennen«, darunter Schriftzug: »125 Jahre Münchener Oktoberfest 1810–1935«. Am unteren Rand Goldborten und drei Quasten, montiert auf Querstange. An beiden Seiten des Fahnenblattes weiße, gelbe und rote Seidenbänder – ein Hinweis für das bewußte Ausschalten der traditionellen Verwendung der Stadt – sowie Landesfarben während des Dritten Reiches. Rotes Baumwollfutter.

Herbert Diepold, Rennstallbesitzer in Riem, gewann die Fahne, zu der ein Geldpreis von 600 Reichsmark vergeben wurde. Der fünfjährige Wallach Randolph wurde von dem Jockey und Trainer Albert Eichhorn geritten. FD

Herbert Diepold, München

»Stadt und Land – Hand in Hand«

Das Central-Landwirtschaftsfest

Jenes Fest, welches heutzutage in der Presse bisweilen als »bestbesuchte Landwirtschaftsausstellung des Kontinents« bezeichnet wird, fand seinen Anfang im Jahr 1811, als das Oktoberfest vom Vorjahr – mit einigen programmatischen, in die Zukunft weisenden Erweiterungen – wiederholt wurde.

Um die Wende vom 18. zum 19. Jahrhundert war die Landwirtschaft hauptsächliche Erwerbsquelle Bayerns, dessen gesamte Wirtschaft sich »in sehr schlechtem Zustand« befand. »Der ehrgeizige Hof hatte das Land zu sehr strapaziert; es stand kurz vor dem Staatsbankrott. Mit den aufgeklärten Bestrebungen in Regierung, Adel und Bürgertum regten sich auch Tendenzen zur wirtschaftlichen Sanierung des Landes.« (Tornow, S. 93)

Dieser Tatbestand erforderte verstärkte Bemühungen um eine in großem Rahmen stattfindende Verbesserung des Wirtschaftslebens.

Das 18. Jahrhundert hatte für die Landwirtschaft – europaweit – einiges erbracht: Mit den sich an der Lehre des François Quesnay orientierenden Physiokraten setzte sich die Erkenntnis durch, daß die Landwirtschaft als primäre Erwerbstätigkeit und als sicherste Quelle von Wohlstand zu betrachten sei. Es entstand eine mächtige Flut landwirtschaftlichen Schrifttums zur Verbreitung entsprechender Einsichten. Zahlreiche Gesellschaften zur Förderung des Landbaus wurden gegründet. Es wurden Versuche und statistische Erhebungen organisiert, Forschungen angeregt, Belohnungen ausgeteilt und sogar Mustergüter erprobt. Die Anfänge der wissenschaftlichen Betrachtungsweise des Akkerbaus waren vor allem von den Kameralisten geprägt, die nicht nur qua Theorie, sondern durch sehr detaillierte Anregungen zur Verbesserung der Praxis dem Landbau starke Impulse zu geben versuchten.

Ebenfalls in das 18. Jahrhundert fällt die Gründung von sogenannten Ökonomie-Gesellschaften, die ähnliche Ziele verfolgten. Ihre Mitglieder rekrutierten sich allerdings im wesentlichen aus der bürgerlichen Oberschicht.

Anders sah es, was das landwirtschaftliche Organisationswesen betrifft, im 19. Jahrhundert aus: es brachte die grundsätzliche Neuerung, daß sich neben kleinen wissenschaftlichen Gesellschaften ein landwirtschaftliches Vereinswesen entwickelte, das sich im Lauf des Jahrhunderts zu einer Vielzahl von Organisationen der Bauern herausbildete. Die landwirtschaftlichen Vereine boten die Chance für Bauern, aus räumlicher und geistiger Isoliertheit herauszutreten, um an den neuesten Errungenschaften von Wissenschaft und Technik zu partizipieren.

In Bayern wurde der Antrag auf Gründung eines solchen Vereins im Jahr 1809 gestellt. Dazu heißt es in einer Jubiläumsschrift: »Da erfaßten auch wirklich hochsinnige Maenner 60 an der Zahl im Jahre 1810 den großen Plan einen Gesammtverein zum Frommen der Landwirthschaft zu bilden. Sie gingen dabey selbst von groeßeren Principien aus als die englische und franzoesische Landwirthschafts-Gesellschaft. Sie schufen in ihren Statuten einen Gesammtverein fuer das ganze Reich, und organisirten ihn mittelst eines General-Comité's in Muenchen aus 14 gewaehlten Mitgliedern bestehend, dann eines Bezirks-Comité's in einem jeden Kreise nach dem einfachen aber unbestreitbaren Grundsatze, daß jemehr Kraefte zu solchem Streben sich verbinden, desto mehr verstaerke sich die Frucht bringende Wirkung.« (Hazzi, S. 12)

Dem Antrag der »hochsinnigen Maenner«, die im wesentlichen Aristokraten oder geadelte Mitglieder der Bayerischen Akademie der Wissenschaften waren, wurde stattgegeben. Am 9. Oktober 1810 erfolgte die königliche Bestätigung der Statuten. Der König selbst fungierte zunächst als Protektor des Vereins, dessen Tätigkeit laut Satzung sich so darstellte: Der Landwirtschaftliche Verein in Bayern »sucht seine Zwecke zu erreichen: durch mündliche und schriftliche Mittheilungen seiner Mitglieder; durch Ankauf und Vertheilung vorzüglicher Zuchtviehracen, nützlicher Sämereien und Gewächse, dann zweckmäßiger Geräthe; durch Einladung erfahrener Grundbesitzer und Gewerbsleuten zu praktischen Versuchen, Herausgabe einer Wochenschrift, Anschaffung und Mittheilung gemeinnütziger Druckschriften, Veranstaltung physikalischer und chemischer Versuche; Vertheilung von Preisen für wichtige mit besonderem Fleiße und entsprechendem Erfolge ausgeführten Versuche und Abfassung wichtiger vom Verein veranlaßter Abhandlungen; endlich durch Unterstützung würdiger, unverschuldet verunglückter Arbeiter, Gewerbe- und Landleute«. (Zitat nach: Tornow, S. 94)

Geht es hier darum, den einzelnen Bauern zu motivieren, so unterliegt dieser Vorgang recht bald einer Effektivierung von oben. Eine Satzungsänderung von 1835 hatte stärkere Abhängigkeit des Vereins vom bayerischen Staat zur Folge: Künftig sollte der jeweilige Innenminister zum Vereinsvorsitzenden ernannt und auf diesem Weg der Verein in das Schalten und Walten der Ministerialverwaltung eingebunden werden.

Wie dem aber auch sei, 1810, als das Landwirtschaftsfest beim Oktoberfest noch nicht vertreten war, wurde zwischen dessen Veranstaltern und dem Landwirtschaftlichen Verein die Vereinbarung getroffen, auch danach ein solches Fest in jährlichem Turnus zu veranstalten – allerdings unter Einbezug von landwirtschaftsbezogenen Aktivitäten.

Von 1811 bis 1818 galten die Bezeichnungen »Landwirtschaftsfest« bzw. »Zentrallandwirtschaftsfest« und »Oktoberfest« als Synonyme, da der Landwirtschaftliche Verein das Gesamtfest – also Pferderennen und landwirtschaftliche Präsentation – ausrichtete. 1819 übernahm der Magistrat der Stadt München die Leitung des Pferderennens und die Betreuung des Festschießens sowie der Wirtsaktivitäten; die Organisation der landwirtschaftsbezogenen Festbereiche blieb beim Landwirtschaftlichen Verein. Fortan drückte sich diese Trennung auch in der Anwendung beider Bezeichnungen für jeweils unterschiedliche Teile des Gesamtfestes aus.

Der Terminologie ungeachtet nahm das Fest der Landwirtschaft seinen Lauf: 1811 gab es außer dem Pferderennen noch eine Viehausstellung mit Viehmarkt; es fand also eine inhaltliche Erweiterung der Veranstaltung statt. 1812 wurde nicht minder modifiziert: In jedem der acht bayerischen Kreise ging dem schließlich in München abgehaltenen (nunmehr Central-)Landwirtschaftsfest ein Kreis-Landwirtschaftsfest voraus. Das hatte praktische Gründe, um den Teilnehmern lange Anreisewege zu ersparen, das hatte aber auch staatspolitische Ursachen: Durch das Wechselspiel von dezentralisiertem und anschließend zentralisiertem Fest sollte das Bewußtsein der Zugehörigkeit zum noch jungen Staatswesen, das National-Bewußtsein, gefestigt werden. Die Kreisfeste hatten, was immer man daraus schließen mag, wechselnden Zulauf; in entfernteren Landesteilen wurden sie gar, bei nachlassender staatlicher Unterstützung, ganz eingestellt.

Auch die Jahre 1814, 1815 und 1816 markieren Erweiterungen des Festes: zuerst kam eine Ausstellung landwirtschaftlicher Produkte ins Programm, dann die Auszeichnung von landwirtschaftlichen Dienstboten und schließlich – zukunftsweisend – eine Ausstellung neuerer Gerätschaften zur Verbesserung des Landbaus.

Über das Fest von 1816 berichtete der österreichische Legations-Sekretär von Weißenberg an den Fürsten Metternich: »Die allgemeine Bemerkung der verständigeren Beobachter des heutigen Centralfestes war, daß die Viehzucht und besonders die Pferdezucht in diesem Jahre eher rück- als vorwärts geschritten ist und daß der landwirtschaftliche Zweck des Festes über dem Nebenzweck der Volksbelustigung vernachlässigt wurde.« Ob er die Präsentation von Geräten auch unter »Volksbelustigung« subsumiert, bleibt offen (Gesandtschaftsberichte, S. 122/123).

1820 erfuhr das Landwirtschaftsfest insofern eine Neuerung, als die an Sieger einer jeweiligen Konkurrenz auszuteilenden Preise vermehrt wurden. Von nun an gab es auch landwirtschaftliche Geräte und Maschinen, Werkzeug, dann Vieh und vor allem nützliche Lehr-Bücher zu gewinnen. Außerdem wurde die Kategorie Weitpreis eingeführt: für den Teilnehmer einer jeden Konkurrenz, der den weitesten Anreiseweg hatte. Auch bei diesen Neuerungen standen Stärkung des Staatsbürgerbewußtseins und Wirtschaftsförderung Pate.

Über das Fest 1822 schreibt der Chronist: »Am Festmorgen […] ließ das Generalkomitee des Landwirtschaftlichen Vereins bzw. der K. Wirtschaftsdirektor Schönleitner in Schleißheim mit neuen Ackerwerkzeugen auf der Anhöhe der Theresienwiese in Anwesenheit zahlreicher Zuschauer, namentlich aus den Kreisen der Landwirte, ein Feld ackern, besäen und zurichten, um durch diesen praktischen Versuch dem Landmann die Vorteile dieser Geräte noch einleuchtender zu machen.« (Destouches, S. 30/31)

Ein Jahr später wurden erstmals Beamte und Gemeindevorsteher für ihre Leistungen auf dem Gebiet der Förderung der Landwirtschaft ausgezeichnet. 1827 gab es neue Produkte zu sehen: solche aus der Seidenzucht sowie der Spinnerei. 1834 fand – auch dies eine Neuerung – die Prämiierung ordentlicher Dungstätten statt; zwei Jahre später gab es auch Preise für gelungene Güterarrondierungen, also für Zusammenlegungen zerstreuten Landbesitzes zwecks günstigerer Bodenbearbeitung, außerdem für Betriebsverbesserungen und für Maßnahmen der Landesverschönerung.

In diesen Jahren fanden die Ausstellungen vornehmlich von Geräten, Maschinen und Produkten nicht immer auf der Theresienwiese statt. Sie wurden bisweilen im Vereinslokal in der Türkenstraße oder im Königlichen Odeon, einem zentral gelegenen Gebäude für Bälle und Konzerte, später, ab 1855, im Glaspalast und, ab 1909, im Bereich des Ausstellungsparks, des heutigen Messegeländes, präsentiert. Diese Entwicklung hängt größtenteils damit zusammen, daß der ganze technische Bereich stets anwuchs, mehr Raum beanspruchte und somit an Bedeutung die Tiervorführungen allmählich überflügelte.

Ob ein Fettbestimmungsapparat für Milchkontrollen 1885 vorgeführt oder 1919 verdienstvolle Leistungen im Hufbeschlagwesen prämiiert wurden, ob neue Ausstellungseinheiten 1913 aus Traubenweinkosthalle, Molkereikosthalle und Obstausstellung bestanden oder in demselben Jahr ein Fonds gebildet wurde für die Seßhaftmachung alter, bewährter Landarbeiterfamilien – stets sorgten die Initiatoren des Festes für Abwechslung im Programmangebot, dessen Bedeutung – wie schon gesagt – über das Fest hinausreichen sollte, dennoch aber schwer meßbar sein dürfte. Eines jedoch steht fest: Die Geräte- und Maschinenausstellung entwickelte sich zu einer Art Verkaufsmesse der entsprechenden Industrien – und »von den Anmeldungen der Industriefirmen hing nach dem ersten Weltkrieg das gesamte Zentral-Landwirtschaftsfest ab« (Möhler, S. 36).

In der Zeit der nationalsozialistischen Diktatur spielte das Fest insgesamt keine Rolle. 1933 durfte es noch ein letztes Mal stattfinden; 1935 wurde der Landwirtschaftliche Verein dem Reichsnährstand einverleibt, jener Zwangsorganisation für alle in der Landwirtschaft Tätigen zum Zweck der zentralen agrarpolitischen Kontrolle.

Erst im Jahr der Gründung der Bundesrepublik Deutschland, 1949, gab es das nächste Zentral-Landwirtschaftsfest – wiederum in Verbindung mit dem Oktoberfest. Ein neuer Organisator trat auf den Plan: der 1945 gegründete Bayerische Bauernverband. Dieser knüpfte an die Entwicklung vor 1933 an und gestaltete das Landwirtschaftsfest als Leistungsschau und Informationsbörse gleichermaßen. Bestandteile der in zwei- bis dreijährigem Rhythmus ausgetragenen Veranstaltung waren und sind Tiervorführungen und -prämiierungen, Ausstellung von Maschinen im Freigelände, Lehrschauen zu jeweils aktuellen Themen (1978 zum Beispiel zur Unfallverhütung, zur Situation der Landfrauen und der Landjugend sowie zur Solartechnik) und Sonderschauen – wobei diese Programme seit den 1950er Jahren um jeweils eine »Attraktion« bereichert werden: sei es durch einen auf der Theresienwiese errichteten Modellbauernhof oder eine »stilechte« oberbayerische Alm, durch einen fränkischen Weinberg mit Ruine und Fachwerkdorf oder einen Dorfplatz mit Bauernhof – stets wird das Ziel verfolgt, Atmosphäre zu erzeugen, Atmosphäre allerdings, die leicht zu bloßen folkloristischen Showeffekten gerät.

Doch zurück zu den Wettbewerben, deren Prämiierungen mit der Zeit vielseitiger wurden. Drei Gruppen lassen sich im wesentlichen bestimmen: die Auszeichnung von Vieh, landwirtschaftlichen Produkten und Geräten bzw. Maschinen, die Auszeichnung von individuellen oder kollektiven Leistungen, schließlich die Belohnung bestimmter Dienste. Als Belohnung wurden Geldpreise und landwirtschaftliche Geräte verteilt, dann Ehrenpreise und andere symbolische Preise wie Fahnen, Urkunden, Münzen und Medaillen, denen jeglicher wirtschaftlicher Anreiz abgeht, schließlich – und das verrät einmal mehr die pädagogischen Absichten der Preisverteilung an auszuzeichnende Wettbewerbsteilnehmer – Bücher aus dem Bereich des landwirtschaftlichen Schrifttums.

Warum aber fand dieser Teil der landwirtschaftlichen Festveranstaltung überhaupt statt? Wie bereits gesagt, durch materielle und ideelle Anreize sollten die Landwirte zu wirkungsvollerem Wirtschaften angespornt werden – mit dem Ziel, die Wirtschaftskraft Bayerns insgesamt zu fördern und anzuheben. Die Tatsache, daß Vertreter der königlichen Familie und später der Staatsregierung stets präsent waren, teilweise auch die Preisverleihungen vornahmen, weist auf jeden Fall auf die enorme Bedeutung des Festes für die Entwicklung des Staatswesens Bayern hin, zumindest, was das

19. und das frühe 20. Jahrhundert betrifft. Wenn allerdings heutzutage immer noch der Ministerpräsident die Auszeichnung siegreicher Viehzüchter vornimmt, dann mag das als Anachronismus erscheinen. Denn auch Bayern ist mittlerweile zum Industriestaat – allerdings mit gewichtigem landwirtschaftlichem Bereich – geworden. So finden sich auf dem heutigen Fest die Vertreter des knallharten Wirtschaftens mit ihren Produkten ein, etwa die Maschinen-, Fleischverarbeitungs- oder Brauindustrie, andererseits die kleinen bis mittelständischen Landwirte mit ihrem Vieh.

Dienen diverse Sonderschauen im wesentlichen der Absatzwerbung der entsprechenden Industrien, so erscheint überdies fragwürdig, warum bei den Veranstaltungen im Großen Ring das Historisierende, das Zurückgreifen auf Traditionen von ehedem, stark im Vordergrund steht. Das Wirtschaften generell muß in unseren Breitengraden heutzutage nicht mehr staatlich angespornt werden – dies hat die Privatwirtschaft längst selbständig übernommen. Daran ändert auch staatliche bzw. städtische Gewerbeansiedlungspolitik nur recht wenig.

In diesem Sinn ist das Zentral-Landwirtschaftsfest trotz der genannten historisierenden Tendenzen in einem umfangreichen Programmbereich letztendlich eine von den entsprechenden Firmen zum Großteil finanzierte Absatzförderungsveranstaltung. Warum sonst gibt es heutzutage nur noch ideelle Preise zu gewinnen, Preise, die überdies nur noch an Viehzüchter, nicht aber an Hersteller von beispielsweise Traktoren, Mähdreschern oder Kühlanlagen, vergeben werden?

Ging es ursprünglich um die Förderung der bayerischen Wirtschaft durch Verbesserung der Methoden des Landbaus, der Viehzucht usw., so ist – was das Wesentliche der Veranstaltung betrifft – ein beachtlicher Wandel eingetreten, der sich auch sprachlich ausdrückt. Heute läßt sich im Katalog des 117. Zentral-Landwirtschaftsfestes 1984 nachlesen: »Das ZLF 1984 bringt wieder zahlreiche technische Neuerungen und Verbesserungen. Es zeigt wieder deutlich einen internationalen Charakter« – wofür nicht zuletzt die Teilnahme etlicher außerbayerischer Firmen aus dem Bereich der landwirtschaftlichen Maschinen- und Geräte-Produktion spricht.

Burkhart Lauterbach

Lit.: Destouches, Säkularchronik; Gesandtschaftsberichte aus München 1814–1848, Abt. II., Bd. I., München 1959, S. 122/123; Joseph Hazzi, Ueber das 25jaehrige Wirken des Landwirthschaftlichen Vereins in Bayern und des Central-Landwirthschafts- oder Oktoberfestes, München 1835; Möhler 1981; Ingo Tornow, Das Münchner Vereinswesen in der ersten Hälfte des 19. Jahrhunderts, München 1977
(Abgekürzt zitierte Literatur siehe S. 17.)

Die Ausstellung

257 »Etwas über die Feier des Zentral-Landwirthschafts- oder October-Festes im Königreiche Bayern, im Jahre 1832.«

8 S., Typendruck mit Holzstichen, 27×21 cm.

Titelblatt: Text mit Darstellungen verschiedener Tiere, Tiervorführer, Reiter, Schäfer, auch Geräte, in mäanderndem Dekorrahmen. Der Inhalt enthält unter anderem eine Übersicht in Tabellenform über die von 1811 bis 1832 beim Zentral-Landwirtschaftsfest verteilten Preise und die Preisträger.

StadtAM, Hist. Ver., Ang. III/14

Kat. Nr. 258

258 Abonnements-Eintrittskarte »October Fest auf der Theresens-Wiese«, 1832

Steingravur, 7,1×10 cm.

In querovalem Medaillonfeld »Abonnement zur Landwirthschl. Ausstellung«, darunter Vignette: Vieh (Schwein, Kuh, Ziegenbock, Pferd, Schaf), unten Aufdruck »Mittel-Gallerie«.

MSt, 58/146/119

259 Landwirtschaftliche Geräteausstellung, 1835   Abbildung S. 154

Detail aus Kat. Nr. 67.

Links Buden mit zahlreichen Besuchern. Rechts im Vordergrund die Präsentation von landwirtschaftlichen Geräten, deutlich erkennbar ein Beetpflug.

MSt, Z 1701

Kat. Nr. 257

260 Jubiläumsschrift, 1835

»Ueber das 25jaehrige Wirken des Landwirthschaftlichen Vereins in Bayern und des Central-Landwirthschafts- oder Octoberfestes: zugleich den vollstaendigen Rechenschaftsbericht des General-Comités hierueber enthaltend. Eine Rede gehalten bei der doppelten Jubelfeier in der oeffentlichen Versammlung am 6. October 1835. Von Staatsrath v. Hazzi.«

66 S., mit Beilagen, 8°.

Titelblatt: Text in Dekorrahmen, auf blauem Karton.

Mon

Landwirthschaftlicher Verein

Kat. Nr. 259

261 »Landwirthschaftliches Fest in München bei Anwesenheit der VIII. Versammlung der deutschen Land- und Forstwirthe«, 1844

Goetz, Holzstich aus: Illustrirte Zeitung, 16,2×22,3 cm. Bez. u. r.: »GOETZ. sc.«

Innenansicht des Festsaales. Umrahmung: Forstmann, Bäuerin mit Kind, forst- und landwirtschaftliche Geräte, die Wappen von München, Bayern und Franken, Blattwerk.

Das Fest »erhielt ein besonderes Interesse durch die Anwesenheit und Teilnahme der Mitglieder des deutschen Landes- und Forstwirtekongresses, welchen durch die Fürsorge des Magistrates dem königlichen Pavillon gegenüber zwei Tribünen errichtet worden waren« (vgl. Kat. Nr. 262).

Lit.: Destouches, Säkularchronik, S. 72
MSt, 33/599

262 »Pferde-Rennen bei dem Landwirthschaftlichen Octoberfeste in München«, 1844

Gustav Kraus, kolorierte Lithographie, 27,9×43,4 cm.

Blick in südlicher Richtung auf die Theresienwiese während des Pferderennens. Links vom Königszelt ist deutlich die Viehausstellung zu erkennen.

Bei dem mit Säulen geschmückten Bauwerk am rechten Bildrand könnte es sich um eine der beiden für die Teilnehmer der VIII. Versammlung der deutschen Land- und Forstwirte errichteten Tribünen handeln (vgl. Kat. Nr. 261).

MSt, P 1852

263 Flandrischer Pflug, Typ Beetpflug. Hohenheim, 1825/50

Länge 272 cm.

Hölzerner, einsterziger Pflug mit moderner (eiserner) Schar-Streichblech-Kombination und Stelzschleife. Schweres, langes, grün gestrichenes Gerät. Besonders auffallend die wuchtige Sohle und die klotzige Griessäule.
Solche und ähnliche Pflüge wurden bei Geräte- und Maschinenausstellungen um die Mitte des 19. Jahrhunderts präsentiert (vgl. Kat. Nr. 267).

Landwirtschaftliche Lehranstalten, Landsberg am Lech

264 »Gekrönte Preisschrift über Güter-Arrondierung

mit der Geschichte der Kultur und Landwirthschaft von Deutschland und einer statistischen Uebersicht der Landwirthschaft von jedem Kreise des

Königreichs Baiern, dann zwey illuminirten Flurkarten« von Joseph v. Hazzi, München 1818.

458 S., mit handkolorierten Stichen, 8°.

Die Schrift verfolgte unter anderem das Ziel, Modelle zur Zusammenfassung zerstreuter Besitzungen (Arrondierungen) vorzustellen. Um ein wirkungsvolleres agrarisches Wirtschaften zu propagieren, entwarf Hazzi, illustriert durch die beiden Flurkarten, einen »Ideal-Arrondierungs-Plan für das Dorf Freimann«, den er einem kleinteiligen, von zerstreutem Landbesitz geprägten »Plan sämmtlicher Gründe zu Freymann« gegenüberstellte.
Diese Schrift ist ein Beitrag zu einem Wettbewerb, den der Landwirtschaftliche Verein 1814 ausgeschrieben hatte.

BSB; Mon

265 Johann Ev. Maximus von Imhof (1758–1817)

Ludwig Emil Grimm, Radierung nach Gemälde von Johann Georg Edlinger, um 1805, 20×13 cm. Bez. unter dem Bildnisoval: »Edlinger pinx. L. E. Grimm fec. a. f.«; Beschriftung: »MAXIMUS von IMHOF geb: 1758. gest: 1817.«

Johann Ev. Imhof trat nach dem Schulbesuch in Landshut 1780 in den Augustinerorden zu München ein (Ordensname Maximus), lehrte Physik, Mathematik und Philosophie. Nach zehnjähriger Mitgliedschaft der physikalischen Klasse der Bayerischen Akademie der Wissenschaften wurde er 1800 zu deren Direktor ernannt. Er lehrte öffentlich Experimentalphysik und Chemie und erteilte den Bayerischen Prinzen und Prinzessinnen Physikunterricht. Bei der Klosteraufhebung 1802 durfte er Weltgeistlicher werden und war als Hofbibliothekar mit den säkularisierten Bibliotheken und Sammlungen befaßt. 1808 erhielt er den Verdienstorden der bayerischen Krone und damit den persönlichen Adel. Er wirkte mit bei der Stiftung des landwirtschaftlichen Vereins in Bayern 1809 und übernahm im nächsten Jahr dessen Vorstandschaft. 1811 legte er aus gesundheitlichen Gründen sein Lehramt am

Kat. Nr. 261

Lyceum nieder und widmete sich physikalischen Studien, ganz besonders der Verbesserung und Verbreitung des Blitzableiters. BK

MSt, M I/2154

266 »Wochenblatt des Landwirthschaftlichen Vereins in Baiern«

8. Jahrgang, München 1817/1818, 8°.

Ziel des Wochenblatts war es, die Landwirte fachlich zu bilden, ihnen Anregungen zu geben und sie zu belehren – stets in Hinblick auf zu erreichende Leistungssteigerungen, auf zu

ergreifende Eigeninitiative zur Verbesserung der eigenen – und damit der gesamt-bayerischen – Ökonomie.

BBV

267 »Verzeichniss der zur Ausstellung während des Oktoberfestes 1863 im Glaspalaste und auf der Theresienwiese zu München angemeldeten landwirthsch. Geräthe & Maschinen, dann zur Ausstellung im Glaspalaste angemeldeten Kultur-Pläne«

36 S., 8°.

Zwischen 1855 und 1890 wurden manche Abteilungen der Landwirtschaftsausstellung in fast jährlicher Regelmäßigkeit im 1854 fertiggestellten Glaspalast am alten Botanischen Garten präsentiert.

Mon

268 »Catalog der ersten großen Hunde-Ausstellung auf der Festwiese zu München 1864«

16 S., 8°.

Das Spektrum der beim Landwirtschaftsfest vorgeführten Tiere wurde

155

Kat. Nr. 270

bisweilen erweitert, so im Jahr 1864 um eine großangelegte Hunde-Ausstellung.

Mon

269 Bilderbogen »Der Preisstier«, 1879

Lothar Meggendorfer, kolorierte Xylographien mit Typendruck, Münchener Bilderbogen Nr. 754, herausgegeben und verlegt von Braun & Schneider, München, 44,5×35 cm. Bez. Mitte und u. r.: »L. Meggendorfer«.

Die Bildergeschichte schildert den Ausbruch eines Preisstieres auf dem Oktoberfest und die damit verbundenen Folgen: So überrennt er den Stand einer Obstverkäuferin, zerlegt eine Photographenbude und sorgt für Turbulenz vor einer Wirtsbude. Zuletzt wird er von seinem Besitzer wieder »lammfromm« eingefangen.

Barbara Krafft, München

270 »Prämierung von Preispferden durch den Prinzregenten«, um 1890

Holzstich nach einer Zeichnung von M. Kronbach aus einer illustrierten Zeitung, 35,5×27 cm.

Ungewöhnlicher Blick auf die Rennbahn, Bauern führen ihre ausgepreisten Pferde fort, im Hintergrund links das Vordach des Königszeltes, davor

der Prinzregent im Gespräch mit einem Preisträger.

Spaten-Franziskaner-Bräu, München

271 »Officieller Illustrirter Katalog der Ausstellung für Jagd-, Fischerei- und Bergsport. Oktoberfest Theresienwiese 1896«

50 S., 8°.

Gelegentlich wurde das Oktoberfestpublikum mit völlig neuen Programmangeboten auf dem Ausstellungssektor konfrontiert. Sicherlich ist die Jagd-, Fischerei- und Bergsportausstellung im Zusammenhang mit der drei Jahre später im Ausstellungsgebäude auf der Kohleninsel gezeigten Allgemeinen Deutschen Sport-Ausstellung zu betrachten. 1896 ging es um Bereiche, die marginal Bezugspunkte zur Landwirtschaft aufweisen konnten, 1899 ging es dann, in einer Schau von beträchtlichem Aufwand, um die gesamte Palette des damaligen Sportwesens und der entsprechenden Industrie.

Mon

272 Karikatur auf die städtischen Besucher des Landwirtschaftsfestes, 1898

»Naturgeschichte für Kinder: ›Mama, was ist eigentlich der Unterschied zwi-

Kat. Nr. 272

schen einem Stier und einem Ochsen?‹ ›Der Stier ist dem kleinen Kälbchen sein Papa, und der Ochse ist der Onkel.‹«

Aus: Thomas Theodor Heine, Bilder aus dem Familienleben (Sammelband von Veröffentlichungen aus dem »Simplizissimus«), Paris, Leipzig, München 1898, S. 2.

Szene auf dem Landwirtschaftsfest, im Hintergrund die Alte Schießstätte. Zur Prämiierung aufgestelltes Vieh, das von einer städtischen Familie besichtigt wird.

Florian Dering, München

273 Partie auf der Landwirtschaftsausstellung, 1900

W. Walcher, Foto, 17,8×23,7 cm.

Bauern besichtigen landwirtschaftliche Geräte und Maschinen im Freigelände: Pflüge und Lokomobilen.

MSt, 35/978

Kat. Nr. 274

274 Scherzpostkarte, 1902

»Sixt Sepp, der Stier war ma glei wieda liaba wia du!«

Kolorierte Lithographie, 14×9 cm.

MSt, 64/1152/76

275 »Programm für das Zentral-Landwirtschafts-Fest zugleich Kreisfest für Oberbayern in München 1909«

30 S., 8°.

Ab 1812 wurden zusätzliche Landwirtschaftsfeste in den acht bayerischen Kreisen abgehalten, die dem jeweiligen Zentral-Landwirtschaftsfest vorausgingen, so daß die Gewinner der verschiedenen Konkurrenzen als Vertreter ihrer Kreise beim zusammenfassenden, groß angelegten Fest in München teilnehmen konnten.

Mon

276 Plan der landwirtschaftlichen Ausstellung im städtischen Ausstellungspark, 1909

In: »Das Oktoberfest und die landwirtschaftliche Ausstellung München«, München 1909, 8°.

Bei der Schrift handelt es sich um H. Scheibers illustrierten Oktoberfest-Führer. Titelblatt: Schrift und Farbdruck mit verschiedenen Szenen von der Festwiese und aus der Landwirtschaft.

Fungierte schon der 1854 fertiggestellte Glaspalast gelegentlich als zusätzliche Ausstellungsräumlichkeit für das Landwirtschaftsfest, so boten sich derartige Ergänzungsmöglichkeiten erst recht nach der 1908 erfolgten Inbetriebnahme eines für die Stadt neuartigen, in unmittelbarer Nachbarschaft zur Theresienwiese gelegenen Geländes: des städtischen Ausstellungsparks auf der Theresienhöhe. Bereits 1909 wurde die Landwirtschaftsausstellung dort abgehalten, »und zwar die Ausstellung von Tieren in den Hallen IV, V und VI, welche die Arena umgeben, die Ausstellung von landwirtschaftlichen Maschinen, Geräten und Futtermitteln sowie die Molkereikosthalle auf dem Terrain des Vergnügungsparkes«. Diese Verlagerung geriet jedoch nicht zur festen Einrichtung. Sicherlich nicht zuletzt eines gegenseitigen Werbeeffekts wegen fanden immer wieder während des Oktoberfestes Gewerbeschauen und später Messen auf dem Gelände

Kat. Nr. 273

des Ausstellungsparks statt: so diverse Brauerei-Ausstellungen, eine erste Bayerische Flachsausstellung 1921, die kurzlebige Münchener Elektro-Messe 1949 bis 1951 und die Internationale Schau Ernährung und Wohnkultur 1955.

Lit.: Destouches, Säkularchronik, S. 157
Mon

277 Postkarte, 1910

»Hundertjahrfeier des Landw. Vereins i.B. und des Zentrallandwirtschaftsfestes verbunden mit Landw. Ausstellungen v. 22. Sept. – 2. Okt. München 1810–1910«

Farbdruck, Entwurf: Angelo Jank, 9×14 cm.

Verwendung des offiziellen Plakatmotivs. Darstellung eines pflügenden Bauern.

MSt, 64/1240/40

278 »Betreff: Die landw. Maschinen- und Geräte-Ausstellung beim diesjährigen Zentrallandwirtschaftsfeste«

Schreiben der Eisengießerei und Ma-

schinenfabrik Freising Otto Schülein vom 4. November 1911 an den Bayerischen Landwirtschaftsrat

2 Bl., 30×21 cm.

Das Schreiben reagiert auf die Beanstandung, eine der ausgestellten Maschinen habe nicht den Unfallverhütungs-Vorschriften entsprochen, und kritisiert die entsprechende Prüfungs-Kommission, sie habe »an den einzelnen Maschinenteilen in einer Weise herumgerissen«, wie man dies von ihr »doch wohl niemals erwarten dürfte«.

1895 wurde das Generalcomité des Landwirtschaftlichen Vereins umbenannt in Bayerischer Landwirtschaftsrat.

BBV

279 »Betreff: Die landw. Maschinen- und Geräteausstellung beim diesjährigen Zentrallandwirtschaftsfest«

Schreiben der Firma Heinrich Lanz, Maschinenfabriken Mannheim, Filiale Regensburg, vom 21. November 1911 an den Bayerischen Landwirtschaftsrat

2 Bl., 30×21 cm.

Kat. Nr. 280

Das Schreiben setzt sich mit beanstandeten Schutzvorrichtungen auseinander: eine von der Berufsgenossenschaft geforderte Riemenabdeckung zwischen Dreschmaschine und Presse könne nur dann gewährleistet sein, wenn der Kunde beide Teile zusammen erwerben würde.

BBV

280 Plakat »Bayerisches Zentrallandwirtschaftsfest 1925«

Lithographie, 80×63 cm. Bez. u. r.: »OTTO WEIL München 1925«.

Bauer mit Stier, Oktoberfestwiese, im Hintergrund Frauentürme.

MSt, B 7/32

281 Blick von der Theresienhöhe auf das Maschinen-Freigelände beim Zentral-Landwirtschaftsfest, 1927

Foto.

Im Vordergrund Motordreschsatz der Firma Petermann, Warendorf, und einige Dreschkästen der Firma Dechenreiter, Bäumenheim.

StadtAM, Fotoslg.

282 »Bauern auf dem Oktoberfest – 1928 Im Panorama – 1958 Ihre Kinder u. Enkel vor ihrem Wagen«

Gustav Rheinen, aquarellierte Federzeichnung, 21,4×37,5 cm.

Links schaut ein bejahrtes Bauernpaar in Tracht durch die Gläser ins Panorama, er mit Schirm, Pfeife und einem respektablen Kropf, sie mit Goldtressenhut und rotgetupftem Bündel.

In den zwei rechten Bilddritteln steht am Parkschild ein bulliger Straßenkreuzer, womit seit jeher vornehmlich die Viehhändler gern repräsentierten, und davor die Landwirtsfamilie der nächsten Generation, noch dicker als die Alten, der Bauer im Lodenanzug mit Sandalen und Zigarre, seine Gattin in mißglückter städtischer Eleganz mit modischer Sonnenbrille, buntem Rock, Krokotasche und Pumps. Der ›halbstarke‹ Sohn mit der Schirmmütze steckt in Röhrenjeans, die Tochter, ein draller ›Teenager‹, lutscht am chemiefarbenen Eis. Während auf der Seite der Alten ein Luftballon auskommt, bevölkern in der moderneren Zeit ein Hubschrauber und ein Zeppelin als Werbeträger für »Underberg« die Luft. »Sputnik« lädt als Fahrgeschäft ein. Als eine Art durchgehende Konstante zieht sich die Kulisse der Festwiese über den ganzen Hintergrund, und ein Biergespann fährt wie ein Bindeglied zwischen den Generationen vorüber. BK

MSt, 58/895

283 Ausstellungsstand des Bayerischen Grünlandvereins beim Zentral-Landwirtschaftsfest, 1929

Foto, 17,3×23 cm.

Stand mit reichlicher pflanzlicher Dekoration, Saatgutproben, einem »Lehrgräsergarten« sowie Karte und Statistik zur Entwicklung der deutschen Grünlandbewegung zwischen 1919 und 1929.

StadtAM, Fotoslg.

Kat. Nr. 283

Kat. Nr. 281

284 Feierliche Preisverteilung beim Zentral-Landwirtschaftsfest, 1933

Foto.

Eine Bäuerin und drei Bauern führen ihre preisgekrönten, mit Sieger-Bauchbinden versehenen Bullen dem Publikum im Großen Ring vor. Hintergrund: Bavaria mit Ruhmeshalle.

StadtAM, Fotoslg.

285 »Bayerisches Zentral-Landwirtschafts-Fest 1933. Einziger offizieller Führer durch sämmtl. Ausstellungen und Veranstaltungen«

München 1933, 112 S., 8°.

1933 fand das einzige Zentral-Landwirtschaftsfest während der Zeit des Nationalsozialismus statt – das nächste Fest wurde erst wieder 1949 ausgerichtet.

Mon

286 »Bayerisches Zentral-Landwirtschaftsfest München 1949. Amtlicher Katalog und Festschrift«

München 1949, 160 S., mit Reklame-Anhang, 8°.

Titelbild in Farbdruck: Münchner Kindl überdimensional auf Festwiese stehend.

Mon

287 »Bayerisches Zentral-Landwirtschaftsfest München 1949. Landestierschau«

384 S., 8°.

Katalog der Ausstellungsbeschicker.

Mon

159

288 Plakat »Bayerisches Zentral-Landwirtschaftsfest München 1951 während des Oktoberfestes«

Lithographie, 84,5×59 cm; Entwurf: Max Bletschacher, 1951. Bez. o. r.: »BLETSCHACHER«.

Münchner Kindl mit Rautenfahne und Getreidegarbe vor Festwiese mit Bavaria, Ruhmeshalle und Ausstellungsszenerie.

MSt, A(D) 7.6/13

289 Ausstellungsstand »Elektrizität in der Wohnstube« beim Zentral-Landwirtschaftsfest, 1951

Foto.

Inmitten eines rustikalen Wohnensembles sind vier Elektrogeräte aufgestellt worden: ein Staubsauger, ein Bohner, ein Radio sowie ein Plattenspieler mit Zehn-Plattenwechsler. Die im Hintergrund sitzende Dame in Tracht ist offensichtlich die Vorführerin der Geräte.

StadtAM, Fotoslg.

Kat. Nr. 291

290 Bayerns Ministerpräsident Hans Ehard in der Halle der Milchwirtschaft bei der Landwirtschaftsausstellung 1951

Georg Schödl, Foto, 16,1×12,5 cm.

Kat. Nr. 289

Milch spendender Brunnen der Edelweiß-Milchwerke Kempten.

MSt, 51/377/3

291 »Almwirtschaft«, 1973

Foto.

Wie schon 1951 wurde – im Rahmen des Lehrschau-Angebots zum Thema »Almwirtschaft« – auf der Theresienwiese wieder eine ›stilechte‹ Alm aufgebaut, mit ansteigender, eingezäunter Weide, eingefaßten Wegen und einem 20 m hohen künstlichen Felsen mit Wasserfall.

StadtAM, Fotoslg.

292 »117. Bayerisches Zentral-Landwirtschaftsfest München 1984. Offizieller Katalog mit Tierschau, Ausstellungs- und Hallenplänen«

288 S., 8°.

MSt

293 Sechs Szenen vom Zentral-Landwirtschaftsfest München 1984

Karin Fries, Fotos.

Die Aufnahmen sind im Großen Ring und im Maschinenfreigelände entstanden. Sie zeigen Bauern als Wettbewerbsteilnehmer beim Vorführen ihrer

Tiere, als Publikum der Tiervorführungen und schließlich als Begutachter landwirtschaftlicher Maschinen, die sich mit dem Ausstellungsangebot kritisch auseinandersetzen.

BBV

294 Anbauvolldrehpflug, Beetpflug, 1985

Stahl.

Hersteller: Maschinenfabrik Gassner, Type: DAL 1068/U 1003, mit Düngereinleger DA 20, Rundseche 450, Landrad (Ø 50 cm), hydraulische Drehung.

Maschinenfabrik Gassner, Göggenhofen-Großhelfendorf

295 Anschauungsmodell einer Kuh

Kunststoff, bemalt, 27×13×41 cm.

Auf dem Sockel Schriftzug »Deutsches Fleckvieh«.

Ludwig-Maximilians-Universität München, Lehrstuhl für Tierzucht

296 Anschauungsmodell eines Bullen

Kunststoff, bemalt, 28×15×46 cm.

Auf dem Sockel Schriftzug »Deutsches Fleckvieh«.

Ludwig-Maximilians-Universität München, Lehrstuhl für Tierzucht

297 Anschauungsmodell des Pinzgauer Hengstes »Osser«

Gips, bemalt, 42×14×40 cm.

Auf dem Sockel Schriftzug »bayer. Stammgestüt Schwaiganger«.

Ludwig-Maximilians-Universität München, Lehrstuhl für Tierzucht

298 Anschauungsmodell eines Schafbocks

Gips, bemalt, 31×13×38 cm. Bez. »H. Diller 51«.

Auf dem Sockel Schriftzug »Merino Landschaft – W 242 – 6-jährig – Züchter: Wollried – Besitzer: Papst-Burgstall«.

Ludwig-Maximilians-Universität München, Lehrstuhl für Tierzucht

299 Anschauungsmodell der Ziege »Fanny«

Gips, bemalt, 29×11×34 cm.

Auf dem Sockel Schriftzug »196 – Bes. Andr. Kleinhaus – Ulm«.

Ludwig-Maximilians-Universität München, Lehrstuhl für Tierzucht

300 Anschauungsmodell eines Schweines

Gips, bemalt, 30,5×16×45 cm.

Auf dem Sockel Schriftzug »Bayerische

Kat. Nr. 288

Land-Zucht-Sau – Besitzer: Chr. Ellmann in Roding in Bayern – n. d. Leben modell. v. Max Landsberg – Berlin 1900«.

Ludwig-Maximilians-Universität München, Lehrstuhl für Tierzucht

Kat. Nr. 293

Kat. Nr. 293

Kat. Nr. 302

Prämiierungen und Preise

301 »Preiß-Vertheilung am Octoberfest zu München«, 1824

Abbildung S. 164

Albrecht Adam, kolorierte Lithographie, 27×38 cm, wie Kat. Nr. 28.

Vor dem Königszelt mit reichlicher figürlicher Staffage steht König Max I. in unmittelbarer Nähe des Tisches, auf dem Preise ausgebreitet liegen, die gerade Staatsminister Graf Thürheim an einen Bauern übergibt. Zur Linken und Rechten der Szene Ständer mit Preisfahnen, an denen Münzenketten hängen.

Nach links entfernen sich Besitzer und Knecht mit ihrem bereits ausgezeichneten Pferd – der Besitzer trägt eine Preisfahne geschultert. Von rechts nähert sich ein Paar in Oberländer Tracht mit Stier der Preisverteilung.

»Mit vaterländischem Stolze erblickten wir Sonntags bey der Preise-Vertheilung diese gemeinnützigen Thiere, die von uns nur gefüttert werden, damit sie

uns im Leben mit ihren Kräften nützlich sind, und nach ihrer Abschlachtung Alles, Alles geben, was sie zwischen Haut und Knochen tragen, und also allerdings schonender behandelt zu werden verdienten.«

Zitat: Anton Baumgartner, in: Eos, Zeitschrift aus Baiern, Nr. 158 v. 4. Okt. 1825

MSt, Greis IV/6

302 »Die Verteilung der Preise durch den Prinzregenten«, 1894

Holzstich nach einer Zeichnung von Oskar Graf, aus einer illustrierten Zeitung, 27,7×19,5 cm.

Prinzregent Luitpold überreicht einem Preisträger eine Rolle, wohl mit einem Zertifikat; im Vordergrund links entfernt sich ein jubelnder Preisträger mit Fahne und Rolle; rechts werden zwei Preistiere vorgeführt.

Florian Dering, München

303 Szene vor dem Königszelt, 1913

Foto.

Im Rahmen der Preisverteilung zeichnet König Ludwig III. gerade einen Pferdebesitzer aus, der sein Tier nur mit Mühe halten kann.

StadtAM, Fotoslg.

304 Gedenkmedaille des Landwirtschaftlichen Vereins zum Oktoberfest 1835

Silber- und Bronzeprägung, ⌀ 3,5 cm.

Auf der Vorderseite Aufschrift »BEI DER XXV IAHRESFEYER DES OCTOBERFESTES UND DER WIRKSAMKEIT DES VEREINS«, darunter Pflug nach links, Umkränzung mit Obst, Weinreben, Hopfendolden und Getreide. Auf der Rückseite Aufschrift »UNTER DEM PROTECTORATE KOENIG LUDWIGS I / DER LANDWIRTHSCHAFTL. VEREIN IN BAYERN SEINEN

◁ Kat. Nr. 305 ▷

MITGLIEDERN 1835«, Lorbeerumkränzung.

Die Medaille wurde auch in Silber vergeben.

Privatbesitz, München (Bronze); MSt, K 8373 (Silber)

305 Preismedaille, um 1820

Silberprägung, ⌀ 3,5 cm.

Vorderseite: Pflug nach links, Umschrift »DER LANDWIRTSCHAFTLICHE VEREIN«, im Abschnitt »IN BAIERN«; Rückseite: Aufschrift »DEM VERDIENSTE UM VATERLAENDISCHE LANDWIRTHSCHAFT UND GEWERBE«, Umkränzung mit Obst, Weinreben, Hopfendolden und Ähren.

Diese Medaille ist die älteste der gezeigten, da sie noch die alte Schreibweise für Bayern trägt.

MSt, K 1635

306 Preismedaille, um 1840

Silberprägung, ⌀ 3,5 cm. Bez. auf der Vorderseite im Abschnitt »LOSCH«.

Vorderseite: Pflug nach links, Umschrift »DER LANDWIRTSCHAFTLICHE VEREIN«, im Abschnitt »IN BAYERN«. Rückseite: wie Kat. Nr. 305.

MSt, K 1818

307 Preismedaillen, um 1840

Goldprägung, ⌀ 2,9 cm; Silberprägung, ⌀ 3,5 cm.

Vorderseite: Pflug nach rechts, Umschrift »DER LANDWIRTSCHAFTLICHE VEREIN IN BAYERN«; Rückseite: Aufschrift »DEM VERDIENSTE UM DIE VATERLAENDISCHE LANDWIRTH-SCHAFT«, Umkränzung mit Blumen, Kornähren, Weinreben und Hopfendolden.

MSt, K 9809 (Gold), K 1817 (Silber)

308 Preismedaillen, um 1840

Silber- und Bronzeprägung, ⌀ 4,7 cm. Bez. auf der Rückseite: »J. R.«

Vorderseite: Pflug nach rechts, Umschrift »DER LANDWIRTSCHAFTLICHE VEREIN IN BAYERN«; Rückseite: Aufschrift »DEM VERDIENSTE UM DIE VATERLAENDISCHE LANDWIRTSCHAFT«, Umkränzung mit Blumen, Gemüse,

Kat. Nr. 303

Obst, Ähren, Weinreben und Hopfendolden.

MSt, K 8329, K 3288 (Silber), K 8330 (Bronze)

309 Preismedaille für Dienstboten, um 1840

Silberprägung, ⌀ 3,3 cm. Bez. auf der Vorderseite im Abschnitt: »LOSCH«.

Kat. Nr. 309

Vorderseite: Pflug nach links, Umschrift »DER LANDWIRTSCHAFTLICHE VEREIN«, im Abschnitt »IN BAYERN«; Rückseite: Aufschrift »LOHN DER TREUE UND DES FLEISSES«, Umkränzung mit Eichenlaub.

MSt, K 9807

310 Preisfahne, um 1820

Lithographie auf Seide, 78×51 cm.

Im Mittelfeld verschlungene Buchstaben »MJ« für Max I. Joseph mit Bekrönung, Umkränzung mit Eichen- und Lorbeerzweigen, darunter Schriftzug »Der Landes-Vater dem Thätigen Bürger«.

MSt, 42/188

311 Preisfahne, 1824

Lithographie auf Honanseide, 59×60 cm.

Im oberen Teil Schriftzug »CENTRAL-FEST.«, im Mittelteil Darstellung eines Pfluges, darunter Jahreszahl »1824«, darüber halbkreisförmiger Schriftzug

163

Preiß-Vertheilung am Octoberfest zu München.

Kat. Nr. 301

»DER LANDWIRTHSCHAFTLICHE VEREIN IN BAIERN«, Umkränzung mit Blumen und Ähren.

MSt, 42/187

312 Preisfahne, um 1850

Lithographie auf Seidentaft, 60×63,5 cm.

Schriftzug »Central-Fest«, darunter in der Mitte Pflug mit Umkränzung aus Feldfrüchten, Ähren, Blumen und Hopfenrebe. Darin eingeschrieben »DER LANDWIRTHSCHAFTLICHE VEREIN IN BAYERN«.

MSt, 31/270

313 Preisfahne, um 1850

Lithographie auf Seidentaft, 73×52 cm; an einer Holzstange mit einfacher Spitze, Höhe 222 cm.

Gekrönte Initiale »M« für König Max II., umkränzt von Lorbeer- und Eichenlaubzweigen, darunter Schriftzug »Der Landes-Vater dem thätigen Bürger.«

MSt, T 85/162

314 Preisfahne, 1984

Chemiefaser auf Zellulosebasis, 68×64 cm; an einer Holzstange mit einfacher Spitze, Höhe 189 cm.

Hellblaues Fahnenblatt, im Mittelfeld Schriftzug »Landestierschau 1984«, darum kreisförmiger Schriftzug »Auszeichnung für züchterische Leistungen, Bayerisches Zentral-Landwirtschaftsfest«. Auf der Rückseite historische Pflugdarstellung in floraler Umkränzung, darin umlaufender Schriftzug »Bayerischer Bauernverband, seit 1945«, darüber »175 Jahre Landwirtschaftliche Berufsvertretung in Bayern«, darunter »1809 Gründung Landwirtschaftlicher Verein, 1811 Erste Landestierschau«. Über der Vorderseite der Fahne hängt an einer Metallgliederkette die Jubiläumsmedaille des Bayerischen Bauernverbands 1984 mit ähnlichen Schriftzügen.
Zu der Jubiläumsveranstaltung griff der BBV bei der Gestaltung dieses Prei-

ses bewußt auf die früheren Fahnen zurück. Die Medaille an der Kette erinnert an die vormalige Aufknüpfung der Preismünzen an Bändern.

MSt, T 85/163

315 »Siegerpreis Zentral-Landwirtschaftsfest München 1954«

Holz, bemalt, 19×14,5 cm.

Schild mit Schriftzug auf blau-weiß gerautetem Grund, profilierte, geschwungene Umrahmung, golden lackiert.

BBV

316 Preisschild für Viehwettbewerb

Abbildung S. 167

Bedrucktes und geprägtes Blech, ⌀ 16 cm.

Schwarze Schriftzüge »Sieger Preis« und »Bayer. Zentral-Landwirtschaftsfest 1981« sowie grüne Blattumrahmung auf gelbem Grund.
Dieses und die folgenden fünf Preisschilder können an Stallwände, Viehboxen oder -transporter genagelt werden.

BBV

Kat. Nr. 313

Kat. Nr. 311

317 Preisschild für ersten Sieger eines Viehwettbewerbs, 1981

Bedrucktes und geprägtes Blech, ∅ 13 cm.

Braune Schriftzüge »1« und »Bayer. Zentral-Landwirtschaftsfest 1981« sowie Eichenblätter und Löwe auf cremefarbenem und weißem Grund.

BBV

318 Zwei Preisschilder für Viehwettbewerbe, 1984 Abbildung S. 167

Bedrucktes Aluminium, ∅ 13 cm.

Weiße Schriftzüge »I« bzw. »Ia« und »Bayer. Zentral-Landwirtschaftsfest 1984« sowie Eichenblätter auf blauem Grund.

BBV

319 Zwei Preisschilder für Viehwettbewerbe, 1984

Bedrucktes Aluminium, ∅ 16 cm.

Schwarze Schriftzüge »Sieger-Preis« bzw. »Reserve-Sieger-Preis« und »Bayer. Zentral-Landwirtschaftsfest 1984« sowie grüne Blattumrahmung auf goldenem Grund.

BBV

320 Abzeichen für Preisrichter beim Zentral-Landwirtschaftsfest München 1984 Abbildung S. 167

∅ 10 cm.

Weiße Stoffrosette, darin Kunststoffabzeichen mit Schriftzug »ZLF Preisrichter München 1984«.

BBV

321 Urkunde für die Landestierschau beim Bayerischen Zentral-Landwirtschaftsfest 1984

Formular, 30×21 cm.

Rahmen aus blau-weißen Rauten. Maschinenschriftliche Eintragungen »Haupt- und Landgestüt Schwaiganger Ohlstadt[...] für den Hengst Senator[...] ein Erster Preis«. Unterschrift von G. Sühler, Präsident des Bayerischen Bauernverbands.

BBV

322 Bauchbinde zur Prämiierung sämtlicher Viehwettbewerbe beim Zentral-Landwirtschaftsfest 1984

195×11 cm.

Blau-weißes Band mit goldenen Fransen an beiden Enden sowie Druckknöpfen zum Schließen. Schriftzug »ZLF-Sieger 117. Bayer. Zentral-Landwirtschaftsfest München 1984«.

BBV

323 Schleife zur Prämiierung der Pferdewettbewerbe beim Zentral-Landwirtschaftsfest 1984

Länge 32 cm.

Stoffrosette mit Kunststoffabzeichen (geprägter Pferdekopf und Schriftzug »ZLF 1984 München«) und einem gelben sowie zwei blau-weiß gerauteten Bändern.

BBV

Kat. Nr. 314

165

324 Landwirtschaftliche Schriften und Lehrbücher als Preise

Die nachfolgend aufgeführten vierzehn Bücher wurden beim Landwirtschaftsfest 1820 als Preise an Bauern verteilt: »Auch ersieht das General-Comité dabei die günstige Gelegenheit, nützliche landwirthschaftliche Schriften unter die Landleute zu bringen. Solche Bücher werden sich mit der Jahresreihe in den Dörfern häufen, und einen Samen ausstreuen, der die schönste Aernte erwarten läßt.«

Lit.: Wochenblatt des Landwirthschaftlichen Vereins in Baiern, 11. Jahrgang 1820/21, Nr. 3, S. 55; Programm zu dem Central-Landwirthschafts-oder Oktober-Feste in München 1828, StadtAM, Hist. Ver., Ang. II/154

RUDOLF ZACHARIAS BECKER, Noth- und Hülfs-Büchlein oder lehrreiche Freuden- und Trauer-Geschichte der Einwohner von Mildheim. Neue verbesserte Auflage, Gotha und Würzburg 1790 (1. Ausgabe Gotha 1788)

428 S., 8°.

Innentitel: Schrift und Holzstich einer Dorfansicht.

BSB

J. L. CHRIST, Vom Mästen des Rind- Schweine- Schaf- und Federviehs. Nebst beigefügten Erziehungsregeln des Viehes, Behandlung des Fleisches und Fettes vom geschlachteten Mastvieh, und andern dahin einschlagenden ökonomischen Lehren; für Landwirte, Hausväter und Hausmütter, Frankfurt am Main 1790

292 S., 8°.

BSB

J. L. CHRIST, Der Baumgärtner auf dem Dorfe oder Anleitung, wie der gemeine Landmann auf die wolfeilste und leichteste Art die nüzlichsten Obstbäume zu Besezzung seiner Gärten erziehen, behandlen, und deren Früchte zu Verbesserung seiner Haushaltung recht benuzzen solle, Frankfurt am Main 1792

372 S., 8°.

BSB

J. L. CHRIST, Bienenkatechismus für das Landvolk. Mit einer Kupfertafel. Zweite vermehrte und verbesserte Auflage, Frankfurt und Leipzig 1793 (1. Auflage Frankfurt und Leipzig 1784)

182 S., 8°.

BSB

JOHANN NICOLAUS ROHLWES, Allgemeines Vieharzeneibuch; oder Unterricht, wie der Landmann seine Pferde, sein Rindvieh, seine Schafe, Schweine, Ziegen und Hunde aufziehen, warten und füttern, und ihre Krankheiten erkennen und heilen soll. Nebst einem Anhange. Eine von der Märkischen ökonom. Gesellschaft in Potsdam gekrönte Preisschrift. Nebst einer Kupfertafel, Berlin 1802

430 S., 8°.

BSB

FRANZ XAV. GEIGER, Die Obstbaumzucht oder neue und überaus leichte Art, wie man ohne Kreuzer Unkosten, und zugleich ohne Belzen und ohne alles Künsteln nicht nur die gesündesten und dauerhaftesten Obstbäume, sondern auch neue Gattungen von schönem und gutem Obst erlangen kann. So klar und deutlich beschrieben, daß auch der unerfahrenste Mensch die ganze Kunst der gemeinen Obstgärtnerey verstehen, und sogar ein Kind von 9 oder 10 Jahren dieselbe mit dem glücklichsten Erfolge treiben kann, München 1804

Vier Bände: Teile I und II, 108 und 119 S., 8°.

Innentitel links: Holzstich: drei Orientalen, Obstbaum begutachtend, und Schriftzug »Es ist billig, daß wir thun, wie unsere Väter gethan haben«.

BSB

SIR HUMPHRY DAVY, Elemente der Agrikultur-Chemie in einer Reihe von Vorlesungen gehalten vor der Gesellschaft zur Beförderung des Ackerbaues. Aus dem Englischen übersetzt von Friedrich Wolff. [...] und mit Anmerkungen und einer Vorrede begleitet von dem Königlich Preußischen Staatsrath Albrecht Thaer M.D. Mit einem Kupfer, Berlin 1814

535 S., 8°.

BSB

JAKOB ERNST VON REIDER, Die Landwirthschaftlichen Verhältnisse berechnet für das Königreich Baiern. Ein unentbehrliches Hülfs- und Handbuch für alle Klassen von Beamten, Geistlichen, Gutsbesitzern, Verwaltern, Zehendberechtigten und Gemeindevorstehern, insbesondere für alle Finanzbeamte und alle, welche über Oekonomie zu sprechen und darin zu wirken haben, Hersbruck 1819

164 S., 4°.

BSB

JAKOB ERNST VON REIDER, Der Hopfenbau. Für jeden Oeconomen, das rechte Mittel bald reich zu werden, in dem entdeckten Geheimnisse, sich jährlich eine sichere Hopfenärndte zu verschaffen, und jeden Mißwachs im Hopfen für immer zu verhüten, Leipzig und München 1819

16 S., 8°.

BSB

J.G. SALZMANN, Allgemeines deutsches Gartenbuch oder vollständiger Unterricht in der Behandlung des Küchen-, Blumen- und Obstgartens; theils aus eigener vieljähriger Erfahrung, theils nach den beßten Gartenschriften bearbeitet. Mit einem Gartenkalender, enthaltend die monatlichen Verrichtungen im Küchen- und Baumgarten, und einem Anhang vom Trocknen, Einmachen, Erhalten und Aufbewahren verschiedener Gewächse. Dritte verbesserte und vermehrte Auflage, München und Leipzig 1825 (1. Auflage München 1817)

376 S., 8°.

BSB

C. MERK, Der Praktische Pferde-Arzt. Ein Handbuch für Pferdeliebhaber und

Oeconomen. Mit deutschen Recepten zum Gebrauche für Jedermann, München 1825

162 S., 8°.

BSB

FRANZ GOTTHILF HEINRICH JAKOB BÄDEKER, Kurzer und faßlicher Unterricht in der einfachen Obstbaumzucht für die Landjugend. Fünfte verbesserte und vermehrte Ausgabe mit zwei Steinabdrücken, Essen 1826 (1. Auflage Dortmund 1796)

174 S., 8°.

BSB

JOHANN CARL LEUCHS, Lehre der Aufbewahrung und Erhaltung aller Handelswaren, Nahrungsmittel, Getränke und anderen Körper. Nebst Anleitung zum Trocknen, Eindunsten, Einsalzen, Einsäuern, Einzukern, Räuchern und Einbalsamiren, und Beschreibung der Aufbewahrungsorte und Geräthe. Zweite, sehr vermehrte Auflage. Mit Holzschnitten, Nürnberg 1829 (1. Auflage 1820)

552 S., 8°.

BSB

JOHANN CARL LEUCHS, Anleitung zur Mästung der Thiere. Eine von der königl. Societät der Wissenschaften zu Göttingen gekrönte Preisschrift. Nebst Darstellung des verhältnismäßigen Werthes des troknen und frischen, rohen und gekochten Futters, welche von der kais. königl. Akerbaugesellschaft zu Klagenfurt in Kärnten die Ehrenmedaille erhielt. Dritte, ganz umgearbeitete und sehr vermehrte Ausgabe, Nürnberg 1833 (1. Ausgabe Nürnberg 1817)

316 S., 8°.

Außentitel: »J.C. Leuchs, Anleitung zur Mästung der Thiere und zur vortheilhaften Anwendung des Futters. Doppelt gekrönte Preisschrift« sowie zwei Münzenabdrucke.

BSB

Kat. Nr. 316 (rechts unten),
318 (rechts oben), 320 (links)

»Üb Aug' und Hand für's Vaterland«

Oktoberfest-Schießen

Besondere Feierlichkeiten oder festliche Termine als willkommener Anlaß für ein Festschießen zu nutzen, entspricht der Tradition des Schützenwesens. So lag es nahe, daß die Münchener Schützengesellschaft im Programm der Hochzeitsfeierlichkeiten 1810 auf ihrer Schießstätte ein mehrtägiges Festschießen organisierte, das am 12. Oktober, dem Hochzeitstag, begann. Geschossen wurde auf die Haupt-, Kranz- und Glücksscheibe sowie auf einen laufenden Hirsch (vgl. Kat. Nr. 9).

Die Kgl. priv. Hauptschützengesellschaft, die ihr Bestehen auf das Jahr 1406 zurückverfolgt, war 1810 die einzige Münchener Schützengesellschaft. Ihre damalige Schießstätte vor den Toren der Stadt wurde 1847 abgebrochen, sie mußte dem neuen Bahnhof weichen. Die Gesellschaft verlegte ihr Domizil auf die Theresienhöhe. Das 1853 eröffnete Gebäude befand sich rechts neben der Bavaria und ist auf vielen Oktoberfestbildern zu sehen. Der Bau wurde unter anderer Nutzung zur »Alten Schießstätte«, als die Gesellschaft aufgrund der städtebaulichen Erweiterung ihre Schießstätte 1893 in die Zielstattstraße nach Mittersendling verlegte, wo sie sich noch heute befindet.

Diese Münchener Schützengesellschaft war in der Frühzeit des Oktoberfestes der Träger des Festbestandteiles »Schießen«. Im Gegensatz zum Pferderennen, für dessen organisatorische Abläufe ein spezielles Renngericht eingesetzt wurde, das nur für die Festrennen zuständig war, bildete für die Schützengesellschaft das Oktoberfest-Schießen *einen* Programmpunkt ihrer jährlichen Schießaktivitäten. Dies ist ein wichtiger Aspekt, der sich bis zur Gegenwart verfolgen läßt. Die Geschichte der Oktoberfest-Schießen läuft parallel zur Entwicklung des organisierten Schützenwesens im 19. und 20. Jahrhundert. Die Kontinuität des Schießens als Festbestandteil, die sich außer den allgemeinen Unterbrechungen von 1816 bis heute erstreckt, ist nur durch die oktoberfestunabhängige, selbständige Organisationsform der Schützen zu erklären.

Nach der Beteiligung an den Hochzeitsfeierlichkeiten 1810 war das erste Oktoberfest-Schießen auf der Theresienwiese das Vogelschießen 1816. Dem Festprogramm (Kat. Nr. 325) ist folgende Beschreibung zu entnehmen:

»Zwey mit silbernen Ketten und selbst von bayerischen Herzogen durch Medaillons reichlich gezierte vorhandene silberne Schützen-Vögel sprachen dem Vogel-Schießen, als ein Volksfest der Vorzeit das Wort. Dieses National-Schießen soll bey Gelegenheit des Oktober-Festes erneuert werden.« – Anscheinend war zu dieser Zeit das Vogelschießen in München nicht mehr gebräuchlich. Man bezog sich auf die zwei (noch immer vorhandenen) Münchener Schützenketten, die beide im 16. Jahrhundert mit einem silbernen, plastisch gearbeiteten Vogel geziert worden waren (vgl. Kat. Nr. 327).

Die hölzerne Attrappe eines Vogels war auf einer Stange liegend angebracht »100 Fuß oder 40 Schritte über dem Schußstand erhaben« (ca. 29 m). Frühe Bildbelege deuten darauf hin, daß der Vogel die Form eines Adlers hatte (vgl. Kat. 54, 70). »Die Schußweite ist in der schiefen Richtung 100 Schritte.« »Uebrigens ist es erlaubt, nicht nur mit Stutzen und Kugelbichsen, sondern auch mit Flinten und Pistollen, mit der einem Schützen und den Regeln gemäßer Vorsicht, auf den Vogel zu schießen.« Unter den interessierten Schützen wurde die Schießreihenfolge verlost. Das Los, das heißt die Beteiligung, kostete 1 Gulden 12 Kreuzer. Es wurde in der verlosten Reihe solange geschossen, bis ein Schütze das letzte Stück des Vogels herabgeschossen hatte. Er erhielt den ersten Preis, »das Königs-Gewinnst«, dotiert mit zehn bayerischen Talern. Den zweiten Preis (sechs Taler) bekam derjenige, auf dessen Schuß der Kopf des Vogels herabfiel. »Zum dritten und vierten Gewinnst, jeder zu vier bayerischen Talern, werden die beyden Klauen bestimmt.« Außerdem wurden den Schützen für die herabfallenden Splitter »vom Loth« (ca. 15 g) vier Kreuzer ausbezahlt. Für die vier ersten Preise gab es zusätzlich Fahnen.

Zu diesem Vogelschießen gab es ein Glücksschießen. »Hierzu sind 4 Scheiben (weiß mit 12 Zoll großem Schwarzen [ca. 20 cm]) auf 150 Schritte ebenfalls auf der Theresens-Wiese neben dem Vogel aufgesteckt.« Dieses Schießen sollte drei Tage dauern.

»Schützenkönig wurde bey diesem ersten Vogelschießen Seine Majestät der König selbst, für welchen der königl. Kammerdiener, Karl Thurm, das lezte Stück vom Vogel herunter geschossen hatte.« Baumgartner führt weiter aus: Der Schützenkönig »wird auf der Stelle mit der silbernen Schützen-Ehrenkette behangen. Dieses neue Schauspiel, welches mit einem gewöhnlichen Scheibenschießen verbunden war, dauerte mehrere Tage, und zog unaufhörlich eine Menge Zuschauer hinaus.«

Seit diesem ersten Oktoberfest-Schießen blieb das Schießen bis heute im Programm des Festes. Die Schützen versam-

FESTZUG
der Feuergewehr- und Stahlarmbrust-Schützen
den 5. October 1835.
Verlag von J. G. Höchwind

Kat. Nr. 329

melten sich jeweils am Montag nach dem Hauptsonntag, an dem das erste Pferderennen stattfand, im Rathaussaal. Vom Rathaus vorbei an der Residenz bewegte sich der »feierliche Zug«, auch Auszug der Schützen genannt, zum Schießplatz auf die Theresienwiese. Baumgartner hat die Zugreihenfolge 1820 beschrieben. Besonders wichtig erschien ihm der Hinweis auf die lange Tradition des Münchener Schützenwesens, die er in den Insignien der mitgetragenen Schützenfahnen und -ketten vergegenständlicht sieht. In seinem ersten Büchlein, das eigentlich die Oktoberfeste von 1810 bis 1820 schildern soll, verwendet er zehn Seiten auf die detaillierte Beschreibung der Fahnen und Ketten. Hier wird die Bemühung deutlich, Bestandteile des 1810 neugeschaffenen Festes mit Traditionssträngen in Verbindung zu setzen, die bis ins 15. Jahrhundert zurückreichen. Ähnlich geschieht es mit den Oktoberfestpferderennen, die in den Schriftquellen bis 1910 auf die Jakobi- oder Scharlachren-

nen des 15. Jahrhunderts zurückgeführt werden. – Ein Bild der Schützenzüge vermitteln zwei Darstellungen von 1835 und 1845 (vgl. Kat. Nr. 329 und 330). Im Laufe der Woche fanden dann die verschiedenen Schießen statt. Am Sonntag darauf wurden die Gewinner vor dem Königszelt mit Preisfahnen und Geldpreisen geehrt. Danach folgte das zweite Pferderennen, das Nachrennen, als Abschluß des Festes. Im Gegensatz zum Pferderennen, das jeweils Tausende von Schaulustigen auf die Theresienwiese zog, verlief das Schießen als der Wettkampf der Schützen ohne Resonanz der Festbesucher. Zumindest wird in den Beschreibungen des Oktoberfestes kaum auf das eigentliche Schießen eingegangen, mit Ausnahme des Vogelschießens als publikumswirksame Attraktion. Dies liegt einerseits daran, daß sich das Schießen aus Sicherheitsgründen in einem abgesperrten Areal abspielte. Andererseits war – und ist es bis heute – nicht aufregend, Schützen beim Schießen zu beobachten.

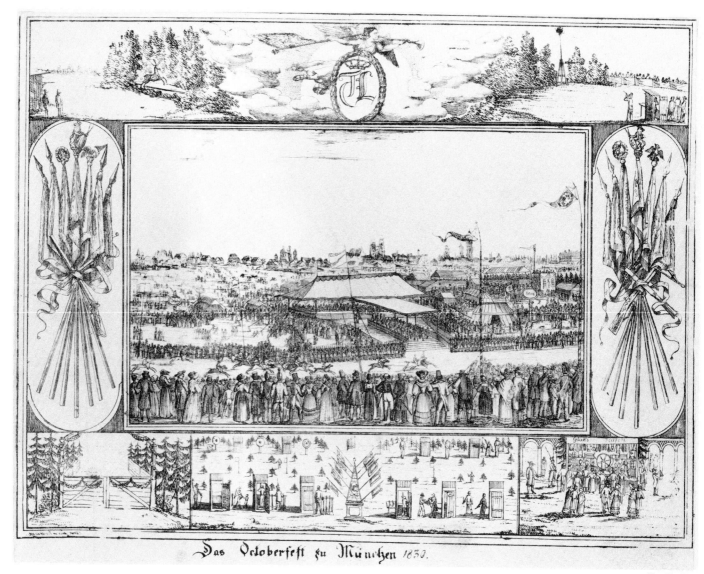

Das Octoberfest zu München 1830.

Kat. Nr. 328

Die wirkliche Öffentlichkeit hatten die Schützen beim Auszug auf die Theresienwiese und bei der Preisverleihung. Diese beiden Ereignisse des Festes finden auch bei den Chronisten entsprechenden Niederschlag.

Die verschiedenen Schießarten anläßlich der Oktoberfest-Schießen können im folgenden nur in den Grundzügen dargestellt werden.

Bei »Haupt«, »Kranz« und »Glück« wurde auf Standscheiben, also aufrecht stehende Holzscheiben mit einem schwarzen Zielpunkt in der Mitte, geschossen. In den ersten Jahrzehnten wird in den Schießprogrammen das »Schwarze« 12 Zoll groß (29 cm) beschrieben, die Scheiben waren in einer Entfernung von 150 Schritt aufgestellt. Nach 1872 wird für die Distanz 130 Meter angegeben. Wie die verschiedenen Schießprogramme im einzelnen geregelt waren, konnte noch nicht geklärt werden. In den Programmen um 1830 heißt es: »Die Einlage auf dem Haupt beträgt 3 fl. [Gulden], auf dem Kranz 2 fl. 30 kr., und auf dem Glück 2 fl. 12 kr. Auf dem Haupt und Kranz kann nur ein einziger Fehlschuß mit 1 fl. und resp. 50 kr., am Glück aber können 80 Schüsse zu 15 kr. gekauft werden.« Einlage bedeutet die Schießgebühr, die der Schütze vor Beginn des Schießens zu entrichten hatte. Bei »Haupt« und »Kranz« konnte man sich wohl nur einen Fehlschuß leisten, das heißt die Schußzahl war wesentlich begrenzter als beim »Glück«, bei dem man bis zu 80 Schüsse nachkaufen konnte. Die geforderten Einlagen sind relativ hoch, für sogenannte kleine Leute war eine Beteiligung an den Schießen sicher nicht möglich. Demgegenüber stehen zu dieser Zeit zum Beispiel auf den 1. Preis auf »Haupt« 33 Gulden und eine bestickte Fahne. In den ersten Jahrzehnten des Festes wurde auf dieselben Scheiben auch ein Pistolenschießen auf eine Distanz von 50 Schritt ausgetragen.

Das Schießen auf die Standscheiben zieht sich mit wenigen Veränderungen von 1816 bis 1913 durch die Oktoberfest-Schießen. Nach dem Ersten Weltkrieg gab es auf der Theresienwiese keine Schießstände mehr mit langer Distanz.

Beim Hirschschießen, das 1822 zum ersten Mal ins Programm genommen wurde, schoß man auf die Holzattrappe eines »laufenden Hirschen« mit Zielpunkt, der auf einer Distanz von 150 Schritt (später 110 m) auf einer Schiene als bewegliches Ziel gezogen wurde. Diese Art des Schießens wird noch in den Programmen zu Beginn des 20. Jahrhunderts aufgeführt. Über die technische Ausführung dieser Schießanlagen ist nichts bekannt. Eine Graphik aus dem Jahr 1830 vermittelt zumindest die Gesamtsituation (vgl. Kat. Nr. 328). Hier ist allgemein zu bemerken, daß sich von den Zielen früherer Schießen, sofern es sich nicht um gemalte Schützenscheiben handelt, kaum etwas erhalten hat.

Das Vogelschießen der Feuerschützen fand zum letzten Mal 1875 statt. Die Geschosse, die ihr Ziel verfehlten, waren nun bedrohlich für das angewachsene städtische Umfeld. Destouches berichtet in seiner Chronik, das Adlerschießen fiel wegen der Nähe der Eisenbahnlinie aus. An Besonderheiten früherer Jahre führt er auf, daß 1844 ein neuer Vogelbaum aufgestellt wurde, wozu der Bildhauer Jakob Klein den Adler geschnitzt hat – ein möglicher Hinweis dafür, daß die Holzadler zu dieser Zeit wesentlich kunstreicher ausgeführt waren, als Exemplare späterer Zeit (vgl. Kat. Nr. 365). »1860 mußte der Vogel auf der Perpendikelscheibe [senkrecht] ausgeschossen werden, da durch den anhaltenden Regen das Lindenholz so angeschwollen war, daß derselbe stückweise nicht mehr herabgeschossen werden konnte.«

Anstelle des Vogelschießens beschaffte der Magistrat 1876 die mechanische Festscheibe »Deutscher Reichsadler«, auf die in einer Distanz von 130 Metern geschossen wurde (vgl. Kat. Nr. 334).

Zwei Faktoren bestimmen die formale Ausrichtung der Festschießen: Das *Ziel* mit Scheibe, Vogel und Hirsch wurde bisher vorgestellt. Auf der anderen Seite steht die *Schußwaffe*, deren allgemeine technische Weiterentwicklung im Laufe des 19. Jahrhunderts das Schießen veränderte.

Nur wenige Jahre, nachweisbar von 1820 bis 1822, beteiligten sich die Balester-Schützen neben den Feuerschützen am Oktoberfest-Schießen. Das Schießen mit dem Balester, einer

Armbrust für kurze Geschosse mit ca. 2,5 cm Länge, war ein historisierender Rückgriff auf eine Waffe, die waffentechnisch nach dem 16. Jahrhundert ihre Bedeutung verloren hatte. Unter gleichem Aspekt ist das Schießen der 1826 neugegründeten »Stahlarmbrust-Schützengesellschaft« zu sehen, die sich in diesem Jahr am Oktoberfest-Schießen beteiligte (vgl. Kat. Nr. 327). Der bewußte Bezug zur Historie wird deutlich, wenn Ulrich von Destouches erwähnt: »Von den gebrauchten Stahlgeschossen waren noch Exemplare vom Jahr 1583 vorhanden.« In den folgenden Jahren waren die Armbrustschützen nicht mehr vertreten. 1832 stellte die Bolzschützengesellschaft, mit inzwischen 300 Mitgliedern, den Antrag auf ein Oktoberfest-Schießen, auf das der Magistrat allerdings nicht einging. Zum Jubiläum 1835 wurden die Stahlarmbrustschützen wieder zugelassen. Ihre Präsenz dokumentiert die Darstellung des Schützenzuges (vgl. Kat. Nr. 329). Über die weitere Beteiligung der Gesellschaft am Oktoberfest-Schießen sowie über ihr Fortbestehen ist bisher nichts bekannt. Zwar sind sie noch auf dem Schützenzug 1845 zu sehen – vielleicht war dies aber eine Ungenauigkeit des »Bildberichterstatters« (vgl. Kat. Nr. 330).

Die Einführung neuer Schießwaffen zeichnet sich 1837 durch ein Gesuch der Münchener Schützengesellschaften »Frohsinn« und »Am Prater« ab, die ein Schießen für Stutzen mit kleinerem Kaliber durchsetzen wollten, aber dabei scheiterten. 1840 kam es dann zum ersten Bürschstutzenschießen auf dem Oktoberfest. 1842 bekam das Stutzenschießen seine königliche Sanktion, als sich Kronprinz Maximilian an dem Schießen mit einem Stutzen beteiligte, den ihm die Hauptschützengesellschaft als Hochzeitsgeschenk überreicht hatte.

Nach der Mitte des 19. Jahrhunderts gewann der Zimmerstutzen als Schießwaffe für kurze Distanzen immer mehr Bedeutung. Dies war bedingt durch die Entwicklung des vereinsmäßig organisierten Schützenwesens, dessen Schießaktivitäten sich von den großräumigen Schießplätzen in die Kleinräumigkeit von Schießlokalen verlagerte.

1896 organisierte der 1895 gegründete »Oberbayerische Zimmerstutzenschützenverband« das erste »Oktoberfest-Zimmerstutzenschießen«. Geschossen wurde auf die Standfestscheibe »Bayern« (15 m) sowie auf die Standscheiben »Glück« (15 m) und »Feld« (20 m). 1903 wurde die erste bayerische Meisterschaft für Zimmerstutzen auf dem Fest ausgetragen.

Dies zeichnet die Veränderung der Oktoberfest-Schießen ab, deren ursprüngliche Preisschießen den einzelnen Schützen zu einer Reise nach München motivierten, um dort sein Schießglück zu versuchen. In der zweiten Hälfte des 19. Jahrhunderts schiebt sich das vereinsmäßige Schützenwesen in den Vordergrund. Die Oktoberfest-Schießen werden vor allem im 20. Jahrhundert zu Meisterschaftsschießen auf bayerischer Ebene. Diese zentralistische Idee forcierten die Festveranstalter bereits 1852, als auf ministerielle Entschließung angeordnet wurde, es sollten sämtliche Schützengesellschaften in Bayern aufgefordert werden, zum Oktoberfest-Schießen einen Repräsentanten zu entsenden.

Anläßlich des Oktoberfestes 1862 gründeten die versammelten Schützen auf der Schießstätte den »Bayerischen Schützenbund« infolge des unter deutsch-nationaler Prägung 1861 in Gotha ins Leben gerufenen »Deutschen Schützenbundes«.

Über die Beteiligung der Schützen, das heißt über den Stellenwert dieses Veranstaltungspunktes, sind folgende Zahlen von Aufschluß: 1860 haben 334 Schützen auf die Scheiben geschossen, dabei 33000 Schüsse abgegeben und 118 noch den Punkt getroffen. – Dies läßt auf die damalige geringe Präzision der Gewehre schließen. 1879 waren es 423 Schützen mit insgesamt 53396 Schüssen. 1891 stieg die Zahl auf 587. 1909 wurden 1190 Feuerschützen, 775 Zimmerstutzenschützen und 48 Armbrustschützen registriert. Dieses Anwachsen entspricht dem Aufblühen der Schützenvereine. 1810 hatte es in München nur die Hauptschützengesellschaft gegeben. 1909 belief sich das Register an Feuer-, Zimmerstutzen- und Armbrustschützenvereinen und -gesellschaften auf 214.

1908 legte der Magistrat eine neue Schießplatzanlage auf dem Oktoberfest an. Auf einer Fläche von 32000 m² konnte auf 39 Ständen auf die Standscheibe geschossen werden, darunter die Adlerfestscheibe, drei Stände waren dem Schießen auf den laufenden Hirsch vorbehalten.

Bis 1913 muß das Knallen der Gewehre beim Feuerschießen sowie die Böllerschüsse beim Treffen der Adlerscheibe zu den akustischen Reizen des Oktoberfestes beigetragen haben. Eigenartig, daß dieses Festgeräusch von keinem Chronisten oder Literaten beschrieben wurde. Mit dem letzten Fest vor dem Ersten Weltkrieg fand das Feuerschießen auf lange Distanz seinen Abschluß als – auch den Festplatz prägendes – Element des Oktoberfest-Schießens.

Nach dem Ersten Weltkrieg trug die Initiative der Schützen dazu bei, daß es zumindest zu einem »Herbstfest« als Ersatz-Oktoberfest kam. Dem Oberbayerischen Zimmerstutzen-Schützenverband wurde die Erlaubnis erteilt, ein »Heimkehrer-Schiessen zu Ehren der vom Felde und aus der Gefangenschaft zurückgekehrten Schützenbrüder Bayerns« auf dem südlichen Teil der Theresienwiese zu veranstalten.

1923 und 1924 mußte das Fest wegen der Inflation ausfallen. Trotzdem führte die Kgl. priv. Hauptschützengesellschaft 1924 in ihrer eigenen Schießstätte ein »Oktoberfestschießen« durch. »Die starke Beteiligung an dem Schießen (532 Schützen) hat die Gesellschaft erfreulicherweise vor empfindlichen Verlusten bewahrt, die um so unangenehmer gewesen wären, als sie durch die Geldentwertung ihr ganzes beträchtliches Bar- und Stiftungsvermögen verloren hat.«

Von 1925 bis 1938 pflegte die Hauptschützengesellschaft die Tradition der »Oktoberfest-Feuerschießen«, die allerdings

nicht mehr auf der Theresienwiese, sondern auf der Schießanlage in Mittersendling abgehalten wurden. Das erste Schießen während der nationalsozialistischen Zeit stand zwar »unter dem Protektorat S.K.H. Kronprinz Rupprecht von Bayern«, die Gesellschaft war jetzt – jedoch ohne »Kgl.« im Namen – dem »Deutschen Reichsbund für Leibesübungen« gleichgeschaltet worden. Zu den traditionellen Zielen, die auf 130 Meter geschossen wurden, kam als neue Disziplin die »Wehrmannsscheibe« auf 175 Meter, die nur mit dem Wehrmannsgewehr Modell 98 beschossen werden durfte. Gemäß dem alten Schützenspruch aus der Zeit vor dem Ersten Weltkrieg: »Üb Aug und Hand fürs Vaterland« war es wieder soweit – nur sechs Jahre blieben noch zum Üben.

Auf dem Oktoberfest selbst gab es in den 1920/30er Jahren nur noch die kleine Schießanlage mit kurzer Distanz für die Zimmerstutzen-, später auch Kleinkaliberschützen, die ab 1939 vom »Gau Bayern des Deutschen Schützenverbandes im D.R.L.« veranstaltet wurden.

Daß auch hier die veränderte politische Lage das Schießen beeinflußte, zeigt das Programm für 1938: Es wurde auf die »1. Festscheibe Groß-Deutschland« geschossen. »Zum Gedenken an die Wiederkehr Österreichs zu Deutschland erhält jede am Oktoberfest-Landesschützenzug teilnehmende Gesellschaft diesen traditionell wertvollen, künstlerisch ausgeführten Ehren-Nagel an ihre Fahne angeheftet.« (Siehe Titelillustration von Kat. Nr. 345.)

Infolge des Zweiten Weltkriegs veränderte sich das Schießen durch die Verbreitung des Luftdruckgewehrs, das nach dem ausschließlichen Schießverbot von den Alliierten ab 1948 als Wettkampfwaffe zugelassen wurde. Zum ersten »Oktoberfest-Landesschießen« 1952, das seither der 1950 gegründete Bayerische Sportschützen-Bund trägt, waren bereits 1500 Luftgewehrschützen an die 10-Meter-Stände getreten. Die Schießanlage mit Bewirtungszelt hatte ihren herkömmlichen Platz links vor der Bavaria außerhalb des Festareals. Nach Verlegung des Armbrustschützenzeltes erhielten die Schützen ihre Schießstände im hinteren Teil des Sportschützenfestzeltes zur rechten Seite unter der Bavaria. Abgeschieden vom Trubel des Festes, aber auch abgeschottet von der Bierzeltstimmung des Schützenzeltes finden die Wettkämpfe an den 120 Schießständen statt. Daß hier in der Regel nur Beteiligte Zugang haben ist verständlich, da Schaulustige die Konzentration der Schützen stören würden. Es ist eine eigenartige Diskrepanz zwischen dem lauten Leben auf der Wies'n und dieser völligen Abgeschiedenheit, in der die Sportschützen, zum Teil in Schießanzügen, mit ihren modernsten Luftgewehren und -pistolen dieses hellklingende Aufschlagen der Kugel auf den metallenen Scheibenhalter erzeugen. – War das Schießen von 1913 zumindest akustisch wahrnehmbar, ist gegenwärtig sogar versierten Wies'n-Besuchern die Anwesenheit der Schützen nicht bewußt.

Für die beteiligten Verbände, Vereine und Schützen ist das Oktoberfest-Schießen sicher ein zentrales Ereignis von großer Bedeutung. Dem »normalen« Festbesucher fallen die Schützen lediglich beim Trachten- und Schützenzug als lange Zugnummer mit Vereinsformationen ins Auge. Daß ihre Zugehörigkeit zum Fest bis auf die Anfangsjahre zurückreicht, daß ihr Schießen mit einer Beteiligung von knapp 4000 Schützen noch heute einen Bestandteil des Oktoberfestes bildet, ist sicher den meisten nicht bekannt. Die Gründe hierfür liegen nicht nur in der Zurückdrängung des Schießens auf dem Oktoberfest, bedingt durch technische Veränderungen im Schießwesen oder durch Anwachsen der Sicherheitsbestimmungen. Sie lassen sich wahrscheinlich auch dadurch erklären, daß das Schützenwesen im großstädtischen Bereich, im Gegensatz zu ländlichen Regionen, seine gesellschaftliche Bedeutung verloren hat.

Florian Dering

Lit.: Baumgartner 1820 und 1823; Destouches, Säkularchronik; Ulrich v. Destouches; Möhler 1980, S. 114; Max Reger, Münchener Schützen-Chronik 1325–1925, München 1925; Walther Stark, Geschichte der Kgl. priv. Hauptschützengesellschaft München 1925–1970, München 1971; 575 Jahre Kgl. privil. Hauptschützengesellschaft München 1406, Festschrift, München 1981. (Abgekürzt zitierte Literatur siehe S. 17.)

325 »Programm des Oktober-Festes und des Vogel-Schießens. München, am ersten Sonntage im Oktober 1816«

32 S., 8°.

Zu den Festbestandteilen und Programmpunkten »Glückshafen, Gesänge, Gymnastische Uebungen, Pferde-Rennen, Preise-Vertheilung« enthält dieses Programm die Bestimmungen für das »Vogelschießen«, das 1816 als erstes Oktoberfestschießen auf der Theresienwiese veranstaltet wurde. Unterzeichnet ist die Schrift »Von Seite der Direktion der Oktober-Feste der Sekretär v. Dall'Armi«.

MSt, P L 2488

326 Einladungszettel für »Ganz freyes Vogel- und Scheiben-Schießen mit Balestern«, 1822

1 Bl., Typendruck, 40×23 cm.

In den Jahren nach 1820 beteiligten sich neben den Feuerschützen auch Balesternschützen an den Oktoberfestschießen. Der Balester war eine Armbrust zum Schießen für kurze Geschosse, sogenannte »Steften«, im Gegensatz zu den gebräuchlichen Bolzen. Geschossen wurde auf eine Distanz von 33 Schuh (9,76 m).

StadtAM, Hist. Ver., Ang. II/12

327 Münchner Schützenkette der Armbrustschützen, mit Gliedteilen von 1463 bis 1832

Die Kette ist mit 37 Teilen behängt. Geschlossen wird sie an dem Brustteil, einem Rundschild zur Erinnerung an das Festschießen 1577. Daran hängt ein plastisch gearbeiteter silberner Falke. Diese Kette ist wohl der »Münchner Armbrust- und Stachelschützen-Bruderschaft« zuzurechnen, die vom 15. Jahrhundert bis 1659 als Vereinigung Adeliger und vornehmer Bürger bestand.

Zwei der Gliedteile, die noch im frühen 19. Jahrhundert angebracht wurden, stehen im Zusammenhang mit dem Oktoberfest:

1. Medaille mit Portrait Max Josephs, 1824. Sie hängt an einer plastischen Königskrone. Auf der silbernen ringförmigen Fassung (⌀ 5,4 cm) umlaufender Schriftzug: »ANDENKEN VON JOH. BAPT. FINDEL GEMEINDE BEVOLLMAECHTIGTEN, CHEFF DER BÜRGERL. ARTILLERIE UND« (Vorderseite) »MITGLIED DES K. B. ZIVIL-VERDIENST-ORDENS DER BAIER. KRONE. DEN 3 OKTOBER. 1824.« (Rückseite). Auf dem Rand umlaufender Schrift-

Kat. Nr. 327

Das Octoberfest in München.

Kat. Nr. 330

zug: »DIE ZEIT DER ERSTEN 25 JAHRE WAR EINE SCHWERE LAST. – GENIESS DIE ZWEITEN 25 JAHRE, WAS DU GEPFLANZET HAST.«

Der rührige Johann Baptist Find(e)l hatte dem König zu seinem Regierungsjubiläum bereits eine Tasse mit der Darstellung des Oktoberfestes überreicht (Kat. Nr. 208). Diese gefaßte Medaille stiftete er den Schützen, deren dreitägiges Festschießen anläßlich des Oktoberfestes 1824 am 4. Oktober begann.

2. Medaille mit Portrait Ludwigs I., 1826, gefaßt in Eichenblattkranz, mit Bändern umwickelt, darauf die Namen der 13 beteiligten Schützen. Die Bänder sind an beiden Seiten zu Schleifen mit dekorativ flatternden Enden ausgebildet; dazu zwei gekreuzte Thyrsusstäbe (8,4×8,7 cm). Auf der glatten Rückseite der Medaille gravierter Schriftzug: »Unter König Ludwigs Regierung hatte am October-Feste 1826 also nach einem Zeitraum von mehr als 200 Jahren in München wieder ein grosses öffentliches Freyschießen mit der Armbrust auf 100 Schritte statt, woran 13 Schützen Antheil nahmen, und das

erste Beste auf der Sonne gewonnen wurde von L. Popp, von dem dies Denkzeichen«.

Dieses Erinnerungszeichen bezieht sich auf das »erste freie Stern- und Scheibenschießen mit der Stahlarmbrust« der 1826 neugegründeten Stahlarmbrust-Schützengesellschaft. Baumgartner beschreibt 1820 diese und eine weitere Münchner Schützenkette, die sich noch heute im Besitz der »Kgl. privil. Hauptschützengesellschaft« befindet. Beim Auszug der Schützen vom Rathaus zum Oktoberfest wurden die Ketten mitgeführt. Nach dem Schützen-Aktuar, »welcher die in blauen Sammet eingebundene Schützen-Ordnung trägt«, folgt der »Oberzieler in altdeutscher Tracht, welcher die Schützen-Ketten auf einem blausammtnen Kissen trägt«.

Lit.: Baumgartner 1820, S. 49 u. 56 ff.; Max Reger, Münchener Schützen-Chronik 1325–1925, München 1925, S. 12
MSt, VIII/1

328 »Das Octoberfest zu München«, um 1830
Abbildung S. 170

Peter Ellmer, Lithographie, 34,5×43 cm. Bez. u. l. in Spiegelschrift: »Ellmer Maler in Haidhausen.«

Das mehrteilige Bild zeigt die frühesten Darstellungen des Schießens: Im oberen Rahmenstreifen links das Schießen auf den laufenden Hirsch, der auf einer Schiene durchs Gebüsch bewegt wird. Rechts das Vogelschießen. Die Schützen gruppieren sich um Schießstände. Die Zuschauer werden jeweils auf Sicherheitsabstand gehalten durch Absperrungen aus Planen an eingesteckten Stangen, das sogenannte Jagdzeug (mit dem bei der Jagd das Ausbrechen des Wildes verhindert wird). Im rechten Bild zusätzlich ein Gardist als Ordnungshüter.

Im unteren Rahmenstreifen-Mittelfeld: eine Pyramide mit Ludwigs-Initiale, an der Preisfahnen aufgesteckt sind; links davon Scheibenschießen mit Gewehr (Schießstände, Gewehrständer), rechts Pistolenschießen aus Schießständen auf Türkenfiguren mit winkendem Zieler.

Das große Mittelbild zeigt das Pferderennen von der Theresienhöhe aus. Oben die gekrönten Initialen T(herese) und L(udwig) in Lorbeerkranz, darüber schwebend die posaunenblasende Fama mit Preisfahne in der Hand in einer Wolken- und Sonnengloriole. Zu

Der Schützenauszug.

Kat. Nr. 330

beiden Seiten des Mittelbildes sind Preisfahnen und Waffen (links Pistole und Gewehr, rechts Armbrüste) zu Trophäen gebündelt. Die Fahnenspitzen (bayerischer Löwe, Ludwigs-Initiale im Kranz, Adler usw.) sind in ähnlichen Exemplaren noch erhalten (vgl. Kat. Nr. 387, 388). Unten links das geschlossene, mit einem Bogen überwölbte und bekränzte Absprengtor; rechts die älteste Darstellung des Glückshafens in Funktion (vgl. Kat. Nr. 395).   BK

StadtAM, Slg. Birkmeyer V 147

329 »FESTZUG der Feuergewehr- und Stahlarmbrust-Schützen, den 5. October 1835«   Abbildung S. 169

Gustav Kraus, kolorierte Lithographie, 40×50 cm.

Das Blatt bildet einen Nachtrag zu der Serie vom »Oktoberfestzug vom Isar-Kreis« am 4. Oktober 1835 (Kat. Nr. 431, Bl. 24). Kraus dokumentierte den Schützenzug, wie er sich jährlich zum Auszug vom Rathaus auf die Theresienwiese formierte: Hinter den Trompetern führt der Oberzieler die Gruppe der Preisfahnenträger an. Neben ihm tragen zwei Knaben auf Kissen die Geldpreise. Zwei Schützenmeister und

ein Zieler gehen vor den Feuerschützen, es folgt ein weiterer Zieler mit der Gruppe der Armbrustschützen. Den Schluß bildet ein Zug des Landwehr-Jägerbataillons. Für die Trompeter, Zieler und Fahnenträger wurden anläßlich des Jubiläums neue Kostüme angefertigt, die »eine genaue Nachbildung der bei dem großen Festschießen in München im Jahre 1577 vorgekommenen Kostüme seyen«.

Lit.: Vgl. Kat. Nr. 431
MSt, P 1557

330 »Der Schützenauszug«, 1845

2 Holzstiche von Braun und Schneider, je 9×23,5 cm, aus: Illustrirte Zeitung, Nr. 120, 1845, S. 252/53. Bez. u. r.: »HR«.

Den Stadttrompetern folgt der Oberzieler mit dem Zielertaferl, dahinter die Preisfahnenträger mit den gestickten und gemalten Preisfahnen, in ihrer Mitte die Zieler mit den Schießscheiben. Es folgt ein Zieler mit Zielerscheibe, dann die Gruppe der Feuerschützen, »die ein buntes, bebändertes Blumensträußlein auf Hut oder Mütze als Abzeichen tragen«. Die Gruppe der Armbrustschützen wird wieder von einem Zieler angeführt.

MSt, 33/498

331 Erinnerungsstück vom Oktoberfest-Adlerschießen 1840

»Schützenpreis vom Oktoberfest 1840. Dieses letzte Stückchen eines Adlers wurde von Karl Rinspacher, Büchsenmacher und später Hausmeister des städt. Museums, herabgeschossen, durch welchen Schuß derselbe 1. Preis, bestehend aus einer mit einem Ölgemälde und 25 Geschichtsthalern verzierten Fahne, erhielt und ihm die Würde eines Schützenkönigs auf ein Jahr zugesprochen wurde. Geschenk des Karl Rinspacher, Hausmeister des Stadtmuseums 1889« (MSt, Inventarbuch, laut Prüfstempel 1955 noch vorhanden).

»Der hochbetagte Hausmeister und Büchsenmacher Carl Rinspacher, der, wie er früher als Landwehr-Unterzeugwart in diesen Räumen Dienst gemacht, nunmehr als Museumswart zu fungieren haben sollte«, war bei der bescheidenen Eröffnung des Stadtmuseums 1888 mit anwesend.

Lit.: Ernst von Destouches, Geschichte des Historischen Museums und der Maillinger Sammlung der Stadt München, München 1894, S. 56
MSt, VIII/15

175

Kat. Nr. 333

Kat. Nr. 334

332 Erinnerungsscheibe

»Zur Vermählungsfeyer Sr. Königl. Hoheit des Kronprinzen Maximilian von Bayern, gegeben im October 1842 von dem Magistrate der K. Haupt- und Residenzstadt München.«

Rudolf Maßinger, kolorierte Lithographie, 35,7×36,5 cm. Bez. u. l.: »Lith. R. Maßinger.«

Auf der linken Seite nähert sich ein ländlicher Hochzeitszug mit Brautpaar, Kranzljungfrau und Eltern. Der Bräutigam verweist auf ein Medaillon, auf dem ein Engel zwischen zwei Wappenschilden mit bayerischen Rauten und dem preußischen Adler (für die Braut Marie von Preußen) steht. Auf der rechten Seite ziehen die Schützen auf, vornweg ein Städter, daneben ein Gebirgsschütze, dahinter der Zieler mit der Zielscheibe. Im ornamentalen Rahmen die acht Wappen der bayerischen Kreisstädte.

Über den Verbleib der originalen Scheibe, gemalt von dem Maler Josef Petzl, ist nichts bekannt. Diese Erinnerungs- oder Ehrenscheiben, auf die nicht geschossen wurde, waren bei den Oktoberfestschießen nicht gebräuchlich. Zum Jubiläum 1910 gab es nochmals vier gemalte Ehrenscheiben für das Feuer- und Zimmerstutzenschie-

ßen (Abb. in: Destouches, Gedenkbuch 1912, S. 26/27). Von den normalen, einfachen Holzscheiben, die beim Schießen Verwendung fanden, hat sich keine erhalten. FD

MSt, Z 1724

333 »Im Schießstande«, 1864

Holzstich nach einer Zeichnung von G. Sundblad, aus: Illustrirte Zeitung, Nr. 1115, 1864, S. 341, Reproduktion.

Die Darstellung stammt aus einer Bilderserie »Skizzen vom Oktoberfest in München«. Der linke Schütze betritt gerade den Schießstand, schmunzelnd seinen Vorgänger betrachtend, der wohl sein Ziel verfehlt hat. Dieser, an seiner Kleidung als Städter zu erkennen, reibt sich verlegen den Kopf. Im Hintergrund gibt der Zieler mit dem Zielertaferl den Schuß an. Für Treffer oder Fehlschuß gab es bestimmte Gesten. Dahinter sieht man den laufenden Hirsch.

334 Reichsadlerfestscheibe, 1876

Foto.

Nach dem Absetzen des Vogelschießens 1875 aus Gründen der Sicherheit ließ der Magistrat als Alternative diese mechanische Schießscheibe bauen.

Das Schußziel war von einem gemalten Felsen umgeben. Bei einem Treffer erschien der Reichsadler am Berggipfel, daneben zeigte sich die Figur eines Reichsheroldes. Dazu wurde ein Böllerschuß abgegeben.

»Die komplizierte Maschine war unter

Kat. Nr. 339

Leitung des Hofuhrenfabrikanten Reithmann von Schlossermeister Hakker gefertigt, die malerische Ausschmückung stammte von Theatermaler Fickler, die Holzarbeiten von Tischlermeister Spranger.«

Auf die Scheibe wurde in einer Distanz von 130 Metern geschossen. 1909 war sie zum letzten Mal in Verwendung.

Lit.: Destouches, Säkularchronik, S. 112 u. 160
MSt, III c/476

335 Bekanntmachung der Schützenpreisverteilung, 1877

1 Bl., Typendruck, 45,5×31 cm.

»Bekanntmachung. Oktoberfest pro 1877 betr.. Es wird hiermit bekannt gegeben, daß heute die Schützenpreisvertheilung um 2½ Uhr und nach derselben das Pferdetrabreiten auf der Theresienwiese stattfinden. Am 14. Oktober 1877. Magistrat der k. Haupt- und Residenzstadt München. Bürgermeister: Dr. Erhardt.«

StadtAM, Plakatslg.

336 »Bei den Festschützen.«, 1886

Ludwig Fehrenbach, Holzstich in Silhouettenmanier, Detail aus: »Das Münchener Oktober-Fest«, Illustrirte Welt, 34. Jg., 1886.

Karikierte Darstellung von drei Schützen am Schießstand. Auf der linken Seite der städtische Salonschütze, dann ein ländlicher Schießteilnehmer. Der biertrinkende Schütze rechts vermittelt den Eindruck, daß es bei den damaligen Schießen noch nicht so ›sportlich-ernst‹ zugegangen ist.

StadtAM, Av. Bibl.

Kat. Nr. 336

Bei den Festschützen.

Kat. Nr. 332

337 Erinnerungsscheibe für ein Oktoberfestschießen, um 1895

Öl auf Holz, ⌀ 75 cm.

Auf einem geschmückten Podest mit dem Spruchband »Willkommen zum 1. Oktoberfest-Schiessen« steht das Münchner Kindl mit einem Zinnkrug im Arm, daneben einige Pokale. Eine Gruppe von oberbayerischen Schützen, darunter einer mit Preisfahne, jubelt dem Münchner Kindl zu. Der Zieler trinkt aus einem Maßkrug. Im Hintergrund Bierbuden, am Hang vor der Bavaria die Schießstände. Umrahmung mit einem Kranz aus Eichenlaub. Der Anlaß, zu dem die Scheibe vergeben wurde, ist nicht bekannt.

MSt

338 Scherzpostkarte »Schützengigerl«, um 1900

Abbildung S. 179

Heliocolorkarte, 9×13,8 cm; Verlag: Ottmar Zieher.

›Salontiroler‹ mit Preisfahne, Lorbeerkranz, Preisbecher und umgehängtem Gewehr.

StadtAM, Postkartenslg.

339 Bekanntmachung der Schützenpreisverteilung, 1903

Plakat mit Kopfillustration und Typendruck, 49×65 cm.

Offizieller Plakatkopf (vgl. Kat. Nr. 95), darunter Schriftzug: »Es wird hiemit bekannt gegeben, daß Sonntag, den 4. Oktober die Schützen-Preisverteilung

△ Kat. Nr. 341   ▽ Kat. Nr. 343

Oktoberfest in München: Die Schützen auf der Festwiese.

Nach einem Zug durch die Stadt erfolgte ein Vorbeimarsch vor dem Protektor des Schützenfestes, Prinz Alfons von Bayern (auf dem Bild im Hintergrund sichtbar). Bild zeigt: Wiener Schützenmeister und die Schützenliesel vor der Tribüne auf der Festwiese.

Serie 1010   a S

(Aktueller Bilderdienst, Verlag J.J. Weber, Leipzig)

um 2½ Uhr und nach derselben das Pferde-Trabrennen (offen für Pferde aller Länder) auf der Theresienwiese stattfindet. Magistrat der K. Haupt- und Residenzstadt München. Bürgermeister: Dr. von Borscht.«

StadtAM, Plakatslg.

340 »Fest-Zeitung zum Oktoberfest-Schießen für Feuer- und Zimmerstutzen-Schützen«, 1905

18 S., 4°.

Den Kern der Zeitung bildet die reguläre Nummer der »Illustrierten bayerischen Schützen-Zeitung«, die um acht Seiten mit dem Programm für das Oktoberfestschießen und Anzeigen erweitert wurde. Auf dem illustrierten Titel mit einem vom Schießen heimkehrenden Siegesschützen die Losung: »Ueb Aug' u. Hand. für's Vaterland.«

MSt, P L 2188

Kat. Nr. 345

Kat. Nr. 338

steht mit Hut der Protektor des Schützenfestes, Prinz Alfons von Bayern.

StadtAM, Fotoslg.

344 Postkarte mit Schützen, »Gruß vom Oktoberfest«, um 1935

Nach einem Ölgemälde von Paul Krombach, 14,8×10,6 cm.

Derber oberbayerischer Schütze mit eingehakter Schützenliesl, die dem deutschen Frauenideal der Zeit entspricht. Im Hintergrund ein Karussell mit Hakenkreuzfahne.

Andreas Ley, München

345 Programmheft »Oktoberfest-Landesschießen 1938:

zu Ehren der Heimkehr Österreichs zum Deutschen Reich. Veranstaltet vom Gau Bayern des Deutschen Schützenverbandes E.V. im D.R.L.«

16 S., 4°.

Auf dem Titel die hier wiedergegebene Abbildung des Ehren-Nagels für die Fahnen der beteiligten Vereine.

StadtAM, ZS

346 »Einladung, Bayerischer Sportschützenbund München, Oktoberfest-Landes-Schiessen 1984«

22 S., 4°.

Als Titelillustration gemalte Schießscheibe mit Schützen im Gebirge.

StadtAM, ZS

341 Zielvorrichtung für den laufenden Hirsch, um 1910

Foto, 9,3×14,3 cm.

Die mechanische Zielvorrichtung mit den laufenden Hirschen, deren Ziel mit einem Herzblatt markiert ist, wurde mit Tannengrün und -bäumen kaschiert.

StadtAM, Fotoslg.

342 Zielertaferl, bayerisch, um 1925

Holz, bemalt, 49×14 cm.

Kelle mit geschnitztem Kranz, auf der einen Seite springender Hirsch mit Zielscheibe, auf der anderen bayerisches Wappen; gebräuchlich zwischen 1923 und 1936.

Richard Süßmeier, München

343 »Oktoberfest in München: Die Schützen auf der Festwiese.« 1932

Fotodruck, Aktueller Bilderdienst, Verlag J. J. Weber, Leipzig, 18,2×23,6 cm.

Wiener Schützenmeister und die Schützenliesl vor der Tribüne. Dort

347 Schießstände bei der Schützenfesthalle, 1984

Wolfgang Pulfer, Foto.

Die Schießanlage des Bayerischen Sportschützenbundes in der Schützenfesthalle umfaßt 118 Stände für Luftdruckgewehrschießen. 1984 beteiligten sich knapp 4000 Schützen am Oktoberfestschießen.

MSt, PuMu

Kat. Nr. 347

Kat. Nr. 349

348 Preisfahne
für das Freischießen 1825

Peter Heß, Lithographie auf Seidentaft, 72×104 cm; mit Rahmen 85,5×117,5 cm.

Bayerischer Gebirgsschütze aus Schliersee auf einer Bergspitze mit Büchse am Anstand, darüber Schriftzug »Frey Schießen bey dem October Feste.«, darunter »München 1825«, Umrahmung mit hellblauem Seidentaft. Montiert in zeitgenössischem schwarzem Rahmen mit vergoldeten Rändern (vgl. Kat. Nr. 349).

MSt, XI d/29

349 »Frey Schießen bey dem
October Feste. München. 1823.«

Peter Heß, Lithographie, 54,3×65,5 cm.

Papierabdruck vom selben Stein wie bei der Preisfahne (Kat. Nr. 348). Heß hat den Gebirgsschützen 1821 nach der Natur, dann auf den Stein gezeichnet. Die Jahreszahl wurde jeweils aktualisiert, das heißt abgeschliffen und durch die neue ersetzt. Primär ent-

stand die Lithographie zum Bedrucken der seidenen Preisfahnen (vgl. hierzu Kat. Nr. 229).

MSt, P 1838

350 Weitpreisfahne
für Schützen, 1833   Abbildung S. 182

Taft, bemalt, 94×98 cm.

Auf der Vorderseite Schriftzug »Komm öfter aus / entfernten Gau'n / Die frohen Schützen / hier zu schau'n.«, Umrahmung mit Stäben aus Traubendekor, Rahmung des Mittelteils aus einfacher grüner Honanseide. Auf der Rückseite Schriftzug »Dem entferntesten Schützen beim Oktober-Fest in München. MDCCCXXXIII.«

MSt, L 1038

351 Preisfahne für Schießen, 1885

Gelber Seidentaft, 82×97 cm; in Stuckrahmen mit Blattvergoldung, 103,5×119 cm; Gemälde: Öl auf Leinwand, 50×69 cm.

Im Mittelfeld Gemälde mit Darstellung eines Gebirgssees, im Hintergrund

Dachsteingebirge (?), im Vordergrund zwei Jäger mit Hund und erlegtem Hirsch, Umrahmung mit gold-silberner Metallborte, Kordel mit zwei Quasten, rechts gelb-schwarze Seidenbänder mit Schriftzug »MÜNCHENER OKTOBERFEST«, links weiß-blaue Bänder mit Jahreszahl »1885«.

Die Fahne stammt aus dem Nachlaß von Heinrich Ritter von Dall'Armi (gest. 1922), der im Münchener Schützenwesen eine führende Rolle spielte. Auf der Rückseite befindet sich ein handschriftlicher Zettel: »Schützenpreisfahne Oktoberfest 1885, 2. Preis«.

MSt, VIII/27

352 Preisfahne für
Zimmerstutzenschießen, 1905

Seidensatin bestickt, 90×86 cm; Gemälde von G. Ritzer: Öl auf Leinwand, 42×63,5 cm. Bez. u. r.: »G. Ritzer«; in goldenem Stuckrahmen, 112×121 cm.

Im Mittelstück Gemälde mit idealer oberbayerischer Landschaft, im Vordergrund ein Trachtenpaar. Darüber der Schriftzug »Oktoberfest-Schießen für Zimmerstutzen. München 1905«, darunter Zielpunkt mit dem Schriftzug »1. Preis«, verschiedene Stoffapplikationen mit Wollfadenstickerei, am unteren Rand Goldfransen, Fahnenblatt an Querstange montiert, als Aufhängung an beiden Seiten goldene Kordel mit Quasten, schwarz-gelbe und weiß-blaue Bänder mit Aufschrift »10 jähr. Jubiläum des Obb. Zimmer-St. Schütz.-Verbandes 1905«.

Gewonnen von Josef Bernbacher, München.

Anton Bernbacher, München

353 Preisfahne für
Zimmerstutzenschießen, 1906

Pinkfarbener Seidenatlas mit Stickerei und Applikationen, 75×79 cm.

Münchner Kindl mit Schießscheibe und Preispokal in bestickter und bemalter Seidenapplikation, rundumlaufender Schriftzug »Oktoberfest 1906 Zimmer-Stutzen-Schießen«, unten »Adler 1. Preis«, Einfassung mit Goldborte, am unteren Rand Goldfransen. Der Fahne angehängt wurde ein ovales

△ Kat. Nr. 352   ▽ Kat. Nr. 353

Portraitfoto eines Schützen mit Schützenkette, Beschriftung auf Rückseite »Gewinner Joseph Andrä/München, Ehrenschützenmeister«.

MSt, 66/3324/2

354 Preisfahne für Zimmerstutzenschießen, 1907

Seidenköper, bestickt und bemalt, 85×78 cm.

Schriftzug »Oktoberfest Schießen für Zimmerstutzen München 1907«, im Mittelteil bayerisches Rautenwappen und Münchner-Kindl-Wappen, umrankt von Eichenlaub in Kurbelstickerei, darunter Schriftzug »I. Feldring«. An der Unterkante Goldfransen, rückseitig einfaches Baumwollfutter. Gewonnen von Joseph Andrä, München.

MSt, 66/3324/1

Abbildung S. 183

355 Preisfahne für Schießen 1913

Dreifarbenlithographie auf naturfarbenem Seidentoile, 76×73,5 cm; Entwurf: Ludwig Hohlwein. Bez. o.: »LH«.

Zwischen den Geweihstangen eines Hirschkopfes steht das Münchner Kindl, darunter Schriftzug »OKTOBERFEST-SCHIESSEN 1913«. Das Motiv wurde von Hohlwein für das Jubiläum 1910 entworfen.

MSt, 69/247

356 Medaille »OKTOBERFEST-LANDESSCHIESSEN 1955«

Bronzeprägung, farbig emailliert, ⌀ 5 cm. Bez. auf der Vorderseite u.: »J. ASCHKA MÜNCHEN«.

Vorderseite: Löwe hält ein Wappenschild mit weiß-blauen Rauten, darüber obiger Schriftzug, darunter Zielscheibe und Eichenblätter. Auf der Rückseite Eichenlaubkranz.

MSt, K 8120

357 Preisbecher »OKTOBERFEST-LANDESSCHIESSEN«, 1965–1970

Zinn, Höhe 6,8 cm; ⌀ 6,7 cm; Ausführung »ZINNKUNST GAUTING«.

Konische Becher mit Gravur des obengenannten Schriftzugs mit jeweiliger Jahreszahl.

MSt, K 78/80/1–6

181

Kat. Nr. 350

Kat. Nr. 355

Das Armbrustschießen auf der Wies'n
und die Armbrustschützengilde »Winzerer Fähndl«

Schießwettbewerbe mit der Armbrust auf der Wies'n, insbesondere das attraktive Schießen auf den 30 Meter hohen Vogelbaum, haben eine eigene Tradition: Schon aus dem Jahre 1816 ist das Programm eines Vogelschießens (mit Gewehren) beim Oktoberfest überliefert, 1823 »zeigten sich die Ballester-Schützen mit ihren nicht selten altehrwürdigen Ballestern« (Kugel-Armbrüsten) und 1826 begaben sich mit den »Feuer- auch die Bolz- und die Ballesterschützen« vom großen Rathaussaale aus auf den feierlichen Zug zur Wies'n und schossen dort auf Scheibe und Stern. Sie knüpften damit an eine alte Schützentradition an: Die Armbrust, ab dem 11. Jahrhundert in Europa als Fernwaffe in Gebrauch (und vom zweiten Lateranischen Konzil im Jahre 1139 als besonders »blutrünstig« sogar mit dem Interdikt belegt, das ihre Verwendung nur gegen die »Ungläubigen« zuließ), war eine »unritterliche«, eine eher für die Verteidigung als für den Angriff geeignete Waffe, zudem bei schlechtem Wetter wegen der feuchtigkeitsempfindlichen Sehnen kaum verwendbar. Sie wurde deshalb bald hauptsächlich von den städtischen Aufgeboten verwendet, und zur dauernden Übung mit dem doch kompliziert zu handhabenden Gerät bildeten sich in vielen Städten bürgerliche Schützengilden, deren eine in München seit dem 14. Jahrhundert als »Münchner Armbrust- und Stachelschützenbruderschaft« nachweisbar ist. Zwar verlor die Armbrust ihre militärische Bedeutung durch das Aufkommen der Feuerwaffen, sie blieb aber als Jagdwaffe weiterhin beliebt und der Schießsport der »Stahl-« oder »Stachelschützen« behauptete sich noch lange Zeit neben den Feuerschützen. Eine Deutung leitet ja auch den volkstümlichen Namen des Münchner Karlsplatzes, »Stachus«, von der dort gelegenen Zielstatt der Münchner »Stachelschützen« ab. Die Münchner Gilde wurde 1659 aufgelöst, ihre Schützenkette lieferte sie an die Stadt ab.

Eine 1826 gegründete Armbrustschützengesellschaft erschien dem Magistrat der Königlichen Haupt- und Residenzstadt München so bedeutend, daß er ihr (zumindest vorübergehend) die alte Schützenkette aushändigte. Diese und etliche andere Vereinsbildungen vor dem Hintergrund des sich auf die mittelalterlichen Bürgertraditionen besinnenden 19. Jahrhunderts blieben allerdings ohne Dauer. Zur wirklichen Einführung des Oktoberfest-Armbrustschießens kam es erst 1895 durch die Armbrustschützengilde »Winzerer Fähndl«.

Die »Hauptmannschaft Winzerer Fähndl« war 1887 von dem Münchner Restaurator Karl Joseph Zwerschina gegründet worden. Anlaß war die Enthüllung des Denkmals für Kaspar Winzerer in Bad Tölz am 26. Juni, dem »Sedanstag«. Kaspar Winzerer, der »Goldene Ritter«, ein Zeitgenosse Georg von Frundsbergs, war kaiserlicher und herzoglich-bayerischer Feldhauptmann, hatte sich in der Schlacht von Pavia 1527 hervorgetan und sein Leben als herzoglicher Pfleger zu Tölz beschlossen. Seine Person und sein Denkmal paßten in die romantisierende Geschichtsauffassung des späten 19. Jahrhunderts. Professor J. N. Sepp, ein Vertreter dieser Richtung, hatte deshalb Zwerschina beauftragt, mit einer Gruppe Münchner Bürger in Landsknechtstracht aufzutreten. Diese Bürger schlossen sich an Ort und Stelle zu einer der in dieser Zeit besonders beliebten historischen oder besser historisierenden Vereinigungen zusammen. Ihren ersten öffentlichen Auftritt in Landsknechtsgewändern in München (für das übrigens das Bayerische Nationalmuseum originale Rüstungsteile aus seinen Beständen zur Verfügung stellte) hatte die Gruppe aus Anlaß des VII. Deutschen Turnfestes 1889. 1891 beschlossen die Mitglieder, mit dem Armbrustschießen zu beginnen; sie besorgten sich die nötigen Waffen und Kenntnisse in Nürnberg, wo eine durchgehende Tradition von Armbrustgilden bestand, und gründeten ihre eigene »Gilde« im Rahmen des »Winzerer Fähndls«. Die Gruppe wurde, trotz der relativ geringen Anzahl von Mitgliedern, in München bald recht bekannt. So kam der Magistrat, als er im Jahre 1895 das Oktoberfest attraktiver gestalten wollte, auf die Idee, durch das »Winzerer Fähndl« einen Festzug im historischen Kostüm organisieren zu lassen. Neben einem Zuschuß und der Stiftung städtischer Preise wurde der Gilde dafür das Recht eingeräumt, eine eigene »Wies'n-Bude« auf dem Oktoberfest zu bewirtschaften, für die ein Vertrag mit der Thomas-Brauerei abgeschlossen wurde. Auf der Wies'n selbst wurden verschiedene Schießen durchgeführt, zu denen zwar statt der angemeldeten 40 Teilnehmer nur 24 erschienen, die jedoch insgesamt erfolgreich waren. Dies bewog nicht nur den Magistrat, eine derartige Teilnahme des »Winzerer Fähndls« am Oktoberfest für die Folgejahre vorzusehen, sondern zog auch Armbrustschützen aus anderen bayerischen Städten an. Da sich in der Zwischenzeit in München eine zweite Armbrustschützengilde gebildet hatte, die sich zunächst »Giso« (nach dem Standort Giesing), später »Frundsberger Fähndl« nannte, wurden für das Oktoberfestschießen im Benehmen mit dieser und den Nürnberger »Schnepperschützen« erstmals allgemein verbindliche Schießrichtlinien aufgestellt. Daraus entwickelten sich rasch Regeln für einen sportlichen Wettkampf; als im Jahre 1905 das Oktoberfest-Armbrustschießen für alle bayerischen Armbrustschützen freigegeben wurde, kam es sogar zu ersten Überlegungen hinsichtlich der Gründung eines bayerischen Armbrustschützenbundes. Aus der Wies'n-Attraktion war also binnen weniger Jahre eine ernstzunehmende Sportart mit entsprechenden Bestimmungen und einem festen Teilnehmerkreis geworden, die ihre rasche

Kat. Nr. 361

Entwicklung sicher auch der Anziehungskraft des Oktoberfestes verdankt.

Geschossen wurde (und wird) auf den Adler und den Stern am Vogelbaum sowie auf Scheiben:

Der 30 Meter hohe »Vogelbaum« ist eine stabile Vorrichtung, an deren Spitze entweder ein hölzerner Adler (in der Form des alten Reichsadlers) oder ein Stern mit 18 Holzquadraten von 8×8 cm, den »Plattln«, befestigt wird. Von einem Schießtisch aus wird fast senkrecht nach oben geschossen: mit einer Armbrust, die ca. 700 kg Spannkraft hat und den alten Vorbildern weitgehend ähnlich ist. Beim »Adlerschießen« geht es darum, möglichst viel »Holz« von dem Adler herunterzuschießen; Sieger ist, wer (nach mehreren Durchgängen der Schützen, deren Reihenfolge zuvor ausgelost wurde) das meiste Gewicht an geschossenem Holz auf die Waage bringt. Zusätzlich gibt es »Prämien«, nämlich den Reichs-

apfel, die Krone und das Schwert am Adler. Die »Plattln« beim Sternschießen müssen in einer bestimmten Reihenfolge getroffen werden. Auch hier wird die Folge der Schützen vorher ausgelost und in mehreren Durchgängen geschossen. Sieger ist, wer die meisten »Plattln« getroffen und heruntergeschossen hat.

Auf Scheiben wird heute auf Distanzen von 30 Metern und 10 Metern geschossen, wobei die Ringe zählen. Die Scheibenarmbrust ist zu einer modernen Match-Waffe geworden.

Die beiden Münchner Gilden wetteiferten bald in der Ausrichtung des Oktoberfest-Schießens und des Festzuges, die freilich in den Händen des »Winzerer Fähndls« blieben. Der Magistrat, dem an der reibungslosen Fortführung des Schießens ebenso gelegen war wie daran, den Eindruck der einseitigen Bevorzugung einer einzelnen Gilde oder Vereinigung auf dem Oktoberfest zu vermeiden, erneuerte jedoch im Jahre 1910 den Pachtvertrag mit dem »Winzerer Fähndl« für die Schießanlage und die dazugehörige Festbude nicht mehr, sondern schloß einen entsprechenden Vertrag mit der Thomas-Brauerei. Dabei stellte die Armbrustschützengilde »Winzerer Fähndl« mit »Überraschung« (so das Protokoll der Mitgliederversammlung) fest, daß ihr Name für das Festzelt inzwischen von der Brauerei »patentrechtlich« geschützt worden war. Nach einigen Jahren des Nebeneinanders von Wirtsbude und Schießanlage entwickelte sich daraus der Zustand, daß am Ende ein vom Adlerschießen des »Winzerer Fähndls« ganz abgegrenzter Festhallenbetrieb den Namen »Winzerer Fähndl« führte, während die »Winzerer« neben ihrer Schießanlage wieder eine kleine Wirtsbude aufstellten. Da diese Schießanlage wiederholt ihren Platz wechselte, stehen das »Winzerer Fähndl« und das »Armbrustschützenzelt« (mit der Schießanlage der »Armbrustschützengilde Winzerer Fähndl«) heute denn auch an ganz verschiedenen Stellen der Wirtsbudenstraße.

In der Folgezeit gab die Stadt jeweils Zuschüsse für die Oktoberfestaktivitäten und sorgte gleichzeitig für die Wintereinlagerung von Festhalle und Schießanlage. Die Kosten für die Durchführung der Festschießen wurden im wesentlichen durch die Einnahmen aus der Verpachtung der Festhalle gedeckt; für den Festzug gab die Stadt einen eigenen Zuschuß. Dafür fand alljährlich auf der Theresienwiese ein Vogelbaum- und Scheibenschießen statt, das nationale und in Ansätzen bereits internationale Beteiligung hatte.

Nachdem die alte Festhalle des »Winzerer Fähndls« bei einem Luftangriff auf München vernichtet worden war, bezog die Gilde das Oktoberfest 1950 mit einem auf eigene Kosten und ohne städtische Zuschüsse geschaffenen neuen Bierzelt, das rund 500 Plätze faßte. Der Pachtvertrag zwischen der Stadt und der Gilde sprach dieser das Recht auf Unterverpachtung der »Oktoberfest-Schützenhalle« an einen Festwirt zu. Das Bierlieferungsrecht hatte die Paulaner-Thomas-Brauerei. Nach anfänglichem Zögern erhielt das Zelt des »Winzerer Fähndls« von der Stadt eine Konzession als öffentlicher Festbetrieb sowie Zuschüsse für die Durchführung der Festschießen.

Traditionsgemäß nimmt das »Winzerer Fähndl« auch an den Oktoberfest-Trachtenzügen (und mit einer kleineren Mannschaft am Einzug der Wies'n-Wirte) teil. In der Festgruppe marschieren die Armbrustschützen mit dem Fahnenträger und dem Gildenmeisteramt (Vorstand) an der Spitze mit ihren Frauen in spätmittelalterlicher Bürgertracht oder im Landsknechtsgewand. Angeführt wird die Gruppe von einer Kapelle gleichfalls im historischen Kostüm; Trommler und Pfeifer oder ein Fanfarenzug gehören zum Bild ebenso wie der mit Jagdtrophäen geschmückte Kremperwagen und die Kanone. Wegen seiner Buntheit erfreut sich dieser Beitrag zum Oktoberfest-Trachtenzug (der ja traditionell auch ein Schützenzug ist) immer noch großer Beliebtheit. Auch bei verschiedenen Schießen im Armbrustschützenzelt tragen die »Winzerer« ihre Landsknechtsgewänder.

1957 wurde zum letzten Mal auf der Wies'n auf den Vogelbaum geschossen. Es hatte wegen der problematischen Sicherheitsbedingungen bereits Jahrzehnte hindurch immer wieder Verlegungen des Schießplatzes gegeben, da die fast senkrecht in die Höhe geschossenen Bolzen trotz am Vogelbaum angebrachter Schutzgitter weit gestreut niederfallen konnten und da es wiederholt zur Verletzung von Zuschauern gekommen war. Für 1958 erschien der Stadt das Vogelschießen auf dem Oktoberfest nach den Sicherheitsbestimmungen nicht mehr vertretbar; eine gewisse Rolle mag dabei auch gespielt haben, daß bei einem Herbstschießen 1957 auf der Vogelanlage des »Winzerer Fähndls« in Lochhausen der Baum gebrochen war und einen schweren Unfall verursacht hatte. Seit 1958 werden bei den vom »Winzerer Fähndl« im Auftrag des Bayerischen Sportschützenbundes und des Deutschen Sportschützenbundes ausgerichteten national-traditionellen deutschen Meisterschaften die Scheibenschießwettbewerbe auf der Wies'n, die Adler- und Sternwettbewerbe aber in Lochhausen durchgeführt.

1960 wurde die Oktoberfesthalle der Armbrustschützen von 500 auf 1500 Plätze ausgebaut, nachdem ein Neubau wegen Baufälligkeit des alten Zeltes erforderlich geworden war. Dabei ergaben sich Vertragsänderungen, da die Zeltkosten vom Festwirt übernommen worden waren und die Brauerei entsprechende finanzielle Konditionen stellte. Heute ist das Armbrustschützenzelt eine der großen Oktoberfesthallen, die an einen qualifizierten Wies'n-Wirt vergeben werden. In einem Nebenzelt mit entsprechenden Schießbahnen werden die Scheibenschießwettbewerbe durchgeführt, die nicht für jedermann frei zugänglich sind, damit die entsprechenden Sicherheitsbestimmungen eingehalten werden können. Bei der Münchner Königlich Privilegierten Feuerschützengesellschaft »Der Bund« wurde übrigens 1949 eine Armbrustschützen-Abteilung gegründet, da damals mit Kleinkaliber- und Scheibengewehren nicht geschossen werden durfte. Diese Abteilung ist heute die dritte Münchner Armbrustschützengilde, die bei den Oktoberfest-Schützenwettbewerben, den deutschen Meisterschaften, in Konkurrenz zu Armbrustschützengilden beispielsweise aus Nürnberg, Landshut und Mindelheim, aber auch aus der Schweiz, Frankreich und Österreich tritt.

Helmut M. Hanko

**358 »Programm zu dem
am 30. September 1895
von der Armbrustschützen-Gilde
›Wintzerer Fähndlein‹
abzuhaltenden Fest-Zug
als Spitze des Schützenzuges.«**

Doppelseitig bedrucktes Blatt mit Titelholzstich
und Typendruck, 49,5×24 cm.

Als Titelillustration wurde ein Holzschnitt aus dem 16. Jahrhundert verwendet, auf dem zwei Ritter das bayerische Wappen halten. Auf der Rückseite ist das »Schieß-Programm der Armbrustschützengilde ›Wintzerer Fähndlein‹ gelegentlich des Oktoberfestes 1895« gedruckt mit »Adler Haupt-Schießen«, »Stern-Schießen«, »Adler Vereins-Schießen« und »Scheiben-Kreisschießen«.

1895 beteiligte sich die 1887 gegründete Armbrustschützengilde zum ersten Mal am Oktoberfest. Großes Aufsehen erregte dabei der von Schützenmeister Karl Zwerschina zusammengestellte Zug der Armbrustschützen in ihren historisierenden Kostümen aus dem 16. Jahrhundert. Die Landsknechte, Waidknechte, Falkner, »Edle Herren und Damen zu Pferd« fanden durch Pauken, Trompeten, Querpfeifen und Trommeln ihre entsprechende akustische Untermalung.

MSt, III f/35

**359 Gruppe aus dem Festzug
der Armbrustschützengilde
»Wintzerer Fähndl«, 1895**

Foto.

MSt, III f/37 a

**360 »Programm des historischen
Festzugs der Armbrustschützengilde
Wintzerer Fähndlein zu München
am Montag den 5. Oktober 1896«**

4 S. 32,5×22,5 cm, mit illustriertem Titel. Bez. u. r.:
»F. Mederer 96«.

Auf dem Titel, der im Stil des 16. Jahrhunderts gehalten ist, reitet Herzog Wilhelm IV. von Bayern umgeben von Landsknechten durch das Stadttor. In seiner Linken hält er eine Standarte,

auf der das Motto des Festzuges zu lesen ist: »Des hohen Rathes Gunst / und edler Bürger Sinn / Stellt längst entschwund'ne Zeit / Nun Euren Blicken hin«.

»Zur Darstellung gelangt: Einzug Herzog Wilhelm IV. des Standhaften von Bayern und der fürstlichen Braut Maria Jacobäa Markgräfin von Baden zu München im Jahre 1522. Nach alten Motiven mit möglichster Berücksichtigung der historischen Treue zusammengestellt und vorgeführt durch K. Jos. Zwerschina, Historiker und I. Schützenmeister des Wintzerer Fähndleins.«

Dieser zweite Festzug der Armbrustschützengilde fand traditionsgemäß am Montag um 10 Uhr als Auszug der Schützen auf die Theresienwiese statt.

Er übertraf den Festzug von 1895 an Ausstattung und Umfang um ein Weites. War der erste Festzug noch eine lose Reihung von Kostümierten, wurde hier ein historisches Ereignis bis ins Detail inszeniert. Das Programm führt genau auf, welche Personen die Festzugsteilnehmer verkörperten vom Brautpaar über die Eltern der Braut und des Bräutigams bis hin zu den geladenen adeligen Gästen.

Hier wurde die Landshuter Fürstenhochzeit, die sich auf die Vermählung eines bayerischen Herzogs mit einer polnischen Königstochter 1475 bezieht und 1903 zum ersten Mal veranstaltet wurde, vorweggenommen. In Landshut wurde der Festzug mit Rahmenprogramm zur Tradition. Warum sich der Münchener Zug der Armbrustschützen nach diesem enormen Aufwand an Kostümen und Festzugsrequisiten nicht institutionalisierte, wäre eine interessante Frage. 1898 gestalteten die Armbrustschützen ihren Einzug wieder in bescheidenerem Rahmen als historischen Jagdzug. Danach blieb es beim Auszug zum Schießen in der noch heute üblichen Kostümierung der verschiedenen Armbrustschützengilden. FD

MSt

Kat. Nr. 360

**361 Gruppe aus dem historischen
Festzug der Armbrustschützengilde »Wintzerer Fähndl«,
1896** Abbildung S. 185

Foto.

MSt, III g/266 b

**362 Umzugstrommel
für einen Armbrustschützen,
Anfang 20. Jahrhundert**

Messingkörper, Höhe 45 cm, ⌀ 35 cm.

Trommel mit Pergamentfell und Schnurbespannung, Ringe mit weißblauer Bemalung.

Armbrustschützengilde Winzerer Fähndl e.V.,
München

**363 Zwei Adlerzungen,
abgeschossen von Karl Zwerschina,
1896**

Mit Rahmenmontierung 26×17 cm.

Geschnitzter Holzrahmen, darin Papierbogen mit farbig gezeichnetem Reichsadler, darunter Schriftzug: »Diese beiden Vogelzungen hat Herr Karl Jos. Zwerschina, I. Schützenmeister

Kat. Nr. 363

Kat. Nr. 366

des Winzerer Fähndleins a[nn]o 1896 auf 2 Schüß hintereinander mit der Armbrust 110 Fuß hoch herabgeschoßen. Ist die Kunst zu fein / Tragt's nichts ein!«, auf der Rückseite Visitenkarte mit geprägtem Wappen, Schriftzug: »An das historische Stadtmuseum. Geschenk des Herrn KARL JOS. ZWERSCHINA Kunstrestaurator & I Schützenmeister des Wintz'rer Fähndleins, Gründer des Vereins«.
Der obere Teil des Rahmens wird von den Zungen umfaßt, darauf sitzt ein plastisch geschnitzter schwarzer Adler mit dem bayerischen und dem Münchner Wappen.

MSt, VIII/25

364 Armbrust, sog. »Prinzenarmbrust«, Anfang 20. Jahrhundert

80×67 cm.

Armbrust mit Stahlbogen und Stahlsehne, Tiroler Schäftung aus Nußbaumholz, Bogenhaus auf beiden Seiten geziert mit Doppeladler und bayerischen Wappen, dazu Spannbock und Bolzen. Diese Armbrust wird »Prinzenarmbrust« genannt, weil sie von einem bayerischen Prinzen bei einem Oktoberfestschießen verwendet wurde. Im Historischen Stadtmuseum Burghausen befindet sich ebenfalls eine »Prinzenarmbrust«, von der bekannt ist, daß

mit ihr Prinz Ludwig von Bayern 1895 auf dem Oktoberfest geschossen hat.
Armbrustschützengilde Winzerer Fähndl e.V., München

365 Adler für Oktoberfestarmbrustschießen, 1910

Fichtenholz, bemalt, 188×183 cm.

Doppelköpfiger Reichsadler mit Krone, Schwert und Reichsapfel, auf seiner Brust bayerisches Wappenschild. Mit originalen Einsägungen an den Ansätzen der Beine und der Köpfe, damit diese Teile leichter heruntergeschossen werden konnten. Die damaligen Armbrüste hatten noch nicht die Schlagkraft der heute gebräuchlichen Geräte. Der Adler war an der Spitze einer 33 m hohen Stange horizontal montiert.
Dieser Adler wurde in der Jubiläumsausstellung 1910 im Historischen Museum der Stadt München gezeigt. Er war ein Geschenk der Armbrustschützengilde »Winzerer Fähndl«.

MSt, VIII/24

366 Zerschossener Adler vom Festadlerschießen des Winzerer Fähndls, 1984

Holz, bemalt, ursprünglich 210×230 cm.

Am Sonntag, dem 30.9.1984 veranstaltete das Winzerer Fähndl sein traditionelles Festadlerschießen anläßlich des Oktoberfestes auf seinem Vereinsgelände in Lochhausen. In drei Durchgängen wurden drei Adler heruntergeschossen. Diese Teile stammen vom zweiten Adler. Auf ihn wurden von 29 beteiligten Schützen reihum insgesamt 291 Bolzenschüsse abgegeben. Jedes herabfallende Teil wurde gewogen. Der beste Schütze konnte ein Teilstück mit einem Gewicht von 1445 g herunterschießen. Der Adler wog insgesamt 16870 g.
Teilgenommen hatten Schützen von der Armbrustschützengilde Winzerer Fähndl, ASG Frundsberger Fähndl, ASG Detag/Wernberg, ASG Zirndorf, Fähnlein Rechberg/Mindelheim, Kgl. priv. Hauptschützengesellschaft Der Bund/Allach, Kgl. priv. HSG/Nürnberg.

Privatbesitz, München

Kat. Nr. 365

Kat. Nr. 369

Korb aus Drahtgeflecht umgeben. Die beiden Schützen im Vordergrund spannen ihre Armbrüste mit dem Hebel. Auf der Theresienwiese fand das letzte Vogelschießen 1966 statt.

MSt, P 1872

371 Prominenten-schießen im Armbrustschützenzelt 1965

Foto, gerahmt, 32,5×37,5 cm.

Landwirtschaftsminister Alois Hundhammer, Bürgermeister Alfons Bayerle und Karl-Heinz Weber, der 1. Gildenmeister der Winzerer, beim ersten Prominentenschießen. Richard Süßmeier, Wirt des Armbrustschützenzeltes, begründete dieses Schießen 1965.

Armbrustschützengilde Winzerer Fähndl e.V., München

372 Programmheft »Lad-Zettul!« Winzerer Fähndl e.V. gegründet 1887, Nachfolger der Münchener Stachelschützen, gegr. 1406, 1984 Oktoberfest Armbrust-Landesschießen«

16 S., 4°.

Titelillustration mit dem Gildezeichen des Winzerer Fähndls.

StadtAM, ZS

373 Wanderpreis für Armbrustschützen, 1933

Bronzeguß, Höhe 54 cm. Bez. »Krieger [19]30«.

Heroisch blickender Adler auf Sockel, darauf Schriftzug »OKTOBERFEST ARM-BRUST-SCHIESSEN DES WINZERER FÄHNDLS / EHREN-WANDERPREIS DES BAYERISCHEN MINISTERPRÄSIDENTEN FÜR DAS STERNSCHIESSEN UM DIE BAYERISCHE MEISTERSCHAFT 16. SEPTEMBER 1933«.

Armbrustschützengilde Winzerer Fähndl e.V., München

374 Kanne »80 JAHRE WINZERER FÄHNDL, OKTOBERFEST 1967. Festwirt Richard Süßmeier«

Sechseckige Zinnkanne, Deckel mit Schraubverschluß, Höhe 28 cm, Ø 13 cm, mit Marke »Feinzinn MR«.

Armbrustschützengilde Winzerer Fähndl e.V., München

367 Schützengilde Winzerer Fähndl auf dem Oktoberfest 1932

Foto, 11,5×16,5 cm.

StadtAM, Fotoslg.

368 Prinz Alfons von Bayern bei den Armbrustschützen auf dem Oktoberfest 1932

Foto, 14×9 cm.

StadtAM, Fotoslg.

369 Prinz Ludwig Ferdinand von Bayern bei den Armbrustschützen auf dem Oktoberfest 1935

Foto.

StadtAM, Fotoslg.

370 Vogelschießen der Armbrust-schützen, 1950

Fritz Blümel, Federzeichnung, 27,5×21 cm. Bez. u. r.: »F. BLÜMEL«.

Als Auffangvorrichtung für verirrte Bolzen wurde der Vogel mit einem

Kat. Nr. 370

375 Preisteller für Armbrustschützen, 1974

Zinn, graviert und getrieben, Ø 27 cm.

Mit Darstellung des Münchner Kindls, Schriftzug »Oktoberfest-Armbrust-Landesschießen 1974«, »EHRENGABE der Landeshauptstadt München«.

Armbrustschützengilde Winzerer Fähndl e.V., München

376 Teller »Oktoberfest-Armbrust-Landesschießen 1977«

Zinnguß mit Gravur, Ø 35 cm.

Teller mit bayerischem Wappen und Zierrand, unter obigem Schriftzug »Ehrenpreis des Bayerischen Ministerpräsidenten Dr. h. c. Goppel« mit faksimilierter Unterschrift.

Armbrustschützengilde Winzerer Fähndl e.V., München

»Belohnung aus des Königs Hand«

Fahnen als Preise

Wie es sprachgeschichtlich zu der etwas komischen Wortzuordnung kam, daß »Preise winken« können, sei dahingestellt. Zumindest beinhaltet die Formulierung die Funktion des Preises als Anreiz, an einer Veranstaltung mit Wettbewerbscharakter teilzunehmen, um als möglicher Preisgewinner daraus hervorzugehen. Preise als Motivation für eine breite Beteiligung am Fest – diese Intention prägt das Oktoberfest vor allem im 19. Jahrhundert. Gerade in den ersten Jahrzehnten war das Programm des Festes bestimmt durch die Veranstaltungspunkte, bei denen Preise zu gewinnen waren: Landwirtschaftsfest, Pferderennen und Schießen.

Preise haben für den Gewinner primär einen ideellen Wert. Zugleich können die überreichten Preise auch von materiellem Wert sein. Diese Preis-Gegenstände interessieren hier im Zusammenhang mit dem Oktoberfest. Das Spektrum der preisbezogenen Veranstaltungen im Laufe der Festgeschichte ist breit. Auf dem Landwirtschaftsfest werden von 1811 bis heute verschiedene Leistungen prämiert (vgl. den Aufsatz »Das Central-Landwirtschaftsfest«, S. 150).

Beim Pferderennen waren beim Haupt- und Nachrennen, später dann bei den zusätzlichen Rennveranstaltungen wie Trabrennen und Sulkyfahren Preise zu gewinnen. Mit dem zusätzlichen »Weitpreis«, bestimmt für denjenigen, der die weiteste Anreise zum Fest auf sich genommen hatte, versuchten die Veranstalter, Festteilnehmer aus entlegenen Regionen nach München zu locken (Kat. Nr. 350, 379). Beim ersten Pferderennen 1810 wurde dieser Preis an einen Straubinger vergeben. Im Laufe der Jahre weitete sich das Einzugsgebiet auf ausländische Rennmeister aus. So erhielt etwa 1822 ein Posthalter von Peuerbach bei Linz den Weitpreis. 1839 hatte sich die Intention des Festes als zentrale Veranstaltung des Königreichs wohl soweit durchgesetzt, daß dieser Preis als Anreiz zum letzten Mal vergeben wurde. Bei den Oktoberfestschießen ab 1816 waren die verschiedenen Schießprogrammpunkte, die sich im Laufe der Festgeschichte veränderten, mit Preisen dotiert. Zum Weitpreis kamen hier die Auszeichnungen für den ältesten und jüngsten Schützen, die 1823 zum erstenmal vergeben wurden. Der »Älteste Preis« hat sich bei den Festschießen des Bayerischen Sportschützenbundes bis heute erhalten. Als weitere Auszeichnung ist für das Schießen die Verleihung der Schützenkette als Zeichen der Schützenkönigswürde für die Dauer eines Jahres zu nennen.

Neben diesen wichtigen Festbestandteilen gibt es in der Oktoberfestgeschichte eine Reihe von Veranstaltungen, die mit Preisverteilungen verbunden waren. Dies beginnt mit der Auszeichnung von Schuljugend bei den Wiesenfesten der frühen Festjahre, zieht sich von den Wettkämpfen der Bäcker- und Wagnergesellen 1835/36 bis zu den Turnwettkämpfen und Radrennen (Kat. Nr. 428) des ausgehenden 19. Jahrhunderts.

Für die Form des übergebenen Preises ist für das Oktoberfest die Kombination von Preisfahnen als Zeichen des ideellen Wertes verbunden mit einem Geldpreis materiellen Wertes bezeichnend. Diese Unterscheidung ist für die folgende Ausführung entscheidend, bei der die Beschreibung der Preisobjekte, speziell der Fahnen, in den Vordergrund rückt. Daß diese Objekte bei der Preisverleihung mit Münzen gängiger Währung verbunden waren, die in Umlauf gebracht werden konnten, war für den damaligen Gewinner vielleicht von größerer Bedeutung als das zusätzliche Preiszeichen. In den ersten Jahrzehnten hingen die Münzen – mit Bändern an eine Schnur geknüpft – unter dem Volant der Fahnen (vgl. Abb. Kat. Nr. 390).

Die Geldpreise der einzelnen Oktoberfestveranstaltungen, die mit Ausnahme des Landwirtschaftsfestes vom Magistrat finanziert wurden, waren relativ hoch dotiert. Die jeweiligen Oktoberfestprogramme geben hierzu genaue Auskunft: So lagen zum Beispiel 1834 die Preise für das erste Pferderennen bei 36 Talern für den Gewinner, dann abgestuft bis zu einem Taler für den 16. Preis. Nach Einführung der Mark-Währung betrugen die Rennpreise 1000 Mark für den Ersten, 500 Mark für den Zweiten bis 100 Mark für den Siebten (Beispiel von 1876).

Im folgenden soll die Geschichte der Oktoberfest-Preisfahnen dargestellt werden. Als Quelle dienen die Programme, in denen die Fahnen als Preise aufgeführt und zum Teil näher beschrieben werden. Das Münchner Stadtmuseum besitzt eine Sammlung von 33 Fahnen, die, angereichert durch einige Leihgaben, in der Ausstellung gezeigt werden. Durch ansatzweise Recherchen konnten weitere Fahnen in Privatbesitz ermittelt werden, von denen es sicher noch eine Menge gibt. Trotzdem bilden die erhaltenen Stücke nur einen Bruchteil der Fahnen, die auf dem Fest verteilt wurden. Das textile Material bleibt über Jahrzehnte nicht haltbar. Die Fahnen werden brüchig, unansehnlich und sind so irgendwann der Vernichtung preisgegeben. Der Bestand des Mu-

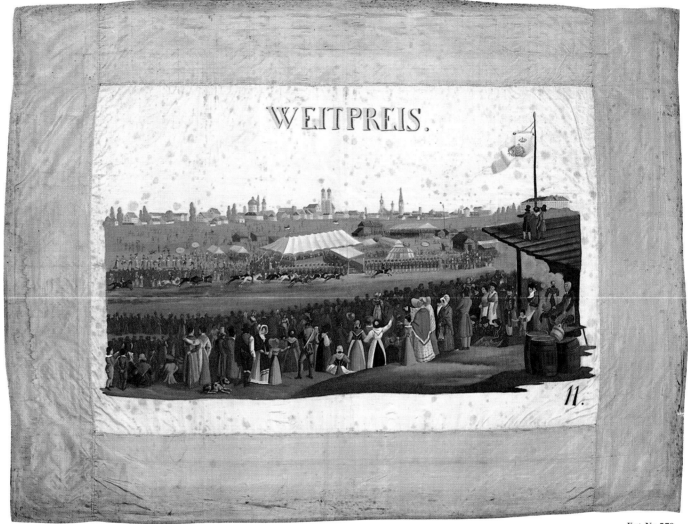

WEITPREIS.

Kat. Nr. 379

seums, gerade an Exemplaren aus der ersten Hälfte des 19. Jahrhunderts, kann präsentiert werden, weil im letzten Jahr ein aufwendiges Konservierungsprogramm in der eigenen Werkstätte für Textilrestaurierung durchgeführt wurde. Gemessen an dem »Marktwert« wären die Kosten für die Restaurierung einer Fahne für einen Privatmann unerschwinglich. Hier kann nur das Museum, finanziert durch die öffentliche Hand, die Erhaltung »kultureller Werte« leisten.

Auf den Landwirtschaftsfesten war die Übergabe von Medaillen, Geld- und Sachpreisen mit einfachen lithographisch bedruckten Seidenfahnen verbunden (Kat. Nr. 310–313). Diese Fahnen muß es zu Tausenden gegeben haben. An-

hand eines Berichtes über das »Centrallandwirtschaftsfest« von 1827 mit ausführlicher Beschreibung der Preisträger und ihrer Gewinner lassen sich für dieses Jahr allein ca. 150 Fahnen zählen (MSt, P L 154).

Die Entwicklung der Fahnen für Pferderennen und Schießen läßt sich in zwei Epochen teilen. Von 1810 bis 1850 bestanden die ersten zwei bis sechs Preise in der Regel aus gestickten Seidenfahnen, die folgenden waren mit einem Gemälde geziert. Der Rest der Gewinner, der beim Pferderennen manchmal bis zum 16. Preis ausgezeichnet war, erhielt eine einfache lithographierte Fahne.

Um einen Eindruck zu bekommen, in welcher Menge diese Fahnen vergeben wurden, wird das Jahr 1834 exemplarisch

Kat. Nr. 380

herausgegriffen: Erstes und zweites Pferderennen 16 Fahnen, dazu zwei Weitpreisfahnen; vier für Vogelschießen, sechs für Hirschschießen, 36 für erstes und zweites Scheibenschießen, 18 für erstes und zweites Pistolenschießen. Dies ergibt allein für dieses Jahr insgesamt 92 Fahnen, von denen acht gestickt und zwölf mit einem Gemälde versehen waren.

Die gestickten Fahnen zierten mit wenigen Ausnahmen (Kat. Nr. 382) die Initialen von Mitgliedern der königlichen Familie. Dabei gab es eine Fülle von Varianten, hier exemplarisch aufgezeigt:

1827, *1. Pferderennen:* »LT« (das Königspaar Ludwig und Therese), »M« (Kronprinz Maximilian), »O« (Prinz Otto), »L«

(Prinz Luitpold); *2. Pferderennen:* »L« (König Ludwig), »M« (Kronprinz Maximilian).

1834, *1. Pferderennen:* »L« (König Ludwig), »T« (Königin Therese), »M« (Kronprinz Maximilian), »L« (Prinz Luitpold), »A« (Prinz Adalbert), »K« (Prinz Karl); *2. Rennen:* »LT« (das Königspaar Ludwig und Therese), »M« (Kronprinz Maximilian).

Die willkürliche Auswahl zeigt, daß eine Preisfahne mit Initialen, über deren Gewinner nichts bekannt ist, anhand der zur Verfügung stehenden Quellen nicht mehr datierbar ist. Zugleich wird deutlich, daß ein »L« nicht immer für König Ludwig stehen muß, sondern sich zum Beispiel ebenso auf dessen Sohn Luitpold beziehen kann.

193

1825, aber auch in anderen Jahren, wurden nach der königlichen Familie sogar Mitglieder der herzoglichen Nebenlinie bedacht, wie Wilhelm, Pius August und Maximilian. Zu besonderen Anlässen wie 1824 zur Vermählung der bayerischen Prinzessin Sophie mit Erzherzog Franz Karl von Österreich trug die erste Rennpreisfahne die Initialen »FS«. Eine Datierungshilfe geben allerdings die um die Initiale kreisförmig angeordneten Sterne, die sich auf das Regierungsjahr beziehen. So waren 1825 die Initialen des Königspaars mit 26 Sternen umgeben, als Zeichen für die kurfürstliche und königliche Regierungszeit Maximilians ab 1799. Die früheste Fahne aus der Sammlung des Stadtmuseums kann deshalb auf das Jahr 1818 datiert werden (Kat. Nr. 377).

Es muß darauf hingewiesen werden, daß alle diese Fahnen zwar am Königszelt aus indirekter Königshand verliehen wurden. Finanziert und in Auftrag gegeben hatte sie aber der Magistrat der Stadt München, der sein städtisches Selbstverständnis zurückstellte zugunsten der Monarchie. Mit diesen prächtigen Fahnen verbreiteten sich in erster Linie *königliche* Zeichen in die entlegensten Orte des Landes. Daß die *Stadt* als Residenzstadt letztlich Träger des Festes war, spielt eine untergeordnete Rolle. In den Fahnen spiegelt sich wiederum die Intention des Festes als zentrale Veranstaltung des Königreiches mit seiner gezielt monarchischen Ausrichtung.

Während sich von den gestickten Seidenfahnen aus der Zeit vor 1850 eine Reihe erhalten hat, fehlen Belege für die gemalten Fahnen. Als einzige ist die Weitpreisfahne mit der Ansicht des Oktoberfestes nach Heinrich Adam in Temperamalerei auf Seidenstoff anzuführen (Kat. Nr. 379). Ob dies die übliche Ausführung war, kann nicht gesagt werden, da die Programme zwar die Motive erwähnen, aber nur von »gemalt« oder »mit Gemälde geziert« sprechen. Kopien nach zeitgenössischen Vorlagen waren häufig. So finden sich im Programm von 1833 für das Pferderennen »zwei Preisefahnen mit Gemälden, Pferdegruppen, nach Adam vorstellend«. Auf der ersten Fahne für das Glück war ein »bayerisches Schlachtgemälde nach Monden« (= Dietrich Monten). 1837 heißt es bei einer Rennpreisfahne: »Gemälde: König Otto's Einzug in Nauplia, nach Kraus, gemalt von Hohbach«. Die Maler der Fahnen haben wohl auch nach eigenen Entwürfen gearbeitet. So ist zum Beispiel der Programmeintrag, ebenfalls 1837, für die Glücksfahne zu verstehen: »Gemälde: Der gereizte Eber von Jagendeubel.«

In den 1830er Jahren ist manchmal dezidiert von »Ölgemälden« die Rede. Dies kann sich allerdings nur auf die Malweise beziehen und beweist nicht, daß unbedingt Leinwand als Bildträger fungiert haben muß.

Die Palette der erwähnten Motive ist farbig. Neben bayerischen Ortsansichten und Landschaften beziehen sich viele Bilder auf Ereignisse der bayerischen Geschichte. So zeigten die Fahnen von 1823 »Die Eroberung des Engpasses von Ve-

rona durch Otto den Größeren, in dem Jahre 1155«, »Die Krönung Kaiser Ludwigs des Bayern in Rom, im Jahre 1328« und »Die Erstürmung der Festung Belgrad unter Anführung des Churfürsten Max Emanuel, in dem Jahre 1688«. – Eben die Themen wurden zu dieser Zeit, von 1826 bis 1829, als Fresken in die Hofgartenarkaden nach Entwürfen von Peter von Cornelius gemalt. Als weitere Ovation an das Haus Wittelsbach zierten die Fahnen Portraits von Mitgliedern der königlichen Familie. Bei den Schießfahnen dominierten die jagdbezogenen Motive.

Am wenigsten weiß man über die einfachen lithographisch bedruckten Seidenfahnen. In den Programmen werden sie nicht beschrieben, bis auf vereinzelte Hinweise, etwa 1822 bei den Pferderennpreisen: »Auf den übrigen Fahnen befindet sich ein Renn-Pferd im Steinabdrucke.« Im Gegensatz zum vergänglichen Textil haben sich Drucke dieser Motive auf Papier erhalten. Zu welchem Zweck diese Drucke hergestellt wurden ist nicht bekannt (Kat. Nr. 227–230). Als einziger Beleg für eine einfache Fahne kann die für das Freischießen 1825 genannt werden, zu deren Lithographie zufällig auch ein Papierabdruck vorhanden ist (Kat. Nr. 348, 349).

1851 beschloß der Magistrat, »daß für die Zukunft die gestickten Preisfahnen der Pferderennen und des Oktoberfestschießens durch Fahnen mit Gemälden ersetzt werden sollen, daß dagegen eine mit den Namenszügen des Königs und der Königin in gutem Gold gestickte Fahne anzufertigen sei, welche bei den Aufzügen jedesmal den Preisfahnen vorangetragen und nach Beendigung des Festes gut aufbewahrt werden solle, um solche für weitere Oktoberfeste benutzen zu können«.

Diese Fahne existiert noch (Kat. Nr. 384). Als Ludwig II. 1864 den Thron bestieg, kam eine weitere Ehrenfahne mit gestickter Initiale »L« hinzu. Auf dem Bild der Jubiläumsausstellung 1910 ist sie zu sehen (Kat. Nr. 116). Ab 1851 bildete das Mittelfeld der Fahnen ein auf Leinwand gemaltes Gemälde. Die früher einfache Rückseite bekam ein Seidenfutter mit schabloniertem Dekor und Schriftzug »Münchener Oktober-Fest« mit Jahreszahl. Ab den 1880er Jahren entfiel dieses gezierte Futter. Dafür wurden an beiden Seiten der Fahne Bänder gebunden mit der Aufschrift »Münchener Oktoberfest« und der entsprechenden Jahreszahl.

Destouches erwähnt in der Säkularchronik einige Maler dieser Fahnengemälde: 1852 waren es August Schleich, Sebastian Habenschaden und Jagendeubel, der schon vorher Fahnenbilder malte. 1857 fertigte Habenschaden für die »gezierten Fahnen« 15 Ölgemälde à 20 Gulden, 1858 mußte er 20 liefern. 1872 werden die Maler Aloys Bach und Karl Lieske genannt. 1904 hatte der »Kunstmaler Paul Wolf anstelle seines verlebten Vaters Hermann Wolf« das Malen der Fahnenbilder übernommen. Da die Maler ab den 1890er Jahren die Bilder zum Teil signierten, können sie eventuell zugeordnet werden.

Die Qualität der Malerei ist unterschiedlich. Gerade die frühen Belege aus den 1850er Jahren (Kat. Nr. 249–251) zeigen gute Bilder, gemessen an der zeitgenössischen Malerei. Bei den Gemälden um die Jahrhundertwende sinkt die Qualität, die serielle Fertigung kommt deutlich zum Tragen (z. B. Kat. Nr. 352). Vorherrschend sind entsprechend der Zweckbestimmung Pferdestücke, Jagdmotive, aber auch Landschaften und Portraits der Königsfamilie, vor allem des Prinzregenten. Im Stadtarchiv befindet sich eine Sammlung mehrerer Dutzend Fotos von Preisfahnen vom Beginn des 20. Jahrhunderts. Die Fotos sind leider nicht datiert, bilden aber zu den Motiven und Malern eine weitere noch nicht ausgewertete Quelle (StadtAM, Hochbau, Gruppe XXV).

Die Gemälde mußten auf Fahnen montiert werden. 1909 heißt es bei Destouches, daß die Preisfahnen seit langen Jahren von der Fa. J. G. Gerdeißen, Kunststickerei und Fahnengeschäft, geliefert werden. Die gezierten Fahnen kosteten damals 35 Mark, die einfachen 5 Mark. Neben diesen mit Gemälden gezierten Fahnen gab es für das Schießen zum Teil wieder Fahnen mit Stickereien und Applikationen (Kat. Nr. 353, 354).

Die mit Gemälden versehenen Fahnen für die ersten drei bis vier Gewinner gab es bis in die Zeit vor dem Zweiten Weltkrieg (Kat. Nr. 392). Lediglich beim Bayerischen Sportschützenbund hat sich dieser Preis erhalten. Noch heute wird eine Fahne dieser Art dem Oktoberfest-Landesschützenkönig verliehen.

Die einfachen Preisfahnen bestanden nach 1851 aus einem Seidenblatt, auf das das Münchner Wappen mit dem Schriftzug »Oktoberfest« und jeweiligem Jahr in Gold- oder Silberfarbe schabloniert war. Ende des 19. Jahrhunderts wurde das Motiv auf den Stoff gedruckt (Kat. Nr. 386). 1913 scheint es die einfachen Fahnen zum letzten Mal gegeben zu haben. Hervorzuheben sind hier die Neugestaltungen von Ludwig Hohlwein 1910 für das Pferderennen und Schießen (Kat. Nr. 254, 355), die mit dem Höhepunkt der Münchner Plakatkunst dieser Jahre in Verbindung zu setzen sind.

Um nochmals auf die Vielzahl der im Laufe der Oktoberfestgeschichte verliehenen Fahnen hinzuweisen, werden als Beispiel die Zahlen für 1895 genannt: Allein in diesem Jahr kamen beim Pferderennen und Schießen insgesamt 31 gezierte und 72 einfache Fahnen zur Verleihung.

Neben den Preisfahnen, die charakteristisch für das Oktoberfest waren, gab es zeitweise auch Pokale als Preise. Destouches weist darauf hin, daß 1872 die Gewinner beim Rennen und Schießen Pokale und Becher erhielten. 1875 bestanden die ersten zwei Preise des Rennens aus Pokalen, die beiden folgenden aus gezierten Fahnen. 1878 nahm man wieder die gewohnten Fahnen auf. Daß es weiterhin Ausnahmen gegeben hat, zeigt der Pokal für das Hindernis-Fahren 1898 (Kat. Nr. 253). Oktoberfestbezogene Preispokale sind selten. Außer dem genannten ist nur der vom Velozipedenrennen 1894 bekannt (Kat. Nr. 428). Zum Jubiläum 1910 wurden einige Pokale ausgesetzt, sie sind in Destouches' Gedenkbuch von 1912 abgebildet.

Ein interessantes Kapitel – zum Abschluß – ist die Rezeption der Preise von seiten der Gewinner. Was geschah mit den an sich sperrigen Fahnen, wenn der glückliche Gewinner nach der Übergabe am Königszelt das Festareal verlassen hatte? Als erstes wird er die Geldmünzen von der Schnur getrennt haben, solange diese Art der Überreichung noch gebräuchlich war. Den einzigen, aber aufschlußreichen Hinweis liefert uns Baumgartner 1823: »Die Gewinnträger reiten erfreut mit ihren errungenen Preisen nach Haus. Die erworbenen Fahnen werden mit edlem Selbstgefühle auf dem Lande überall herumgezeigt, und zum fortwährenden Gedächtniß entweder in Kapellen, oder in den Prunkzimmern zwischen Familien-Porträten, nußbaumenen wohlgepuzten Kleiderkästen, und dem blank gepuzten Zinn- und Kupfergeschirre aufgehängt.«

Dieses Zitat bestätigen die Fahnen, die sich in Rahmen erhalten haben. Bei der Montierung wurde dabei je nach Gusto des Gewinners verschieden verfahren. Teilweise wurden die Kordelschnüre der Aufhängung ornamental miteinbezogen (z. B. Kat. Nr. 249) oder es wurden diese Kordel und der Volant entfernt (Kat. Nr. 380). Die erhaltenen Fahnen, gerade aus der Frühzeit, deuten darauf hin, daß sie einmal gerahmt waren und deshalb die Zeit überstanden haben.

Für die vielzähligen Fahnen mit Ölgemälde nach 1851 ist anzunehmen, daß das Bild entweder sofort oder dann, wenn die textile Umrahmung verschlissen war, von der Fahne abgetrennt seinen Weg als normaler, neugerahmter Wandschmuck fand. Aus Münchner Privatbesitz ist ein »normales« Ölbild aus den 1870er Jahren bekannt, auf dessen rückseitiger Abdeckung jedoch das Stück des Seidenfutters mit dem Schriftzug »Münchener Oktoberfest« angebracht wurde und so die ursprüngliche Bestimmung des Bildes dokumentiert. Preisfahnen waren Zeichen, die speziell bei den Rennbeteiligungen in der Summierung auf entsprechend erfolgstragende Pferde und damit auf renommierten Besitz schließen ließen. Im Gasthof »Alter Wirt« in Zolling nördlich von Freising zieren die Wände des großen Saales im ersten Stock eine Reihe von Oktoberfestfahnen, die der Wirt Joseph Hörhammer mit seinen Pferden in den 1890er Jahren gewonnen hat. Eine der Fahnen, die sich in der Ausführung von den anderen nicht unterscheidet, ist mit dem Hinweis versehen: »1. Preis Pfaffenhofen 1899«.

Fahnen als Preise waren für das Oktoberfest typisch. Man konnte sie aber auch anderorts gewinnen – wahrscheinlich aber erst infolge des zentralistisch gesteuerten Münchner Vorbildes.

Florian Dering

Lit.: Baumgartner 1820 und 1823; Ulrich v. Destouches; Destouches, Säkularchronik; genannte Oktoberfestprogramme: StadtAM, Hist. Ver., Ang. (Abgekürzt zitierte Literatur siehe S. 17.)

Gestickte Preisfahnen

Auf dem Oktoberfest wurden Fahnen als Preise an die Sieger der Pferderennen und der Schießwettbewerbe vergeben. Im Zeitraum von 1810 bis 1850 gab es für die ersten Preise bestickte Fahnen, die restlichen waren bemalt und bedruckt.

Die gestickten Preisfahnen sind alle querformatig und haben im Durchschnitt die Maße von 95×85 cm.

Sie sind nur auf einer Seite bestickt. In einem Kreis befinden sich die bekrönten Initialen des regierenden Monarchen, der Königin oder eines Angehörigen der königlichen Familie. Oberhalb der Initialen ist die königliche Krone in den Kreis eingegliedert. Um den Kreis ranken Blumen oder Zweige mit Lorbeer- oder Eichenblättern, die Zeichen für Ruhm und Stärke. Häufig sind diese Umkränzungen von Sternen umgeben, deren Zahl die Regierungsjahre des jeweiligen Regenten anzeigen (Kat. Nr. 377). Seitlich und entlang des unteren Fahnenrands befinden sich meist gestickte Girlanden, in die gelegentlich die bayerischen Rauten eingearbeitet sind.

Vorderseite und Fahnenfutter bestehen aus dem gleichen Stoff. Häufig wurde ein feiner, naturfarbener, manchmal auch ein hellblauer Seidentaft verwendet. Die Kettfadendichte beträgt 80–95 Seidenfäden pro Zentimeter, die des Schusses 40–50 pro Zentimeter.

Damit sich der Glanz der Seide, aber auch das Gewicht und die Stabilität erhöht, beschwerte man die Gewebe, das heißt, sie wurden mit Metallsalzen (zum Beispiel Nickel, Wismut, Zinn, Eisen) ausgerüstet. Diese Seidenbeschwerung hat allerdings den Nachteil, daß im Laufe der Zeit die feinen Metallkristalle bei Bewegung der Fahne die Seidenfasern stark angreifen und den Verfall beschleunigen. Ebenso wirken sich Licht und Schmutz auf die Fahnen schädigend aus. Ein Beweis sind die gut erhaltenen, hinter Glas gerahmten Preisfahnen, die weder der Bewegung noch Staubeinwirkungen ausgesetzt waren.

Unter den Stickgrund spannte man ein festeres Leinen als Trägerstoff, da die Seide die schwere Metall- und Seidenstickerei alleine nicht tragen kann. Sämtliche Motive wurden mit blauem Kreidestaub auf den Seidenstoff gepaust. Nach dem Stickvorgang wurden die losen Seiden- und Metallstickfäden mit Kleister an das Leinen geklebt. Das übrige Leinen wurde entlang der Stickmotive weggeschnitten.

Die stark plastischen Initialen und Kreise wurden mit dickem Baumwollstickgarn solange vorgestochen, bis sie die gewünschte Stärke und Rundung erreicht hatten. Die Kreise wurden entweder mit Metallbändchen oder mit farbigen Seidengeweben überzogen, meist jedoch legte man darüber wie bei den Initialen Gold- und Silberbouillon, den es in verschiedenen Stärken und Arten gibt: Glattmatt-, Glattglanz-, Krausmatt-, Krausglanzbouillon. Bouillon ist ein vergoldeter oder versilberter Kupferspiraldraht, der mit Nadel und Stickgarn aufgefädelt und niedergenäht wird.

Die Kronen wurden häufig separat gefertigt und anschließend auf das Fahnenblatt appliziert (Kat. Nr. 217). Der Kronenreif ist ebenfalls plastisch ausgearbeitet. Einen Bouillongrund zieren zwei Ketten aus Perlimitaten, gesäumt mit Pailletten, die mit Krausbouillon gehalten werden. Dazwischen sind bunte geschliffene Glassteine, gefaßt mit Gold- oder Silberfolie. Darüber sitzen abwechselnd große ovale, perlmuttschimmernde Glasperlen und aufwendig gestickte Rosetten aus verschiedenen stehenden Bouillondrähten, in die bunte Glassteine eingesetzt sind. Das sichtbare Futter der Krone ist immer in Anlegetechnik ausgeführt, das heißt, daß Goldfäden aneinandergelegt und mit Seidengarn festgehalten werden. So entsteht der Charakter eines Goldgewebes oder Brokats. Die Metallfäden wie Brillant, Kordonnet, Glattgold, Frisé bestehen aus einer Seidenseele, die mit vergoldeten oder versilberten Metalldrähten umsponnen ist. Die Bügel und der Reichsapfel sind ähnlich wie die Initialen gefertigt. Manchmal schmückten diese Bügel noch Folien oder geprägte Pailletten in Form von Blümchen oder Rosetten. Nur gelegentlich wurden die Formen aus dickem Karton ausgeschnitten, auf den Stoff geheftet und ausgearbeitet. Die Umkränzungen sind häufig Kombinationen aus Seiden- und Goldstickerei. Blumen und Blüten wurden mit Seidengarn gestickt. Sehr beliebt war das in der ersten Hälfte des 19. Jahrhunderts verwendete Chenillegarn, ein Effektgarn mit samtigem Charakter. Das zweite verwendete Material ist die Filoflosseseide, ein schwach gedrehtes, sehr glänzendes Garn. Damit führte man die sogenannte Seidenmalerei aus, eine Flächenstickerei mit feinen, zum Teil verschiedenfarbig ineinanderlaufenden Seidenfäden (Kat. Nr. 380). Bei manchen Fahnen ziehen sich durch die Blüten Girlanden aus Pailletten und Folien (Kat. Nr. 381). Vielfach sind auch Äste und Blätter in Bouillontechnik gearbeitet. Die Sterne mit sechs oder sieben Zacken bestehen aus silberfoliengefaßten, farblosen, geschliffenen Glassteinen, die wieder mit Bouillondrähten aufgenäht wurden (Kat. Nr. 380). Die Randverzierungen der Fahnen sind in den bereits erwähnten Sticktechniken ausgearbeitet.

Das Aussehen des Stickmaterials hat sich verändert. Durch Oxidation haben die Goldfäden ihren starken Glanz verloren und wurden bräunlich, die Silberfäden wurden schwarz. Die verschiedenfarbigen Seidenfäden sind unterschiedlich stark ausgeblichen. Besonders auffällig ist das schwarze Seidenmaterial, das sehr brüchig wurde. Dies erklärt sich daraus, daß man schwarze Seide mit Eisenoxid färbte, welches das Material sehr angreift.

An die obere Fahnenkante wurde aus dem Stoff des Fahnenblattes ein etwa 15–20 cm breiter Volant genäht, der seitlich und in der Mitte gereiht ist. An die Seiten- und Unterkante des Fahnenblattes sowie an den Volant wurden gedrehte Gold- und Silberfransen mit einer durchschnittlichen Länge von 5–6 cm angebracht.

Die Fahne wurde an der Oberkante auf eine runde Holzstange genagelt, deren beide Enden mit vergoldeten Knäufen versehen sind. Der Volant wurde von hinten nach vorne über die Stange gelegt. Neben die Knäufe knotete man dikkere, gedrehte goldene Metallkordeln, die zur Aufhängung der Fahnen dienten. An den Verlängerungen, die bis zur unteren Kante der Fahne reichen, waren üppige Goldquasten befestigt. So montiert bekamen die Sieger die Fahnen ausgehändigt (Kat. Nr. 390).

Über die Hersteller dieser kunstvoll gestickten Fahnen ist kaum etwas bekannt. Ein Hinweis findet sich bei Ulrich von Destouches: »Besonders schön waren im Jahr 1828 die Preisefahnen sowohl der Schützen als auch des Pferderennens. Die ersten Preisefahnen waren meisterhaft gestickt von den hiesigen Silber- und Goldstickerinnen Dlle. Hinterholzer, Mad. Legrand und Mad. Schreiner.« *Leni Gerg*

377 Preisfahne, wohl 1818

Ursprünglich hellblauer Seidentaft, bestickt, 76×106 cm, mit Rahmen in Kasten montiert, 95×121,5 cm.

Im Mittelteil Initiale »M« in Kreis mit Bekrönung in Goldsprengarbeit, Umkränzung mit floralem Dekor in Silbersprengarbeit, darum 19 Rosetten mit Glassteinen, Umrandung in Stickerei mit Gold- und Silberpailletten, Glassteinen und Perlen, Einfassung des Fahnenblattes mit Silberfransen, Volant mit Silberfransen; ehemalige Aufhängung mit Silberkordel und zwei Quasten auf das Fahnenblatt dekorativ montiert, furnierter Rahmen, Rahmenkasten mit grünem Papier ausgeschlagen.

Bei den gestickten Fahnen war es zum Teil üblich, durch die Anzahl der kreisförmig angeordneten Rosetten in verschlüsselter Form das Verleihungsjahr anzugeben. Bezieht man das »M« auf Max Joseph, der 1799 Kurfürst, dann 1806 König wurde, ergäben die 19 Rosetten sein 19. Regierungsjahr, also 1818.

MSt, 35/1061

378 Fahne, um 1820

Blauer Seidentaft, beidseitig bemalt, 74×83 cm, Fahnenstange 280 cm.

Gemalte Initiale »T« für Therese mit Krone in oxydierter Ölversilberung mit Weiß- und Goldhöhung. An den vier Ecken Ornamente mit gleicher Technik, beide Seiten des Blattes identisch. Montierung an Fahnenstange, mit weißem und blauem Papierstreifen umwickelt, versilberte Holzspitze mit weiß-blauen Rauten, unter der Spitze gebundene silbern-blaue Kordel mit Quasten. Der originale Seidentaft war so zerstört, daß 1985 die noch erhaltenen, beidseitig bemalten Teile einseitig auf einen neuen Trägerstoff appliziert wurden.

Die ursprüngliche Funktion der Fahne ist nicht bekannt. Aufgrund der Initiale »T« kann sie mit dem Oktoberfest in Verbindung gebracht werden.

MSt, 35/2271

379 Weitpreisfahne, 1827 Abb. S. 192

Tempera auf naturfarbenem Seidentaft, 79×105 cm; in vergoldetem Stuckrahmen, 100,5×123,5 cm.

Das Fahnenblatt gibt in vereinfachter Form die Darstellung des Oktoberfestes mit Pferderennen nach der Radierung von Heinrich Adam 1824 wieder (Kat. Nr. 59). Als augenfälliger Unterschied ist lediglich das Motiv auf der Fahne über der Bierbude zu erkennen: Bei Adam ist sie mit einem Pferd mit

Kat. Nr. 377

Rennbuben geziert, hier trägt sie die gekrönten Initialen »LT« und flattert in entgegengesetzter Richtung. Über der Szene Schriftzug »WEITPREIS.«, unten rechts wohl nachträglich in Tusche »11.«. Vielleicht bezieht sich diese Zahl auf die Numerierung des Gewinners im Rennbuch. Umrahmung mit hellblauem Seidentaft. Im Programm zum Oktoberfest 1827 heißt es bei der Beschreibung der Preise für das 2. Pferderennen: »Auf der Weitfahne ist eine Abbildung des Oktoberfestes gemalt.« Den Weitpreis bekam derjenige Schütze oder Pferdebesitzer, der die weiteste Anreise von seinem Heimatort zum Oktoberfest nach München unternommen hatte. Die Verleihung von Weitpreisen diente in den ersten Jahrzehnten des Festes dazu, Teilnehmer aus den entlegenen Bereichen des Königreiches in die Residenzstadt zu locken.

MSt, XI d/ 27

380 Preisfahne, um 1830   Abb. S. 193

Naturfarbener Seidentaft, farbig bestickt, 70×89,5 cm.

Im Mittelteil Initiale »L« in Goldsprengarbeit, darüber Krone in Sprengarbeit mit Glasperlen und -steinen, Umkränzung mit floralem Dekor in Seidenmalerei mit Filoflosse- und Chenilleseide, 14 Rosetten mit Glassteinen, Umrandung in Sprengarbeit mit Pailletten. Volant, Fransen und Futter fehlen, diese Teile wurden wahrscheinlich für eine frühere Montierung in einen Rahmen entfernt.

MSt, XII/276

381 Preisfahne, um 1830

Naturfarbener Seidentaft, farbig bestickt, 77×104 cm.

Im Mittelteil Initiale »T« für Therese in Sprengarbeit, darüber Krone in Sprengarbeit mit Glasperlen. Umkränzung mit floralem Dekor in Filoflosse-, Chenilleseiden- und Paillettenstickerei, zehn Rosetten aus Glassteinen, Umrandung mit Rauten und Rosetten, in den Rauten weiß-blaues Rautenmuster in Filoflosse-Seidenstickerei und

Kat. Nr. 382

floralem Dekor mit Chenillestickerei, Rosetten mit Pailletten und Folie, an allen Rändern Goldfranseneinfassung, Volant und rückseitiges Futter naturfarbener Seidentaft.

MSt, XI d/266

382 Preisfahne, 1835

Naturfarbener Seidentaft, bestickt, 75×100 cm.

Im Mittelfeld Kreis mit Schriftzug: »OKTOBER-FEST · 1835« in Sprengarbeit mit Goldbouillon, umgeben von einem Kranz mit Eichenlaub in Chenille- und Paillettenstickerei, Rahmung mit Lorbeerblättern in Goldsprengung, Volant erneuert, rundumlaufende Goldfransen, einfaches Futter aus Seidentaft.

MSt, L 1039

383 Preisfahne, 1835

Naturfarbener Seidentaft mit Stickerei, 71×95,5 cm.

Initialen »LT« für Ludwig und Therese in Goldsprengarbeit, darüber Krone in Goldsprengarbeit mit Glasperlen. Darum acht kreisförmig angeordnete Buchstaben mit Bekrönung in Strahlenkränzen aus Pailletten. Sie bezeichnen die Kinder des Königspaares: »M[aximilian]«, »M[athilde]«, »O[tto]«, »L[uitpold]«, »A[delgunde]«, »H[ildegard]«, »A[lexander]«, »A[dalbert]«. Die Krone von Otto, seit 1832 König von Griechenland, ist mit blauen Perlen geschmückt, die der anderen Prinzen und

Prinzessinnen mit roten. Umrandung an den beiden Seiten und unten mit rautengefüllten Ellipsen in Flachstich mit Seidenfäden. In vier Ellipsen Jahreszahlen in Strahlenkränzen: »1786« – Geburtsjahr Ludwigs I., »1792« – Geburtsjahr Thereses, »1810« – Jahr der Hochzeit, »1835« – 25jähriges Hochzeitsjubiläum.
Rückseite mit einfachem Futter aus naturfarbenem Seidentaft; Volant und Fransen fehlen.

MSt

384 Ehrenfahne für den Preisfahnenzug 1851

Naturfarbener Seidenmoiré mit Stickerei und Applikationen, 85×93 cm; Stange 105 cm.

Im Mittelteil Initialen »MM« für Maximilian und Marie in Sprengarbeit, darüber Krone in Sprengarbeit mit gefärbter Folie. Umkränzung mit Lorbeer- und Eichenblättern in Anlegetechnik mit verschiedenen Goldfäden, Umrahmung in Anlege- und Sprengarbeit. Auf der Rückseite zwei applizierte Wappen, Seidenpongé auf Leinen und gewölbtem Karton. Münchner Kindl in Seidenstickerei und angelegten Chenillefäden, bayerische Rauten in angelegten Silberfäden. Ornamentale Umrahmungen in Anlege- und Sprengarbeit. Sämtliche Stickereien waren ursprünglich golden, jetzt dunkel oxydiert. Montierung an Querstangen mit Messingknöpfen an den Enden, Kordel als Aufhängung mit zwei Quasten.
Im April 1851 beschloß der Magistrat, »daß für die Zukunft die gestickten Preisfahnen der Pferderennen und des Oktoberfestschießens durch Fahnen mit Gemälden ersetzt werden sollen, daß dagegen eine mit dem Namenszug des Königs und der Königin in gutem Gold gestickte Fahne anzufertigen sei, welche bei den Aufzügen jedesmal den Preisfahnen vorangetragen und nach Beendigung des Festes gut aufbewahrt werden solle, um solche für weitere Oktoberfeste benützen zu können«. Die Ehrenfahne fertigte der Hofsticker Alckens zu einem Preis von 300 Gul-

den. Sie wurde 1851 zum ersten Mal
verwendet.

Lit.: Destouches, Säkularchronik, S. 86
MSt, 35/1311

385 Preisfahne zu Ehren der Herzogin Sophie in Bayern, Verlobte von König Ludwig II., 1867

Abbildung S. 200

Seidentaft, bestickt, 88×97 cm.

Im Mittelteil Initiale »S« für Sophie mit
Krone in Sprengarbeit über Karton mit
Kraus- und Glattgold sowie Bouillon.
Florale Umkränzung mit Blüten in Seidenmalerei, Blätter in geprägtem und
bemaltem Samt, Baumwollstoff und
Rips. Umfassung in Goldmetallborte,
umlaufende Goldfransen. Obere Bor-
düre Sprengarbeit auf weinrotem
Samt. Montierung auf Querstange mit
geschnitzten und vergoldeten Kronen
an beiden Enden, Kordel als Aufhängung mit zwei Quasten, rückseitiges
Futter in Seidenpongé.

Am 22. Januar 1867 hatte sich König
Ludwig II. mit Herzogin Sophie, der
Tochter von Herzog Max in Bayern,
verlobt. Im Hinblick auf die geplante
Hochzeit hatte der Magistrat im Rahmen der Oktoberfestvorbereitungen
den Maler Franz Seitz mit der Anferti-
gung einer Glückwunschadresse und
einer Ehrenfahne beauftragt. Da seit
1851 keine gestickten Fahnen mehr
ausgegeben wurden, bildet diese Fahne eine Ausnahme. Sie unterscheidet
sich dementsprechend in der formalen
und technischen Ausführung von den
früheren Fahnen mit Stickereien. Am
10. Oktober 1867 wurde die Auflösung
der Verlobung bekanntgegeben. Für
die Fahne gab es während des laufenden Oktoberfestes keine Verwendung.
Sie wurde dem Stadtmuseum übergeben und gehört somit zu den frühesten
Sammlungsgegenständen des Hauses.
In Anlehnung an die Hochzeit von Ludwigs Vater Maximilian mit Marie von
Preußen 1842 hätten zum Oktoberfest
1867 16 Brautpaare auf Kosten der
Kreise sowie mehrerer bayerischer
Städte mit je 1000 Gulden ausgestattet

△ Kat. Nr. 383 ▽ Kat. Nr. 384

Kat. Nr. 385

»I. Preis«, »GLÜCK«, darunter auf rundem Podest ein Kissen mit vier Quasten, darauf eine Krone.

An diese Fahnenstange wurde beim Auszug der Schützen die jeweilige Preisfahne für das Glückschießen gehängt. Der Gewinner bekam nur die Fahne, die Stange gehörte zum Oktoberfestinventar der Stadt München. Fahnenaufsätze dieser Art sind auf dem Blatt 24 des Festzuges von 1835 zu sehen (Kat. Nr. 329), ebenso auf der Darstellung des Schützenzuges 1845 (Kat. Nr. 330).

MSt, A 85/157

389 Aufsatz der Fahnenstange für die Preisfahne »GLÜCK« 2. Preis, um 1850

Holz, vergoldet und bemalt, 50,5×12 cm.

Schild mit beidseitig gemaltem Schriftzug »GLÜCK II«, darauf durchbrochene Spitze mit ornamentalem Dekor.

MSt, A 85/158

390 Zwei Fahnenträger in der Kostümierung um 1835 und 1852   Abbildung S. 202

Xylographien aus: Illustrirte Zeitung 1852.

Die Träger der Preisfahnen beim Auszug zum Pferderennen und Schützenzug waren von Anbeginn besonders

werden sollen. Nach der Entlobung wurde den dafür vorgesehenen Paaren die Aussteuer auf königlichen Befehl von der Kabinettskasse ausgehändigt.

Lit.: Destouches, Säkularchronik, S. 105
MSt, XI d/1

386 Einfache Preisfahnen, 1894–1908

Lithographie auf Seidentwill, ca. 80×75 cm.

Über dem großen Münchner Stadtwappen Schriftzug »Münchner Octoberfest 1908«, darunter Einfassung mit Eichenlaub.

Bis auf die jeweils aktualisierte Jahreszahl blieben diese einfachen Fahnen unverändert. Verschieden ist lediglich die Druckfarbe (schwarz oder blau) und die Farbe des Stoffes (rot, weiß, gelb). Die Fahnen von 1894 bis 1905

waren nachweislich Preise für Schießen.

MSt, VII/43 (1894), VIII/44 (1899), VIII/45 (1905), 67/382 (1907), 67/383 (1908)

387 Aufsatz einer Fahnenstange für Preisfahnen, um 1830

Holz, vergoldet, 32,5×24,5 cm.

Auf einem runden Sockel mit stilisierten Akanthusblättern liegt ein Kissen mit vier Quasten, darauf die Königskrone.

MSt, A 85/155

388 Aufsatz der Fahnenstange für die Preisfahne »GLÜCK« 1. Preis, um 1830

Holz, vergoldet und bemalt, 37,5×24 cm.

Tafel mit beidseitigem Schriftzug in Reliefschnitzerei auf blauem Grund:

Kat. Nr. 386

kostümiert. Von den frühen Jahren des Festes hat sich keine Bildquelle erhalten, den Beschreibungen sind nur vage Hinweise zu entnehmen. So heißt es 1815: »Man dachte also in diesem Jahre daran, Lehrjungen und Feyertags-Schüler, welche sich in der Feyertags-Schule besonders hervorgethan hatten, auszuzeichnen. Dieselben wurden diesem gemäß in die Nationalfarben, weiß und blau, geschmackvoll gekleidet, die Preise wurden von denselben in einer feyerlichen Prozession auf die Theresens-Wiese hinausgetragen, und dort an Pyramiden, neben dem königl. Pavillon, befestiget.« Beim Zug der Feuer- und Bolzenschützen 1826 waren die Fahnenträger der Armbrustschützen »rot in altdeutscher Tracht gekleidet«. 1835 ließ der Magistrat nach Angaben des Hoftheaterkostümiers Fries für sämtliche Zieler, Scheiben- und Fahnenträger sowie für die Schützentrompeter über 100 neue Kostüme nach den Vorbildern des Schützenfestzugs 1577 anfertigen. Dabei stützte man sich auf eine zeitgenössische illustrierte Beschreibung, die im Stadtarchiv verwahrt wird (vgl. Kat. Nr. 329). Der Fahnenträger um 1835 trägt dieses Kostüm aus dem 16. Jahrhundert mit Strumpfhose, Pumphose, kurzem Rock mit Schärpe und federnbesetztem Hut. 1852 kam es zu einer Neukostümierung, die wiederum nach Zeichnungen von Fries angefertigt wurden. Hier orientierte man sich an der Kleidung höfischer Pagen mit kurzem Kleid, das in der Folgezeit meist mit heraldischem Dekor versehen war. Das historisierende Element blieb bestimmend. Diese Kostüme aus dem städtischen Fundus waren in immer erneuerter Form bis in die Zeit vor dem Zweiten Weltkrieg in Gebrauch (vgl. Kat. Nr. 392). Während des Krieges verbrannte der Bestand des »Städtischen Schmückungslagers« in seiner Lagerstätte im Ausstellungspark. Nach mündlicher Überlieferung hat sich jedoch anderorts noch ein Rest erhalten, der sich allerdings in private Münchner Faschingskisten verselbständigte. Der

Kat. Nr. 387, 388

städtische Bestand wurde somit restlos aufgelöst. Falls bei den einschlägigen Kostümfesten jemand ein Stück trägt, das auf der Innenseite mit dem Stempel »Städtisches Schmückungslager« versehen ist, weiß er nun etwas über die ursprüngliche Funktion seiner Verkleidung. FD

Lit.: Baumgartner 1820; Destouches, Säkularchronik
MSt, 33/727

391 Preisfahnenzug, 1895
Foto.   Abbildung S. 203

Der Gruppe vorausgetragen wird die Ehrenfahne von 1851 (Kat. Nr. 384), deren Stange die Bekrönung (Kat. Nr. 387) trägt. Dahinter folgen die gemalten Fahnen der ersten Preise an den Querstangen, dazwischen erkennt man die einfachen Seidenfahnen an den stehenden Fahnenstangen.

MSt, 55/619/2

392 Preisfahnenzug, 1936
W. Götz, Foto, 13×18 cm.   Abbildung S. 203

Nicht nur die allgemeine Beflaggung des Oktoberfestes wurde auf Hakenkreuzfahnen umgestellt, sogar die Bekrönungen der Preisfahnenstangen wurden »gleichgeschaltet«.

MSt, 36/1290/1

Die Preisfahnenträger, 1911

»Obacht, ruhig jetz' kimbt er.« Ein Gemurmel und Drängen unter den hunderten vor dem nördlichen Schrannenpavillon versammelten Preisfahnenträgern beginnt. Die »alten Burschen« begrüßen den ankommenden Zugführer ehrfurchtsvoll, während die »Jungen« ihr Hütchen schüchtern lupfen. Gilt es doch, durch diesen Gruß sich rasch die Gunst zu erwerben, um vielleicht eine der ersten Preisfahnen zu erhalten und zur Wiese tragen zu dürfen.

Octoberfest zu München: Fahnenträger im frühern Costüme.

Kat. Nr. 390

Octoberfest zu München: Fahnenträger im neuen Costüme.

Kat. Nr. 390

men hat, und daß sie schon mit der Schutzmannschaft hätten drohen müssen.

»Au weh, mi hat oaner einigstoch'n« schreit auf einmal am Ende des Zuges ein kleiner Knirps, der von einem größeren »Kollegen« wegen eines besseren Platzes mit einer Nadel in die Hinterfront getupft worden war. Ein Gedränge und ein Suchen nach dem Missetäter findet statt; doch ist letzteres vergeblich. Der Schwerverbrecher hat seinen Zweck erreicht und durch den Tumult einen günstigeren Platz errungen!

»Was gibt's denn da hinten schon wieder« ruft ein Aufseher. Bei näherer Umschau ergibt sich, daß hier ein besonders schlauer mehrere Anmeldezettel, die er sich unter Vorspiegelung falscher Tatsachen beim Zugführer erschlichen hatte, an solche, die sich bei der Anmeldung verspäteten, um »a Zehnerl« verkaufte. Sofort wird der »Agent« entfernt und wieder ist Ruhe. Aber nicht lange!

»O, dahint'n raucht oaner a Zigarettl« rufen solche, die mangels eines Anmeldescheines schlechte Aussicht haben, mitzukommen und nun erreichen wollen, daß der »Raucher« g'staubt wird und ihre Chancen dadurch bessere werden, was sie diesmal auch bezwekken, denn der Zigarettenfreund wird wirklich seines Amtes entlastet und ohne Dank entlassen.

Um der Gaudi ein Ende zu machen, kommandiert der Zugführer »Links um« und hinauf geht es in den Schrannensaal zum Ankleiden. »Zwei und zwei« schreit der Aufseher am Tore, mit den Ellbogen arbeitend, denn die stärkeren und größeren Herren sind durch die Linkswendung an das Ende des Zuges gekommen und drängen nach, doch vergeblich.

Oben am Saaleingang findet die Kontrolle der Anmeldescheine statt. Nicht selten wollen sich »Freunderl« mit Scheinen von früheren Jahren oder gar mit nicht schlecht gefälschten durch die letzte Gasse winden. Aber des Kontrolleurs Auge hat sie »derlinst« und

Am End leid's doch ein Trinkgeld von Seite des Siegers.

Im Nu sieht sich der Allgewaltige umringt von der großen Schar und wird mit Bitten bestürmt. Ein großer Knabe von kaum 35 Jahren, der sich, um jünger auszusehen, alljährlich am ersten Oktoberfestsonntag den Schnurrbart abrasieren läßt, tut sich hervor und bittet, daß er heute doch eine schöne Rennfahne bekomme, denn er gehe nun heuer zum 28. Male mit und müßte sich vor seinen Freunden schämen, wenn er heuer »a Schneiztüachl« tragen müßte. Ein anderer tut kund, daß

seine Base mit einem Vetter, der mit einem alten Magistratsbediensteten bekannt ist, verheiratet sei und er deshalb Berücksichtigung finden müsse, usw. Doch ist vorläufig alles Bitten »umeinsonst«.

»Zurück, ihr Neustifter, alle in Reih' und Glied, sonst wird nicht angefangen,« ruft der Zugführer, die Stärkeren drängen sich nun an die Tete des Zuges und alle harren der Dinge, die da kommen sollen.

Die Aufseher erzählen dem Zugführer nun in Eile, wie ungebührlich sich die Gesellschaft seit zwei Stunden benom-

△ Kat. Nr. 391 ▽ Kat. Nr. 392

nun sorgen die Kommilitonen des Schmugglers für dessen Fortbesorgung.

Im Saale geht's an ein An- und Auskleiden. Keine leichte Arbeit ist's, die verschiedenen heroischen Gestalten in die vorhandenen schönen Ritter- und Pagenkostüme einzukleiden. Auch der Friseur hat seine liebe Not mit dem Anpassen der Perücken und dem Schminken.

Währenddessen gibt es durch den Zugführer noch Belehrungen, dahinlautend, nicht so viel Wasser »hineinzutrinken«, denn auf der Wiese spucke es mit dem »austreten« und dann müßten die Trikots heuer unbedingt »trocken« abgeliefert werden. Geraucht darf absolut nicht werden wegen des leichten Anbrennens der Perücken und Kostüme. Jeder soll aus gewissen Gründen seine Geldbörse einstecken usw.

Nach Beendigung der Predigt will sich der Gefürchtete im nächsten Restaurant mit einigen Weißwürsten stärken, doch schon beim Verlassen der Schrannenhalle wird er wieder von einer Schar Knaben umringt und mit Bitten bestürmt.

»Mei Muater is krank, lassens mi halt a mit« brachte ein kleiner Wackerl unter Tränen vor; ein anderer gesteht mit feuchten Augen, daß seine sechs kleinen Geschwister durch den heutigen Verdienst – eine Mark – einen außergewöhnlichen Imbiß hätten erhalten sollen usw.

Auch diesen wird noch nach Möglichkeit geholfen und ein Kostüm zurechtgerichtet.

Nicht immer sind es solche, die des Verdienstes wegen das Amt eines Fahnenträgers annehmen. Viele gehen aus Liebe zur Sache und hauptsächlich deswegen mit, um im Königszelt unseren vielgeliebten Prinzregenten und die höchsten Herrschaften daselbst in der Nähe zu sehen. Als Kuriosum darf es bezeichnet werden, daß zwischen den Fahnenträgern ein Altersunterschied von 25–30 Jahren besteht.

Dieser anonyme Stimmungsbericht erschien in der Oktoberfest-Zeitung 1911, Kat. Nr. 816.4.

203

»Zum Besten der Armen«

Der Glückshafen

»Im Jahre 1816. litten die Menschen wegen der eingebrochenen Getreidetheurung unter den schwersten Sorgen. Bey solchen Zeitpunkten ist es die vorzüglichste Pflicht der Väter des Vaterlandes, alle Gelegenheit zu ergreifen, der ärmern Volksklasse Arbeit und Nahrung zu verschaffen, und das Volk überhaupt mit abwechselnden Vergnügungen zu belustigen, damit es sich von seinem Trübsinn leichter erhole, und durch eine wechselseitige fröhliche Mittheilung seines Kummers ein wenig vergesse, um des andern Tages neu gestärkt wieder an seine Arbeit zu eilen. Man war also vor allem darauf bedacht, die heurigen Feste am 6. Oktober besonders zu verherrlichen. [...] Oft fehlte es den weiblichen Schulen an der Absetzung der Arbeiten, welche die kleinen Finger fleißiger Mädchen nach der Anweisung ihrer Lehrerinnen geliefert hatten. Diese wurden gekauft, und ein Glückshafen daraus errichtet, dessen Ueberschuß wieder zu andern wohlthätigen Zwecken verwendet wurde. Es ist ein wahrhaft edler Gedanke, der Arbeitsamkeit des schwächeren Geschlechtes mit einiger Ermunterung unter die Arme zu greifen. Wenn schon der Mann mehr Kraftaufwand und mehr Anstrengung zu seinen Arbeiten bedarf, so gewinnt er doch mehr dabei, er arbeitet im Freyen, und genießt in der Gesellschaft seiner Mitarbeiter der Freuden so manche; während das Weib öfters vergessen von Jedermann, Tage und halbe Nächte, manchmal in einer dumpfen Stube, am Nähtisch, am Spinnrocken, oder am Strickstrumpfe sizt, um sich mit einem kleinen Verdienste (indem das Gewöhnliche dieser Arbeiten mager bezahlt wird) das Leben zu fristen. –«

»Im Jahre 1817. [...] both der Glückshafen [...] ein merkwürdiges Schauspiel dar, indem mehrere Lehrjungen, mit Erlaubniß ihrer Meister, eine Art kleines Meisterstück jeder nach seinem Metier verfertigt hatten. Diese schönen Beweise des jugendlichen Fleißes wurden den Arbeitern bezahlt, mit ihren Namen bezeichnet, und im Glückshafen mit ausgespielt. Dieselben werden dereinst in ihren alten Tagen als Bürger und Meister stolz darauf seyn, was sie in ihren jungen Jahren in ihren Feyerstunden ausgedacht, mit ihren noch nicht vollkommen eingeübten Händen gezwungen, und wie sie sich dabei des Müßiganges und jedes unnützen Zeitvertreibes standhaft enthalten haben. –«

»Im Jahre 1819. erhielt der zum Beßten der Arbeitsamkeit errichtete Glückshafen [...] immer mehr schöne vaterländische Fabrikate, so daß die Menschen nicht nur allein deswegen sich hindrängten, um für ihren geringen Einsatz etwas zu gewinnen, sondern auch aus der Ursache, um die schönen Arbeiten und Kunstsachen, dann die vortrefflichen Spinnereyen aus dem Innern des Landes in der Nähe zu betrachten, und um ihrem Verlangen nach Wohlthätigkeit Genüge zu leisten; worin die königl. Familie selbst mit dem edelsten Beyspiele vorangeht, indem dieselbe jederzeit eine große Quantität Loose in den Pavillon holen läßt, um denjenigen, welche für den Glückshafen gearbeitet haben, und den Bedürftigen eine Erleichterung zuzuwenden.« (Baumgartner 1820, S. 17–27)

Im Gegensatz zur Klassenlotterie und zum Zahlenlotto, die nur Geldgewinne ausschütten, ist der Glückshafen oder Glückstopf eine Warenlotterie, benannt nach dem Gefäß, aus dem die Loszettel gezogen werden. Für einen geringen Einsatz (Kaufpreis des Loses) hat man die Chance, einen Gegenstand von weit höherem Wert zu gewinnen. Der Verlust beim Ziehen einer Niete ist vergleichsweise leicht zu verschmerzen – vorausgesetzt, daß der tatsächliche Warenwert und das Verhältnis von Treffern und Nieten so beschaffen sind, daß sich nicht *nur* für den Veranstalter ein Gewinn daraus ergibt. Privaten »Glückshafnern« war oft Beutelschneiderei und Täuschung des Publikums vorzuwerfen. Aber schon recht früh legitimierten Gemeinden oder Regierungen dieses moralisch an sich bedenkliche Glücksspiel, indem sie die Spiel- und Gewinnsucht des Volkes dazu ausnutzten, große Summen für einen gemeinnützigen Zweck aufzubringen.

Wohl in Italien entstanden, kam der Glückshafen wie das gesamte Lotteriewesen über die Niederlande nach Deutschland (davon zeugt noch der Ausdruck Niete von niederländisch »niet« = nichts). In München waren Glückshäfen spätestens seit den Jahren 1577 und 1581 allgemein bekannt, als die Stachelschützen ihr Schießen damit finanzierten. Der Einsatz des Spielertrags für Zwecke der Münchner Armenfürsorge, also der moralisch-humanitäre Nutzen aus einer Vergnügung war es, was den Glückshafen zu einer zentralen Einrichtung des Oktoberfestes werden ließ.

Ansätze einer organisierten städtischen Armenpflege finden sich in München erst seit der Mitte des 18. Jahrhunderts. Vorher war das »zunftmäßige« Bettlerwesen nur durch Verbote bekämpft worden. Die 1745 eingerichtete Armendeputation bezog ihre Geldmittel aus freiwilligen Spenden. Zu ihren Gunsten wurde bereits eine Lotterie veranstaltet, mit geringem Ertrag. Das von Graf Rumford 1789 vorgeschlagene Armeninstitut versuchte Spenden regelmäßiger einzusammeln und zweckmäßiger zu verteilen. Ein wesentlicher

Kat. Nr. 395

Aspekt war dabei, den Kindern mittelloser Eltern durch Schulbildung die Grundlage für ihr späteres Erwerbsleben zu verschaffen. Die 1805 eingerichtete Armenschule war unentgeltlich, die Kinder wurden beaufsichtigt, verköstigt und handwerklich beschäftigt mit der Möglichkeit, bereits Geld zu verdienen. Nach 1806 wurde die Armenpflege als Staatsaufgabe betrachtet; die kgl. Polizeidirektion übernahm die Verwaltung des Armen-Fonds. Als sich das nicht bewährte, wurde 1818 ein städtischer Armenpflegschaftsrat neu gebildet. Die Einnahmen für die Armenpflege (denen auch Beiträge aus der Lotto-Kasse, aus Lustbarkeitsabgaben und Bußen zuflossen) waren stets starken Schwankungen unterworfen. Auch nach der Einführung einer Armensteuer (1805) mußte man in besonderen Notzeiten auf zusätzliche Geldquellen sinnen.

Eine solche Notlage brachte das Teuerungsjahr 1816. Wie die Darstellung des Chronisten Baumgartner zeigt, gab es damals für die Errichtung eines Glückshafens eine ganze Reihe von Motivationen. Deren Komplexität dürfte der Grund dafür sein, daß diese Institution vom Gründungsjahrzehnt des Oktoberfestes bis auf den heutigen Tag überlebte. Da wird zuerst der Unterhaltungswert angesprochen. Der Glückshafen ist allen Ständen zugänglich, also ein echtes Volksfest-Vergnügen voller Spannung, Gelächter, Schadenfreude, freilich auch Enttäuschung. Das Verlustrisiko rechtfertigt sich doch immerhin, da der verlorene Einsatz einem wohltätigen Zweck zukommt. Die anderen Argumente für den Glückshafen sind der pädagogische Nutzen für die fleißigen Verfertiger der Gewinngegenstände und das geschmacksbildende Exempel einer Industrieausstellung im kleinen, das dann mit den Gewinnen in die Haushalte des Königreiches wanderte.

1816 regte der neugegründete polytechnische Verein für das folgende Jahr die Ausstellung »von edleren Früchten der ländlichen Betriebsamkeit, und vorzüglichen Fabrikaten des vaterländischen Kunstfleißes« während des Oktoberfestes an. Als eine Art Vorschau darauf veranstaltete die Oktoberfestgesellschaft die erste Ausspielung von Schülerarbeiten. Der Apotheker Sigl übernahm, unter Mithilfe der »um das Schulwesen so sehr verdienten Frauen Servitinnen im Herzog-Spitale«, die Organisation des Glückshafens. Nahe der neben dem Königszelt neuerbauten Seitenloge für »die Gesellschaft der Oktober-Feste« wurden die Gewinne in einem eigenen, bewachten Stand aufgestellt; die die Loge bewirtschaftenden und benachbarten Cafetiers mußten Kleingeld für den Losverkauf bereithalten, und von sechs Zöglingen der Feiertagsschule konnte man sich Lose zu 6 kr. besorgen, gegebenenfalls auch die Gewinne überbringen lassen.

Auch in den folgenden Jahren war der Glückshafen zugleich eine Ausstellung heimischen Gewerbes und eine Absatzmöglichkeit für Arbeiten aus Schulen, Anstalten und Arbeitshäusern. Seit der Stadtmagistrat das Fest ausrichtete, organisierte der Armenpflegschaftsrat den Glückshafen (1819). Über Zusammensetzung und Wert der Gewinne geben die erhaltenen Inventare Aufschluß. Die Gewinne mußten natürlich einen gewissen Anreiz zum Loskauf bieten können. So bemühte sich 1820 das kgl. Kreis- und Stadtgericht vergeblich, 200 Paar Mannssocken, von Untersuchungshäftlingen hergestellt, an den Glückshafen zu verkaufen. Zu den Gewinnen für den Armen-Fonds gesellten sich im Jubeljahr 1835 noch bedeutende Einnahmen aus dem Verkauf von Tribünenkarten für Rennen und Festzüge: oberhalb der Glücksbude war nämlich auf städtische Kosten eine geräumige Tribüne erbaut worden, deren Nutzung der Magistrat dem Armenpflegschaftsrat überließ.

Nach jahrelangen guten Ergebnissen deckte 1843 der Ertrag kaum die Ausgaben und der Glückshafen wurde eingestellt, 1851 aber erneut ins Leben gerufen. Von da an hatte er einen kontinuierlichen Zuwachs zu verzeichnen. Vom Schulglückshafen »zum Beßten der Arbeitsamkeit«, wie Baumgartner ihn sah, wurde er durch gewinnorientierte Einkaufspolitik zugunsten des Armen-Fonds ein Münchner Wirtschaftsfaktor und ein Glückshafen »zum Besten der Armen«. Seinem vielfältigen und vor allem moralischen Anspruch gemäß nahm der Glückshafen auch räumlich eine zentrale Stellung auf der Theresienwiese ein. Er stand hinter dem Königszelt und den Geländern der Preistiere; von ihm als Scheitelpunkt ausgehend formierte sich die hufeisenförmige Anlage der Wirtsbuden. Als sie sich zum Kreis schloß, befand sich der Glückshafen im Inneren des Kreises. Erst seit der Auflösung des Zirkels in Straßenzüge hat er eine eher randliche Stellung. Das ehrenamtliche Glückshafenkomitee des Armenpflegschaftsrates setzte sich vor allem aus Kaufleuten, Handwerksmeistern und Privatiers zusammen, die sich so viel zeitraubenden Idealismus leisten konnten. Sie mußten unternehmerischen Geschäftssinn entfalten, um einen möglichst hohen Reingewinn zu erwirtschaften. Außer dem Kaufpreis für die Gewinngegenstände fielen erhebliche Ausgaben an: Lagerung und Aufstellung der Bude, Aufbewahrung der angekauften Gewinne, Feuerversicherung, Beleuchtung und Reinigung, Dienerlöhne, Nachtwache, Dekoration mit Fahnen, Pflanzen und Girlanden, Druck und Herstellung der Lose, Listenführung, Rücktransporte, Zeitungsinserate, später auch Reichsstempelgebühren. Spielplan und Höchstzahl der Losserien unterlagen staatlicher Kontrolle.

Eine Einkaufskommission begann früh im Jahr mit der Auswahl der Gewinngegenstände. Nur Münchner Firmen wurden berücksichtigt. Die Abnahme beträchtlicher Warenmengen war gerade für mittlere und kleinere Lieferanten wirtschaftlich bedeutsam. Damit sich keiner benachteiligt fühlte, wurden schließlich (seit 1897) durch das Los diejenigen Geschäftsleute ausgeschieden, die man diesesmal nicht zulassen konnte. Die liefernden Firmen aber mußten unentgeltlich ihre Mitarbeiter zweistundenweise zur Verfügung

stellen, die nach einem strengen Zeitplan den Verkauf der Lose übernahmen. Zum Absatz der 95 Serien von 1909 wurde beispielsweise ein Zeitaufwand von 3153 Arbeitsstunden von 252 Lieferanten und 14 Herren des Komitees erbracht. Seit 1900 führte nicht mehr der Armenpflegschaftsrat, sondern die Stadt selbst den Glückshafen durch. Die Erträgnisse gingen dem »Münchner Hilfsfond« zu, einer Einrichtung, die Münchner Bürgern bei Unglücksfällen mit einer »momentanen« Unterstützung half. Die 1903 vom Magistrat erlassene »Geschäftsordnung für das Oktoberfestglückshafen-Komitee« ist in Destouches' Säkularchronik (S. X f.) abgedruckt.

Weitere Lottoziehungen und Warenausspielungen zu caritativen Zwecken am Rande des Oktoberfestes bzw. der Wiesenfeste erreichten nie den Umfang und Anspruch des Glückshafens. Schon seit 1819 versuchten jedoch andere Glückshäfen, die »für das Privat-Intereße des Unternehmers errichtet« wurden, sich zu etablieren. Dagegen setzte sich der bürgerliche Handelsstand erfolgreich zur Wehr. Es half auch dem Bücherauktionator Maurer nichts, daß er 1839 das Ansuchen stellte, er könne von seinem eigentlichen Beruf als Hochzeitslader nicht mehr leben und wolle in einem Glückshafen Bücher verlosen, auf 100 Lose 50 Treffer. Warenlotterien, wie man sie auf Jahrmärkten andernorts kannte, zum Beispiel die Ausspielung von Lebkuchen, blieben auf dem Oktoberfest untersagt.

1865 wurde allerdings neben dem des Armenpflegschaftsrates ein Glückshafen des »Bayerischen Seidenbauvereins« zugelassen. Die einheimische Seidenraupenzucht zur Vermeidung ausländischer Importe war eine überwiegend unglückliche Liebe der bayerischen Herrscher seit dem 17. Jahrhundert, vor allem aber Ludwigs I. Nicht so sehr dem zu rauhen Klima als Unerfahrenheit und schlechtem Wirtschaften ist es zuzuschreiben, daß auch ungeheure Investitionen und Anstrengungen den bayerischen Seidenbau nie zu dauerhafter Blüte brachten. Qualitativ waren die inländischen Ergebnisse jedoch sehr befriedigend, wurden vom landwirtschaftlichen Verein prämiiert, im Königszelt ausgestellt und vom König besichtigt. In der zweiten Jahrhunderthälfte gerieten die Seidenzucht-Institutionen zunehmend in Geldschwierigkeiten und man erhoffte sich durch Veranstaltung eines Glückshafens finanziellen Aufschwung.

Auch der landwirtschaftliche Verein dachte daran, einen Teil seiner alljährlichen Unkosten für Aufstellung und Abbau der Stallbaracken für das Ausstellungsvieh, Umzäunung und Bewachung durch einen Glückshafen zu decken, da er sonst nur Einkünfte aus Eintrittsgeldern hatte. 1869 wurde dies genehmigt, doch der Armenpflegschaftsrat spürte die Konkurrenz empfindlich und ersuchte den Verein zunächst, sich auf rein landwirtschaftliche Gewinngegenstände zu beschränken. Obwohl man seitens des Vereins davon überzeugt war, daß ein eigener Glückshafen mehr einträge, verzichtete man 1872 schließlich darauf um den Preis, daß das

Glückshafenkomitee von seinem Gewinn alljährlich eine Entschädigungssumme von 500 fl. bzw. 847 Mark 14 Pf. an den Verein abführen mußte.

Zur Vorbereitung der Säkularfeier 1910 wurden die gestaltenden Architekten Bertsch und Hohlwein bei den Komiteesitzungen zugezogen. Bertsch bat, als Gewinne »nette, solide Dinge« einzukaufen, »von Kitsch abzusehen«. Hohlwein begleitete die Einkaufsfahrten. Die Einkaufskommission machte es sich speziell zur Aufgabe, »so weit als möglich Gewinnste anzukaufen, welche auf das Jubiläumsjahr Bezug hatten und insbesondere dem Biedermeyer- und auch dem modernen Stiele angegliedert waren; eine besondere Verschönerung war die Anschaffung eines künstlerisch, ausgestatteten Kreuzbandes [mit dem Münchner Kindl], welches bei einer großen Anzahl von Gewinnsten als Umhüllung in Verwendung kam und dadurch ein harmonisches, einheitliches Bild förderte« (Protokollbuch Kat. Nr. 399, S. 465). Zur Ausspielung kamen neben Kunstdrucken der »Jugend« und anderen Büchern auch 53 Exemplare der Säkularchronik von Ernst von Destouches (Kat. Nr. 104). Das aufwendig dekorierte Glückshafengebäude erstrahlte im Glanze eines großen vergoldeten Glücksschweins auf dem Dach.

Seit dem Herbstfest 1947 übernahm das Bayerische Rote Kreuz die Ausrichtung des Glückshafens auf der Theresienwiese. Der Reingewinn ist traditionell für die Betreuung bedürftiger Münchner Bürger zu verwenden. Mit Beschluß des Wirtschaftsausschusses von 1972 muß das BRK die Sanitätsstation beim Oktoberfest betreiben und den Transport der Einrichtung übernehmen; dafür verzichtet die Stadt auf Abgaben aus dem Reingewinn des Glückshafens. Die beiden anderen Glückshäfen, die sich heute in der Matthias-Pschorr-Straße befinden, werden in bescheidenerem Umfang vom Förderverein der freien Wohlfahrtspflege betrieben.

Barbara Krafft

Lit.: Baumgartner 1820, S. 17 ff.; Destouches, Säkularchronik, passim u. S. X; Programm des Oktober-Festes und des Vogel-Schießens München 1816, S. 7 ff.

393 Rechnung über Anfertigung von Losen, 1819

mit Auszahlungsvermerk und Quittung auf 3-Kreuzer-Stempelbogen im Kanzleiformat.

»Endes unterzeichnete bescheinet Ueber Drehung von 41000 Nicheln [Nieten, hier wohl von lat. nihil = nichts] und 2000 Nr oder Treffer zum Glicks-Topf zu den octoberfest.
Suma 43000 pr 1000/30 xr betragt 21 f 30 xr
welches ich hiemit bescheine.
München den 23ᵗ october 1819
Maria Taflmayr«

Von 1819, dem ersten Jahr der Festorganisation durch die Stadt, datiert die früheste erhaltene Abrechnung (vgl. Kat. Nr. 55), darunter auch die des »Schul-Glückshafens«, der vom Armenpflegschaftsrat, den Schulen und dem Lehrer-Wittiben-Fonds-Verein durchgeführt wurde. Die Nieten lieferte das »lithographische Bureau«, das seit 1804 der kgl. Armenbeschäftigungsanstalt am Anger angeschlossen war. Diese lithographische Anstalt erzeugte jede Art von Formularen, Vordrucken, Tabellen für Verwaltung, Handel, Militär und Privatgebrauch: von der Malzabrechnung über den Militärentlaßschein bis zum Hochzeitslad-Schreiben. Bis in die 1860er Jahre sind in ihren Preislisten »Glückshafen-Nieten«, das Buch zu 30 Kreuzer nachweisbar (StadtAM, Wohlfahrtsamt 1462). Maria Taflmayr drehte die Lose zusammen; das Nieten-Treffer-Verhältnis von 20,5:1 war für die Käufer der Lose viel ungünstiger als in späteren Jahren. Für die Zusammenstellung, Ausspielung und Berechnung wurden vier Lehrer bezahlt. Die recht kostspielige Bewachung übernahmen sechs Nationalgardisten mit einem Korporal.

BK

StadtAM, Okt. 5

394 »Verzeichniß von der mänl. Feyertags-Schule. Artikel zum Glückshafen 1819«

Aufstellung von 17 Posten im Gesamtwert von 37 Gulden (fl) 42 Kreuzer (xr), die als Nr. 395–411 ausgespielt wurden:

	fl	xr
1 Untersätzl von Kupfer		24
1 Seiher v. Kupfer		24
1 Kleiner Kessel		24
1 Nähküssen	1	48
1 Bitschel von Zinn	2	24
1 Messer	1	24
1 Papier-Schere	1	12
1 Stillet	2	24
1 Nägelzwickzängel	2	24
1 Lakirter Zaun	7	24
1 Kinderwagen	2	48
1 Strickring von Probsilber	2	48
1 Paar rothe Kinderschuhe		36
1 Wecken Brod		36
1 Komodkästl mit schwarzen Säulen	5	–
1 – detto ohne Säulen	4	30
1 Gartenmesser mit Hirschhornheft	1	12

Zum Glückshafen trugen alle öffentlichen Münchner Schulen bei, die Knaben durch Holz- und Metallarbeiten, die Mädchen durch textile Handarbeiten, wobei das bessergestellte Frauen-Pfarr-Stickinstitut elegantere Stücke lieferte (wie Uhrkissen und Lichtschirme aus Perlen und Chenille), die Armen-Industrie-Schule dagegen schlicht-praktische Dinge wie Strümpfe, Schlafhauben und gesponnenes Garn. Aus dem Reingewinn der Ausspielung, der über 1070 fl. betrug, wurde wieder neues Arbeitsmaterial für die Schulen angeschafft. Um die Attraktivität der Gewinne noch zu erhöhen, wurden die königliche Porzellanniederlage, ein Glasverleger und ein Silberarbeiter zugezogen: Sie lieferten Tassen und Teller, Löffel, Leuchter und »Salzbüchsgen«, Vasen, »Blumenzwiebelgläser«, Karaffen und »Malagakelche«.

StadtAM, Okt. 5

Kat. Nr. 397

395 »Glüks Hafen.«, um 1830 Abb. S. 205

Ausschnitt aus der Lithographie »Das Octoberfest zu München« von Peter Ellmer (Kat. Nr. 328).

Die frühesten Ansichten des Glückshafens als einer ziemlich großen, einfachen Bude zeigen Heinrich Adams Aquarell von 1820 in der »Findel-Chronik« (Kat. Nr. 58) und die Schilderung des Feuerwerks 1826 von Gustav Kraus (Kat. Nr. 32). Eine genauere Vorstellung vermittelt das Teilbild in Ellmers Lithographie. Die tannengeschmückte Bude ist in die hölzerne Arkadenumfriedung einbezogen und von zwei Gardisten bewacht. Im Inneren verkaufen zwei Herren die Lose; hinter der Lostrommel (»Glücksrad«) sind in Regalen die Gewinne aufgebaut, die in ihrer Zusammensetzung mit den erhaltenen Inventaren dieser Zeit übereinstimmen. Strümpfe, Garnstränge, Ridiküls (modische Beuteltaschen), Kinderkleider, Löffel, Kannen, Fußbänkchen, Stoffe sind deutlich zu erkennen. Rechts zeigt ein Herr einem anderen seinen Gewinn, vielleicht eine Puppe.

396 »Inventarium über die durch den Glückshafen auszuspielenden Gegenstaende waehrend des Octoberfestes im Jahre 1833«

Pappband, 2°, im Vorderdeckel innen Buchbindermarke »Bey And. Kaut Kaufinger Straße. 1021 in München.« In dem Blanko-Buch mit Lineal gezogene Linien für die Kontoführung. Rechts am Rand Daumenregister 1–15 zur raschen Auffindung der Hunderter. Durchnumeriert von 1–1522; die ausgegebenen Gewinne rot ausgestrichen, die jeweiligen Preise rechts ausgeworfen und addiert, mit den einzelnen Lieferanten abgerechnet. Am Ende Bilanz und Abschluß. Der »Activrest« für den Armenpflegschaftsrat betrug 597 Gulden.

Versucht man heute, den Inhalt der biedermeierlichen Glückshafenregale nach den Inventarlisten zu rekonstruieren, so bietet er sich als reizvolle Sammlung alter Kostbarkeiten dar, von Silber, Porzellan und Schmuck bis zu vielerlei Modewaren, Handarbeiten, Dosen und nützlichem oder elegantem Hausrat. Man muß aber bedenken, daß die Anzahl wirklich wertvoller Stücke zu 15 oder 20 Gulden sehr gering war; die Masse der Gewinne für den alltägli-

Kat. Nr. 398   Kat. Nr. 398

chen Gebrauch bestand aus Schülerarbeiten (Strümpfen, Nadelkissen, Serviettenbändern) oder preiswerten Handwerksprodukten (Pfeifenköpfen, Seifen- und Pfefferbüchsen). Wenige Kreuzer betrugen auch die (wohl lithographischen) Bildnisse des Königs. So stellt sich die damalige Realität nicht anders dar, als wenn im heutigen Glückshafen viele Staubtücher und Haarshampoos auf einen Transistorradio oder einen Riesenplüschbären kommen. BK

StadtAM, Okt. 203

397 Münchner Lostrommel, 19. Jahrhundert

Holz, verglast, 95×65×33,5 cm; Trommel: ∅ 60 cm, Tiefe 20 cm.

Hölzerner Ständer, weiß mit blauer Bemalung, am Querbalken Metallbeschlag mit Schnapper zur Arretierung der Trommel. Am Achsenlager außen Münchner Kindl, am Ständer unten schwarz-gelbes Rautenwappen. Die Trommel ist verglast, Naben und Zarge weiß-blau gerautet, innen rot, mit Türchen. An den Speichen kleine Wappenschilde der bayerischen Landesteile. Die Lostrommel und eine gleichartige zweite wurden 1937 von der Rat-

hausinspektion ans Museum überwiesen und waren wahrscheinlich beim Oktoberfest in Gebrauch.

Zum Inventar des Glückshafens gehörten nach einem Eintrag von 1887 im Protokollbuch (Kat. Nr. 399) unter anderem »2 Glücksräder, 10 Porcelain Schüßeln mit Papierdeckln für die Loos, 15 hölzerne Geldschüßelln, 1 Emailirte Schüßel zum Loosvertheilen, 1 vierteiliger Bierträger«, 5 Dienstmützen für die Diener und eine für den Nachtwächter. Die Lose wurden aus versiegelten Säcken serienweise (je 7000 Stück) in die Glücksräder geschüttet, vor den Augen des Publikums gemischt, in Schüsseln abgefüllt und daraus verkauft. BK

MSt, 37/118

398 Protokolle der Polizei-Commission und des Armenpflegschaftsrates vom Oktober 1871 über Mißstände beim Glückshafen

2 lose und 3 mit Spagat verbundene Doppelbögen, 34×21 cm, mit eingeklebten Original-Losnieten und Gewinnlosen, Format ca. 6×4 cm.

Dem Vorkommen von Gaunereien um den Glückshafen – es wird sogar von einer »förmlich organisirten Clique« gesprochen – ist es allein zu verdan-

ken, daß Original-Gewinnlose und -Nieten erhalten geblieben sind. Bei den Treffern ist dies umso bemerkenswerter, als die Lose aller ausgefolgten Gewinne am Abend jedes Ausspielungstages sorgfältig verbrannt wurden, um Mißbrauch auszuschließen. Bei den lithographisch hergestellten Losen auf farbigem Papier (vgl. Kat. Nr. 393) zeigen die Treffer einen Putto mit Botenmütze und -tasche, der als ›Glücksbote‹ ein Rechteckfeld auf der Schulter trägt. In dessen guillocheartigem Aufdruck ist die Gewinnummer eingetragen. Die beiden Teffer sind echt.

Auf den Nieten sind Hanswurste abgebildet, so daß »Wurstel« zum Synonym für Niete wurde, was in humoristisch-satirischen Darstellungen wie zweifellos auch in Wirklichkeit Anlaß zu allerlei Neckereien und Selbstbezichtigungen beim Publikum gab. Von solchen Nieten sind drei verschiedene Versionen erhalten: ein Wurstel, der weint; einer, der in komischer Verzweiflung die Pritsche wegwirft und aufstampft, und einer, der sich an den Kopf greift – eine Geste, die sich in vielen Karikaturen bei den Wies'n-Besuchern wiederfindet, die ihr gutes Geld in lauter Wursteln angelegt haben. Die drei im Akt aufbewahrten Nieten sind mehr oder weniger ungeschickte Versuche, aus dem Wurstel ein Gewinnlos zu machen. Nur an sehr ahnungsloses und leichtgläubiges Publikum, vor allem Bauern, konnten solche Falsifikate verkauft oder zur Einlösung weitergegeben werden. Über die verschiedenen Vorgänge bei solchen Betrugsmanövern berichtet der Aufsatz »Kriminalität und Oktoberfest« (S. 106ff.).

1897 hatte sich das Aussehen der Treffer geändert: sie zeigten das Stadtwappen, eine Zierleiste und zweimal die Gewinnummer, die untere war zur »Kontrolle« an einer Perforation abtrennbar (im Protokollbuch Kat. Nr. 399 auf S. 223 beigeheftet).

Nicht nur Fälschungen bereiteten dem Glückshafenkomitee Ärger und Verluste. Immer wieder kam es vor, daß man an den Losen von außen die Treffer erkennen konnte. Die Lose waren in Hülsen eingelegt und verkittet. Bei den Gewinnlosen, die unter strenger Aufsicht und infolgedessen nicht gleichzeitig mit den vielen Nieten hergestellt wurden, hatte der Kitt bisweilen eine merklich andere Färbung. Beschwerden gab es auch wiederholt darüber, daß sich in verkitteten Hülsen überhaupt kein Los befand. Auch der BRK-Glückshafen der Nachkriegszeit erlebte einmal einen vergleichbaren Zwischenfall: Als noch die sogenannten »Sicherheitslose« mit vernieteter Lasche in Gebrauch waren, gab es Serien, bei denen die Gewinnlose mit einem schadhaften Stanzgerät hergestellt und am unscharfen Rand der Lasche erkennbar waren – falls das Gewühl an den Losschüsseln so scharfe Blicke zuließ. BK

StadtAM, Okt. 205

399 Protokollbuch des Glückshafen-Comités des Armenpflegschaftsrates (»Comission zur Aufstellung des Glückshafens auf der Festwiese«), 1882–1914

Halblederband, großes 4⁰-Format, blaue Deckel mit goldgeprägtem Etikett »Oktoberfest-Glückshafen.«; rubriziertes Kontobuch, beginnend mit der üblichen Devise »Mit Gott« auf der ersten Seite, handpaginiert bis Seite 525, nur zu zwei Dritteln beschrieben.

Enthält Sitzungsprotokolle und Jahresabrechnungen ab 1882. Zu Beginn dieser Zeit erbrachten 30 Losserien (à 7000 Stück) 16600 Mark Reingewinn; der Höhepunkt lag 1898 bei 41777 Mark aus 105 Serien, später spielte sich der jährliche Gewinn bei 17–20000 Mark ein, wobei seit 1901 ein ebenso hoher Betrag an Reichsstempelgebühren entrichtet werden mußte.
Die Listen der Lieferanten zum Glückshafen und Statistiken über die Beteiligung verschiedener Gewerbe weisen das Unternehmen als beträchtlichen Wirtschaftsfaktor für München aus. Mit den Lieferanten wurden erst nach dem Oktoberfest die ausgespielten Waren abgerechnet; Restposten

mußten die Firmen zurücknehmen. Aus den Verzeichnissen nicht abgeholter Gewinne läßt sich die leicht veränderte Zusammensetzung ablesen: es sind Lebens- und Genußmittel dazugekommen wie Wein, Schokolade, Tee, Zucker, Zigarren, ansonsten die bewährte Mischung von Brauchbarem aller Preiskategorien, von der Standuhr über den Muff und das »Pantoskop« bis zur Petroleumkanne und zum Handbesen.
Das Buch endet mit dem Vermerk, das Innenministerium habe am 7. August 1914 die Abhaltung des Oktoberfestes für unmöglich erklärt; die bereits georderte Ware sei abbestellt worden. BK

StadtAM, Okt. 206

400 »Scenen vor dem Glückshafen in München, oder die Launen des Schicksals.«, 1854

Holzstich, Karikaturenfolge aus den »Fliegenden Blättern« Bd. XX, Nr. 471–475, München 1854 (Ausschnitte).

Das launische Glück teilt jedem *den* Gewinngegenstand zu, den er am wenigsten brauchen kann. So gerät die Darstellung zu einer kleinen Ständesatire. Der Schusterbub verschwindet unter einem Zylinder, der Soldat blickt grimmig auf eine Puppe, das alte Fräulein fühlt sich durch ein Herrenbeinkleid kompromittiert, das schnapsnasi-

ge Faktotum am Stock kann sich im gewonnenen Toilettenspiegel nur selbst die Zunge herausstrecken. Eine arme Frau starrt mißmutig auf ihren gußeisernen Schirmständer, der Dandy pikiert auf die Klistiersspritze; der geistliche Herr kratzt sich ob der Kinderwiege den Kopf.
Wer nur »Hanswursten« gezogen hatte, konnte sich bei der Gewinnausgabe wenigstens durch Schadenfreude ein wenig schadlos halten. Auch Josef Schweitzer (vgl. bei Kat. Nr. 814) schildert solch eine Situation mit zwei Köchinnen, die erst mit einem Lostreffer großtun und dann mit der gewonnenen Mannsunterhose hohnbedeckt schleunigst in der Menge verschwinden.

401 »Erlebnisse des Straubinger Ausnahmsbauern Schoberl beim Oktoberfest.«, 1877

Holzschnitt-Illustration aus der Humoreske von Dr. Ephraim Longinus, München 1877.

Dem Schoberl werden am Glückshafen fünf Lose gereicht, darunter befindet sich ein Treffer. Ausgehändigt bekommt er dafür eine Kaffeetasse, »wie is in Straubing beim Hiedl-Glaser um 15 Pfennig alleweil krieg, mit sammt an silbernen Löffel von Blei, der koani sechs Pfennig in alten Geld werth war«. Die Illustration zeigt einen Seitengiebel am »Glückshafen zum Besten d[er Armen]«. Im Vordergrund eine bäuerli-

Kat. Nr. 400

Kat. Nr. 403

che Familie, die eine große Zahl Los-nieten gezogen hat: Der Bauer greift sich verzweifelt an den Kopf, die Frau ist ganz Vorwurf und der Bub mit der Zipfelmütze läßt die »Wursteln« zu Boden flattern. Hinter ihnen entfernt sich eine Frau aus dem Gedränge um die Gewinnausgabe triumphierend mit einer wertvollen Uhr. Uhren (vorzugsweise Regulatoren) als Gewinne sind seit der Mitte des 19. Jahrhunderts ein Topos bei Glückshafendarstellungen. Sie werden als Haupttreffer in der Bude aufgebaut oder von einem Gewinner davongetragen und stehen als Inbegriff dafür, daß es immer die *anderen* sind, denen das blinde Glück die großen Lose zuteilt.

StadtAM, ZS

402 Vor dem Glückshafen, 1859

Joseph Watter, lavierte Bleistiftzeichnung, Vorstudie zu Kat. Nr. 479, 17,7×22,8 cm. Bez. u. r.: »J Watter.«

Vor dem Glückshafen der »Kronenbaum«, der das Zentrum des Wirtsbudenplatzes bezeichnete. Im Mittelgrund die hufeisenförmige Anlage des Glückshafens, kunstvolle Zimmermannsarbeit mit Fahnen- und Girlandendekoration. Links ist eines der Wachthäuschen zu erkennen. Durchs

dichte Gedränge trägt eine Frau ihren Gewinn (einen Bilderrahmen oder eine Uhr).

Bis 1882 wurden die Lose in den Seitenflügeln verkauft, im Mittelteil die Gewinne von einem einzelnen Komitee-Mitglied durch Ausrufen der Nummern ausgegeben. Beim zunehmenden Massenandrang bewährte sich diese Anordnung nicht: »Und es entsteht dadurch ein Gedrük das viele lieber auf Ihre Gewinst Gegenstäne verzichten als sich in einen solchen Menschenknäul hineinzuwagen.« (Kat. Nr. 399, S. 5 f.) Seit die Gewinnausgabe in die »Seitenpavillons« verlegt wurde, konnte man zwei verschiedenfarbige Losserien gleichzeitig ausspielen. Zur Unterscheidung der Serien war man 1897 bei sieben verschiedenen Farben angelangt. Das Nieten-Treffer-Verhältnis betrug 13:1.

MSt, P 1860

403 Das Glückshafengebäude, um 1900

Foto.

Nach längeren Vergrößerungsumbauten und Reparaturen der alten Bude nahm das Glückshafenkomitee 1892 einen Neubau in Angriff. Dieser Blick-

fang des Wirtsbudenringes wurde als repräsentativer Fachwerkbau errichtet. In der von Holzständern getragenen Loggia fand der Losverkauf statt, dahinter waren in Eisenstellagen die Gewinne zur Schau gestellt. In den beiden Seitenpavillons war die »Gewinnst-Abgabe«. Der Mittelteil hatte ein Obergeschoß für Verwaltungsarbeiten, und der großzügige Grundriß bot auch den notwendigen Lagerraum für die noch nicht zur Ausspielung aufgebauten Gewinnserien. Von der Petroleumbeleuchtung war man schon 1888, durch das Brandunglück des Vorjahres gewarnt (vgl. Kat. Nr. 650), zur Gaseinrichtung übergegangen. 1897 bekam der Glückshafen elektrische Beleuchtung. Vor 1900 trug er die Aufschrift »Glückshafen zum Besten der Armen«, danach »[...]zum Besten des Münchener Hilfsfondes«.

StadtAM, Hochbauslg. XXV

404 Glückshafen des Bayerischen Roten Kreuzes, um 1955/60

Marianne Leib, Foto.

Am Beginn der Wirtsbudenstraße hat der Glückshafen des BRK seinen verkaufspsychologisch günstigen Stammplatz. Auch er erlebte in allen Phasen die Problematik einer ehrenamtlichen

Kat. Nr. 404

405 Gewinnlisten des BRK-Glückshafens 1970 und 1971

Je 10 S., DIN A4, durchlaufende Numerierung der Gewinne von 1–800

Nach der Lotteriegesetzgebung müssen die Lose in identisch zusammengesetzten Serien ausgespielt werden. Auch das Verhältnis von Geschirr und Haushaltswaren, Textilien, Plastik-Gebrauchsartikeln, Spielwaren, Parfümeriewaren usw. innerhalb einer Serie ist vorgeschrieben. Die umschichtige Berücksichtigung kleinerer Lieferanten beim Einkauf wie in früherer Zeit ist nicht mehr möglich, weil kleine Firmen oft keine so große Zahl gleicher Gegenstände liefern können und weil man natürlich auf günstigen Großeinkauf Wert legt. Die über die Armenpflege hinausgehende positive Auswirkung des alten Glückshafens, dem Münchner Handels- und Handwerkerstand regelmäßig wohlverteilte Erwerbsmöglichkeiten von beträchtlichem Umfang zu verschaffen, ist damit weggefallen.

Bei einer Serie von 10000 Losen kommen auf 9200 Nieten 800 Treffer (Verhältnis 12:1). Die Veranstalter sorgten für Anreiz durch die Ausspielung modisch begehrter Artikel; aus Vorlieben und Abneigungen des Publikums zog man alljährlich die Konsequenzen beim nächsten Einkauf. So wurden beispielsweise Hula-hoop-Reifen, Boccia- und Ballfangspiele mit größerer Begeisterung aufgenommen als Schontischdecken und Bastsets; Zitronenpressen nahm man eher säuerlich in Empfang im Vergleich zu den sehr beliebten Geldbeuteln in Lederhosenform. Heutzutage hoffen die Leute beim Loskauf auf ein großes Plüschtier, möglichst in Gestalt von gerade aktuellen Film- und Comic-Figuren.

Das umständliche und zeitraubende Ausstreichen der ausgehändigten Gewinne in den Gewinnlisten entfällt heute dank eines vereinfachten Systems.   BK

Bayerisches Rotes Kreuz, Kreisverband München

Organisation, die erst ihre Erfahrungen sammeln mußte. Seit etwa einem Jahrzehnt steht ihr jetzt eine Lotterie-Organisationsfirma bei Einkauf und Ausspielung beratend zur Seite, so daß der Reingewinn nicht nur die gesetzlich festgelegten 25%, sondern bis zu 60% erreicht. Der Spielplan ist durch das Lotteriegesetz von 1937 vorgeschrieben und wird vom Amt für öffentliche Ordnung kontrolliert. Die Lose werden in Serien à 10000 Stück ausgespielt, sie kommen in versiegelten Kartons zu je 1000 Stück von einer Spezialdruckerei und werden aus Porzellanschüsseln verkauft. Von Supergewinnen wie etwa Fahrrädern ist man abgekommen, weil das Interesse des Publikums am weiteren Spiel schlagartig erlosch, wenn jemand das begehrenswerte Stück gewonnen hatte. Heute darf in jeder Serie der Höchstgewinn nur bis zu 30 DM im Einkauf kosten, der Mindestgewinn muß den zweifachen Verkaufspreis eines Loses wert sein. Neben all den lautstarken Geschäften der Wies'n-Nachbarn ist dem

Glückshafen keine Werbung, kein Anpreisen und Ausrufen erlaubt. Dennoch werden derzeit pro Oktoberfest rund 70 Serien ausverkauft. Die Tageseinnahmen, die beim alten Glückshafen mit einer eigenen Fiakerfahrt allabendlich im Rathaus abgeliefert werden mußten, holt heute ein Geldinstitut im Panzerwagen ab.

Das Foto zeigt Rotkreuz-Schwestern beim Losverkauf und beim Suchen der Gewinne, die treppenartig aufgebaut sind. Im Zeitalter der Selbstklebeetiketten kann sich niemand mehr vorstellen, wie mühsam es war, mit Mehlkleister und Stecknadeln die Gewinnnummern haltbar ohne Beschädigung an den Gegenständen zu befestigen. Da sich der Glückshafen zugleich als Werbung für die Organisation versteht, arbeiten nur aktive RK-Mitglieder darin mit, und zwar ehrenamtlich gegen eine Aufwandsentschädigung. Neulinge erwerben notfalls durch einen schnellen Erste-Hilfe-Kurs die Berechtigung, die RK-Uniform zu tragen.   BK

Bayerisches Rotes Kreuz, Kreisverband München

FESTBEREICHERUNGEN

Erhebung in höhere Luft – Aeronautische Darbietungen

Sich in die Luft zu erheben und sie zu durchfahren: auf die Verwirklichung dieses alten Menschheitstraumes wurde seit dem 17. Jahrhundert gezielt hingearbeitet. Der Erkenntnis folgend, daß ein Luftschiff leichter als Luft sein müsse, um den statischen Auftrieb zu nutzen, entstanden zunächst Konstruktionen von kurioser Vergeblichkeit. Im Jahr 1783 lag die Realisierung dann buchstäblich in der Luft, als die Brüder Montgolfier mit »verdünnter«, das heißt mit heißer Luft gefüllte Ballons (»Montgolfière«) steigen ließen. Fast gleichzeitig entwickelte der Physiker Charles den Gasballon (»Charlière«), als dessen wichtigste Voraussetzung Cavendish 1766 die spezifische Leichtigkeit des Wasserstoffgases und seine Herstellung aus Eisenfeilspänen und Vitriolöl (rauchende Schwefelsäure) entdeckt hatte. Die ersten bemannten Ballonfahrten der beiden unterschiedlichen Systeme fanden Ende 1783 im Abstand von nur zehn Tagen statt. Bis März 1785 hatten bereits 58 verschiedene Personen insgesamt 35 Luftreisen unternommen.

Das unerhörte Schauspiel ereignete sich jedesmal unter volksfestähnlicher Teilnahme von Zuschauermassen. Ballonbegeisterung ergriff alle Kreise in Frankreich wie im Ausland. Literatur, Kunstgewerbe, politische Karikatur, selbst die Mode bemächtigte sich des neuen Motivs. Der Enthusiasmus der wissenschaftlichen Welt über die Entdeckung erkaltete jedoch rasch, weil man sehr bald die Grenzen der Manövrierfähigkeit eines Ballons erkannte. Man konnte ihn zu atmosphärisch-meteorologischen Untersuchungen und auch zu militärischen Beobachtungen gebrauchen; solange aber die Vorbedingungen für ein *lenkbares* Luftschiff (nämlich Motoren) fehlten, war der Nutzen gering.

So kam es, daß Ballonaufstiege überwiegend von berufsmäßigen Luftschiffern für ein zahlendes Publikum durchgeführt wurden. Das spektakulär Neue, aber auch das Gefährliche der Unternehmungen zog Schaulustige an: Die Heißluftballons entflammten sich leicht am Feuer, das zu ihrem Auftrieb unterhalten werden mußte, und die Explosivität des Gasballons erhellt schon die alte Bezeichnung für Wasserstoff, nämlich »entzündliche Luft«. Eine weiteres Risiko war, daß die Zuschauer bei einem mißlingenden Start ihr Eintrittsgeld zurückverlangten oder den Ballon zerstörten. J. P. Blanchard, der 1785 den Ärmelkanal im Ballon überquert hatte, arrangierte 66 Aufstiege als Großveranstaltungen, zu denen er vorher angefertigte Kupferstiche verkaufen ließ. Seine Frau stieg bis 1819 67mal auf. A. J. Garnerin arbeitete seit 1797 zusätzlich mit Fallschirmen und machte mit Nachtstarts und pyrotechnischen Effekten endgültig eine Volksbelustigung aus dem großen aerostatischen Experiment. Wenn sie in aufgeklärt-fortschrittsgläubiger Sicht nur eine nutzlose Spielerei sein konnten, so haftete den Ballonaufstiegen andererseits noch etwas von der Apotheose des Barocktheaters an, vom erhebenden Erlebnis des Übergangs in »höhere Regionen«, der sich nun mit Hilfe der neuen Technik vor den Augen aller vollzog. So erklärt es sich, daß sie bei offiziellen Festveranstaltungen als besondere Attraktion und zur Erhöhung des zu feiernden Datums eingesetzt wurden. Besonders der von König Max I. so verehrte Napoleon nutzte die Möglichkeit, mit Ballonaufstiegen staatlichen Ruhm zu symbolisieren. Als demonstrative Propaganda zu Ehren der Person Napoleons wurde ein (unbemannter) Aufstieg von fünf Schauballonen bei den Krönungsfeierlichkeiten 1804 inszeniert. Sie starteten in Paris; der größte war mit der Kaiserkrone und den imperialen Insignien ausgestattet und landete nach 22stündiger Fahrt nördlich von Rom. Daß die Landestelle peinlicherweise als »Grab des Nero« bezeichnet wird und Napoleon darin ein böses Omen sah, kostete den ausführenden Garnerin seinen Titel »aérostier des fêtes publiques« (Aerostatiker der öffentlichen Feierlichkeiten). Er ging an Madame Blanchard über, die 1810 bei der Hochzeit Napoleons ebenso aufstieg wie 1814 beim feierlichen Einzug Ludwigs XVIII.

Die Tradition der wissenschaftlichen Aerostatik in Bayern beginnt mit Pater Ulrich Schiegg, der im Kloster Ottobeuren 1784 unbemannte »Luftkugeln« aufsteigen ließ. Die Münchner hatten durch Garnerin und Robertson schon zweimal Gelegenheit gehabt, die spektakulären Luftfahrten zu erleben, verunglückte Versuche nicht mitgerechnet. 1820 machte sich das professionelle Luftschiffer-Ehepaar Gottfried und Wilhelmine Reichard aus Dresden erbötig, das Jubiläums-Oktoberfest durch das Schauspiel eines Ballonaufstigs zu bereichern. Der König gab sein Einverständnis, denn die Reichards waren als erfahrene und erfolgreiche Aeronauten renommiert. Wilhelmine, die erste deutsche Frau im Ballonkorb, war 1811 als 23jährige erstmals aufgestiegen; mit dem Münchner Auftritt, ihrem siebzehnten, krönte und beschloß sie diese Tätigkeit. Ihr Mann, der seit 1821 Leiter einer chemischen Fabrik in Sachsen war und sich daher des Professorentitels bediente, stieg noch bis 1835 auf.

Anfang September 1820 reisten sie aus Wien an, wo Madame Reichard sich mit ihrem Ballon im Prater produziert hatte. Die Presse hielt durch wiederholte Berichte das Publikum in gespannter Erwartung. Das »Baierische National-Blatt« war am 12. September zwar nicht der Meinung, »als ob das baierische National-Fest durch eine sächsische Aeronautin und ihren Versuch einer Luftreise eine besondere Verherrlichung erhalten werde«, rückte jedoch einen langen Artikel über die Entwicklung der Luft-Schiffahrt ein, der auch in einem Sonderdruck mit Holzschnittvignette als begleitendes Informationsblatt erschien (StadtAM I/137). Der Ballon aus gefirnißter Leinwand war zwei Wochen lang im Rathaussaal ausgestellt. Gottfried Reichard führte die Unterhandlungen über die Finanzierung; er verlangte 3000 fl., denn Ballonhülle und Gasherstellung waren teuer, und der ungewisse Ausgang der Fahrt war auch ein wirtschaftliches Risiko. Bei den Zurüstungen sorgte der Vorstand des Renngerichts J. B. Findel dafür, daß die Luftfahrt dem Charakter des Nationalfestes entsprach: Er ließ auf eigene Kosten für Madame Reichard ein Kleid nach altbayerischer Nationaltracht anfertigen, das sie beim Ballonaufstieg trug. Außerdem ordnete Findel »nach vorheriger Benehmung mit andern Mitbürgern eine Fahne an, womit die Künstlerin beim Aufsteigen die Allerhöchsten Herrschaften und das zahlreich versammelte Volk aus der höhern Luft begrüßen wird. Diese der Künstlerin überreichte Fahne enthält das Münchner Stadtwappen und zum dauernden Angedenken für sie die ehrenvolle und belohnende Inschrift: ›Die Bürger von München an die geprüfte und muthvolle Luftschifferin Wilhelmine Reichhard, bey der Luftfahrt am Oktober-Feste 1820. auf der Theresens-Wiese.‹« (Baumgartner, 1820, S. 40) Baumgartner, dessen Bändchen (Kat. Nr. 57) als Chronik und Programm zum Verkauf beim Jubiläumsfest, also im vorhinein erschienen war, berichtet von der Luftfahrt in einem vorausweisenden Präsens. Er ist der einzige, der die abgeworfenen, sehr programmatisch zwischen Hoch und Nieder unterscheidenden Flugblattgedichte überliefert, von denen kein Exemplar mehr auffindbar ist. »Da rauscht es durch die Lüfte, und den Blüthen gleich, welche der Sommermorgen von den Fruchtbäumen herabstreut, fallen in kleinen Blättern aus den Händen der Luftseglerin zwey Worte des Dankes auf das erfreute Volk hernieder. Auf der Hauptseite stehen an die geheiligten Personen Ihro Majestäten des Königs und der Königin die Worte:

> Herab von hohen Regionen,
> Wo ober mir die Sterne thronen,
> Begrüße ich dich, freundlich's Land,
> Geleitet an der Liebe Band
> Von deines Königs weiser Hand. –
> Wenn stürmisch auch die Lüfte wehen,
> Die Stürme kommen und vergehen,
> Was Liebe bindet, bleibt bestehen; –
> Wird niemals, niemals untergehen.

Auf der Reversseite stehen an die erwartende Volksmenge die Worte:

> Und komm' ich aus den Wolken wieder
> Auf Baierns Mutter-Erde nieder,

> So find ich Menschen, treu und bieder,
> Im Handeln kräftig und voll Mark,
> Wie ihre Frauenthürme stark: –
> Denn jedem guten braven Baier
> Ist Vaterland und *König* theuer,
> Erwärmt von diesem Lebensfeuer
> Laßt Er nicht aus das sich're Steuer,
> Und das, was seine Zunge spricht,
> Das muß *so seyn*, und anders nicht. – –
> D'rum soll belohnend Euch die Sonne
> freundlich scheunen,
> Und brüderlich noch oft auf diesem Platz vereinen!
> Bringt gute Baiern dann recht viele Jahre noch
> Dem beßten König *Max* ein herzlich Lebehoch!«

Die Luftreise der Frau Reichard ging am 1. Oktober nach dem Pferderennen pünktlich und wunschgemäß vonstatten. Sie landete nahe Zorneding, mußte Ballon und Fahne gegen Souvenirjäger verteidigen und wurde im Wagen eines vorbeireisenden Wachstuchfabrikanten nach München zurückgebracht. »Ein prächtiges Mittagsmahl am 3. darauf bey dem Kaffetier Findel veran[stal]tet, feyerte die öffentliche Zufriedenheit über diese seltne Künstlerinn« (Baumgartner, 1823). Auch das zweite Oktoberfest-Jubiläum 1835 wurde durch die Reichards verherrlicht. Der Magistrat hatte nun die Kosten von über 4000 fl. nicht gescheut, sie aus Dresden einzuladen. Diesmal wurde die Ballonhülle im Saal des Odeon ausgestellt. Der Aufstieg ist auf dem Erinnerungsblatt an die »Oktoberfestlichkeiten« (Kat. Nr. 67) abgebildet. Der Augenzeuge Ludwig von Gaisberg beschreibt den Ballon. »Daran hieng ein Schifflein aus Weiden geflochten, höchstens für zwey Menschen spärlichen Raum gewährend. Man glaubte die erwachsene Tochter des Professors werde ihn begleiten, allein es unterblieb.« Gottfried Reichard beendete seine Luftreise glücklich bei Eggenfelden und veröffentlichte einen Bericht darüber. In die Findel-Chronik (Kat. Nr. 207) wurde ein großes lithographisches Bildnis des Ehepaares Reichard eingeklebt.

Immer wieder bewarben sich Luftschiffer um Auftritte beim Oktoberfest. Personenauffahrten, auch Fallschirmabsprünge, wurden meist wegen der Kosten vom Magistrat abgelehnt; die preiswerteren Produktionen mit unbemannten Ballons in komischen Gestalten gab es häufig. Sie wurden entweder von der Stadt bezuschußt oder von den Wirten veranstaltet, allen voran von Josef Hermann.

Neben echten Ballonaufstiegen zur Volksbelustigung kam die staunenswerte Erscheinung auch in bühnengerechter Nachbildung zum Einsatz – als Zwischenspiel in Zauber-Varietés und Marionettentheatern. Blitzschnelle Verwandlung ist das Geheimnis der pappendeckelflachen oder plastischen »Metamorphosen«-Figuren: Da wackelt eine Dame im Reifrock auf die Bühne, ein plötzlicher Fadenzug hebt ihr den Rocksaum über den Kopf und die Gestalt schwebt an ihren Fäden als Ballon davon. (Das Puppentheatermuseum besitzt Beispiele solcher »Aeronautinnen«.)

Zum Jahrhundertjubiläum schwebten zu wiederholten Malen das Luftschiff »Parseval VI« und der Ballon des Touring-Clubs über der Festwiese. Die größte Sensation war aber – 90 Jahre nach Madame Reichard – der Aeroplanflug des Münchner »Aviatikers« Otto Lindpaintner, der im »Sommer-Zweidecker« von Puchheim kam. Aviatik ist der Flug nach Art des Vogels (avis), also nach dem Prinzip »schwerer als Luft«. Wie gern man es den Luftdurchseglern gleichtun wollte, zeigen seit der Jahrhundertwende die vielen Karussells und Schaukeln in Flieger- oder Luftschiffform – eine Tradition, die sich über immer härtere Nervenkitzel-Surrogate wie »Sputnik« oder »Moon lift« lückenlos bis zur Gegenwart fortsetzt.

Am aerostatischen Objekt als immer attraktivem Blickfang ging natürlich die moderne Reklame nicht vorüber. In manchen Jahren war der Wies'n-Himmel recht übervölkert mit Fesselballonen als Werbeträgern, ob das eine überdimensionale Zahnpastatube war, eine Riesen-Glühbirne oder ein raketenförmiger Flugkörper als Werbung für Fotomaterial. Die Brauereien ließen einen Löwen im Faß steigen oder einen schäumenden Maßkrug, der auch zur Starkbierzeit den »Ruf« des Nockherberges optisch verstärkte.

Barbara Krafft

Lit.: Baumgartner 1820, S. 39 u. 46 ff, und 1823; Destouches, Säkularchronik, passim; Ulrich v. Destouches, S. 31; Ludwig von Gaisberg, Reise zum Münchner Oktoberfest 1835, hrsg. von P. E. Rattelmüller, München 1979 (Abgekürzt zitierte Literatur siehe S. 17.)

406 Erinnerungsblatt »Luftfahrt der Mad: Reichardt auf der Theresien-Wiese am Oktober-Feste zu München 1820«

Joseph Sidler, Lithographie, ca. 36×22 cm.
Bez. u. r.: »München bey Jos: Sidler.«

Im Gegensatz zu Heinrich Adams authentischer, am Schauplatz skizzierter Darstellung in der »Findel-Chronik« (Abb. Kat. Nr. 58) bietet die Ansicht quellenkritisch ein Kuriosum: Da das Blatt *während* des Ereignisses verkauft werden sollte, gaben es die Veranstalter oder Reichard selbst *vorher* beim Lithographen Sidler in Auftrag. Der benützte als Vorlage für die Festwiesen-Szenerie den Stich von Peter Heß (Kat. Nr. 50 bzw. 16). Dadurch erscheint nicht nur die Stadtsilhouette seitenverkehrt, sondern das Königszelt mit Türkenmonden, Huldigungskindern und Fahnentrophäen auf der sonst leeren Wiese präsentiert sich im Aussehen von 1810. Auch das hangseitige Publikum ist vereinfacht Heß nachgebildet, nur am inneren Ring sind Ehrenwache und Rennpferde gegen Zuschauergruppen ausgetauscht.

Der verhältnismäßig langgezogene Ballon schwebt über dem Pavillon, im Korb ist eine Gestalt erkennbar, die mit beiden Händen Wimpel heraushält. Der Ballon steigt auf Gewölk zu, das die obere Bildhälfte einnimmt. In ihrem ›Element‹, den Wolken, schwebend erscheint das hübsch idealisierte

Portrait der Wilhelmine Reichard, Brustbild nach rechts im hochgegürteten Kleid, von einem Mantelwurf umfangen.

BK

Abb. in: Chronik 1985, S. 23
MSt, P 1554

407 Handzettel zur »Luftfahrt der Mad. Reichardt am Oktober-Feste zu München 1820.«

Lithographie, 32×20,5 cm.

Oben Darstellung des Gasballons (Charlière), der in den Wolken schwebt. Die Bahnen der Ballonhülle sind hell und dunkel (also zweifarbig) abgesetzt. Am Korbring hängt der Anker bereit. Der Korb, von einem Zeitgenossen poetisch »Äthersessel« genannt, ist mit Draperien verziert, die Luftschifferin steht darin im dekolletierten Empirekleidchen, mit einer Fahne in der Hand. Von den prosaischeren Ausrüstungsstücken (Ballast, Instrumente, Ventilleine, wärmende Kleidung) ist nichts zu sehen, so daß das Bild ganz schwerelose ›Lufterscheinung‹ ist. Unten technische Angaben zu Größe und Gewicht des »Luftballs«. Er hatte rund sieben Meter Durchmesser und 180 Kubikmeter Inhalt. Das Blatt dürfte beim Aufstieg, sicher auch schon vorher bei der Zurschaustellung des Ballons im Rathaussaal, an Interessenten abgegeben worden sein.

StadtAM, Hist. Ver., Bilderslg. V 18

408 Gottfried Reichard schlägt eine Subskription auf die Luftfahrt seiner Frau vor. 20. September 1820

4 Bl., 33×21 cm.

Dem Ballonaufstieg gingen zähe Verhandlungen voraus. In seinem Schreiben an den Magistrat weist Gottfried

Kat. Nr. 407

215

Reichard darauf hin, daß ihm der König beifällige Erlaubnis erteilt habe, am Oktoberfest eine Luftfahrt zu veranstalten. Er schlägt vor, seine Unkosten von 3000 fl. durch freiwillige Beiträge per Subskription beibringen zu lassen.

Am 22. September gibt Reichard zu Protokoll, er werde um diesen Preis die Luftfahrt stattfinden lassen, ohne von den Zuschauern weitere Bezahlung zu verlangen. Sollte mehr als dieser Betrag eingehen, würden den Überschuß die Wohltätigkeitsstiftungen bekommen; falls der Aufstieg mißlingt, die ganze Summe: mit dieser Klausel leistet er seinen Einsatz gegen das magistratische Mißtrauen, denn mißglückte Starts von Scharlatanen hatten dem Ruf der professionellen Luftschiffer geschadet. Auch hier wird also das Verlust-Risiko bei einer Volksbelustigung mittels der Armenfürsorge legitimiert, wie beim Glückshafen. Der Kaufmann Ludwig Knorr, Eigentümer der Handlung Sabbadini, und der Weinhändler Franz Junemann übernehmen das Einsammeln. Der Magistrat gibt bekannt: »Für jeden Gulden Beytrag wird ein Billet abgegeben, gegen dessen Vorweisung man der Füllung des Ballones in einem geschloßenen Raume beywohnen kann.« Der König gibt 1100 fl., der Magistrat 240 fl., aber die übrigen Spenden fließen nicht so reich wie erwartet. Nach ultimativen Forderungen erklärt sich Reichard im letzten Augenblick mit 2500 fl. zufrieden und kann nach der erfolgreichen Luftreise seiner Frau schließlich am 4. Oktober 2650 fl. quittieren   BK

StadtAM, Okt. 7/I/6

409 Doppelbildnis des Luftschiffer-Ehepaars Reichard, vor 1835

Lithographie, 37,4×35,2 cm, eingeklebt in die »Findel-Chronik« (Kat. Nr. 207) anläßlich des Ballonaufstiegs 1835.

Dreiviertelfiguren: Reichard legt seine Hand auf die Lehne des Sessels, worauf Madame sitzt, den Blick nach oben gewendet. Das Buch in ihrer Hand bedeutet Bildung, die elegante Kleidung

Kat. Nr. 409

und Ausstattung verraten Wohlstand. Unterhalb die Unterschriften der beiden, dazwischen kleine Abbildung ihres Ballons.

Gottfried Reichard (1786–1844) heiratete 1806 Wilhelmine, geborene Schmidt (1788–1848).

Mon, 2° Mon. 45

410 »Flugbahn des Luftballons von G. Reichard,

auf einer Luftreise von der Theresienwiese bei München, nach Eggenfelden im Unterdonau-Kreise, ausgeführt am 9ten October 1835.«

Ausklappbares Faltblatt, beigebunden am Ende von »Münchens Fest-Kalender zur Jubelfeier des Oktoberfestes im Jahre 1835«. Redigirt von F. M. Friedmann und A. Schallbrouck«.

Graphische Darstellung des Fahrtverlaufs, eingeteilt in 28 Beobachtungsabschnitte, deren Ergebnisse unterhalb in einer Tabelle wiedergegeben sind: Uhrzeit, Barometerstand, Temperatur, ungefähre Höhe und besondere Bemerkungen, z. B. »Anfang des Schneegestöbers, Starke Spannung des Balles«. Der »Fest-Kalender« bringt einen Überblick über die Entwicklung der Ballonfahrt und läßt dann Professor Reichard selbst zu Wort kommen mit der »Beschreibung meiner Luftfahrt von der Theresienwiese bei München« (S. 51–61). Reichard beschreibt den Apparat zur Herstellung der Wasserstoff-

Füllung, der mit 22 Ztr. Eisenspänen und 2350 Pfund rauchender Schwefelsäure betrieben und von der Königsfamilie besichtigt wurde. Frau Reichard hatte die Ehre, »kleine, mit Fähnchen und Namenzügen verzierte Luftbälle überreichen zu dürfen, welche von den allerhöchsten und höchsten Personen selbst, den Lüften übergeben wurden«. Der Aufstieg bei stürmischem Wetter ging so schnell, daß Reichard kaum Zeit hatte, die Zuschauer zu grüßen und einige erst am Morgen gedichtete, rasch und fehlerreich gedruckte Strophen patriotischen Inhalts herabflattern zu lassen. Über die Innenstadt warf er einen Blumenkranz an einem Fallschirm ab. Es folgt eine anschauliche Beschreibung des Flugs mit der Beobachtung eines Schneefalls. Die Landung erfolgte nach 1¾ Stunden bei Eggenfelden (ca. 95 km Luftlinie!). Der dortige Magistrat ließ die Ankunft sofort durch Estafette (reitenden Eilboten) nach München melden.   BK

StadtAM, Hist. Ver. Bibl.

411 Luftballonsteigen bei Festverlängerung 1850

»Bekanntmachung. Heute Nachmittags 3 Uhr werden auf der Theresienwiese bei günstiger Witterung mehrere Luftballons steigen.

Am 14. Oktober 1850.

Magistrat der königl. Haupt- u. Residenzstadt München

Dr. Bauer, Bürgermeister
Knollmüller Secretär«

Flugblatt/Anschlagzettel, Typendruck auf gelbem Papier, 34×22 cm.

Das Oktoberfest 1850 war so verregnet, daß der Magistrat zur Entschädigung der Wirte zwei Verlängerungstage genehmigte. Um das Publikumsinteresse dafür zu wecken, wurde für den ersten (Montag-)Nachmittag ein Luftballonsteigen arrangiert.

Im Vorjahr ließ es sich der Magistrat 200 Gulden Honorar kosten, daß der Regensburger J. G. Kammermeyer vielgestaltige Figuren steigen ließ: einen Genius, einen Gladiator, einen

Elefanten, einen Samiel, und »drei Ballons zu gleicher Zeit mit einem großen Kranz behangen und zwei Genien oben und unten; im Kranze selbst waren die Namenszüge des Königspaares angebracht«.

Lit.: Destouches, Säkularchronik, S. 80, 86
StadtAM, ZS

412 »Robert der Teufel steigt!« Ankündigungsplakat 1867

Plakat mit lithographischer Darstellung einer Teufelsgestalt mit Hut und Vogelbeinen, die an einem Ballon hängt. Darum gruppiert der Text: »Robert der Teufel steigt! Heute auf der Fest-Wiese bei Jos. Hermañ«, 86×62 cm.

Zu den publikumsmagnetischen Sonderprogrammen der Wiesenwirte (besonders Josef Hermanns) gehörte häufig das Ballonsteigen. Seit dem 18. Jahrhundert fertigte man Ballons aus »Goldschlägerhäutchen«, der hauchdünnen, pergamentartigen Haut des Rinderdarms an (vgl. Kat. Nr. 784). Man konnte den Ballons die Form lustiger Figuren geben oder Fahnen, Figuren usw. daran hängend aufsteigen lassen. Pyrotechnischen Veranstaltungen verlieh man zusätzlichen Reiz, indem man mit Feuerwerkskörpern bestückte Ballons verwendete (sogenannte aerostatische Feuerwerke).

Kat. Nr. 412

Hermann (vgl. Kat. Nr. 487ff.) schickte Amor, Hexe und Luzifer in die Luft; »Robert der Teufel« ist eine Anspielung auf Meyerbeers pompös-schaurige und zu Parodien herausfordernde Oper »Robert le Diable«. In der Programmwoche, die Hermann 1871 hielt, wurde der Riesenballon ausgestellt, der von Paris nach Zwiesel gesegelt war, und an einem anderen Tag kämpften rote und schwarze Luftballonteufel miteinander. BK

StadtAM, Plakatslg.

413 Das Luftschiff »Parseval« über der Festwiese, 1910

Postkarte nach Foto, 9×14 cm. Rückseitig Aufdruck: »München Oktoberfest mit Parseval«.

Ein anderes Luftschiffsystem als Zeppelin führte 1906 August von Parseval (Technische Hochschulen München/Berlin) aus. Der nach ihm benannte »Parseval« war ein wurstförmiger, unstarrer Ballon mit Stabilisierungsflächen am Heck. Er war durch das Fehlen des Skeletts leichter über Land transportierbar und in der Luft leichter steuerbar als der starre, sehr lange Zeppelin. Die Parseval-Luftfahrzeug-

Kat. Nr. 414

Gesellschaft München erbaute 1910 beim Ausstellungspark eine Ballonhalle, um von dort aus Luftschiffahrten, insbesondere auch zu den Passionsspielen von Oberammergau, zu veranstalten. Parseval VI stieg über dem Jubiläums-Oktoberfest an drei Tagen zu Rundflügen auf. Wie eine ferne Erinnerung an die poetischen Flugblattgrüße der Reichards wurden vom Parseval 14 000 Postkarten des Verlages der »Münchner Illustrierten Zeitung« abgeworfen, »die sich im Sonnenschein wie eine Schar silberweißer Vögel ansahen«. BK

Lit.: Destouches, Gedenkbuch 1912, S. 84; Destouches, Säkularchronik, S. 177
StadtAM, ZS

414 Scherzpostkarte »Parsevalballon System ›Weisswurst‹ mit Motorsteckerlfischbraterei u. Märzenanstich. Gruß vom Oktoberfest!«, 1910

Heliocolorkarte nach Zeichnung von Emil Kneiß, 9×14 cm. Bez. u. r.: »E.Kneiß.Mch.«; Verlag: Ottmar Zieher.

Aus einer Leporello-Postkartenserie von 1910, die die ganze Zukunft einer

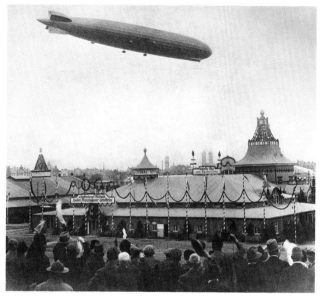

Kat. Nr. 416

»modernen« Wies'n in die Luft verlegt, vom »Flugmaschinenrennen« mit Jokkeys bis zu Schichtls Zaubertheater im Zeppelin.

Die Form des Parseval-Ballons regte die Karikaturisten nicht nur zu Wurstassoziationen, sondern auch zu erotischen Scherzen an. Der Antriebsmotor dient hier zum Fischbraten, anstelle des Wasserballastes, womit die lenkbaren Luftschiffe fuhren, steht der Banzen »Märzen-Bier p. Ltr. 80 ₰«.

StadtAM, ZS

415 Ballonaufstieg des Touring-Clubs 1910

Foto.

Aus dem Programm für die Jahrhundertfeier des Oktoberfestes: »Samstag, 24. September 1910. Nachmittags 2 bis 3½ Uhr: Volksbelustigung. Luftballonaufstieg, veranstaltet vom Deutschen Touring-Club. Um 2 Uhr Beginn der Füllung des Ballons und Beginn des Konzertes. Um 3¼ Uhr Fertigmachen des Ballons und Anknebeln des Korbes. Um 3½ Uhr Aufstieg. (Innerhalb des abgesperrten Raumes, auf den Tribünen und im Königszelt darf nicht geraucht werden.)«

Das Programm wurde am Mittwoch, dem 28. September wiederholt. Der fahnengeschmückte Ballon wurde aus einer eigens von der Theresienhöhe her verlegten Gasrohrleitung gefüllt. Er stieg jeweils mit vier Passagieren auf und landete bei Hohenschäftlarn bzw. bei Keferlohe.

Lit.: Destouches, Gedenkbuch 1912, S. 56, 84
StadtAM, Chronik-Bildband 1910/III, Nr. 15

416 Das Verkehrs-Luftschiff »Graf Zeppelin« über der Festwiese, 1. Oktober 1929

Foto, 17,7×20 cm.

Das lenkbare Luftschiff mit der Aufschrift »D-LZ 127 GRAF ZEPPELIN« schwebt über der Schottenhamel-Festhalle. Im Vordergrund eine Schar von Zuschauern, die die Hüte schwenken oder mit Taschentüchern winken. An der Kleinheit der Führergondel am Bug ermißt man die riesigen Dimensionen (236 m Länge) und die Fahrthöhe der »Zigarre«.

Graf Zeppelin konstruierte das erste wirklich brauchbare Luftschiff, das 1900 aufstieg. Der »Zeppelin« ist ein starres Luftschiff mit einem Innengerüst aus Aluminium und motorbetrie-

benen Luftschrauben als Antrieb. Wenn die frühen Zeppeline die Stadt überflogen, war das eine solche Sensation, daß die Kinder schulfrei bekamen. Zum Bild des Oktoberfestes gehörten sie zu wiederholten Malen. Nach der Zerstörung des vierten Zeppelins bei Echterdingen 1908 sicherte eine Nationalspende des deutschen Volkes die Weiterentwicklung des Starrluftschiffbaus. Die Verkehrsflüge des Zeppelin gehörten zum deutschen Nationalprestige. Weil kein Helium als unbrennbares Füllgas zu erhalten war, mußten die Zeppeline mit Wasserstoffgas fahren. Ihre Epoche endete 1937 mit der Explosionskatastrophe der »Hindenburg« bei Lakehurst.

Auf dem Oktoberfest wurden 1908 Bilder des Zeppelins und des Unglücks von Echterdingen im »Marmorpalais« gezeigt, und beim »Wagnerbräu« ließ man ein eineinhalb Meter langes Zeppelin-Modell allabendlich an einem Seil durch die Bierhalle fliegen, während an den Gondeln ein kleines Feuerwerk abgebrannt wurde. Das 1930 von Haase eingeführte Zeppelin-Karussell (Kat. Nr. 780) erfreute sich bis 1978 großer Beliebtheit.

StadtAM, Fotoslg. BK

417 Aufstieg des Ballons »Völkischer Beobachter« am Rand des Oktoberfestes, um 1938

Presse-Illustration Nortz, Foto, 18×13 cm.

Der Ballon trug an seinem Äquator die Werbeaufschrift der Zeitung »VÖLKISCHER BEOBACHTER« und am Netz sowie am Korb eine Hakenkreuzfahne. Der Korb war mit mehreren Uniformierten besetzt. Ihr Aufstieg zu erhöhter ›Beobachtung‹ fand auf dem freien Wiesengelände vor der Rennbahntribüne in einem weiten Zuschauerkreis statt.

Beim Jubiläum 1935 wurden »Ballonaufstiege auf dem Wiesenrennplatz veranstaltet von der Abteilung Freiballon der Ortsgruppe München des deutschen Luftsportverbandes« (Programm in der Festschrift 1935, Kat. Nr. 144).

StadtAM, Fotoslg.

Kraft und Stärke der Nation – Turnerische Vorführungen

Bereits einige Jahre nach der Gründung des Oktoberfestes, nämlich im Jahre 1815, sind Bestrebungen im Gange, das Fest mit »gymnastischen Übungen« zu verbinden. Dahinter stand der Gedanke, der Staat müsse in eigenem Interesse für die gute Erziehung und leibliche Ertüchtigung der heranwachsenden Jugend sorgen. Aus diesem Grund wurden Lehrjungen und Feiertagsschüler für besondere Leistungen in ihrer Schule ausgezeichnet. Bei einem Wettlauf konnten sie weitere Preise gewinnen. Aus solchen Veranstaltungen entwickelte sich das Wiesenfest der Schuljugend mit Wettspielen wie Sacklaufen und Baumklettern mit Preisverlosung.

1835 wurden erstmals athletische Vorführungen von Männern gezeigt. Träger waren die Gesellen des Bäcker- und Wagnerhandwerks unter der Leitung des Turnlehrers Josef Gruber.

Das Handwerk stellte einen wichtigen Teil der bürgerlichen Schicht dar; so ist die Beteiligung der jungen Gesellen an diesen kämpferischen Kraftspielen nicht zuletzt als Präsentation bürgerlicher Stärke und »kraftvollen« Handwerks zu werten.

Die Teilnehmer bewegten sich in einem Festzug zur Kampfstätte gegenüber dem königlichen Pavillon. Das Schiedsgericht bestand aus Turnlehrer Josef Gruber, Bäckermeister Karl Laufer und Wagnermeister Schweißgut. Ferner wurde das Guttmann'sche Rad mitgeführt. Nach einem dreifachen Trompetenstoß begann das Ringen der 25 Bäckergesellen. Die Männer trugen dem Zweck angepaßte Kostüme, bestehend aus gelbem Trikot und Beinkleid mit schwarzer Einfassung, schwarzem Gürtel und braunen Sandalen. Als erstes forderte ein besonders athletischer Ringer alle anderen nacheinander zum Kampf. Der zweite Teil bestand aus »geschickter und gewandter Verteidigung des Körpers, Hinwegtragen von der Stelle oder Werfen auf den Boden«. Im letzten Teil wurde ein allgemeines Ringen gezeigt, das mit einem »malerischen, ganz der antiken Überlieferung gleichenden Tableau« endigte.

Darauf folgte das Radlaufen der 16 Wagnergesellen. Die Räder hatten einen Durchmesser von vier bayerischen Schuh (117 cm), durften nicht mit einem eisernen Ring versehen sein und mußten bei der Haufe, nicht bei der Felge, auf einer vorgegebenen Bahn getrieben werden. Die Disziplin des Radlaufens geht wohl auf das historische Ereignis vom 20. Juli 1709 zurück, als der Wagner Johann Guttmann von Lechhausen, Meister von Augsburg, an einem Tag ein Rad fertigte und es dann nach München trieb. Dieses Rad wird im Zeughaus des Münchner Stadtmuseums verwahrt. Anschließend veranstalteten die Bäckergesellen noch einen Wettlauf. Zum Schluß erfolgte die Siegerehrung mit Preisverleihung. Die Preise der Wagner bestanden aus einem bis

zehn bayerischen Talern. Alle Athleten erhielten zusätzlich eine Gedenkmünze und eine Fahne.

Ein Jahr nach dem 25jährigen Jubiläum, also 1836, wurden wieder turnerische Veranstaltungen organisiert. Es handelte sich um »gymnastische Spiele von 41 Bäcker- und Schäfflergesellen« unter der Leitung des Turnlehrers Lorenz Gruber. Musikchor, Träger der Preisfahnen und Athleten, alle in »altthümlicher Tracht«, zogen geschlossen zur Wettkampfstätte. Auf dem Programm standen folgende Disziplinen: Ringen, Speerwerfen auf eine Statue aus dem Stand und im Laufen, Steinschleudern, Wettlauf und Seillaufen.

Beim Speerwerfen wurde auf eine Herkulesstatue mit Löwenfell gezielt. Der antike Held wurde zum Gegner und gleichzeitig zum Besiegten bestimmt. Dadurch wurde die Bedeutung des Kampfes überhöht und die Bewunderung für die Kraft der männlichen Athleten noch gesteigert. Den Zusammenhang zwischen Antike und Gegenwart zeigen die ersten Verse des Sonetts, das König Otto von Griechenland überreicht wurde, der bei diesem Fest anwesend war:

> »Von mächt'gen Kämpfen ist uns hohe Kunde,
> Und von Athletenspielen in dem Land,
> Das du beherrschest, durch der Liebe Band
> Bald mit dem höchsten Erdenglück im Bunde.
>
> Auch in der Heimath geht's von Mund zu Munde,
> Daß deutsche Kraft stets rüst'ge Streiter fand,
> In Deiner Heimath, die mit Dir empfand
> Des Wiedersehens wonnevolle Stunde.«

Beim Steinschleudern wird der altertümelnde Charakter der Disziplin noch deutlicher. Man orientierte sich hier wohl an dem berühmten Steinwurf von Herzog Christoph von Bayern 1490. Im Brunnenhof der Münchner Residenz erinnern der große Stein und eine Tafel mit folgender Inschrift an das Ereignis:

> »Als nach Christi Geburt geschehen war
> Eintausendhundertneunzig Jahr
> Hat Herzog Christoph hochgeboren
> Ein Held aus Bayern auserkoren
> Den Stein gehebt von freier Erdt
> Und weit geworfen ohn Geferdt
> Wigt dreihundertvierundsechzig Pfundt
> Des gibt der Stein und Schrifft bekundt.«

Das Jahr 1850 brachte wieder ein turnerisches Ereignis: »Die Olympischen Spiele, die Ringkämpfe und das Radlaufen der Bäcker- und Wagnergesellen«. Von Art und Durchführung her ist diese Veranstaltung mit denen der Jahre 1835 und 1836 vergleichbar. Auch hier wird der Bezug zur Antike in Form »Olympischer Spiele« deutlich. Das Guttmann'sche Rad wurde im Festzug der Athleten mitgeführt.

219

Radwettlauf 1910

München wurde ein »Verein für körperliche Ausbildung« gegründet, aus dem der Münchener Turnverein von 1860 hervorging. Im Jahr 1910 existierten im Turngau München bereits 17 Turnvereine und zahlreiche Athletenvereine. Diese Vereine bildeten nun die Trägerschaft für Turnveranstaltungen auf dem Oktoberfest.

1895 fand unter der Leitung des Turngaues München das erste Oktoberfestturnen statt. Zu den bekannten Disziplinen wie Wettlaufen und Steinstoßen kamen neue wie Faustball und Stabhochsprung.

Diese Turnveranstaltungen blieben Bestandteil des Festes bis zum Ersten Weltkrieg. Dabei rückte der Aspekt des vereinsmäßigen Turnens mit immer neuen Disziplinen wie Hürdenlauf in den Vordergrund. Gegenüber den fast exotischen oder zumindest altertümlich anmutenden Vorführungen der relativ kleinen Gesellengruppen lag jetzt der Schwerpunkt auf sportlichen Wettkämpfen nach festem Reglement, gezeigt von großen Turnvereinen.

Bei der Programmgestaltung zum Jubiläumsjahr 1910 griff man historisierend auf athletische Darbietungen früherer Feste zurück. Als Reminiszenz an das Jahr 1835 führten junge Wagnergehilfen und -lehrlinge in historischen Trachten ein Radtreiben mit Hindernissen und einen Radwettlauf vor. Der Athletikgau München veranstaltete unter anderem einen »Original Bäcker-Wettkampf«.

In den folgenden Jahren wurden immer häufiger auch außerhalb der Oktoberfestzeit große Turnveranstaltungen von Vereinen abgehalten. Außerdem gab es seit 1896 offiziell »Olympische Spiele«. Die Disziplinen wurden spezieller und aufwendiger und forderten einen gesonderten Rahmen. Auf diese Weise verselbständigte sich das Turnen und löste sich von den Programmen der Oktoberfeste.

Claudia Schwerdtfeger

Lit.: Destouches, Säkularchronik, S. 21, 57, 62, 81, 88, 183

1852 wurde sogar ein griechischer Wettrennkampf mit Pferden veranstaltet. Zu diesem Zweck wurden altgriechische Kostüme und Musikinstrumente angefertigt und die passende Musik dazu komponiert. Folgende Disziplinen wurden abgehalten: Speerwerfen auf eine Figur im Galopp, Zügelkampf und Galopprennen. Dieses Schauspiel fand jedoch keinen besonderen Beifall.

Im folgenden veränderten sich die turnerischen Veranstaltungen auf dem Oktoberfest.

Nach der Mitte des 19. Jahrhunderts entstanden Vereine zum Zwecke der körperlichen Ertüchtigung. Orientiert an der Ausbildung des Militärs, versuchte man, eine breitere Schicht zu körperlich-sportlicher Betätigung anzuregen. In

418 Bäckergeselle in Turnkleidung für die Festspiele 1835

Kolorierte Zeichnung, 32,5×20,5 cm.

Bei diesem und beim folgenden Blatt könnte es sich um die Originalentwürfe für die Kostüme der am Turnen beteiligten Bäcker und Wagner handeln.

MSt, 36/1948

419 Wagnergeselle in Wettkampfkleidung für das Radlaufen, 1835

Kolorierte Zeichnung, 33×20,5 cm.

MSt, 36/1949

420 »Festspiele der Octoberfeste 1835 und 1836, welche unter der Leitung d. Turnlehrer Gruber ausgeführt wurden.«

Gustav Kraus, kolorierte Lithographie, 49,5×43 cm. Bez. u. l.: »Kraus lith.«

Das Blatt mit sechs Darstellungen zeigt drei figurale Positionen aus dem Schauturnen, das »Pfeilwerfen«, das »Steinschleudern« vor dem Königszelt sowie die »Schlußgruppierung« mit den Preisfahnen.

MSt, Z 1703

421 »Olympische Spiele beim Oktoberfeste zu München: Das Speerwerfen«, 1852

Foto nach einer Xylographie aus: Leipziger Illustrirte Zeitung.

Vor reicher Publikumskulisse, beobachtet von zwei Mitgliedern des Preisgerichtes, zielt ein antikisierend gekleideter Reiter mit seinem Speer auf eine Herkules-Statue.

Der Königliche Turnlehrer Lorenz Gruber, der bereits 1850 »Olympische Spiele« im Rahmen des Festprogrammes veranstaltet hatte, organisierte

Kat. Nr. 421

1852 einen »Griechischen Wettrennkampf zu Pferd«. Die Wettkämpfer erschienen dazu in »altgriechischem Kostüme« auf ungesattelten Pferden. Besitzer der Pferde waren die bürgerlichen Lohnkutscher Münchens, aus deren Kreis sich auch das Preisgericht rekrutierte.
Von der Königlichen Hofreitschule aus
zogen die acht Athleten, das Preisgericht und die Ehren- und Preisfahnenträger mit einer neunköpfigen Trom-
petergruppe zur Festwiese. Für diesen
Anlaß waren eigens griechische Trompeten hergestellt und eine passende

Musik komponiert worden. Nach dem
Vorbeizug am Königszelt begann der
Wettkampf mit dem Speerwerfen vom
galoppierenden Pferd. Zielpunkt war
das Herz der Herkulesstatue. Es folgte
ein Zügelkampf, bei dem je zwei Teilnehmer eine Himmelsrichtung darstellten. Ein Wettrennen vervollstän-
digte das Programm.
Die Geld- und Fahnenpreise, welche
das Preisgericht hierauf verlieh, kamen nicht etwa den Wettkämpfern zu-
gute – ausgezeichnet wurden die Pferde und damit deren Besitzer aus dem
Stand der Lohnkutscher.
Wie Ernst von Destouches berichtet,
konnte sich der Wettkampf, dessen
Veranstaltung der Gemeindekasse
einige Kosten verursacht hatte – die
Musikinstrumente und eine griechische Fahne waren ja eigens angefertigt
worden – keines besonders großen
Beifalls des Publikums erfreuen. Für
die Zukunft sah man von solchen auf
die Zuschauer wohl etwas fremd wirkenden und in der starken Allegorisie-
rung unverständlichen Veranstaltungen ab. SS

Lit.: Destouches, Säkularchronik, S. 88; StadtAM,
Chronik 1852, S. 34
StadtAM, Fotoslg.

Kat. Nr. 420

Steinschleudern

Kat. Nr. 418

422 »Turnerische Vorführungen des Turngaues München«, 1897

Ankündigungsplakat mit offiziellem Oktoberfest-
Schmucktitel der Stadt München, 64,5×45 cm.

In der Zeit von 1895 bis zum Ersten
Weltkrieg gehörten turnerische Vorführungen des Turngaues München
zum alljährlichen Festprogramm. Be-
teiligt am Festturnen waren die Turnvereine Münchens und seiner Umgebung. Die verschiedensten gymnastischen und leichtathletischen Übungen
sowie Geräteturnen kamen zur Vorführung.
Neben dem großen Publikumserfolg,
der dem Turnen beschieden war,
rechtfertigte auch der Charakter der
Demonstration von Wehrfähigkeit, die
den militärisch straff geführten Übungen anhaftete, die Aufnahme in das
Programm des Nationalfestes. SS

StadtAM, Plakatslg.

423 Schlußgruppe der »turnerischen Festspiele der nationalen Turn-vereine Münchens«, 1910

Josef Multerer, Foto.

»Das Volksjungblut, die Turner, auch
sie wollen an diesen Festestagen im
freien Turnspiel zeigen, daß Mut und
Kraft ein ehern' Schild zu Nutz und

221

Frommen des lieben Vaterlandes ist.« Zum Festjubiläum boten die Münchener Turnvereine in ihren Vorführungen vor dem Königszelt ein besonders abwechslungsreiches und ungewöhnliches Programm. Eröffnet wurde es mit einem »Münchner-Kindl-Reigen« der Zöglings-Abteilung des Männer-Turnvereins München 1879. Die halbwüchsigen Akteure waren mit langen schwarz-gelben Kutten bekleidet. Ernst von Destouches schildert begeistert den »entzückenden Anblick, [...] als die Schar jugendfrischer Münchner Kindl sich im Kreise zusammenschloß, dann wieder, sich an Kränzen mit langen schwarz-gelben Schleifen haltend, in kleinere Ringe auflöste, mit hochgeschwungenen Kränzen aneinander vorbeitanzte, die Kränze tauschte,

einen Sternreigen bildete und schließlich in vier Reigen sich im Kreise drehte«.

Als Darbietungen der Erwachsenen-Gruppen schlossen sich Stabfechten, Langstab- und Stabübungen, Freiübungen und Fahnenschwingen an, ein Laufschrittreigen der Fußball-Abteilung des Männer-Turnvereins 1879, Keulen- und Stabschwingen und Hiebstellungen. Wie ein in Besitz von Stadtarchiv und Stadtmuseum befindlicher Film belegt, wurden diese Übungen vollkommen exakt und synchron ausgeführt.

Es folgten eine Ringergruppe des Turnvereins Au-München, Keulengymnastik, Flaggenschwingen und »Olympische Spiele« des Turnvereins Jahn. Die Damen-Abteilung des Män-

ner-Turnvereins 1879 zeigte in dunkelblauer Turnkleidung mit weißem Kragen und roter Krawattenschleife einen »Girlanden- und Kranzreigen«. Die Turnerinnen trugen dazu kleine grüngoldene Kränze im Haar.

Den Höhepunkt der Vorführungen bildete die Schlußgruppe. Alle beteiligten Turner formierten sich hierbei in kunstvoller Pose an 70 Leitern von bis zu acht Metern Höhe zu »Menschenpyramiden«. Die Leitern waren gegeneinander versetzt aufgestellt, so daß sich auf 150 Meter Länge ein eindrucksvolles Tableaux ergab.   SS

Abb. in: Chronik 1985, S. 79
Lit.: Destouches, Gedenkbuch 1912; Festprogramm »Turnerisches Festspiel«, StadtAM, ZS, StadtAM, Chronik-Bildband 1910/III, Nr. 11

»All Heil!« – Velozipedwettfahrten auf der Festwiese

Die Intention, das Oktoberfest durch sportliche Vorführungen aufzuwerten und den Besuch dieses Volksfestes attraktiver zu machen, veranlaßte den Magistrat, 1883 ein Velozipedwettfahren in das Veranstaltungsprogramm aufzunehmen.

Auf einer eigens für diese sportliche Darbietung angelegten Radfahrbahn von 500 Metern Länge, die in einer Schleife längs der Sendlinger Anhöhe verlief, organisierte die Stadt zusammen mit je zwei Delegierten der zwei Münchener Velozipedvereine an einem Festtag zwei Wettfahrten. Zu dem sogenannten »Eröffnungsrennen« (2000-Meter-Rennen), bei dem die Radsportler die Rennbahn viermal umkreisen mußten, waren nur solche Pedalritter zugelassen, die noch nie ein Radrennen gewonnen hatten.

Die Teilnahmegebühr belief sich auf 3 Mark, wobei die fünf Erstplazierten mit Preisen (Pokale, Trinkbecher und Ehrenabzeichen) belohnt wurden. Bei dem darauffolgenden sogenannten »Hauptrennen« (10000-Meter-Rennen), bei dem jeder Radfahrer mitstrampeln durfte, mußte die Bahn 20mal bewältigt werden. Die Einlage fürs Mitmachen betrug 5 Mark. Den ersten sechs Fahrern, die das Ziel erreichten, winkten Gewinne im Wert von 30 bis 150 Mark. Jeder Teilnehmer hatte in einem Trikot, Kniehose und einer Schärpe am Start zu erscheinen und durfte nur ein Rad benutzen, das höher als 1,20 Meter war. Das Zeichen »Zum Start« wurde

durch einen Böllerschuß erteilt, »Los« und »Letzte Runde« wurde mit einem Glockenton signalisiert. Neben der Start- bzw. Ziellinie war ein Zählapparat aufgestellt, der den Radlern bekanntgab, wie viele Runden sie noch bestreiten mußten.

Nachdem diese neuartige Demonstration beim Publikum Gefallen gefunden hatte – in den Pausen wurden die Besucher mit den sensationellen Radfahrkünsten des »Radmeisters Dangl« bei Laune gehalten –, wurde das Velo-Wettfahren in den 80er und 90er Jahren fester Bestandteil der Aktivitäten auf der Theresienwiese.

Die finanziellen Mittel, die diese Radrennen der Gemeindekasse abverlangten, waren vergleichsweise niedrig. Wie die Rechnungsbücher von 1896 belegen, mußten für die Wettkämpfe der Radsportler an Unkosten und Preisen nur 2911 Mark ausgegeben werden. Die im selben Jahr veranstalteten Pferderennen kosteten stolze 9763 Mark; für den Festzug des »Winzerer Fähndls« zum Beispiel hatte die Stadt 3277 Mark an Auslagen, wogegen der Aufwand für die turnerischen Darbietungen auf dem Festplatz nur 1156 Mark ausmachte. Ähnlich wie die Embleme der Turner oder Schützen erhielt das Signet der Velozipedisten, das aus einem geflügelten Rad und der Devise »All Heil« bestand, seinen Platz in dem Schmucktitel der offiziellen Oktoberfestprogramme, die vom Magistrat herausgegeben wurden (vgl. Kat. Nr. 94).

1884 erweiterte man die Veranstaltungen durch ein Hindernisrennen, bei dem die Wettkämpfer Hürden, Gräben und andere Schwierigkeiten mit ihren Zweirädern überwinden sollten. Als Auftakt zu diesen Austragungen wurde eine Art Festzug, eine »Corso-Fahrt« aller Teilnehmer, vom Karolinenplatz (späterer Sammelplatz Siegestor) zur Festwiese organisiert.

Der Wettkampf auf zwei Rädern – eine Demonstration von Geschicklichkeit, Kraft und Ausdauer – erfreute sich wie die Pferderennen, die Festschießen oder die turnerischen Darbietungen allgemeiner Beliebtheit, wie die rege Teilnahme beweist. Dafür mit ausschlaggebend mag die Tatsache sein, daß sich Ende des 19. Jahrhunderts eine Vielzahl an Radfahrvereinen in und um München konstituiert hatte. 1910 verzeichnete die bayerische Landeshauptstadt allein 163 derartige Vereine.

Aus den anfänglich eher exotisch wirkenden Darbietungen mit diesem neuen, »elitären« Fortbewegungsmittel wurden Wettkämpfe, an denen sich vor allem sportlich trainierte Fahrer beteiligten. Die technischen Innovationen führten in den 90er Jahren dazu, daß die Hochräder von den sportlicheren und wendigeren »Niederrädern« abgelöst wurden. Und 1897 fand zum letzten Mal ein Hochradwettkampf als quasi »Oldtimerrennen« auf dem Festplatz statt.

Dem Schau- und Belustigungsbedürfnis der Zuschauer wurde mit dem Radwett- und -geschicklichkeitsrennen entsprochen. Vor allem nach Regengüssen mögen die Radfahrkünste auf der aufgeweichten und schlammigen Piste bei den Besuchern allgemeine Heiterkeit erregt haben, in die sich eine gehörige Portion Schadenfreude gemischt haben mag – wie eine Reihe zeitgenössischer Karikaturen beweist. Dazu kam, daß die provisorische, relativ engkurvige Fahrtstrecke Stürze und Zusammenstöße geradezu vorprogrammierte. Diese Unzulänglichkeiten der Piste sowie die Entwicklung

Kat. Nr. 426

vom amateurhaften Wettspiel zum profiharten sportlichen Radwettkampf führte dazu, daß nach 1899 die vergnüglichen Bewerbe aus dem Festprogramm gestrichen wurden; dem Festplatz fehlten eben die erforderlichen Voraussetzungen zur Abhaltung derartig ernster gewordener Veranstaltungen.

Susanne Preußler

Lit.: StadtAM, Okt. 66, 74, 77

424 Teilnehmerverzeichnis des ersten Veloziped-Rennens, 1883

Handzettel, Typendruck, 30×23 cm.

1883 fand das erste Veloziped-Rennen auf dem Oktoberfest statt. Veranstalter war der Magistrat, der zusammen mit Mitgliedern der zwei Radfahrvereine – des »Bicycle-Clubs« und des »Velocipedisten-Clubs« – ein Rennprogramm organisierte. Dieses sah ein »Eröffnungsrennen«, zu dem sich 13 Sportler gemeldet hatten, und das »Hauptrennen« mit sieben Teilnehmern vor. In der Teilnehmerliste sind die Velozipedisten nicht nur namentlich aufgeführt, sondern auch deren Clubzugehörigkeit

und Farbe des Renndresses »Tricot und Schärpe«. Als Rennrichter fungierten vier Delegierte der oben genannten Münchener Radfahrvereine. SP

StadtAM, Okt. 66

425 Karikatur auf den Radsport, 1884

Xylographie aus: Neues Münchener Tagblatt, 8. Jg., 13. Oktober 1884, Nr. 287/288

»Belauschtes Rennpferd-Gespräch. Da schau mal, Lilly, das Ding da will uns Concurrenz machen und kann nicht mal starten, wenn's draußen a bisl regnet.«

StadtAM, Av. Bibl.

426 »Das Velociped-Rennen auf dem Münchener Oktoberfest«, 1887

Xylographie aus: Neues Münchener Tagblatt, 11. Jg., 8. Oktober 1887, Nr. 281

Die Zeitungsillustration erfaßt die Situation auf der Radrennbahn, wobei gerade vier Akteure in die letzte Runde einfahren, was mittels des rechts abgebildeten Zählapparates signalisiert wird. Neben dem Rundenzähler ist die Schiedsrichtertribüne mit dem Rennrichter aufgebaut. Im Hintergrund, neben dicht gedrängter Zuschauermenge, sieht man das Königszelt mit Publikum.

Über dieser Darstellung Abbildung

Kat. Nr. 427

einer Nadel mit dem Signet des Rad-sports – geflügeltes Rad –, die durch ein Blatt mit der Aufschrift »All Heil!« gestochen ist. Flankiert wird dieses Emblem von zwei kleineren Bildchen, die »Vom Hindernissrennen« berichten. Die linke Illustration zeigt die Teilnehmer des Hindernisrennens, wie sie ihre Zweiräder durch aufgestellte Blockaden schieben; rechts sind zwei Velozipedisten dabei, eine errichtete Hürde zu nehmen.   SP

StadtAM, Av. Bibl.

427 Ansteckzeichen für das Velocipedfahren, 4. Preis, 1889

Metallprägung, 5×4 cm.

Putto auf einem Hochrad mit Siegerpokal in der Hand, im Hintergrund die Frauentürme. Rocaillekartusche mit Schriftzug: »IV Preis Oktoberfest 1889 München«. Umrandung mit schwarzgelben Fransen.

MSt, K VII d/1

428 Pokal »I. Preis Hoch-Rad Erst-Fahren Oktoberfest 1894«

Silber, vergoldet, Höhe 15,7 cm, ⌀ 9,3 cm. Bez. auf dem Boden: »[Eduard] WOLLENWEBER«.

Konischer Becher auf drei Kugelfüßen, am Mundrand obiger Schriftzug. Dazu aufklappbares Pappetui mit Kaliko-

Überzug und geprägter Aufschrift »I. Preis Hochrad-Erstfahren Oktober-fest München 1894«.

Dem Velocipedenrennen 1894 auf der Theresienwiese ging ein Corso von 200 Radfahrern voraus, der vom Siegestor zur Festwiese führte.

MSt, K 56/231

429 Gruppe aus dem Radfahr-Korso, 1896

Foto.

Mitglieder des Radfahrvereins »Burgradler I« mit »Niederfahrrädern«. Die Vereinszugehörigkeit drückt sich durch die Uniformierung der Bekleidung aus: Kniehose und Jacke mit Schärpe und Mütze in den Vereinsfarben. Jede teilnehmende Gruppe führt ihre Vereinsfahne mit sich.

Neben diesem Verein nahmen 1896 der »Velocipedklub Bavaria«, die Radfahrerklubs »Germania« und »Isarthaler«, die Radfahrvereine »Monachia I und II« sowie »Wittelsbach I und II« und »Werdenfelser« teil, dazu kamen der »Münchener Radfahrverein«, der »Münchener Velocipedverein« und die Gruppe der »Burgradler II«.

StadtAM, Chronik-Bildband 1896/II, Nr. 39r

430 »Corsofahrt der Veloziped-Vereine«, 1897

Ankündigungsplakat, Typendruck mit Lithographie, 60,5×40 cm.

Das mit dem offiziellen Oktoberfest-Schmucktitel versehene Plakat gibt

Kat. Nr. 428

den Starttermin der Korsofahrt vom Siegestor zur Festwiese bekannt. Seit 1884 – ein Jahr nach Einführung von Radfahrwettrennen auf dem Oktober-fest – markierte der Zug der Velozipedisten ein weiteres Schauereignis im Programm der Festwochen.   SS

StadtAM, Plakatslg.

Kat. Nr. 429

AUFMARSCH DER NATIONAL-COSTÜME

Festzüge im Verlauf der Oktoberfestgeschichte

Für die Festzüge des Oktoberfestes kann trotz eines häufig gleichbleibenden Formenschatzes im Verlaufe der 175jährigen Festgeschichte kein einheitliches Strukturmuster aufgestellt werden. Was die einzelnen Aufzüge repräsentieren, allegorisch darstellen oder spielerisch vorführen, hängt von den wechselnden Absichten der Veranstalter, vom Selbstverständnis der Teilnehmer und Ausführenden, aber auch von dem Vorverständnis und der Aufnahmebereitschaft der Zuschauer ab. Der unterschiedliche Bekanntheitsgrad der Festzüge als Hinweis auf ihr Ansehen und für ihre Stellung im Festganzen darf dabei nicht vergessen werden. Die allgemeine Kenntnis der bildlich dokumentierten Züge ist wesentlich größer als die anderer, bis heute fast unbekannt gebliebener Veranstaltungen. So müssen zum Beispiel für einen Trachtenzug 1895 die Archive das Material bieten, während die von Gustav Kraus lithographierten Züge von 1835 und 1842 durch die Verbreitung der Blätter große Beachtung fanden.

Oktoberfestumzüge, die erst seit 1950 regelmäßiger jährlicher Festbestandteil sind, gab es während einer Zeitspanne von 40 Jahren zwischen 1853 und 1894 überhaupt nicht. Deshalb bietet sich zunächst eine zeitliche Ordnung an, die die Aufzüge innerhalb eines ersten und zweiten Abschnittes vor und nach dieser Zäsur gruppiert. Politische Veränderungen – Gründung des kleindeutschen Staates – und die Einführung der Gewerbefreiheit mit tiefgreifenden wirtschaftlichen Folgen 1868 kennzeichnen das Intervall zwischen beiden Perioden.

I

Für die Auf- und Umzüge zwischen 1810 und 1850 ist neben dem Versuch, den bayerischen Nationalstaat gegenwartsbezogen zu repräsentieren und zukunftsorientiert bayerische Identität zu stiften, die Huldigung für das Königshaus charakteristisch. Die großen Umzüge konzentrierten sich dabei in der Regierungszeit König Ludwigs I. Sie bauten die drei Leitmotive aus, die noch bis 1910 verwendet wurden: Aufzug der Bavaria, vorgestellt von einem Mädchen, Darstellung der bayerischen Kreise durch Trachten, Schauszenen zu wirtschaftlichen Gegebenheiten. Die Darstellung durch Kinder wich ab 1835 dem Auftritt von Erwachsenen. Erst in der nächsten Epoche wandelte sich allmählich der gegenwartsbezogene Elan, die Erzeugnisse eines modernen Staates vorzuführen, in nostalgische Rückschau.

Hauptmerkmale der frühen Festzüge sind einmal die Anlaßgebundenheit an Ereignisse im Herrscherhaus, dann die mangelnde Schaustellung bei nur kurzem Weg zur Theresienwiese. Auch auf dem Festplatz selbst wurde der Zuschauer nur teilweise in das Geschehen einbezogen, denn was zwischen dem König und den Teilnehmern gesprochen wurde, war über den weiten Platz nicht verständlich.

Auf die formale Gestaltung wirkte sich die Konzentration auf das von Ludwig schon 1810 als Bewohner innerhalb der Grenzen des bayerischen Staates definierte »Volk« aus: Der Mensch selbst stellt dar und agiert, Wagen und Aufbauten dienen nur als Requisiten einer Handlung, sie sind nie Schauobjekt an sich. So war der Zugteilnehmer in erster Linie Repräsentant des Zuschauers, nicht Schaustellender vor ihm. Der König wird in diese Repräsentation durch das Überreichen der Gaben eingebunden.

Der Festzug zum 25jährigen Oktoberfestjubiläum 1835

Der große Zug zum 25jährigen Bestehen des Oktoberfestes und damit zur Silberhochzeit von König Ludwig I. und Königin Therese schließt an die Darstellung der bayerischen Verwaltungskreise durch 32 Kinder 1810 an, aber auch an einen Auftritt von Kindern 1826, als Ludwig nach dem Tod seines Vaters zum ersten Mal das Oktoberfest als König besuchte. Neues Motiv im Aufzug 1826 war ein als Bavaria verkleidetes Mädchen, das der Darstellung der wichtigsten Wirtschaftszweige des jungen Königreichs voranzog. Die Viehzucht stellte ein Kinderpaar in Miesbacher Tracht vor (Oberbayern), den Ackerbau eines in Straubinger Landestracht (Niederbayern), den Hopfenbau eines in der Tracht bei Nürnberg (Mittelfranken), den Weinbau eines in der Tracht bei Würzburg (Unterfranken) und den Hanf- und Flachsbau eines aus der Augsburger Gegend (Schwaben). Für die Darstellung der Bienenzucht holte man die Tracht der Eberdörfer bei Schweinfurt und für die Floßfahrt und Fischerei die Lenggrieser. Gartenkultur und Obstbaumzucht stellten Kinder in Bamberger Tracht vor. Landesteil und Tracht zeigen sich hier eng verbunden, aber zugleich wird mit den Produkten, die die Kinder überreichen, auf die Wirtschaft verwiesen. Zum ersten Mal erscheint hier im Oktoberfest die Bavaria, deren Denkmal hoch über der Festwiese 1850 enthüllt werden sollte, und das noch heute den Festtrubel überragt.

1835 weicht solche Kinderhuldigung dem Auftritt der Erwachsenen mit der eindeutigen Absicht, den Zustand des Landes, so wie er ist, vorzuführen. Solchem Realitätssinn verschreibt sich auch der Lithograph Gustav Kraus, der die Zugfolge minutiös kopiert. Uns darf solche Genauigkeit nicht darüber hinwegtäuschen, daß wir uns im Rahmen einer Darstellung bewegen, die die Wirklichkeit als Allegorie verwendet – »allegorie réelle« hat Werner Hofmann dies bei seiner Schilderung des »Irdischen Paradieses« des 19. Jahrhunderts genannt. Hier kamen weder die Darsteller aus den betreffenden Landesteilen selbst, noch war die Integration des vielterritorialen bayerischen Staates bereits vollzogen.

Organisiert wurde der Zug von den Landgerichten des Isargaus, der sich selbst mit der dritten Zuggruppe, der »Gruppe des Gebirgslebens«, mit 28 Wagen darstellte. Insgesamt umfaßte der Zug in sechs Gruppen 86 Wagen, meist einfache Leiterwagen, die schön geschmückt und mit Menschen dicht besetzt waren. Die einleitende Gruppe von 18 Wagen teilte sich motivisch in eine Darstellung der Kreise Bayerns mit der Bavaria und in eine der seit dem Barock besonders beliebten Jahreszeiten auf. Mit der folgenden »Erntengruppe« von 22 Wagen wurden die verschiedenen landwirtschaftlichen Tätigkeiten vorgeführt.

Die Festzugsteilnehmer, die Schützenkompagnien, die Standartenreiter, die weißblau gekleideten Sängergruppen, die Landleute auf den Wagen – sie alle wirken mit ihrer Kleidung an dem bunten Bild des Zuges, so wie es Gustav Kraus vorstellt. Trachtliche Einförmigkeit ist vor allem bei den zwanglosen Gruppen auf den Wagen nicht festzustellen, nur die Gebirgsschützen tragen einheitliche Uniform, die von Ort zu Ort in den Farben leicht variiert. In der Männertracht wird die Übergangszeit bei der Einführung der langen Hose und des Zylinderhutes deutlich bei den Standartenträgern, während neben den oberbayerischen Gebirgsschützen die Schiffer und alle arbeitenden Landleute noch die Kniebundhose und den Trachtenhut tragen.

Von einem Zug durch die Stadt hören wir nicht, und die Wagen sind nur beim Vorbeizug am Königszelt abgebildet. Gustav Kraus dokumentiert sie ohne Hintergrund.

Gerade bei diesem Zug, der die damals modernen Aktionen der Zugteilnehmer mit der allegorischen Darstellung im höfischen Stil verband, wurden die Verbindungslinien zum modernen Oktoberfestumzug gezogen. Dabei blieb die damalige Gegenwartsbezogenheit der vorgeführten Handlungen außer acht. Wenn auf dem mit Garben hochbeladenen Erntewagen sich eine Klappe öffnete und die auf der Tenne arbeitenden Drescher sichtbar wurden, so war dies ebensowenig nostalgische Rückschau wie das Floß auf dem Wagen des Landgerichtes Wolfratshausen oder die Starnberger Wagen mit den königlichen Lustschiffen auf dem See.

Auch als historischer Umzug läßt sich dieser Aufzug nicht einordnen, denn es gibt nur wenige Szenen mit historischem Hintergrund wie die Burgmannen, die mittelalterli-

ches Leben demonstrieren, und gerade die historistischen Elemente sind der damaligen Umwelt entnommen, so ein neugotisches Bauwerk der Maurer der Vorstadt Au, das einzige statische Schauobjekt im Zug.

Darstellung des gegenwärtigen Lebens: Der Versuch die Realität abzubilden, zugleich aber auch die Problematik dieses Unterfangens, wird bei dem Aufzug der Brautpaare 1842 noch deutlicher.

Der Zug der 35 Brautpaare aus allen Landesteilen 1842

In Unterfranken, das für seine reichen und charakteristischen Trachten bekannt ist, hat sich nach den Aussagen eines Bauern bis in die Vätergeneration der Hofname »Oktobersch« erhalten für das Anwesen des 1842 in München heiratenden Bauern Johann Pfister in Schnakenwörth. Dies zeigt, wie wichtig man das Oktoberfest in jener Zeit nahm und wie stark seine identitätsbildende Kraft doch war.

1842 war es wiederum der sparsame, für seine Bautätigkeit Geld benötigende König Ludwig I., der auf die Festgestaltung Einfluß nahm, und »ideale Schwingungen«, die auf einen kunstreichen, historistischen Umzug drängten, ablehnte. Statt dessen sollte sich der Bayer so präsentieren, »wie er ist«. Dies geschah nicht in einem Schau-Umzug, sondern mit dem tatsächlichen Akt der Trauung von 24 katholischen und 11 protestantischen Brautpaaren in Tracht aus allen Landesteilen, die am Oktoberfestsonntag im Rathaus standesamtlich und in der Michaelskirche oder Matthäuskirche kirchlich vollzogen wurde. Die Stadtverwaltung stiftete danach ein Essen für die Brautzüge im Pschorrkeller, zu dem keine Zuschauer zugelassen wurden. Dann zogen die Brautzüge auf die Festwiese zur Huldigung des Königs und schauten dem Rennen zu.

Anlaß für diese Veranstaltung bot die Hochzeit des bayerischen Kronprinzen Maximilian mit der Hohenzollernprinzessin Marie von Preußen, und im Hintergrund stand die Sitte, bei Hochzeiten im Herrscherhaus Ausstattungen für arme Mädchen zu stiften.

1842 wurden die Landgerichte beauftragt, Brautpaare auszuwählen und eine Aussteuer zu sammeln. Bedingungen für die Bewerber waren ein guter Leumund – »Tugend und Sittsamkeit« – und Ansässigmachung, Voraussetzung für die ebenfalls geforderte Heiratslizenz. Damit war ein abhängiger sozialer Status, etwa Knecht und Magd, ausgeschlossen. Darüber hinaus sollte das Landgericht würdig vertreten werden, und diese Repräsentation geschah mittels lokalspezifischer Kleidung und eines Brautzuges nach ortsüblicher Sitte. Unterschiede von Landgericht zu Landgericht traten bei diesem Auswahlmodus kraß zutage. So führte die Gedankenverbindung mit der Wohltätigkeit in Miesbach und Tölz zu einer Fehlanzeige und dies sicher nicht aus Trachtenmangel, während es sich die reichen Bauern in den neuen und von der königlichen Residenz weit entfernten Gebieten zur Ehre anrechneten, nach München zu reisen. Gleiche

Tölz.

Kat. Nr. 431

Unterschiede schlugen sich auch bei der Festsetzung der Ausstattungssumme durch jedes Landgericht nieder. Sie schwankte zwischen 200 und 1000 Gulden, wobei in den reichen Bauerngegenden wie um Werneck und im Mistelgau, aber auch in Niederbayern, die ausgewählten Hochzeitspaare auf eine Ausstattung überhaupt verzichteten und allenfalls Reisekosten verlangten. Außerdem fielen Ortschaften, in denen keine »provinzielle Kleidung« mehr üblich war, als Repräsentanten einer Region aus – Beispiel hierfür war Dinkelsbühl –, wenn nicht eine historische oder eine spezifische berufliche Tracht ausgewählt wurde. Bei weiter Entfernung von der Hauptstadt konnte – unabhängig von der Ortssitte – zudem nur ein kleiner Brautzug anreisen. Die Unmöglichkeit, Realität darzustellen, machte sich also in mehrfacher Hinsicht bemerkbar.

Die dokumentarisch genaue Wiedergabe der Hochzeitszüge bei Gustav Kraus darf also nicht dazu verleiten, auf die Hochzeitssitten in den einzelnen Landesteilen im Detail zu schließen oder die Tracht in jedem Fall als noch ortsüblich getragen zu betrachten. Das soziale Handlungsmuster ist über die Schaustellung trotz wirklichkeitsgetreuer Abbildung nur ungenügend zu erschließen.

II

Die Festzüge, die nach der großen oben erwähnten Zäsur beim Oktoberfest stattfanden, unterscheiden sich in der Organisationsform und durch eine andere Teilnehmergruppe von denen der ersten Häfte des 19. Jahrhunderts. Die Erzeugnisse einer industriellen Fertigung werden nicht mehr zur Demonstration des Fortschrittes auf dem Volksfest ausgestellt. Wenn auf dem Nationalfest eine Runkelrübenzuckerfabrik vor Ludwig I. vorgeführt werden konnte, so versuchen nun private Initiatoren und Vereine in historischem Gewand dem Oktoberfestpublikum eine Schaustellung zu bieten. Im Gegensatz zu den Jubiläumszügen der ersten Ära ziehen die Schauumzüge nun auf weiten Wegen durch die Stadt und inszenieren nicht mehr auf der Wiese selbst ihren Hauptauftritt. Damit sind diese Züge, die sich im letzten Jahrzehnt des 19. Jahrhunderts in einer Zeit großer genereller Veränderungen des Oktoberfestes häufen, Vorläufer des großen Trachtenzuges heute.

Historische Aufzüge und Trachtenzüge
vor der Jahrhundertwende

Die enge Verbindung des Münchner Bürgertums mit der Künstlerschaft fand ihren Ausdruck in den Geselligkeitsvereinen mit festlichen Aktivitäten, wobei die Form von den Künstlern und Kunsthandwerkern gemäß der Wahlmöglichkeit unter verschiedenen historischen Kunststilen geschaffen wurde. Bei solcher historischer Zeitströmung ist es verständlich, daß der Magistrat dem »Winzerer Fähndl« bereitwillig Gelder zur Verfügung stellte und seine Umzüge zum Oktoberfest 1895, 1896 und 1898 gern unterstützte. Die Gewänder des »Winzerer Fähndl« und seiner Armbrustschützengilde sind Landsknechtstrachten aus dem 16. Jahrhundert, in dem der Tölzer Pfleger Caspar Winzerer gelebt hatte. Aus diesem Jahrhundert waren auch die Festzugsthemen genommen: 1895 ein »Jagdzug aus dem Anfang des 16. Jahrhunderts«, 1896 der »Einzug Herzog Wilhelms IV. des Standhaften von Bayern und der fürstlichen Braut Maria Jakobäa, Markgräfin von Baden, zu München im Jahre 1522« und schließlich 1898 ein Schützenzug im historischen Kostüm mit Jagdzug. Organisation und Leitung übernahm der »Restaurateur von Kunstwerken und Antiquitäten« Karl J. Zwerschina.

Trotz der Unterstützung durch den Magistrat scheint der Erfolg dieser Umzüge bei den Zuschauern nicht überwältigend gewesen zu sein. Das historische Arsenal steht offensichtlich nicht insgesamt für eine Imitation zur Auswahl, soll die Aufführung nicht ein unverbindliches Nachspielen bleiben. Gerade das 16. Jahrhundert bietet dem Münchner Zuschauer keine besonderen Identifikationsmuster oder Persönlichkeiten.

Im Gegensatz zu diesen bürgerlichen Umzügen konnte ein erster Vereinstrachtenzug kein Verständnis bei der Stadtbehörde gewinnen. Der Zug, der 1894 den Auftakt nach langer Pause bildete, wurde als ein gemäß künstlerischer Auffassung ungeordneter »Aufzug von oberländer Landleuten« empfunden. Organisiert hatte ihn aufgrund der Initiative des Kaufmanns Leopold Bauernfreund der »Verein zu Schutz und Förderung allgemeiner Handels- und Gewerbeinteressen« und der »Landesverband für Fremdenverkehr«. Etwa 700 Mitglieder des »Gauverbandes der Oberbayerischen Gebirgstrachten-Erhaltungsvereine« – bei Absage der von Schliersee, Miesbach und Egern-Rottach – brachten dem Prinzregenten Luitpold Kränze auf die Festwiese. Alle weiteren geplanten Umzüge und Veranstaltungen hatte die Behörde gestrichen. Die 2000 Mark, die der Magistrat nur widerstrebend zur Verfügung stellte, wurden zu einem guten Teil für die Anschaffung von Trachten für bedürftige Mitglieder verwendet, was auf die soziale Zusammensetzung der Vereine weist, die sich kaum aus dem trachttragenden Bauernstand rekrutierten. Ein zusätzliches Element bildeten die alten, professionell vorführenden Tanzgruppen, die von den Trachtenvereinen aufgenommen wurden. Die aus standesmäßigen und kirchlichen Bindungen einer komplexen Trachtordnung herausgelöste Form der Tanztracht zur Vorführung soll ebenso die Ortsbindung herstellen wie das historische Gewand in der Stadt. Die ortsfixierte und typisierte Trachtform wird dann in der neuen Ordnung des Vereins beliebig verfügbar und meist in der Farbe festgelegt.

Die Unterschiede zwischen beiden Formen der Tracht, der in alltäglichen Ordnungen getragenen, sich wandelnden Tracht und der vereinsmäßig festgelegten, zur Tanzvorführung geeigneten Tracht, waren am Ende des 19. Jahrhunderts durchaus bewußt. So konnte sich der Trachtenzug, den der Hofrat Maximilian Schmidt an der Spitze eines landes-

Kat. Nr. 434.2

weit organisierten Komitees 1895 durchführte, noch auf nicht in Vereinen getragene Tracht konzentrieren. Besonders aus Unterfranken kam eine große Zahl von Teilnehmern, und in den reichen Trachtengebieten dort wird in mancher Familie noch die Fotografie aus München von 1895 aufbewahrt. Damals sollen noch Trachten von 1842 getragen worden sein. Es sind viele Trachtengruppen aus reichen bäuerlichen Trachteninseln innerhalb des bayerischen Territoriums im Zug 1895 vertreten, was damals jedoch nur indirekt bewußt wurde als »Bewahrung guter alter Sitte«. Das Echo in den Zeitungen war lebhaft und positiv.

Dieser Trachtenzug, der einer der letzten großen Privatinitiativen im Oktoberfest zu verdanken ist, bildet ein Bindeglied in der unterbrochenen Traditionskette großer Umzüge, denn er übernahm einerseits die Kreisdarstellung mit der Bavaria aus den frühen Huldigungszügen samt deren Anspruch, Realität darzustellen, wies aber auch andererseits in die Zukunft mit der Forderung, die Tracht zu erhalten und zu pflegen.

Gleichzeitig erfolgte der Begriffswandel von »Landestracht«, »Nationaltracht« oder speziell »altbayerischer Tracht«, »Bamberger Tracht« etc., wie die Kleidung bei den frühen Aufzügen bezeichnet wurde, zur »Volkstracht« 1895. Vergessen war die Tatsache, daß man 1810 auch städtische Tracht zur Kreisdarstellung benutzt hatte. Nach der Verselbständigung der bürgerlichen Kleidung vom Hofgewand und ihrer Entwicklung unter dem Einfluß der Mode grenzte der bürgerliche Blickwinkel Tracht auf den Bauernstand ein. Im 20. Jahrhundert führte dieser Blickwinkel dazu, daß man die soziale Zusammensetzung der Mitglieder der Trachtenvereine außer acht lassen und nach der Verwischung der Unterschiede zwischen getragener und vereinsmäßiger Tracht die Trachtenvereine zur Demonstration des Bauernstandes holen konnte.

Jubiläumsfestzug 1910

Mit dem gleichen Anspruch wie bei dem Trachtenzug 1895, nur wirklich getragene Trachten vorzuführen, ging man an den großen Jubiläumsfestzug 1910 organisatorisch heran. Diesmal war es der landwirtschaftliche Verein, der den Auftrag erhielt, für die Trachtendarstellung aus den verschiedenen Landesteilen zu sorgen. Doch wurde in dem zweiten Teil des Zuges, dem »Festzug des Landes« neben der Bauerntracht die historische Bürgerkleidung nicht vergessen. Ein rein historischer Zugteil zur hundertjährigen Oktoberfestgeschichte wurde vorangestellt. Im ganzen Zug überwog der historische Rückblick im Vergleich zur Gegenwartsdarstellung. Ein dritter Zugteil integrierte den herkömmlichen Einzug der Preisfahnenträger und der Armbrustschützen. Die Organisation des großen Festzuges übernahm ein Komitee, das sich innerhalb des Gesamtfestkomitees konstituierte und einen besonderen Etat zur Verfügung hatte. Die künstlerische Oberleitung übertrug man dem Kunstmaler Hermann Stockmann. Für den ersten Zugteil zeichnete der Direktor des Stadtarchivs Ernst von Destouches verantwortlich. Für die Gestaltung des zweiten Zugteils bildete sich eine große Kommission, der nicht nur der bayerische Landwirtschaftsrat und der »Bayerische Verein für Volkskunst und Volkskunde« angehörten, sondern auch eine Künstlerkommission unter Professor Fritz Jummersbach. An der enormen Zahl der bei der Organisation Mitwirkenden läßt sich die Bedeutung ablesen, die man dem Jubiläumsfestzug, damit aber auch dem Oktoberfest insgesamt bei der Stadtverwaltung zumaß. Die Festzugfolge hat Ernst von Destouches in seiner Säkularchronik 1910 genau festgehalten.

Festumzüge zwischen den beiden Weltkriegen

In der Nachkriegszeit, als die Diskussionen über den Bestand des Oktoberfestes heftig geführt wurden und die Klagen über das kommerzialisierte Fest anwuchsen, waren es die Schützen, die ihre üblichen Einzüge zu großen Festzü-

gen ausgestalteten. Ein Trachtenzug kam dagegen nur 1921 zustande, der allerdings gemäß dem Polizeibericht großen Anklang bei den Zuschauern fand.

Der Schützeneinzug am ersten Festsonntag, also dem Termin des modernen Umzuges, wurde 1921 von 151 Vereinen mit 8 Festwagen und 22 Musikkapellen bestritten, wie das Festwiesenkommissariat an die Polizeidirektion München berichtete, aber auch die Armbrustschützen veranstalteten einen kleinen historischen Zug, wie die Stadtarchivakten melden. Besondere Dimensionen hatte der Schützenzug 1925. 4000 Schützen und 4000 andere Festteilnehmer sollen an ihm teilgenommen haben. 218 Preisfahnen und 228 Vereinsfahnen wurden mitgetragen. Es gab 10 Festwagen, 12 Reiter und 32 Musikkapellen. Von etwa gleicher Zuggröße berichtet 1926 die »Neue Bayerische Schützen-Zeitung«: 9 Festwagen, 25 Musikcorps, kostümierte Fahnenträger mit Preisfahnen, Zieler, Schützenlieseln, Münchner Bürgersfrauen in alter Tracht, Volkstrachten, Münchner Kindl und Bavaria zählt sie auf neben 5000 Schützen und 300 Vereinsfahnen. Es war der rührige Vorsitzende des Zimmerstutzenverbandes Matthias Heinloth, der diese Vorläufer des modernen Trachten- und Schützenzuges organisierte.

Mit dem Schützenzug und dem Wies'n-Einzug der Wirte waren die Grundlagen für die Organisation großer Oktoberfestzüge gegeben in einer Zeit, die die Aufmärsche liebte. 1934 zog am Eröffnungssamstag nach dem Einzug der Festwirte und Brauereien noch ein Oktoberfestzug zur Wiese, um den »auf der Ehrentribüne bereits versammelten Ehrengästen, dem Herrn Reichsstatthalter, den Mitgliedern der Staatsregierung und des Stadtrates und den Vertretern der Behörden seine Huldigung darzubringen«, so wörtlich aus den Akten des Bayerischen Hauptstaatsarchivs. Einem Herold und Standartenträgern folgte eine Musikkapelle in alter Münchner Bürgerwehrtracht vor den Turnierreitern, den Rennreitern, den Trabfahrern und anderen Reitergruppen mit einem Fahnenwagen. Es folgten Abordnungen der Münchner Zünfte mit historischen Emblemen und Trachten, dann die der Schützenvereine.

Aber auch am zweiten Festsonntag gab es einen Umzug, diesmal mit den Schützen, aber auch mit »Bauern und Bäuerinnen in alten Trachten in zwölf Festwagen«, was als »Erntefestzug« bezeichnet wurde. Welch ein Unterschied zum alten Oktoberfest, auf dem die neuesten Errungenschaften der Landwirtschaft präsentiert wurden! Die bewußte formale Anknüpfung verdeckte nur mühsam die großen Veränderungen.

Ganz ähnlich mit zwei Festzügen neben dem Wies'n-Einzug der Wirte verlief das Jubiläumsoktoberfest 1935, das noch stärker entlokalisiert zur großdeutschen Veranstaltung umfunktioniert wurde. Im Festzug am Hauptfestsonntag »Stolze Stadt – Fröhlich Land« blieb das stadtstolze Bürgertum unterrepräsentiert und im vierten und letzten Zugteil auf ein paar Handwerkerdarstellungen im Grunde ohne Ortsbezug beschränkt, obwohl die Kreishandwerkerschaft für die Stadt und das Bezirksamt München organisierte. Einen mächtigen Zugbeginn formierten 10 000 Schützen. Im zweiten Zugteil gab es einen »Historischen Aufmarsch«, dessen Szenen im Jahr 1450 begannen mit dem höfischen Pferderennen, das Herzogin Anna von Braunschweig damals einführte. In die folgenden Gruppen waren auch das Winzerer Fähndl und der Schmied von Kochel integriert. Von Gruppe 10 bis 24 rollte dann die Oktoberfestgeschichte vor den Augen der Zuschauer ab ohne jeden Hinweis auf das Wittelsbacher Herrscherhaus, das nur in den Begleittexten des gedruckten Programms erwähnt wurde. Die 25. Gruppe stellte der BDM mit Reigen tanzenden Mädchen, die 26. bildeten Arbeitsdienstmänner mit geschultertem Spaten. Leitung und Aufbau dieses Zugteils oblag dem Kunstmaler Albert Reich. Den dritten Zugteil organisierten Direktor Julius Kempf und Geschäftsführer Schmidbauer im Reichsverband der Heimat- und Trachtenvereine. Gemäß dem Motto »Bayerisch Land in Sitt' und Tracht« führte man hier »Volks- und Brauchtum in Bayern« nach der neuen Gaueinteilung vor mit einem Erntewagen als Abschluß.

Die »kulturpolitische Aufwärtsentwicklung«, die man im Wies'n-Bericht des folgenden Jahres 1936 konstatierte, konnte sich freilich nur bis 1938 fortsetzen. Dann löschte der Krieg die Festlichter.

Der Oktoberfest Trachten- und Schützenzug

Die Tradition der Festzüge wurde schon 1949 mit einer Oberländer Vereinstrachtenvorführung wieder aufgegriffen, als der Schützenzug noch von der Militärregierung verboten war. 1950–1955 organisierte dann ein Arbeitsausschuß der Stadt München nicht nur den Oktoberfestzug, sondern auch alle anderen Umzüge in der Stadt. Diese Aufgabe übernahm 1956 eine bürgerschaftliche Vereinigung, der 1955 gegründete »Münchener Festring e.V.«, seit 1966 unterstützt vom Münchener Verkehrsverein. Die Zusammenarbeit schlug sich 1976 in einer gemeinsamen Vereinsgründung »Münchener Verkehrsverein-Festring e.V.« nieder, und von diesem Verein werden sowohl der Oktoberfest Trachten- und Schützenzug wie die Abendveranstaltung im Circus-Krone-Bau »Folklore International« mit Darbietungen von Gruppen aus dem Zug, aber auch der Wies'n-Einzug der Festwirte und Brauereien organisiert.

Keineswegs aber ist mit der Verbindung zur Stadtverwaltung der 1924 gefaßte, damals das Oktoberfest in seinem Bestand rettende Beschluß aufgehoben, daß sich alle Veranstaltungen beim Oktoberfest selbst tragen müssen. Es besteht für keine Festveranstaltung ein Etat wie im 19. Jahrhundert. Die 15% Zuschuß, die der Verein von der Stadt erhält, kommen aus dem Platzgeldaufkommen der Oktoberfestbezieher. Freiwillige Beiträge und Zuwendungen von Oktoberfestunternehmern machen etwa 20% aus. Den Rest von 65% muß der Verein mit dem Erlös aus Tribünenkarten,

Programmverkauf, Inseraten und Festzeichen selbst aufbringen, dabei allerdings auch Gestehungs- oder Dienstleistungskosten tragen, wie das Auf- und Abschlagen der Tribünen.

Der Festzug wäre also ohne das enorme private Engagement der Teilnehmer und deren Zusammenhalt im Verein nicht zu realisieren. Der einzelne fühlt sich ohne Gruppenrückhalt unter 7000 Weggenossen im Zug doch zuweilen etwas verloren. In dem Riesenorganisationsbetrieb beklagt gerade mancher bayerische »Stammteilnehmer« – die etwa ein Drittel des Zuges ausmachen –, daß die Gemütlichkeit abhanden kam. Die Gruppen, die zum ersten Mal mitmachen – wiederum ein Zugdrittel –, empfinden natürlich anders. Das dritte Zugdrittel wird, um Abwechslung zu erreichen, mit Gruppen besetzt, die im Abstand von zwei bis mehreren Jahren wiederkommen. Leicht ist es, Kapellen und Spielmannszüge zu finden, die etwa die Hälfte der Gruppen stellen.

Die Motivation, beim Umzug mitzulaufen, hat sicher verschiedene Gründe: einmal die Spielfreudigkeit der vom Können her halb professionellen Tanzgruppen, die gerne ihre Kunst zeigen, dann aber auch die Möglichkeit zur Selbstdarstellung für die Trachtengruppen, die sonst oft auf Vereinsdarbietungen beschränkt sind.

Unterstützt wird solche Motivation durch eine selten große Resonanz bei den Zuschauern. Die Tribünen sind voll besetzt, und vor allem an den städtebaulich günstigen Plätzen drängen sich die Menschen dicht gestaffelt hinter den Absperrseilen. Nicht selten bringt einer eine Leiter mit, um über alle Köpfe hinweg freies Sichtfeld zu haben. Es sind viele Fremde, aber immer wieder auch die Münchner, die sich das Schauspiel nicht entgehen lassen – zum Glück oft unter weißblauem Himmel.

Das abwechslungsreiche Bild des Zuges entsteht durch eine sorgfältige Choreographie und mühsame Auswahl- und Organisationsvorarbeit, für die der Geschäftsführer des Vereins Robert Huber verantwortlich zeichnet. Die jährlich im gleichen Stil erscheinenden gedruckten Zugprogramme bieten einen guten Leitfaden. Immer den gleichen Platz im Zug haben die Kutsche des Oberbürgermeisters, umrahmt von einer besonders attraktiven ausländischen Gruppe und den bayerischen Gebirgsschützen. Seit 1978 fährt der bayerische Ministerpräsident in einer Festkutsche bei diesem Zugabschnitt mit. Sonst variiert die Ordnung im Wechsel von Trachten, Kapellen, Uniformen, Bierwagen. Mit diesem Oktoberfestzug ist in mehr als dreißigjähriger Tradition ein brauchmäßiger lebendiger Bestandteil des Festes entstanden.

Gerda Möhler

Lit.: Möhler 1980, S. 234–297, Tab. 17 u. 18. Dort weiterführende Nachweise und Literatur zum Thema »Festzüge«. Die Informationen über die unterfränkischen Trachtenträger auf dem Oktoberfest verdankt die Verfasserin Richard Reinhart.

△ Kat. Nr. 451.5　▽ Kat. Nr. 451.4

△ Kat. Nr. 451.11　▽ Kat. Nr. 451.10

Kat. Nr. 431

431 »Oktoberfestzug vom Isarkreis«, 1835
Abbildung auch S. 227

»Festzug zur Feyer der Jubel Ehe I.I.M.M. des KÖNIGS LUDWIG UND DER KÖNIGIN THERESE zu München am 4ten October 1835. Verlag von J. C. Hochwind, gez. v. Gustav Kraus. Krämmer grav.« (Titelblatt)

Gustav Kraus, kolorierte Lithographien, jeweils ca. 35×46 cm. Teilweise bez. u. r.: »Gustav Kraus lith.« oder »Lith. v. G. Kraus 1836«. Zyklus von 24 Blättern mit einem Titelblatt, dazu ein Blatt »Kurzgefaßte Beschreibung des Oktoberfestzuges vom Isarkreis [...]«. Die Serie erschien in vier Lieferungen.

Die Idee, die Nation durch Darstellungen der bayerischen Kreise (Regierungsbezirke) zu allegorisieren, hatte schon die Gestaltung der Kinder-Huldigungen 1810 und 1826 bestimmt. 1833 regte der Innenminister Ludwig Fürst zu Oettingen-Wallerstein an, nach dem Vorbild der Nürnberger historischen Festzüge von 1832/33 dem Oktoberfest eine der Bedeutung Münchens würdige Form zu geben. Er begründete den Vorschlag damit, das Oktoberfest sei »das schönste Nationalfest Europas«, das nach seiner Entstehung 1810 »schnell in nationale Sitte und Neigung überging und als ein wahres Familienfest der erhabenen Wittelsbacher und ihres Volkes heilig blieb«. Der Festzug des Silberjubiläums war als nationale Gesamtrepräsentation

konzipiert, die aber zur Niedrighaltung der Kosten nur von Gemeinden aus dem Umkreis von München dargeboten werden sollte. Es überschneiden sich also zwei Ebenen: die auf die gesamte Nation bezogene *inhaltliche Darstellung* und der Kreis der *Mitwirkenden,* die ausschließlich dem Isarkreis (seit 1837 Regierungsbezirk Oberbayern) angehörten. Daher wurden beispielsweise die acht bayerischen Kreise und die vier Jahreszeiten durch Gemeinden des Landgerichts München allegorisch dargestellt (vgl. die Bildunterschriften bei G. Kraus), also der »Ober-Donau-Kreis« durch Feldmoching, der »Unter-Main-Kreis« durch Neuhausen, der »Sommer« durch Garching. Der Ingenieur und Civilbauinspektor bei der Regierung des Isarkreises, Daniel Ohlmüller (der Architekt der damals entstehenden neugotischen Maria-Hilf-Kirche in der Au) zeichnete Entwürfe für eine Folge von Festwägen. Auf dieser Grundlage vergab der Magistrat an die einzelnen beteiligten Landgerichtsgemeinden und Hofmarken die Themen der Wägen, die in relativ sehr kurzer Zeit ausgeführt werden mußten.

Der Festzug, der sich fast zwei Stunden lang am Königszelt vorüberbewegte (vgl. Kat. Nr. 35), gliederte sich in sechs thematische Gruppen.

1. Die acht Kreise unter Vorantritt der

Bavaria, die vier Jahreszeiten, gefolgt von einer weiteren Bavaria »mit des Füllhorns segenreicher Spende« an Tugenden und kulturellen Errungenschaften.

2. Erntegruppen (Repräsentation der Landeserzeugnisse wie Getreide, Flachs und Hanf, Gartenbau, Hopfen, Schafzucht, Heuernte).

3. Gebirgsleben (Flößerei, Almwirtschaft, Gebirgsschützen, Tölzer »Leonhardiwägen«, Fischerei, kurfürstliche Lustflotte auf dem Starnberger See).

4. Ländliche Festlichkeiten (Kirchweih, Bauernhochzeit mit Kammerwagen, Möwenjagd).

5. Erinnerungen an die Vorzeit (Patrimonialgerichte, historische Kostüme).

6. Städteleben: Landshut, neugotische Bauten der Vorstadt Au und Zacherl-Brauerei, Handwerkerzünfte (Haidhausen), Weilheim, Murnau, Freising.

Mit 400 Reitern des Landgerichts München (bei Kraus 16 dargestellt) endet der Festzug, »und der letzte linke Flügelmann schreit mit schwingendem Hute aus voller Kehle ein ächt bayerisches: Juche!«.

Die Darstellungen der Blätter 23 und 24 gehören *nicht* zum großen Festzug des Isarkreises, sondern beziehen sich auf Veranstaltungen, mit denen die Jubiläumsfeier die Festwoche hindurch fortgesetzt wurde (Wagenrennen, Schützenzug, vgl. Kat. Nr. 329). BK

Lit.: Festzug zur Feier der Jubelehe des Königs Ludwig und der Königin Therese zu München am 4. Oktober 1835, mit Beiträgen von Elfi M. Haller, Hermann-Joseph Busley, Christine Pressler, München 1983.
StadtAM, Slg. Birkmeyer S 26

432 Huldigungsfestzug der Brautpaare, 1842

»Festzug der 35 Brautpaare zur Vermählungsfeyer Sr Königlichen Hoheit des Kronprinzen Maximilian v. Bayern, u. I^r Königlichen Hoheit der Kronprinzeß Marie von Bayern, im Vorbeiziehen vor dem Königszelt bey dem Oktoberfeste in München d. 16ten Oktbr. 1842.«

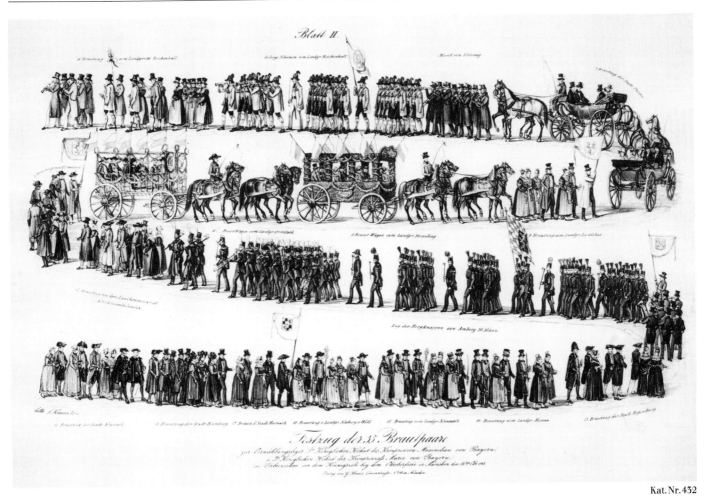

Kat. Nr. 432

Gustav Kraus, Lithographie, 3 Blatt, 43×59 cm. Bez. u. M.: »Verlag von G. Kraus, Löwenstraße № 19 in München«; Blatt III bez. u. l.: »lith. G. Kraus 1842«.

Das Blatt I der drei Blätter, auf welchen G. Kraus Erscheinungsbild und Reihenfolge des Zuges festhielt, zeigt die eröffnende Abteilung mit Bürgermilitär, den Gebirgsschützenkompanien von Lenggries und Wackersberg. Zwischen diesen und dem Münchner Brautwagen, der den eigentlichen Zug der Brautpaare anführt, marschieren Musiker mit Blasinstrumenten. Im vierspännigen Münchner Wagen befinden sich laut Festzugsprogramm neben dem Brautpaar selbst, einem Kistlermeister und einer Kistlermeisters-

witwe, Mutter und Vormund der Braut, der Brautführer, zwei Zeugen, zwei Brautjungfern und der Hochzeitslader. Es folgt der Brautwagen aus dem Landgericht Starnberg, ebenfalls von vier Pferden gezogen. Als Begleitung werden die Eltern des Bräutigams, eines Schuhmachers, angegeben, der Vater der Braut, zwei Kranzljungfern, der Ehrenvater, zwei Basen der Braut, ein Vetter des Bräutigams und einer der Braut, die auch eine Schwester mitbrachte, sowie sieben Musikanten. Es schließt sich der Vierspänner des Landgerichts Schrobenhausen an. Zur Begleitung der Brautleute – eines Gütlers und Tagelöhners und einer Häuslerstochter – werden genannt: der

Brautführer, zwei Kranzljungfern, zwei Ehrenväter, zwei Zeugen, vier Verwandte und der Hochzeitslader. Der Hochzeitslader des folgenden Paares aus Ismaning (Landgericht München) reitet einem Wagen mit zehn Musikanten voran. Der vierspännige Hochzeitswagen folgt mit dem Paar – einem Kleingütler und Zimmermann und einer Schmiedstochter – und der siebenköpfigen Begleitung aus zwei Kranzljungfern, der Ehrenmutter und den Eltern der Brautleute. Die beiden folgenden Zweispänner gehören ebenfalls zur Ismaninger Gruppe. Im einen befinden sich sechs weibliche, im anderen sechs männliche Hochzeitsgäste. Vor dem Vollzug der Trauung war

233

Humelmusikanten. 20. Brautzug im Landgr. Baireuth, Mistelbach.

Kat. Nr. 432

1842 – »Heil und Segen wünscht der Kronprinz von Bayern«

32 Jahre nach der ersten bayerischen Kronprinzenhochzeit gab es im bayerischen Königshaus wieder ein solches Ereignis zu feiern. Kronprinz Maximilian (1811–1864) vermählte sich mit der 16jährigen Prinzessin Marie, der Tochter Prinz Wilhelms von Preußen. Die Trauung fand am 12. Oktober 1842 in der Allerheiligenhofkirche statt.

Wie schon 1810 wurde zur Feier der Hochzeit auch den Armen der Stadt Grund zu ganz persönlicher Freude über das Ereignis gegeben. Sämtliche Pfründner der Spitäler und Armenhäuser sowie des Nockherschen Stadtkrankenhauses am Anger wurden auf Kosten des Magistrates ausgespeist. Die israelitische Gemeinde finanzierte am Tag der Hochzeit nahrhafte Mahlzeiten für alle Militär- und Zivilgefangenen, damit, wie Ernst von Destouches es ausdrückt, »auch diese sich des Tages freuen möchten«.

Es ist nicht verwunderlich, daß auch das Oktoberfest als ›Volksfest der Dynastie‹ 1842 im Zeichen der Kronprinzenhochzeit stand, zumal eben eine solche Hochzeit am Anfang des Festes gestanden hatte. Bereits im März hatte der König durch ein Reskript des Innenministeriums seinen Wunsch bekräftigen lassen, »daß das ganze Land an dem dießjährigen Oktoberfeste theilnehme«. Eine »Einladung« des Präsidiums der königlichen Regierung von Oberbayern machte im gleichen Monat sämtlichen Gemeinden Mitteilung von der geplanten Art, auf die eine solche Teilnahme demonstriert werden sollte. Es heißt darin, daß »in jedem der acht Regierungsbezirke mehrere Brautpaare von unbescholtenen Sitten und unzweifelhafter Würdigkeit aus öffentlichen Fonds und durch gemeinsames Zusammenwirken ausgestattet werden, welche sodann am Festtage selbsth ihre Hochzeit in München zu feyern und in provinzieller Tracht und feierlichem Hochzeitszuge bei dem Fest zu erscheinen hätten.«

der Platz des Bräutigams ebenfalls hier. Als letzte auf diesem Blatt abgebildete Gruppe gibt Kraus diejenige aus dem Landgericht Rosenheim wieder. Sie stellte die fünfte der sechs oberbayerischen Hochzeitsgesellschaften dar. Hier wird kein Wagen mitgeführt. Zwei Männer und zwei Frauen gehen voran. Es folgen der Brautführer, das Paar, die Ehrenmutter, zwei Ehrenväter, eine Stellvertreterin der Mutter des Bräutigams mit der Brautmutter und der Hochzeitslader.

Der Festzug der Brautpaare war in acht Gruppen gemäß den bayerischen Regierungsbezirken eingeteilt:

I. Oberbayern: Eröffnet wurde diese Abteilung durch die Gebirgsschützen aus Lenggries und Wackersberg mit Spielleuten. Den sechs Brautpaaren dieser Gruppe folgten abschließend Gebirgsschützen aus Reichenhall.

II. Niederbayern: Ein Fahnenträger mit dem Wappen der Stadt Landshut und ein Musikzug marschierten der Gruppe der vier niederbayerischen Brautpaare voran.

III. Pfalz: Die Abteilung von nur zwei Brautpaaren führten Musiker und ein Fahnenträger mit dem Wappen der Grafschaft Veldenz, einer mit dem der Stadt Speyer an.

IV. Oberpfalz und Regensburg: An die Fahne mit Oberpfälzer Wappen, einen Zug der Bergknappen aus Amberg mit Musik und einen Träger mit der Regensburger Fahne schlossen sich vier Brautpaare an.

V. Oberfranken: Die Vorhut der sechs Brautgesellschaften bildeten ein Fahnenträger mit dem fränkischen Wappen, Musik und ein Träger mit der Bayreuther Fahne.

VI. Mittelfranken: Vier Brautpaare gruppierten sich hinter der Ansbacher Fahne.

VII. Unterfranken und Aschaffenburg: Das Würzburger Wappen führte einen Zug von vier Brautpaaren an.

VIII. Schwaben und Neuburg: Fünf Paare mit Gefolge, dem Wappen der Grafschaft Burgau, einem Musikzug und dem Augsburger Wappen vervollständigten den Zug der 35 Brautpaare. SS

Lit.: »Programm über die am 16. Oktober 1842 stattfindende Trauung von fünfunddreißig Brautpaaren aus den acht Regierungs-Bezirken des Königreichs Bayern, und deren Festzug vor Ihren Königlichen Majestäten und Allerhöchsten und Höchsten Herrschaften auf der Theresienwiese.« (StadtAM, Hist. Ver. Bibl.)
StadtAM, Hist. Ver., Bilderslg. II/38–40

Für Unterkunft und Verpflegung der Brautzüge während ihres Aufenthaltes in München kam die Stadtkasse auf. Die Finanzierung der Ausstattungen erfolgte durch die Landgerichte, durch Stiftungen und aus eigenen Mitteln der Brautleute. Hier ergab sich für wohlhabende adelige Gutsbesitzer die Möglichkeit, durch hochherzige Spenden Aufmerksamkeit zu erregen. So heben denn auch Aktenbelege die Spendenfreudigkeit einzelner Privatleute anerkennend hervor und versichern diese des Wohlwollens der Regierung.

Die Auswahl der Brautpaare sollte abhängen von »vorzüglicher Unbescholtenheit« und »Reinheit der Sitten«, da »durch das Erscheinen dieser Brautpaare aus sämtlichen Regierungsbezirken bei dem dießjährigen Feste zugleich die Volksstämme des Königreichs gewissermaßen repräsentiert werden sollen« und damit »Persönlichkeit und resp. äußere Erscheinung der Ausgewählten dieser Idee einer Repräsentation der Volksstämme in angemessener würdiger Weise entspreche«. Es war also daran gedacht, im Festzug das Bild der unter der Krone geeinten bayerischen Nation erstehen zu lassen, die in Gestalt der Brautpaare dem König huldigt. Um die regionale Herkunft der ›Stellvertreter‹ aus allen Teilen des Landes augenfällig zu machen, hatten »die Brautpaare, so wie der begleitende Hochzeitszug [...] in der einschlägigen vorzugsweise üblichen und unterscheidenden Tracht zu erscheinen«. Hier wurde eine Idee aufgegriffen, wie sie schon 1810 im Huldigungszug der Kinder angesprochen war. Damals waren es allerdings Münchner Kinder gewesen, die in Trachten der verschiedenen Landesteile gekleidet als Stellvertreter des bayerischen Volkes dem Königshaus ihre Huldigung darbrachten (Kat. Nr. 20).

Im Zug von 1842 war zwar Authentizität in der regionalen Herkunft der Stellvertreter gewährleistet; die Authentizität der Trachten war jedoch letztlich für eine Teilnahme nicht entscheidend. So konnte zum Beispiel in städtischen Gegenden, die keine individuelle Tracht mehr besaßen, in der Gestaltung des Kostümes auf nicht mehr existierende Formen zurückgegriffen werden. Auch das Erscheinen von Hochzeitswägen oder die Stärke der Begleitgruppen im Festzug verweist nicht unbedingt auf tatsächlich übliche Formen des Hochzeitens in der Heimat der Brautleute. Die lange Wegstrecke, die viele der Paare nach München zurückzulegen hatten, mag die Mitnahme eines geschmückten Wagens unmöglich gemacht haben. Durch die Höhe der Reisekosten reduzierte sich die Anzahl der Begleitpersonen, zumal der König darauf gedrungen hatte, »die begleitenden Hochzeitszüge nicht zu zahlreich ausfallen [zu lassen], damit hiebei überflüssiger Aufwand möglichst vermieden werde«. So umfaßten die Begleitzüge in der Regel sechs bis acht Personen. Zwei nichtoberbayerische Paare (Mistelbach, Werneck), deren Gesellschaften 16 beziehungsweise 10 Personen zählten, gehörten zu jener finanzstarken Gruppe, die auch die Kosten für die Brautausstattung ausschließlich selbst trug.

Da die Idee des Zuges nicht in der Demonstration bayerischer Hochzeitsbräuche lag, war im Grunde vollkommene Authentizität nicht gefordert. Sofern eine landschaftliche Zuordnung der Festzugsgruppen, die überdies kennzeichnende Wappen mitführten, aufgrund ihres Erscheinungsbildes möglich war, war die Aufgabe der »Repräsentation der Volksstämme« erfüllt.

Das Programm für den 16. Oktober 1842 sah folgenden Tagesablauf vor: Nach der Versammlung der Brautpaare im Rathaussaal um 8 Uhr setzte sich um 9 Uhr der Zug, dem sich die Gebirgsschützen aus Lenggries, Wackersberg und Reichenhall und eine Gruppe von Bergknappen aus Amberg anschlossen, in Bewegung. Der Weg führte durch die Neuhauser- und Kaufingerstraße, wo die 24 katholischen Brautpaare »durch das Seitenportal in die königl. Hofkirche zum heil. Michael eintreten, deren Benützung zur Trauung Se. Maj. der König ausnahmsweise allergnädigst zu bewilligen geruht haben«. Die Paare aus München, Bamberg, Würzburg und Augsburg wurden im Presbyterium vom Metropolitan-Pfarr-Vorstand getraut, die anderen von verschiedenen Geistlichen an den Seitenaltären. Die elf protestantischen Paare zogen weiter durch das Karlstor zur Matthäuskirche in der Sonnenstraße.

Nach den Trauungszeremonien nahm der wieder formierte Festzug den Weg durch Bayer- und Landsberger Straße in den Pschorr-Keller, wo die Stadt München ein Mittagessen spendierte. Als der König auf der Festwiese angekommen war, setzte sich der Festzug der Brautpaare in Richtung Theresienwiese in Bewegung, um dort am Königszelt seine Huldigung darzubringen. Das Münchner Brautpaar überreichte ein Huldigungsgedicht (Kat. Nr. 37), acht der anderen Paare, »je eines aus jedem Regierungsbezirke, [legten] Embleme dieser Bezirke, wie sie von den auf dem Saalbau der Kgl. Residenz dahier befindlichen Statuen getragen werden, ehrfurchtsvollst vor Sr. Maj. dem Könige nieder«. Jede Braut und jeder Bräutigam erhielt von seiten des Magistrates eine Gedenkmünze mit dem Brustbild des Königs und des Kronprinzenpaares. Außerdem ließ Kronprinz Maximilian den 35 Bräuten goldene Ringe überreichen mit der Inschrift: »Heil und Segen zum 16. Oktober 1842 wünscht der Kronprinz von Bayern.« SS

Lit.: Rudolph; Destouches, Säkularchronik; »Feierlichkeiten bei der Vermählung Maximilians II. v. Bayern mit Maria v. Preußen. 1842.« (StadtAM, Hist. Ver. Bib.); »Programm aber die [...] Trauung [...]« (vgl. Lit. zu Kat. Nr. 432); StadtAM, Okt. 21/1

433 »Offizielles Programm für das Historisch-Bayerische Volkstrachten-Fest«, 1895

16 S., 2°.

Mit namentlichem Verzeichnis der Teilnehmer und Zugfolge zum »Festzug der Bavaria«.

Florian Dering, München

Kat. Nr. 435

434 Gruppen aus dem »Festzug der Bavaria«, 1895 Abbildungen S. 228 u. 238
Fotos.

1. Grafinger Winkel in Niederbayern
2. Altmühlgrund

Unter der Leitung des königlichen Hofrates und Schriftstellers Maximilian Schmidt wurde 1895 ein »Historisch-Bayerisches Volkstrachtenfest« organisiert, dessen Ziel es war, die »noch vorrätigen Trachten aus allen acht Kreisen Bayerns [...] in der Residenzstadt [... zu] vereinigen«. Das Unternehmen stand unter dem Protektorat des Prinzen Ludwig Ferdinand von Bayern. Es war eine Veranstaltung im Münchner-Kindl-Keller vorgesehen, deren Programm nach einem »Huldigungstableaux der [...] Trachtengäste« an den Prinzregenten die »Darstellung der Sitten und Gebräuche, Volksgesänge und Volkstänze [...] aus früherer und neuerer Zeit« beinhaltete. Die Vorführungen wurden durch »Dialektvorträge« und ein Festspiel »Unter Bayerns Panier« ergänzt. Am folgenden Tag zogen die 123 Trachtengruppen in ihren über 100 verschiedenen Trachten von der Maximilianstraße zur Festwiese. SS

Lit.: Kat. Nr. 433; Oktoberfestzeitung 1895 (vgl. Kat. Nr. 816).
StadtAM, Chronik-Bildband 1895/II, Nr. 26, 27

435 »Huldigungsfestzug zur Jahrhundertfeier des Oktoberfestes am 25. Sept. 1910«

Hermann Stockmann, 14 Bl. Gouache, 53×72,5 cm. Bez. auf Bl. 14 u. r.: »H. Stockmann. 1910«.

Der Zug umfaßte thematisch zwei Teile: Der erste war der »Historische Zug«

Kat. Nr. 435

(Blatt 1–3) mit den Formationen der Nationalgarde in den Uniformen von 1810 und der Kindergruppe, die die damaligen neun Kreise Bayerns in entsprechenden Trachten darstellten. Den Schluß bildete der bekrönte Huldigungswagen. Der Titel des zweiten Teiles (Blatt 4–14) war »Der Zug des Landes«, angeführt von Fahnenschwingern mit den Fahnen der acht Kreisstädte, gefolgt von einem Wagen mit tannengrüner Krone, unter der die Trachtenpaare der acht Kreise saßen. Die folgenden Zuggruppen waren

nach den Kreisen geordnet. Zu den Trachtengruppen wurden Wagen mit kreistypischen Berufsdarstellungen und Produkten mitgeführt, zum Beispiel »Wagen der Flößer und Holzer« für das oberbayerische Oberland oder »Wagen mit Weinkelter« für die Rheinpfalz. Der Schlußwagen stellte den »Segen des Landes« dar, personifiziert als junge Frau mit Sichel und Ährengarbe. Im dritten Teil des Zuges, der auf diesen Blättern nicht dargestellt ist, marschierten in üblicher Weise die Preisfahnenträger und Armbrustschützen.

Für den »Historischen Zug« war Ernst von Destouches verantwortlich. Die Zusammenstellung und Gestaltung des zweiten Teiles lag in den Händen von Baurat Wilhelm Bertsch, Architekt Ludwig Hohlwein, Professor Fritz Jummerspach und Kunstmaler Hermann Stockmann, dem die künstlerische Leitung oblag. Die Aufbauten der Festwagen fertigte der Bildhauer Rudolph Gedon.

In den ersten Teilen wirkten 350 Personen und 100 Pferde mit. Einschließlich der Musikkorps, der Preisfahnen-

237

Kat. Nr. 434.1

träger und Armbrustschützen waren es über 1000 Zugteilnehmer.

Von diesem Zug gibt es verschiedene Serien von Fotopostkarten. »Eine Kinematographische Gesamtaufnahme des ganzen Festzuges wurde durch das Atelier Franz Xaver und Peter Ostermayer ausgeführt und bildete lange eine beliebte Nummer der Vorstellungen in Karl Gabriels Tonbild-Theater.« Die hier gezeigten Blätter fertigte Stockmann im Auftrag des Magistrats nach dem Jubiläum als Dokumentation für das »Historische Museum«, das heutige Stadtmuseum, an.   FD

Lit.: Destouches, Gedenkbuch 1912, S. 61 ff.
MSt, VII b/57, 1–14

436 Zwei Festzugsfahnen, 1910

Leinen, bemalt, 115×97 cm.

Mittelfeld mit gekrönten Initialen »LT« (Ludwig und Therese), umkränzt von Lorbeer- und Myrtenzweigen, darüber »1810«, Fahnenblatt mit hellblauen und silbernen Wecken, Rückseite identisch, Baumwollfransen. Als Standarte an Stange montiert, Fahnenspitze in Form eines Löwen mit bayerischem Wappenschild, Gipsguß.

Die beiden Fahnen sollen Kopien der Preisfahnen zum ersten Pferderennen 1810 sein. Nach welcher Vorlage sie 1910 angefertigt wurden, ist nicht be-

kannt. Sie wurden im Historischen und Huldigungsfestzug am 25. September 1910 von zwei Reitern mitgeführt.

MSt, XII/131/2

437 Leporello »Andenken an den Huldigungs-Festzug«, 1910

Eugen von Baumgarten, Zeichnungen in Photolithographie, Titel und 7 Blätter, 8×120 cm.

Vereinfachte Darstellung der Zuggruppen mit thematischer Beschriftung. Unter dem letzten »Huldigung-Wagen« Schriftzug: »H. Stockmann hat den Zug erdacht, mit Rudolf Gedon dann gemacht, E. v. Baumgarten hat diese Erinnerung von gestern auf heut gezeichnet.«

Spaten-Franziskaner-Bräu, München

438 Festzüge der 1930er Jahre

Fotos.

1. Prachtgespann und Festwägen der Brauereien in der mit Hakenkreuzfahnen geschmückten Kaufingerstraße, 1938. (Foto: W. Nortz)
   StadtAM, Slg. Nortz

2. »Blut und Boden«-Wagen einer Gruppe aus Amberg (Foto: W. Nortz)
   StadtAM, Slg. Nortz

3. Ismaninger Festwagen mit einer

Dreschergruppe, 1934 (Foto: W. Nortz)
StadtAM, Slg. Nortz

4. Marschierende Wurst-, Maßkrug-, Rettich- und Brezenattrappen, 1936
   MSt, 36/1296/11, 13

5. Abteilung des Bayerischen Schützenverbandes, 1934
   Die Tafelträger sind als Zieler gekleidet; eine Münchner-Kindl-Gruppe marschiert mit Preisfahnen der Schützenabteilung voran.
   StadtAM, Fotoslg.

439 »Stolze Stadt – Fröhlich Land«: Jubiläums-Oktoberfestzug 1935

Fotos.

1. Gruppe aus dem »Landesschützenzug« mit Schützenkönigen, die von Schützenlieseln flankiert werden.

2. Festzugsgruppe mit Wagen unter dem Motto: »Arbeit und Scholle«; Arbeitsmänner mit Spaten flankieren einen Wagen mit allegorischer Gruppe, die das Bild »Unser Spaten schafft Neuland und Brot« darstellen soll. (Foto: Georg Schödl)

3. Als Zwischengruppen im Festzug spielt eine Kapelle der Hitler-Jugend, gefolgt von einer Gruppe Münchner Kindl, die vom Bund Deutscher Mädchen gestellt wurde. (Foto: Georg Schödl)

Lit.: Kat. Nr. 144
StadtAM, Fotoslg.

440 Gruppen aus dem Jubiläums-Festzug 1935

Georg Schödl, 3 Fotos.

Die Festzugsfolge 1935 war in vier Großgruppen untergliedert. Der dritte Abschnitt des Zuges war unter das Motto »Bayrisch Land in Sitt' und Tracht« gestellt und symbolisierte mit neun teilnehmenden Trachtengruppen »deutsches Brauchtum der Vergangenheit und der Gegenwart in all seinen vielgestaltlichen Ausdrucksformen«.

Lit.: Kat. Nr. 144
StadtAM, Fotoslg.

Kat. Nr. 438.1

Kat. Nr. 438.2

Kat. Nr. 438.4

Kat. Nr. 439.2

**441 Album mit Fotos
von Zugteilnehmern, 1935**

86 S., 26×35 cm.

Das Album enthält rund 200 Schwarz-
weißaufnahmen, die Julius Kempf als
systematische Bestandsaufnahme der
am Zug beteiligten Trachtenträger an-
fertigte.

MSt, T

**442 Festzugsprogramme 1949
und 1950**

Für die beiden ersten Festzüge nach
dem Zweiten Weltkrieg gibt es keine
eigenständigen Programme. Die »Zugfolge« wurde als Faltblatt den bescheidenen »Festschriften« dieser Jahre beigelegt (1949 vgl. Kat. Nr. 161; Oktoberfest München 1950, offizielle Festschrift,

zusammengestellt von Hanns Vogel,
herausgegeben von der Städtischen
Kulturabteilung, München 1950).

Mon; StadtAM, ZS

**443 Trachtenfestzug zum
Oktoberfest 1949**

Fotos.

Den Auftakt zum ersten Oktoberfest

239

Kat. Nr. 443.3

nach dem Zweiten Weltkrieg, dem so-genannten »Herbstfest« 1949, bildete ein Festzug. Da von der amerikanischen Militärregierung ein Schützenzug – sowie auch jegliches Schießen auf dem Festplatz – verboten worden war, mußten sich die Organisatoren mit einem Trachtenzug begnügen. Der Zug, an dem 123 Teilnehmergruppen mitwirkten, führte vom Königsplatz zur Theresienwiese. Die Fotos zeigen:

1. Kindertrachtengruppe der Partnachthaler
2. Festgespann der Löwenbrauerei vor dem zerbombten Nationaltheater
3. Trachtengruppe auf dem Odeonsplatz. Im Hintergrund Feldherrnhalle mit Spruchbändern der Sudetendeutschen Landsmannschaft mit Aufschrift »VÖLKERRECHT BRICHT STAATSRECHT«, »GEBT UNS DIE HEIMAT WIEDER«, »MENSCHENRECHT BRICHT VÖLKERRECHT«

War 1949 mit der Zugnummer 103 nur eine Gruppe von Heimatvertriebenen, die »Egerländergruppe aus Bad Aibling«, in ihren Trachten vertreten, so

weitete sich der Anteil von Trachtengruppen der Mähren, Schlesier, Böhmerwäldler etc. in den Folgejahren beträchtlich aus. SP

StadtAM, Fotoslg.

Kat. Nr. 444

444 Festprogramme für den Trachten- und Schützenzug 1951–1984

8°, mit farbigen Umschlägen nach Entwürfen von Harald Winter (1951), Ernst Kößlinger (1952–1955), Paul Ernst Rattelmüller (1956–1984).

Die Hefte mit einem Umfang von ca. 35 Seiten enthalten die Zugfolge für den »Trachten- und Schützenzug«, ab 1970 auch die Zugfolge vom »Wies'neinzug« sowie das Programm der Rahmenveranstaltung »Folklore International« im Zirkus Krone. Seit 1958 werden sie mit illustrierten Beiträgen von P. E. Rattelmüller zur bayerischen Trachten- und Uniformgeschichte bereichert.

Mon und StadtAM

445 Plakat »OKTOBERFEST TRACHTEN- UND SCHÜTZENZUG«, 1984

Entwurf: Paul Ernst Rattelmüller, 59×84 cm.
Bez.: »R«.

Trompeter in Tracht auf Pferd, an beiden Seiten ornamentale Blumenranken, darunter oben genannter Schriftzug. In die untere Zone dieses Standardplakates werden jährlich der Zugweg und andere organisatorische Daten neu eingedruckt.

Münchner Verkehrsverein-Festring e.V.

446 Nummerntaferl für den Trachten- und Schützenzug

Holz, bemalt, 204×60 cm; Entwurf: Ludwig Rösch, um 1964.

Ausgesägte Nummer, umgeben von grünem Blätterkranz, daran schwarzgelbe Schleifen, rote Stange mit goldener Spitze.

Münchner Verkehrsverein-Festring e.V.

447 Festwagen der Stadt München, 1952

Foto.

Oberbürgermeister Wimmer grüßt aus dem »Festwagen der Stadt München – Oktoberfestleitung«, der seit 1952 im Festzug mitfährt.

StadtAM, Fotoslg.

448 6 Modelle zu den Festwagen der Landeshauptstadt München

Ludwig Rösch, Draht, Karton, Papier, bemalt, ca. 18×11×21 cm, Maßstab 1:30.

Von 1956 bis 1978 entwarf der Münchner Bildhauer Rösch den Festwagen der Stadt München für den Trachten- und Schützenzug. Der dekorative Aufbau der Wagen war mit dem Münchner Kindl, den Wappen der bayerischen Bezirke oder ähnlichen Emblemen geschmückt.

Ludwig Rösch, München

449 Zuschauer beim Trachten- und Schützenzug, 1950er Jahre

Fotos.

1. Mitgebrachte Leitern gewähren freien Blick über die Köpfe der Menge hinweg.
2. Zuschauer warten auf den Zug. Auch ein Baum gewährt einen Aussichtsplatz. (Foto: Poehlmann)

StadtAM, Fotoslg.

450 Der Jubiläumszug 1960

Foto.

Der Festzug 1960 enthielt eine »Jubiläumsgruppe ›150 Jahre Oktoberfest‹«

△ Kat.Nr.447 ▽ Kat.Nr.449.1

Kat. Nr. 451.1

2. »Musikkapelle der Schottenhamel-Festhalle«
3. »Spielmannszug Unterpfaffenhofen-Germering« in der Uniform des Königlich Bayerischen Grenadier-Garderegiments um 1820
4. »Fanfarencorps Einselthum, Pfalz« in Landsknechtskostümen
Zu den Blaskapellen aus den Festzelten marschieren Spielmannszüge in historischen Uniformen.
5. »Hofbräu-Prachtgespann«
Wie beim Wies'n-Einzug fahren beim Festzug die Prachtgespanne der Münchner Brauereien mit.
6. »Münchner Schäffler«
Unter Zugnummer »Historisches München« beteiligen sich neben den Schäfflern Gruppen mit Altmünchner Bürgertrachten.
7. »Altdorfer Bürgertracht«
8. »Oberbayerische Gebirgstrachten«, Trachtengruppen mit Bandlbaum
Die Formationen der vielzähligen Gebirgstrachtenerhaltungvereine sind im Zug besonders stark vertreten.
9. »Heimattrachten der Egerländer«
Zu den Gruppen der Heimatvertriebenen gehören auch die Schlesier mit »Rübezahl und seinen Zwergen« und die Donauschwaben.

Kat. Nr. 451.12

mit der »Ausfahrt des Kronprinzen und späteren König Ludwig I. mit der Prinzessin Therese von Sachsen-Hildburghausen«, dargestellt von den Schauspielern Gertrud Kückelmann und Hans Reiser. Auch Rennmeister Xaver Krenkl war im Zug vertreten.

Abb. in: Chronik 1985, S. 105
StadtAM, Fotoslg.

451 Trachten- und Schützenzug, 1978 und 1979 Abbildungen auch S. 231

Stefan Moses, Fotos.

1. Nach der berittenen Polizei wird der Zug durch das »Münchner Kindl zu Pferd« eingeleitet. Das schwere Brauereipferd führt ein Bierkutscher.

Kat. Nr. 451.3

10. »Bayerischer Sportschützenbund, Sportschützenbezirk Oberfranken und Oberpfalz«
Neben den Sportschützenabordnungen bilden die Bayerischen Gebirgsschützenkompanien einen Hauptbestandteil des Festzuges.

11. »Schwedische Volkstrachten«

12. »Fahnenschwinger aus der Toskana«

13. »Piemonteser Trachten« mit Tanzvorführungen während des Zuges
Ein Schwerpunkt des Festzugkonzeptes ist die Beteiligung ausländischer Gruppen, weshalb diese Veranstaltung zur »Internationale der Trachtenpflege« wurde.

Stefan Moses, München

452 »EHRENGABE DER STADT MÜNCHEN OKTOBERFEST 1955«

Bronzeguß, 16×13 cm; Entwurf: Ludwig Rösch; Ausführung: Erzgießerei Franz Heichlinger, München.

Tischwappen mit Münchner Kindl, auf der Rückseite Schriftzug.
Seit 1950 erhält jede am Festzug beteiligte Gruppe eine Ehrengabe geschenkt. Jedes Jahr wird vom Veran-

stalter ein neues Objekt in Auftrag gegeben, das dem Motiv nach mit München oder Bayern in Bezug steht und von bayerischen Handwerksbetrieben ausgeführt wird. Die Herstellungszahl orientiert sich jeweils an den teilnehmenden Zuggruppen; derzeit werden also rund 200 Exemplare angefertigt.

Münchner Verkehrsverein-Festring e.V.

453 Ehrengabe Zinnteller »MÜNCHEN · OKTOBERFEST 1957«

⌀ 30,5 cm; Entwurf: Ludwig Mory, München; Ausführung: Max Rackl – Bavaria Zinnkunst, Gauting.

Teller mit Münchner Kindl in Wappenschild, rundumlaufender Schriftzug.

Münchner Verkehrsverein-Festring e.V.

454 Ehrengabe Keramikteller »MÜNCHNER OKTOBERFEST 1961«

Keramik mit Salzglasur und Bemalung, ⌀ 32,7 cm; Entwurf: Paul Ernst Rattelmüller; Ausführung: Keramische Werkstätte Hermann Ulbricht, Rottach-Egern.

Blaue Malerei auf weißem Grund, kurbaierisches Wappen, darunter Schriftzug.

Münchner Verkehrsverein-Festring e.V.

455 Ehrengabe Schützenscheibe »MÜNCHNER OKTOBERFEST 1966«

Holz, bemalt, ⌀ 40 cm; Entwurf: Paul Ernst Rattelmüller; Ausführung: Max-Josef Schmitzberger, Breitbrunn.

Ein Trachtenpaar hält eine Schützenscheibe, darüber Jahreszahl, darunter Schriftzug, im Hintergrund die Frauenkirche mit Stadtmauer.
Auf der Rückseite Aufkleber »Für die Mitwirkung beim ›Münchner Oktoberfest Trachten- und Schützenzug 1966‹. München, den 18. IX. 1966. Landeshauptstadt München. Bayerle, Bürgermeister«, mit eigenhändiger Unterschrift.

Münchner Verkehrsverein-Festring e.V.

456 Ehrengabe 1974, Wappenrelief

Eisenguß, ⌀ 30 cm; Entwurf: Ludwig Rösch; Ausführung: Maschinen- und Motorenfabrik Anton Schlüter, Freising.

Löwe mit bayerischem Wappen, umgeben von einem Kranz.

Münchner Verkehrsverein-Festring e.V.

457 Ehrengabe Henkelkrug »MÜNCHNER OKTOBERFEST 1976«

Keramik mit Salzglasur und Bemalung, Höhe 24,5 cm, ⌀ 18 cm; Entwurf und Ausführung: Herbert Holzbaur, München.

Bauchiger Krug mit blauer Malerei auf weißem Grund; Löwe mit bayerischem Wappen, flankiert von Blumenornamenten, darüber Schriftzug.

Münchner Verkehrsverein-Festring e.V.

Kat. Nr. 454

458 Ehrengabe Keramiktafel »MÜNCHNER OKTOBERFEST 1977«

Keramikrelief, bemalt, 28,5×22,5 cm; Entwurf und Ausführung: Herbert Holzbaur, München.

Zwei Schäffler aus dem Münchner Schäfflertanz im Tanzschritt mit Buchsbaumreifen.

Münchner Verkehrsverein-Festring e.V.

459 Ehrengabe Henkelkrug, 1979

Keramik mit Glasur und Bemalung, Höhe 18,5 cm, Ø 12,5 cm; Entwurf und Ausführung: Ernst Lösche, Dießen.

Bauchiger Krug mit sechseckigem Hauptkörper, weiße Glasur mit blaubrauner Bemalung; auf der Unterseite gestempelte Aufschrift: »Münchner Oktoberfest 1979«.

Münchner Verkehrsverein-Festring e.V.

460 Ehrengabe Bierkrug »Oktoberfest München 1982«

Glas mit handgeschliffenem Dekor, Höhe 13 cm, Ø 12 cm; Entwurf und Ausführung: Erwin Eisch, Frauenau.

Bayerisches Wappen mit Krone, flankiert von Blumendekor.

Münchner Verkehrsverein-Festring e.V.

461 Ehrengabe Zinnbild »Oktoberfest München 1984«

Zinnguß, bemalt, 20×15,5 cm; Ausführung: Jorge Arau, Zinngießerei Wilhelm Schweizer, Dießen.

Dießener Trachtenpaar, bemalte Zinnfiguren, darunter Schild und Schriftzug, auf Rahmen mit durchbrochenem Dekor gelötet.

Münchner Verkehrsverein-Festring e.V.

462 Ehrengabe 1985 »12 Ansichten Oktoberfest 1985«

12 Farbreproduktionen in Mappe, 37,5×29 cm.

Die Mappe enthält Reproduktionen von Originalen bayerischer Künstler, die sich auf unterschiedlichste Weise zum Thema »Oktoberfest« geäußert haben. Die Motive stammen von: Elmar Albrecht, Wilfried Blecher, Ricarda Dietz, Ernst Kößlinger, Petra Moll, Brigitta Rambeck, Jürgen Rosé, Ingeborg Sedlmayr, Liselotte Siegert, Roman Spiro, Rupert M. Stöckl, Ernst Strom.

Münchner Verkehrsverein-Festring e.V.

463 Tischdecke, 1971

Leinen, 170×132 cm.

Auf einigen Festzugswagen werden von den Gruppen »althergebrachte« bäuerliche und handwerkliche Produktions- und Arbeitsweisen vorgeführt. Diese folkloristische Schauarbeit bei Festzügen läßt sich bis ins frühe 19. Jahrhundert verfolgen. Die Tischdecke wurde während des Festzuges auf dem Wagen »Schlesische Handweberei« der Riesengebirgstrachtengruppe München gewebt und danach dem Festring übergeben.

Münchner Verkehrsverein-Festring e.V.

464 Saufeder, 1974

Eisen, geschmiedet, 45×12 cm, mit Holzschaft 180 cm.

Diese Spießspitze eines historischen Fanggerätes für Wildschweine wurde 1974 während des Festzuges geschmiedet, Zugnummer 34: »Spessarttrachten, Musikkapelle und Trachtengruppe Spessartbund Oberndorf-Bischbrunn, Festwagen historische Dorfschmiede«.

Münchner Verkehrsverein-Festring e.V.

465 Gastgeschenke »DIE SCHWEIZ GRÜSST MÜNCHEN OKTOBERFEST 1962«

Holz, geschnitzt, 42×14,5×13 cm; Ausführung: Gebr. W & G. Müller, Werkstätte für Holzbildhauerei, Schwanden-Brienz.

Adler auf stilisiertem Felsen, darauf der Schriftzug. Unter dem Motto »Die Schweiz grüßt München« beteiligten sich mehrere Schweizer Musikkapellen, Trachtengruppen und Festwagen am Festzug 1962. Der Schweizer Organisator überreichte damals dem Festring diesen Adler.

Münchner Verkehrsverein-Festring e.V.

466 Bayerische Trachtenfiguren

Chiemgauer Burschentracht, Chiemgauer Frauentracht, Oberstdorfer Frauentracht, evangelische Männertracht aus Öttingen/Ries, Wackersberger Antlaß- und Gebirgsschützenuniform.

Diese originalen Trachten wurden in den 1970er Jahren von jeweils ortsansässigen Trachtenschneidern gefertigt. Für »Bayerns fünften Stamm« wurde eine Egerländer Männertracht hinzugenommen.

Deutsches Modeinstitut, München; Wackersberger Gebirgsschützenkompanie; Egerländer Gmoi, München

467 Wies'n-Besucher und Zuschauer beim Trachten- und Schützenzug, 1985

Bekleidete Schaufensterpuppen, Höhe ca. 180 cm.

Trachtenabteilung Fa. Ludwig Beck, München; Lederhose: Fa. Max Wölfl, München

468 Plakat »Folklore International« 1971

Entwurf: Paul Ernst Rattelmüller; Dreifarbendruck, 50×40 cm. Bez.: »R«.

Tanzendes Trachtenpaar mit Klarinettenspieler in floraler Umkränzung. Seit 1969 präsentieren sich am Vorabend des Trachten- und Schützenzuges Gruppen, die am Festzug teilnehmen, mit Volkstänzen und folkloristischen Darbietungen im Circus Krone. Veranstalter von »Folklore International« ist die Süddeutsche Zeitung in Zusammenarbeit mit dem Münchner Verkehrsverein-Festring e.V.

MSt

Kat. Nr. 458

Kat. Nr. 474

Der Wies'n-Einzug

Es gibt kaum eine Oktoberfest-Publikation oder Wies'n-Werbung, die nicht die Bierfuhrwerke abbildet! Und nicht nur der Journalist der Münchner Neuesten Nachrichten 1912, der einen Festzug mit den Brauereigespannen propagieren wollte, sondern auch die Festbesucher heute mögen den »Pomp« der geschmückten Wagen, die von schweren Kaltblütern mit silberbeschlagenen Geschirren gezogen werden. Sie sind in der Gegenwart fester Bestandteil im »Wies'n-Einzug der Festwirte und Brauereien«, den der Münchener Verkehrsverein-Festring e. V. organisiert.

Dabei ist es gerade dieser Zug, der sich von Anfang an gegen die Reglementierungen der Polizei durchsetzen mußte, im Gegensatz zu der hergebrachten Selbstverständlichkeit, mit der sich alle anderen Veranstalter, vor allem die Schützen, in der Stadt versammelten und gemeinsam zum Festplatz

zogen. Ein polizeiliches Verbot gab es gleich am Beginn der rund hundertjährigen Einzugsgeschichte, als der als Original und Kraftmensch stadtbekannte Wies'n-Wirt Hans Steyrer (1849–1906) 1887 die Idee hatte, von seiner Wirtschaft in der Tegernseer Landstraße durch ganz München zur Theresienwiese zu ziehen, Musikkapelle und Personal auf Zweispännern, die Bierfässer auf einem Vierspänner verfrachtet. Die Geldstrafe konnte ihn nicht von der Wiederholung des Einzuges abhalten, und bald folgten ihm andere Wirte nach. Den nächsten Schritt taten die Brauer, die eine zunehmend größere Rolle im Oktoberfest spielten. Der Bierbrauer und Kommerzienrat Georg Pschorr (1830–1894) ließ 1894 vier prächtig geschirrte Pferde vor das Festbierfuhrwerk spannen, für die Wiener Braurösser die Vorbilder waren. Der Sattlermeister Steigenberger mußte 1893 in der Donaustadt

245

Kat. Nr. 469

1937 schaffte man mit einer Prämiierung der schönsten Biergespanne mit Diplomen und zusätzlichen Geldpreisen von 30 bzw. 20 RM für die Bierführer einen weiteren Anreiz zur Ausgestaltung, und 1938 wurden die geschmückten Bierwagen in den großen Festzug integriert, der sich zwei volle Stunden lang durch die Stadt bewegte. Damit war mit der Tradition eines Einzuges gebrochen, doch konsolidierte sie sich neu nach dem Zweiten Weltkrieg. Vergeblich forderte noch 1959 die Polizei, einen geschlossenen Zug wegen der Verkehrsbehinderung nicht mehr zuzulassen. Nach wie vor startet der Wies'n-Einzug in der Josef-Spital-Straße und zieht auf kurzem Weg durch die östliche Sonnenstraße, die Schwanthaler- und St.-Paul-Straße über den Bavariaring zur Festwiese.

Die seit dem Ende des 19. Jahrhunderts zentrale Bedeutung des Festbestandteils Bierbude und Festzelt hat mit diesem Einzug ihr sichtbares Zeichen gefunden, anerkannt auch durch die Beteiligung der Stadtspitze. Hinter dem reitenden Münchner Kindl zeigen sich in einer offenen Festkutsche der Stadt der zweite Bürgermeister als Wies'n-Bürgermeister, ein Stadtrat und besondere Festgäste der Stadt München. Der Oberbürgermeister fährt zu der 1951 eingeführten Eröffnungszeremonie des Faßanstiches im Schottenhamel-Festzelt im Wagen dieser seit 1867 selbständig gebliebenen Festwirtsfamilie mit. Solche städtische Demonstration ist bescheiden im Vergleich mit der Wagenauffahrt des königlichen Hofes oder der Autokolonne der nationalsozialistischen Machthaber. Dem Wagen der Landeshauptstadt folgen die einzelnen Festzeltunternehmen mit meist sechsspännigem Bierfuhrwerk, seit der Wies'n-Wirt Xaver Heilmannseder dies 1956 einführte, mit der Kutsche der Wirtsfamilie und dem Wagen für das Bedienungspersonal. In die lange Wagenreihe schieben sich auch die Musikkapellen, die im Festzelt dann den Auftakt zur Eröffnung des großen Volksfestes blasen.

Der notwendige Biertransport wird allerdings inzwischen von Lastwagen bewältigt, die auf den Zulieferstraßen am rückwärtigen Eingang der Festzelte abladen. Die schweren Rösser vor den Hauptportalen karren nur leere Fässer, und ihr Pferdedasein spielt sich außerhalb der autoverpesteten Stadt im Hinterland ab. Ihnen gilt aber die besondere Gunst der Festbesucher und vor allem der Fotografen. Das mit Blumen und Girlanden geschmückte Fuhrwerk mit seinem Bierführer in Tracht und den prächtig geschirrten Gespannen ist eine nicht zu eliminierende ästhetische Signatur für den Festbesucher, vielleicht eine folkloristische Signatur, um einen schillernden Begriff zu benutzen, der mit seinen Untertönen hier aber am besten trifft. *Gerda Möhler*

Lit.: Hoferichter/Strobl; Möhler 1980, S. 239–242 (hier alle Aktenbelege angeführt); Möhler 1981, S. 176–178 mit Abb.; Festprogramm: Wies'neinzug-Folklore International-Trachtenzug. Hrsg. vom Verkehrsverein München, Münchner Festring e. V., erscheint jährlich.
(Abgekürzt zitierte Literatur siehe S. 17.)

die Geschirre kopieren, die er dann besonders aufwendig verarbeitete. Die anderen Brauer ahmten dies bald nach, sicher auch den Werbeeffekt erkennend.

Aus solchen Anfängen ergab sich allerdings erst 1925 eine gemeinsame Aktion. Die brauereigebundenen Festwirte der damals das Oktoberfest beliefernden Löwen-, Pschorr- und Thomasbrauerei zogen zur Eröffnung des Oktoberfestes samstags um 12 Uhr zusammen hinaus. Den Durchbruch aber brachte 1931 Hans Schattenhofer. Der Wirt in der Augustinergaststätte im Block zwischen Neuhauser- und Herzog-Spital-Straße ließ sich von der Polizei einen Einzug genehmigen, und von dort startet auch heute noch der Zug. Alle Brauereien Münchens sollten das Oktoberfest beschicken, dafür setzten sich seit 1933 die Behörden ein, doch hatten sie erst beim Jubiläumsoktoberfest 1935 Erfolg. Für den damals besonders ausgestalteten Zug ließen sich die Wies'n-Wirte einiges einfallen. Ein Junge auf einem Pony ritt als Münchner Kindl voran, Vorgänger der hoch zu Roß reitenden weiblichen Verkörperung der Münchner Wappenfigur in der Gegenwart. Ein Löwe mit Maßkrug – noch heute prangt das Markenzeichen am Löwenbräuzelt – wurde mitsamt Tierbändiger in einem Käfig herumgeführt, und im mittelalterlichen Gewand bildeten die Armbrustschützen des Winzerer Fähndl eine malerische Gruppe um ihren Festwirt. Die teilweise mit Zylinder aufziehenden Festwirte ließen in ihrer »historischen« Kleidung noch den englischen Modeeinfluß spüren, der am Beginn des 19. Jahrhunderts im Stand der Wirte und Bräuer besonders groß war.

Kat. Nr. 471   Kat. Nr. 472

469 Löwenbräu-Festwagen mit Kellnerinnen und Löwenattrappe, 1937

Foto.

1936 wurde die Beteiligung am »Einzug der Wies'n-Wirte« mit Festwägen und Prachtgespannen den Brauereien zur Pflicht gemacht.

Mit den Wirten fuhren auch die Kellnerinnen der jeweiligen Zelte auf geschmückten Wägen hinaus auf die Wies'n.

StadtAM, Fotoslg.

470 Oberbürgermeister Thomas Wimmer in der Kutsche mit Michael Schottenhamel jun. beim Wies'n-Einzug 1956

Foto.

Der jeweilige Oberbürgermeister fährt in der Kutsche der Familie Schottenhamel zu deren Zelt, um dort – seit 1950 –

mit dem Anzapfen des ersten Fasses das Oktoberfest zu eröffnen.

Abb. in: Chronik 1985, S. 103
StadtAM, Fotoslg.

471 Wies'n-Einzug, 1958

Foto.

Wagen mit Kellnerinnen der Löwenbräu-Festhalle.

StadtAM, Fotoslg.

472 Festwirt Richard Süßmeier beim Wies'n-Einzug 1961

Foto.

Schon in seiner Frühzeit als Wies'n-Wirt machte Süßmeier durch witzige Ideen auf sich aufmerksam. Während die anderen Festwirte aus ihren blumengeschmückten Kutschen dem Publikum dezent zuwinkten, zog er 1958 bei seinem ersten Einzug mit einem Eselkarren ein, als Entsprechung zu dem von ihm betriebenen, damals noch kleinen Bau der Armbrustschützen. 1961 setzte sich Süßmeier als Rit-

ter verkleidet mit Lanze und Schild, auf dem sein Name stand, auf ein Karussellpferd und ließ sich so auf die Wies'n ziehen. 1962 vertauschte er die Rollen, indem der Kutscher vom Rücksitz die Menge begrüßte und Süßmeier vorne am Bock die Zügel führte.

StadtAM, Fotoslg.

473 Oberbürgermeister Vogel und Bürgermeister Bayerle beim Einzug der Wies'n-Wirte, 1960

Kurt Huhlt, Foto.

StadtAM, Fotoslg.

474 Einzug der Augustiner-Festzelt-Kapelle, 1984   Abbildung S. 245

Herbert Hartmann, Foto.

Der Kapelle des Festzeltes folgt die Kutsche des entsprechenden Wies'n-Wirtes, der sich das Prunkgespann der Brauerei anschließt.

Herbert Hartmann, München

Trachtenschlacht

Sie müssen nicht auf der Theresienhöhe wohnen oder am Bavariaring, um mitzubekommen, daß September ist. Es genügt, wenn Sie die Bäckereiauslagen im Auge behalten, wo dann die Brotlaibe gegen Wies'n-Brezen ausgetauscht werden. Sie merken es, wenn beim Getränkeabholmarkt plötzlich in dem Regal mit Ihrer Hausmarke der Saisontyp »Wies'n-Bier« steht und wenn der hauseigene Preßsack Ihrer Metzgerei für ein paar Wochen unbedingt zur »deftigen Wies'n-Brotzeit« gehört. Dann ist es wieder einmal so weit: München bereitet sich auf das Oktoberfest vor.

In den letzten Jahren gibt es noch ein zusätzliches Signal. Sie finden es in Ihrem Briefkasten in Form eines vielseitigen Farbprospektes: »Dieses Trachtenbücher'l soll Ihnen neue Ideen, neue Entwicklungen in der Trachtenmode zeigen« (Postwurfsendung). Aus der Tageszeitung fallen auf Kunstdruckpapier verträumte Mädchen in weiten Röcken und gradlinig dreinblickende Burschen in derben Joppen auf den Frühstückstisch. Schließlich geben ganzseitige Anzeigen die letzten ›Kostümtips‹ schon Wochen vor der Premiere zur großen Freilichtaufführung. Mit ein bisserl Glück macht das Wetter mit. Unter dem »Himmel weiß und blau« ist dann viel Volk auf den lederbehosten, leinenumrauschten Beinen, um bei der Premiere – dem Einzug der Wies'n-Wirte – dabei zu sein. Prominenz zeigt sich, Stadt- und Landesväter, wenn nicht ›knielang‹, dann wenigstens jagdgrün paspeliert. Die zweiwöchige Spielperiode hat ihren Höhepunkt mit der Gala-Aufführung des Großen Trachten- und Schützenumzugs am Wies'n-Hauptsonntag. Wenn die zahllosen traditionspflegenden Vereine in Starbesetzung auftreten, dann lassen sich auch viele Statisten nicht lumpen und zeigen sich im »Bayrisch G'wand«. Der Umzug ist weiterer Auftakt zu dem Stück: Oktoberfest – eine zünftige Trachtenschlacht.

Die Betonung liegt auf »zünftig«. Und zünftig kommt auch die schon erwähnte Werbung daher, in Mundart: »Wenn's auf d' Wies'n geht … Zur Wies'n gehört die Tracht.« Der Aufwand, den die Hersteller und Verkäufer der ›einschlägigen‹ Bekleidung in den letzten Jahren in zunehmendem Maß und mit immer kostspieligeren Mitteln gerade in den ersten Septemberwochen treiben, läßt vermuten, daß das Geschäft mit tragbarer Tracht ein einträgliches ist. Wer angelockt und mit Gusto auf die ›richtige Staffage‹ das Kaufhaus am Marienplatz betritt, den erwarten denn auch die angekündigten »zünftigen Ideen. Und fesche Modelle, die in die Landschaft passen« (SZ, 20. 9. 84), wer den Katzensprung wagt, der findet »stilechte Dirndl mit modischem Pep« (SZ, 18. 9. 84). Schlicht und präzise »erfüllt [man] Trachtenwünsche« in der Kaufingerstraße: »Mit dem Tegernseer. Zum Wies'n-Besuch« (SZ, 19. 9. 84). Ebenso zurückhaltend, wenngleich eingängig für die Zielgruppe, wirbt das gehobene Münchner Trachtenhaus mit internationalem Vertrieb: »Trachten – unsere schöne Tradition. Trachten trägt man bei uns zu vielen

Fest- und Feiertagen. Aus Tradition, weil's schön und angemessen ist. Und weil die Wies'n nun einmal unser schönstes Fest in München ist, hat die Trachtenmode zu dieser Zeit ihre große Zeit. In klassischen Formen und kreativen Varianten. Denn Trachtenmode lebt, bleibt aktuell und gültig« (SZ, 20. 9. 84).

Wenn Sie an die Aktualität der Kluft von vorgestern nicht glauben wollen, dann machen Sie doch dieses Jahr beim Oktoberfest mit, zeigen auch Sie, daß Trachtenmode lebt, daß sie immer noch aktuell ist und (etwas) gilt. Für die Tracht trifft das nur bedingt zu. Warum sonst hätten sich Ende des 19. Jahrhunderts die Trachtenvereine konstituieren sollen, wenn nicht das Tragen von Tracht aus der Mode gekommen wäre? So sehr aus der Mode, daß die Pflege der einst heimischen Tracht zu besonderen Anlässen dem Träger der Knieledernen sogar Prämien einbringen konnte. Tracht – per Trachtenvereinsideologie gern als »Ehrenkleid der Nation« bezeichnet – wurde offenbar zeitgleich mit ihrer ›Wiederbelebung‹ in ihren »klassischen Formen« als eher zweckgebundenes Kostüm denn als tragbare Kleidung empfunden. So meldet etwa das Aiblinger Wochenblatt vom 24. September 1890:

»Bei dem diesjährigen Zentrallandwirthschaftsfest wird das landwirthschaftliche Kreiskomitee von Oberbayern wie in den Vorjahren Gratifikationen in Beträgen von je 5 Mark an jene Vorführer von Preisthieren aus den Gebirgsbezirken Oberbayerns verabfolgen, welche in ihren heimischen Trachten erscheinen. Nachdem hierbei die Erfahrung gemacht wurde, daß sich einzelne Persönlichkeiten die betreffenden Anzüge zur Erlangung der ausgesetzten Belohnung von anderen zu leihen genommen haben und zu Hause diese heimische Tracht gar nicht benützen, womit der Zweck, welcher mit dieser Belohnung verbunden ist, der Hauptsache nach verfehlt erscheint, so müssen diejenigen Persönlichkeiten, welche auf die Gratifikation Anspruch erheben wollen, bis spätestens 25. September l. Js. von ihren einschlägigen landwirthschaftlichen Bezirkskomitees beim Kreiskomitee angemeldet sein und muß mit dieser Anmeldung gleichzeitig bestätigt werden, daß sich der Bewerber mit der heimischen Tracht gewöhnlich zu Hause bekleidet und sie nicht nur zu diesem Zwecke benützt, um eine Gratifikation beim Vorführen von Preisthieren gelegentlich eines Oktoberfestes zu erlangen.«

Der »Zweck, welcher mit dieser Belohnung verbunden« war, wird auch heute noch von den Trachtenvereinen verfolgt unter dem Motto »Sitt' und Tracht der Alten wollen wir erhalten«. Immerhin ist der Wahlspruch als Wunsch, nicht im Imperativ oder als Tatsache formuliert. Vielleicht haben seine Urheber schon viel früher erkannt, was jüngst die Alltagsforschung konstatiert hat: »Den Trachten lägen […] keine echten Kleidersitten der Vorfahren zugrunde, sondern

Kat. Nr. 523

Kat. Nr. 523

Kat. Nr. 524

der Wunsch nach einheitlicher Selbstdarstellung; daraus folge, daß bei dem bunten Treiben keine historische Wirklichkeit vorgestellt werde, sondern eine Pseudokultur. Ja, es kam noch härter: Heutzutage werde in den Trachten Gruppenidentität gesucht, wenn man damit nicht gar dem ›eingebildeten Makel der Kulturlosigkeit‹ begegnen wolle.« (SZ, 5. 3. 85)

Die historische ›Richtigkeit‹ der von den Vereinen gepflegten, vielfach »erneuerten«, das heißt auf ihre Ursprünglichkeit geprüften und zur ›heutigen Tragbarkeit‹ abgewandelten Trachten ist ein Problem, das ihre satzungsgebundenen Pfleger weitaus heftiger plagt als die Trachtentheoretiker. Wesentlich scheint vielmehr das Moment der Selbstdarstellung. Und diese Darstellung kann nur auf eine Vorstellung von »Selbst«, auf eine Definition dessen aufbauen, was man sein und darstellen möchte. In Bayern geht das ganz einfach … weil »mir san mir!« Da treffen sich die züchtigen Vereinstrachtler und die Modeloden-Leute – wie hieß es doch vorhin in der Werbung –: »Bei uns«, da ist »die Wies'n nun einmal unser schönstes Fest.«

Und wer würde nicht gern dazugehören, zu diesen ›uns‹, zu den Bewohnern und Anliegern der »heimlichen Hauptstadt« und des reizvollen, wirtschaftlich erstaunlich gesunden Alpenvorlandes, wo Tradition und Fortschritt so ungetrübt harmonieren, daß das Wort »Trachtenmode« nur den ›Kulturkonservatoren e.V.‹ als Blasphemie gilt?

Aber täuschen Sie sich nicht. So leicht ist das nicht, das Dazugehören. Da braucht's Fingerspitzengefühl, und proportional dazu ein handfestes Einkommen. Zunächst einmal hören Sie auf, den echten Hirschhornknopf nur kopfschüttelnd als teures, nicht waschmaschinenfestes Fossil zu betrachten. Und dann müssen S' unbedingt ein bisserl Dialekt lernen, einfach weil's besser paßt.

Für den Geldbeutel empfiehlt es sich, im Hintergrund bei den gemäßigten Dauertrachtlern um's Dazugehör'n zu kämpfen. Das sind die Leute, die beim Stichwort »Strickjakke« immer an das schiefergraue, naturfarbene Zopf- oder Perlmuster aus familiärer Produktion denken. Diese Gruppe hält ohne Kopfzerbrechen jeder Einladung zur ›Bauernhochzeit‹ oder zum ›Bayrischen Abend‹ stand, gibt solchen Anlässen überhaupt erst den Rahmen, »der in die Landschaft paßt«. Das sind die Leute, die zu ihrem gemäßigten Trachtenanzug auch eine gemäßigte Mundart pflegen, die sich immer noch nicht zum fernsehdeutschen Abschiedsgruß »tschüs« durchgerungen haben. Sie tragen das, was ihnen bequem ist, was ihnen gefällt. Sie scheuen sich nicht, bei unfreundlicher Witterung einen Trenchcoat über den »Tegernseer« zu ziehen, schmücken ungeniert ihr Dirndldekolleté mit Süßwasserperlen. In ihren Kleiderkästen versammeln sich Trachten von der Stange und dazwischen ein oder zwei liebgewonnene teurere Stücke.

Allerdings sollten Sie, auch wenn's Ihnen noch so gut gefällt, Ihre Integration nicht mit dem Einkauf eines rot-weiß karierten Hemdes beginnen. Diese Spezies ist heute fast ausgestorben, sie ist zurückgedrängt in die heimischen Berge, wo sie noch vereinzelt anzutreffen ist. Der Eingeweihte wird sich an die Spezifika erinnern: Knielederne mit Hosenträgern, gern ein Trenker-Hut, eben rot-weiß kariertes oder weißes Hemd und um den Hals das damals unvermeidliche »Schnupftuch« gebunden. Das Zubehör zu diesem Kostüm finden Sie denn auch eher ganzjährig in Katalogen der »Bergausrüster« und (Alpen-)Sportgeschäfte.

Auch wenn Sie mehr Spielraum haben und es sich leisten könnten – es gibt noch einen ehemaligen Trachten-›Renner‹, der nicht zu empfehlen, nicht mehr »gültig« ist: Die fein bestickten, rehledernen Zweiteiler, mit knappen Jacken und Münzen zum Knöpfen. Die gehören unter finanzhierarchischem Aspekt längst zum »gesunkenen Kulturgut«. Die finden Sie nur noch bei den ›Gemäßigten‹. Lang hat man drauf gespart, und jetzt hängt's im Schrank, und dann wird das gute Stück auch angezogen. Aber auffallen können Sie damit nicht mehr. Jetzt ist Speckleder in. Oder besser: Für das Oktoberfest 1984 haben sich zwei Bayern-Fußballer in Speckleder kleiden lassen. »Trachtenmode lebt«.

Noch ist Zeit. Suchen Sie sich auf dem Flohmarkt einen Ballen Handgewebtes und leiern Sie Ihrem besten Freund seinen Schneider (Geheimtip!) aus der Nase. Oder gehen Sie hinterm Dom und am Rathauseck vorbei. Als Frau können Sie – soweit ist der kostspieligen Werbung zu vertrauen – ruhig auch mit ein bißchen indischer Baumwolle »mixen«. Sehen Sie die Sache mit »unseren Trachten« nicht zu eng. Wenn Sie die schwerleinerne Fuhrknechtjacke erst haben, dann können Sie ruhig weit ausgreifen und den blau-weiß gestreiften Hamburger Stauer-Kittel als Hemd dazu kombinieren. Alles paßt, was den Altvorderen auch schon getaugt hat.

Nach allem, was die bereits ins Haus geflatterte diesjährige Werbung verspricht, haben Sie zwei Möglichkeiten, bei der heurigen Trachtenschlacht mitzumischen. Von hinterm Dom wird der »folkloristische« Trend forciert. Da gibt's den »Patchwork-Spenzer«, und wenn Sie unter Libertydruck noch ein Stückerl Baumwollspitze blitzen lassen, dann können Sie den »Mix« sogar mit Turnschuhen abrunden. Oder Sie versteifen sich auf das Stichwort »Heimat«, dann wird Ihre Fundgrube auf dem Weg zum Alten Hof liegen. Zu Schilfleinen sollten Sie sich allerdings nicht mehr raten lassen, das hält jetzt schon gut die dritte und vierte Saison her. Am besten bringen Sie die Silbertaler-Knöpfe gleich mit, die Sie geerbt haben, hinterm Rathaus wird man Ihnen die richtige Joppen schon drum rum nähen.

Tragen Sie die neue Jacke, bis der Rücken etwas kürzer geworden ist, der Saum schlägt dann ein bisserl um, und in den Armbeugen zeigen sich leichte Schattierungen auf dem Naturleinen. Dann ist's grad richtig. Nehmen Sie Ihre Partnerin, und gehen Sie zum Großen Trachten- und Schützenumzug. Achten Sie darauf, daß sie die große, weichbeutelnde Nappatasche mit dem Reißverschluß schultert. Stellen Sie sich am Promenadeplatz auf und Sie werden spüren, wie sehr Sie »in die Landschaft passen«. Schließen Sie sich der Menge an und gehen Sie das Stückerl zu Fuß zur Wies'n.

Dann haben Sie sich das Glas Sekt redlich verdient. Freilich trinken Sie es nicht unter freiem Himmel an dem traditionsreichen Stand, wo die Schausteller ihre geschäftlichen Erfolge feiern. Sie lassen sich in der knitterleinernen, handgestrickten Menge treiben, bis Sie einen Platz finden in dem kleinen Zelt mit der reichhaltigeren Speise- und Getränkekarte. Wenn Sie dann anstoßen mit den zarten Kelchen, dann entscheidet sich's. Sollten Sie in den Blicken der Umstehenden etwa ein geringschätziges »von der Stange« oder verächtliches »Kaufhausdirndl« lesen, dann haben Sie verloren. Irgend etwas haben Sie falsch gemacht. Wenn Sie keine Blicke auf sich ziehen, wenn Sie sich nahtlos einfügen, gar nicht auffallen, dann können Sie sicher sein, daß Sie dem »Makel der Kulturlosigkeit« angemessen begegnen, dann sagen Sie herzhaft: »Prost. Mir san mir!« Dann haben Sie sich auf der Trachtenschlacht erfolgreich geschlagen.

Für dieses Jahr.

Sibylle Spiegel

In zunehmendem Masse – Das Bier

Bewirtung und Belustigung in den ersten Jahrzehnten

Ein Teil des »Nationalfestes« war stets der Geselligkeit bei Essen und Trinken und spielerischen Vergnügungen gewidmet. Das Gesicht dieser Seite des Festes prägten in den ersten Jahrzehnten die Wirte. Sie hatten schon beim Pferderennen 1810 Bier ausgeschenkt – allerdings noch nicht im Wiesenareal, sondern auf der Sendlinger Anhöhe. Bier – auch heute ›tragendes Element‹ des Oktoberfestes – fehlte bei keinem der Nationalfeste auf der Theresienwiese. Als die Stadtverwaltung ihre Erlaubnis gab, Buden von Münchner Wirten und Brauern auch im Inneren des Bahnovals zu errichten, wurden die Bezieher so zahlreich, daß 1824 das Reglement zur Platzvergabe verschärft wurde. Die Anzahl der Bierbuden auf dem Platz wurde festgelegt; überstieg die Menge der Bewerber diese Zahl, entschied das Los (Möhler 1981).

Der Bierausschank war zunächst in roh gezimmerten Bretterbuden untergebracht. Davor standen Tische und Bänke für die Gäste, die unter freiem Himmel ihr Bier tranken und ihre Brotzeit einnahmen. Hatten die Besucher ihren Proviant nicht selber mitgebracht, konnten sie an Ständen Brot und Backwaren, Obst, Käse und Nüsse kaufen (vgl. Abb. Kat. Nr. 477). Auch der Rettich war eine beliebte ›Beilage‹ zum Bier. Bald lag auch der Geruch von Wurst und Fisch über dem Festplatz – letzteres zum Ärgernis mancher Festplatz-Bezieher.

Schon in den 1820er Jahren ist eine Vergrößerung der Wirtsbuden zu verzeichnen. Sie boten vermehrt witterungsgeschützte Plätze im Innenraum. Anschaulich schildert Lewald einen Besuch der »Budenstadt« im Jahr 1832. Er spricht von »leicht gezimmerten Hütten, die mit Tannenreisern, Blumenkränzen und bunten Schildern geschmückt, mit unzähligen blau und weißen Fähnchen bewimpelt [...] die Spaziergänger anlocken und mit Speis und Trank bewirthen.

Es macht einen guten Eindruck, diese Hütten zu betrachten, [...] die gleich Zimmern tapeziert sind und jede Bequemlichkeit den Besuchern darbieten; wie sich aus den hinten angebauten Küchen der Rauch erhebt, und einen traulich häuslichen Duft der darin bereiteten Speisen umher verbreitet.

Überall gibt es Gäste und jeder Wirth sucht es durch irgend eine Anzeige, die er an seine Hütte heftet, seinem Nachbar zuvorzutun, um mehr Besuch an sich zu locken. Spiele aller Art fehlen auch nicht, und eine auffallende Menge von Männern und Weibern drängen sich mit Rettichen und Nüssen hinzu, die gern von den Leuten beim Bier genossen werden, und die selbst Vornehmere nicht verschmähen.«

In Lewalds Beschreibung klingt bereits an, was manchen Wies'n-Gast von heute überraschen wird: Die Wirte waren die ersten Vergnügungsunternehmer auf dem Oktoberfest, von denen uns die Quellen berichten.

So sicherte sich der Praterwirt Anton Gruber 1818 einen Fünfjahres-Vertrag für die Aufstellung seiner »Belustigungseinrichtungen« (vgl. Kat. Nr. 475). 1820 gaben die Wirte »für die Jugend auf eigene Kosten ein Sacklaufen, Hosenrennen und Baumsteigen, welches auch wirklich viele Belustigung gewährte« (Ulrich v. Destouches). Die Wirte waren die ›Träger der Wies'n-Stimmung‹. Sie gliederten ihren Buden Kegelbahnen an und richteten Tanzflächen ein. Die angebotenen Vergnügungsmöglichkeiten wurden, wie dem Festprotokoll von 1823 zu entnehmen ist, gerne angenommen: »Alles strömte nun von den Anhöhen auf den, wie eine große hölzerne Stadt von Traiteurs-Buden und Gezelten gefüllten ungeheuren Wiesenraum, um sich den, durch Glückshafen, Kegelbahnen und andere Spielplätze hergerichteten Belustigungen zu überlassen. Ermunternd tönte Musik auf allen Seiten, besonders von vier großen Tanzsälen, so daß alles nur Frohsinn und Freude athmete.«

Dem Magistrat waren die ›Wirtsvergnügungen‹ steter Anlaß zur Sorge. 1828 ließ er einen von den Wirten aufgestellten Kletterbaum wieder entfernen, »indem diese Belustigung mit der Würde des ganzen Festes als ungeeignet befunden wurde« (Ulrich v. Destouches). Auch gab die Kombination von Bierausschank und derb-lustigen Vergnügungen immer wieder Anlaß zu vom Magistrat so gefürchteten »Ausschreitungen«. Die Nähe der ›Bierquelle‹ ließ den harmlosen Kegelbruder oft genug zum aggressiv-angetrunkenen Streithahn werden, den Tanzplatz zur Kampfarena. Als sich aus einer Kegelbahn-Schlägerei tumultartige Szenen entwickelten, war dies für den Magistrat ein Grund, die Kegelbahnen schließlich zu verbieten. 1867 gab es auf dem Oktoberfest keine Kegelbahn mehr, auch der von der Stadt 1862 eingerichtete Freitanzplatz wurde abgeschafft. Die Wirte bekamen jedoch eine Entschädigung: Es wurde ihnen erlaubt, einige Kletterbäume für die Jugend innerhalb des Wirtsbudenringes aufzustellen. Diese Kletterbäume, in variierender Zahl jährliches Attribut des Wirtsbudenringes, wurden erst in den 1890er Jahren endgültig vom Festplatz verbannt.

Nicht nur die Qualität des Bieres, auch die Attraktivität des

Vergnügungsangebotes bestimmten über den Besuch einer Wirtsbude.

Besonders einfallsreich zeigte sich hier Josef Hermann. Der Cafetier und Bierwirt führte seit 1878 die »Hermannshalle« in der Königinstraße, eine Singspielhalle mit Gartenrestauration, elegantem Saal, Hauskapelle und Varieté-Programm. 1864 bezog Hermann erstmals die Festwiese und verschaffte sich mit seinen originellen Veranstaltungen solch nachhaltige Popularität, daß die Hermann-Bude zu einer Art ›Wahrzeichen‹ des Oktoberfestes wurde. Sie ist noch in den 1880er Jahren wichtiges Attribut der Wies'n-Darstellungen in Zeitschriften und populärer Graphik.

Vom »Altweiberrennen« bis zum »Musessen«, bei dem sich die Akteure mit verbundenen Augen gegenseitig füttern mußten, organisierte Hermann die verschiedensten Arten publikumswirksamer Unterhaltung, die für Mitspieler wie Zuschauer höchst vergnüglich gewesen sein muß. In den Beständen des Stadtarchivs sind Plakate erhalten, die das Hermann-Programm einer ganzen Woche nachvollziehen lassen (Kat. Nr. 487–494). Jeden Tag bot er seinen Gästen etwas anderes.

Das Vordringen der Schaustellerei gegen Ende des 19. Jahrhunderts und die Wandlung der Wirtsbuden zu Riesenbierhallen, die Aufspaltung in die Bereiche Schaustellerei und Bewirtung also, ließen die Wirtsvergnügungen verschwinden. Der Steyrer Hans war wohl der letzte Wies'n-Wirt, der versuchte, mit Schauattraktionen für seine Bude zu werben (Kat. Nr. 496). Insgesamt trat jedoch die musikalische Unterhaltung im Bierzelt in den Vordergrund. Den Anfang machte hier der Festwirt Georg Lang, der 1898 in seiner »Riesenhalle« die erste festangestellte Hauskapelle beschäftigte. Mit ihm wurde die Stimmungsmusik der Blaskapellen zur ›klassischen‹ Bierzeltunterhaltung. *Sabine Sünwoldt*

Lit.: »Die Feier des Central-Landwirtschafts- oder Oktober-Festes im Jahre 1823.«, StadtAM, Hist. Ver., Ang. II/36; Lewald, S. 27f.; Ulrich v. Destouches. S. 32, 54; Destouches, Säkularchronik, S. 104; Möhler 1981, S. 119, 149 (Abgekürzt zitierte Literatur siehe S. 17.)

475 Anton Gruber, Inhaber der Belustigungsstätte »Zum Prater« und Oktoberfestwirt ab 1816

Lithographie, 15×10 cm, aus: Georg Gruber, Die Memoiren des Gruber'schen Stammes (siehe unten Lit.)

Anton Gruber (1783–1834) ist der erste Oktoberfestwirt, über dessen Leben Genaueres bekannt ist und dessen Portrait sich erhalten hat. Seine Biogra-

Kat. Nr. 475

phie ist so farbig und bewegt, daß sie im einzelnen hier nicht wiedergegeben werden kann. Der Sohn Georg Gruber hat das Leben des Vaters 1857 im Detail festgehalten.

Seine Eltern, ein österreichischer Sergeant und eine Marketenderin aus Regensburg, kamen 1793 nach München und übernahmen dort eine Bierschänke. Nach seinen ersten Stationen als Schuhmachergeselle auf der Walz, Regensburger Klosterbruder (dies beendet durch die Säkularisation), Schuhmacher, Tanzlehrer und Wirt in München verließ Gruber 1806 seine inzwischen gegründete Familie und wurde fürstlicher Bediener in Wien.

1810 zurückgekehrt, kaufte er den früheren Erholungsplatz der Franziskaner auf der Isarinsel und errichtete dort eine Belustigungsstätte, die er nach dem Wiener Vorbild »Zum Prater« nannte. Der anfängliche Sommerbetrieb in hölzernen Hütten war bescheiden, es folgte der erste Tanzpavillon in München. 1813 wurden eine Schaukel und ein feststehendes Karussell in einem Pavillon errichtet. In den folgenden Jahren kam es noch zu Erweiterungsbauten auf der Praterinsel. Anton Gruber konnte also auf Erfah-

rungen zurückgreifen, als ihm 1818 für fünf Jahre auf dem Oktoberfest die Konzession erteilt wurde, Publikumsvergnügungen zu präsentieren. Dies waren ein »Carussel«, eine »teutsche Schaukel« (wohl normale Schwingschaukel), eine »russische Schaukel« (Vorläufer des heutigen Riesenrades in bescheidener Bauweise), ein »Ballenschutzer« und eine »Taubenscheibe« (mit einer aufgehängten Holztaube als Zielwurfobjekt). Zugleich heißt es, »daß er außer dessen auch Getränke und Speisen ausschenken wird«. Die einzige, spärliche Beschreibung dieser Vergnügungen findet sich bei Baumgartner: »Auf der Sendlinger Anhöhe, von welcher man den ganzen Umfang mit freyem Auge übersehen kann, bewegten sich mehrere Schaukeln, und schnurrte das mit jungen Leuten besetzte Treibrad eines Karoussels mit hölzernen Pferden herum, so, daß man dort alles in einer fortwährenden Bewegung und Lebendigkeit sah.« Grubers Bierbude und Belustigungen standen also nicht auf der Theresienwiese, sondern auf der Theresienhöhe. Für die kommenden Jahrzehnte sorgten weiterhin die Oktoberfestwirte für Vergnügungseinrichtungen wie Kegelbah-

Kat. Nr. 476

nen, Tanzböden oder für verschiedene Spiele für Kinder.   FD

Lit.: Georg Gruber, Die Memoiren des Gruber-'schen Stammes und die Entstehung des Praters in München, durch Tradition verfaßt, München 1857; Baumgartner 1820, S. 25; Möhler 1980, S. 145 Florian Dering, München

476 Oktoberfest mit der ersten Darstellung einer Bierbude, 1823

Heinrich Adam, Öl auf Leinwand, 39×60 cm. Bez. u. r.: »HA 1824«.

Von diesem Gemälde gibt es eine kolorierte Radierung (vgl. Kat. Nr. 59, dort wird auf die Gesamtsituation eingegangen). Im Gegensatz zur Radierung ist das Gemälde auf der rechten Seite erweitert. Die einfache Bude im Vordergrund, vor der die Bierfässer la-

gern, ist die früheste Abbildung einer Oktoberfestbierbude. Der in der Türe stehende Wirt, erkennbar an seiner Kappe und Schürze, liefert den ersten Bildbeleg für einen – allerdings anonymen – Wies'n-Wirt.

Das Gemälde stammt aus dem Privatnachlaß von König Max I. in Schloß Tegernsee.

Bayerische Verwaltung der staatlichen Schlösser, Gärten und Seen, München, SV G 3

477 Auf der Theresienwiese, um 1830

Caspar Klotz, Öl auf Blech, 32×26,5 cm. Bez. u. r.: »C. Klotz fecit«.

Im Schatten einer Bretterbude, mit zwei Tannenbäumen geschmückt, hat

sich eine ältere Frau mit einem improvisierten Verkaufsstand niedergelassen. Sie trägt ein ländliches Festtagsgewand mit Otterhaube und sitzt hinter einem großen viereckigen Weidenkorb, der wohl auch als Transportbehälter dient; darauf liegen in einem flachen, runden Strohkorb Zwetschgen zum Verkauf. Ein kleines Mädchen mit Kopftuch neben ihr hat gelbe Birnen vor sich. Die Frau mißt die Zwetschgen nicht nach dem Gewicht, sondern im Hohlmaß ab, wie man es heute noch gelegentlich auf Bauernmärkten bei Beerenobst sehen kann. In der humoristischen Darstellung des Oktoberfestes durch Dr. Carl Müller (vgl. Kat. Nr. 814), die seit etwa 1825 in mehreren

253

Kat. Nr. 477

menhafte Gestalten. Sie flanieren zwischen einer weiteren Holzbude und dem auf hoher Stange stehenden Adler, auf den noch nicht geschossen wird. BK

Farbabb. in: Chronik 1985, S. 15
MSt, 36/1276

478 »Speisenanzeige. zum Oktoberfest, Achtzehn hundert ein und dreißig, von Schallbruck und Deiß.«

Lithographie, 40,5×16,5 cm.

Eine Speisenkarte, die auf der Vorderseite das Angebot der Speisen und Getränke ebenso wie deren Preise durch Rebus-Bilder verrätselt. »Rebus« läßt sich mit »Wortklangbilderschrift« verdeutschen. Das bedeutungsvolle oder scherzhafte Spiel, lautliche Mehrsinnigkeiten in Bilder voll optischer Wortwörtlichkeit umzusetzen, ist seit dem Altertum bekannt, wurde durch Wappen und Impresen geadelt, war im Zeitalter des Barock ein Revier für treffenden Geisteswitz und geriet schließlich im 19. Jahrhundert zu einer modischen Unterhaltung breitester Schichten. So durften Schallbruck und Deiß bei den Gästen dieses vertrackte Denken und Deuten voraussetzen; der hungrige Besteller konnte die Auflösung auf der Rückseite finden; jedenfalls hat das Warten auf die Mahlzeit sicher nicht länger gedauert als die unterhaltsame Entzifferung der ganzen Speisenkarte.

Es bedarf schon einiger Übung, die humoristischen Hieroglyphen zu entschlüsseln. Der Buchstabe B, ein Rad, ein Hanswurst (»Wurstel«) mit Umlautstrichen, ein Hund ohne Kopf und eine Sänfte ergeben zwanglos »Bratwürst und Senft«; ein Püppchen, das man als Docke lesen muß, vereinigt sich mit zwei Eiern zum Tokajer. Schwieriger ist es schon, aus einem B, einer offenen Tür mit Umlautstrichen, einem a, einem Lamm und einem aufgeschlagenen Blatt mit den Zeilen »Beatus ille qui procul negotiis« das beliebte B-öff-a-lam-ode herauszulesen. Nur der Nachsatz »Die Herrn Gäste werden höflich ersucht gleich zu bezahlen«

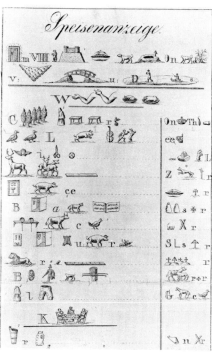

Kat. Nr. 478

Auflagen erschien, ruft ein erhitzter Wies'n-Besucher: »Muß hin zum selb'n Standl laufen, / A paar Maßeln Zwetschgen kaufen« – damit ist das Hohlmaß angesprochen. Es entspinnt sich dann ein Disput mit der Standlfrau, aus dem hervorgeht, daß Zwetschgen abgezählt verkauft wurden: fünfzehn für einen Kreuzer. – Die Händlerin blickt auf zu ihrer Kundschaft, einer jungen, in zartleuchtende Farben gekleideten Bürgersfrau mit Riegelhaube, reichem Silbergeschnür am Mieder, Bügeltasche und Lederhandschuhen. Ihr Töchterchen hebt die Schürze für das Obst auf. Im rechten Bilddrittel öffnet sich der Blick auf Gartentische und -bänke eines Festwirtes. Ein Kellner in Hemdsärmeln, Weste und weißer Schürze gießt aus einem Steinkrug dunkelbraunes Bier in ein gläsernes Quartel-Krügerl, während der ländliche Gast, rittlings auf der Bank sitzend, nach dem Geld in den Hosensack greift. Ein städtisch herausgeputztes jüngeres Paar sitzt am selben Tisch. Gegen den hochgezogenen Horizont zu erkennt man eine Frau mit schwarz-goldener Radhaube; dahinter verliert sich das Volk in sche-

Speisenanzeige.
zum Oktoberfest, Achtzehn hundert ein und dreißig,
von Schallbruck und Deiß

Warme Speisen.

Kalekutischer Hahn	2 f 42 xr
Gänseleberpasteten	1 " 21 "
Englischer Knopf	40 " 2 hl
Hirschwildpret	12 "
Schlegl in der Ramsauce	10 "
Bouf a la Mode	6 "
Pfañenkuchen	13 "
Kartofel und Sauerkraut	6 "
Leberspazeln	4 "
Bratwürst und Senft	4 "
Kuttelfleck	3 "

Kalte Speisen.

Butterlaibl	7 "
Schachtelkäß	14 "
Salamiwurst	15 "
Brunkreß Salat	3 "
Ein Taß Gefrornes	15 "

Getränke

Tokaÿer	5 fl
Burgunder	2 "
Liebfrauenmilch	4 " 30 "
Wachenheimer	34 "
Ein Glas Limonade	12 "
Mandelmilch	12 "

Kat. Nr. 479

ist unmißverständlich kurrent geschrieben.

Bier gibt es nicht auf der Karte; ob die
Speisenanzeige auf der Festwiese
selbst oder für einen engeren Gäste-
kreis zur Oktoberfestzeit Verwendung
fand, geht nicht aus ihr hervor. Auch
sind die Namen Schallbruck und Deiß
nicht unter den Münchner Wirten dieser Zeit nachzuweisen, jedoch redi-
gierte A. Schallbrouck unter anderem
»Münchens Fest-Kalender zur Jubelfeier des Oktoberfestes im Jahre 1835«.
Die Rebus-Speisen sind wohl eher in
solch literarischem Umkreis ausge-
kocht worden als bei der Gastronomie.

MSt, 31/217   BK

479 Im Wirtsbudenring, 1859

Joseph Watter, Bleistiftzeichnung, mit Sepia la-
viert und weiß gehöht, 26,5×39 cm. Bez. u. l.: »Oktober Fest 1859 München.«, u. r.: »JWatter«; vgl.
auch Kat. Nr. 402.

Blick auf das volkreiche Zentrum des
Festplatzes: links in der Ferne Bavaria
und Ruhmeshalle, in der Mitte der gir-
landenbehangene »Kronenbaum« mit
Wappen und Fahne, dahinter die drei-
flügelige Glückshafenanlage. Rechts
eine holzgezimmerte offene Bierschenke, hinter dem Schanktisch eine
stämmige Schenkkellnerin. Über der
tannengeschmückten Tür ein umkränztes Schild »WILKOMEN 1859«. Davor werden Krüge in Zubern gespült.

Fässer und eine Schanze (vgl. Kat. Nr.
575) schließen die Szene rechts ab. Vor
der Giebelseite der Schenke ein pri-
mitiver Tisch und Bänke, auf denen
Gäste Platz genommen haben. Harfe
und Klarinette spielen zur Unterhaltung. Im linken Vordergrund sitzen
weitere Gäste auf einer sorgfältiger gezimmerten Bank mit Lehne. Manche
Wirte nahmen wohl auch Wirtsstuben-
inventar auf die Wies'n mit hinaus, wie
der umgestürzte Stuhl zeigt. Ganz links
ist eine Kegelbahn aufgeschlagen mit
einem Unterstand für die Kegler und
einem Schutzverschlag am Ende, wo
ein Bub das Ergebnis ausschreit. Aus
weiteren Buden dahinter steigt Brat-

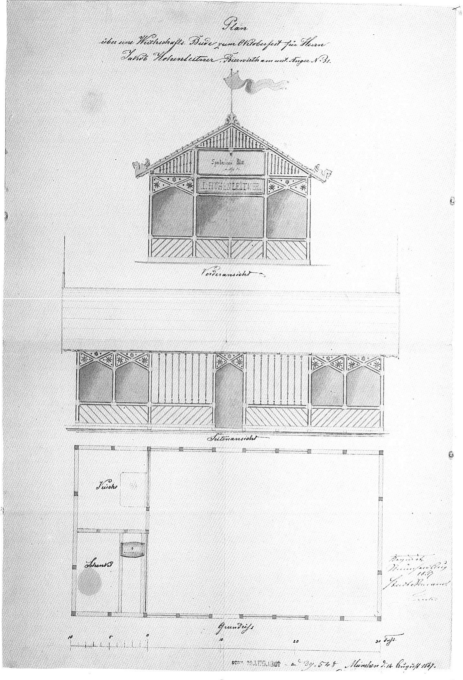

Kat. Nr. 482

dampf auf. Der Platz mit herumliegendem Gerümpel und aufgewühltem Boden ist bevölkert mit vielfältigen Gestalten. Vorn ein alter Zecher, der sich mit seinem Deckelmaßkrug auf einem Schubkarren niedergelassen hat. In der Gesprächsgruppe daneben ein Schütze mit Gewehr im Futteral. Ein Ganterer bringt ein Faß; Gäste tragen Preisfahnen oder Glückshafengewinne vor sich her.　　　　　　BK

MSt, III c / 570

480　»Plan zur Erbauung einer Bierschenke auf die Theresienwiese für den Bierwirth G. Gintsch zu München«, 1844　　Abbildung S. 275

Tusche auf Papier, 37×39 cm.

Der Plan, der den Grundriß sowie Fassadenkonstruktion und -schmuck der Bude angibt, stellt eines der frühesten Dokumente zur ›Verfeinerung‹ der Wirtsbudenarchitektur gegen Mitte des 19. Jahrhunderts dar. Der Magistrat schätzte die Bemühungen, den bis dahin recht einfach gezimmerten Bretterbuden mit architektonischen und plastischen Schmuckelementen ein gefälligeres Aussehen zu geben.
Der Bierwirt Gintsch legte nun einen Entwurf vor, der einen antikisierenden Tempelbau mit neugotischem Zierwerk vorsah. Mit dem umlaufenden getreppten Sockel nahm die Bude in der Länge ca. 7 m, in der Breite 6,4 m ein. Der Innenraum, der auch Raum für die Bewirtung der Gäste vorsah, war mit ca. 27 m² bedeutend kleiner als bei den Wirtsbuden der 1860er Jahre.

StadtAM, Planslg.

481　»Plan über eine neuzuerbauende Bierhütte auf der Theresienwiese während des Oktoberfestes für Pögl Georg Gastwirth in der Vorstadt Au«, 1858

Tusche auf Papier, koloriert, 45,7×58,5 cm.

Der Plan zeigt den Aufriß der »Vorderen Giebel-Ansicht« und die »Längen-Ansicht« der reich verzierten Bude. Der Grundriß der projektierten Bude sieht Raum für »Küchenherd«, »Schenke« so-

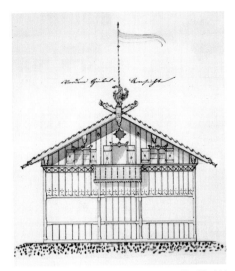

Kat. Nr. 481

wie Gastraum vor. Bei einer Länge von rund 12 m und einer Breite von 5,8 m insgesamt, maß man dem Gastraum eine Bodenfläche von 52,3 m² zu.

StadtAM, Planslg.

482 »Plan über eine Wirthschafts-Bude zum Oktoberfest für Herrn Jakob Hohenleitner, Bierwirth am unt. Anger N^r 21.«, 1867

Tusche auf Papier, koloriert, 56,2×38,3 cm.

Der Plan zeigt die reich verzierte Fassade der projektierten Bude, die Sei-

tenansicht und den Grundriß. Der Grundriß sieht Raum für »Küche«, »Schenke« und Bewirtungsbereich vor. Bei einer Länge von 11,7 m und einer Breite von 6,5 m der Bude insgesamt, maß man dem Gastraum eine Bodenfläche von 53,7 m² zu.

StadtAM, Planslg.

483 »Bettelmusik«

G. Sundblad, Xylographie aus: »Münchner Oktoberfest«, in: Illustrirte Zeitung 1864, Nr. 43.

Die Karikatur zeigt einen Dudelsack- und einen Klarinettenspieler, die an einem Biertisch im Garten einer Wirtsbude sitzen. Zu den Klängen ihrer Musik drehen sich Paare schwungvoll im Kreis. Schon zu den frühen Festjahren gehörte eine Klangkulisse, in der sich die verschiedensten Arten von Musik miteinander vermischen. »Musik an allen Ecken in allen Abstufungen, von der ersten Harmoniemusik bis zur unharmonischen Drehorgel und dem Dudelsack«, berichtet Ulrich von Destouches über das Fest von 1828 (S. 55).
Die »Bettelmusikanten« gab es nicht nur auf der Festwiese. Sie traten unterm Jahr in den Wirtshäusern der Stadt auf. War ihre musikalische Darbietung beendet, gingen sie »absammeln«, das heißt, sie zogen mit einem Sammelteller von Tisch zu Tisch. SS

StadtAM, Av. Bibl.

484 »Auf der Kegelbahn«

G. Sundblad, Xylographie aus: »Münchner Oktoberfest«, in: Illustrirte Zeitung 1864, Nr. 43.

Kegelbahnen gehörten zu den ersten Vergnügungseinrichtungen auf der Festwiese. Die Festwirte installierten sie bei ihren Buden. An den stets gut besuchten Bahnen entwickelten sich aus dem sportlichen Wettkampf jedoch häufig Streitereien. Die Wirkung des Alkohols – die ›Bierquelle‹ war nahe – tat ihr übriges, so daß es immer wieder zu Schlägereien kam. 1867 machte der Magistrat den steten »Ausschreitungen« ein Ende, indem er die Einrichtung von Kegelbahnen verbot. SS

StadtAM, Av. Bibl.

485 »Das Baumsteigen am Oktoberfest«

Xylographie aus: Neues Münchener Tagblatt, Nr. 280, 7. Oktober 1882.

Zu Anfang der 1820er Jahre errichteten die Wies'n-Wirte erstmals einen Kletterbaum auf dem Festplatz und noch in den 1880er Jahren wird vom Baumsteigen auf dem Oktoberfest als einer »Domäne« der Münchner Schusterbuben berichtet.
Unter der Spitze des geschälten Baumstammes waren Arme befestigt, mit »Kränzen und allerlei Kleinigkeiten geschmückt. Bunte Taschentücher, deren Wert gewöhnlich etwas proble-

Kat. Nr. 483

Bettelmusik.

Kat. Nr. 484

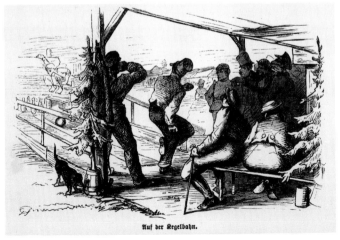

Auf der Kegelbahn.

Kat. Nr. 485

matisch ist, flattern lustig im Herbst-
winde [...] Jeder der Concurrenten hat
an dem glatten Baume emporzuklet-
tern und sich selbst als Sieger von den
Herrlichkeiten hochoben seinen Preis
auszuwählen.«   SS

Zitat: Neues Münchener Tagblatt, Nr. 280, 1882, S. 1
StadtAM, Av. Bibl.

**486 »Plan über Herstellung einer
Schenkbude auf der Theresien-
wiese für den Bierwirth Herrn
Gg Herrmann«, 1864**

Kolorierter Konstruktionsplan mit Korrekturein-
zeichnungen in Tusche, 36,5×49 cm, M=1:100.

Der Plan, der dem Stadtbauamt zur Be-
gutachtung vorgelegt wurde, zeigt
Grund- und Aufriß der Herrmann-Bu-
de. Die Wirtsbude war auf eine Firsthöhe von 5 m angelegt, sie sollte 8,8 m
breit und 17,5 m lang werden. Herrmann beanspruchte damit offenbar zuviel Platz für sich. Die behördlichen
Korrekturen legen die Breite der Bude
auf das einheitliche Maß von 25 Fuß
(7,3 m) Breite und 50 Fuß (14,6 m)
Länge fest. Der Gastraum, für den

ursprünglich eine Fläche von 104 m²
vorgesehen war, schrumpfte so auf
76,6 m².   SS

StadtAM, Planslg.

487 Sacklaufen, um 1867

Plakat, Typendruck mit lithographierter Illustration, 86×62 cm. Abb. bez. u. M.: »Druck v. B.
Berger«.

»Heute 4 Uhr auf der Fest-Wiese Sacklaufen Jos. Hermann.«

StadtAM, Plakatslg.

488 Schubkarren-Rennen, um 1867

Plakat, Typendruck mit lithographierter Illustration, 86×62 cm. Abb. bez. u. M.: »Druck v. B.
Berger«.

»Heute 4 Uhr auf der Festwiese Schubkarren-Rennen bei Jos. Hermann.«
Die vom Text eingeschlossene Abbildung zeigt drei junge Männer, die mit
Schubkarren um die Wette laufen;
während sich zwei der Wettkämpfer
ein Kopf-an-Kopf-Rennen liefern, ist
der dritte mit seinem Karren hinge-
fallen.

StadtAM, Plakatslg.

489 Baumsteigen, um 1867

Plakat, Typendruck mit lithographierten Illustrationen, 86×62 cm. Abb. bez. u. r.: »Druck v. B.
Berger«.

»Heute 4 Uhr auf der Fest-Wiese
Baumsteigen für die Jugend mit Preisen bei Jos. Hermañ«.
Die den Text flankierenden Abbildungen zeigen zwei mit Fahnen und Kränzen geschmückte Steigbäume. An jedem Baum klettert ein Bursche; während der linke Kletterer noch mit dem
Aufstieg kämpft, grüßt der andere bereits als Sieger mit seinem Hut.

StadtAM, Plakatslg.

**490 Gansviertel-Fangen auf der
Walze, 27. September 1869**

Plakat, Typendruck mit xylographierter Illustration, 121×63 cm. Abb. bez. u. r.: »Druck v. Zehend
Vorst. Au«.

»Heute Montag den 27. September
1869. Auf der Fest-Wiese bei Herman.
Grosse Musik-Produktion/Um 4 Uhr:
Gansviertel-Fangen auf der Walze.
Höchst komisches Intermezzo zum
Todtlachen. Jeden Abend Große ben-
galische Beleuchtung.«

Kat. Nr. 490

Kat. Nr. 492   Kat. Nr. 494

Die Illustration zeigt drei Burschen bei einer Art ›Würstelschnappen-Spiel‹. Zu einem mit Girlanden und Fahnen geschmückten Pfosten, an dem ein Stecken an der Spitze befestigt ist, von dem eine Wurst baumelt, führt eine beweglich installierte Walze. Zwei Burschen balancieren auf dieser zu dem aufgehängten ›Köder‹; der dritte ist bereits heruntergefallen.

Mit dieser Programmankündigung sowie den nachfolgenden vier anderen Plakaten wurde in der Stadt für das Belustigungsangebot geworben, das der Wirtsbudenbetreiber Hermann als Publikumsreißer während der zwei Wochen Oktoberfest 1869 seinen Gästen ›vorsetzte‹.   SP

StadtAM, Plakatslg.

491 Hafenschlagen, 28. September 1869

Plakat, Typendruck mit xylographierter Illustration, 102,5×81,5 cm. Abb. bez. u. r.: »Druck v. Zehend Vorstadt Au«.

»Heute Dienstag den 28. September 1869. Auf der Festwiese bei Herman. Grosse Musik-Production/Um 4 Uhr: Hafenschlagen mit zwei aufgehängten Hafen, wovon der eine Wasser, der andere den Preis enthält. Jeden Abend grosse bengalische Beleuchtung.«

Die Illustration zeigt drei Burschen mit verbundenen Augen, die mit einem

Stecken nach den drei über ihnen befestigten Häfen (Henkelkrügen) schlagen.

StadtAM, Plakatslg.

492 Musessen mit verbundenen Augen, 1. Oktober 1869

Plakat, Typendruck mit xylographierter Illustration, 121×63 cm. Abb. bez. u. r.: »Druck v. Zehend i. d. Vorstadt Au«.

»Heute Freitag den 1. Oktober 1869. HERMANN auf der Fest-Wiese. Grosse Musik-Production. Um 4 Uhr: Der Fast-Tag oder: Das Musessen mit verbundenen Augen. Jeden Abend grosse bengalische Beleuchtung.«

Die Illustration zeigt zwei Akteure, die sich gerade gegenseitig – mit verbundenen Augen – Mus ›um die Ohren schmieren‹, welches sie aus einer Schüssel, die zwischen beiden auf der Bank steht, löffeln. Im Hintergrund ist der Verkaufstresen einer geschmückten Wirtsbude mit einer Frau abgebildet, darüber Aufschrift »Hermann«; links im Bildvordergrund Nadelbäumchen als Festschmuck.

StadtAM, Plakatslg.

493 Alt-Weiber-Rennen, 2. Oktober 1869

Plakat, Typendruck mit xylographierter Illustration, 102,5×81,5 cm. Abb. bez. u. r.: »Druck v. Zehend Vorst. Au«.

»Heute Samstag den 2. Oktober 1869. Auf der Festwiese bei Herman. Grosse Musik-Production/Um 4 Uhr: Alt-Weiber-Rennen mit 3 Preisen. Jeden Abend grosse bengalische Beleuchtung.«

Die Illustration zeigt fünf – den Gesichtern nach – ältere Frauen bei einem Wettrennen auf der ausgepflockten Pferderennbahn mit Fahnenschmuck. Jede der Läuferinnen trägt einen Henkelkorb am Arm. Eine Teilnehmerin ist schon weit voraus, die anderen verfolgen sie im Pulk, eine ist gestürzt.

StadtAM, Plakatslg.

494 Pferde-Rennen, 8. Oktober 1869

Plakat, Typendruck mit xylographierter Illustration, 122×62,5 cm. Abb. bez. u. r.: »Druck v. Zehend Vorst. Au«.

»Heute Freitag den 8. Oktober 1869. HERMAN auf der Fest-Wiese. Grosse Musik-Production. Um 4 Uhr: Pferde-Rennen von 4 der besten Reiter, auf Papiermaché-Pferden mit 3 Preisen. Jeden Abend grosse bengalische Beleuchtung.«

Die Illustration zeigt vier ›Jockeys‹. Diese sitzen auf Pferdeattrappen, in denen je zwei Menschen stecken.

StadtAM, Plakatslg.

Die »Wies'n-Barone«

495 Steyrer Hans

Josef Widmann, um 1910, Öl auf Holz, 44×46 cm.

Steyrer Hans (1848–1906) in seiner für ihn typischen, ausgefallenen Kleidung: rote Joppe, grüne Weste mit überdimensionierter Uhrkette, auf dem Kopf die grüne Schildmütze mit Silberbesatz, weiß-roter Kokarde und weißblauen Flaumfedern. In seiner Linken überschäumender Maßkrug mit Münchner Kindl auf dem Deckel. Hinter ihm liegt seine Riesenhantel, daneben steht als Zeichen seiner Gastwirtstätigkeit ein aufgebocktes Faß mit Tropfzuber. An der Bildunterkante Schriftzug »Steyrer Hans.«.

Steyrer besaß außergewöhnliche Körperkraft. Angeblich hob er mit dem rechten Mittelfinger einen Stein von 528 Pfund Gewicht.

Das Bild stammt aus einer Serie von »Münchener bekannten volkstümlichen Persönlichkeiten und Originalen«, die Professor Josef Widmann zum Teil nach Ölbildern in der Kegelbahn des Bavaria-Kellers (II c/150–157) und nach dem Leben gemalt hat (II c/160–164). Als weitere Oktoberfestpersönlichkeiten befinden sich noch Krenkl, Schichtl und der Wurzelsepp in dieser Reihe. FD

MSt, II c/162

496 Steyrer Hans vor seiner Wirtsbude

Foto.

Steyrer betrieb nacheinander mehrere Gaststätten in München, so das Gasthaus »Zum bayerischen Herkules« in der Lindwurmstraße, eines in der Bayerstraße und seit 1890 eine Schankwirtschaft in Obergiesing, den ehemaligen »Tegernseergarten«. Steyrers Wirtschaften galten als Treffpunkt von Athleten und »Kraftmenschen«. Von 1879 an bis zu seinem Tod im Jahre 1906 war Steyrer daneben Wies'n-Wirt. Er pachtete zunächst eine Festbude der Pschorr-Brauerei.

Für seine Geschäfte zu werben und zugleich seine Popularität zu steigern, verstand Steyrer außerordentlich gut. So plante er, um die Aufmerksamkeit des Publikums vermehrt auf seine Festbude zu ziehen, dort seine schwergewichtigen Requisiten wie Hanteln, Steine und seine 14 bis 40 Pfund (die Angaben variieren) schwere Tabaksdose zur Besichtigung auszustellen. Der Magistrat verweigerte ihm hierzu jedoch die Erlaubnis – eine Tatsache, die Steyrer wiederum in seine Werbeanzeigen aufnahm. Er bedaure den Entschluß des Magistrates, das Publikum könne jedoch das ihm auf der Festwiese entgangene, höchst interessante Schauerlebnis nachholen – die Gegenstände seien nun im Saal des Gasthauses »Zum bayerischen Herkules« zu besichtigen.

Ein anderer Werbegag Steyrers ist heute – auf Umwegen – Teil der offiziellen Festeröffnung geworden: der Wirtseinzug. Steyrer zog erstmalig 1879 mit festlich geschmückten Wägen in Richtung Theresienwiese. Er selbst fuhr mit seiner Familie im Vierspänner, es folgten sieben Zweispänner, beladen mit Personal und Musikern. Angekommen ist er damals allerdings nicht auf der Wies'n – im Tal wurde er von der Polizei aufgehalten. Ein nachfolgendes Gerichtsverfahren endete mit der Verurteilung des Wirtes zu einer Geldstrafe wegen »Störung der öffentlichen Ordnung und Sicherheit«. Die Sympathie der Bevölkerung für den Steyrer Hans konnte dies jedoch nur mehren. Das Geschäft soll jedenfalls sehr gut gegangen sein. SS

Abb. in: Chronik 1985, S. 53
Lit.: StadtAM, ZA
StadtAM, Fotoslg., Nachlaß Steyrer Hans

497 »Das lebende Reck«

Foto, 16,7×11 cm.

Die Kraft des »bayerischen Herkules« konnten die Münchner in Varietés und Zirkusarenen bestaunen. Eine seiner »Spezialitäten« war das »lebende Reck«. Steyrer hielt dabei mit ausgestreckten Armen eine Hantel waagrecht vor sich, an der sein Sohn Reckübungen vorführte. Nach diesem Foto ließ Steyrer eine Zeichnung anfertigen, die sich auf seinen Werbeanzeigen wiederfindet. Steyrer machte sich in den 1880er und 1890er Jahren auch außerhalb Bayerns einen Namen als Gewichtheber; er trat in Berlin, Hamburg, Wien, Amsterdam und sogar in Paris auf. SS

MSt, VI f/156 b

498 Spazierstock vom Steyrer Hans, um 1895

Stahl mit Messingmanschette, 95×13 cm.

Griff in Form einer Hantel, die von einer Hand gehalten wird, darunter Messingmanschette mit den Initialen »HS«, gravierter Schriftzug: »Gewidmet Dem bayrischen Herkules Steyrer Hans von seinem Freund und Spezi Sebastian Miller Weltmeisterschaftsringer Chicago (Amerika) 1892«. Der Stock wiegt 10 kg.

Valentin-Musäum, München

499 Hantel vom Steyrer Hans

Eisen, 84×15 cm, 70 Pfund schwer.

StadtAM

500 Bierbude »Steyrer Hans bayerischer Herkules«, 1898

Grußpostkarte mit Foto, 9,3×15 cm.

In den 1890er Jahren pachtete Steyrer zwei nebeneinanderliegende Budenplätze und errichtete darauf eine »Doppelbude«. Er und sein Schwager, der Gastwirt Wilhelm Schäffer, schenkten hier »Kraftbier« der Spatenbrauerei aus. Es spielte eine »Athletenkapelle«.

Die Abbildung zeigt den Wirtsbudenring aus einer selten gewählten Perspektive. Der Blick richtet sich vom Inneren des Ringes auf die Rückseite der Festbuden mit dem Gartenausschank,

der zum Zentrum des Ringes hin angelegt war.   SS

StadtAM, Postkartenslg.

501 Michael Schottenhamel, 1909

Joseph Futterer, Kreidezeichnung, 24,8×14,4 cm.
Bez. u. l.: »Jos. FUTTERER 3.IX.09.«
Mit eigenhändiger Unterschrift des Portraitierten.
Das Portrait wurde von Futterer auf die Rückseite
des Titelblattes der »Frühstück-Speisekarte« des
»Hotel Schottenhamel« gezeichnet.

Die Schottenhamels sind mit Abstand
die älteste Wies'n-Wirtsdynastie. Michael Schottenhamel (1838–1912) war
1867 zum ersten Mal mit einer der da-
mals noch kleinen Bierbuden auf dem
Oktoberfest vertreten. Im selben Jahr
hatte der gelernte Schreinergeselle
vom Magistrat die Ausübung der
»Braugerechtsame« im Haus Luitpold-
straße 13 bewilligt bekommen. 1871
konnte er das Anwesen sowie die Braugerechtsame erwerben und führte dort
die Wirtschaft »Zu den drei Mohren«,
die sich besonderer Beliebtheit bei den
Militärpersonen der nahe gelegenen
Kadettenschule erfreute. 1885 wurde
die Schankerlaubnis auf das Anwesen

Kat. Nr. 501

Steÿrer Hans.

Kat. Nr. 495

Bahnhofsstraße 2 (jetzige Prielmayer-
straße) ausgedehnt. 1907 errichtete die
Familie auf diesem Areal das »Hotel
Schottenhamel«, das 1974 aufgegeben
wurde. An dessen Stelle befindet sich
heute als Neubau der »Elisenhof« als
Geschäfts- und Bürobau hinter dem
Justizgebäude.
Schottenhamel trug als Wies'n-Wirt
mit entscheidenden Impulsen zur Veränderung der Bewirtung auf dem Oktoberfest bei. In seiner Bude wurde
1872 zum ersten Mal Märzenbier ausgeschenkt.
1886 errichtete er das erste Leinwandzelt. 1896 bezog Schottenhamel die
zweite große Bierburg, die Gabriel von
Seidl für die Franziskaner-Leistbrauerei entworfen hatte.
Michael Schottenhamel jun. (1876 bis
1968) wuchs in den Betrieb seines Va-

ters hinein. Eigentlicher Wies'n-Wirt
wurde er erst nach dessen Tod. Während seiner Ära erlangte das sowieso
schon renommierte Zelt noch weitere
Bekanntheit durch das seit 1950 im
»Schottenhamel« stattfindende Eröffnungszeremoniell des ersten Faßan-
stichs durch den Oberbürgermeister.
Seine Position als Wies'n-Wirt wurde
von seinen Söhnen Richard
(1901–1951), Max (1906–1983) und
Hans (geb. 1913) mitgetragen und
nach seinem Tod weitergeführt. Zur
jetzigen vierten Generation gehören
die Söhne Peter und Michael von Hans
Schottenhamel und Christian von Max
Schottenhamel.   FD

Lit.: Zu Gast im alten München, herausgegeben
von Richard Bauer, München 1982, S. 156; Mündliche Mitteilung Hans Schottenhamel, Mai 1985
MSt, VI f/201

261

Kat. Nr. 502

Kat. Nr. 503

503 »Universitas ›Liter‹arum«, Karikatur auf Michael Schottenhamel, 1910

Erich Wilke, in: Jugend, 1910, Nr. 39.

»Da fast sämtliche Münchner Studentenkorporationen in den Zeitungen ausschreiben, daß sie während der Oktoberfestwochen bei dem allbekannten Wiesenwirt Michael Schottenhamel zu ›treffen‹ sind, ist man überein gekommen, die Münchner Hochschulen gleich ganz auf die Wiese zu verlegen und ›den Michel‹ zum Rector Magnificus zu ernennen.«

MSt, 84/502, 2

504 Michael Schottenhamel jun. beim Wies'n-Einzug 1951

Hans Reiter, Foto.

Mit in der Kutsche sitzen seine Söhne Max, Hans und Richard.

StadtAM, Fotoslg.

505 Dekorationsteil für das Schottenhamel-Zelt, 1984

Farbdruck auf Kunststoff, 59×84 cm.

Schottenhamelsignet (Hammel mit Schottenmütze) und Spatenbrauerei-

502 25jähriges Wies'n-Jubiläum von Michael Schottenhamel, 1892

Foto, 18,6×13,8 cm.

Im Garten der Bierbude stellte sich die Gruppe dem Fotografen, links neben der Dame Michael Schottenhamel. Auf dem Portal vor der Bude Schrift-

zug »Franziskaner-Leistbräu-Märzen-Bier«, darunter bekrönter Buchstabe »L« an einem Gerüst, wohl für eine nächtliche Illumination. Dieses Foto gehört zu den frühesten bekannten Oktoberfestfotografien.

MSt, III c/464

signet, darunter Schriftzug »SCHOT-
TENHAMEL-FESTHALLE, seit 1867«.

MSt

506 »Riesen-Festhalle« des Augustiner-Bräu, Festwirt Xaver Kugler, 1926

Werbeanzeige, in: Offizielle Münchner Oktoberfestzeitung 1926.

Stammhaus des Wirtes Xaver Kugler,
des Betreibers der Riesenhalle, war die
»Kugler-Alm« in Deisenhofen, ein viel-
besuchtes Ausflugslokal mit Unterhaltungsprogramm und Großveranstaltungen in der angegliederten Festhalle. Die Kugler-Alm bot mit Schießbuden, Tanzpavillon, Karussellen und
einer Kegelbahn vielfältige Vergnügungsmöglichkeiten. Kugler, der sich
auf Werbepostkarten als »der populärste Stimmungs- und Fest-Wirt
Deutschlands« bezeichnen ließ, erwar-
tete die Gäste seiner Alm am Wochenende mit einer Blaskapelle am
Bahnhof.

StadtAM, ZS

507 Wies'n-Wirt Xaver Kugler vor seinem Festzelt, 1926

Georg Pettendorfer, Foto.

Über Kugler heißt es in der Oktoberfestzeitung 1926: »Festwirt Xaver Kugler ist ein Festwirt im echtesten Sinne
des Wortes, ein Festwirt vom alten
Schrot und Korn, der es versteht, seine
Gäste durch die alte Münchner Urge-
mütlichkeit und Urwüchsigkeit, durch
ein Schlagerprogramm und eigene Kapelle zu erheitern.«

Zitat: Offizielle Münchner Oktoberfestzeitung
1926
StadtAM, Slg. Pettendorfer

508 Georg Heide, Festwirt vom Bräurosl-Zelt

Leopold Bachhuber, Malerei auf Foto, 75×60 cm.

Georg Heide (1889–1971) hat seinen
Platz in der Reihe der originellen Okto-
berfest-Wirte. Nach seinen Lehr- und
Wanderjahren, die ihn durch Deutsch-
land und die Schweiz führten, wurde er
Pächter von verschiedenen Gaststät-

Kat. Nr. 507

ten- und Hotelbetrieben wie dem »Pas-
sauer Hof« in München, der »Bahnhofs-
gaststätte« in Höllriegelskreuth, dem
»Grünen Baum« in Grünwald, dem
»Hotel Marienbad« in Chieming und
dem »Café Hacker« in Krailling.
1931 übernahm er als Pächter die
Waldgaststätte auf dem Volmberg in
Planegg, nahe der Eisenbahnlinie und
der benachbarten Wallfahrtskirche
»Maria Eich« gelegen. Diese beiden lo-
kalstrategisch günstigen Faktoren ließen das Münchner Ausflugsziel »Hei-
de-Volm-Planegg« erblühen. Das Anwesen konnte Heide 1937 von der
Pschorr-Brauerei erwerben. Es wird
heute von seinem Sohn Willy weitergeführt.
1936 übernahm Heide das Bräurosl-
Zelt, in dem Hacker-Pschorr-Bier aus-

geschenkt wird. Willy Heide wuchs in
die Betriebe des Vaters hinein. Nach
der Familie Schottenhamel, seit 1867
als Festwirte auf dem Oktoberfest vertreten, sind die Heides die zweitälteste
Wies'n-Wirtsfamilie.   FD

Lit.: Zur Erinnerung an Georg Heide – Münchener
Wirt und bayerisches Original, in: Bayerland, 73.
Jg., 1971, Nr. 9., S. 51–54
Willy Heide, Planegg

509 Maßkrug aus dem Bräurosl-Festzelt, 1936

Steingut mit blauem Aufdruck, Höhe 18,6 cm,
∅ 10,4 cm.

Keferloher mit Emblem der »BRÄU-
ROSL«, darunter Schriftzug »Pschorr
Bräu«. Der Krug stammt aus dem Besitz von Willy Heide, dessen Vater 1936
das Bräurosl-Festzelt übernommen

Kat. Nr. 509

hatte: Authentische Oktoberfest-Maß-krüge sind selten, da in der Regel un-gezierte Maßkrüge oder solche mit Brauereischriftzug oder -emblem ver-wendet wurden, die sonst auch in Ge-brauch waren.

MSt

510 Festwirtsreklame
von Georg Heide, 1950er Jahre

Georg Lang war der erste Wies'n-Wirt, der um 1900 durch Medaillen und An-steckorden mit seinem Konterfei auf sich und sein Zelt aufmerksam machte (vgl. Kat. Nr. 606). Der rührige Georg Heide ließ einige witzige Werbeträger für sich und sein Bierzelt anfertigen:

1. Aus einem Pappmaßkrug (14,5×10 cm) mit dem Festzeltemblem und der Aufschrift »und auf der Wies'n in die Pschorr-Bräurosl« läßt sich sein Foto am Deckel mit der Aufschrift »HEIDE.VOLM.PLANEGG« herausklap-pen.

2. Als farbig gedruckte Papierfigur (16×6,5 cm) ist er mit einem Zugme-chanismus versehen und kann so den Maßkrug zum Mund führen, darunter Wies'n-Herz mit der Auf-schrift »und auf der Wies'n in die Pschorr-Bräurosl«.

3. Während des Wies'n-Einzuges wur-den vom Wagen der Bräurosl kleine Maßkrüge (3,5×2 cm) an weiß-blau-en Schleifen mit Anstecknadeln ge-worfen. Der Krug ist mit seinem Foto und der Aufforderung »Herzlich will-kommen in der Pschorr-Bräurosl« beklebt.

Willy Heide, Planegg

511 Charivari von Georg Heide,
19. Jahrhundert

Silber u. a., ca. 40×12 cm.

Uhrkette aus einer Reihung von 15 bayerischen Kleinmünzen aus dem 18. Jahrhundert, als Anhänger 22 Münzen und Medaillen aus dem 18. und 19. Jahrhundert, darunter eine Preisme-daille des Landwirtschaftsfestes um 1840, dazu 16 verschiedene Anhänger wie Krickeln, Mardergebiß und ähnli-ches. Den Charivari trug bereits sein Vater Georg, der Wirt in Weidach und Fürstenried war.

Willy Heide, Planegg

512 Wirtsleute
Willy und Franziska Heide
vor dem Bräurosl-Zelt

Foto, 28,5×22 cm.

Willy Heide, Planegg

513 »Auffahrt zum Oktoberfest 1956
Xaver und Fanny Heilmannseder«

F. X. Stahl, Öl auf Leinwand, 64×133 cm. Bez. u. r.: »F.X.Stahl«.

1956 zog Heilmannseder zum ersten Mal mit einem Sechsergespann auf die Wies'n. Auf dem Bock hält er die Zügel des Prachtgespannes der Löwenbraue-rei, neben ihm sitzt seine Frau Fanny. Den Wagen ziert ein riesiges Bierfaß, das von kleinen Fässern und dem Brauereiemblem umgeben ist.

Kat. Nr. 510

Kat. Nr. 513

Xaver Heilmannseder (1903–1982) stammte aus einer Wirtsfamilie in Grafing. Der gelernte Gastwirt und Metzgermeister übernahm mit seiner Frau 1936 die Gaststätte »Scholastika« des AGV. Ab 1940 führte er den teilzerstörten »Bürgerbräukeller«, ab 1944 und in der Folgezeit den »Löwenbräukeller«. Seine Karriere als populärer Festwirt und späterer Sprecher der Wies'n-Wirte begann während der Nachkriegsfeste als Wirt der »Fischer-Vroni«. Von 1950 bis 1961 unterstand ihm das Löwenbräu-Festzelt.

Auf Heilmannseders Initiative geht die Gründung des »Münchner Oktoberfestmuseums e.V.« 1976 zurück. Ziel des Vereins, dem Wies'n-Wirte, Brauereien und Schausteller angehören, war es, ein eigenes Oktoberfestmuseum ins Leben zu rufen. Um seiner Idee eine finanzielle Basis zu verschaffen, vermachte Heilmannseder dem Verein über eine halbe Million DM als Erbschaft. Da die Realisierung eines Oktoberfestmuseums vorläufig nicht durchführbar ist, engagierte sich der Verein

im Rahmen des Jubiläums 1985. Für die Bearbeitung dieses Kataloges finanzierte er dem Stadtmuseum und Stadtarchiv über ein Jahr zwei wissenschaftliche Mitarbeiter. Ohne diese Unterstützung hätte das umfangreiche Material zur Festgeschichte nicht aufgearbeitet werden können. FD

Münchner Oktoberfestmuseum e.V.

514 Helga und Wilhelm Kreitmair, Wirtsleute vom Paulanerfestzelt »Winzerer Fähndl«

Foto.

Bereits die Eltern Wilhelm und Erni Kreitmair führten seit 1950 das »Winzerer Fähndl«-Zelt. Nach dem Tod des Vaters stand Sohn Wilhelm seiner Mutter 1961 bis 1980 zur Seite, seit 1981 ist er Festwirt des Zeltes.

Der Großvater übernahm 1902 die Gaststätte »Spöckmeier«, die von der Familie bis 1969 geführt wurde. Seit 1969 ist Kreitmair Besitzer der Gaststätte »Keferloh« im gleichnamigen Ort

bei Haar. Als Veranstalter dortiger Volksfeste und Flohmärkte führt er die Tradition des berühmten Keferloher Pferdemarktes fort. FD

Wilhelm Kreitmair, Keferloh

515 Christa und Ludwig Hagn, Wirtsleute vom Löwenbräuzelt

Foto in Rahmen, 30×40 cm.

Ludwig Hagn sen. wurde 1953 Wirt vom Schützenzelt; er war nur ein Jahr Wies'n-Wirt. Nach seinem Tod führte seine Frau Berta mit Sohn Ludwig von 1954 bis 1977 das Schützenzelt. Seit 1978 ist Ludwig Hagn jun. Wirt vom Löwenbräuzelt. Die Familie Hagn betreibt seit 1950 den »Rheinhof« in der Bayerstraße. FD

Ludwig Hagn, München

516 Hermine und Artur Fichtel, Wirtsleute vom Hackerzelt

Foto.

Artur Fichtels Schwiegervater Otto Stumbeck war seit 1958 Festwirt des Hackerzeltes. Fichtel war vorher als gelernter Bankkaufmann bei einer Privatbank in führender Position beschäftigt. 1965 stand er seinem Schwiegervater zum ersten Mal auf der Wies'n als Geschäftsführer zur Seite, ab 1972 führten sie gemeinsam das Zelt, seit 1975 ist Artur Fichtel alleiniger Hakkerzeltfestwirt. Neben dem Hotel »Post« in Unterwössen betrieb die Familie Stumbeck-Fichtel von 1958 bis 1978 die Gaststätte »Peterhof«, dazu seit 1964 das »Hoch-Café« am Marienplatz.   FD

Artur Fichtel, München

517 Margot und Günter Steinberg, Wirtsleute vom Hofbräu-Zelt

Foto.

Günter Steinberg war ursprünglich Kaufmann. Zum Gastronomiegewerbe kam er 1970 durch die Heirat mit Margot Jahn, der Tochter des Wienerwald-Chefs. In den Folgejahren war er in der Geschäftsleitung der Unternehmensgruppe unter anderem in der Schweiz und den USA tätig. Heute leitet er eine eigene Gesellschaft, die in München und Umgebung 13 verschiedene Gaststätten betreibt. Ab 1970 führte Steinberg die Wienerwald-Hendlbraterei auf dem Oktoberfest. Seit 1980 ist er Wirt im Hofbräu-Zelt.   FD

518 Anneliese und Hermann Haberl, Wirtsleute von der Ochsenbraterei

Foto.

Während seiner Ausbildung als Kunstgewerbler arbeitete Haberl in den Ferien als Verkäufer von Fischsemmeln und Souvenirs. Diesen Einstieg ins Metier baute der Selfmademan im Laufe der Zeit zu einem vielschichtigen gastronomischen Servicebetrieb mit Zelteinrichtungen aus. Seit 1966 übertrug ihm die Stadt München die offizielle Bewirtung bei Veranstaltungen in Patenstädten wie Bordeaux. Während der dortigen Messen öffnete er zusätzlich seine »Taverne Bavaroise« mit Bierausschank. Zur Olympiade 1972 oblag ihm die gastronomische Versorgung der 6500 Journalisten und 3000 Ehrengä-

ste. Seit dieser Zeit ist er für die Bewirtung auf dem Olympiagelände zuständig, besonders für die Veranstaltungen in der Olympiahalle mit Konzerten, Faschingsbällen und ähnlichem. Im Frühjahr 1985 übernahm er noch am Fuß des Fernsehturmes das Restaurant »Atrium« und in dessen Höhe das »Olympia-Turm-Drehrestaurant«. Die »Haberl-Gastronomie« mit containerverpackten kompletten Zeltbetrieben war weiterhin auf fliegendem Einsatz, etwa 1976 für die Presseversorgung zur Olympiade in Innsbruck oder 1984 in Sarajewo zur Verköstigung der amerikanischen Fernsehgesellschaft ABC. Doch auch das saisonbedingte stationäre Biergartengeschäft gehört zu Haberls Betätigungsfeld wie der »Michaeli-Garten« im Ostpark, der »Taxis-Garten« und der Gesamtbetrieb am Chinesischen Turm einschließlich Restaurant.

Wies'n-Wirt wurde Hermann Haberl zum ersten Mal 1979 im Schützenzelt, seit 1980 führt er das Zelt der »Ochsenbraterei«.   FD

Hermann Haberl, München

519 Claudia und Eduard Reinbold, Wirtsleute von der Schützenfesthalle

Foto.

Eduard Reinbold ist seit 1980 Wirt von der Schützenfesthalle. Seit 1960 führt seine Familie den »Franziskaner«. Sein Vater bewirtschaftete bereits den »Mathäser-Weißbierkeller«, das »Rundfunk-Kasino« und die »Bürgerbräu-Terrasse« in Pullach.

Eduard Reinbold, München

520 Festwirt Gerd Käfer vor seiner »Wies'n-Schänke«, 1984

Roger Fritz, Foto aus: GEO-Spezial »München«, Nr. 6, 1984, S. 100/101.

Das Bild wurde mit dem Kommentar veröffentlicht: »Der Pfingstochs als modisches Vorbild. Allerweltsbeköstiger Käfer, der fesche Gastronom mit feschem Janker [rechts], übt seinen Einfluß auf Stil, Geschmack und Gaumen gnadenlos aus. Sogar das Oktoberfest

sucht er mit seiner im Tegernseer-Bauerntheater-Look aufgeputzten Mannschaft heim. Da können die Münchner nur staunen: Plötzlich wird ihnen zum Märzenbier Rote Grütze oder Reiberdatschi gereicht.« (Gregor von Rezzori)

Seit 1972 haben auch die Schönen und die Schicken Münchens auf der Festwiese eine Heimstatt gefunden. Gerd Käfer, »Feinkost-Mogul« (Abendzeitung, 17. 5. 1985), eröffnete damals »Käfers Wies'n-Schänke«. Viele seiner Gäste brachte er wohl schon mit auf die Wies'n. Mit seinem Party- und Bankettservice, der die Basis seines »Delikatessenimperiums« (manager magazin) bildete und mittlerweile auch auf internationaler Ebene tätig ist, stattet er die Feste von Münchens »Lodenelite« (ebd.) aus. »Kaum ein Prominenter im Münchner Dunstkreis, der nicht schon von Käfer gefüttert worden wäre« (ebd.). In Münchens Prinzregentenstraße unterhält Käfer ein Delikatessengeschäft mit angeschlossenem Nobelrestaurant, Geschenkboutique und Versand; acht Theater beliefert er mit Pausenerfrischungen.

Die »Schänke« bietet ihren Gästen ein Ambiente, das sich äußerlich als Mischung aus alpenländischem Bauernhof, Blockbau-Stadel und Heurigen-Beisl gibt: eine ›Alm‹ mit Galerie und überschatteter Veranda. Im Inneren wird mit hölzernen Stütz- und Querbalken, gewürfeltem Vorhangstoff und allerlei landwirtschaftlichem Gerät an den Wänden rustikale Atmosphäre erzeugt. Das Ergebnis des folkloristischen Bemühens unterscheidet sich in seiner schmiedeeisernen Gemütlichkeit wesentlich von den ›klassischen‹ Oktoberfesthallen. Als architektonische ›Panne‹ ist dies allerdings nicht zu werten. Die rustikale Insel zu Füßen der Bavaria kreiert einen Rahmen, in dem sich das maßgeschneidert ›Trachtenmäßige‹ wohlfühlen kann – mit dem ›Volk‹, das die Atmosphäre in den Bierzelten ›draußen‹ auf dem Volksfest prägt, hat sie wenig zu tun.

Kat. Nr. 520

Der Käferbau besitzt nicht, wie die anderen Festhallen auf der Wies'n, ein die Anonymität förderndes Mittelschiff, sondern basiert auf einem System von untereinander mit Holzbalustraden säuberlich abgetrennten offenen ›Stallboxen‹, die zugleich als Bühne und Zuschauerloge fungieren. Allfällige Besucherstaus tun ihr übriges – man sieht und wird gesehen.

Die häufige Anwesenheit der Presse im ›In-Treff‹ Käfer-Schänke garantiert Besuchern, soweit sie einen gewissen ›VIP-Status‹ für sich beanspruchen können, daß ihr Wies'n-Aufenthalt nicht unbemerkt über die Bühne geht. Die Gesellschaftskolumnen der Münchner Boulevardpresse verzeichnen akribisch die Anwesenheit von ›TV-Stars‹, Politikern, Aktiven in diversen Sportarten, Industriemagnaten und Adel verschiedenster Provenienz. In die Berichterstattung schleicht sich,

genüßlich ausformuliert, allerdings auch manche Schänken-Nachricht, die zum Wies'n-Bild des Normalbesuchers nicht so recht passen will. So berichtete die Abendzeitung in ihrer Ausgabe vom 29./30. September 1984: »Für 30000 DM ließ Peter W. (34), der Chef eines Münchner Nobelbordells, in der Käfer-Schänke auf der Wies'n die Puppen tanzen. Der Champagner und der Kakao – ein in der Animierbranche beliebtes Ernüchterungsmittel – flossen in Strömen. Die gute Stimmung schlug erst um, als sich der Ober Thomas M. (24) hinreißen ließ, einer der ›Puppen‹ an den Busen zu fassen, und der Bordell-Chef zuschlug.«

Solch spektakuläre Ereignisse sind in der gediegenen Trachtenwelt des Käferzeltes natürlich die Ausnahme. Auch den Teil der Gäste, der sich zu den ›beautiful people‹ Münchens zählt, zieht nicht die Erwartung des Außerge-

wöhnlichen in die Käfer-Schänke. In erster Linie ist es wohl die Suche nach der Gesellschaft derer, die auch ›dazugehören‹, denn, wie das Zeit-magazin frei nach dem Valentinschen Motto formuliert, »Schick ist der Schicke nur in der Schickeria«. SS

Lit.: Gisela M. Freisinger, »Hauptstadt der Halbseidenen«, in: Zeit magazin, Nr. 41, 1984, S. 11–18; Gregor von Rezzori, »Die schwere Arbeit des Vergnügens«, in: GEO-Spezial »München«, Nr. 6, 1984, S. 90–104; Holger Schnitgerhans, »Der Herr der Feste«, in: manager magazin, Nr. 12, 1984, S. 68–77; Artikel aus Abendzeitung, tz und Bild-Zeitung zum Oktoberfest 1984

521 Speisekarte aus der Käfer-Schänke, 7. Oktober 1984

2 Bl., Karton, innen Aufstellung des Speisenangebots, außen farbig illustriert, 21×29,5 cm; Entwurf: Rupert Stöckl; Druck: Wandl, Dachau.

Die Illustration auf der Vorderseite zeigt eine stilisierte Reihe von Buden mit farbig gemusterten Markisen und Attributen der Wies'n-Brotzeit. Aus der Budenreihe ragen weiß-blaue Masten mit Kränzen, an denen riesige Marienkäfer baumeln. Auf der Rückseite ein Arrangement aus Steinkrügen mit »Käfer«-Emblem, Musikinstrumenten, Luftballons, Rautenfahne, Brezn, Radi und Radieschen. Darunter in Sütterlinschrift: »Es spielen für Sie: Hannes und seine Freunde – Chiemgauer Buam – Struwwelpeter – die Münchner. Käfer-Wies'n Krug: 1982+1983+1984   0,5 Ltr DM: 13.50   1,0 Ltr DM: 17.50«.

Das Speisenangebot – von der Scheibe »Bauernbrot« für 60 Pf bis zum Rehrücken à 85 DM (für zwei Personen) – vereint Elemente der ›gehobenen Küche‹ mit ›Volkstümlichem‹. So gibt es zum Beispiel den fast allgegenwärtigen »Reiberdatschi« auch zum »Balik-Lachs« und zur »Zuchtwildente vom Spieß«. Die Präsentation der Gerichte gibt sich ›bodenständig‹. Die ›frisch geschlachtete bayerische Ente vom Grill« (mit Reiberdatschi) wird »im Pfandl« serviert, das Ochsenkotelett auf einem Holzbrett. Auch die Süßspeisen (»Was Süass«) kommen betont rustikal auf den Tisch: der Kaiserschmarrn »im Reindl«, »Heidelbeerauflauf im Eisenpfandl«. Spirituosen nimmt der Gast aus einem »altbäuerlichen Steinkrug« zu sich. Die folkloristische Künstlichkeit, die die Gestaltung des Baues kennzeichnet, repliziert sich in der Künstlichkeit des Dialekts, in dem die Speisekarte abgefaßt ist. Die Tageskarte befindet sich in der Rubrik »Des gibt's heut' a«; man bekommt »Radieserl«, »Weckerl« und »Brotbröckerl« serviert. Ein »Schokoladenbatz« wird angeboten. Im Getränkeangebot finden sich eine »Schnapsfunzl« und »Käfers Schmieröl-Faßl«. Kaffee gibt es im »Käfer-Haferl«.

Ein Artikel im Münchner Merkur vom 28. 9. 1984 bemerkt unter der Überschrift »Immer mehr in Mode: das feine Wies'n-Dinner!«, daß neben der Brotzeit am Imbißstand der Trend zum »Gala-Festessen« in der »Käfer-Schänke« immer stärker werde. Ein »Spezialitäten-Menü für zwei Personen« wird zusammengestellt (180 DM!), in dessen Speisenfolge allerdings der Käse fehlt, der ja bekanntlich den Magen schließt. Dafür im Nachhinein ein Vorschlag aus der Speisenkarten-Rubrik »Bayerisches Käsebrett« (S. 3, Kolumne 3 oben): »Käfer Grupfter und Angemachter mit Eiszapfen«. SS

Privatbesitz

522 Reservierungskarten aus »Käfers Wies'n-Schänke«, 1984

44 Karten, weiß mit blauem Aufdruck »Reserviert«, handschriftliche Eintragungen mit Filzstift, 10,5×20 cm.

StadtAM, ZS

523 Gäste in Käfers Wies'n-Schänke, 1984   Abbildungen S. 249

Wolfgang Pulfer, Herbert Hartmann, Fotos.

Der Käfer-Gast, der in der reservierten ›Stallbox‹ sein rustikal ›gestyltes‹ Mahl verzehrt, bevorzugt zumeist das trachtenmäßige Gewand der gehobenen Preisklasse. Bei den Damen kann sich der Gang zum Friseur vor dem Wies'n-Besuch durch das Tragen eines Hutes mit Spielhahnfedern erübrigen.

MSt, PuMu

524 James Graser   Abbildung S. 249

Wolfgang Pulfer, Foto.

Die Abendzeitung berichtet am 24. September 1984 von Käfers Wies'n-Schänke, »wo Altplayboy James Graser trachtig aufgeschirrt als maître de plaisier fungiert«.

MSt, PuMu

525 »Multi-Millionär Kashoggi kam mit Super-Jet zur Wies'n«, 1984

Zeitungsberichte der Abendzeitung vom 29./30. 9. und 2. 10. 1984 zum Besuch des Ölmillionärs aus Saudi-Arabien. Abb.: Franz Hug, Foto: »Schön umrahmt: Adnan Kashoggi mit Topmodell Vanessa Marks (links) und Anwaltstochter Gabriele Wunderlich im Käferzelt.«

Marie Waldburg begann ihre Berichterstattung mit den Worten: »›Let's go to the Oktoberfest‹: Bei Bier, Brezn und bester Laune hatten das zwei mächtige Männer auf dem schwäbischen Schloß Taxis beschlossen: Öl-Multi Adnan Kashoggi aus Saudi-Arabien und Fürst Johannes von Thurn und Taxis aus Regensburg. No problem für den 1001-Nacht-Millionär.« Illustriert war der Artikel unter anderem mit Fotos, die den »1001-Nacht-Millionär« bei seiner Ankunft auf dem Flughafen und bei der Anprobe eines Hutes mit prächtigem Gamsbart zeigen, ferner mit einer Fotomontage der Kashoggi-Familie vor ihrer DC8. Am 2. 10. ging es weiter mit der Schlagzeile »Kashoggi kommt nicht los« zum abgebildeten Foto. Text: »Mit Glanz und Gloria [Fürstin von Thurn und Taxis] ging gestern abend [...] der viertägige Wies'n-Aufenthalt [...] von Öl-Multi Adnan Kashoggi [...] nach ausführlichem Feiern in ›Käfer's Wies'n Schänke‹ – mit Mick Flick und dessen Freundin [...] und vielen schönen Mädchen [zu Ende].«

StadtAM, ZA

526 Richard Süßmeier, Festwirt vom Armbrustschützenzelt, 1984   Abbildung S. 271

Heinz Gebhard, Foto.

Sein Vater Michael Süßmeier war zuerst Wirt im »Kapuziner-Eck« im Schlachthofviertel, 1932 übernahm er den »Straubinger Hof«. Nach dessen Tod 1948 half Richard Süßmeier seiner Mutter, die das Lokal bis 1964 führte. Nach dem Besuch der Hotelfachschule begann seine Wirtskarriere in der »Gaststätte Großmarkthalle« (1962 bis 1968), dazu wurde er Hotelier im »Amba« beim Bahnhof (1965–1975). 1962 heiratete er Christa Pschorr, eine Tochter aus der Münchner Brauerdynastie. Nach der Zwischenstation in den »Spatenbräu-Hallen« (1970–1972) hatte Süßmeier von 1972 bis 1985 die Gaststätte »Zum Spöckmeier«. Während der Olympiade 1972 gehörte er zu den Wirten der Besuchergaststätten. Auf der IGA 1983 war er mit einem Partner für den »Rosengarten« mit Festzelt zuständig. 1975 kaufte Süßmeier das »Forsthaus Wörnbrunn«, das zuerst in Pacht vergeben wurde und seit 1983 von der Familie selbst betrieben wird.

Als 28jähriger zog Süßmeier zum ersten Mal 1958 auf einem Eselskarren in die kleine Festhalle der Armbrustschützengilde »Winzerer Fähndl« als Wies'n-Wirt ein. 1960 konnte er als sogenannter Selbstaufsteller ein eigenes Zelt errichten, dem 1965 der heutige Bau des Armbrustschützenzeltes folgte.

Als Sprecher der Wies'n-Wirte brillierte Süßmeier mit seinen witzigen, zum Teil auch scharfen Reden und Aufführungen. Am 20. 9. 1984 persiflierte er bei der Pressevorschau zum Oktoberfest den Kreisverwaltungsreferenten Peter Gauweiler, zusätzlich ließ er von seinem inzwischen schon bekannten Schenkkellner Biwi das Wunder vorführen, wie man aus einem ganzen Hendl drei Portions-Hälften zaubert.

Nach verschärften Schankkontrollen, durchgeführt vom Kreisverwaltungsreferenten, wurde Süßmeier am ersten Wies'n-Tag ein Zwangs- und Bußgeldbescheid wegen schlechten Einschenkens zugestellt. Am 24. 9. 1984 kam es zur Verhaftung von 23 illegal Beschäftigten im Armbrustschützenzelt. Daraufhin entzog das Kreisverwaltungsreferat am 30. 9. 1984 Süßmeier seine Konzession als Wies'n-Wirt. Für das Festzelt wurde ein neuer Pächter eingesetzt.

Als eine Ironie des Schicksals kann im Nachhinein das von Süßmeier zum 150. Oktoberfest herausgegebene Buch gelten. Den Umschlag ziert eine Jubiläumspostkarte von 1910 mit den Porträts der bayerischen Könige. Anstelle von Ludwig I. ließ Süßmeier sein Konterfei unter die Königskrone setzen.

Nach seiner Entthronung als Wies'n-Wirt zog sich Süßmeier auf seinen Sitz in Wörnbrunn zurück, der bereits im Landkreis München liegt.   FD

Lit.: Ludwig Hollweck, Vom »Straubinger Hof« zum »Spöckmeier« und zum »Forsthaus Wörnbrunn«. Der Weg des Münchner Gastwirts Richard Süßmeier. München (1983); Auf geht's beim Schichtl, Geschichte und Geschichten rund um das Oktoberfest. Herausgegeben von Festwirt Richard Süßmeier, ausgewählt und zusammengestellt von Ludwig Hollweck, München 1984

527 »Wies'n-Napoleons Waterloo«

Horst Haitzinger, Karikatur für die tz am 28. 9. 1984, Kopie der Originalzeichnung.

Richard Süßmeier, München

528 Transparent
»WIR STEHEN HINTER DIR RICHARD«

Gemalte Schrift auf Leintuch, 136×236 cm.

Am 1. Oktober 1984, einen Tag vor Süßmeiers Konzessionsentzug, versammelten sich 160 Kellnerinnen, Köche und Musiker des Armbrustschützenzeltes vor dem Rathaus, um ihre Solidarität mit Süßmeier öffentlich zu bekunden. Oberbürgermeister Kronawitter erläuterte einer Delegation die Gründe für den Konzessionsentzug. Zugleich verkündete er, daß das Zelt nicht geschlossen, sondern von dem Wirt Helmut Huber bis Festende weitergeführt werde.

MSt

Kat. Nr. 527

Richard Süßmeier

Münchens bekanntester Wirt hat seine eigene Moral

Vor einem halben Jahr hat Napoleon ein paar schlimme Niederlagen einstecken müssen – jetzt ist er gerade dabei, sich nach Elba zurückzuziehen, welches im Süden Münchens liegt und Forsthaus Wörnbrunn genannt wird.

Wenn er von dort aus eines Tages wieder zur Attacke reiten sollte, dann allenfalls auf jenen stattlichen Rössern, mit deren Hilfe die Münchner Brauereien immer ihre Fässer zum Oktoberfest ziehen lassen. Die Sache ist nämlich die, daß der retirierte Münchner Feldherr auf den gestandenen bayerischen Namen Richard Süßmeier hört, seine Siege und Niederlagen auf dem Felde der gastronomischen Ehre erfochten und erlitten hat – und daß er deshalb von den Münchner Zeitungen der Wirte-Napoleon genannt wird.

Wir wollen nun diesen arg militaristischen Vergleich gewiß nicht zu Tode reiten, schon deshalb, weil er allzu heftig hinkt, wenn man Süßmeiers doch

eher ziviles Gewerbe bedenkt: Erfunden wurde der Vergleich hauptsächlich deshalb, weil Süßmeier, wie der berühmte Korse, eher klein ist von Wuchs, sich die Haare so ähnlich wie einst Bonaparte in die Stirne kämmt und über eine große rhetorische Begabung verfügt.

Wahr ist freilich zusätzlich, daß »der Richard«, wie ihn die halbe Stadt früher liebevoll nannte, sich aus kleinen Anfängen ein paar Jahrzehnte lang fast triumphal durchgefochten hat bis hinauf an die Spitze der hiesigen Gastronomie. Auf dem Höhepunkt seiner Laufbahn war Süßmeier nicht nur Eigentümer oder Miteigentümer von drei der schönsten Gasthäuser der Stadt, war nicht nur Vorsitzender des Münchner Hotel- und Gaststättenverbandes und Sprecher der Wies'nwirte. Letztere Eigenschaft verdankte er der Tatsache, daß er zusätzlich auch noch ein eigenes Festzelt, das der Armbrustschützen, auf dem Oktoberfest besaß. Und das ist bekanntlich das Größte, was ein Münchner Wirt überhaupt erreichen kann.

Man darf ohne Übertreibung sagen, daß Richard Süßmeier viele Jahre lang eine bedeutende Persönlichkeit in München war (oder noch ist, das wird sich zeigen). Zum einen hängt das damit zusammen, daß Essen und Trinken sowie die Frage, wo man das am besten und angenehmsten tut (und wieviel man dafür bezahlen muß und was die Wirte daran verdienen), schon immer ein unglaublich wichtiges Thema in München gewesen ist: In dieser Stadt sind nicht grundlos schon mittlere Revolutionen wegen des Bierpreises ausgerufen worden, in dieser Stadt gibt es noch immer keine Jahreszeit, die nicht zum Vorwand genommen würde für irgendwelche Feste, auf denen dann wieder vor allem gegessen und getrunken wird.

Kam hinzu, daß der Richard Süßmeier immer gewußt hat, wie man im Gespräch bleibt, und zwar auf witzige Weise. Viele Jahre hindurch war keine wichtige Umfrage der fünf Münchner Tageszeitungen denkbar (auf denen zum Beispiel der Frage nachgegangen wurde, ob man Bier in Containern lagern darf, oder ob es moralisch vertretbar ist, es in 0,4-Liter-Gläsern zum Ausschank zu bringen) – keine Umfrage also, ohne daß nicht Süßmeier das entscheidende Wort dazu gesagt hätte: Der Mann verkündete dann beispielsweise, er werde diesen »preußischen Schmarrn« mit den 0,4-Liter-Gläsern »bekämpfen«, und ließ sich dazu mit so finster-entschlossenem Gesicht photographieren, daß vermutlich alle Preußen Münchens, die möchten, daß man ihnen ihre Herkunft nicht ansieht, gleich ängstlich in eines von Süßmeiers Lokalen liefen und ihm versicherten, sie tränken sowieso viel lieber »eine richtige Halbe Bier«.

Im übrigen hielt er tausend unterhaltsame Festreden bei allen sich bietenden Gelegenheiten, nahm gerne hin, daß die Zeitungen immer wieder mal

darüber nachsannen, ob er nicht eigentlich ein besserer Oberbürgermeister wäre als der jeweils amtierende – und dachte natürlich gar nicht daran, so eine Karriere auch nur in Erwägung zu ziehen. Er wußte ohnehin, daß er in der entscheidenden Situation mächtiger war als jeder Politiker.

Nie werden die Leute, die dabeigewesen sind, vergessen, wie das vor sich ging, als im Jahre 1978 der damals neugewählte Oberbürgermeister Erich Kiesl einmal glaubte, er müsse seinen politischen Willen durchsetzen und damit populär werden. Es gab damals – erinnerte sich später zum Beispiel der Korrespondet der *FAZ* – eine Pressekonferenz, in welcher Kiesl seine unerbittliche Entschlossenheit verkündete, sich einer Erhöhung des Bierpreises auf der Wies'n zu widersetzen, in der er auf seine »politische Verantwortung« hinwies für die Bürger dieser Stadt und betonte, daß er »sein ganzes politisches und moralisches Gewicht« für die Erreichung dieses vordringlichen Zieles in die Waagschale werfen werde. Süßmeier, der bei der Pressekonferenz anwesend war, warf ausschließlich ein gewisses Grinsen in die Waagschale und seine aus langjähriger Erfahrung gewonnene Erkenntnis, daß der Bierpreis des Vorjahres natürlich auch diesmal nicht zu halten sein werde.

Er sollte recht behalten, ohne Schaden an seiner Popularität zu nehmen. Im Gegenteil, er konnte es sich erlauben, sogar noch Witze zumachen. Als auch die nächsten Jahre die Preise schön angestiegen waren, stellte sich Süßmeier einmal vor die Journalisten hin und wunderte sich darüber, daß trotz seines nun schon langjährigen Einsatzes als Wirtesprecher auf dem Oktoberfest der Bierpreis Jahr um Jahr nicht zu halten gewesen sei. Ein andermal nutzte er die Gelegenheit, um alte Legenden zu zerstören: Die Leute, sagte er da, behaupteten immer, ein richtiger Wies'nwirt könne hervorragend von den Einnahmen das ganze Jahr über leben, die er während der 14 Tage des

Oktoberfestes gemacht habe. Das sei, widersprach er, natürlich nicht wahr: Gott sei Dank dauere das Fest aber 16 Tage, da gehe das schon eher…

Die Frage hätte sich vermutlich schon damals stellen können, wie lange das alles noch gutgehen könne. War Süßmeier denn nicht bekannt, daß der berühmte Humor der Münchner schnell zur Neige gehen kann, wenn sie plötzlich das Gefühl haben müssen, jemand nehme ihre dringendsten Probleme nicht mehr ernst, zum Beispiel die Frage, wie voll ein Bierkrug gefüllt sein muß? Hatte er die Zeichen am Horizont nicht erkannt, durch welche sich die große Wende schon lange abzeichnete?

Er hatte nicht – und der Blitz überraschte ihn auf freiem Felde, unvorbereitet. All die Jahre zuvor hatten die Münchner Zeitungen das Thema Einschenken noch eher lustig gefunden, hatten Süßmeiers berühmten Schankkellner »Biwi« noch groß mit Bildern vorgestellt, als es dem einmal gelungen war, mit Hilfe seiner begnadeten Schankhände aus einem Zweihundertliterfaß 289 Liter Bier zu zaubern. Süßmeier selbst schlug noch, unter großer Begeisterung der Presse über so viel Selbstironie, vor, diese Leistung müsse eigentlich, wenn es eine Gerechtigkeit gäbe, Aufnahme finden ins Guinness-Buch der Rekorde.

Dann aber passierte im Jahre 1984 zweierlei, wofür Süßmeier wenig konnte: Zum einen platzte mitten in die Münchner gastronomische Idylle der Skandal um das altrenommierte »Donisl«, in welchem Fall sich – unter dem Deckmantel der Münchner Gemütlichkeit – richtige Ganoven zusammengetan hatten, um ihren Gästen mit Hilfe von Taschendieben und K.-o.-Tropfen das Bargeld abzunehmen.

Und zweitens waren von diesem Moment an, obwohl das »Donisl« nun doch eher ein Einzelfall war, plötzlich auch die Münchner Politiker beim Thema Gastronomie sensibilisiert: Als jedenfalls der neu (und wieder) gewählte Oberbürgermeister Georg Kronawitter sich eines Tages mit dem Vorsitzenden eines »Vereins gegen betrügerisches Einschenken« traf und hinterher der Presse verkündete, er werde künftig streng vorgehen im Sinne der Vereinsziele, da hätte sich Süßmeier vermutlich sagen sollen, in diesem Jahr müsse man ein bißchen vorsichtiger sein, und er hätte am besten, wie sein Kollege vom Hofbräuhaus, reumütig-scheinheilig eine eigene Schänke aufbauen sollen, in der sich die Gäste die schlecht gefüllten Maßkrüge nachfüllen lassen hätten können.

Leider paßt solche Zurückhaltung nicht zu einem Mann wie Süßmeier, der erstens den ungeheuren Bierernst, den das Thema »Schankmoral« inzwischen angenommen hatte, schon von seinem Naturell her nicht begriff und der zweitens wohl auch glaubte, er sei zu prominent, als daß ihm noch viel passieren könnte. Wäre er all diesen Fehleinschätzungen nicht erlegen, dann hätte er gewiß nicht vor dem Oktoberfest 1984 jene berühmt gewordene Kabarettnummer anläßlich einer Presseeinladung aufgeführt, bei welcher er sich über den zuständigen Kreisverwaltungsreferenten Gauweiler lustig machte (»Gauweiler is watching you«), und schon gar nicht hätte er dabei jenen Schankkellner »Biwi« antreten lassen, der höchst witzig vorführte, wie man aus einem ganzen Brathuhn drei Hälften macht.

Wie es dann weiterging, ist inzwischen Teil der Münchner Stadtgeschichte: Schon eine Woche später kamen Gauweilers Kontrolleure zuallererst in Süßmeiers Armbrustschützenzelt und verhängten einen Bußgeldbescheid in Höhe von 4000 Mark für schlechtes Einschenken.

Und am nächsten Tag holten aufgrund eines anonymen Anrufs Polizisten 23 Ausländer aus Süßmeiers Zelt heraus, die dort – wie es hieß – illegal beschäftigt gewesen sein sollen. Am Ende der Woche hatte Süßmeier – und das war nun wirklich unerhört – seine Konzession verloren und mußte die Wies'n verlassen.

Kat. Nr. 526

Es ist inzwischen wieder einiges Bier aus den Banzen der Münchner Zapfhähne geflossen, und manches Glas ist auch von solchen Leuten auf Richard Süßmeier geleert worden, die damals im Herbst mit Recht gefunden haben, er habe es doch ein wenig übertrieben. Konnte man es sich eigentlich leisten, dachten sie jetzt, auf ein Münchner Original wie Süßmeier zu verzichten, wenn gleichzeitig auch in der bayerischen Landeshauptstadt überall die Hamburgerläden und Pizzeriabuden aus dem Boden schossen?

Und war es wirklich gerecht gewesen, sich ausgerechnet und allein den Richard aus allen Wirten herauszupikken, wo doch jeder wußte, wie es allgemein zugeht in der Gastronomie?

Im Augenblick sieht es jedenfalls nicht so aus, als sei Richard Bonaparte endgültig geschlagen. Als er dieser Tage den Vorsitz beim Hotel- und Gaststättenverband niederlegte, hat seine Begründung eher trotzig geklungen, er brauche nun seine »ganze Zeit und Kraft für die Wiederherstellung meiner Reputation«. Zwei Tage später bei der Salvator-Probe hat der Festredner gesagt, die Münchner Wirte hätten ja während der letzten Monate geschlossen hinter Süßmeier gestanden – als von vorne auf ihn geschossen worden sei.

Da haben die Gäste dem anwesenden Süßmeier lange zugejubelt – und der Referent Gauweiler hat nachdenklich in seinen Maßkrug mit Mineralwasser geschaut.

Veronika Rutz

(Erstveröffentlichung unter dem Titel »Aus Liebe zum Bier, Münchens bekanntester Wirt hat seine eigene Moral« in: DIE ZEIT, Nr. 14, 29. März 1985, S. 79)

Bier-Architektur

Wirtsbude – Bierburg – Brauereifestzelt

Das Bier als Genußmittel spielte auf dem Oktoberfest seit jeher eine Hauptrolle. So bestimmten die Bierbuden zunächst als festbegleitender, dann als festkonstituierender Bestandteil das Erscheinungsbild der Theresienwiese in wesentlichen Bereichen. Die folgende Darstellung dieser ›Bier-Architektur‹ geht in erster Linie von der Entwicklung des Außenbaues der Buden und Hallen aus. Der Gesamtzusammenhang von Festgeschichte und Festdekoration, wirtschaftlichen und politischen Gegebenheiten und Veränderungen und Aspekte wie ›Mahlzeit‹ und ›Musik‹ sollen eher am Rande und nur in unmittelbarem Zusammenhang mit formalen Problemen Erwähnung finden[1].

Bierarchitektur und Gesamtfeststruktur

Eng verknüpft mit einer ›Architekturgeschichte‹ des Bierzeltes auf dem Oktoberfest und für das Verständnis notwendig bleiben allerdings die ›städtebaulichen‹ Aspekte – jene Faktoren also, die die Grundstrukturen der Gestaltung der Festwiese bestimmten und zum Teil festimmanenter Natur waren, zum Teil aber auch mit dem topographischen Umfeld zusammenhingen.

Die großräumige Struktur der Theresienwiese ist von 1810 an bestimmt von der Lage der Rennbahn am Fuß der Theresienhöhe und der günstigsten Möglichkeit, diese Anhöhe als natürliche Tribüne zu nutzen. Im Inneren des Rennbahnovals, gegenüber der Zuschauertribüne, wurde das Königszelt errichtet und, bezugnehmend darauf, mit der Anordnung der Wirtsbuden im »länglichen Viereck«[2] seit 1820 der eigentliche Festplatz organisiert (vgl. Kat. Nr. 70), dessen Bebauung Anton Baumgartner 1823 in stolzer Übertreibung als »hölzerne Stadt mit wohlgeordneten Gassen« charakterisierte[3]. Sehr früh wurde dafür gesorgt, alle zur Theresienwiese »führenden Straßen ebnen, […] und vor allem von der Sonnenstrasse her die Rebenstrasse [heutige Schwanthalerstraße] für ewige Zeiten erweitern zu lassen«[4]. Beziehungen zwischen Festraum und Zufahrtsweg allerdings sind nicht hergestellt. Auch der Bau der Ruhmeshalle mit der Bavaria 1842–1849 auf der Theresienhöhe bedeutete für die Gestaltung des Festplatzes zunächst keinen neuen Orientierungspunkt. Dagegen setzte der 1851 nach Plänen Friedrich Bürkleins errichtete große Bau der Schießstätte auf der Anhöhe über dem seit 1850 neu geordneten Festbereich den monumentalen Schlußpunkt einer Sichtachse.

Ein 1850 von Arnold Zenetti vorgelegter Plan[5] leitete die Aufgabe des rechteckigen Festplatzes ein. In Modifizierung dieses Vorschlags entstand entlang einer Hauptachse die bis ins 20. Jahrhundert nur unwesentlich veränderte interne Festordnung (vgl. Kat. Nr. 85): Ein geschmückter Zufahrtsweg führte in westlicher Richtung auf einen Kreisplatz, um den 20, später 18 Wirtsbuden angeordnet waren und dessen Mittelpunkt ein Musik- und Tanzpodium bildete. In Fortführung der Zufahrtsachse folgten dann der immer wieder vergrößerte Holzbau des Glückshafens, das Königszelt und die Musik- und Ehrentribüne jenseits der Rennbahn. Über allem erhob sich, ebenfalls in der Achse liegend, der Hauptbau der Schießstätte.

Die von Jahr zu Jahr sich stetig vermehrende Zahl von Schaustellern machte unter Beibehaltung der beschriebenen Grundstruktur des Festes die Anlage neuer ›Straßen‹ nötig. Es entstand eine kurze Verbindung zwischen dem Rondell, das einen inneren und äußeren Ring als Zubringer zu den Wirtsbuden erhielt, und den südlich an den eigentlichen Festplatz anschließenden, enorm erweiterten und alljährlich wieder neu errichteten Schießanlagen. Rechtwinkelig zu der gegen 1890 links und rechts von Schaustellern besetzten Hauptzugangsachse wurden die Linien einer weiteren Straße, der späteren »Schaustellerstraße«, ausgesteckt. Deren Lage nimmt nun Rücksicht auf die Straßenführung im Umfeld der Theresienwiese (vgl. Kat. Nr. 98), auf das 1882 nach Plänen von Baurat August Voit angelegte sogenannte Wies'n-Viertel[6]. Sie stellt den Anschluß an den Bavariaring an der Einmündung von Findling- und St.-Paul-Straße her. Um auch eine Verbindung des nach wie vor bestehenden Festplatzkreises an die Zubringer des Wies'n-Viertels zu erzielen, erfuhr der Hauptzugangsweg durch einen Knick eine Korrektur in Richtung Rückert-/Uhlandstraße. Die Befestigung der auf die Bavaria zuführenden verlängerten Mozartstraße (heute Matthias-Pschorr-Straße), die geradlinige Fortsetzung der genannten Verbindung zu den Festschießständen (nachdem diese aus dem engeren Bereich des Festplatzes ausgegliedert waren), ein Anschluß des Rondells an die Rennbahnstraße und weitere interne Verbindungswege legten über den gesamten großen nördlichen Teil der Theresienwiese einen annähernd rechtwinkeligen, aber in den Abständen unregelmäßigen Straßenraster. Er nimmt deutlich Bezug auf das topographische Umfeld der Theresienwiese, kollidiert aber mit der alten internen, durch das Rondell und dessen Radialstraßen dominierten Festplatzstruktur, bis diese schließlich nach dem Ersten Weltkrieg, als das Königszelt überflüssig geworden war, aufgegeben wird. Die vielfältigen Kreuzungs- und Knotenpunkte der Wege, die profitbringenden Platz verschwendeten – zum Teil auch verwirrend gewesen sein mußten –, wurden in einigen Fällen geschickt zur Anlage unregelmäßiger platzartiger Gebilde mit reizvollen Blickachsen und Ansichten genutzt, was durchaus in Zusammenhang mit der städtebaulichen Theorie des ausgehenden 19. Jahrhunderts steht (vgl. Wies'n-Viertel) und überdies Auswirkungen auf die mehransichtige Gestaltung der Bierzelte in dieser Zeit hatte.

Drei Projekte zur grundsätzlichen Umgestaltung des Oktoberfestes, 1895/96 im Stadtbauamt unter Hans Grässel ausgearbeitet[7], stellen unterschiedlich weit getriebene Versuche dar, den Gesamtgrundriß des Festplatzes zu klären und die Vermischung der einzelnen Teilbereiche des Oktoberfestes – Pferderennen, Landwirtschaftsfest, Schießplätze, Bierausschank, Schaustellerei, königlicher Bereich – zu entflechten und neu zu ordnen. Das radikalste (dritte) Projekt hatte bereits das Rondell aufgegeben und das königliche Zelt als ehedem wesentlichen Orientierungspunkt völlig isoliert und so in seiner Bedeutung entwertet. Wenig später leitete das Ausbrechen der von der Wirtsbude zur Festhalle gewachsenen Bierzelte (die auch nicht mehr von einzelnen Wirten, sondern von den wenigen Großbrauereien direkt aufgestellt wurden) aus dem eigentlichen Wirtszirkel die Überwindung der überkommen Strukturen ein. In erster Linie wirtschaftliche Interessen (Umsatz und Reklame) der Großbrauereien und nicht erst das Ausbleiben des Königsbesuches nach 1918 forcierten eine Entwicklung in Richtung der heutigen Festordnung. Die genannten Projekte des Stadtbauamtes ebneten hierfür im organisatorischen wie ästhetischen Zusammenhang den Weg und entsprachen überdies den Vorstellungen des städtischen Fiskus von gesicherten hohen Platzmieten durch die Großbrauereien, für die das kleinteilige Rondell nicht geeignet war. Deutlich zeigt sich dieser Trend aber auch innerhalb des Wirtsbudenringes selbst, als 1907 die 18 kleinen Buden der Wirte durch sechs größere Hallen der Brauereien ersetzt wurden. Letzte Rudimente des Rondells (vgl. Kat. Nr. 134) verschwanden erst 1930 im Zuge einer größeren Umgestaltung der Festwiese (vgl. Kat. Nr. 137), die zur Grundlage auch der heutigen Anordnung wurde. Gründe für das zähe Fortleben überholter Strukturen liegen zum einen in einer Reihe fester Installationen auf der Festwiese (Ver- und Entsorgung), zum anderen in der aus organisatorischen Rücksichten unflexiblen Vergabe von Standplätzen (vor allem der erstgenannte Faktor hat auch in jüngerer Zeit grundlegende Veränderungspläne der Feststruktur unmöglich gemacht). Seit 1930 nun ist die Theresienwiese endgültig nur mehr von einem großmaschigen Netz rechtwinkelig sich kreuzender Straßen überzogen, die 1935 asphaltiert wurden und die in ihrer Lage auf die Zubringerstraßen im Umfeld der Theresienwiese ausgerichtet sind.

Innerhalb der beschriebenen Strukturen des Festplatzes wurden den Bierzelten verschiedene Standorte zugewiesen und unterschiedliche Bedeutung beigemessen. Waren die Buden bis zur Jahrhundertwende dem Königszelt und dem von der Stadt München zur Finanzierung karitativer Unternehmungen eingerichteten Glückshafen in ihrer Dimensionierung untergeordnet, so traten sie seit 1895 mit dem Bau der »Burg« des »Wintzerer Fähndl« und 1896 mit dem Neu-

bau des Michael Schottenhamel außerhalb des Rondells mit Königszelt und Glückshafen eindeutig in Konkurrenz. Die verschiedenen Bauten für Georg Lang von 1898, 1900, 1902 und 1903 sowie die »Pschorr Bräurosl« von 1903 markieren den Weg auch der Brauereibuden aus dem platzmäßig sehr beengten Rondell in die spätere Wirtsbudenstraße. Die Umwandlung der 18 Buden des Wirtsbudenringes in sechs größere Hallen der Brauereien im Jahr 1907 ist Ausdruck der Inbesitznahme des Festes durch die Münchner Großbrauereien, deren Bauten zusammen mit der Weinbodega allesamt nun Königszelt und Glückshafen in den Schatten stellten. Höhepunkt dieser Entwicklung, in deren Zuge auch ein neuer Bau der Franziskaner-Leistbrauerei für Michael Schottenhamel entstand, war 1913 das neue Riesenzelt der Pschorr-Bräu-Rosl, das mit ca. 5500 m² überbauter Fläche und einem Platzangebot für 12 000 Personen der größte Zeltbau in der Geschichte des Oktoberfestes wurde. Errichtete man vor dem Ersten Weltkrieg die nicht im Wirtskreis befindlichen Zelte alle an der späteren Wirtsbudenstraße, so zeigt ein Projekt von 1928 die Großbauten der Brauereien rund um die gesamte, zum Festbereich gehörige Theresienwiese angeordnet (vgl. Kat. Nr. 134) – ein gewaltiger neuer ›Wirtszirkel‹ so scheint es, der erneut den nun immens erweiterten Festplatz durch die Bierzelte umschließen sollte. Die letzte bedeutende Neueinteilung des Festplatzes von 1930 verweist die übriggebliebenen sechs Brauereifestzelte wieder in die Wirtsbudenstraße, seit 1953 an ihrem südlichen Kopfende durch einen siebten Großbau, die Halle des staatlichen Hofbräuhauses, ergänzt.

Es lassen sich im wesentlichen drei Entwicklungsphasen der ›Bier-Architektur‹ des Oktoberfestes unterscheiden. Seit der Frühzeit des Oktoberfestes bis zur Mitte der 1890er Jahre existierten auf dem Festplatz ausschließlich holzgezimmerte Wirtsbuden. Zwischen 1896 und 1913 gingen die entscheidenden Veränderungen vor sich, die über aufwendige, große festgebaute Hallen und Bierburgen mit vielgestaltigen Grund- und Aufrissen zu den gewaltigen Brauereifestzelten führten. Seit den 1920er Jahren blendete man den mächtigen, rechteckigen Zeltkonstruktionen nur mehr an der Hauptschauseite eine Fassade vor, die Neben- und Rückseiten blieben – meist mit Ausnahme der Nebeneingangsbereiche – nahezu ungeschmückt und zeigten hier nach außen die reine Zeltkonstruktion.

Abgekürzt zitierte Literatur siehe S. 17.

[1] Als einführende Literatur zu den genannten Aspekten sei verwiesen auf Möhler 1980, S. 201 ff.

[2] Vgl. Möhler 1980, S. 205.

[3] Baumgartner 1823, S. 13.

[4] Baumgartner 1823, S. 12.

[5] StadtAM, Planslg., C 1317.

[6] Vgl. hierzu: Heinz Jürgen Selig, Münchener Stadterweiterungen von 1860 bis 1910 – Stadtgestalt und Stadtbaukunst, München 1978, S. 72 ff.

[7] StadtAM, Okt. 90.

Die Wirtsbuden des 19. Jahrhunderts

Die »leicht gezimmerten Hütten«, von denen Lewald 1832 in seiner Oktoberfestbeschreibung berichtete[8], haben fast das ganze 19. Jahrhundert das äußere Erscheinungsbild des Festes mitbestimmt. In der oben genannten Anordnung – zuerst im länglichen Viereck, dann im Kreis – war der Festplatz von 18 bis 20 Wirtsbuden umringt, deren Grundfläche sich zwischen 50 und 100 Quadratmeter bewegte, seit den 1860er Jahren aber auf ein einheitliches Maß von ca. 70 Quadratmeter festgelegt wurde, und deren Äußeres vom Stadtbauamt genehmigt werden mußte. Die innere Einteilung war denkbar einfach: meist ein großes Gastzimmer, separiert von Schenke und Küche, von wo aus Garten und Innenraum bedient wurden. Destouches erwähnt (nach Lewald) in seiner Säkularchronik aber auch Wirtsbuden, die »mehrere Abteilungen haben, die gleich Zimmern tapeziert sind und jede Bequemlichkeit den Besuchern darbieten«, wobei unter »Abteilungen« wohl getrennte Galträume für verschiedene soziale Schichten zu verstehen sind – zum Beispiel eine »allgemeine Kneipe« und eine »Kneipe für solide Leute« –, wie sie zwei Architekturzeichnungen, Friedrich von Gärtner und Franz Xaver Beyschlag zugeschrieben und beide wohl aus den 1840er Jahren stammend, unterscheiden[9]. Das Äußere der Wirtsbuden, die üblicherweise von Zimmermeistern entworfen wurden, zeigt in den wenigen erhaltenen Entwürfen der ersten Hälfte des 19. Jahrhunderts eine erstaunliche Vielfalt. Die Spannbreite der Zeichnungen reicht von seltsam kubischen, mit stilisierten Pilastern, Zinnenfries und hoher Blendattika sparsam, aber pointiert dekorierten Hütten[10] über formal eher unsichere, mit klassischen, romanischen und gotischen Dekorationen und Fensterformen verzierten Gebäuden (vgl. Kat. Nr. 480) zu den noblen, in Zusammenhang mit der Gärtnerschule und deren Entwürfen für Zimmererarbeiten stehenden Plänen. Letztgenannte Buden (vgl. Kat. Nr. 482) waren auch für die Folgezeit wegweisend und orientierten sich an Forderungen nach einem ländlichen, ›alpenländischen Stil‹, der sich bei den Holzkonstruktionen in äußerst kunstvollen Verzapfungen, filigranen Durchbrechungen der Schalbretter, aufwendig geschnitzten Dachpfetten, reich verzierten Windbrettern mit Giebelschmuck und Fahnenstange, schließlich aber auch in der sauberen Bearbeitung des Holzes zeigt[11]. Bis in die 1890er Jahre war diese Form der Hütten mit unterschiedlichen Schmuckdetails die Norm, allzu schlichte Entwürfe erfuhren durch das Stadtbauamt korrigierende Auflagen[12]. In einigen der eingereichten Pläne der 1880er Jahre klingt bereits der Trend zum Originellen an, wie er um die Jahrhundertwende dominierend wurde, so etwa die Gestaltung einer Bude als überdimensionales Faß[13]. In den Entwürfen für Holzkonstruktionen in der Nachfolge Gärtners und seiner Schule, die sich bewußt auf die Tradition ländlicher Architektur bezogen, war allerdings die Gefahr angelegt, in die reine Nachahmung voralpenländischer Bauweise zu verfallen, um dem volkstümlichen und dem ländlichen Aspekt (Zentrallandwirtschaftsfest!) des Oktoberfestes zu entsprechen. Bereits in den 1860er Jahren zeigten vereinzelte Entwürfe die Übernahme der Fassadenstrukturen oberbayerischer Bauernhöfe, wobei die gebotene Verkleinerung der Ausmessungen auf das Normmaß der Wirtsbuden meist zu kuriosen Mißproportionierungen führte, und bereits so das Kulissenhafte der Hütten evident wurde (vgl. Kat. Nr. 481). Zugleich setzte hier auch massiv eine Entwicklung zur reinen Fassadenarchitektur ein, indem den ebenerdigen Buden eine zweigeschossige Schauseite vorgeblendet wurde. Bekannte Beispiele solcher ›Bauernhöfe‹ waren um 1900 der »Bauer in der Au« des Bürgerbräus und die »Pschorr-Alm« auf dem Budenplatz 19. Die oben genannte formale Koppelung mit dem Zentrallandwirtschaftsfest manifestiert sich in den dort errichteten Almen und Bauernhöfen, die den Eindruck bäuerlicher Lebensweise und Bauform in beispielhafter Form vergegenwärtigen sollten.

Bereits 1905 wurden – um diese Linie der Bier-Architektur noch kurz weiterzuverfolgen – von J. Weber gefertigte Pläne des Bürgerlichen Bräuhauses für eine riesige Halle in Form eines Bauernhauses, eines fast klassischen Einfirsthofes oberbayerischer Prägung, für einen abseits des zentralen Festplatzes gelegenen Standort eingereicht[14]. Als gewaltiger Bau, mit allen erforderlichen Einrichtungen ausgestattet und mit vier nahezu gleichwertigen Schauseiten, ist dieser ›Bierbauernhof‹ ein absoluter Ausnahmefall, dessen Realisierung wohl schon alleine aufgrund des technisch aufwendigen Unterfangens von Auf- und Abbau scheitern mußte. Jedoch wurde durch ihn ein Weg gewiesen, der ansatzweise zwischen den Weltkriegen, relativ konsequent von allen Brauereien aber erst in den 50er Jahren unseres Jahrhunderts beschritten wurde, und der das Motiv des Einfirsthofes als reine Fassadenarchitektur simpler Art mit lediglich einer Schauseite zu *der* Form des Wies'n-Festzeltes erhebt.

Bierburgen und Großzelte vor dem Ersten Weltkrieg

Aufs engste verflochten mit den Veränderungen in der Trägerschaft des Bierausschankes um die Jahrhundertwende waren die Wandlungen in der inneren Struktur und dem äußeren Erscheinungsbild der Bauten. Als Ausnahme, zugleich aber als Vorreiter einer Entwicklung, zeigten sich die Buden der Schützengesellschaften. Als erste große Halle außerhalb des Wirtsbudenringes leitete der Wirtschaftsbau des »Wintzerer-Fähndl«, 1895 von der Thomasbrauerei aufgeführt, die Überwindung der kleinen Hütten und das Ausbrechen aus dem Festzirkel ein (vgl. Kat. Nr. 532). Die Bude, »vollführt und vollendet von Carlo Evora, Pavmeister des Wintzerer Fähndl«[15], nahm in ihrer Gestaltung und Dekoration Bezug auf Vorstellungen und Traditionen der Armbrustschützengesellschaft. Man bediente sich bei der aus Holz und Dachpappe einigermaßen fest und stabil errichteten Halle formaler Anlehnungen an die Burgenarchitektur und spielte damit auf die historische Bezugnahme der Gesellschaft auf das Landsknechtswesen an, die ja auch für das Auftreten der Schützengesellschaften in historischen Gewändern beim Festzug die Begründung bot. Die winkelige Burg, die ihr wehrhaftes Aussehen unter anderem der Steinquaderbemalung verdankte, war dekoriert mit Landsknechtsfahnen und Schützenscheiben und in eine Art künstliches Wäldchen gestellt[16]. Der 26 Meter hohe Lueg-ins-Land, damals sicherlich *das* Wies'n-Wahrzeichen, überragte sie. Seine Vorderfront zierte die riesige Darstellung eines ›Geharnischten‹ mit einem Humpen Thomasbräubier in der Hand, Schmuck und Hinweis auf die enge Verbindung Landsknecht/Bier – Schützengesellschaft/Brauerei. Die Form der bildlichen und – was die Kosten betrifft – auch billigen Dekoration spielte in der Folge für die Thomasbrauerei immer wieder eine Rolle und fand auch bei der Gestaltung späterer Festzelte der übrigen Brauereien, mit anderem Inhalt allerdings, Nachahmung.

Ein zweiter Bau, der ab 1897[17] zunächst kurzzeitig unter dem (Deck?)-Namen Schützenwirt lief, war die neue Wirtsbude für Michael Schottenhamel, nach Plänen Gabriel von Seidls für die Franziskaner-Leistbrauerei auf L-förmigem Grundriß errichtet (vgl. Kat. Nr. 533). Mit Ausnahme des niedrigen (Reklame-)Turmes, der zwar im Sinne damaliger Architekturvorstellungen die Verbindung der beiden Bauteile als eine Art Gelenk betonte, mit seiner durchbrochenen Girlandenspitze jedoch eher als Fremdkörper wirkte, nimmt die Wirtsbude in dem Krüppelwalmdach, der Bogenloggia, den geschweiften Giebeln über dem Eingang und an der Nordfassade sowie komplizierten Dachverschneidungen Elemente einer ländlich geprägten, barocke Vorbilder geschickt umdeutenden Villenarchitektur auf, wie sie um die Jahrhundertwende üblich war. Der Schottenhamelbude haftet, verglichen mit späteren Beispielen, nicht im mindesten der Charakter des Kulissenhaften an, sie verleugnet jedoch als Holzbau nicht ihre ephemere Existenz. Sie kann durchaus als ernstzunehmendes Beispiel gepflegter und nobler Architektur süddeutscher Tradition gelten.

Eine entscheidende Rolle für die raschen Veränderungen der ›Bierarchitektur‹ auf der Festwiese spielten die Buden, die für den Nürnberger Wirt Georg Lang von verschiedenen Bauträgern errichtet wurden. Durch geschickte Manipulation und trotz heftiger Gegenwehr seitens der anderen Wirte gelang es Lang 1898, »gleichzeitig drei bisherige Zulassungsbestimmungen für den Wiesenbezug mit Ausschank von Bier zu umgehen: weder stammte er aus München noch bewirtschaftete er seinen Wiesenausschank selbst, und dazu baute er eine Riesenhalle auf 5 Wirtsbudenplätzen alter Größe«[18]. Gelegen kamen ihm dabei sicherlich die oben erwähnten Ideen einer allgemeinen Neuordnung der Feststruktur wie auch divergierende Interessen der Vertreter in

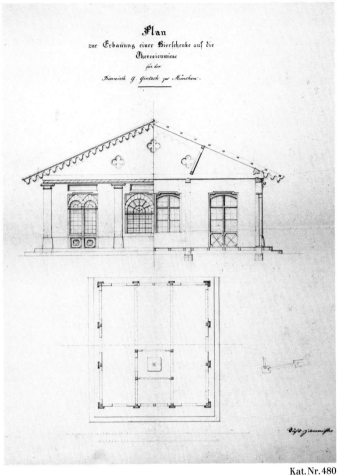

Kat. Nr. 480

[8] Lewald, S. 27.

[9] Friedrich von Gärtner, Entwurf zu einer Bierhalle, Theresienwiese, BSB, Handschriftenabteilung, cod. icon 210, Bd. 2, Nr. 25; F. X. Beyschlag, Wirtsbude für Oktoberfest, TU München, Architektursammlung, Inv. Nr. 1976/1734; den Hinweis auf beide Pläne verdanke ich Frau Antonia Gruhn.

[10] StadtAM, Planslg., C 1786/48, Plan von 1844.

[11] Vgl. Florian Zimmermann, Wohnbau in München 1800–1850, München 1984, S. 106 und Abb. 19.

[12] Z.B. StadtAM, Planslg., C 1786/12, Plan von 1860, und C 1786/17, Plan von 1863.

[13] StadtAM, Okt. 58, Plan für transportables Faß für Franz Bauer, 1888.

[14] StadtAM, Planslg., C 1709/1; 1709/2; C 1710; C 1711; Pläne für eine Bierbude für das Bürgerliche Bräuhaus München von J. Weber, 1905.

[15] Destouches, Säkularchronik, S. 130.

[16] Zum Aspekt der Baumdekorationen auf dem Oktoberfest vgl. Möhler 1980, S. 215f.

[17] Nach Destouches, Säkularchronik, S. 132, entstand der Bau bereits 1896, doch läßt die Aktenlage eher auf 1897 als Baujahr schließen. Vgl. dazu StadtAM, Okt. 161.

[18] Möhler 1980, S. 210; dort auch eine – freilich etwas vereinfachende – Darstellung der tatsächlich äußerst verworrenen Vorgänge.

den einzelnen mit der Organisation des Oktoberfestes betrauten Gremien. Zunächst reichte die Schmederer-Brauerei ein Gesuch für eine »in außergewöhnlichen Dimensionen gehaltene Zelthalle (dieselbe ist 70 m lang und 28 m breit)« ein, die »von uns in derart geschmackvoller Weise ausgeschmückt [würde], daß dieselbe zweifelsohne als eine Bereicherung des diesjährigen Oktoberfestes angesehen werden dürfte«[19]. Die Unternehmung, die dem Münchner Publikum etwas »Neues und Originelles« bieten wollte, wurde abgelehnt, aber ein neuer Versuch Langs, der über fünf Strohmänner fünf Wirtsbuden ersteigert hatte, dahingehend toleriert, daß man ihm zwei Doppelbuden auf zweimal zwei Fünftel dieses Raumes mit einem Durchgang von einem Fünftel Breite genehmigte, die vom Münchner Kindlbräu beliefert wurde. Letztlich aber entpuppte sich »diese Bude, welche nach der Aussprache der Unternehmer eine Zierde bilden sollte[…] als eine ganz gewöhnliche Bierbude[…]. Das Zeltdach ist auf die ganze Länge der 5 Budenplätze gespannt, und damit der Charakter von 2 Doppelbuden vollkommen verwischt, dagegen von der Münchner Kindlbrauerei das tatsächlich durchgeführt, was der Magistrat ablehnte, die Errichtung einer großen Zeltbierhalle auf dem Complex von 5 Bierbuden[…]«[20] mit 2079 Quadratmeter überbauter Fläche. Wohl um die genannten Vorwürfe zu entkräften, erhielt das Langsche Riesenzelt 1900 eine flache Fassade vorgeblendet, mit ihren Türmchen an eine Stadtmauerkulisse erinnernd (vgl. Kat. Nr. 601). Sie mußte bereits 1902 einer neuen Schauseite weichen, der in der Mischung aus Geisterbahn, Stadtmauer und Juxkabinett wohl ebenfalls die Intentionen ›Stimmung‹ und ›Gaudi‹, die Georg Lang auch mit seiner Oberlandlerkapelle verfolgte, zugrunde lagen. Dieses Zelt, in der Bier der Augustinerbrauerei zum Ausschank kam, fand aber offenbar nicht die allgemeine Zustimmung, da es schon 1903 durch einen Neubau des Architekten Albin Lincke ersetzt wurde[21].

Diese dreischiffige Bierhalle bestand bei ca. 2000 Quadratmeter überbauter Fläche aus einem großen rechteckigen Zeltraum, dessen Segeltuchdach eine Fläche von 50 auf 20 Meter stützenfrei überspannte. In den Abseiten dieser neuartigen und am Beginn der modernen Entwicklung der Bierfestzelte stehenden Konstruktion waren Schenken, Metzgerei, Küche, Geräteräume und Umgänge untergebracht. Vorgeschaltet war dem Zelt ein 10 Meter tiefer Haupteingangstrakt mit zwei separaten Räumen im Erdgeschoß, dessen ritterburgartige Fassade mit mächtigem Turm an der Schützen- oder Hauptstraße (der späteren Wirtsbudenstraße) einen damals alles dominierenden Akzent setzte. Eindeutig thematisiert Lincke in der Gestaltung der Hauptschauseite, aber auch der Nebenfassaden die Verbindung von Bier und Burg (vgl. Kat. Nr. 536). Der trutzige Charakter der Eingangsfront – vorgetäuscht durch das gemalte Quadermauerwerk, den flankierenden stämmigen Turm mit vorkragendem holzverblendetem Aufsatz und einer Art Fußwalmdach,

die deutschtümelnde ›Zwingburg‹ mit Fachwerk, verschiedene Erker und einen die genannten Eckbauten verbindenden Wehrgang über dem Eingangsbogen mit Fallgitter – soll auf unerschütterliche Dauerhaftigkeit und altehrwürdige Tradition verweisen. Der gedrückte Bogen, an schwere Gewölbe erinnernd und Hauptmotiv der relativ flachen und niedrigen inneren Hallenkonstruktion, findet sich auch an Haupteingang, Nebeneingängen und Schenken und steht hier in unmittelbarem Zusammenhang mit dem Bierfaß (vgl. Kat. Nr. 537), das als gedrungene, gebauchte Säule symbolhaft tragendes Element der Bierhallenarchitektur ist. Gleichzeitig spielt diese Verbindung aus Burg und Bier aber auch auf die volkstümliche Überlieferung des sagenhaft-übermäßigen Biergenusses der Ritterschaft an. Sicherlich nimmt Albin Lincke auch Bezug auf den beim Publikum überaus erfolgreichen Bau der Schützengesellschaft »Wintzerer Fähndl«, jedoch nicht auf dessen speziellen Traditionsbezug, dafür aber völlig neue Dimensionierungsmaßstäbe setzend. Verbindungen bestehen auch zwischen der Augustiner-Festburg und der zeitgenössischen Münchner Brauereiarchitektur: zum einen durch die Anlage von Ecktürmen und die »malerische Gruppierung der Massen« zur Erzielung einer »guten Silhouette«[22], zum anderen durch das Motiv der gedrückten Bogen und Gewölbe, das bei einer Reihe von Brauereifesträumen und bei den »Kneipen« der Corpshäuser wesentlich den Charakter der Säle bestimmte[23].

Bereits die 1901 nach Plänen von Hofbaurat Eugen Drollinger errichtete Halle der Pschorr-Bräurosl, 1902 um 90° gedreht und seitdem mit ihrer Längsseite an der Wirtsbudenstraße gelegen, verwendete eine große Zeltkonstruktion, die sich jedoch an der Hauptschauseite hinter einem niedrigen langgezogenen Vorbau mit malerischen Eckpavillons und einem erhöhten Eingangsrisalit – alles in neubarock-ländlichem Stil gehalten – verbarg. Über dem Eingang prangte in einem geschweiften Wandfeld das Bild der Bräurosl, »die ihr ursprünglich von dem Maler [Karl] Schultheiss entworfenes Emblem auf eine angeblich regelmäßig zum Abendtrunk durch den Brauhof gerittene Brauerstochter Rosl zurückführt«[24], und das heute noch über dem Eingang der modernen »Bräurosl« angebracht ist. Beispielhaft sind Interesse und Intentionen der Brauereien bezüglich ihrer Festzelte in

[19] StadtAM, Okt. 7/I/3, 25. Juli 1898, Schmederer Brauerei an Magistrat.

[20] StadtAM, Okt. 7/I/3, 23. September 1898, Nagler an Referat VIII a.

[21] StadtAM, Postkartenslg. (1902), Okt. 115, dort auch die Baupläne (1903).

[22] Friedrich von Thiersch, Wirtschaften, Hotels und Cafés, in: München und seine Bauten, hrsg. v. Bayerischen Architekten- und Ingenieurverein, München 1912, S. 281; vgl. dort auch Abb. S. 276: Löwenbräukeller, Umbau 1894 durch Thiersch, sowie Abb. S. 281: Münchner Kindlbräukeller, 1899 durch Thiersch.

[23] Vgl. München und seine Bauten, siehe Anm. 22, Abb. S. 300, 305, 514.

[24] Möhler 1980, S. 211.

GEORG
LANG

AUGUSTINER
BRÄU
MÄRZENBIER

QUERSCHNITT 1:13

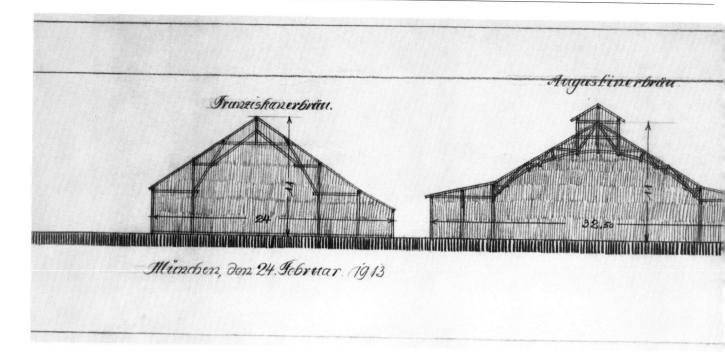

Franziskanerbräu.

Augustinerbräu.

München, den 24. Februar 1913

der Argumentation überliefert, mit der Pschorr in verschiedenen Eingaben bei der Lokalbaukommission und beim Magistrat für Neubau, Drehung und Änderung seines Ausschanks wirbt[25]: ebenso wie die alten »originellen Wirtsbuden« des Pschorrbräu solle auch der Neubau »durch gediegene künstlerische Ausstattung ein hervorragendes Schaustück [...] und somit eine neue Zierde des Oktoberfestes werden«. Weiter wird darauf hingewiesen, daß die Halle dem Fest »neue Zugkraft gegeben hat und zur Verschönerung des Festplatzes beiträgt im Gegensatz zu der nichts weniger wie schönen Bretterbude der Ochsenbraterei«. Schließlich habe die Firma »keinerlei Verdienst an dem Betrieb der Bräurosl« und man betrachte »das Unternehmen lediglich als Reklame«.

Auch die alte Burg des Winzerer Fähndls, sehr kostspielig und kompliziert in Unterhalt, Auf- und Abbau, wurde 1905 durch eine Zeltkonstruktion ersetzt, die insofern ungewöhnlich war (und auch keine Nachahmer fand), als sie im wesentlichen von einem hohen »maibaumähnlichen Mast [mit...] interessante[r] Dachgesperrkonstruktion« getragen und deshalb auch »Zirkusbau« genannt wurde[26]. Dem Zelt, das als Halbrund geschickt eine Ecke des ungünstig gelegenen Standplatzes nutzte, war ein Eingangstrakt vorgelagert, in dessen Obergeschoß das für den Außen- und Innenraum zugleich zuständige Musikpodium untergebracht war und der mit zwei für Schenken genutzten Flügelbauten mit Ecktürmen den Garten umfaßte. Das burgähnliche Aussehen

des Vorgängerbaues war einer festlich gestimmten, freundlichen und offenen Anlage gewichen. Hinweise auf die Schützengesellschaft waren vom eigentlichen Festzelt, das nur mehr spärlich mit Schießscheiben, Armbrüsten oder Zieladler dekoriert war, auf die Umfriedung des Wirtsplatzes, einer imitierten Befestigungsmauer mit schießschartenbewehrtem Tor, gewichen.

Auch die Franziskanerbrauerei wollte an Stelle der angeblich unbrauchbar gewordenen Schottenhamelbude Gabriel von Seidls 1905 kurzfristig einen gewöhnlichen Zeltbau errichten, doch waren die Angaben über die künstlerische Ausgestaltung der Fassade so unbefriedigend, daß das Gesuch abgelehnt wurde[27]. Die Zeltideen, in der Augustinerburg und der Bräurosl wenig früher schon konsequent durchgesetzt, wurden von der Brauerei zum Franziskanerkeller auch in folgenden Jahren erstaunlicherweise nicht weiter verfolgt. 1908 endlich, nach alljährlichen Aufschüben, ersetzte man die Seidlsche Halle durch einen Neubau nach dem Entwurf des Architekten Max Ostenrieder. Es entstand, relativ weit von der Wirtsbudenstraße abgerückt, wiederum ein bemerkenswert vielgestaltiger und komplizierter Bau. Materialien und Konstruktion in Holz und Leinwand hatten zwar mit den vergleichsweise festen Bauten (aus Holz, Dachpappe, Schindeln, Dachziegeln) einiger unmittelbarer Vorgänger nichts gemein, doch sowohl die innere Raumaufteilung (nur 12,30 Meter wurden in der Breite stützenfrei überspannt, die überbaute Gesamtfläche resultierte

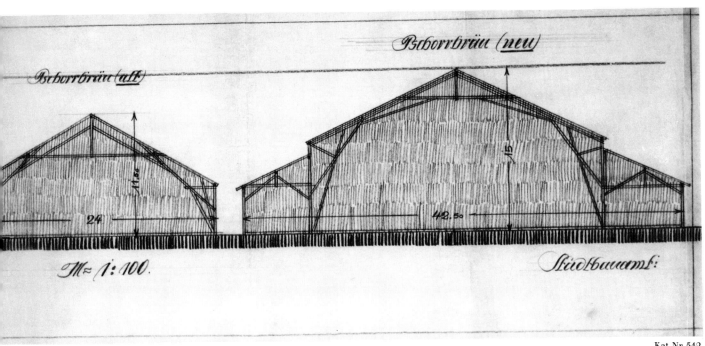

Pschorrbräu (alt)

Pschorrbräu (neu)

M ≈ 1:100.

Stadtbauamt:

Kat. Nr. 542

aus der Addition des Kopfbaues mit Turm, der ›Schiffe‹ und einer Vielzahl von Anräumen) als auch das allansichtige Äußere mit der deutlichen Unterscheidung und Betonung einzelner Bauteile nach ihrer Funktion gehören eher in den Zusammenhang der zeitgenössischen Münchner Architektur als in den Bereich zweckmäßig rentabler Festzelte. Insgesamt schließt sich der Bau zu einem einheitlichen, bruchlosen Gesamtbild zusammen, das sich entschieden von dem Fassaden-Zelt-Konzept anderer Brauereien abhebt, aber wohl den sonst allenthalben erhobenen Forderungen nach günstiger Kosten-Nutzen-Rechnung zuwiderlief.

Deutlicher noch als bei den übrigen Hallen vor dem Ersten Weltkrieg werden hier auch die gestalterischen Konsequenzen des komplizierten damaligen Wegesystems auf der Festwiese evident, das im Gegensatz zur heutigen Erschließungsstruktur bei den meisten Bauten mehrere Schauseiten forderte.

Höhepunkt der Entwicklung von den 70-Quadratmeter-Holzhütten des 19. Jahrhunderts zu den Bierhallen/Zelten, die sich auch in den von Jahr zu Jahr erfolgten Vergrößerungen der bereits genannten Brauereifestzelte zeigte, war 1913 die Errichtung der neuen »Pschorr-Bräurosl« mit 12 000 Sitzplätzen bei 4400 Quadratmeter (mit Anbauten und Aborten 5400 Quadratmeter) überbauter Fläche, die in den verantwortlichen Gremien für Diskussionsstoff sorgte[28]. Nachdem man 1912 im alten Bau wegen Überfüllung Bons ausgeben

mußte[29], und man 1913 mit der alleinigen Lizenz zum Ochsenbraten auch den angrenzenden Standplatz der Ochsenbraterei miterwarb, lag der Bau einer Riesenhalle auf den zur Verfügung stehenden 10 570 Quadratmeter Gesamtfläche nahe. Die neue Halle (vgl. Kat. Nr. 541), wie die alte nach Plänen von Hofbaurat Drollinger, bediente sich aus dem bekannten Repertoire ländlich-barock-biedermeierlichen Stilverschnittes mit Eingangstorturm und vorgeblendeten Fassaden, reichem Girlandenschmuck und bunter Malerei. Die Dimensionen allerdings – 15 Meter Firsthöhe und annähernd 28 Meter stützenfrei überspannte Breite (Gesamtbreite 42 Meter) – forderte im Stadtbauamt (Bertsch) heftige Kritik heraus (vgl. Kat. Nr. 542). Ungeachtet der Überlegungen, daß der Bau ins Maßlose gehe, der Maßstab »auch wenn die vorgelegten Skizzen an und für sich sehr hübsch sind«, ein viel zu großer sei, und daß, wenn »nurmehr zwei oder drei ungeheure Bierhallen [der Vergleich mit Warenhäusern liegt nah] auf der Wiese vorhanden sind[...] eben eine erfreuliche Gestaltung des Wiesen-

25 StadtAM, Okt. 108; zitiert sind Schreiben von Pschorr vom 13. Dezember 1900 an den Magistrat und vom 24. März 1903 an die Lokalbaukommission.
26 Sailer, S. 39 und 35.
27 StadtAM, Okt. 161.
28 StadtAM, Okt. 108, dort auch der im folgenden zitierte Schriftwechsel sowie die Baupläne.
29 Vgl. Möhler 1980, S. 211.

bildes unmöglich geworden« sei, wurde der Bau auch entgegen geäußerten wirtschaftlichen Bedenken vom Magistrat genehmigt. In der ästhetischen Argumentation schloß man sich offenbar einem anderen Gutachten an, das feststellte: »Eine große Bude kann trotz des großen überbauten Raumes sehr gut aussehen, wenn die Baumassen wirksam gruppiert sind. Das ist bei vorliegendem Projekt der Fall.« Um den gewaltigen Bau rechtzeitig erstellen zu können, suchte die Brauerei um die Erlaubnis nach, bereits am 15. Juli mit dem Aufbau beginnen zu dürfen. Das wurde abgelehnt. Wegen Überschreitens der auf sechs Wochen befristeten Abbruchzeit mußte der Pschorrbräu eine (geringe) Konventionalstrafe entrichten. Insgesamt war man also mindestens fünf Monate mit der Riesenhalle beschäftigt. Nach der durch den Ersten Weltkrieg hervorgerufenen Zwangspause kam dann diese Bräurosl nicht mehr zur Aufstellung, aber noch in den 1930er Jahren wurde mit der ehemaligen Attraktion geworben.

Von den genannten Entwicklungen seit 1895 wurden die im Wirtszirkel gelegenen, platzmäßig eingeschränkten Buden, die sich schon zum Jahrhundertende »in jedem Jahr großartiger und comfortabler«[30] zeigten, insofern berührt, als sie dem Beispiel »Wintzerer Fähndl« folgend zum Teil ebenfalls mit Türmen, die den Proportionen der Schankstätten angemessen niedrig waren, ausgestattet wurden[31]. Entscheidende Veränderungen brachte hier das Jahr 1907, als die 18 Wirtsbuden durch sechs größere Brauereibauten namhafter Münchner Architekten ersetzt wurden: gebaut von Emanuel von Seidl für den Löwenbräu, den Spatenbräu und zusammen mit dem Architekten Eduard Schmucker für den Wagnerbräu, von Heilmann und Littmann für den Bürgerbräu sowie von Hessemer und Schmidt für den Hackerbräu (vgl. Kat. Nr. 538), der außerdem noch die alte Bude nebst einem Doppelzelt bewirtete.

Die vielfältigen und ausnahmslos mehransichtigen Bauten, alle ca. 1000 Quadratmeter groß, sind durch ihre Anordnung im Kreis, die ähnliche Dekoration mit Girlanden, Tannengrün und verschiedenen Bäumchen sowie in ihrer durchgängig guten stilistischen Qualität zu einem Ganzen zusammengebunden. Die meist auf L- oder kreuzförmigem Grundriß errichteten platten- oder zeltplanengedeckten Holzbuden mit Anbauten, kleinen Türmen und Dachreitern schließen formal unmittelbar an die Wirtsbuden an, die Emanuel von Seidl für das XV. deutsche Schützenfest in München 1906 errichtete und die einem zeitgenössischen Kritiker als »wahre Meisterwerke dekorativer Architektur« galten[33]. Ähnlich wie dort versuchte man den »farbenfrohen altbayerischen Charakter der Barock- und Biedermeierzeit« zu treffen und mit bunter Bemalung ländlich-festliche Stimmung zu erzielen. Eine gewisse dominierende Sonderstellung nahm unter den Bauten im Wirtszirkel die Löwenbräuhalle ein, die aus verschiedenen Perspektiven – nicht nur durch ihren typischen Turm mit Satteldach – durchaus Züge

einer schlichten Sakralarchitektur trug. Bei allen Bauten scheint aber der ephemere Charakter von Festarchitektur gewahrt.

Die Brauereifestzelte zwischen 1923 und 1938

Nach der durch den Ersten Weltkrieg und die nachfolgenden schweren Jahre der Inflation verordneten Zwangspause des Oktoberfestes gingen die Münchner Großbrauereien ab 1925 an die Herstellung neuer, großer und repräsentativer Brauereifestzelte, die nach Auflösung des Wirtsbudenringes entlang der Wirtsbudenstraße errichtet wurden[34]. Die innere Organisation orientierte sich an dem in der Augustinerbierburg von 1903 erprobten Schema: Musikpodium in der Mitte des großen Hauptzeltes mit Bänken und Tischen, in den Seitenschiffen und Anräumen separierte kleinere Zimmer sowie Küchen und Schenken. Waren die Fassaden bei den Bauten vor 1913 meist noch gleichwertig behandelt, so reduzierte sich das gestalterische Interesse nun mehr und mehr auf die *eine* Schauseite zur Wirtsbudenstraße hin. Zwar suchte etwa die Löwenbräuhalle von 1926 mit ihrem ›Kirchturm‹, den weit vorkragenden Eingangsbereichen und den ländlich-barockisierenden Detailformen bei Dach und Fenstern deutlich die Traditionen des Wirtszirkelbaues aus der Zeit vor dem Ersten Weltkrieg aufzunehmen, zwar hielten sich die Zelte des Spaten-Franziskaner-Leistbräus und des Wagnerbräus vor 1934 (vgl. Kat. Nr. 545) in der Struktur ihrer Bauten an das Vorbild der Augustiner-Bierburg, indem sie vor die Zeltkonstruktion einen tiefen, abwechslungsreichen, festgefügten und ›plastischen‹ Eingangstrakt mit Turm schoben, doch ging die allgemeine Entwicklung in Richtung äußerst flacher, ›eindimensionaler‹ Fassaden. Eine gewisse Ausnahme bildet die Festhalle des Augustinerbräus (vgl. Kat. Nr. 549), die ihre charakteristische Front mit dem barockgeschweiften Blendgiebelkontur und dem typischen Kreisbogenfenster geschickt mit dem Turm, der das große Augustineremblem trug, und tiefen Eingangsvorbauten kombinierte. Diese Anordnung wurde bis heute beibehalten. Die übrigen Brauereien wandten sich nach 1933 nahezu ausnahmslos – in verblüffender Weise mit der Veränderung der politischen Gegebenheiten korrespondierend – einem zwar variantenreichen, aber doch einheitlichen Grundschema zu.

Auf Türme wurde verzichtet, statt dessen aber die große, das Zelt kaschierende, nicht durchfensterte und oft in einer Art neoklassizistischem Verschnitt gegliederte Blendtafel als Reklame- oder Bildfläche genutzt. Auch bei fast durchgängigem Verzicht auf Burgkulissen machen die Bauten doch einen abweisenden und starren Eindruck gleich Bierfestungen (vgl. Kat. Nr. 547). Einen auffälligen Weg ging die Pschorr-Brauerei mit der »Bräurosl«. Die einfache Giebelfolge der Dreizeltanlage mit den niedrigen Ecktürmen der 1920er Jahre wurde 1934 ersetzt durch ein Zelt mit bayerischer Heustadelfassade. Der Eingang wurde kontrastreich markiert durch zwei hohe Pylonen (vgl. Kat. Nr. 551), zwischen die das Bräurosl-Emblem eingehängt war, und die ihre Verwandtschaft zu faschistischer Architektur, etwa den Eingangspylonen des Berliner Olympiastadions, nicht verleugnen konnten.

Die Festzelte nach dem Zweiten Weltkrieg

In der Zeit von 1939 bis 1948 fanden wegen des Zweiten Weltkrieges und der wirtschaftlichen Schwierigkeiten vor der Währungsreform keine Oktoberfeste statt. Die 1950er Jahre lassen in der Gestaltung der Zeltfassaden das Suchen nach Gültigkeit in Form und Inhalt erkennen[35]. Lediglich die Augustinerbrauerei bezieht sich eindeutig auf die 1920er Jahre, indem sie die nahezu unveränderte traditionelle Festhallenfassade bis heute aufführen läßt. Die Mehrheit der Entwürfe der frühen 1950er Jahre schließt nach der Zwangspause an die geschlossenen, blockartigen Fest(ungs)-Architekturen aus der Zeit des Dritten Reiches an. Dies gilt für das erste Schottenhamelzelt (1949, Hofbräuhaus), das sich in mehrfach gestuftem Kontur streng neoklassizistisch gibt in Formen, die aus der konservativen Architektur etwa German Bestelmeyers bekannt sind, und mittels grüner Girlanden und rautengemusterten Fensterläden leicht volkstümlich angehaucht ist. Ähnlich die Hackerbräubauten seit 1949, deren gewaltige Fläche über dem Eingang ein Viererzug zierte, während die Seitenteile, seit 1950 durch scharfkantige Pylonen unterteilt, historische Kostümfiguren bzw. Trachtenpaare vorstellen. Seit 1954 versuchte man die strenge Ordnung der Hackerbräufassade durch Neugestaltung der Mitteltafel – altdeutscher Schriftzug auf gerollter Banderole und überdimensioniertes, in Herzform gehaltenes Bild Münchens, das als Zelteingang modelliert war – aufzulockern. Auch die Schottenhamel-Spatenbräuhalle von 1951, die Hofbräuhalle nach 1952 sowie der Bau des »Wintzerer-Fähndl«, dessen maßkrugbekrönter Turm mit der aufgemalten Darstellung eines fahnenschwingenden Landsknechts (erster Entwurf: Geharnischter) Bezug zur Geschichte der Armbrustschützengilde und dem ersten Bau von 1895 sucht, bleiben dem Schema der 1930er Jahre treu.
Alle genannten Bauten schreiben die Vorstellung traditionsbedingt konservativer, vom Nationalsozialismus geschickt vereinnahmter, in Ansätzen aber auch von ihm geprägter Festarchitektur zu Beginn der 1950er Jahre bewußt oder gedankenlos in Ermangelung besserer Ideen oder Kräfte fort. Die andere ›Traditionsschiene‹ aber, der Bezug auf die oberbayerisch-bäuerliche Architekturform des Einfirsthofes, verdrängte diese Fassaden nach und nach völlig und entwickelte die bis heute gültige Form der Oktoberfestarchitektur. Kombiniert wurden die behäbigen Hoffassaden, wohl in der Absicht, durch volkstümliche Gediegenheit und Ge-

mütlichkeit einzuladen (vgl. Kat. Nr. 557), mit verschiedenen ›originellen‹ Wahrzeichen, etwa dem beweglichen, dumpf »Löwenbräu« brüllenden Riesenlöwen im Käfigfenster der Löwenbräufesthalle (seit 1950) (vgl. Kat. Nr. 554). Auch andere Markenzeichen – das berühmte Bräurosl-Emblem (vgl. Kat. Nr. 556) oder die Münchenansicht, von der das große Stirnwandfenster des Hackerbräu eingefaßt wird, das den Blick in den Bierhimmel freigibt – verändern den reinen Bauernhauscharakter; dennoch bleiben die Zusammenhänge mit der Architektur des Alpenvorlandes durch die breitgelagerte Großform der Zelte, durch Details, Fensterläden, Lüftlmalerei, das bei der Dekoration häufig verwendete Holz sowie die dominierende Farbe des leuchtenden Kalkweiß bewahrt. Bemerkenswert ist, daß die Zweistöckigkeit der Fassaden in neuerer Zeit auch durch eine veränderte innere Struktur (Emporeneinbauten, die aufgrund verbesserter Sicherheitsvorkehrungen heute erlaubt sind) ihre funktionale Legitimation gefunden haben.
Auch die jüngsten Brauereibauten, das neue Armbrustschützenzelt und die Halle des Hofbräuhauses von 1972 beziehen sich in Form und verschiedenen Zitaten auf süddeutsche bäuerliche Architektur. Dabei scheint das Hofbräuhauszelt (vgl. Kat. Nr. 558) in seinem modisch aufgeblasenen Protz – etwa der gewaltigen, völlig aufgeglasten Giebelfläche – und dem Gehabe einer modernistisch-rustikal umgeformten Alm eher dem sterilen Ambiente eines der neureichen Wintersportdörfer zuzugehören. In dem Spannungsfeld zwischen Tradition und Modernität, echter Architektur und Kulisse, Schönem und Originellem, Reklame, Kommerz und Gemütlichkeit, Repräsentation und Gaudi, Wirtschaftsmacht und Idylle, von dem auch alle übrigen Wirtsbuden, Bierburgen und Brauereifestzelte seit 1810 in unterschiedlicher Weise bestimmt sind, nimmt der Bau der Hofbräuhalle eine für die Situation der 1970er Jahre durchaus bezeichnende Position ein.   *Florian Zimmermann*

---

[30] StAObb. RA 58066, zitiert nach Möhler 1980, S. 209.
[31] So z.B. die Wirtsbude des Hackerbräu; vgl. StadtAM, Photoslg., Oktoberfest.
[32] Vgl. Sailer, S. 43ff.
[33] Süddeutsche Bauzeitung, XVI Jg., 1907, S. 265. Die Bude des Wagnerbräu war wohl sogar ein durch den Architekten Schmucker dem Zweck als Oktoberfesthalle angepaßter Bau E. v. Seidls vom Schützenfest 1906. Vgl. dazu Sailer, S. 43.
[34] Die Bearbeitung des Zeitraums zwischen den Weltkriegen erwies sich als äußerst schwierig. Bauakten aus der Zeit zwischen 1923 und 1938 haben sich weder im Stadtarchiv noch in der Lokalbaukommission erhalten. Auch Nachforschungen etwa in der Spatenbrauerei – für die freundliche Unterstützung danke ich Herrn Dr. Ernst Sedlmayr – führten zu keinem Ergebnis. Die verfügbaren Postkarten und Fotos geben die Entwicklung nur lückenhaft wieder und sind überdies schwer zu datieren.
[35] Baupläne und Akten zu den im folgenden erwähnten Bauten bis 1962 finden sich im Stadtarchiv München, Sonderabgabe Lokalbaukommission April 1985, unter dem jeweiligen Brauereinamen und den Jahren der Laufzeit.

Kat. Nr. 530

529 Bewirtung auf der Festwiese 1891

Josef Weiser, Aquarell, 21,5×31 cm. Bez. u. r.: »Jos Weiser 91«.

Links sitzen Gäste im Freien auf den Bänken einer Wirtsbude, die im Stil einer bäuerlich-voralpinen Hütte gezimmert ist. Den First entlang ist ein Brett angebracht, das (hier abgewandt) den Namen des Wirtes trägt. In der rechten Bildhälfte arbeitet ein Stekkerlfischbrater, die Glut auf dem blanken Boden, der Verkaufsstand dazu unterm Zeltdach; ganz rechts am Rand dampft ein Bratofen. Die zahlreichen Staffagefiguren sind durchwegs städtisch gekleidet.

MSt, 37/1386

530 Wirtsgärten 1900

W. Walcher, Foto, 17,8×23,7 cm.

Ausgedehnte Szenerie von Gartentischen und -stühlen, mit einzelnen Gästen und Kindern bevölkert. Man trinkt aus Deckelkrügen.

Mit auffallendem Fahnen-, Bänder- und Girlandenschmuck machen die Portale zu den numerierten Bierzelten auf sich aufmerksam. Von links: Nr. 10, »Ludw. Blößl [?] Augustinerbräu-Märzenbier«; Nr. 11, »Georg Ried«, Hackerbräu, im Bogenfeld des Eingangs überlebensgroß die Darstellung Kat. Nr. 614; Nr. 12, »Joh. Schweiger, Salvator-Brauerei, Märzenbier«, über dem Eingang Darstellung eines Triumphbogens (Siegestor?).

MSt, 35/975

531 »Bude 17. Zum Bauernhansl, Pschorr-Bräu« mit Belegschaft 1900

Foto, auf Karton geklebt, mit aufgedruckter dekorativer Goldrahmung, 28×33 cm.

Flache Fassade mit Giebel, der in Voluten ausläuft. Über dem Schriftzug »Pschorr-Bräu« lockt ein Wirt mit überschäumendem Maßkrug die Gäste an, am Giebel flache Aufsätze in Form eines sich zuprostenden Trachtenpaares, Zierbäume und an der Spitze das

Brauereisignet. Verschiedene Schilder mit Schriftzügen: »Pschorr Bräu MÜNCHEN. LAGER-BIER«, »Per Ltr. 30 pf.«, »Sänger«, »Schuhplattler«. An den Fahnenmasten vor der Bude Schilder: »Täglich Frei Concert (ohne zu sameln) der Sänger und Schuhplattler-Gesellschaft Schrögmeier, 6 Damen, 5 Herren, Ludwig Atzinger, Johañ Pletz«. Vor der Bude zwei Schänken, links Bottich mit Wasserhahn zum Krugwaschen, daneben offener Verschlag, in dem in drei Schichten hintereinander die Maßkrüge liegen. Um die Bude Garten mit Fichtengrün geschmückt, Klappstühle und -tische, ebenso gezimmerte Tische.

Vor der Bude hat sich die Belegschaft aufgestellt: links die Kellnerinnen, vor den Bierbanzen die Schankkellner in Aktion, ganz rechts die Zigarrenverkäuferin, daneben der Steckerlfischbrater. Die Wirtsleute sind wahrscheinlich das mittlere Paar an dem Tisch im Vordergrund.

Das Foto stammt aus dem Besitz von Franz Liebhardt (achter von links mit gespreizten Beinen), der Schankkellner bei der Pschorr-Bude war.   FD

Franz Liebhardt, Isen

532 Burg zum Winzerer Fähndl, 1895

Foto.

Die Aufnahme zeigt die Gartenansicht der ersten Bierburg auf dem Oktoberfest mit Bedienungspersonal und Musikern im Vordergrund.

Der von der Thomasbrauerei ausgeführte, vergleichsweise große Wirtschaftsbau des Winzerer Fähndls hatte einen 26 m hohen Turm, dessen Vorderseite einen Geharnischten zeigt, der einen Humpen mit Thomasbräu-Bier in der Hand hält. Neben diesem Hinweis auf das Landsknechtswesen, dem sich die Winzerer-Fähndl-Mitglieder verschrieben hatten, weist die hier fotografierte Seite des Turms mit einer Adlerscheibe auf das Armbrustschießen der Gilde hin.

MSt, III c/480

Kat. Nr. 531

Kat. Nr. 532

Kat. Nr. 533

533 Schottenhamel-Festbau der Franziskaner-Leistbrauerei, 1896

K. Teufel, Foto.

Für den Wirt Michael Schottenhamel ließ die Franziskaner-Leistbrauerei 1896 durch den Architekten Gabriel von Seidl eine neue, große Bude aufstellen.

MSt, III c/ 465, 1

534 Anzeige der Riesenhalle Georg Langs, 1898

In: Oktoberfestzeitung 1898, S. 16 (vgl. Kat. Nr. 816)

In einer ganzseitigen Werbeanzeige pries Lang seine »I. bayerische Riesenhalle« an, die in diesem Jahr zum ersten Mal auf dem Oktoberfest errichtet wurde.

StadtAM, ZS

535 Festplakat der Pschorrbrauerei, 1901

Farblithographie, 83×102 cm; Druck: »GRAPH. KUNST-ANSTALT von HUBERT KÖHLER, MÜNCHEN, Blüthenstr. 13«.

Ansicht des Bräu-Rosl-Festzeltes der Pschorrbrauerei im besuchergefüllten Wirtsbudenring. Links Schriftfeld mit Schmuckrahmen:»Fest-Wiese-Pschorr-

Zelt / Zur Bräurosl / Märzenbier Ausschank / Fürther Stadtkapelle / Alois Wohlmut Restaurateur«.
1901 baute die Pschorrbrauerei – nach Plänen des Hofbaurates Drollinger – zum ersten Mal das Festzelt »Bräu-Rosl« auf dem Oktoberfest auf.
Der mit weiß-blauer Leinwand bedeckte Hallenbau besaß einen geschmückten sechseckigen Turm, in dessen Gauben sich ovale Fenster befanden. Vom Turm herab musizierten Bläser. Über dem Haupteingang war das Signet der Bräu-Rosl angebracht: eine Frau mit Maßkrug in der Hand, die auf einem Brauroß sitzt. Der Name, der am 24. 9. 1901 geschützt wurde, bezieht sich auf eine Anekdote, derzufolge eine Brauerstochter namens Rosl die Angewohnheit hatte, beim allabendlichen Rundritt auf einem Brauroß eine Maß Bier zu sich zu nehmen. Dieses Motiv hatte der Maler Schultheiß in einem Gemälde festgehalten. SP
Abb. in: Chronik 1985, S. 222
StadtAM, Plakatslg.

536 »Augustiner Märzenburg«, 1903

Foto, 23,5×33 cm.

Dem Zeltbau von 1903 war eine Burg-

fassade mit Turm, Wehrgang und Gittertor vorgeblendet. Festwirt war der »Erfinder der Wies'n-Stimmung«, Georg Lang. Zur Unterhaltung im Gartenausschank spielten »Schitzonyi mit seinen 40 Ungarn«.

Herbert Lipah, München

Abbildung S. 277

537 »PLAN zur ERRICHTUNG einer BIERHALLE AUF DER OKTOBER WIESE IN MÜNCHEN«, 1903

Tusche auf Papier, 93×81 cm, M = 1:100.

Aufriß und Querschnitt der Haupt- und Seitenfassaden der »Langbude«, die von der Augustiner-Brauerei für das Oktoberfest 1903 aufgestellt wurde. Neu an dieser Bierhalle war, daß die Seitenwände wie auch das Dach mit Segeltuch bespannt waren. Der bei der Stadtverwaltung eingereichte Plan führt an einzelnen Stellen die für diese Bedachung nötigen Balkenkonstruktionen aus. Durch den angedeuteten Fassadenschmuck und die Dekorationsausführungen im Innenraum der Halle bekommt man einen plastischen Eindruck dieses Gebäudes.

StadtAM, Planslg.

Kat. Nr. 534

538 Hackerbräu-Festhalle mit Wirt und Personal, 1907

Max Stuffler, Foto.

Auf dem Platz neben der Halle des Wagnerbräu (Kat. Nr. 544) wurde 1907 der Neubau der Hackerbrauerei errichtet. Die Pläne waren von der Architektenfirma Hessemer & Schmidt erstellt worden. Die Halle wurde von einem stumpfen Aussichtsturm überragt, den eine Girlandenkrone mit Flaggenbaum abschloß. Eine aufgemalte Balustrade schmückte die Außenwände des Baues, dessen Eckturm nicht nur als architektonisches Schmuckelement fungierte. Hier befanden sich zusätzliche Schankräume. Das Podium für die Musikkapelle war so konstruiert, daß es je zur Hälfte in den Innenraum der Festhalle und in den Garten hinausragte. So konnten auch die Gäste des Gartenausschankes musikalisch unterhalten werden.

Mit der Wirtschaftsführung war der renommierte Münchner Wirt Hans Schwojer (1872–1935) betraut. Er unterhielt das vielbesuchte Volkssängerlokal »Baderwirt« in der Dachauer Straße, in dem übrigens Karl Valentin 1906 seinen ersten Bühnenauftritt absolvierte. Später übernahm Schwojer die Führung des Hotels Peterhof mit Ratscafé und Hackerbräubierhallen am Marienplatz. Schwojer war jahrelang erster Präsident des Bayerischen Gastwirteverbandes und bekleidete mehrere öffentliche Ämter.   SS

Abb. in: Chronik 1985, S. 216
StadtAM, Chronik-Bildband 1907/I, Nr. 32

539 Festplakat der Festhalle von Balthasar Trinkl, 1909

Farblithographie mit Typendruck, 124,5×87 cm. Abb. bez. u. r.: »OTTO OBERMEIER«; Druck: »Vereinigte Druckereien und Kunstanstalten GmbH. (G. Schuh & Cie) München. Herrnstr. 35«.

Auf der Abbildung, umgeben von einem Schmuckrahmen, ist die Frontansicht der Festhalle von B. Trinkl zu sehen. Der in weiß-blauen Farben gehaltene Hallenbau weist ein gelbes Dach auf; auf dem Dachfirst ist ein

Kat. Nr. 536

türmchenartiger offener Aufbau angebracht, der einen Braubottich umschließt. Über dem Haupteingang ist eine Galerie aufgebaut, auf der Musiker zu sehen sind; links daneben Verkaufstresen der Hühnerbraterei.

Die Festhalle, die vom Pächter des Augustinerbräukellers Balthasar Trinkl betrieben wurde, stellte in der Baugeschichte der Bierbuden und -hallen eine Neuigkeit dar. Der Neubau – nach Entwürfen des Architekten Franz Zell aufgestellt – bot den Festbesuchern eine Bierhalle ohne störende Stützen und Säulen im Innenbereich. Die in weitem Bogen ohne Trägerbalken gespannte Halle war 1000 m² groß und faßte 1200–1500 Personen. Als zusätzliche Attraktion war – wie bei der Hackerbräuhalle von 1907 (vgl. Kat. Nr. 538) – eine Galerie an der Vorderseite der Halle eingebaut, die dem Orchester die Möglichkeit gab, ohne Platzwechsel sowohl im Saal als auch im Freien für Stimmung zu sorgen.

Wie aus dem Plakattext zu entnehmen ist, wurde in der Halle »Augustiner-Märzenbier« verzapft. Zudem pries Trinkl seine »auswahlreiche Küche« an, warb mit Spezialitäten aus der »eigenen Hühnerbraterei« und kündigte »täglich Konzerte an Vor- und Nachmittagen« an. Neben der »Langbude« war Trinkls Betrieb die zweite Braureifesthalle der Augustinerbrauerei. Ihr Standplatz befand sich im Wirtsrondell.   SP

Abb. in: Chronik 1985, S. 223
Lit.: Oktoberfest-Zeitung 1912
StadtAM, Plakatslg.

540 Festplakat der »UNIONS-ᵁ MÜNCHNER KINDL-BRAUEREI«, 1911

Farblithographie mit Typendruck, 122×71 cm. Abb. bez. u. r.: »FRITZ SECK 1911«; Druck: »Kunstanstalt GRAPHIA, G.m.b.H. München 19«.

Das Plakat zeigt zwei bierselige Männer in Dachauer Tracht mit Bierseidel der Unions-Brauerei in den Händen.

Kat. Nr. 540

Kat. Nr. 541

Dahinter – neben verschiedenen Budenaufbauten – Teilansicht der Festhalle der Unions- und Münchner-Kindl-Brauerei. Bei dieser Festhalle handelte es sich um den ehemaligen Wirtsbau von B. Trinkl (vgl. Kat. Nr. 539). Die Unionsbrauerei wird seit 1910 als deren Besitzer geführt. Als Festwirt arbeitete Paul Finkenkeller, der Pächter des Brauereiausschanks der Unionsbrauerei an der Äußeren Wiener Straße. SP

Lit.: StadtAM, Okt. 139
StadtAM, Plakatslg.

541 »Riesenzelt der Bräu-Rosl«, 1913

Plakat, Farblithographie, 129×259 cm. Abb. bez. u. r.: »CMoos 13«; Druck: »VEREINIGTE DRUCKEREIEN G.M.B.H. (G. Schuh & Cie) München«.

Gesamtansicht der raumgreifenden Festhalle der »Bräu-Rosl« mit Hinweis auf eigene Ochsenbraterei und Ausschank von »Pschorr-Bräu Märzenbier«. Der langgestreckte Zeltbau mit Dach aus weiß-blau gestreifter Leinwand ist mit Arkaden, Vorbauten, zwei

Eingangsbereichen sowie einem Turm versehen. Dieser laut Plänen 24 m hohe Turm ist mit Fahnen, Blumengebinden und dem Emblem der Bräu-Rosl – einer Frau mit Maßkrug in der Hand auf einem Pferd – geschmückt. Um das Prachtzelt drängen sich viele Zuschauer.

Alles bisher an Festhallenbauten Dagewesene schlug die Pschorrbrauerei mit diesem 1913 erstellten Riesenbau der Bräu-Rosl, die seit 1901 auf dem Oktoberfest ihren Platz hatte. Das Flächenmaß der nach Plänen von Hofbaurat Drollinger erbauten ›Riesen-Bräu-Rosl‹ umfaßte rund 4000 m². Es bot Sitzplätze für 12 000 Besucher, was der Kapazität der Münchner Olympiahalle entspricht. Mit diesen Dimensionen war der Festbau der Bräu-Rosl das größte Zelt, das es je auf dem Oktoberfest gegeben hatte. Der Gigantenbau konnte sich aber nur zur Feier des Oktoberfestes 1913 – dem letzten vor dem Ersten Weltkrieg – seinen Gästen präsentieren. Da ein großer Teil des eingelagerten Zeltbaues während des Krieges abbrannte, mußte Pschorr für das erste Oktoberfest nach dem Krieg 1921 die Bräu-Rosl als kleineres Leinwandzelt aufstellen.

Die Pschorrbrauerei, die seit 1830 die Schänken mehrerer Wirtsbuden mit ihrem Bier belieferte, stellte 1886 das erste Leinwandzelt im Wirtsbudenring auf. Festwirt war der Donislwirt Graf. In den 90er Jahren betrieb die Brauerei mehrere Wirtsbuden in der Budenstadt. 1894 wurde beispielsweise in den Schänken »Zum Bratwurstglöckl« und in der »Alpenwirtschaft« Märzenbier von Pschorr verzapft; 1897 kam mit dem Wirt vom Hirschbräukeller eine weitere Pschorr-Bude auf den Festplatz. Im Zuge der Zusammenlegung von kleineren Wirtsbudenplätzen zu einem größeren Wirtsplatz im Rondell hinter dem Königszelt fusionierte im Auftrag von Pschorr der Festwirt Wohlmut im Jahre 1900 zwei Wirtsplätze und stellte darauf eine größere Bewirtungsbude auf. Außerdem hatte die Brauerei noch Bude 17 »Zum Bauernhansl« (vgl. Kat. Nr. 531) und den Platz 24.

1901 überraschte die Brauerei mit dem Hallenbau der Bräu-Rosl die Festbesucher (vgl. Kat. Nr. 535). Diese neue Festhalle war der erste Wirtsbetrieb auf dem Festgelände, der elektrisch beleuchtet wurde.

Seit diesem Jahr reiht sich neben Schottenhamel, Winzerer Fähndl und anderen die Bräu-Rosl der Pschorrbrauerei als großer Bewirtungsbetrieb auf dem Festplatz. Nach den Plänen des Hofbaurates Drollinger 1901 erbaut, erfuhr dieser Betrieb alljährliche Vergrößerungen. Wurde sie in den Anfangsjahren ihres Bestehens im Wirtsrondell aufgestellt, so hatte sie seit 1905 ihren Platz entlang der sogenannten »Schützenstraße« (spätere Wirtsbudenstraße). Nach der Umstrukturierung des Festplatzes 1907 (vgl. Kat. Nr. 98) war sie der einzige Betrieb der Pschorrbrauerei auf dem Oktoberfest.

SP

Lit.: StadtAM, Okt. 263/1
StadtAM, Plakatslg.

542 Querschnitte   Abbildung S. 278/279
verschiedener
Brauerei-Festhallen,
1913

Blei- und Farbstifte, dreifarbig, auf Pergamentpapier, 33×146 cm, M = 1:100.

Das Blatt ist eine vom Stadtbauamt München angefertigte Skizze der Querschnitte der Festhallen der Franziskaner-Brauerei (Breite 24 m, Firsthöhe 11 m), der Augustiner-Brauerei (Breite 32,5 m, Firsthöhe 11 m) sowie der »Pschorr-Brauerei (alt)« (Breite 24 m, Firsthöhe 11,5 m) und der neuen Pschorrbräu-Festhalle, der ›Riesen-Bräurosl‹, die bei einer Breite von 42,5 m eine Firsthöhe von 15 m aufwies. Der Vergleich von Schottenhamel-, Langfesthalle sowie alter und neuer Bräurosl verdeutlicht die riesigen Ausmaße des freitragenden, überwölbten Hallenbaues der Bräurosl. SP

StadtAM, Planslg.

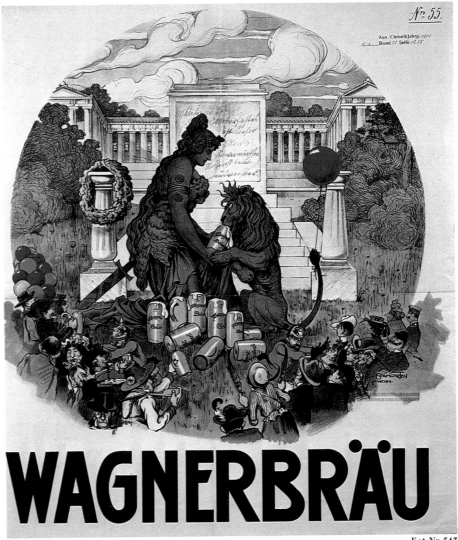

Kat. Nr. 543

543 Festplakat der Wagnerbrauerei, 1903

Farblithographie und Typendruck, 101,5×86 cm. Abb. bez. u. r.: »E[ugen] v BAUMGARTEN, MNCHN«, darunter: »VEREINIGTE DRUCKEREIEN & KUNSTANSTALTEN VORM. SCHÖN & MAISON, IG. VELISCH GMBH, MÜNCHEN.«

Die Statue der Bavaria ist mitsamt dem bayerischen Löwen vom Sockel herabgestiegen und hat ihren Lorbeerkranz an einen Kandelaber gehängt. Sie gibt dem zutraulichen Wappentier (mit Luftballon an der Schwanzquaste) aus einem der schäumenden Riesenkrüge mit der Aufschrift »Wagner Bräu« zu trinken; weitere Krüge stehen für den Löwendurst bereit. Der verwaiste Sockel vor der Ruhmeshalle trägt die handgeschriebene ›Inschrift‹: »Während des Oktoberfestes ist dieser Platz zu vermiethen. Näereß beim Hausmeister.« Festbesucher drängen sich zum Ort des Geschehens. Zwei Polizisten haben Mühe, die Menge zurückzuhalten. Unter dem Bild die Auf-

Kat. Nr. 544

»Auer-Kirta-Bier« ausgeschenkt, auf dessen Herstellungsverfahren die Brauerei ein Patent besaß.　SS

Lit.: Sailer, S. 43
StadtAM, Chronik-Bildband 1912/II, Nr. 25

545　Wagnerbräu-Festhalle, 1926

Plakat, Farblithographie, 88×125 cm. Bez. u. l.: »C. Dreisser – 26«.

Nach dem Ersten Weltkrieg bezog die Wagnerbrauerei die Festwiese mit einer veränderten Halle, die 1926 einen neuen Vorbau erhielt.

Das Plakat zeigt eine Außenansicht der Festhalle bei Nacht. Die girlandengeschmückte Halle wird überragt von Fahnenschmuck, Lichtern und Münchner-Kindl-Tafeln. Den flachen Bau mit seinen niedrigen ›Seitenschiffen‹ dominiert ein sechseckiger Turm mit Brauerei-Signet. Dem Turm und einem seitlich an der Fassade situierten Risaliten waren zwei flach gedeckte Gänge vorgebaut. Hier befanden sich die beiden Eingangsportale. Über dem rechten Portal war die ausgesägte Figur einer Kellnerin mit Maßkrügen angebracht, über dem linken die eines Baßgeigenspielers in Dachauer Tracht. Diese Figur nahm Bezug auf das Unterhaltungsprogramm in der Festhalle, das von der »Bauernkapelle« Max Pfahler bestritten wurde.　SS

Abb. in: Chronik 1985, S. 222
StadtAM, Plakatslg.

546　Festpostkarte mit Wagnerbrauerei, 1932

Farbdruck, 9×14 cm, Kunstverlag Emil Köhn, München.

Auf der Postkarte ist rechts der orangefarbene Bau der Wagnerbrauerei zu sehen. Die dem Zeltbau vorgeblendete Fassade hatte 1928 eine Umgestaltung erfahren. Der Turm rückte als Eckturm an die rechte Seite. Die fensterlose Gebäudefront war mit einem antikisierenden Portal versehen. Zwei Pylonen, die das Brauereisignet trugen, markierten den Eingangsbereich.　SS

StadtAM, Postkartenslg.

schrift: »WAGNERBRÄU BUDE 15. MÄRZENBIER-ANSTICH IM HAUSE. AM 12. SEPTEMBER.«

Die Wagnerbrauerei war seit ihrer Neugründung 1901 im Wirtsbudenrondell vertreten. Der Kommerzienrat Hans Wagner, der die Brauerei betrieb, besaß verschiedene renommierte Lokale in München. Eines davon, Wagner erwarb es 1904, war das Hotel Wagner (vormals Trefler) in der Sonnenstraße, das eine namhafte Kleinkunst- und Volkssängerbühne beherbergte.　SS

StadtAM, Plakatslg.

544　Festbau der Wagnerbrauerei, 1912

Foto.

1907 erfuhr der Wirtsbudenring eine grundlegende Neueinrichtung. Das Areal hatte früher bis zu 24 Buden auch kleinerer Brauereien Platz geboten. Nun wurde es in sechs etwa trapezförmige Grundstücke parzelliert, die von architektonisch aufwendig gestalteten Hallenbauten der Großbrauereien bezogen wurden. Auch die Wagnerbrauerei erschien hier mit einem neuen Festbau. Er war von Emanuel von Seidl für das Bundesschießen 1906 entworfen und vom Architekten Eduard Schmucker als Oktoberfesthalle umgestaltet worden.

Von den 1800 m², die der Wagnerbrauerei zur Verfügung gestellt wurden, nahm die Halle ca. 900 m² Bodenfläche ein. Ihr Grundriß hatte die Form zweier ineinander geschnittener Rechtecke. Den weißen Bau mit grün gestrichenen Fensterläden deckte ein weit herabgezogenes rotes Satteldach. Auf den Giebeln saßen die Spitzen zweier Maibäume. Wie bei jedem der sechs neuen Festbauten im Wirtsbudenring, war der Haupteingang der Halle zum Außenring hin gelegen. Die Hauptfassade zierten bunte ausgeschnittene Schützen- und Trachtenfiguren. Über dem Eingang prangte 1912 das Bild eines Biertrinkers, der, während er einen Bierkrug zum Mund führt, bereits den nächsten wohlgefüllten in der Hand hält. Unter dem Giebel war wie auch an der Gartenfassade ein Hirschkopf angebracht. Die Gartenfassade, hinter der sich im Inneren der Halle die Musiktribüne befand, war mit Zielscheiben geschmückt.

In der Wagnerbräu-Halle wurde neben dem Oktoberfest-Märzen das dunkle

547 Wagnerbräu-Festzelt 1935

Georg Pettendorfer, Foto.

Als nach der Machtübernahme der Nationalsozialisten die großen Festzelte in ihre Fassadengestaltung Elemente des monumentalen ›offiziellen‹ Baustiles aufnahmen, zog auch die Wagnerbrauerei mit. Das Oktoberfestjubiläum 1935 sah eine Wagner-Fassade mit stark betontem Mittelteil zwischen zwei fensterlosen, querrechteckigen Blenden. Die Fassadenplatte des Mittelteils, in dem sich auch der Eingang zum Festzelt befand, zeichnete dessen Giebelform nach. Zwischen der Figur einer Kellnerin und der eines Trachtenträgers mit erhobenem Maßkrug trug sie das Signet der Brauerei. Seitlich begrenzt wurde dieser Fassadenteil von zwei Pfeilern, die den Zeltbau überragten und zusammen mit zwei weiteren Pfeilern den Namen der Brauerei trugen. Die dem Bau vorgelagerten Pylonen waren beibehalten worden, erschienen nun jedoch massiger und gedrungener.   SS

StadtAM, Slg. Pettendorfer

Kat. Nr. 547

548   Postkarte mit Festzelt der Wagnerbrauerei, 1938

Farbdruck, 9×14 cm; Verl. Ottmar Zieher, München.

Die Pfeilerkonstruktion über dem Mittelteil der Vorderfront ist einer geschlossenen Platte gewichen. Die Form des Zeltes wird durch die Fassadenblende nun vollends verborgen. 1938 war die Wagnerbrauerei zum letzten Mal auf dem Oktoberfest vertreten. Nachdem Hans Wagner 1932 gestorben war und die Erben sich nicht zu einer Weiterführung des Brauereibetriebes entschlossen, wurde dieser 1937 zur Versteigerung freigegeben. Der Wagnerbräu verschwand 1939 aus dem Kreis der Münchner Brauereien.   SS

StadtAM, Postkartenslg.

Kat. Nr. 546

Kat. Nr. 548

Kat. Nr. 549

**549 »Augustinerbräu-Festhalle
Xaver Kugler Kugleralm-Festwirt«,
1926**

Farbplakat auf Karton mit Ständer, 50×40 cm. Bez.
u. l.: »HEITZER/JENTSCH«. Druck: »MANDRUCK A.G.
MÜNCHEN«.

Das Plakat zeigt eine Außenansicht der
Festhalle mit Publikum und Biergespann.

StadtAM, Plakatslg.

**550 Innenraum
des Augustiner-Zeltes, 1930**

Foto, 16,7×23,8 cm.

StadtAM, Fotoslg.

551   Fassade der Bräurosl, 1934

Foto.

Dem 1921 erbauten Bräurosl-Zelt wurde 1934 ein monumentaler Eingang
mit zwei Türmen mit Drahtverglasung
vorgelagert, die nachts von innen beleuchtet wurden.

Willy Heide, Planegg

Kat. Nr. 550

Kat. Nr. 552

Kat. Nr. 551

**552 »OKTOBERFEST /
›AUF ZUM LÖWENBRÄU‹«, 1934**

Farblithographie und Typendruck, 121,5×83,5 cm.
Bez. M. l.: »DRUCK H. SONNTAG«.

Hinter der Abbildung der Fassade des
Löwenbräuzeltes erscheint eine über-
dimensional große Darstellung einer
Kellnerin in Tracht, die sechs schäu-
mende Bierkrüge trägt. Links oben im
Plakat Signet der Löwenbrauerei.

StadtAM, Plakatslg.

Abbildung S. 292

**553 Innendekoration eines Bierzel-
tes mit Hakenkreuzfahnen, 1936**

Georg Schödl, Foto.

StadtAM, Fotoslg.

**554 ›Der Löwe brüllt,
wenn er nicht schweigt‹, 1952**

Foto.

Was großen Geisterbahnen recht und
billig ist, nämlich riesige bewegliche

»Paradefiguren« von der Fassade herabdräuen zu lassen, macht sich unter den Bierzelten als einzige die Löwenbrauerei werbewirksam zunutze. In der Fensternische über dem Haupteingang sitzt ein 4,50 m großer Löwe, der mit der rechten Pfote einen Maßkrug zum Trinken ansetzt, sich dann mit der linken genüßlich den Bauch streicht, den Schwanz bewegt und dabei das baßkehlige Brüllen »Löööwenbrooii« hören läßt. Nach der Währungsreform kam einem Brauereidirektor diese Idee, die 1949/50 erstmals flach in Sperrholz ausgeführt wurde. Nach

Kat. Nr. 553

Kat. Nr. 556

Kat. Nr. 556 a

einem Modell von Prof. Allmann stellte Wilhelm Straßgütl dann plastische Löwen her. Die ersten beiden waren aus Pappmaché; die neueren Exemplare der 1970er Jahre erhielten einen Polyester-Überzug. Kaum hatte der Löwe zu brüllen begonnen, stellte sich die Wirtsbudenkonkurrenz auch auf die Hinterfüße und erreichte für 1952 ein Schweigegebot für den Wüstenrufer auf der Wies'n, woraufhin man ihn in jenem Jahr demonstrativ hinter Schloß, Riegel und Maulkorb zur Schau stellte. Auch hinter einer Glasscheibe wurde er eingesperrt. Da er jedoch bald aus dem allgemeinen Lärmpegel nicht mehr sonderlich hervortrat, ließ ihn die Obrigkeit gewähren. Was kindlicher Phantasie die Vorstellung eingab, daß da ein Stimmgewaltiger in dem Löwen sitze, ist in Wirklichkeit ein Endlos-Tonband mit Synchronschaltung. Der Münchner Makler und ausgebildete Bassist Max Baumeister (1898 bis 1974) ›sang‹ das Löwengebrüll ins

Mikrophon. Die Bewegung der Figur erfolgt durch einen Getriebemotor über Schubstangen. Sie wiegt eine Tonne und wird mit einem Kran aufgestellt. Der Oktoberfest-Löwe ist nicht der einzige seiner Art. Prostende Animierlöwen wurden in der Größe von 0,90 m bis 4,50 m in verschiedenen europäischen Großstädten wie auch in Osaka und Montreal aufgestellt. In München stehen der Brauerei derzeit drei große und ein kleinerer Löwe zum Einsatz bei Veranstaltungen zur Verfügung; sie können nach Bedarf auch (mit der Stimme eines Brauereiangestellten) »Triumphator« brüllen. BK

Abb. in: Chronik 1985, S. 99
Lit.: StadtAM, ZA »Baumeister, Max«
StadtAM, Fotoslg.

555 Reklamefigur »Löwenbräu«-Löwe, um 1970

Pappmaché, farbig bemalt, Höhe 90 cm.

Auf rechteckiger Sockelplatte mit dreiseitiger Aufschrift »LÖWENBRÄU« sitzt

aufgerichtet ein Löwe, der mit der rechten Pranke einen Maßkrug zum geöffneten Maul hebt und die linke genießerisch auf den Magen legt. Die Pose stimmt mit der des beweglichen brüllenden Löwen überein. Der Steinkrug trägt noch das ältere Firmensignet. Solche Reklamefiguren finden bei Schaufensterdekorationen oder bei Veranstaltungen mit »Löwenbräu«-Ausschank Verwendung. Die neueren Modelle sind nicht mehr aus Pappmaché, sondern aus Polyester.

Löwenbräu AG, München

556 Bräurosl-Festzelt mit Belegschaft, 1953

Foto.

Die ganze Belegschaft, insgesamt 91 Personen, hat sich vor dem 1951 neuerbauten Zelt aufgestellt. In der Mitte rechts der Festwirt Georg Heide, links sein Sohn Willy Heide, der heutige Bräurosl-Wirt.

Willy Heide, Planegg

556a Inneres des Bräurosl-Zeltes, 1984

Abbildung S. 293

Foto.

Für die Innenausstattung dieses Zeltes werden ca. 4600 m² Dekorationsstoff, ca. 1000 m Grüngirlanden mit Bändern und Schleifen verwendet. Dazu kommen 80 Dekoteile wie Wappen und 5 große Lüster mit 6 m Durchmesser. Die Dekoration der Bräurosl wird seit 1951 mit wenigen Veränderungen von der Fa. Eugen Heiden – Großdekorationen ausgeführt.

Eugen Heiden, München

557 Festzelt Winzerer Fähndl der »Paulaner-Thomas-Brauerei«, 1970

Farbige Fotopostkarte, 13×14,7 cm; Verlag Rühl, Ampfing.

Das Winzerer-Fähndl-Festzelt zeigt die typische Fassade im alpenländischen Bauernhausstil.

StadtAM, Postkartenslg.

558 Festzelt des Hofbräuhauses, 1972

Foto.

Der Neubau des HB-Zeltes 1972 betont nicht mehr, wie dies bei den früheren Festhallen der Fall war, den Eingangsbereich. Die Glastüren verstecken sich unter der blumengeschmückten Galerie, die über die ganze Breite der Firstseite läuft. Das Brauereisignet ist der verglasten Front über der Galerie vorgesetzt. Darüber, am Giebel des abgeflachten, weit herabgezogenen Satteldaches prangt die plastisch ausgearbeitete, zum Signet gehörige Krone. Die »Plastik-Alm« des Hofbräu löste leidenschaftlich geführte Diskussionen um Geschmacksfragen bei der Gestaltung von Festzelten aus.

Im Hofbräu-Zelt trifft man mehr ausländische Festbesucher, als in jedem anderen Festzelt. Nicht zuletzt das Image, welches das Münchner Hofbräuhaus als Inbegriff bayerischer Gemütlichkeit und als unentbehrliches Requisit bayerischer Lebensart gerade in den USA weithin besitzt, mag die Überzahl amerikanischer Festbesucher (Soldaten und Touristen) im HB-Zelt erklären. Möglicherweise wähnt sich so mancher Gast aus Übersee, während die in bayerischer Tracht gekleidete Festkapelle »When the saints go marching in« spielt, unter dem weiß-blauen Rautenhimmel der ›bayerischen Volksseele‹ am nächsten.   SS

StadtAM, Fotoslg.

559 Modell des Hacker-Festzeltes, 1976

Karton und Papier, bemalt, 195×125 cm, M = 1:50.

Maßstabsgetreue Nachbildung des Hacker-Festzeltes: Das aus Karton und Holz konstruierte Gerüst ist mit Papier beklebt, auf dem die Innenraumdekoration etc. plastisch erkennbar angebracht ist. Auf die Grundplatte des Modells ist ein Bestuhlungsplan montiert, um neben der Vorstellung über Sitzplätze, Schenken, Musiktribüne etc. auch den Bereich der Küche und andere Arbeitsbereiche im Zelt zu demonstrieren. Das Modell wurde vom Architekten der Hacker-Pschorr-Brauerei, Lichtenberg, angefertigt.

Hacker-Pschorr-Bräu, München

560 Bestuhlungsplan des Hackerbräu-Zeltes, 1984

120×190 cm, M = 1:50.

Hacker-Pschorr-Bräu, München

Übersicht über die vorhandenen Sitzplätze in den gastronomischen Betrieben auf dem Oktoberfest 1984

Zusammengestellt von der Branddirektion München.

Armbrustschützen-Festhalle:
Zelt: 5523 Sitzplätze
Garten: 1572 Sitzplätze

Hofbräuhaus-Festhalle:
Zelt: 7212 Sitzplätze
Garten: 3052 Sitzplätze

Hacker-Festhalle:
Zelt: 6814 Sitzplätze
Garten: 2574 Sitzplätze

Schottenhamel-Festhalle:
Zelt: 6006 Sitzplätze
Garten: 4080 Sitzplätze

Winzerer-Fähndl-Festhalle:
Zelt: 6166 Sitzplätze
Garten: 2390 Sitzplätze

Sportschützen-Festhalle:
Zelt: 3558 Sitzplätze
Garten: 600 Sitzplätze

Löwenbräu-Festhalle:
Zelt: 5813 Sitzplätze
Garten: 2522 Sitzplätze

Bräurosl-Festhalle:
Zelt: 6814 Sitzplätze
Garten: 2574 Sitzplätze

Augustiner-Festhalle:
Zelt: 5606 Sitzplätze
Garten: 2546 Sitzplätze

Ochsenbraterei-Festhalle:
Zelt: 5604 Sitzplätze
Garten: 1560 Sitzplätze

Fischer-Vroni-Festhalle:
Zelt: 1802 Sitzplätze
Garten: 360 Sitzplätze

Hippodrom-Festzelt:
Zelt: 2091 Sitzplätze

Käfer's Wies'nschänke:
Schänke: 835 Sitzplätze
Garten: 960 Sitzplätze

Nymphenburger-Sekt-Festhalle:
Zelt: 941 Sitzplätze

Insgesamt bieten die hier aufgeführten 14 Bierzelte und die anderen gastronomischen Großbetriebe 89545 Sitzplätze für die Festbesucher. Dazu kommen noch 756 Sitzplätze in den 6 Wurst- und Haxenbratereien, 2359 Sitzplätze, die in den 7 Hühnerbratereien zur Verfügung stehen, und 1282 Sitzplätze, die die 4 Café-Zelte den Gästen bieten. Somit ergibt sich, daß auf dem Oktoberfest für 94142 Personen Sitzgelegenheiten zur Verfügung stehen.

△ Kat. Nr. 557 ▽ Kat. Nr. 558

Arbeitsplatz: Bierzelt

zigarrn, zigaretten, zigarillos…!

impressionen aus dem arbeitsalltag

samstag nachmittag, halb drei. einer von sechzehn arbeitstagen beim zigarettenverkaufen.

alles spricht dafür, daß es mal wieder ein rekordwochenende geben wird: der himmel strahlt, wie sich's gehört, weißblau, die brieftaschen sind nach dem monatswechsel gefüllt, und ein heimspiel des fc bayern wird zusätzlich tausende zechfreudiger schlachtenbummler auf die wies'n locken.

ich mache mich auf einen turbulenten, aber einträglichen tag gefaßt, als ich mit dem fahrrad zur theresienwiese komme. der weg ist kaum noch zu verfehlen – man kann bereits lautsprecherdurchsagen und musikfetzen von den karussells hören, aus den seitenstraßen steuern trauben von leuten erwartungsvoll und eilig dem ort des geschehens zu. trachten beherrschen das bild.

auf dem großen parkplatz haben die einweiser alle hände voll zu tun – eine lange schlange staut sich vor der einfahrt und von hinten wird ungeduldig gehupt.

das letzte stück zu fuß. hinein in das gewirr, in eine alles mitreißende masse von menschen. durchboxen durch geschiebe und gedränge, durch geschrei, gelächter und gerüche. die menge bewegt sich langsam, schlendernd, innehaltend, aber wie unsichtbar gezogen von der erwartung des kommenden.

nur vereinzelt scheinen es leute eilig zu haben. sie gehen schnell, wie zur u-bahn oder zum einkaufen, überholen, schlagen haken, weichen aus.

tief luft holend stehe ich vor dem eingang des festzelts. »brezn, frische brezn! nemma noch a brezn mit, frau…?« danke nein.

das zelt ist schon ansehnlich voll, alles bereitet sich vor. musiker fangen gerade an, ihre instrumente auszupacken, die verkäufer machen sich fertig. in einem kleinen raum hinter dem tabakkiosk steht meine warenkiste. mit dem »bauchladen«. ich verkaufe, zusammen mit mehreren kollegen, im auftrag eines großhändlers. zehn prozent erlaubter preisaufschlag und das trinkgeld sind unser verdienst.

nachdem es noch relativ ruhig ist, setze ich mich an einen leeren tisch um meine bestände zu überprüfen. viel ist von gestern nicht mehr übrig, ich werde allerhand nachkaufen müssen. neben den gängigen zigarettenmarken gehören zum sortiment verschiedene zigarren, zigarillos und virginier – nicht zu vergessen natürlich schnupftabak. ob es wohl am »wiesenklima« liegt, daß diese artikel hier so beliebt sind?

der zigarettenverkäufer befriedigt nicht nur den bedarf an tabakwaren, er kann ihn auch wecken. eine simple erkenntnis, die sich, verbunden mit ein paar verkaufsstrategischen überlegungen, rasch bezahlt macht: man kann den bauchladen mit der nötigsten ware vollpacken oder ihn so dekorieren, daß bestimmte dinge ins auge fallen (müssen). man kann durch die reihen gehen und darauf warten, daß zigaretten gebraucht werden, oder die einladend aufgebaute ware solange jemandem unter die nase halten, bis er meint, genau jetzt wäre eine zigarre recht. man kann vorschnell weitergehen oder das jetzt beginnende spiel abwarten: um die gesellschaft zu unterhalten, wird der kunde den kauf »zelebrieren« und sich dabei – ernsthaft oder aus jux – als kenner darstellen. und er wird eine einladung an die runde aussprechen oder sie wenigstens indirekt zum mitmachen motivieren. am ende raucht oder schnupft der ganze tisch – schließlich ist's ja nicht alle tage so zünftig!

am spätnachmittag wird es lebhafter im zelt. ein teil der leute ist bereits prächtig in stimmung und das geschäft läuft gut an.

die kapelle spielt noch fast ausschließlich bayerisches, wies'n-gerecht arrangiert. später wird sich das ändern, denn die musikauswahl ist keineswegs dem zufall überlassen. jeden tag läuft von drei bis halb elf das gleiche musikalische programm ab, wobei die spanne vom bayerischen defiliermarsch bis zum rock'n'roll reicht.

zahlreiche tische sind noch frei. zumindest sieht es für die hoffnungsvoll hereindrängenden besucher auf den ersten blick so aus. der eingeweihte allerdings weiß, daß ein freier tisch im bierzelt in den seltensten fällen wirklich frei ist. und der nicht-eingeweihte erfährt es spätestens, wenn er sich setzen will. »reserviert!« heißt es dann. allerdings – nichts ist unmöglich. vor allem, wenn man mit ein paar zehnern an entsprechender stelle nachzuhelfen weiß…

keine frage, daß auch hier, im scheinbar so gleichmachenden gewühle dieses riesenzeltes, gesellschaftliche schranken wirksam sind: ordner bewachen die aufgänge zu den balkons, um das dortige publikum vor ungebetenen gästen zu schützen. und ob solch ein ordner grob oder zuvorkommend mit seinem gegenüber spricht, hängt auch nicht nur von seiner laune ab…

in dieser atmosphäre arbeitend, paßt man sich rasch und fast unmerklich an: nüchternes taxieren des publikums

297

nach zahlungskräftigkeit. sieht der kunde nach trinkgeld aus oder ist er ein »zündholzschachterlkandidat«? lohnt es, sich mühsam durch zwei vollbesetzte reihen zu quetschen, um dann eine schachtel zigaretten ohne trinkgeld loszuwerden? lohnt es sich, ein lächeln zu investieren?

da erschrickt man mit einemmal über sich selbst und seine fortgeschrittene abgestumpftheit. über den zynismus in der einschätzung von menschen. »wie war's bei dir gestern?« »schlecht!«
»na ja, rentnernachmittag – kein wunder!«
– ein gespräch am rande, unter kollegen.

allerdings liege ich in meiner einschätzung oft genug gründlich daneben. die großzügigkeit ist eben nicht nur (manchmal sogar am wenigsten) in der prominentenbox zuhause. vor allem überrascht sie von dort nicht, denn sie kommt zwar souverän, aber auch uninteressiert, nebenbei – dem gewohnten umgang mit dienstleistung entsprechend.

während ich so manches mal dort, wo ich es am wenigsten erwartet hätte, mit einem fürstlichen trinkgeld entlohnt werde. »soist aa lebn, madl!«

dann schäme ich mich ein wenig und bin gleichzeitig froh, daß mich die realität vor der verfestigung meines denkens bewahrt hat.

der oktoberfestbesucher läßt sich selten lumpen. er konsumiert gerne und will einmal nicht aufs geld achten müssen. er läßt sich fotografieren, deckt sich mit souvenirs ein, schreibt humoristische postkarten von münchen-theresienwiese nach mittersendling oder neuperlach. er kauft papptirolerhüte, schaumgummihämmer, riesenschlümpfe und andere nützliche gegenstände. er nimmt einen maßkrug mit nach hause – oder wenigstens bis zur nächsten trambahnhaltestelle… warum? zur erinnerung an den ausflug aus dem alltag? um die anderen wissen zu lassen, daß man mal kräftig auf den putz gehauen hat?

mittlerweile ist es nach acht und das zelt zum bersten voll. die leute stehen dichtgedrängt in den gängen und es gibt kaum noch ein durchkommen. ich muß die bedienungen bewundern, die mit einer traumwandlerischen sicherheit ihre hendl, haxen und dutzende schwerer bierkrüge jonglieren.

unsereins hat es da etwas leichter, wir müssen wenigstens nicht schnell sein. daß nicht durch einen plötzlichen griff von hinten ware aus dem kasten verschwindet – allein darauf zu achten fällt in dem gedränge schon schwer genug.

es beginnt die »heiße« zeit des abends. das publikum ist bester laune – hendl, brezen und emmentaler sind verzehrt, jetzt ist eine rose für die gattin fällig und eine zigarre für den herrn. und schließlich, wichtigster punkt, muß alle paar minuten der krug zum trinkspruch erhoben werden. die kapelle macht's nach jedem lied vor: »ein prosit, ein proohosit der gemüt – lich – keit!« und dann, etwas direkter: »oans, zwoa, drei, g'suffa!«

auch das musikalische programm besteht nun fast nur noch aus trinkliedern – am liebsten schwärmt man von bierseen, die so groß sind wie der schliersee, und ähnlichem. es wird gezielt angeheizt, in rascher folge das ganze repertoire einschlägiger lieder gespielt. dazwischen aktuelle ohrwürmer mit showeinlage: die musiker setzen sich zu den lederhosen sombrerohüte auf, laufen mit dschingis-khan-bart und -schwert über die bühne, machen ententanz-gymnastik oder wollen plötzlich heim nach fürstenfeld.

und das publikum will immer mit! vom balkon aus blicke ich auf eine vieltausendköpfige, einträchtig wogende menge. für einen moment bin ich froh, jetzt nicht dort unten zu sein. auf bänken und manchmal auch tischen wird getanzt, geklatscht, geschunkelt und mitgegrölt. zweifellos, jetzt ist es am »zünftigsten«. die stimmung hat sich zusehends hochgeschaukelt, ist dabei aber auch immer instabiler geworden. offene aggressionen und schlägereien sind an der tagesordnung – man kümmert sich mit der zeit kaum noch darum, schaut nur, daß man möglichst nicht mitten hinein gerät. diese stunden sind umsatzmäßig zwar die besten des tages, aber auch die härtesten. denn die aufgeputschte stimmung verhält sich hochempfindlich gegenüber allem, was an ihr nicht teilhat oder sie zu gefährden scheint. das publikum will in seinem ausnahmezustand bestätigt werden und fordert dies massiv. »warum schaust'n so grantig?« – heißt eigentlich: warum bist du gerade nicht so ausgelassen wie wir? ob bedienung, ordner, zigarren- oder rosenverkäufer, jeder muß jetzt nerven und gute laune zeigen, sonst läßt sich der »alltag im festtag« nicht bewältigen.

halb elf, die musik verabschiedet sich, der abend geht langsam zu ende. zwar wird noch bier ausgeschenkt, aber die leute sollen aufs nachhausegehen eingestimmt werden. da die stimmung gerade den höhepunkt erreicht hatte, jedesmal wieder ein schwieriger prozeß. es dauert noch über eine stunde, bis das zelt sich langsam leert. manche leute gehen nur widerwillig, andere können überhaupt nicht mehr gehen.

während überall leere krüge scheppern, tische abgewischt und kassen geleert werden, sitzen sie, den kopf auf die verschränkten arme gelegt, weiter da und scheinen überhaupt nicht zu bemerken, daß alles vorbei ist. zumindest für heute.

feierabend.
statt nach hause zieht es mich zu bekannten gesichtern und einem gemütlichen bier. ich wähle meinen weg durch ausgestorbene budenstraßen und atme tief die nachtluft ein. ein polizeiauto fährt langsam durchs gelände, betrunkene grölen einsam vor sich hin.
gedankenverloren spiele ich fußball mit leeren colabüchsen und zigarettenschachteln…
entspannung…?
feierabend.

Ulrike Barnessoi

298

Kat. Nr. 562

deren Dienstleistung für entsprechende Betriebe unterverpachtet sind. Es ist das Heer der Radi-, Zigaretten-, Brezn- und Scherzartikelverkäufer, die sich zumeist mit ihren Bauchläden durch die Zelte wühlen. Auch die Reinigungsarbeiten, der Ordnungsdienst und die Toilettenbetreuung sind an andere Unternehmer verpachtet.

MSt, PuMu

564 Kellnerinnenmarken mit Nummern, verwendet 1984

»Armbrustschützenzelt Festwirt Richard Süßmeier«, »BRÄUROSL-HEIDE«, »FISCHER-VRONI«, »Haberl Gastronomie« (Ochsenbraterei), »HOFBRÄUHAUS. FEST-HALLE G. u. M. STEINBERG«, »LÖWENBRÄU FESTHALLE«, »SCHÜTZENFESTHALLE E. REINBOLD«, »SCHOTTENHAMEL FESTHALLE«.

Metallprägung mit farbiger Lackierung und Emaillierung.

MSt, A 84/355

561 Belegschaft des Löwenbräu-Zelts, 1921

Fotopostkarte.

Die Festwirte Ferdinand Utzl und Josef Arzberger haben sich mit der Belegschaft zum Gruppenfoto vor dem Hintereingang des Festzeltes versammelt. Das Personal umfaßt, vom Saalordner bis zum Postkartenverkäufer, 73 Personen.

StadtAM, Postkartenslg.

562 Krugwäscherinnen, um 1920

Kester Lichtbild-Archiv, Foto, 12,8×17,5 cm.

Unter einem Unterstand sind deckellose Maßkrüge der Thomas-Brauerei in einem Zuber und auf Tischen aufgehäuft. Die drei Krugwäscherinnen in langen Schürzen haben eine primitive Wasserleitung zur Verfügung.

MSt, 35/1658

563 Festzelt als Arbeitsplatz, 1984

Julia Köbel, Wolfgang Pulfer, Fotos.

An die 5000 Personen arbeiten täglich in den gastronomischen Groß- und Kleinbetrieben auf dem Oktoberfest. Als Angestellte der Festwirte oder Mitarbeiter anderer Arbeitgeber (zum Beispiel Reinigungsfirmen, Ordnungsdienste etc.) arbeiten sie täglich zwischen 12 und 15 Stunden, damit sich der Festbesucher amüsieren kann.

Das Festzelt »Bräurosl« soll als Beispiel herausgegriffen werden:

1984 beschäftigte der Festwirt Willy Heide rund 300 Personen in eigener Regie in seinem Wirtsbetrieb.

- 12 Personen in der Verwaltung, davon 3 Geschäftsführer
- 26 Musiker
- 186 Kellnerinnen, einschließlich Gartenbetrieb
- 21 Schankkellner an 7 Schänken, davon jeweils 2 für den Ausschank und 1 Kassierer
- 10 Ganterer, die für die Bereitstellung der Fässer vom Antransport zur Schankstelle zuständig sind
- 44 Personen als Küchenpersonal, Köche, Küchenhilfen etc.

Zu diesem Mitarbeiterstab kommen noch rund 80 weitere Personen hinzu,

565 Hinweisschild aus einem Bierzelt-Pissoir, 1984

Filzstift auf Pappe, 53×68 cm.

»Ich sorge hier für Sauberkeit und bitte um eine Kleinigkeit. Vielen Dank der Toilettenmann«.

MSt

Kat. Nr. 564

Der Stoff

Wie oft haben Sie schon gefragt, wer das erste Bier gebraut hat, und dabei als Antwort erhofft, es müßten wohl die Bayern gewesen sein.

Das älteste Dokument über die Bierbereitung ist jedoch das »Monument Bleu« aus dem Lande der Sumerer. Die älteste bayerische Brauerei ist die ehemalige Klosterbrauerei Weihenstephan, die seit 1040 kontinuierlich besteht. Eine Beschränkung für die zum Brauen verwendeten Rohstoffe erfuhr das Bierbrauen durch das bayerische Reinheitsgebot von 1516, das neben dem Bierpreis vorschrieb, daß »allein Gersten, Hopfen und Wasser verwendet und gebraucht werden sollen«.

Allerdings war der Konsum dieses Getränks wohl von zahlreichen Überraschungen begleitet, denn erst im 19. Jahrhundert wurden Erfindungen und Entdeckungen gemacht, mit Hilfe derer das Bier dann konstant so schmeckte, wie wir uns dies heute vorstellen.

1870 entdeckte Louis Pasteur die Gärwirkung der Hefe. Dieser Organismus lebt eigentlich lieber an der Luft in Gegenwart von Sauerstoff. Hier vermehrt er sich stark und zeigt auch lebhaften Stoffwechsel. Entzieht man nun der Hefe in diesem Stadium den Sauerstoff, so stellt sie sich, um ihren Stoffwechsel weiterführen zu können, auf Gärung um. Nun gibt es noch andere Mikroorganismen, die unter diesen Bedingungen existieren können und den Biergeschmack negativ beeinflussen. Durch die Entwicklung der Hefereinzucht durch E. C. Hansen 1881 war es möglich, die Bierhefezellen einzeln zu isolieren und typische Stämme in Reinkultur heranzuziehen. Heute wird durch ständige Laborüberwachung garantiert, daß die Betriebshefe frei von anderen (= wilden) Hefen und Bierschädlingen bleibt.

Es gibt zwei grundsätzlich verschiedene Arten der Bierhefe: Die obergärige und die untergärige. Erstere hat ihren Namen daher, weil sie während der Gärung nach oben, also in die Gärdecke steigt. Sie ist gekennzeichnet durch hohe Gärtemperaturen bis 20° C und durch die Bildung sehr fruchtiger Aromen. In Deutschland findet sie Verwendung bei der Weizenbier-, Alt- und Kölschherstellung. Die untergärige Hefe zeichnet sich durch niedrige Gärtemperaturen aus und wird zur Herstellung der sogenannten Lagerbiere verwendet. Dieser Ausdruck ist etwas irreführend, denn auch obergärige Biere müssen eine Lagerzeit durchlaufen.

Eine der wichtigsten technischen Neuerungen wurde 1873 von Carl Linde getätigt: die Erfindung der Kältemaschine. Jetzt änderten sich die Trinkgewohnheiten völlig, denn die obergärigen Biere, die höhere Gärtemperaturen haben, wurden zurückgedrängt. Außerdem konnte man nun das ganze Jahr hindurch Bier gleicher Lagerzeit mit konstanter Temperatur herstellen.

Vorher braute man getrennt ein Winter- und ein Sommerbier ein. Im März war die letzte sichere Möglichkeit vor der warmen Jahreszeit, untergäriges Bier zu brauen. Es war draußen noch kalt und der Eisvorrat reichte, um das Bier im Lager über den Sommer zu bringen.

Die Stammwürze, also die Summe des löslichen Extrakts vor der Gärung, wurde etwas höher angelegt, das heißt, das Bier wurde unter Verwendung von mehr Malz stärker eingebraut. Die Nachgärung hielt so länger an und man brachte das Bier unter ständiger stiller Gärung in den kalten Kellern über den Sommer.

Auf dem Oktoberfest wurde Sommerbier, also im Sommer eingebrautes Bier, getrunken. Infolge des heißen Sommers 1872 war dieses frühzeitig zu Ende, und es hätte Winterbier ausgeschenkt werden müssen. Trotz Abratens des Brauers Josef Sedlmayr und des Polizeidirektors bestand der Wies'n-Wirt Schottenhamel auf dem Ausschank von Winterbier unter dem Namen *Märzenbier* zu drei Kreuzer über dem sonstigen Wies'n-Bierpreis. Er erwies sich als der bessere Kenner der Münchner Volksseele und so wurde das Märzenbier zum ausschließlichen Oktoberfestbier.

Festgeschrieben ist seine Stammwürze: mindestens 13%. Somit gehört das Märzen in die Gruppe der Vollbiere, die 11% bis 14% Stammwürze haben.

Es wird oft gesagt, die bayerischen Biere seien schwächer als die nord- und westdeutschen. Bei diesem Bier stimmt's nun gar nicht. Denn die Richtlinie für Vollbier gilt in ganz Deutschland und ein Bier zwischen 14% und 16% Stammwürze ist ein Lückenbier und darf nicht hergestellt werden. Erst ab 16% gibt es wieder die Klasse der Starkbiere, die hier aber nicht betrachtet werden soll. Nachdem also nur der Stammwürzegehalt vorgeschrieben ist, können die Brauereien ihr Wies'n-Bier im Geschmack variieren. Dies betrifft die Hopfung, die Gärtechnologie, das verwendete Malz, die Lagerdauer, die Vergärungsgrade usw. Allgemein stellt man sich das Märzen in einer tiefen, goldenen Farbe (bedingt durch Verwendung des Münchner Malztyps), nicht zu stark hopfenbitter (allerdings der Stammwürze entsprechend) und vor allen Dingen malzaromatisch vor.

Bis Anfang der 1950er Jahre war das Märzen das ausschließliche Wies'n-Bier. Im Laufe der Jahre mußte es jedoch dem Edelhell, auch Edelstoff genannt, weichen, das dem heutigen Geschmack der Wies'n-Besucher eher entspricht.

Der Trend geht heute zu Bieren mit höheren Vergärungsgraden, die schlanker und süffiger sind. Besonders beim Bier nach Pilsener Brauart strebt man hohe Vergärungsgrade, stärkere Hopfung und sehr helle Farben an. Letzteres heißt nicht, daß dieses Bier »schwach« ist, denn der Alkohol ist bekanntlich farblos. Sonst müßte im Sliwowitz reines Wasser sein. Auch stimmt es nicht, daß dunkles Bier besonders »stark« ist. Die Farbe wird durch das Malz bestimmt und die Stärke durch den Stammwürzegehalt!

Was ist nun der Zusammenhang zwischen Stammwürze

und Alkoholgehalt? Wie schon ausgeführt, hängt dies von den Vergärungsgraden ab und diese wieder vom Braumeister, je nachdem welche Sudhaus- und Gärtechnologie er wählt. Grob läßt sich sagen: Stammwürze geteilt durch drei ergibt den Alkoholgehalt in Gewichtsprozenten.

Doch zurück zum Oktoberfestbier. Es erfährt seine Nachgärung über mindestens vier Wochen in großen Lagertanks, von denen jeder mehrere hundert, manchmal sogar einige tausend Hektoliter Inhalt hat. Diese Tanks sind heutzutage meist aus Edelstahl gefertigt und stehen unter dem Druck, der während der Gärung durch die gebildete Kohlensäure entsteht. Eine laufende Überwachung des Drucks ist nötig, um eine genau definierte Menge an Kohlendioxid im fertigen Bier einzuhalten. Ein Zuviel hätte zur Folge, daß das Bier beim Einschenken zu stark schäumt, ein Zuwenig läßt es schal schmecken.

Es gibt heute zwei Versionen, das fertige und filtrierte Bier zur Wies'n zu transportieren: Man füllt das Bier in große Holzfässer ab, Hirschn genannt, und fährt es mit Lastwagen zur Wies'n, um dort anzuzapfen.

Die Alternative: Sobald der Ausstoßvergärungsgrad erreicht ist, wird das filtrierte Bier in kohlensäuregespannte Transport-Container mit 6 Grad Celsius eingefüllt. Mittels eines SK-Zeichen-zugelassenen Bierschlauches und Zapfhahnes unter einem ständigen Kohlendioxid-Polster aus dem Container, der isoliert ist und die Biertemperaturen ideal hält, wird ausgeschenkt.

Wie hätten Sie's denn gerne? Für das Auge brauchen Sie unbestritten ersteres. Für die Qualität, und die ist bestimmt wichtig, ist letzteres von Vorteil.

Wo liegt der Unterschied? Das Holzfaß muß man »pichen«, das heißt, es ist zu vermeiden, daß das Bier Kontakt zum Holz bekommt. Der Pechüberzug stellt jedoch eine ständige Gefahrenquelle für den Geschmack des Bieres dar. Anders verhält es sich bei der Cognac-Gärung, bei der der Übergang von Gerbstoffen in das Getränk erwünscht ist. Ins Bier dürfen solche Gerbsäuren jedoch nicht gelangen; sie bewirken einen unedlen bitteren Geschmack, der im Gegensatz steht zu einer edlen Hopfenbittere, die auch als »Blume« bezeichnet wird. Der Flavour (= Geruch und Geschmack) eines Bieres ist ganz entscheidend geprägt von der Menge und Sorte des verwendeten Hopfens. Dieser stellt nämlich im Vergleich zum Malz keine große Menge dar, er ist gewissermaßen »das Salz in der Suppe«, ist somit als »Gewürz« von großer Bedeutung. Dieser Flavour wird unter anderem durch die Anwesenheit von Luft, also von Sauerstoff, zerstört.

Bei der Verwendung von Transport-Containern oder Großfässern ist ein Luftkontakt fast ausgeschaltet, da das Bier immer unter Kohlendioxid-Atmosphäre bewegt wird. Geringer, technisch nicht vermeidbarer Kontakt mit Luft wirkt sich wegen der großen bewegten Mengen in der spezifischen Belastung pro Liter nicht so stark aus. Diese Großfäs-

ser sind so stark isoliert, daß selbst durch direkte Sonneneinstrahlung die Temperatur des Bieres pro Tag nicht mehr als ein Grad Celsius zunimmt. Durch neue Zapfhähne kann in Verbindung mit diesen Großfässern das Bier gut gezapft werden und unter relativ hohem Kohlensäuredruck gehalten werden. Oben wurde erwähnt, daß das Bier in ähnlichen Tanks im Lagerkeller seine Reifung erfährt. In diesem Großfaß zum Transport ist nun die Gewähr besser, daß es diese Reife behält.

Die lange Tradition und der hohe Bekanntheitsgrad des Oktoberfestes auf der ganzen Welt gebieten uns den farbenprächtigen Einzug der Wies'n-Wirte mit ihren alten und gut gepflegten Gespannen. Dies ist ein Teil unserer Geschichte. Der Ruf unseres bayerischen Bieres in der ganzen Welt gebietet uns, das nach dem Reinheitsgebot gebraute Bier als das überlegene darzustellen.

Von einem solcherart gezapften Bier darf man sich ruhig die bayerische Einheit bestellen und mit Joachim Ringelnatz ausrufen: »Ein Maß Bier und hundert Maß Bier und tausend Maß Bier – so leben wir, so leben wir an der Isar. Kommt zum Oktoberfest!«

Franz Mayer,
Betriebskontrolleur der Staatsbrauerei Weihenstephan

Lit.: Referat Dipl.-Ing. H. Vogel; »Bierbrauerei« Prof. Kurrent, Seminaristische Vorarbeiten zu Brauereientwürfen; K. Pilgrim, in: Brauwelt, 50, 1984, S. 2314 f.; Jfo-Institut, Nr. 29, 1984; Das große Lexikon vom Bier, Stuttgart 1983; Fritz Sedlmayr, Die Geschichte der Spatenbrauerei unter Gabriel Sedlmayr dem Älteren und dem Jüngeren. 1807–1874. München 1951, Bd. 2, S. 364.

„Aufgschweißt is...”
Zeichnung: Ernst Hürlimann

Kat. Nr. 566.1

Kat. Nr. 566.2

Kat. Nr. 566.3

566 Oktoberfest-Bierplakate der Münchner Brauereien

Während der Festwochen wurde und wird nicht nur auf der Theresienwiese Oktoberfestbier verzapft. Das Wies'n-Märzen ist ebenso im Ausschank in der Stadt oder in Flaschenabfüllung erhältlich. Geworben wird für das Oktoberfestbier mit teils aufwendig gestalteten Farbplakaten. Die Palette der Motive reicht von der Darstellung eines Bierführers mit Maßkrug vor dem Hacker-Gespann (Nr. 1), über eine Kombination von Oktoberfest-›Symbolen‹, wie sie auch auf den offiziellen Festplakaten der Stadt München zu finden sind (Kat. Nr. 171), bis hin zur Fotomontage, auf der die Bavaria anstelle ihres Kranzes einen Paulaner-Maßkrug in der Hand hält. Brauerei-Signet und Maßkrug fehlen auf keinem der Plakate. Mit dem bildlich oder im Text hergestellten Oktoberfest-Bezug werben sie nicht nur für den Konsum von Märzen-Bier; mittelbar laden sie wie die parallel erscheinenden Festplakate der

Brauereien zugleich zu einem Besuch des betreffenden Brauerei-Zeltes auf der Theresienwiese ein.

1. »Hacker Märzen ORIGINAL MÜNCHNER OKTOBERFESTBIER«, um 1939
119×84 cm. Bez. u. r.: »[Otto] Ottler MÜNCHEN«, bez. o. r.: »KiD KUNST IM DRUCK MÜNCHEN«.
StadtAM, Plakatslg.

2. »Paulaner-Thomasbräu München OKTOBERFEST MÄRZEN-BIER«, um 1955
85×60 cm. Bez. o. l.: »GOTTFRIED KLEIN«; bez. u. l.: »MEINDLDRUCK MÜNCHEN-PASING«.
StadtAM, Plakatslg.

3. »Augustiner Oktoberfestbier«, 1976
120×86 cm. Bez. u. r.: »Holzfurtner«.
StadtAM, Plakatslg.

567 »Schaufenster-Dekoration Oktoberfest 1984« – Merkblatt der Paulaner-Brauerei/ Werbeabteilung

»1. Für Absatzstellen bei denen Kunden selbst dekorieren stehen unsere bewährten ›Schaufenster-Pakete‹ bereit.
Inhalt:
1 Plakat DIN A1 kartoniert
1 Faßboden [Kunststoff]
1 Rautenfahne 3 m
20 m Girlanden
6 Keferloher
1 Träger Schauflaschen (Oktoberfestbier)
10 Tischkarten
50 Untersetzer (Quadrat) [...]

2. Für wichtige Kunden führt die Werbeabteilung Schaufensterdekorationen durch. Bitte achten Sie darauf, daß die dekorierten Schaufenster anschließend nicht mit anderem Werbematerial behängt werden. [...]«

Andere Großbrauereien, zum Beispiel Löwenbräu, geben keine abgepaßten Pakete aus, sondern dekorieren die Absatzstellen individuell.

Paulaner-Salvator-Thomasbräu AG, München

Biertransport

568 Münchner Bierfaß, 1829

Holz mit Eisenringen, Höhe 67 cm, ⌀ 53 cm.

Auf den beiden Faßböden eingeschnittenes Münchner Kindl in Wappenschild, dazu: »1829 / 1 E 3 M«. Die Bezeichnung nach der Jahreszahl gibt das Hohlmaß des Fasses an: 1 E entspricht einem bayerischen Biereimer zu 68,418 l, 3 M steht für drei bayerische Maß zu 1,069 l. Das Faß müßte also 76,34 l Bier fassen. Es ist wahrscheinlich das älteste erhaltene Münchner Bierfaß.

MSt

569 Biertransport, 1862

Johann Adam Klein, Radierung, 18,3×26,2 cm. Bez. u. r.: »J A Klein, fec. München, 1862.«; »Im Verlag von Montmorillon's Kunsthandlung.« München; auf 29×35,5 cm großen Karton von »LUDWIG MÖLLER IN LÜBECK« aufgezogen.

Vor das Fuhrwerk sind drei Zugpferde gespannt, das links der Deichsel gehende ist zum Reiten gesattelt. Geschirr und Fahrzeug sind mit der dokumentarischen Detailgenauigkeit wiedergegeben, die die Arbeiten Kleins auszeichnet. Als Kutschbock dient ein großes Faß mit einer Kette als Rückenstütze. Der Bierführer trägt hohe Stiefel, Lederhosen und Lederschurz. Mit groben Handschuhen rollt er ein Faß mit Hilfe der Schanze vom Wagen herunter. Hinten am Wagen ein Schüppel Heu für die Pferde.
Rechts führt eine Tür in die bastionsartigen Mauern eines Sommerkellers, oben sprechen Kellergäste im Schatten einer gezimmerten Laube dem Bier zu. Links im fernen Hintergrund die Frauenkirche.

MSt, Z 2033

570 Bierfuhrwerk vor dem Oktoberfest, um 1905

Anton Bischof, Öl auf Leinwand, 58×89,5 cm. Bez. u. l.: »Anton BISCHOF«.

Der mit Bierfässern beladene Wagen wird von einem Vierergespann gezogen. Ein Bierführer reitet auf dem Leitpferd, der andere sitzt auf dem Bock.

Kat. Nr. 572

Im Vordergrund rechts steht ein Luftballonverkäufer mit Bauchladen.

MSt, 64/610

571 Bierführer mit Gespann, um 1930

Kester Lichtbild-Archiv, Foto, 13×18 cm.

Zwei Bierführer posieren bei ihren Pferden vor dem Eingang zur »Bräu-Rosl«. Das Pferdegeschirr ist mit Glocken und Schwungriemen geschmückt, aber wesentlich weniger aufwendig als die rein dekorativen Prachtgespanne. Die charakteristische Montur der Bierführer besteht aus flachem Hut mit Blumengesteck, Hemd und Samtweste mit Uhrkette, Reithose und kniehohen Reitstiefeln.

MSt, 35/1653

572 Abladen der Bierfässer, um 1930

Kester Lichtbild-Archiv, Foto, 13×18 cm.

Vom Fuhrwerk wird ein Faß vom Bierführer herabgelassen, der für diese Arbeit einen Schaber (Arbeitsschürze) umgebunden hat, und von zwei Ganterern in Empfang genommen (von Ganter = Balken-Unterlage für Fässer). Alle tragen Arbeitshandschuhe. Das Polster

mit dem Brauereizeichen hinten am Wagen hat nur dekorative Funktion. Ein schmuckloses ledernes »Faßkissen« wird am Boden untergelegt, um beim Herunterholen der oberen Fässer den Aufprall zu dämpfen.

MSt, 35/1655

573 Bierfässer werden zur Schank gerollt, um 1930

Kester Lichtbild-Archiv, Foto, 13×18 cm.

Zwei Ganterer im Schaber rollen Fässer vom Wagen zum Bierzelt. Auf den Faßböden steht mit Kreide ein großes »M« für Märzen geschrieben.

MSt, 35/1656

Kat. Nr. 573

Kat. Nr. 574.1

574 Biertransport, 1954

Georg Schödl, Fotos.

Die Viererzüge sind vor ihren Brauereien aufgenommen. Die Brauereien
lieferten sowohl »M« (Märzenbier) als
auch »E« (Edelstoff bzw. Edelhell) auf
die Festwiese:
1. Augustinerbrauerei
2. Hackerbrauerei
3. Hofbräu
4. Löwenbrauerei
5. Paulaner-Thomas-Brauerei

StadtAM, Fotoslg.

575 Schanze und Faßkissen

Schanze: Länge 4 m; Faßkissen: 60×50 cm.

Die Schanze besteht aus zwei Rundhöl-
zern, die durch zwei (gemäß der Faß-
form) durchgebogene Eisenschienen
miteinander verbunden sind. Die Haken am Ende der Stangen werden an
der Bordwand des Fahrzeugs eingehängt. Über die Schanze werden die
Fässer vom Wagen und zum Ganter ge-
rollt. Den Aufprall der Fässer am Boden fängt das Faßkissen auf. Es ist aus
Leder, hart gefüllt, und hat eine Leder-
schlaufe als Handgriff. Die bestickten

und mit Brauereiemblemen verzierten
Faßkissen, die hinten an den Festwä-
gen hängen, haben nur dekorative
Funktion. BK

Paulaner-Salvator-Thomasbräu AG, München

576 Vierer-Festgespann mit Wagen, um 1935

Holz, Geschirr aus Leder, 28×104×20 cm.

Vier Pferde mit Prunkgeschirr, das in
Miniatur ausgearbeitet ist, auf dem
Bock zwei Bierführer. Am Wagen
Schild mit Schriftzug »Pschorr-Bräu«,
darauf elf Fässer mit Initialen »P. B.« für
Pschorr-Brauerei und »M« für Märzenbier. Unter dem Wagen hängen sechs
kleine Fässer; Faßkissen mit Brauereiemblem. Das Modell war ein Geschenk der Brauerei an den Bräurosl-
Festwirt Georg Heide.
Im Rahmen der Wies'n-Einzüge der
1930er Jahre setzten die Brauereien
Gespanne ein, die ausschließlich repräsentative Zwecke erfüllten. Die Geschirre *eines* Zuges sind gleichartig,
aber die Brauereien besitzen mehrere
unterschiedliche Garnituren.

Willy Heide, Planegg

577 Pferdegeschirr der Paulaner-Brauerei, um 1965

Schwarzes Leder, mit roten und weißen Kunst-
stoffstreifen in Nachahmung früherer Federkiel-
und Lederstreifenstickerei verziert, Holz, Metall,
Leinen, Roßhaar, Halfterhöhe 170 cm, Länge des
Bocks 240 cm, untere Breite 75 cm.

Aufstellung auf einem Original-Bock,
wie er zur Aufbewahrung in der braue-
reieigenen Geschirrkammer dient. Das
Geschirr setzt sich aus folgenden Teilen zusammen:
– am Kopf: die Halfter, das Gebiß, der
Beißkorb, der Glockenriemen (über
den Ohren trägt das fertig aufgezäumte
Pferd das Ohrennetz oder die Kapuze);
– an der Schulter: der hölzerne, leder-
bezogene Kummet, darunter der leine-
ne, roßhaargepolsterte Leib; die Zügel.
Die Rückenriemen heißen Ruckschlag.
Daran hängen die besonders verzierten Schwungriemen, der mit der Halfter verbundene Ausbindriemen, die
Strangtaschen und um die Kruppe des
Pferdes der Umlauf oder die Aufhalte.
Die dekorativ verteilten Metallplaket-
ten tragen verschiedene Darstellungen: das Brauereiemblem mit Kopf des
Bruders Barnabas, Münchner Kindl mit

Radi und Maßkrug, Hopfendolde, Brauerbottich.

Das Geschirr wird am Zugscheitl befestigt, je zwei Pferde sind durch ihre Zugscheitl mit der Waage verbunden, die an der Deichsel hängt. BK

Paulaner-Salvator-Thomasbräu AG, München

578 Montur eines Bierkutschers

Breitrandiger, brauner Filzhut, schwarze Samtweste, lange Lederhose, Stiefel

Spaten-Franziskaner-Bräu, München

579 Antransport von Bier-Containern der Hacker-Pschorr-Brauerei auf den Festplatz, 1984

Foto.

1984 erfolgte erstmals der Bierausschank in mehreren Festzelten aus Containern. Trotz heftiger Proteste von seiten der Öffentlichkeit gegen diese Neuerung – man befürchtete neben den ästhetischen Verlusten (erst der Container, dann womöglich auch noch Pappbecher) vor allem eine schlechtere Qualität des Wies'n-Bieres – beschloß man von seiten der Stadt und der Brauereien den Probelauf eines Bierausschanks aus Großbehältern auf dem Oktoberfest 1984 durchzuführen. Mehrere Brauereien stellten an einzelnen Schänken diese rund 5000 l fassenden Stahltanks auf. Die Erfahrungsberichte über diesen Testlauf bescheinigten in technischer Hinsicht vollen Erfolg.

Von den Containern, die im Freien entweder durch Holzhäuschen getarnt oder auf LKWs versteckt sind, laufen dicke, wassergekühlte Leitungen durch die Zeltwand in ausrangierte Hirschen (= 200-Liter-Fässer). Aus diesen Attrappe-Fässern wird dann das Bier in die Maßkrüge gezapft. Rein optisch gesehen ändert sich damit in den Schänken der Bierzelte nichts. Die Veränderungen und daraus resultierenden Vorteile sind jedoch vielfältig. Wie aus den Abschlußberichten der Brauereien zu entnehmen ist, sind die Erfolge einmal in der Verkehrsberuhigung auf der Festwiese durch Verminderung der An- und Abfahrbewegungen der Biertransportwägen vor allem während der Hauptbetriebszeiten zu sehen.

Die Großbehälter entsprechen dem Volumen von 25 Hirschen, was zur Folge hat, daß die Anlieferung des Biers durch Biertankwägen in wenigen Morgenstunden abgewickelt werden kann. Unfallgefahren und Behinderungen durch Besucher in den Stoßzeiten können damit ausgeschaltet werden. Neben den verkehrstechnischen Vorteilen stellen die Brauereien eine Erleichterung hinsichtlich der Arbeitsbedingungen klar in den Vordergrund. Der Arbeitsaufwand bei Container-Ausschank bedeutet, kurz gefaßt, tägliches Auftanken sowie Reinigen und Warten. Der gesamte Bereich des Auf- und Abladens sowie Aufganterns der Hirschen bei Faßausschank entfällt. Ein Aspekt, der insofern zu beachten ist, wenn man bedenkt, daß die Hirschen im vollen Zustand rund 300 kg – leer 100 kg – schwer sind. Die harte körperliche Arbeit der Ganterer, die diese Fässer zu den Schänken bringen, würde entfallen, aber leider auch ihr Arbeitsplatz. Dazu kommt, daß der Ausschank aus den Auslaufhähnen der Biercontainer eine schnellere Zapfzeit zuläßt. Ein Fakt, der insbesondere bei hohen Bedarfsspitzen für das Bedienungspersonal und damit für den Festgast geringere Wartezeiten an den Schänken bringt. Neben weiteren arbeitstechnischen Vorteilen ist auch die kritisch beäugte Qualität des Bieres aus Großbehältern bei dem durchgeführten Test zufriedenstellend ausgefallen. Da die Auslaufstellen der Großbehälter hinter den Zelten sich nahezu auf gleichem Höhenniveau wie die Auslaufstellen der Schankanlagen (Faß-Attrappen) befinden, können die rund 5000 l Bier aus dem Container nahezu ohne zusätzlichen Druck geleert werden. Das heißt, die Druckverhältnisse in den Großbehältern bleiben während der gesamten Bevorratungszeit unverändert stabil, was für die Qualität des Bieres positiv ist. Um das Bier nicht mit Sauerstoff aus der Luft in Berührung kommen zu lassen (was die Maß schal macht) wird gleichzeitig das durch das Bier freigesetzte Tankvolumen mit CO_2-Gas (das gewöhnlich ungenau als »Kohlensäure« bezeichnete Kohlendioxid) aufgefüllt, ohne dabei jedoch den Druck merklich zu verändern.

Der Testlauf Containerbier 1984 ist demnach positiv verlaufen, was auch die wenigen kritischen Stimmen in der Presse während der Wies'n beweisen. Ob sich die getarnten Großbehälter durchsetzen werden, wird sich in der Zukunft herausstellen. SP

Lit.: Kat. Nr. 177
MSt, PuMu

Kat. Nr. 579

»O'zapft is!«

580 Oberbürgermeister Thomas Wimmer beim Einschenken der ersten Wies'n-Maß, 1951

Foto.

Punkt 12 Uhr, untermalt von Böllerschüssen, zapft der Oberbürgermeister im Schottenhamelzelt das erste Faß an und schenkt danach die ersten Krüge ein. Dieses Eröffnungszeremoniell, das im Rundfunk direkt übertragen wird, begründete Thomas Wimmer 1950. Wenn heute bei jedem kleinen Volksfest ein lokaler Politiker zur Eröffnung ansticht, geht die Idee auf das Münchner Vorbild zurück.

StadtAM, Fotoslg.

581 Bierschlegel, verwendet von Oberbürgermeister Thomas Wimmer, 1959

Holz, 33,5×15,5 cm.

Mit eigenhändigem Schriftzug an der Wandung: »Mit diesem Bierschlegel zapfte Oberbürgermeister Thomas Wimmer am 19. IX. 1959 zum letztenmal einen Hirschen auf der Oktoberfestwiese an. München 19. IX. 1959. Thomas Wimmer.« – Dem war nicht so, denn Wimmer zapfte noch 1960 bis 1963 als Altoberbürgermeister an. Im Januar 1964 ist er gestorben. Am Schlegelboden neun Spuren vom Einstoßen des Zapfhahnes, an der Wandung sechs Schlagspuren vom Einschlagen des Hahnes.

Spaten-Franziskaner-Bräu, München

582 Oberbürgermeister Hans Jochen Vogel beim Anzapfen, 1965

H. Schmied, Foto.

Umringt von Michael Schottenhamel mit Söhnen Max und Hans, den Bürgermeistern Albert Bayerle und Georg Brauchle. Hans Jochen Vogel zapfte von 1964 bis 1971 auf dem Oktoberfest an.

StadtAM, Fotoslg.

583 Schankkellnerschürze, getragen von Oberbürgermeister Hans Jochen Vogel, 1964

Filz, bestickt, 80×78 cm.

Kat. Nr. 580

mir an der Schänke / durch die Kellnerin… Liter Bier geholt / bringen lassen. Bei Prüfung des Gefäßinhaltes ergab sich, daß vom vorgeschriebenen Maß ungefähr… fehlten. Infolgedessen fühle ich mich geschädigt und stelle den Antrag, gegen die in Frage kommenden Personen einzuschreiten.« Anschließend Raum für Bemerkungen, Namen von Zeugen, Unterschrift des Gastes und Bestätigung des Vereinsvorstandes.

VGBE, München

591 Patentschrift für eine Vorrichtung zur Einschenk-Kontrolle, 1907

Patentschift Nr. 210486, Klasse 64c, Gruppe 12.

Daß das Problem der undurchsichtigen Schankmoral im ersten Jahrzehnt unseres Jahrhunderts besonders virulent war, bestätigt nicht nur die VGBE-Satzung von 1904, sondern auch eine Erfindung, die das kaiserliche Patentamt Berlin für das Deutsche Reich ab dem 24. Dezember 1907 patentiert hat. Es handelt sich um eine »Vorrichtung zur Kontrolle der Menge von Bier u. dgl. Flüssigkeiten in undurchsichtigen Gefäßen«.

Die Schwierigkeit, den Gefäßinhalt unter einer Schaumschicht und in Krügen mit unterschiedlich hohem Schaummaß zu prüfen, wird so gemeistert: Ein Schwimmer läßt sich an seiner senkrechten Achse durch eine verschiebbare Zackenskala entsprechend dem Schaummaß (am Eichstrich) einstellen. Senkt man ihn dann ins Bier, so kann man an der Skala die Fehlmenge in ccm oder dl ablesen.

Ob das Gerät jemals bis zur Serienreife gedieh und ob es seinem Erfinder, George von Jencken in München, Reichtümer oder wenigstens Anerkennung einbrachte? Wenn man die Anwendung des Instruments – das nicht monströser ist als ein Bierwärmer und aus dem nämlichen humanitären Empfinden entstand – schon nicht scheute, so hätte man freilich für exakte Meßergebnisse einen einheitlichen Querschnitt aller Krüge voraussetzen und

den Schwimmer auf das spezifische Gewicht einer bestimmten Biersorte eichen müssen! BK

Deutsches Patentamt, München

592 Scherzpostkarte, 1909

Heliocolorkarte, 9×14 cm; Verlag: Ottmar Zieher, München.

Ein kugelbäuchiger Schaubudendirektor in Frack und Zylinder rührt rekommandierend eine Glocke; neben ihm ein Faß mit Schlegel und Maßkrug. Über die Stufen der Bretterbude drängt eine buntgemischte Schar, alle mit lachender Miene, herauf: verschiedene Bürgertypen, dicke und dünne Frauen, ein Dachauer Bauer, ein Student, ein Militär, ein Jude, ein Trachtenpreuße mit Monokel. Die Attraktion ist »DER EINZIGE Schenk-Kellner der *gut* einschänkt«. Die Sehenswürdigkeit hat ihren Preis: »EINTRITT: 30 Pfg dafür eine *volle* Mass.« BK

StadtAM, ZS

593 »Der Kampf um die volle Mass. Aktuelle Moritat von Jos. Benno Sailer mit Bildern von E. Kneiss.«, 1910

Lithographie und Typendruck, 41,7×31,8 cm. Bez. am 1. und 6. Bild: »E[mil]. Kneiß. Mch. 10.« Druck: Raimund Warth & Co., München.

Flugblatt in Form eines Bilderbogens. Siebenstrophige Moritat vom Schankkellner Schorsch, der mit scharfem Strahl den Krug mit Schaum füllt. Unter dem Nachschenk-Schild (beinahe gleichlautend mit dem heute verwendeten, vgl. Kat. Nr. 597) bemüht sich ein Gast vergeblich um gerechtes Maß. Eine Plakette weist ihn als VGBE-Mitglied aus, und im 3. Bild wird er zur allegorischen Verkörperung des Vereins, der mit einem Meterstab eine unbeholfene Bierpegelkontrolle vornimmt. Ein jüdischer Verteidiger nimmt den Angeklagten Schorsch schützend auf den Schoß. »Dass er betrogen, / Das ist erlogen, / Denn er hat's ja öffentlich getan, / Der Ehr'nmann!« Der Justitia aber ist das ganze Gesicht verbunden, das Strafgesetzbuch kann die drei Quartl im Krug nicht aufwiegen und die Para-

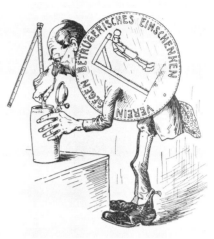

Kat. Nr. 593

graphen sind für die Katz'. Schorsch erstrahlt im Heiligenschein der behördlichen Rechtfertigung und zurück bleibt ein wehrloses Schaf mit der Galgenplakette, das traurig seine drei Quartl im Maßkrug betrachtet.

Die »aktuelle Moritat« bezieht sich auf den Prozeß gegen den Löwenbräukeller-Pächter Erwig und sechs seiner Schenkkellner, die mit Hilfe des Verteidigers Justizrat Bernstein im März 1910 freigesprochen wurden. Der Richter begründete den Freispruch so: »Das Publikum wurde nicht getäuscht, dem hiesigen Publikum ist das schlechte Einschenken ohnehin bekannt, und Auswärtige werden es wohl bald erfahren.« Der Verteidiger aber soll ausgeführt haben: »Bier ist nichts anderes als eine Mischung von Flüssigkeit und Schaum; letzterer ist ein integrierender notwendiger Bestandteil des Bieres, da ein solches *ohne* Schaum zurückgewiesen würde; wenn also diese Mischung einschließlich des Schaumes den Eichstrich erreicht, so bleibt an der einwandfreien Füllung des Trinkgefäßes kein Zweifel.«

Gegen den Freispruch erhob jedoch der Staatsanwalt beim Reichsgericht Einspruch und der Pächter entging 1911 der Strafe nicht. BK

Lit.: StadtAM, Chronik 1910; Hans Meiler, Vom Bier – und vom »Kampf um die volle Maß«!, Mün-

309

chen 1936, achtseitige Broschüre, hrsg. vom Verband zur Bekämpfung betrügerischen Einschenkens e.V.
MSt, 30/747

594 »Schenkkellner Bierkötter – Eine Münchner Rekordleistung«, 1926

Eduard Thöny, Kreidezeichnung, Farbstifte und Deckweiß, 34,5×25 cm. Bez. u. r.: »ETh«; Karikatur für das Oktoberfest-Heft des »Simplicissimus«, 31. Jg., Nr. 26, 27. September 1926, S. 348.

Ein massiger Schenkkellner mit viel Kinn und wenig Stirn, den Schlegel wie ein bedrohliches Szepter in der rechten Pranke, thront auf den Schultern von vier dicken Kellnerinnen. Der rotgesichtige Triumphator trägt die verschlossen-stolze Miene des ›Ehrewem-Ehre-gebührt‹ zur Schau. Es zieren ihn Hosenträger, noble Krawatte mit Nadel, weißer Schaber und Pantoffeln. Im Hintergrund blau-weiß gestreifte Plane und Tannenbaum als Abbreviatur eines Festzelt-Ambientes.
Den Anlaß des Triumphes erläutert im »Simplicissimus« die Unterschrift: »Er brachte, ohne selbst zu trinken, aus einem Fünfhektoliterfaß sechseinviertel Hektoliter zum Ausschank.« BK
Städtische Galerie im Lenbachhaus, München, G 1126

595 Fahne des Vereins gegen betrügerisches Einschenken (VGBE), um 1970

Hellgrüner Kunstseidentaft mit Einlage, Umrandung mit Goldfransenborte, 80×113 cm, mit Stange 173 cm; Malerei: Kanitzki (Ingolstadt).
Vorderseite: »Verein gegen betrügerisches Einschenken‹ e.V.«; links Bild eines am Galgen hängenden Schenkkellners, rechts Rundbild mit Ansicht der Stadt München mit Rathaus, Dom, Fernsehturm; unten: »Weltstadt München 1970«.
Rückseite: »Verein gegen betrügerisches Einschenken e.V. 1970«; links markiertes Feld als Autogrammtafel prominenter Mitglieder, darunter Münchner-Kindl-Wappen, rechts vergrößerte Darstellung der Mitgliedskarte Nr. 1000 mit Autogramm ihres Inhabers »J. Vogel«, später darunter gesetzt »1001 Kronawitter«; unten: »München«.
1980 erhielt der Verein von seinen Mäzenen dazu ein Fahnenband (110×20 cm) mit Goldborte und Goldfransen. Gelbe Seite: »VGBE 1970 Zum 10jähr. Jubiläum gew. v. d. tz 1980«; blaue Seite: »1970 Zum 10jähr. Jubiläum gew. v. d. [Abbildung einer Mokri-Zigarettenpackung] 1980«.

Nicht etwa, weil er von der Zielsetzung her überflüssig geworden wäre, sondern unter Einwirkung des Zweiten Weltkriegs hatte sich der Verein von 1899 aufgelöst. Anläßlich einer Bierpreiserhöhung wurde er in einer Gründungsversammlung vom 9. September 1970 neu belebt unter dem Vorsitz des Patentamts-Angestellten und Volksschauspielers Rudolf Scheibengraber und mit Unterstützung durch die Redaktion der damals neu eingeführten Münchner Boulevard-Zeitung »tz«. Satzungsgemäß verfolgt der beim Registergericht München eingetragene Verein »den Zweck, ganz allgemein gegen das noch immer weitverbreitete schlechte Einschenken vieler Wirte vorzugehen, im besonderen während des Oktoberfestes und der Starkbierzeit sowie in den Bierkellern«. Die Aufnahmebedingungen sind die gleichen wie in der Satzung von 1904; der Jahresbeitrag beträgt DM 1,–.
Die derzeitige Zahl der Mitglieder (vom Westend bis West-Samoa) liegt bei 3500. Prominente Mitstreiter aus Politik und Unterhaltung reichen von Hans-Jochen Vogel bis zu Dolly Dollar. Auch Richard Süßmeier, bis 1984 Sprecher der Wies'n-Wirte, ist Mitglied.
Der Vereinsgruß lautet: »Maß – voll!«
Als Abzeichen mit dem VGBE-Signet gibt es für die Mitglieder Vereinsnadeln in einfacher Ausführung, als silberne und als goldene Ehrennadel. Der Präsident des Vereins schätzt die goldene Nadel für wertvoller – da seltener – ein als den Bayerischen Verdienstorden.
Mitgliederversammlungen und Stiftungsfeste geben Gelegenheit, Bilanz zu ziehen. Beim Oktoberfest 1983 hatten 30 Tester des VGBE ermittelt, daß von 105 000 geprüften Maßkrügen nur 6220 ordnungsgemäß eingeschenkt waren. Als der Verein mit diesem Ergebnis vor die Kontrollbehörden trat, brachte er einen Stein ins Rollen, der nicht nur journalistisch verstärktes Gepolter, sondern 1984 aufgrund verschärfter Vorschriften ›Umwälzungen‹ unter den Bierzelt-Pächtern und auch

tatsächlich besser gefüllte Krüge verursachte. Trotz solcher Erfolge bleibt weiterhin der prophetische § 6 der Vereinssatzung in Kraft: »Da das schlechte Einschenken hier in München wohl auf absehbare Zeit nicht verschwinden wird, bleibt der Verein auf unabsehbare Zeit bestehen.« BK
VGBE, München

596 Goldener Maßkrug, verliehen für gutes Einschenken, 1979

Steinzeug, vergoldet, Höhe 18,5 cm, ⌀ 11 cm.

Die Süddeutsche Zeitung veranstaltete zum Oktoberfest 1979 eine Leser-Aktion, bei der das Bierzelt ermittelt werden sollte, in dem am besten eingeschenkt wird. Dem Bräurosl-Festwirt Willy Heide wurde der erste Preis in Form dieses Kruges zuerkannt, dann folgten das Schottenhamel-Zelt und die Fischer-Vroni. Mit Schreiben der Zeitung an W. Heide.
Willy Heide, Planegg

597 Hinweisschild auf die Möglichkeit des Nachschenkens, 1984

Schwarzer Druck auf Plakatkarton, 43×61,5 cm.

»Nicht genügend gefüllte Krüge bitte nachfüllen lassen«, unterzeichnet vom »Verein der Festwirte München«. Das Anbringen solcher Schilder an den Schenken und Eingängen der Festzelte (bei Großausschank auch außerhalb des Oktoberfestes schon seit längerem üblich) hat die Stadt München 1984 erstmals zur festen Auflage für die Schankerlaubnis gemacht.
MSt

598 »tz-Biero-Meter«, 1984

Meßlatte, 21,7×4,9 cm, abgedruckt in: tz, 6./7.10. 1984.

Mit der Meßlatte leistete die Zeitung einen humorvollen Beitrag zur Diskussion um die Füllhöhe des Wies'n-Maßkrugs. Durch Anlegen der Latte konnte der Gast nun selber prüfen, ob seine Maß gut eingeschenkt war. Die Bewertungsskala umfaßt die Rubriken »Zuviel«, »Gut«, »Geht noch«, »Zuwenig« bis »Gauweiler kommt«.
Privatbesitz

Das reservierte Vergnügen

Kat. Nr. 599.1

Kat. Nr. 599.2

599 Das reservierte Vergnügen

1. Tischreservierungskarten aus verschiedenen Bierzelten, 1984

StadtAM, ZS

2. Das Löwenbräuzelt um die Mittagszeit, mit Reservierungskarten auf den Tischen, 1984

Wolfgang Pulfer, Foto.

MSt, PuMu

Für eine größere Gruppe am Abend einen Platz im Bierzelt zu finden, ist illusorisch. Die Tische sind bis auf einen geringen Teil mit Reservierungen belegt, die vorzeitig bei der Geschäftsstelle des entsprechenden Zeltes vorgenommen werden müssen. Als Auflage besteht ein Mindestverzehr pro Person, der in der Regel ein halbes Hendl und zwei Maß Bier beträgt. Neben Privatpersonen, die für Freunde und Bekannte einen Wies'n-Besuch organisieren, reihen sich vor allem Firmenbelegschaften vom kleinen Handwerksbetrieb bis zum Großkonzern um die Tische. Wies'nfreudige Formationen aus dem öffentlichen Dienst, Vereine und andere Institutionen sichern sich reservierte Zeltplätze.

Entlang der Zelthauptschiffe gibt es die durch Balustraden abgetrennten Boxen, deren Zugänge für den *normalen* Besucher durch Wachleute versperrt sind. Hier kann man sich für die Gesamtdauer der Wies'n Tische reservieren lassen. Die freibleibende Platzkapazität wird den jeweiligen Tagesreservierungen zugeschlagen.

Neben diesen finanziell realisierbaren Reservierungen wird in den Boxen der Zelte sogar das Privileg der Stammtische praktiziert. So kann man zum Beispiel die Schausteller am besten im roulierenden System in einer Box der »Fischer-Vroni« antreffen. Dringt man in einem anderen Zelt in die Box vor, kann es sein, daß die Kellnerin trotz überquellender Besuchermenge das Niederlassen an einem fast leeren Tisch verweigert, da dies das freizuhaltende Reservat eines bekannten Münchner journalistischen Schriftstellers sei. – Einen Bierzeltplatz auf dem Oktoberfest – noch dazu mit mehreren Personen – zu ergattern, gehört zu den schwierigsten Punkten des Festbesuches. Trotzdem kommen die »Nichtreservierten« nach langem Rumziehen durch die Zelte oft ans Ziel eines gerade frei gewordenen Tisches. Als Alternative bleibt sonst nur die von einer Kellnerin abgezwackte »Stehmaß«, deren Trinkdauer gekoppelt mit Kontaktaufnahme zu benachbarten Tischsitzern sich unverhofft zu mehreren neu verfügbaren Sitzplätzen ausweiten kann, weil die »Reservierten« gerade zu vorgerückter Stunde zusammenrücken. FD

600 Hendlmarke, 1984

6,6×14 cm.

Neben dem gemeinsamen Wies'n-Besuch ist es bei vielen Münchner Betrieben üblich, den Mitarbeitern Bier- und Hendlgutscheine zu überreichen. Eine einheitliche Handhabung dieser Oktoberfestgratifikation gibt es nicht, doch können sich die meisten Firmen dieser Sitte kaum entziehen.

StadtAM, ZS

Kat. Nr. 600

311

1. Allgemeiner Trinkspruch v. Bernh. Dittrich (Chemnitz).

Ein Prosit, Ein Prosit der Gemüthlichkeit
Ein Prosit, Ein Prosit der Gemüthlichkeit
Eins — Zwei — Drei — Gsuffa!!!

Kat. Nr. 609.1

Prosit und Gemütlichkeit

»Langsam findt der Tag sei End…« – mehr ist vom Text zunächst nicht zu verstehen. Die Stimmen der Musiker werden übertönt vom Jubel, vom Klatschen und Trampeln der Menge. Die Leute springen von ihren Bänken auf, sie reißen die Arme hoch, schlagen im Takt der Musik die Handflächen gegeneinander; Körper, die den Rhythmus der Musik aufsaugen – sie springen hoch, stampfen jedes Viertel der Takte in den Boden. Arme klammern sich an fremde Schultern, haken sich an anderen Armen fest. Einer reißt den anderen mit in die Höhe, schwitzende Gesichter, weit geöffnete Münder, heisere Kehlen stoßen Melodie- und Textfetzen hervor: »…will wieder z'ruck hintern Semmering, brauch kaa große Wöit…« – Ich bin im Bierzelt.

Am Eingang schlug mir von Bierdunst, Rauch und Schweiß getränkte Luft entgegen. Nach einigen angestrengten Atemzügen habe ich mich daran gewöhnt. Ich gebe den Versuch auf, mit meinen Begleitern zu sprechen – sie hören mich nicht; ich selbst kann mich kaum noch hören. Kurzzeitig habe ich das Gefühl, unter dem Dröhnen, das sich mir über den Kopf stülpt, taub zu sein. Das rhythmische Trampeln läßt den Boden vibrieren, ich spüre körperlich den Schlag des Taktes.

Es ist der 4.10.1984, 21^{40}h – »Fürstenfeld«-Zeit. Das Riesenzelt ist voll. Leere Bänke hier und dort trügen – die Besucher tanzen auf den Tischen. Mich überkommt ein Gefühl leichter Lethargie. Die Musik, das Poltern, die Wärme – der anfängliche Impuls, mich nach draußen zu retten, ist verschwunden. Ich stehe einfach da. – Ein scharfes »Vorsicht!« reißt mich aus meinem ›gedanken-losen‹ Zustand. Eine Kellnerin, bewaffnet mit einer Unmenge bierschäumender Glaskrüge, drängt mich energisch aus ihrer Bahn.

Ich fasse Mut, schiebe mich in Richtung des Musikpodiums – brodelnd schlägt das Leben der Riesenhalle über mir zusammen.

»Fürstenfeld« ist zu Ende. Baß und Percussion geben jedoch weiterhin Fürstenfeld-Rhythmus an. Viele bleiben auf den Bänken stehen, klatschen mit. – »Wollt's as nomoi hör'n?« – »Jaa!« – Wieder »Fürstenfeld«. Die Kapelle spielt es in dieser Stunde viermal. Neben mir meint ein Gast: »Schö wieder…«, steigt aber dennoch auf seine Bank, singt mit. Etwas schwerfällig beginnt er, seine müden, bierschweren Füße zum Sprung zu zwingen. Jedesmal, wenn seine Haferlschuh auf die Bank niederkrachen, meldet sich mein Steißbein.

Um uns hält es nur noch wenige auf ihren Plätzen. Menschenschlangen poltern durch die Gänge, brechen ab, formieren sich erneut. Die Glaskrüge auf den Tischen klirren. Zigarettenschachteln ertrinken in Bierpfützen. Die trampelnde, gröhlende Masse hat für mich mittlerweile nichts Bedrohliches mehr; ich bemerke, daß ich allmählich auch »haam nach Fürstenfeld« will, mitmachen will.

Wieder einmal ist »Fürstenfeld« vorbei. Klatschen, Schreien, Pfeifen; die Kapelle spielt »Comment ça va?«. Aus dem rhythmischen Springen werden Tanzbewegungen. Hüften schwingen, die Haferlschuh müssen nicht mehr den Aufprall bei Bankberührung ertragen, nun dürfen sie weich nach der Seite ausgreifen. Die Kapelle fordert zum Mitklatschen auf. In den Gängen tanzen Paare; auch mancher Einzeltänzer zieht seine bierseligen Kreise. Ein alter Mann, schäbig gekleidet, führt zur Musik kunstvolle Bewegungen aus. Manchmal stolpert er; um ihn hat sich eine Traube von Zuschauern gebildet. Er bemerkt dies anscheinend nicht. Das einzige, was er wahrzunehmen scheint, ist der halbleere Bierkrug in seiner Rechten, aus dem er immer wieder einen Schluck nimmt.

Die Musik ist zu Ende. »So, das war's – jetzt schau'n ma amal in die Maßkrüg. Prost, prost, prost – ein Prosit der Gemütlichkeit!« Die Leute gröhlen mit, prosten einander zu. Bierdunstige Erschöpfung kehrt ein.

Nach der Trink- und Ruhepause von rund fünf Minuten folgt »Rosamunde«; danach werden wieder die Maßkrüge gehoben auf die Gemütlichkeit. Schunkelwalzer: die Kapelle gibt Anweisung, aufzustehen. Der Großteil der Gäste schunkelt im Stehen. »O mein Papa«, »Drei Tag geh'n ma nimmer hoam«, das Tempo wird angezogen, das Publikum zieht mit, die Bewegung wird schneller, das Klatschen heftiger – der Durst soll steigen, denn zum Abschluß heißt es wieder: »Ein Prosit der Gemütlichkeit! Prost, prost, prost – eins, zwei, drei – g'suffa!«

Beruhigung tritt ein, fünf Minuten lang schweigt die Musik. »Waldeslust«, »Schützenliesel«, »Lustig ist das Zigeunerleben«, »Anneliese«, »Auf und Nieder« – auf Kommando der Kapelle erheben sich die Besucher, setzen sich wieder, schunkeln – dann erneut die Aufforderung zum Trinken.

Kaum jemand, der noch nüchtern ist; die stete Bierzufuhr hat ihre Wirkung schon längst getan, die Bewegungen erzeugen ein Schwindelgefühl. Anonyme Gemeinsamkeit macht sich breit, das Bedürfnis, nicht mehr in den kalten Abend hinaus zu müssen. Ein paar Tische weiter schenkt jemand einer fremden Schönen sein rot zellophaniertes Herz – mit unsicheren Bewegungen hängt er es um ihren Hals. Sie prosten sich zu. – Eine Schlägerei, Nebenprodukt der berauschten ›Gemütlichkeit‹, wird vom Ordnungsdienst niedergebügelt.

Trinkpause: das schwerfällige Wogen hat ein Ende genommen, die Kellnerinnen hieven Nachschub auf die Tische. – Das Zelt lebt wieder auf: einige skandieren »Fürstenfeld! Fürstenfeld!« – Die Kapelle wartet ab, bis der Ruf das ganze Zelt erfüllt. Dann setzt sie ein: »Langsam findet der Tag sei End…« Wieder sehe ich nur noch Knie um mich, bin von stampfenden Füßen umgeben. Es geht auf das furiose Finale des Abends zu, das nur noch von einer dreiminütigen Trinkpause unterbrochen wird.

Widerwillig leert sich das Zelt; Stühle werden auf Tische gestellt, die Vorbereitungen für die Reinigung beginnen. Einige Besuchergruppen wehren sich noch, singen weiter, tanzen zu imaginärer Musik. Am Nebentisch versucht ein Gast, einen Bierkrug unter dem Anorak zu verstecken: »So'n

Kat. Nr. 612

Bembl wollt ich schon immer mal haben. Wer weiß, ob wir nochmal herkommen« – Sicherung einer Trophäe.

Wir verlassen das Zelt, Frischluft schlägt uns entgegen. In meinen Ohren hat sich ein Summen festgesetzt. Ich fühle mich kurzzeitig, als ob eine Glaswand zwischen mir und dem realen Geschehen stünde. Was veranlaßt Menschen jeden Alters dazu, sich in Massen auf harte Bänke zu setzen, Schulter an Schulter mit völlig Fremden und in stickiger Luft, bei Musik von dröhnender Lautstärke immer wieder eine wie auch immer geartete ›Gemütlichkeit‹ zu beschwören?

Fest steht, daß Verlauf und ›Rhythmus‹ eines Bierzeltbesuches von gewissen Faktoren bestimmt wird und gewisse ›rituelle Handlungen‹ umfaßt. Zu diesen Handlungen gehören gegenseitiges Zuprosten, wobei auch mit Tischnachbarn angestoßen werden kann, die nicht zum Begleiterkreis gehören, das Schunkeln oder andere ›tänzerische‹ Bewegungen und das Mitsingen. Unverzichtbares Attribut ist die Blaskapelle – ob mit oder ohne Ergänzung elektrisch verstärkter oder elektronischer Instrumente. Die Kapelle übt eine weit bedeutendere Funktion aus, als die reine ›Berieselung‹ der Besucher mit musikalischer Unterhaltung. Sie dirigiert die Menge im Bierzelt, markiert Erholungspausen, in denen ›ungestört‹ getrunken und gegessen werden kann, und sie fordert mit Trinksprüchen zum Bierkonsum auf. Damit sind wir beim Lebenselexier des Festzeltes – dem Bier. Die Wirkung, die von seinem Genuß ausgeht, ist die Grundlage der offensichtlichen Bewußtseinsänderung, die der Besucher im Festzelt erfährt. Es schafft die Bereitschaft, in der umgrenzten Welt der Halle ein anderes Verhalten, als das ›draußen‹ übliche anzunehmen, Hemmungen zu überwinden. ›Normales‹ Verhalten ist hier fehl am Platze. Das Bierzelt gewährt einen Freiraum, den auszunutzen Gebot ist. Der Gast, der die Alternative ›Mitmachen oder Gehen‹ nicht akzeptiert, wird bestenfalls verwirrt und erstaunt, von schunkelnden Nachbarn im Takt gestoßen, vor seinem zitternden Eurokrug sitzen, wenn er nicht zumindest einige bissige Bemerkungen einzustecken hat. Der Rausch von Bier und rhythmischer Musik, die Anonymität in der Masse, die auch durch die kurzlebige Freundschaft zwischen den Bierkrügen nicht aufgehoben wird, erleichtern das ›Mitmachen‹ jedoch beträchtlich.

Die Ausgelassenheit im Bierzelt mit Spontaneität gleichzusetzen, wäre ein Fehler. Schunkeln, Klatschen, das Aneinanderreihen zu Polonaisen – all das sind Teile eines immer gleichen Repertoires. Zu jeder Art der musikalischen Darbietung gibt es die adäquate Art der Bewegung. Provoziert und dirigiert wird sie von der Kapelle. Sie sagt an, was zu tun ist – unmittelbar durch Anweisungen oder mittelbar durch die Auswahl der Vorträge. Die Festkapelle hat den Stimmungsverlauf zu steuern, ›anzuheizen‹ oder das Brodeln wieder zu beruhigen.

Ein Spektrum populärer Musikstücke vom Stimmungslied über Walzer, Märsche, Volkslieder zu Schlagern von gestern und heute wird geboten. Mitunter kristallisieren sich dabei »Wies'n-Hits« heraus, wie der »Ententanz« oder eben »Fürstenfeld«. Welches Lied Chancen besitzt, ein Wies'n-Hit zu werden, ist nicht vorhersehbar. Daß der Text dabei offenbar eine untergeordnete Rolle spielt, erweist sich am Beispiel »Fürstenfeld«. Dieses Lied bezieht sich auf den österreich-internen ›Kulturkampf‹ zwischen Wien und der Steiermark. Es ist nicht anzunehmen, daß der Wies'n-Erfolg des Liedes hiermit in Beziehung zu bringen ist. Es ist nicht einmal wahrscheinlich, daß der Name Fürstenfelds den Wies'n-Besuchern ein Begriff war, bevor sie den Hit der Gruppe STS gehört hatten.

Die Repertoires der verschiedenen Festkapellen sind sich untereinander ähnlich, variieren jedoch leicht, je nach ›Image‹ des Zeltes. So bietet die Hofbräu-Kapelle seinem überwiegend nordamerikanischen Publikum eine Mischung aus ›besonders amerikanischen‹ und ›besonders bayerischen‹ Elementen. Unter dem weiß-blauen Himmel des Festbaues pflegt man den Jodler als unverzichtbares Attribut des Bayern-Stereotyps, läßt es jedoch auch am schmissigen »When the saints go marching in« nicht fehlen.

Insgesamt werden die Angebote der Festkapellen von vertrauten Musikstücken dominiert, deren einfache Melodien nicht zu angestrengtem Zuhören zwingen und somit nicht von Bierkonsum und Nahrungsverzehr abhalten. Der Wiedererkennungseffekt reizt zum Mitsingen. Gemeinsames Singen produziert Gemeinschaftsgefühl, der Gast fühlt sich wohl – und konsumiert.

Einen zusätzlichen Anreiz, den Bierkrug zu heben, erhält der Gast durch Trinksprüche, die jede Zäsur im Programm einleiten. Der populärste dieser Verse – er ertönt aus Tausenden von Kehlen in jedem Festzelt – lautet: »Ein Prosit, ein Prosit der Gemütlichkeit! Eins, zwei, drei – g'suffa!« Verfaßt wurde der ›urbayerische‹ Spruch, wie ein Textheft von 1899 belegt (Kat. Nr. 609.1, Abb. S. 312), von einem Herrn Dittrich aus Chemnitz. Die Beschwörung der Gemütlichkeit soll ihre

Premiere auf dem Oktoberfest erlebt und von hier aus im bayerischen Land schnell Fuß gefaßt haben. Georg Queri berichtet darüber 1912: »Ein recht geschmackloser Münchner Trinkgesang hat sich in den letzten fünf Jahren auch auf dem Lande eingebürgert [...] Der verstorbene ›Wiesenwirt‹ Lang hatte – wie manche andere Geschmacklosigkeit – diesen Trinkgesang in seiner hauptsächlich von Landsleuten besuchten Riesenhalle auf der Oktoberfestwiese eingeführt und offensichtlich damit Anklang gefunden. Die Burschen wenigstens brachten den in seiner letzten Zeile zu brüllenden Spruch freudig heim und pflegten ihn eifrig, so daß er kaum mehr ausrottbar erscheint.«

Georg Lang (Kat. Nr. 601–606) war der erste Wies'n-Wirt, der eine festangestellte Blaskapelle in seinem Riesenzelt spielen ließ. Seine »Original Oberlandler« begründeten die ›klassische‹ Bierzeltunterhaltung der in Tracht gekleideten Blaskapelle. Mit einem breiten Spektrum populärer Unterhaltungsmusik vom Schlager bis zum seinerzeit beliebten vaterländischen Lied regelten sie seit 1898 den ›Stimmungspegel‹ in der Lang-Bude. Die Gäste erhielten Texthefte zum gemeinsamen Mitsingen ohne Zaghaftigkeiten. Die anderen Wirte taten es ihm nach und bald war in fast jedem Festbau ein Musikpodium installiert, von dem aus Blechmusik die Hallen bis zum letzten Winkel füllten.

Mit dem Einsatz seiner 30–40 Mann starken Trachtenkapelle fügte Lang dem bayerischen Nationalfest nicht nur eine weitere stereotype Komponente hinzu. Er folgte damit einem Trend in der populären Unterhaltung seiner Zeit. »Bauernkapellen« dominierten damals das Programm zahlreicher Singspielhallen und Volkssängerlokale der Stadt. Der ›Bayern-Boom‹ trieb, unterstützt vom wachsenden Tourismus, der Gäste gerade aus dem hohen Norden Bayern erkunden ließ, Blüten in ganz Deutschland. »Oberlandler-Kapellen« bayerischer, sächsischer oder Hamburger Provenienz verbreiteten das ›krachlederne‹ Bild der Bayern als urwüchsiger, schuhplattelnder Volksstamm – nun fand es auch seinen Platz auf den Musikpodien des Oktoberfestes.

Leicht modifiziert finden wir dieses Stereotyp denn auch in einer Bierzeltbeschreibung von 1937: »Da schluchzen in den sechs mächtigen Biertempeln [...] nicht zarte Geigenseelchen in Weltschmerz; von breiten Bühnen herab knattern mit Posaunen und Trompeten flotte Märsche, strömen wiegende Walzer.«

Das martialische ›Knattern‹ der Sprache täuscht nicht darüber hinweg: seit Georg Lang hat sich nicht viel geändert an der Bierzelt-Stimmung, dieser Mischung aus schunkelndberauschter Seligkeit und polternder Verbrüderung, der auf zahllosen Prosits schwimmenden Gemütlichkeit, die ihr ›Opfer‹ nicht entläßt, bevor sie sicher ist, in seinen schweren Beinen eine Erinnerung für den Weg nach Hause zu hinterlassen.
Sabine Sünwoldt

Lit.: Georg Queri, Kraftbayrisch, München 1912, S. 146; Oktoberfestzeitung 1937 (vgl. Kat. Nr. 816)

Kat. Nr. 601

601 Die Festhalle Georg Langs, 1900

Postkarte mit fotografischen Abbildungen und ›Siegel‹, 9×14 cm.

Neben dem Portrait des Wirtes zeigt die Karte die einzige Abbildung der ersten »Riesenhalle« Langs auf dem Oktoberfest.

Die Veränderung der Wirtsbuden zu großdimensionierten Bierhallen, die das Bild des Oktoberfestes um die Jahrhundertwende prägt, steht in engem Zusammenhang mit der Person des »Nürnberger Krokodilwirtes« Georg Lang (1866–1904). Ihm kam in diesem Prozeß eine Schlüsselfunktion zu.

Der erfahrene und geschäftstüchtige Wirt, der auf Volksfesten in ganz Deutschland vertreten war, bezog 1898 erstmals die Münchner Festwiese. »Ihm gelang es, gleichzeitig drei bisherige Zulassungsbedingungen für den Wiesenbezug […] zu umgehen: Weder stammte er aus München, noch bewirtschaftete er seinen Wiesenausschank selbst und dazu baute er eine Riesenhalle auf fünf Wirtsbudenplätze alter Größe.« (Möhler) Tatsächlich war Lang bei seinem ersten Wies'n-Bezug noch nicht in München ansässig. Erst

ein Jahr später verlegte er seinen Wohnsitz von seiner Geburtsstadt Nürnberg hierher, wo er allerdings bald ein Münchner ›Traditionslokal‹ zu führen bekam. Lang betrieb von 1900 bis 1902 den Münchner-Kindl-Bräukeller in der Rosenheimer Straße, eine beliebte Bierhalle mit Unterhaltungsprogramm.

Die Lang-Bude, deren Areal der Wirt mit Hilfe von ›Strohmännern‹ ersteigert hatte, war auf einen Massenbewirtungs-Betrieb eingerichtet. Sie leitete eine Entwicklung ein, der schließlich mit der Neuanlage des Wirtsbudenrings 1907 Rechnung getragen wurde. SS

Lit.: Möhler 1981, S. 154; StadtAM, PMB StadtAM, Postkartenslg.

602 »Ehren-Diplom« aus der Lang-Bude, 1901

Farbige Kunstpostkarte, links oben offizieller Oktoberfest-Stempel, 14×9 cm.

Überschäumender Deckelkrug mit Schriftfeld, in das ein ›Formular‹ zur handschriftlichen Ergänzung eingesetzt ist. Der Text lautet: »Oktoberfest München 1901. Bierbude No 16. Ehren-Diplom an Herrn I. u. M. Hager für ganz entsetzliches Saufen von 10 Maß.

Theresienwiese, den 29.9.1901 Brauer: Wirt: Schenkkellner: Georg Lang«.

Spaten-Franziskaner-Bräu, München

603 Oktoberfest-Textheft des Festwirtes Georg Lang, 1903

»Oktoberfest München 1903. Textprogramm zu den Musikpiecen. Georg Lang München/Nürnberg mit seinen Original-Oberlandlern.«

Der Umschlag des Heftes ist, wie alle Oberlandler-Hefte, mit einer fotografischen Abbildung Langs versehen. Als Referenzen gibt er auf dem Titel an, er sei »Festwirth in München, Nürnberg, Weißenburg, Regensburg, Zirndorf, Hersbruck, Hannover, Neustadt a.D., Braunschweig, Dresden, Leipzig, Gera, Landau, Chemnitz, Worms, Jena etc. etc.«
24 S., 8°.

Lang gab nicht nur mit einem Riesenzelt Anstoß zu Neuerungen auf dem Oktoberfest. Er stellte als erster Festwirt eine eigene Kapelle an, die von einem Podium aus für die Gäste aufspielte. Ihr Gehalt bezogen die Musiker vom Wirt, so daß das »Absammeln« mit dem Teller (vgl. Kat. Nr. 483) entfiel. Lang setzte die Musik gezielt ein. Die

Kat. Nr. 602

Phonstärke der Oberlandler-Blaskapelle entsprach den Dimensionen des Zeltes; es war den Besuchern nicht möglich, sich ihr zu entziehen. So ›steuerten‹ die Oberlandler mit ihren Darbietungen die Stimmung im Zelt, Trinksprüche forderten die Besucher im Sinne des Wirtes zum Bierkonsum auf. Um die Gäste noch weiter mit einzubeziehen, bot Lang Hefte an, die die Texte der Darbietung enthielten. Das Publikum sollte mitsingen. Sogar Stökke zum Mitschlagen des Taktes wurden verteilt. Die Bierzelt-Stimmung, dieses laute, leicht umnebelte Miteinander, war ›erfunden‹.

Dem ›Erfinder der Wies'n-Stimmung‹, Lang, ist denn auch ein eigener Trinkspruch gewidmet, der im Textheft verzeichnet ist:

»Edler Freund! Komm trink mit!
Prosit! Prosit! Prosit.
Eins, zwei, drei Prosit!«   SS

Valentin-Musäum, München

604   Die Oberlandler

1. »Lang's Original Oberlandler«, um 1910

Plakat, Photolithographie, 120×82 cm.

Der Schriftzug flankiert ein umkränztes Portrait Langs, darunter vor idyllischer Gebirgslandschaft die Blaskapelle in Tracht.

MSt, C 7/29

Kat. Nr. 604.1

2. »Lang mit seinen Oberlandlern«, 1902

Bernhard Dittmar, vier Fotografien mit Prägestempel in Passepartouts, 20,3×33 cm (86,5×94 cm).

a) »Der Gockelhahn«: Die Blaskapelle sitzt auf einem Podium mit Gebirgskulisse, ein Fahrrad hängt von der Decke. Lang, mit Trompete, weist

auf eine Gockelattrappe, die in der Mitte des Podiums aufgestellt ist. Links auf einem Pappmaché-Felsen eine ausgestopfte Gemse.

b) Dekoration wie a), jedoch ohne Gockelattrappe. Sechs Mitglieder der Kapelle blasen Fanfaren. Der Behang ist mit Trachtenmotiven versehen.

c) »Das Froschkonzert«: Situation wie b); die überwiegende Anzahl der Musiker trägt Froschmasken über dem Kopf.

d) »Der Hampelmann«: Situation wie b); an einer Aufhängevorrichtung baumelt ein als Hampelmann verkleideter Musiker über dem Podium.

StadtAM, Fotoslg.

605   Texthefte »Festwirt Georg Langs Original Oberlandler«

Bereiste Lang mit seinem Festzelt Deutschland, so bot er durchaus nicht überall das gleiche Programm. Die Titel, die in die Texthefte aufgenommen wurden, variieren – offenbar war die Auswahl abhängig von der Region, in der die Oberlandler gastierten. So beinhalten die Münchner Texthefte überwiegend bayerische Dialektvorträge, G'stanzl und auf München bezogene Lieder. Einige Repertoirestücke, wie der »Münchner Pflasterer-Marsch« oder Langs selbstverfaßtes Lied »Marie von der Oktoberfestwies'n« erscheinen zwar in allen vorhandenen Textheften, auch bleibt der Trinkspruch »Ein Prosit der Gemütlichkeit« stets gleich – die Oberlandler traten ja als bayerische Trachtenkapelle auf, sie profitierten vom ›Bayern-Boom‹ der Jahrhundertwende und kamen der Erwartung nach, ein ›bayerisches‹ Repertoire zu bieten; Vorträge wie »Untern Linden« oder »Berlin wackelt« bleiben jedoch den ›außerbayerischen‹ Textheften vorbehalten.

1. Textheft zum »Georgi-Ausschank Mathäserbräu«

32 S., 8°.

Florian Dering, München

Kat. Nr. 604.2a

2. »Liedertexte zu den Musikpiecen«

28 S., 8°.

Dieses Heft ist zwar äußerlich nicht als ›Münchner‹ Textheft gekennzeichnet, aus den enthaltenen Werbeanzeigen und dem Vergleich des Repertoires mit anderen, eindeutig zuzuordnenden Liederbüchern, läßt sich schließen, daß Lang das Heft bei Münchner Veranstaltungen anbot.

StadtAM, ZS

3. Textheft der Oberlandler, um 1910
Titel mit sächsischem und bayerischem Wappen und der Aufschrift: »Se. Maj. König Friedrich August von Sachsen, Se. kgl. Hoheit der Kronprinz, die kgl. Prinzen, Prinz Georg von Sachsen nebst hoher Gemahlin, Ihre k. u. k. Hoh. Erzherzogin Maria Josefa, Ihre Hoh. Prinzessin Mathilde von Sachsen zeichneten ›Georg Langs Original-Oberlandler‹ auf der Dresdner Vogelwiese am 5. August 1910 durch hohen Besuch aus.«

28 S., 8°.
StadtAM, ZS

Die Oberlandler gastierten auch nach dem Tod Langs in ganz Deutschland.

606   Blechorden, ausgegeben von Georg Lang, um 1900

Metallprägung, ⌀ 7,5 cm. Bez.: »LAUER«.

Mittelteil: geprägte Medaille mit dem Portrait des Festwirts, darüber Umschrift: »GEORG LANG MÜNCHEN«, montiert auf gedrücktem Messingstern. Zu welchem Anlaß Lang diesen Orden verteilte, ist nicht bekannt. Bereits 1898 ließ er als Triumphzeichen für die Erstellung seiner Riesenbierbude einen kupfernen Jeton prägen, der auf der Vorderseite sein Portrait mit der Aufschrift: »Krokodilwirt Lang Nürnberg«, auf der Rückseite in Hopfenwinden und Gerstenhalmen die Aufschrift: »Lang's Riesenhalle, Oktoberfest München 1898« trug.

Lit.: Destouches, Säkularchronik, S. 137
MSt, A 85/94

Kat. Nr. 607

Kat. Nr. 606

607   »Kellnerinnen-Typen« und Oktoberfeststimmung

Xylographie aus: Münchener Tagblatt, 1898, Nr. 275.

Das Blatt faßt die verschiedenen Arten von Bierzelt-Unterhaltung zusammen. Hauptakzent setzt es auf die Schilderung der Stimmung »in Lang's Riesenhalle«, in der die Festbesucher, Texthefte in der Hand, lauthals zu den Klängen der Oberlandlerkapelle singen. Umrahmt wird die Darstellung von sechs »Kellnerinnen-Typen« der Festbuden Salvator-Bräu, Kochel-Bräu, Schottenhamel, Steyrer Hans, Löwen-Bräu und Dreher. Der flinken, humorvollen Wies'n-Kellnerin wurde ja maßgebliche Funktion beim Aufkommen der Stimmung im Bierzelt zugeschrieben.

In einem Bildfeld links unten wird eine leisere Art musikalischer Unterhaltung gezeigt: »Gigerlmusik in Bude 4« mit Streichern und Blasinstrumenten. Im rechten unteren Bildfeld geht es dagegen recht ›handfest‹ zu. Zwei Paare in Tracht führen auf einem Podium kunstvolle Tanzfiguren vor: »Schuhplattler in Bude 7«.

StadtAM, Av. Bibl.

608 Festkapellen – die ›Regenten‹ des Bierzeltes

Fotos.

Die Trachtenkapelle, die auf ihrem Podium über dem Wogen der Masse von Besuchern thront, ist fester Bestandteil des Innenlebens eines Bierzeltes. Sie gibt nicht nur den Geräuschpegel an, der im Zelt herrscht – sie verschafft dem Bierzeltbesuch gleichsam einen ›Rhythmus‹. Die Stimmung wird von der Kapelle ›dirigiert‹. Mit der Auswahl ihrer Darbietungen und in ausdrücklichen Anweisungen an das Publikum ermuntert sie zum Mitklatschen, zum Mitsingen und veranlaßt die Besucher, im Takt der Musik zu schunkeln oder – »auf und nieder immer wieder« – sich rhythmisch von ihren Sitzen zu erheben. Mit Trinksprüchen animiert die Kapelle zum Bierkonsum; Zäsuren im musikalischen Programm lassen den Besucher wieder zur Ruhe und damit zum Nahrungsverzehr kommen.

Die Größe der Bierzelte und die Bedeutung, die den Kapellen als Umsatzförderer im Konkurrenzkampf der Zelte untereinander zukam, ließen die Musikpodien von den Galerien immer mehr in die Mitte des Raumes rücken. Heute erweckt das Bild des Podiums, das sich freistehend aus der Besuchermenge erhebt, nicht selten die Assoziation eines ›Felsens in der Brandung‹.

1. Festzelt »Winzerer Fähndl« der Paulaner-Brauerei mit der Kapelle Max Pfahler, 1938 (Foto: Edmund Oerter)

2. Die Festkapelle beherrscht von ihrem runden Podium aus das Löwenbräu-Zelt, 1954 (Foto: Hans Reiter)

3. Das Hofbräu-Zelt mit der Festkapelle Sepp Herrmann, um 1960 (Foto: Christl Reiter)

4. Musikpause im schäfflerbekrönten ›Pavillon‹ des Hacker-Zeltes, 1968 (Foto: Hans Schmied)

5. »Festkapelle Bräurosl Dirigent Sepp Mayer«, 1960 (Foto: R. B. H. Schlott)

SS

StadtAM, Fotoslg. (1, 3–5); MSt, 54/1003 (2)

609 Musikprogramme und Text-Hefte, 1899 bis in die 1960er Jahre

Die Hefte mit den Texten der Lieder, die die Stimmungskapellen intonierten, waren in den Festhallen erhältlich. Sie beinhalten eine bunte Sammlung vom Lob des Bieres über das leicht schlüpfrige Chanson oder derbe Gstanzl, das »Münchner Lied« bis zum

Kat. Nr. 609.7

Jubiläums-Oktoberfest 1935 Augustiner-Festhalle

Kraus, Festwirt

Pächter des Augustiner-Kellers, Arnulfstraße

vaterländischen Gesang. Auch Auszüge aus Operetten oder gängige Schlager wurden in das Repertoire aufgenommen.

Die Texthefte sind keine ›oktoberfesttypische‹ Erscheinung; solche Hefte wurden zugleich in den Volkssängerlokalen und Singspielhallen der Stadt verteilt, um das Publikum zum Mitsingen zu animieren. Auch wurden die Hefte selten für die Oktoberfeste gedruckt. Im allgemeinen versahen sie die Wirte lediglich mit einem Umschlag, der Bezug nahm auf Fest und Festhalle.

1. »Zur Erinnerung an das Oktoberfest 1899. Pschorrbräu-Almhütte, Bude 19 Alois Wohlmuth. 48 fidele Lieder / Musik Fürther Stadtkapelle / Kapellmeister: Alb. Eichinger«

16 S., 8°.

2. »Musik-Programm / Oktober-Festbierhalle Schottenhamel / Franziskaner-Leistbräu-Märzenbier / Kapelle: ADALBERT LUTZ unter dessen persönlicher Direction«

16 S., 8°.

3. »›Bräurosl‹. Pschorrbräu-Ausschank. Karl Fetscher, Festwirt. Münchner Oktoberfest 1905. J. Peuppus, k. Musikmeister«

20 S., 8°.

4. »›Bräurosl‹ Pschorrbräu-Ausschank. Karl Fetscher, Festwirt. Münchener Oktoberfest 1907. Musik der Kapelle Peuppus / Direktion: Martin Fischer«

22 S., 8°.

5. »Oktoberfest München, Pschorr-Bräurosl Volksliederbuch. Clemens Rapp, Kapellmeister aus München mit seinen ›Original Oberlandlern‹«

32 S., 8°.

6. »Oesterreichische Wein- & Kaffee-Festhalle / Oktoberfest 1907 München / Inhaber: Hans Lederer, Besitzer des Weinetablissements ›Maxim‹ Linz a. D., Schubertstraße 17«

15 S., 8°.

7. »Jubiläums-Oktoberfest 1935 / Augustiner-Festhalle / Kraus, Festwirt

Kat. Nr. 608.2

Pächter des Augustiner-Kellers, Arnulfstraße«

15 S., 8°.

8. »Der neue Oktoberfest-Schunkelwalzer«, 1950

Handzettel mit Liedtext, 21×15 cm.

Es wurde seit der ›Lang-Ära‹ immer wieder versucht, »Wies'n-Hits« zu schaffen und damit das Publikum an

ein bestimmtes Festzelt, in dem die Stimmung besonders mitreißend war, zu binden.

1950 stellte das Hofbräuhaus-Orchester Carl Waelde den Walzer »Der fröhliche ›Völkerbund‹ beim Oktoberfest« vor (Text: E. Neuhauser, Musik: M. Cardie). Der Text rühmt die friedliche Begegnung der Völker im Festzelt, die durch die Gemein-

samkeitsgefühl erzeugende Wirkung des Bieres ermöglicht wird.

9. »Auf geht's
(Ein Marschlied vom Bier)«,
1960er Jahre

Handzettel mit Liedtext, 20×14,5 cm.

Über dem Text des Liedes (Text: H. Woezel, Musik: F. Peypers) prangt der Aufdruck: »Achtung: Während

319

Kat. Nr. 611

der ›Wies'n‹ in allen Festbierhallen kräftig mitsingen!«

Der Refrain beginnt mit den Versen:
»Wir wollen Bier, Bier, Bier, Bier,
Bier!
Denn nur mit Bier ist's zünftig
hier.« SS

StadtAM, ZS

610 »Offizielles Lieder-Text-Buch für das erste große Oktoberfest nach dem Weltkriege. München 1921«

Zusammengestellt durch Kapellmeister M. Peuppus, München; Musikverlag Ferdinand Zierfuß, München

48 S. in farbig lithographiertem Umschlag, 22×14 cm. Titelbild: Kellnerin mit Maßkrügen vor Oktoberfestszenerie; Münchner Kindl. Bez. r.: »Streck«.

Das Heft zum Preis von 2,50 Mark enthält 110 Liedtexte, durchsetzt mit Gastronomie-, Musikalien- und anderen Inseraten. Es beginnt mit dem »Allgemeinen Trinkspruch«:
Ein Prosit, Ein Prosit der Gemütlichkeit
Ein Prosit, Ein Prosit der Gemütlichkeit
Eins – Zwei – Drei – Prost!«
Die weder aufs Bier noch auf München spezifisch ausgerichtete Zusammenstellung umfaßt Liebes-, Operetten-, Rheinwein-, Wiener und Berliner Lie-

der. Die beiden »großen Oktoberfest-Schlager« sind: Nr. 43 »Butzi-Mutzi« (»In unserem Garten steht ein großer Fliederstrauch«) und Nr. 56 »Wam-Pu-Pi-Bam-Ba!«, ein kannibalischer »Grotesk-Nigger-Song« (»Es sitzt in einem Kafferngral ein schönes Mägdelein«). Nr. 54 ist ein »Dreh-Lied«, dessen Text spiralförmig um das Wort »Prosit!« angeordnet ist; darunter Regieanweisung: »(Beim Refrain mit dem Krugdeckel, Schlüsseln oder sonstigen Gegenständen zu klappern.)« Unter der Nr. 70 »Lustige Weisen aus dem Bayernlandl« sind potpourriartig 32 Titel angegeben. BK

MSt, 35/1016

611 Die Festkapelle Heinz Müller brachte den »Wies'n-Hit 1984« auf das Oktoberfest

Wolfgang Pulfer, Foto.

Die Musikanten des Paulaner-Zeltes »Winzerer Fähndl«, die Kapelle Heinz Müller aus Ruhmannsfelden im Bayerischen Wald, hatten als erste auf dem Oktoberfest das Lied ›I will haam nach Fürstenfeld‹ der österreichischen Gruppe STS im Repertoire. »Fürstenfeld«, das zur gleichen Zeit obere Plätze in den Hitparaden belegte, lockte

die Besucher in Scharen ins »Winzerer Fähndl«. Die Kapellen der anderen Zelte wurden laut Bericht der Abendzeitung »vom Publikumsgeschmack total überrumpelt. [Sie] hatten den Song zum Oktoberfest-Start noch nicht ›drauf‹. Als sich dann in Windeseile die Nachricht von der Popularität des Hitparaden-Stürmers in den Bierhallen verbreitete, ging ein fieberhaftes Suchen nach den Noten und ein eifriges Einstudieren los.«

Das Lied, ursprünglich als Beitrag zum österreichischen ›Kulturkampf‹ zwischen Wien und der Steiermark geschrieben, wurde, wie der »Winzerer-Fähndl«-Kapellmeister Müller berichtete, »durchschnittlich 8mal pro Abend vom Publikum gefordert«. Bereits in die Anfangstakte fielen Jubel und Applaus des Publikums, »und kaum ein Wies'n-Fan, der nicht auf die Bank springt und aus voller Kehle mitsingt, wenn der Refrain ertönt: ›I will wieder haam, fühl mi da so allan. Brauch ka große Welt, i will haam nach Fürstenfeld.‹« SS

Zitat: Abendzeitung, 29./30. September 1984
MSt, PuMu

612 »Fürstenfeld«-Stimmung im Paulaner-Zelt, 1984   Abbildung S. 313

Wolfgang Pulfer, Fotos.

Intonierte die Kapelle den »Wies'n-Hit«, blieb kaum ein Gast ruhig auf seinem Platz sitzen. Das Publikum bestieg Bänke und Tische, zog in Polonaisen durch das Zelt und tanzte in den Gängen.

MSt, PuMu

613 Taktstock von Kapellmeister Heinz Müller, 1984

Glasfiberstab mit Korkgriff, 42 cm.

Zum Abschluß des letzten Oktoberfesttages spielte die Kapelle dem jubelnden Publikum des Paulaner-Zeltes dreimal hintereinander »Fürstenfeld«. Danach übergab uns Heinz Müller seinen Taktstock für die Jubiläumsausstellung.

MSt, A 85/256

Oans, zwoa, drei – b'suffa

614 Wies'n-Laune 1892

Farbdruck nach Ölgemälde von Albert Schröder, 18×25 cm. Bez. u.r.: »A. Schröder 92 Mn.«

Ein stutzerhaft eleganter junger Herr mit Zylinder, Monokel, Handschuhen und Stöckchen geht beschwingten Schritts in der Mitte zwischen zwei Kellnerinnen mit Hackerbräu-Maßkrügen, die sich bei ihm eingehängt haben. Die linke trägt Münchner Tracht mit Riegelhaube und eine Geldtasche am Riemen über der Schürze, die rechte ist in Oberländer Tracht. Im Hintergrund Stadtsilhouette, Ballonaufstieg, Oktoberfestszenerie.

Diese Darstellung wurde auch als Plakat und als Postkarte gedruckt und zierte um 1900 den Eingangsbogen des Hackerbräu-Festzeltes von Georg Ried (vgl. Kat. Nr. 530).

MSt, Greis IV/18

615 »A richtig's Münchner Kindl, dös trinkt scho in der Windl …«

Festpostkarten.

Ein häufiges Bildmotiv der Festpostkarten stellen biertrinkende Kinder dar. Nicht nur *das* »Münchner Kindl«, auch andere Kleinkinder mit niedlichen, pausbäckigen Gesichtern werben verharmlosend für den Konsum von Alkohol auf dem Oktoberfest. Das Motiv wird darüber hinaus dem gängigen Klischee vom Münchner gerecht, der mit Bier statt Muttermilch aufgezogen wird.

1. Heliocolorkarte, 1904, 14×9,2 cm; Verlag: Ottmar Zieher.

Vor der Kulisse des Oktoberfestes liegt auf einem Bierfaß ein Münchner Kindl in Windeln. Es grüßt mit einem schäumenden Maßkrug:
»A richtig's Münchner Kindl
Dös trinkt schon in der Windl,
Und bringt Euch seinen
    schäb'gen Rest
Am Münchener Octoberfest.«

2. Heliocolorkarte, 1901, 9,2×14,2 cm; Verlag: Ottmar Zieher.

Eine Familie fährt im Auto auf das Oktoberfest. Die Kinderfrau gibt dem Baby ein Fläschchen mit Bier.

3. Fotopostkarte, 1903, 13,8×8,9 cm.

Zwei Buben sitzen auf einer Balustrade. Ihre Gesichter sind von den riesigen Deckelkrügen, aus denen sie trinken, fast verdeckt.

4. Heliocolorkarte mit Prägung, 1901, 14×8,8 cm; Verlag: Ottmar Zieher.

Münchner-Kindl-Puppe und Proviantkorb unter dem einen Arm, am anderen ein Zamperl an der Leine führend, grüßt ein Mädchen mit einem Riesenmaßkrug. Dahinter Darstellung des Pferderennens auf der Theresienwiese. SS/SP

StadtAM, Postkartenslg.

Kat. Nr. 615.1

Kat. Nr. 615.3

Kat. Nr. 615.4

△ Kat. Nr. 616.1   △ Kat. Nr. 616.2 ▽ Kat. Nr. 616.3

A frische Maß, a Maderl im Arm,
die halten Dir Leib und Seele warm!

Kat. Nr. 616.4

Gruß vom Oktoberfest!

**616 »A frische Maß, a Musi –
A Schmankerl und a Gspusi ...«,
mit Bier geht's leichter**

Festpostkarten.

Fröhliche Gesichter, verträumte Blik-
ke, singende und tanzende Festbesucher – der Genuß von Bier erzeugt eine
Stimmung, in der sich zwischenmenschliche Kontakte leichter knüp-
fen lassen, Hemmungen fallen und der
›angedudelte‹ Mensch wird zum
Freund oder zur Freundin.
Das Oktoberfest in seiner Bierseligkeit
zeigt sich als Ort, an dem die starren
Konventionen des Alltagslebens einfach ›weggespült‹ werden.

1. Heliocolorkarte mit Goldrand, 1902, 14×8,9 cm.

Im medaillonförmigen Bildfeld Gartenausschank vor Oktoberfestkulisse
und Musikkapelle. Die Gesellschaft
im Vordergrund zeigt, was Bier alles
bewirkt. Neben einem grölenden
Burschenschaftler erbricht sich ein
Festgast über den Kopf eines stillen,
rotnasigen Zechers. Die Paare an

den Tischen nehmen es mit der Zugehörigkeit nicht mehr so genau.
»Wird man vom Trinken etwas knill,
Dann erlaubt man sich oft viel!«

2. Heliocolorkarte, um 1910, 14×9 cm;
Verlag: Ottmar Zieher.

Intime Szene an einem Schützenstand. Während eine ›Schützenliesel‹ aus einem Maßkrug trinkt, versucht der Schütze das Mieder ihres Dirndlkleides zu öffnen.

3. Farbige Kunstpostkarte, um 1930, 10,5×14,8 cm;
Verlag: Emil Köhn.

Bierzeltstimmung; auf dem Tisch wird getanzt. »Freut euch des Lebens.«

4. Farbige Kunstpostkarte, um 1955, 14,8×10,5 cm;
Verlag: Emil Köhn.

Ein Paar spitzt die Lippen zum Kuß über dem Maßkrugrand.
»A frische Maß, a Maderl im Arm, /
die halten Dir Leib und Seele warm!«
SP/SS

StadtAM, Postkartenslg. (1, 2); Gisbert Brunner, München (3, 4)

617 Bierseliger Münchner, um 1900

Gipsfigur, bemalt, 36×18 cm.

Der schon schwankende Mann mit beträchtlichem Bierbauch stützt sich auf seinen Spazierstock, in seiner Linken stemmt er einen Hofbräu-Maßkrug. Die Figur ist die plastische Umsetzung der gängigen Typen auf den Scherzpostkarten.

MSt, K 68/422

618 Ein Prosit der Gemütlichkeit, ... und alle saufen mit!

Festpostkarten.

Vom Münchner Dackel bis zum bayerischen Löwen, das Bier bringt aller Welt die Seligkeit.

1. Farbige Kunstpostkarte, 9×14 cm; Entwurf: E. Schlemo.

Mit dem Münchner Kindl um einen Tisch vereint singen Festbesucher aus allen Schichten lauthals: »Ein Prosit, ein Prosit der Gemütlichkeit! 1–2–3 Prost g'suffa!«

Ein Prosit, ein Prosit der Gemütlichkeit! 1-2-3 Prost g'suffa!

Kat. Nr. 618.1

2. Heliocolorkarte, 1902, 9×14 cm; Entwurf: Eugen von Baumgarten; Verlag: Ottmar Zieher.

»Ein Wiesen-Idyll«: Vor der Oktoberfestkulisse sitzt eine Familie, die man nur von hinten sieht, aufgereiht auf einer Bank. Die Köpfe weit zurückgelegt, trinkt jedes Familienmitglied – vom Vater bis zum Kleinkind – seine Wies'n-Maß. Spitz und Dackel bekommen ihr Bier in Schalen serviert.

3. Farbige Kunstpostkarte, 1959, 14,8×10,5 cm; Verlag: August Lengauer.

Weinender Dackel mit leerem Maßkrug: »Durst ist schlimmer als Heimweh«.

4. Heliocolorkarte mit Prägung, 1903, 14×9 cm; Verlag: Ottmar Zieher.

»Da kunnt i a paar hundert Jahr,
Am Postamentl sitzen,
Und that bei koan' Oktoberfest,
Ka Tröpferl Bier net spitzen,
Grad zua'schaug'n, wie herunt Die saufen,
Oan Affen um den Andern kaufen.
Amol werd mir zu dumm der G'spass,
Jetzt bin i do, glei her a Maß!«

In diesem Sinne läßt der bayerische Löwe die erzürnte Bavaria allein und begibt sich umjubelt von Festbesuchern auf die Wies'n.

5. Farbige Kunstpostkarte, 1929, 8,8×14 cm; Verlag: Ottmar Zieher.

Ein Schutzmann steht auf einem Faß und ›regelt den Verkehr‹ zwischen Maßkrüge schleppenden Kellnerinnen und ungeduldigen Festgästen, die ihr Bier haben wollen.   SP/SS

Herbert Lipah, München (1); Spaten-Franziskaner-Bräu, München (2); StadtAM, Postkartenslg. (3–5)

Kat. Nr. 618.2

619 Das Oktoberfest –
»INTERNATIONALE BIERSÄUFER-HOCHLEISTUNGSSCHAU«

Den Oktoberfest-Postkarten zufolge ist der Wies'n-Besuch stets mit Leistungsbeweisen hinsichtlich des Alkoholkonsums verbunden. Besondere Bedeutung erhält die *erste* und die *letzte* Wies'n-Maß. Saufrekorde während der Festzeit werden mit vielfältigen »Urkunden« und »Diplomen« honoriert.

1. Gribl, Zeitungsillustration, in: Süddeutsche Zeitung, Nr. 232, 6./7. 10. 1984, S. 160.

Über dem Titel »Jubiläums-›Fahne‹« das Spruchband: »150. INTERNATIONALE BIERSÄUFER-HOCHLEISTUNGS-SCHAU 1984«.

2. Postkarte, kolorierte Lithographie, 1900, 13,5×9,4 cm; Verlag: Ludwig Zrenner.

Unter der Ansicht der Festwiese mit Budenaufbauten, Brauereigespann und der Ruhmeshalle mit Bavaria im Hintergrund ist eine »Oktoberfest-Urkunde« angebracht, die »gesetzlich geschützt« und mit dem Oktoberfeststempel versehen bestätigt, daß die Absenderin »die erste Mass auf Euer Wohl getrunken habe und nach dieser ersten Mass noch weitere *10* Maß trinken werde.« Auf dem Vordruck ist die Zahl 10 von der Schreiberin handschriftlich eingetragen worden.

3. Heliocolorkarte mit Prägung, 1901, 14×9 cm.

Auf einem schäumenden Deckelkrug ist eine »Haus-Urkunde« auf einem Schriftfeld gedruckt. Damit wird in »Gemäßheit allgemein urfideler Stimmung« einem Gast bestätigt, daß »er heute um ½ 3 Uhr bereits *26* Maß bei außergewöhnlicher Gesundheit seinem edlen Bauch einverleibte«.

4. Postkarte, kolorierte Lithographie, 1899, 9×13,5 cm; Verlag: Konrad Fett.

Beim Biersaufen von Zuschauern bestaunter, wohlbeleibter Mann in Tracht, der auf einem Podium stehend gerade »Beim 10. Maass« angelangt ist. Neun leergetrunkene Krüge stehen zu seinen Füßen. Als Situa-

Gruß vom Oktoberfest!

Zimmergymnastik!

Kat. Nr. 619.5

Gruss

Kat. Nr. 619.6

tionserläuterung ist quer die Aufschrift: »I bin auf 10 Massl g'aicht!« gedruckt.

5. Farbige Kunstpostkarte von E. Schlemo, um 1955, 10,5×14,8 cm; Verlag: Emil Köhn.

»Zimmergymnastik!«

6. Heliocolorkarte, 1912, 9×13 cm; Verlag: Ottmar Zieher.

Vor der Stadtsilhouette von München ist ein See dargestellt, in dessen Mitte ein bierseliger, feister Mann in einem »MASSKRUG-RETTUNGSGÜRTEL« steckt und angedudelt mit einem gefüllten Krug in der Hand herübergrüßt. Die handschriftlich durchnumerierten Krüge geben das Leistungskontingent des Akteurs an.

7. Heliocolorkarte, 9,3×13,4 cm; Verlag: Ottmar Zieher.

Auch die feinere Gesellschaft scheint bemüht, von der letzten Wies'n-Maß noch etwas abzukriegen:
»Alles rennet, stürzt und fliegt
Nach dem herrlich, edlen Nass,
Dass er nur noch etwas kriegt
Von der letzten Wiesenmass.«

8. Farbige Kunstpostkarte, um 1960, 10,5×14,8 cm; Verlag: Manfred Huckauf.

Unter laufendem Bierhahn liegender Säufer mit Unterschrift: »Dös is die richtige Stelle, da sitz i an der Quelle«.   SS/SP

StadtAM, Postkartenslg.(2, 4, 6, 7); Spaten-Franziskaner-Bräu, München (3); Gisbert Brunner, München (5, 8)

620 »Oktoberfest-Urkunde über die letzte Stunde vom Oktoberfest.«, 1910

Großpostkarte mit Illustration und offiziellem Stempel »des 100jährig. Jubiläum vom Münchner Oktoberfest«, 24×16 cm; Verlag: Ludwig Zrenner.

Die Illustration zeigt hastig trinkende, wenn auch erschöpfte Festbesucher, die schwitzend ihren letzten Oktoberfest-Schluck hinunterquälen. Die Menge steht so dicht gedrängt, daß über den Köpfen ein Meer von Maßkrügen zu wogen scheint.

Florian Dering, München

621 Die Schlacht und ihre Opfer

Festpostkarten.

Nicht nur die angenehmen Seiten des Biergenusses kommen in den Karten

Kat. Nr. 620

Oktoberfest-Urkunde
über die letzte Stunde vom Oktoberfest.

Hiermit thue ich Euch kund und zu wissen, dass ich heute in der letzten Stunde vor Schluss des Oktoberfestes

❀ die letzte Mass ❀

auf Euer Wohl geleert habe, was hiermit laut Urkunde bestätigt sei.

Dôs is die richtige Stelle, da sitz i an der Quelle

Kat. Nr. 619.8

Kat. Nr. 621.2

zum Ausdruck. Auch die Folgen des Suffs werden gern als Motiv verwendet. Bierleichen, die heimgetragen werden müssen, Marterl, die einen Kolossalrausch markieren, werden verharmlosend als natürliche Begleiterscheinung der Wies'n-Besuche und der salonfähigen Räusche präsentiert. Der bei Nr. 4 erwähnte »§11« – »Du darfst keinen Rausch auslassen«, gilt hier als Oktoberfestlosung (vgl. Abb. Kat. Nr. 602).

1. Heliocolorkarte, 9×14 cm;
Verlag: Ottmar Zieher.

»Nach der Schlacht.« Zwischen Festaufbauten ›ergießt‹ sich ein Strom von leeren Bierkrügen.

2. Heliocolorkarte, 1908, 9,4×14 cm; Entwurf: Emil Kneiß; Verlag: Ottmar Zieher.

»›DE KRÜG‹ FREI NACH STUCK.« Abendstimmung, vor der Stadtsilhouette trottet ein Brauereigaul über

Kat. Nr. 621.1

Nach der Schlacht.

ein Schlachtfeld mit leeren Maßkrügen. Auf dem Roß thront ein Schenkkellner – quasi als Sieger der Schlacht.
Der Aufdruck weist darauf hin, daß dieses Motiv das Bild »Der Krieg« von Franz von Stuck parodiert.

3. Heliocolorkarte, 1921, 13,8×8,6 cm;
Verlag: Ottmar Zieher.

Vor leeren Biertischen steht ein ›Wies'n-Marterl‹, in dessen Mittelfeld zu lesen ist: »Hier verunglückte an der *20.* Maß der ehrengeachtete: *Pankraz Sailer*«.

4. Kolorierte Fotopostkarte, 8,7×13,7 cm;
Druck: H. & S.

Blick in die »Hauptreihe mit Ochsenbraterei, Winzerer Fähndl und Wiesenburg«. Vor dieser Ansicht lagern zwei Besoffene in ziemlich desolatem Zustand – an ein Faß gelehnt – am Boden. Der Paragraph auf dem Faß erinnert an das oben zitierte »11. Gebot«.

5. Heliocolorkarte, 13,8×8,9 cm;
Verlag: Ottmar Zieher.

Ein Besoffener wird von zwei schwitzenden Ordnern in einem Steinträgerkasten nach Hause gebracht.
»Gruss vom Oktoberfest!
Ich hab' mein Rausch und er hat mich

Doch hat das nichts zu sagen,
Ich werd doch täglich von
Der Wiese heimgetragen.«

6. Heliocolorkarte, 1899, 9×13,6 cm;
Verlag: Ottmar Zieher.

Es ist Nacht, die Festbesucher verlassen den Platz mehr oder minder

Kat. Nr. 621.3

Gruss vom OKTOBERFEST!

Hier verunglückte

an der 20. Maß der ehrengeachtete: Pankraz Sailer

325

gerade. Im Vordergrund schleppen zwei Frauen mißmutig einen Mann daher, der sich erbricht. Umstehende Passanten halten sich die Nase wegen des Gestanks zu.   SP/SS

StadtAM, Postkartenslg. (1, 2, 4–6); Spaten-Franziskaner-Bräu, München (3)

622 »Waggon überladen!«

Farbdruck nach einer Zeichnung von Karl Arnold, in: Simplicissimus, 30. Jg., Nr. 26, 28. September 1925.

Unter dem Titel »Münchner Bilder, V. Biertransport« karikiert Arnold einen beleibten ›typischen‹ Münchner mit Kahlkopf und Riesenschnauzbart, der auf dem Gehsteig vor einer Wand mit Oktoberfestplakaten sein ›Wies'n-Räuscherl‹ ausschläft. Vom Ort, an dem der »Waggon überladen« wurde, zeugt noch ein Rauten-Luftballon, der am Jackenaufschlag des selig Schlummernden befestigt ist.   SS

Florian Dering, München

623 »Weck mi net auf, Alte – i träum' grad' von unserm Wiederaufstieg.«

Thomas Theodor Heine, kolorierte Federzeichnung, 36,5×30 cm. Bez. o. l.: »TTH«; Titelblattentwurf für die Oktoberfest-Nummer des »Simplicissimus«, Jg. 32, Nr. 26, 26. September 1927.

Vor schwarzem Fond unten eine Biertischszenerie in dumpfroter Färbung; zwischen maßkrughebenden Männern und gleichfalls trinkenden oder eingeschlafenen Kindern rüttelt eine garstige Ehefrau ihren eingenickten Mann. Derselbe selig Schlummernde träumt sich an elf Luftballons aufgehängt in der Luft über dieser Wirklichkeit schwebend; jeder der Ballons trägt einen Buchstaben des Wortes »OKTOBERFEST«, und grüne Färbung zeigt den erträumten Zustand der Schwerelosigkeit an.

Auf dem gedruckten Simplicissimus-Titelblatt trägt das Bild die oben angegebene Unterschrift. Aus kompositionellen Gründen wurden von den ursprünglich durchgehend grünen Ballons nachträglich jeder zweite über Deckweiß rot getönt.   BK

MSt, Greis 84/11

624 »Das Maß war voll«, 1984

Farbige Werbeanzeige, in: Zeit-magazin Nr. 41, 5. 10. 1984.

Mit dem Arrangement aus wohlgefüllten Maßkrügen, Weißwürsten, Brezen, Pappteller mit Serviette in weiß-blauen Rauten und dem Slogan »Das Maß war voll, Alka-Selzer hilft feste feiern« warb die Firma MILES zur Oktoberfestzeit bundesweit für ihr Produkt.

Dank Alka-Selzer, das dem ›Kater‹ entgegenwirkt, ist der Vollrausch, den die Anzeige mit dem Besuch des Oktoberfestes verbindet, halb so schlimm. Man kann demnach ruhig weiter »feste feiern«.

Privatbesitz

Kat. Nr. 625

625 »Nach der Wies'n: Betrunkener Radler auf der Autobahn«

Zeitungsständer-Schürze der Abendzeitung vom 2. Oktober 1984, 52×38 cm.

StadtAM, Plakatslg.

626 »Nach der Wies'n – Frau im D-Zug vergewaltigt«

Zeitungsständer-Schürze der Bild-Zeitung vom 2. Oktober 1984, 39×28 cm.

StadtAM, Plakatslg.

627 »Wies'n – Bierkrüge voller – aber mehr Führerscheine kassiert«

Zeitungsständer-Schürze der Bild-Zeitung vom 4. Oktober 1984, 39×28 cm.

StadtAM, Plakatslg.

628 »Die Wies'n – ein Riesensuff für Jugendliche?«

Aufruf des Kreisjugendringes München-Stadt, in: tz, 12. Oktober 1984.

Der Text der Anzeige lautet weiter: »Wir suchen Beweise! Fotos – Berichte – Statistiken – alles, was beweist, daß das Oktoberfest für viele weniger Gaudi und mehr Alkohol ist. Dazu paßt: Es gibt immer noch keine alkoholfreien Getränke in den Festzelten! Jugendliche sind Hauptopfer dieser Alkohol-Alleinherrschaft! Wer hilft uns, das zu beweisen? Die besten Beiträge werden öffentlich prämiert.«

StadtAM, ZS

629 »Oans, zwoa, drei – g'suffa«, 1984

Heinz Gebhardt, Fotos.

StadtAM, Fotoslg.

630 »Oans, zwoa, drei – b'suffa«, 1984

Wolfgang Pulfer, Fotos.

MSt, PuMu

631 »Bier-Überschwemmung«

Heliocolorkarte, 9×13,5 cm; Verlag: Ottmar Zieher.

Einige schwergewichtige Münchner schwimmen selig lächelnd im sprichwörtlichen »Biersee«, der bereits die ganze Stadt überschwemmt hat.

Herbert Lipah, München

Ein paar Zahlen zum Bierverbrauch auf dem Oktoberfest:

1949	13 373 hl
1950	15 012 hl
1960	28 751 hl
1970	39 985 hl
1984	49 713 hl = knapp 5 Millionen Liter

Seit 1949, also in insgesamt 70 Festwochen, wurden 119 301 100 Liter Bier getrunken. Diese Menge entspricht 114 Füllungen des Münchner Nordbads.   SP/SS

Kat. Nr. 629

Kat. Nr. 629

Bier-Überschwemmung Wann si dös Bildl tat wirkli' erfülln,
Kunnt i endli' amol mein Durscht richti' stilln !

Kat. Nr. 631

Kat. Nr. 630

Kat. Nr. 630

Kat. Nr. 630

BIERZELT-ALTERNATIVEN

632 »Der erste Oktoberfestgast«, 1900

Eugen von Baumgarten, Holzstich aus: Oktoberfest Zeitung, München 1900, herausgegeben von Hermann Roth, 20,8×28 cm. Bez. u. r.: »E. v. Baumgarten 1900«.

Die Darstellung karikiert eine Oktoberfestszene, in der ein Festbesucher – vor seinem Bier sitzend – von einer Schar Händler umkämpft und zum Kauf animiert wird. Während ihm Lose, Postkarten und Festzeitungen aufgedrängt werden, belagern Brezen-, Radi- und Wurstverkäufer ihr bereits schwitzendes ›Opfer‹. SP

MSt, PL 2196

633 Plakat der Ochsenbraterei Rössler, 1881

Typendruck mit lithographierter Abbildung, schwarz auf gelbem Papier, 188×84 cm. Abb. bez. u. l.: »G. Meisenbach«.

Der Plakattext lautet: »Auf der Theresienwiese. Seltene Volksbelustigung! Das Braten eines ganzen Ochsen. Sonntag, den 25. September 1881 wird ein ganzer Ochse auf einer eigens dazu construirten Maschine am Spiess gebraten. Anfang der Zubereitung Früh 8 Uhr. Beginn des Bratens 9 Uhr. Das Garsein wird auf Abends halb 5 Uhr festgesetzt und wird durch drei Böllerschüsse bekannt gegeben. Preis per Portion 50 Pfg. Entrée 30 Pfg. Von 2 Uhr an Musik-Produktion. Ausschank von gutem, alten Hacker-Bier. Die Maschine steht von Montag, den 26. September an gegen Entrée von 10 Pfg. ausgestellt. Wozu ergebenst einladen die Unternehmer J. Rössler & A. Schibanek.« Die Abbildung zeigt die von zahlreichen Besuchern umstandene Bratstätte unter freiem Himmel mit Bratherd, Anrichtetisch und Theke. Die Bratvorrichtung besteht aus einem Gehäuse mit fester Rückwand und kaminbestücktem Dach. Die offene Seite gibt den Blick frei auf einen ausgenomme-

Ausschank- und Verzehrziffern, das Oktoberfest 1984 betreffend, gemäß der Bekanntgabe des Direktoriums der Stadt München:

Bier (hl)	49 713
Wein (l)	22 534
Sekt (Flaschen)	9 444
Branntwein (Likör; l)	8 649
Kaffee, Tee (Tassen)	398 978
Limonaden u. ä. (Flaschen)	216 720
Brathendl (Stück)	660 326
Schweinswürstel (Paar)	325 592
Bratwürste (Stück)	162 331
Fische (Zentner)	1 573
Schaschlik (Stück)	57 382
Schweinshax'n (Stück)	77 999
Ochsen (Stück)	67
Hirsche (Stück)	33

nen Ochsen, der auf einem Drehspieß über dem Feuer zweier Kohlebecken brät. Von oben träufelt durch eine Lochleiste Fett auf den Braten. Eine Dampflokomobile, die neben dem Herd aufgestellt ist, liefert die Kraft zum Drehen des Spießes. Die Konstruktion der Bratvorrichtung hatte Rößler selber erdacht, die Ausführung besorgte die renommierte Herdfirma Wamsler. Johann Rößlers Ochsenbraterei, die 1881 zum ersten Mal auf dem Oktoberfest zu sehen war, bot dem Publikum eine Sensation besonderer Art. Hier war nicht nur eine wohlschmeckende Mahlzeit zu erwarten; das Braten eines ganzen Ochsen bedeutete zugleich ein Spektakel, eine Schaustellung, für die der Metzgermeister sogar Eintritt verlangen konnte. SS

StadtAM, Plakatslg.

Kat. Nr. 632

634 Postkarte »Gruss von der Rösslerschen Ochsen-Braterei Oktober-Fest München«, 1899

Chromolithographie, 9×13,8 cm; Druck: Act. Ges. Münchner Chromolith. Kunstanstalt.

Ansicht der Ochsen-Braterei-Festhalle vor Oktoberfestkulisse mit Ruhmeshalle und Bavaria. Bratapparat mit dem Ochsen am Spieß. Rechts oben: Festplatzstempel »Aufgabestelle – Ochsen-Braterei d. H. Rössler – Festwiese«.

In der Zeit, die Rößler dem Oktoberfest ferngeblieben war, hatte sich das Erscheinungsbild des Festareals entscheidend verändert. Es wurde nun dominiert von den Bierburgen, die mit aufwendiger Architektur und Dekoration um die Aufmerksamkeit der Festbesucher warben und diesen in ihren Riesenhallen bequemen und witterungsgeschützten Platz boten. Die Ochsenbraterei mußte, um ihre Konkurrenzfähigkeit zu erhalten und ihrem Wirt kalkulierbaren Verdienst zu gewährleisten, gleichziehen. In einem Antrag Rößlers auf Wiesenbezug von 1897 gibt er zu bedenken, »daß Ochsenbraten nicht mehr wie früher von 1881–1891 ausgeführt werden kann, da es der Neuzeit nicht mehr entsprechend wäre. Ich sehe mich sohin veranlaßt, wie ich es in mehreren Städten Europas schon öfters gethan, eine eigene Halle von 20 m Br. und 40 m Lg. in architektonischem Stile gehalten, bauen muß und die Dekoration in historischer Form durch einen fachkundigen Künstler bewerkstelligen lasse.« So präsentierte sich die Ochsenbraterei auf dem Oktoberfest 1898 mit einem basilikalen Hallenbau in Fachwerkmanier, in welchem die Gäste bei Bier und Musik das Garwerden des Bratens erwarten konnten. SP/SS

Lit.: StadtAM, Okt. 113
StadtAM, Postkartenslg.

635 Plakat »Oktoberfest. Ochsen-Braterei«, 1900

Typendruck mit vier lithographierten Abbildungen, in Umrahmung mit gelb-rotem Flammenornament, 135×95 cm; Druck: G. Schuh & Cie, München.

Neben Rößlers Markenzeichen – einem Ochsenkopf – kündigt das Plakat mit drei weiteren Abbildungen erneute Sensationen des Unternehmers an.

Neben dem schon bekannten »Braten eines ganzen Ochsen« hatte Rößler seinen riesigen Bratapparat 1898 so umbauen lassen, daß er seinem Publikum zusätzlich ein sogenanntes »Potpourri-Braten« und »Massenbraten« präsentieren konnte.

»Das Ochsenbraten findet abwechselnd mit Massen- und Potpourri-Braten jeden Tag statt. Massenbraten bestehend in 300 Gänsen, 250 Hühnern, welche auf einmal gebraten werden. Potpourribraten, zwei Schweine, 20 Spanferkel, Hühner, Gänse, Enten u. Ochsenbraten auf einer eigens hiezu konstruierten Maschine, Ochse im Gewichte von 7 Zentner.« Da seit 1886 Energieerzeugung mittels Dampfmaschinen auf dem Oktoberfest verboten worden war, mußten die schweren Bratspieße per Hand gedreht werden. Rößler, der wegen Differenzen mit dem Stadtmagistrat von 1891 bis 1897 nicht auf dem Oktoberfest vertreten war, feierte sein ›Comeback‹ 1898 mit

Kat. Nr. 635

Kat. Nr. 637

diesem abwechslungsreichen Bratspektakel. SP

StadtAM, Plakatslg.

636 Plakat »Erste grösste Geflügelbraterei der Welt. Jos. Ammer. München.«, um 1900

Farblithographie, 82,5×109 cm.

Fassade der Hühnerbraterei Ammer. Zu Käseständen, Wurstküchen, Heringsbratereien, Fischbratern und Küchelbäckern gesellte sich 1885 zum ersten Mal eine Hühnerbraterei. Die Geflügelmästerei Ammer blieb, auch nachdem sich Konkurrenzbetriebe auf der Festwiese angesiedelt hatten, lange Zeit der umsatzstärkste Betrieb dieser Art auf dem Oktoberfest. Noch 1926 briet Ammer mit 9000 Stück die gleiche Anzahl an Hühnern, wie die restlichen Bratereien zusammengenommen. Im Gegensatz zu einigen ihrer Konkurrenten, wie Weitl oder Murr, die ihr Angebot mit Fleisch- und Wurstgerichten erweiterten, hielt die Braterei Ammer an der ausschließlichen Zubereitung von Geflügel fest.

Heute stellt die Firma Ammer mit 667 Sitzplätzen die größte Hühner-Braterei auf dem Oktoberfest. SP

MSt, B 7/20

637 Geflügelbraterei Ammer, 1910

Georg Pettendorfer, Foto.

Frontseite des Festbaues mit markisenüberdachtem Tresen für den Stra-

ßenverkauf; Fassade mit Girlandenschmuck und Aufschrift »Erste größte
Geflügelbraterei der Welt. Mit elektrischem Betrieb von der Geflügelmästerei W. Ammer«; flankierend auf Pilastern die Statuen zweier Hähne mit ta-
feltragenden Reitern »25 Jahre W.
Ammer«.

Zum Jubiläumsoktoberfest 1910 feierte
auch die Geflügelmästerei Ammer ein
Wies'n-Jubiläum. Sie war nun 25 Jahre
lang auf dem Oktoberfest vertreten.   SS

StadtAM, Slg. Pettendorfer

638 »Schwab. Geflügelbraterei-Kosthalle«, 1910

Foto, 8,2×11,1 cm.

Frontansicht der Hühnerbraterei
Schwab. Die Bretterbude ist einem
griechischen Prostylos nachempfunden. Vier dorische Säulen stützen den
Giebel; der Architrav trägt die Aufschrift »Geflügelbraterei-Kosthalle«,
das Giebelfeld den Firmennamen
»Schwab«. Akroter in Form eines Hahnes (Laubsägearbeit, bemalt). Entlang
der Sima ›laufende‹ Hühner-Silhou-
etten.

Neben den ›Brat-Giganten‹ wie Ammer
oder Murr gab es kleinere Betriebe auf
dem Oktoberfest, die ihre Brathendl im
Straßenverkauf anboten und für ihre
Kundschaft Tische und Stühle unter
freiem Himmel bereit hielten.   SP/SS

StadtAM, Hochbauslg. XXV

639 Postkarte »Gruß vom Oktoberfest«, 1935

Farbdruck, 9,2×14 cm; Kunstanstalt Emil Köhn,
München.

Ansicht der Hühnerbraterei von J. Ammer vor hakenkreuzbeflaggter Oktoberfestkulisse. Firstseite mit Straßenverkauf (Verkaufstresen und Bratofen),
darüber Aufschrift »J. Ammer's erste
größte Hühnerbraterei der Welt«. An
der Traufseite Eingang zum Eßlokal.
Rechts oben: Jubiläumskranz »50 Jahre
Ammer«.

Neben dem Straßenverkauf von »1a
milchgemästeten Brathühnern« bot

Kat. Nr. 638

Ammer seinen Gästen »ab 11 Uhr
einen vorzüglichen Mittagstisch«.
»1a Nudelsuppe . . . . RM. –.30
Hühnermagerl mit Suppe . . . . ” –.80
Hühnermagerl
und Leber in Tunke . . . . ” –.80
Omlett mit Hühnerleber . . . . ” 1.20
Hühner-Risotto . . . . ” 1.20
Nudelsuppe mit Huhn . . . . ” 1.50
Huhn auf Reis . . . . ” 1.50
Champignon-Huhn . . . . ” 1.50
Ungar. Huhn . . . . ” 1.50
Pickelsteiner Huhn . . . . ” 1.50
Tomaten-Huhn mit Reis . . . . ” 1.50
Paprika-Huhn . . . . ” 1.50
Gansleber in Madeira . . . . . je nach Größe.«
                                        SP

Lit.: 125 Jahre Oktoberfest, Festschrift 1935
StadtAM, Postkartenslg.

640 »OKTOBERFEST UND S'WIESENHENDL NUR VOM AMMER«, 1930

Farbplakat, 88,5×60 cm. Bez. M. r.: OTTOOBERMEIER.

Ein Brotzeiter sitzt vor seiner Mahlzeit.
In der Rechten hält er einen Maßkrug,
in der Linken eine Hendlkeule, in die
er gerade herzhaft beißt. Vor ihm, auf
Einwickelpapier, liegt das Brathähn-
chen, dessen Kopf und Krallen nicht
vom Rumpf entfernt worden sind.

StadtAM, Plakatslg.

641 Wurstbude von Max Schmid, um 1908

Max Stuffler, Foto.

Frontansicht der Bude mit überdach-
tem Tresen für Straßenverkauf, Brat-
rost und Verkaufspersonal. Im mit Rau-

tenstoff ausgeschlagenen Giebelfeld
Schild mit Aufschrift »Erste-Regens-
burger Schweinswurstbraterei. Am
Rost. Max Schmid.« Darüber großfor-
matiges Gemälde. Die humoristische
Darstellung zeigt drei lachende
Schweine. Während ein Schwein an
einem Tisch sitzend von einem Mann
in Dachauer Tracht mit Würsten be-
wirtet wird, werden die zwei anderen
von einem zweiten Dachauer Trachtler
in einem Handwagen herbeigeschafft.
1907 konnte Max Schmid den Budenplatz Nr. 1 für eine Zeitspanne von
sechs Jahren vom Magistrat ersteigern.
Seine Wurstbude, die wie alle anderen
Buden dieser Art maximal 60 m^2 einnehmen durfte, befand sich im Wirtsbudenring. Wie die vergleichsweise
billige Platzmiete von 350 Mark annehmen läßt, handelte es sich bei diesem
Budenplatz um einen wenig attraktiven und umsatzträchtigen Standort.
Wurst – in fliegenden Ständen oder Buden verkauft – gehörte wie Käse, Brot
oder Heringe zum Speiseangebot der
frühen Festwiese. Seit den 1890er Jahren finden sich meist zwischen 23 und

Kat. Nr. 640

Kat.Nr.641

25 Wurstküchen auf dem Festplatz. Kleine, mit Tischen und Stühlen ausgestattete Gärten hinter den Buden boten die Möglichkeit zum Wurstimbiß, wobei es den Budeninhabern gestattet war, »in Gläsern und Krügen von den gegenüberliegenden Wirthen Bier zu holen«.

Neben dem Konkurrenzkampf mit den »Inhabern von Dult- oder fliegenden Ständen«, die sich »hauptsächlich mit der Abgabe von sog. Wienern bzw. dünngeselchten Würsten« befaßten, hatten die Schweinswurstbratereien Umsatzeinbußen zu befürchten durch den Hausierhandel, der »Kreuzer- und Warmwürste« in den Bierburgen feilbot. Anfang der 1920er Jahre, als die Wirtsbudeninhaber begannen, selber Schweinswürste auf Pfannen zu braten, versuchten die Wurstküchenbesitzer vergeblich beim Magistrat ein Alleinverkaufsrecht von Würsten zu erringen. Dem Verhandlungsprotokoll von 1907 zufolge wurde der Antrag mit der Begründung abgelehnt, daß Wurstkonsum 70% des Nahrungsverzehrs auf der Festwiese ausmache und

der freie Wettbewerb die Qualität der Wurstware nur verbessern werde. SP

Lit.: StadtAM, Okt. 176
StadtAM, Fotoslg.

642 Werbepostkarte der Firma Malsch, 1909

Druck mit zwei teilkolorierten Abbildungen, 8,8×13,9 cm; Herstellung: Alois Gamper, München. Oben rechts Aufkleber »Schweins-Wurst-Fabrik von Georg Malsch, Kgl. Bayer. Hoflieferant. Festwiese neben Schottenhamel.«

Außenansicht der Wirtsbude, Personal; Blick in den Innenraum mit Maschinen zur Fleischverarbeitung.

Text: »Wie alle Jahre, so habe ich auch heuer auf dem Oktoberfeste neben Schottenhamel vom 18. September bis 3. Oktober eine komplette Wurstfabrik mit den neuesten Maschinen, verbunden mit einer Kohlensäure-Kühlanlage von L. A. Riedinger-Augsburg in Betrieb. Zur Besichtigung ladet höflichst ein A. Malsch jun., München, Lilienstr. 22. Spezialfabrik für Fleischerei-Maschinen, Sparkochkessel mit kostenloser Heisswasserzubereitung und Räucherei-Anlagen.«

Neben die kleinen Wurstküchen und -bratereien, deren Betreiber ihre Ware nicht auf der Festwiese produzierten, sondern hier nur zubereiteten, traten um die Jahrhundertwende Festbuden, in welchen sowohl Zubereitung als auch Herstellung der Wurst stattfand. Besitzer dieser Buden waren meist Wurstfabriken oder Fleischereimaschinenhersteller.

Den größten Betrieb solcher Art stellte in den Jahren 1907 mit 1912 die ›Oktoberfestfiliale‹ der Firma A. Malsch dar (Pächter Simon Mayer). Für den Standplatz der Bude neben der Schottenhamel-Festhalle war mit 900 Mark (von insgesamt 2500 Mark Platzmiete für die fünf außerhalb des Wirtsbudenringes gelegenen Wurstbraterein) ein vergleichsweise hoher Betrag zu entrichten. Die Lage garantierte jedoch regen Besucherverkehr, was nicht nur im Interesse des Pächters lag. Die Fleischereimaschinenfabrik Malsch nutzte als Besitzer mit dem Oktoberfestbezug zugleich die Möglichkeit, ihre Maschinen der Öffentlichkeit – und somit auch potentiellen Käufern – zu präsentieren. SS

Lit.: StadtAM, Okt. 167
StadtAM, Postkartenslg.

643 Werbeplakat der Firma Sieber, 1929

Farbdruck, 62×86; Druck: Hermann Sonntag & Co, München.

Ansicht der Verkaufsstelle der Firma Sieber, umgeben von Werbetext: »Sieber's Qualitäts-Wurst- & Fleischwaren. Schweinswürstel am Rost auf der Festwiese«.

In der Verkaufsbude, in der man an drei Tresen Passanten bediente, wird die Ware anschaulich in Glasaufsätzen präsentiert; den Innenraum zieren aufgehängte Würste. Das Firmenschild am Dach wird von Schwein- und Ferkelattrappe flankiert, was dem Kunden schon von weitem den hier gebotenen Genuß signalisiert.

Die Wurst- und Fleischfabrik Sieber, zuerst wie viele andere Wursthersteller mit einer kleinen Bude vertreten,

Kat. Nr. 644

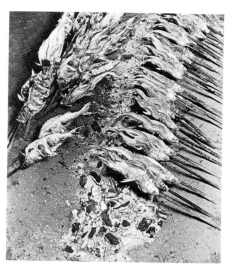

Verzehr von Wies'n-Hendln
und Schweinswürsten seit 1949:

Brathähnchen	12 586 430	Stück
Schweinswürste	44 695 980	Stück

Zahlen nach den jährlichen Berichten des Wirtschaftsausschusses der Landeshauptstadt München.

vergrößerte in den 1920er Jahren ihren Oktoberfestbetrieb beträchtlich. Heute unterhält Sieber mit 250 Sitzplätzen die größte Hax'nbraterei auf der Wies'n. SP StadtAM, Plakatslg.

644 Schweinswurstbraterei Jos. Week, 1934

Paul Hartlmaier, Foto, 23×29,5 cm.

Nächtlicher Blick von der Matthias-Pschorr-Straße auf den Gartenausschank des Winzerer Fähndls. Gut er-

kennbar ist die Silhouettenbetonung der Bierzelte durch Lichterketten. Im Vordergrund links Tabakwarenverkauf. Daneben die Bude der »Schweinswurstbraterei Jos. Week«. Das Foto gibt einen guten Einblick in den Gastraum des Wirtsbetriebs. An der offenen Vorderseite steht ein Kohlengrill mit Bratwürsten. Rechts neben der Bude von Week ein Souvenirverkaufsstand.

StadtAM, Fotoslg.

645 Bewirtungsbetrieb »Fischer Vroni«, 1905

Georg Pettendorfer, Foto.

An einem Eckplatz im äußeren Wirtsbudenring neben der Augustiner-Festburg errichtete der Inhaber der Gaststätte »Zum goldenen Stern« in der Waltherstraße und Betreiber einer Seeund Flußfischhandlung Josef Pravida eine neue, originelle Wirtsbude – ein Fischerhäuschen. Nach Entwürfen des Kunstmalers Hammerschmidt gebaut, präsentierte sich 1904 diese Fischbraterei, zwischen Birke und Weide gestellt, den Festbesuchern. Die Schenke, die anfänglich »Fischerhütte zum Holländer« genannt wurde, wurde 1907 in »Fischer Vroni« umgetauft und besteht als solche bis heute. Sinnbild dieses Wirtsbetriebs ist das in Fachwerk gestaltete Häuschen mit tiefgezogenem Halbwalmdach, dessen First ein Storchennest schmückt. Um das Klischee des ›malerischen alten Fischerhäuschens‹ abzurunden, zieren die Außenfassade und die Innenräume Fischereigeräte aller Art. So weht von der Hauptfassade ein Fangnetz; Netze, Reusen und anderes sind an den Traufen angebracht und schmücken Fenster und Eingangsbereich. Seit 1907 steht ein alter Fischerkahn neben dem Seiteneingang der Bude und lädt zum »Treffpunkt am Kahn« ein.

Ähnlich wie Rößlers Ochsen- oder Ammers Hühnerbraterei (vgl. Kat. Nr. 633, 636) reiht sich die Fischer-Vroni in die Art von Wirtsbuden ein, die Ende des 19. und Anfang des 20. Jahrhunderts dem Besucherbedürfnis entsprechen, auf der Festwiese bei geselliger Unterhaltung verschiedene, vor allem warme Speisen zu sich nehmen zu können und, unabhängig von Wetterlaunen, in überdachten Buden an Tischen und Bänken eine Mahlzeit zu genießen.

In Einfallsreichtum und Originalität der Budengestaltung wetteiferten die Wirte um die Gunst der Besucher. Ähnlich wie bei Rößler, bei dem das Braten eines Ochsen selbst ein Schauerlebnis war, sollten die Architektur und das

Kat. Nr. 645

Flair der Fischerhütte die Besucher anlocken. »Für Amateurphotographen bildet das malerische Fischhaus ein gar willkommenes Aufnahmeobjekt und gereicht eine Aufnahme davon jeder Sammlung zur Zierde.« SP

Lit.: Sailer, S. 53; StadtAM, Okt. 130
StadtAM, Slg. Pettendorfer

646 Fotopostkarte »München, Oktoberfest. Fischbraterei zur ›Fischer-Vroni‹«, 1911

Farbdruck, 9×14 cm; Verlag: Ottmar Zieher.

Ansicht der Wirtsbude »Fischer-Vroni« mit Festbesuchern, die das Steckerlfischbraten über Kohlenglut unter freiem Himmel beobachten.

Zubereitung und Angebot von Fischen zählt neben Wurst-, Käse- und Backwaren zum Speisenangebot der ersten Festjahre. Der früheste Nachweis für Fischbratereien taucht 1818 in den Oktoberfestakten auf, wo vom Verkauf »gebratener Häring frischer Ernte« berichtet wird. In den folgenden Jahrzehnten werden in den Beschickerlisten immer wieder Bratereien dieser Art aufgeführt. Die meisten Belege über dieses Speisenangebot bestehen

jedoch aus Beschwerdeeingaben anderer Festbezieher, die beim Magistrat die Geruchsbelästigung, die bei der Fischzubereitung entsteht, monieren, und zum Beispiel bei ›Budennachbarschaft‹ für ihr eigenes Geschäft Umsatzeinbußen befürchten. Immer wieder tauchen Eingaben auf, diese ›stinkende‹ Konkurrenz ganz oder zumindest an den Außenrand des Areals zu verbannen. Doch ohne Erfolg, der Bratfisch – über Kohlenglut auf einem Rost gegrillt – oder der Backfisch – im heißen Schmalz ausgebacken – blieben auf dem Festplatz. Verschwand auch der Brathering Ende des 19. Jahrhunderts aus dem Speisenangebot, so wurden dafür Fischbratereien und -bäckereien mit verschiedenen Fischsorten wie auch Krebssiedereien verzeichnet. Mancher Budenbetreiber unterhielt kombinierte Speisenangebote, wie zum Beispiel eine »Fisch- und Kuchelbäckerei«. Seit den 1880er Jahren waren auf dem Oktoberfest jährlich sechs bis acht »Fischbrater«.

Der heute so populäre und beliebte Steckerlfisch – verschiedene See- und Flußfische werden auf Steckerl ge-

Kat. Nr. 647

spießt über einer glühenden Kohlengrube aufgestellt und mit Fett bestrichen goldbraun gegrillt – hielt Ende des 19. Jahrhunderts seinen Einzug in die Fischbratereien und wurde durch den Wirtsbetrieb von Josef Pravida kultiviert. Noch heute werden die Renken, Forellen und Makrelen von der Fischer-Vroni am Seitenflügel des Wirtsbetriebes unter freiem Himmel zubereitet.

Auch hier – wie bei den Ochsen- oder Massenbratereien – konnte der Gast die Zubereitung seiner Mahlzeit beobachten und sich auf den kulinarischen Genuß einstellen. Pravida, der für seinen Betrieb 1905 eine vergleichsweise hohe Platzmiete zahlte – sie lag bei 870 Mark, während die anderen sechs Fischbrater im Schnitt 280 Mark Platzgebühr entrichten mußten –, fand starken Zuspruch bei den Festbesuchern. An schönen Tagen wurden bei ihm – laut Zeitungsnotiz von 1907 – mehr als 30 Zentner Fisch gebraten und verkauft. Eine stattliche Menge, wenn man bedenkt, daß der Gesamtverbrauch an Fischen 1984 an die 1573 Zentner betrug, die von fünf Fischbratereien zubereitet wurden.

Heute zählt das Festzelt mit einem Platzangebot von 2162 Sitzplätzen als drittkleinster Wirtsbetrieb zu den insgesamt 14 Festhallen auf dem Oktoberfest. Im Unterschied zur Architekturgeschichte anderer Bewirtungsbetriebe auf dem Festplatz hat sich der Charakter der Fischer-Vroni – mit Fachwerk, Storchennest, Fischerkahn und der Birke vor dem Haupteingang – nicht verändert. Mit dem Motto »Treffpunkt am Kahn« kann der Familienbetrieb also immer noch werben, auch wenn die vielgepriesene Idylle dieses Fischerhäuschens einem Großzeltaufbau gewichen ist. SP

Lit.: StadtAM, Okt. 78, 130
StadtAM, Postkartenslg.

647 Kellnerin in der »Fischer-Vroni«, 1926

Georg Pettendorfer, Foto.

Um den Bezug zur Seefischerei zu unterstreichen, waren die Bedienungen der Fischer-Vroni in holländische Tracht gekleidet.

StadtAM, Slg. Pettendorfer

648 Dekorationsbild aus der »Fischer-Vroni«, 1949

Hanns G. Haas, Öl auf Holz, 170×170 cm. Bez. u. r.: »Hanns G. Haas 49«.

Die »Fischer-Vroni« mit Steckerlfischen und Fisch auf Servierplatte ist ein Portrait der damals jugendlichen Wirtin Philippine Winter. Begleitet wird sie vom Münchner Kindl und einem Küchenbuben, die ebenfalls Fischspezialitäten tragen. Dahinter der Bau der »Fischer-Vroni«, Paulskirche und Frauenkirche.
Das Bild hängt normalerweise im »Fischer-Vroni«-Zelt.

Eva Stadtmüller, München

649 Eva Stadtmüller, Wirtin der »Fischer-Vroni«, mit Mutter Philippine Winter und Schwester Anita Schmidt

Foto.

Der Großvater Karl Winter hatte seit 1914 eine Fischgroßhandlung in München. Als Erweiterung dieses Familienbetriebes übernahmen die Eltern Karl und Philippine Winter 1949 die »Fischer-Vroni« auf der Wies'n. Nach dem Tod des Vaters waren die Schwiegersöhne Fritz Rettenmeier und Hans Stadtmüller die Wies'n-Wirte des Fischbraterei-Zeltes. Seit 1982 ist Eva Stadtmüller die derzeitig einzige weibliche Wies'n-Wirtin.

Eva Stadtmüller, München

650 »Das Opfer der Katastrophe auf der Oktober-Festwiese: Herr Julius Frey«, 1887

Extra-Ausgabe des »Gemeindebürgers«, Titelseite: Holzstich-Portrait von Julius Frey, 37,5×26 cm.

Das Oktoberfest 1887 begann mit einem Unglück. Am 27. September brach in der »Pfälzischen Weinbude« von Julius Frey aus Unachtsamkeit ein Feuer aus. Auslöserin des Brandes war ein Blumenmädchen, das eine Petroleumlampe, die auf einem Tisch in der Bude stand, umgestoßen hatte. Das Feuer hatte sofort die »Tuchumhüllung der Decke und Wände« erfaßt und die Bude stand in Brand. Trotz der Bemühungen des Wies'n-Publikums, mit Maßkrügen und Wasserscheffeln die Flammen zu bekämpfen, und des Einsatzes der herbeigeholten Feuerwehr, das Feuer auf seinen Herd zu beschränken, griffen die Flammen rasch um sich und äscherten 18 weitere Buden und mehrere fliegende Stände auf dem Festplatz ein.

Der tragische Ausgang dieser Brandkatastrophe war der, daß der Weinbudenbesitzer bei dem Versuch, seine Geldkassette aus den Flammen zu retten, schrecklich zu Tode kam.

Für das Ausmaß des Brandes wurde die schlechte Wasserversorgung auf der Theresienwiese verantwortlich gemacht. Wie die Zeitung berichtete, hatten manche der herbeieilenden Helfer aus Wassermangel den Inhalt von Siphonflaschen benützt und man hatte schon daran gedacht, mit Wein den Brand löschen zu müssen.

Kat. Nr. 651

den Türen kündigen ein »Concert« von »D'Weinschütz« an. Daneben die »BODEGA«. Anschließend eine Schießbude und Opitz' »Venezianischer Gondelpalast«.

MSt, 42/333

653 Weinschiff »Bucentaurus«, 1949
Foto.

1949 bezog der Festwirt Wilhelm Johne den Festplatz mit dem Weinschiff »Bucentaurus«, das dem gleichnamigen kurfürstlich-bayerischen Prunkschiff aus dem 17. Jahrhundert auf dem Starnberger See nachempfunden war. Der Wirt, dessen Stammhaus das »Johne's St. Pauli am Platzl«, ein Hamburger Nachtlokal in der Innenstadt von München, war, servierte seinen Gästen neben Kaffee und Kuchen vor allem in- und ausländische Weine, Liköre und andere Spirituosen.   SP

StadtAM, Fotoslg.

654 Ankündigungsplakat »Carl Gabriel's neues HIPPODROM im Biedermeier Stil«, 1907
Farblithographie mit Typendruck, 102,5×71,5 cm; Entwurf: M. Mandl, Druck: Klein & Volbert, München.

In der Mitte des Plakates laufender Rappe und Schimmel, auf denen ein biedermeierlich gekleidetes Paar sitzt, obengenannter Schriftzug und ornamentaler Rahmen umgeben dieses Bild. Unten Mitte wird auf den »Manege-Leiter: Johann Silberer« verwiesen. Bereits im Jahre 1902 genehmigte der Magistrat dem Schausteller-Unternehmen Carl Gabriel, ein Hippodrom auf dem Festplatz aufzustellen. Das Prinzip dieses neuartigen Wirts- und Vergnügungsbetriebs war einfach. Im Innern der Wirtsbude war eine Manege – eine Pferdereitbahn – aufgebaut, in der man gegen Entgelt Besucher des Restaurationsbetriebs reiten ließ, die von den anderen Gästen bei ihren Reitkünsten beobachtet werden konnten. »Der unerschöpfliche Unterhaltungsstoff, den da die erstmaligen Reitversuche von Herren und Damen den Zuschauern

Den Schrecken, den diese Feuersbrunst bei den verschonten Budenbesitzern auslöste, kann man anhand der vielen Anfragen und Beschwerden in den Oktoberfestakten verfolgen. Die Forderungen an den Magistrat zielten darauf ab, eine Feuerwache auf dem Festgelände zu stationieren. Darüber hinaus mahnten die Besitzer, »daß auch hinreichend für Wasser durch Aufstellung stets gefüllter Fässer hinter und neben den Schaubuden gesorgt, endlich eine größere Feuerspritze ununterbrochen und gegebenenfalls zum sofortigen Gebrauche bereit auf dem Festplatze am geeignet erscheinenden Platze aufgestellt« werde.   SP

Lit.: StadtAM, Okt. 71
Branddirektion München

651 Weinhalle »Bodega«, 1897
Foto.

Die Bodega, die seit 1885 auf dem Oktoberfest vertreten war und ihren Platz

außerhalb des Wirtsbudenringes alljährlich bezog, wurde von der Import- und Export-Firma für Weine, »The Continental Bodega Company«, betrieben. Der Bau, der 1890 als erster Wirtsbetrieb als fester, gegen alle Witterungsunbill geschützter Holzbau errichtet und seit der Zeit mehrfach vergrößert worden war, fiel durch seine gefällige Fassade auf. Neben reichhaltiger warmer und kalter Küche, Kaffee mit Gebäck und Kuchen, servierte man erlesene spanische und portugiesische Weine.   SP

StadtAM, Slg. Valentin

652 Weinbude Messerer & Geiger, 1909
Max Stuffler, Foto, 15,9×22,1 cm.

Links die Festbude der Weinhandlung Messerer & Geiger, mit ländlicher und mondäner Trinkszene bemalt. Ausgeschenkt werden Weine und Süßweine, Kaffee, Tee, Traubenmost; Plakate an

Kat. Nr. 655

Kat. Nr. 657

bieten, macht das Hippodrom zur ersten Volksbelustigung der Festwiese«. Das »Hippodrom« mit seiner Kombination aus Wirts- und Schaubetrieb gibt es heute noch auf dem Festplatz.   SP

StadtAM, Plakatslg.

655 »Carl Gabriel's Pracht-Reitbahn Hippodrom«, 1930

Foto.

Außenansicht des Restaurationsbetriebs. Vor dem monumentalen Eingangsbereich des im neoklassizistischen Stil errichteten Gebäudes – auf Seitenfeldern der Fassade sind Reiterin und Reiter zu Pferd abgebildet – sehen ein paar neugierige Festbesucher dem Rekommandeur zu.

Gabriels Hippodrom, das in der Folgezeit immer wieder vergrößert wurde, fand vor allem Zuspruch bei der »Sport- und eleganten Welt«, die sich bei Thomasbräu-Export-Bier, Wein, Likör und Kaffee sowie einer ausgewählten Küche über die Reitkünste auf der 60 Meter langen Manegebahn amüsierten.

MSt, PuMu

656 Zwei Dekorationsbilder aus dem »Hippodrom«, um 1930

Herppich, Tempera auf Holz, 101×110 cm. Bez. u. r.: »Herppich Mchn«.

Die Bilder zeigen die kläglichen Reitversuche einer jungen Frau und eines Burschen. Sie beziehen sich auf die Reitarena des Hippodroms, in der dem Publikum Pferde zum Reiten zur Verfügung stehen.

Anton Weinfurter, München

657 Franz Halmanseger, um 1960

Foto.

StadtAM, Fotoslg.

658 Rekommandeur Franz Halmanseger, »Der vor'm Hippodrom«, 1953

Philipp Wagner, Öl auf Leinwand, 78,5×54,5 cm. Bez. u. r.: »Ph. WAGNER 53«.

Halmanseger steht während seiner Parade auf dem Podest zwischen den beiden Eingangstüren des Hippodroms. Typisch ist seine Haltung. Den Kopf leicht geneigt, die Peitsche in der Linken, in den Händen die imaginären Zügel, den kleinen Finger der rechten Hand elegant abgespreizt, dazu in den Knien die federnde Wippbewegung. Sigi Sommer schrieb über Halmanseger 1951 in der Süddeutschen Zeitung: »Der nun 67-jährige macht seit 31 Jahren den Rekommandeur vor dem Hippodrom. Lange Zeit trug er den roten Reitrock des bayerischen Prinzen Franz. Den jetzigen Frack hat er vom Kommerzienrat Thomas gekauft. Im Zivilberuf war Halmanseger im Münchner Hauptbahnhof Gepäckträger mit der Nummer 37.« Eine Woche nach seinem letzten Auftritt auf der Wies'n 1962 starb er 78jährig.

MSt, 77/12

659 Kostüm von Franz Halmanseger

Schwarzer Chapeau claque; roter Rock aus Tuch mit blauem Samtkragen; weiße Weste; Reithose aus beiger Ottomane; schwarze Reitstiefel.

MSt, 63/10 782

Von der Brez'n zur Zuckerwatte

660 Brezen- und Gebäckverkauf, 1895

Foto.

Eine Brotverkäuferin hat ihre Ware auf einem Tisch liegen; sie selbst sitzt auf einem großen Handkarren.

MSt, 55/619/14

661 Brezenverkäuferin der Groß-bäckerei Seidl im Winzerer Fähndl, um 1930

Foto.

StadtAM, Fotoslg.

662 Verkaufsstelle von »Prima Bier-Radi und Radieschen«, um 1925

Georg Schödl, Foto, 12,4×17,5 cm.

StadtAM, Fotoslg.

663 »Käs«, um 1895

Henry Albrecht, Farblithographie aus: »Auf der Wiesen! Das Octoberfest in München von H. Albrecht« im Verlag Piloty & Loehle, München, Druck: Lith. Anst. Dr. C. Wolf & Sohn, München, Leporello, kl. quer-8°.

Im Repertoire der Festspeisen besitzt der Käse eine lange Tradition. »Käs-käufler« erscheinen schon in der ersten Hälfte des 19. Jahrhunderts auf der Wies'n. Obwohl der »Schweizer-käs« seine beherrschende Stellung in der kulinarischen Szene des Festes abgeben mußte, sind doch die mit Salz und Pfeffer bestreuten Scheiben der Riesenlaibe immer noch als durstfördernde Zwischenmahlzeit begehrt.   SS

StadtAM, Hist. Ver. Bilderslg. B 4/49

664 Verkaufsbuden entlang der Feststraße, 1921

Fotopostkarte.

Das Angebot an ›süßen‹ Genüssen wie Backwaren, Schokolade, heimischem Obst, Südfrüchten und Nüssen war schon teilweise in den Anfangsjahrzehnten des Oktoberfestes vertreten (vgl. Kat. Nr. 477). In den Beschickerlisten finden sich kontinuierlich Betreiber von Küchelbäckereien, Pavesenbäcker, Verkaufsstellen mit Lebkuchen, fliegende Händler, beispielsweise aus Südtirol, die ihre Obsterzeugnis-se auch am Festplatz an den Mann bringen wollten, Händler mit Konditoreiwaren und sogenannten »Zuckerbuden« sowie mit anderem Naschzeug.

Als Festspeise, mit der man den Geschmack von Bier, Fischsemmeln oder Grillhendl ›neutralisieren‹ kann und die im Magen Abwechslung schafft, erfreuen die gebrannten Mandeln, bunten kandierten Früchte, die in vielen Farben schimmernden klebrigen Zuk-

Kat. Nr. 662

Kat. Nr. 660

Kat. Nr. 664

kerwatten auch heute viele Besucher. Allein 1984 wurden 15 Tonnen gebrannte Mandeln bei dem sechzehntägigen Fest geknabbert. SP

StadtAM, Postkartenslg.

665 Verkaufsbude für »COCOS NÜSSE ANANAS BANANEN«, 1910

Foto.

Der Besitzer der Bude wirbt für »ERZEUGNISSE AUS DEN DEUTSCHEN KOLONIEN AFRIKAS«. Über dem an der Bude angebrachten Spruchband »COCOS NÜSSE COCOS NÜSSE« machen eine gemalte Kokospalme und eine Bananenstaude Appetit auf die hier angebotenen Südfrüchte.

StadtAM, Hochbauslg. XXV 558

666 »O SAKKA SAKKA's EISPALAST«, um 1930

Fotopostkarte.

Die Fassade des Eispalastes war von dem Schausteller-Maler Alfred Pape, Hannover, gestaltet. Das Süßwarengeschäft von Franz Judenhofer war bereits auf dem Oktoberfest 1912 mit einem Konditorwagen, einem Eispalast und Confitürenverkauf vertreten. Bis 1956 gab es auf der Wies'n bei O SAKKA SAKKA Süßigkeiten zu kaufen. Im beträchtlich vergrößerten Stand, der nach dem Zweiten Weltkrieg von Judenhofers Witwe weitergeführt wurde, konnten die Festbesucher verschiede-

Kat. Nr. 666

Kat. Nr. 665

ne Arten süßer Schlemmereien probieren. Links gab es an Ort und Stelle zubereitete Cocosmakronen, in der Mitte war der Süßwarenverkauf eingerichtet, die rechte Seite des Tresens beherbergte das Eisangebot.

MSt, PuMu

667 Obstverkaufsstand »Joris«, 1910

Foto.

Von allen Seiten frei zugängliches Verkaufshäuschen, mit drapierten Obstsorten in den Auslagefenstern. Diese Bude stand auf einem sogenannten »Mastenplatz« inmitten der Feststraße.

StadtAM, Hochbauslg. XXV 566

668 Verkaufsstelle für Eis, Kaffee und Kakao, 1925

Foto.

Die Gebrüder Schüppen hatten zwei Verkaufsbuden, die einen kleinen Gartenausschank umschlossen. Die orientalisch anmutende Gestaltung der Fassade wies schon von weitem auf den Ausschank von Kaffee und Kakao hin,

den man entweder an der Verkaufsseite stehend genoß oder im Garten zu sich nahm.

StadtAM, Fotoslg.

669 Verkaufsstand mit Türkischem Honig, um 1960

H. Schmied, Foto.

StadtAM, Fotoslg.

670 Schnapsverkauf »Franz. Apfel-Likör Ausschank«, 1910

Foto.

Neben Bier- und Weinausschank in Festhallen und auch in kleineren Wirtsbetrieben gab es bereits gegen Ende des 19. Jahrhunderts eine große Anzahl kleinerer Verkaufsplätze überall verstreut auf dem Festgelände, die für die Besucher Branntwein, Liköre und Schnäpse verschiedenster Sorten bereithielten. Ein zeitgenössischer Kommentar schildert die »ganze Wiese [als] eine Aufforderung zum Trinken«.

StadtAM, Hochbauslg. XXV 551

671 Der »Wurzel-Sepp«, um 1920

Fotopostkarte, 13,8×8,8 cm.

Jahrzehntelang war der Wurzel-Sepp als Wies'n-Original den Festbesuchern ein Begriff. An seinem Stand gab es Schnäpse, vor allem Enzian, den er glasweise – angeblich stets aus demselben, ungespülten Glas – an seine Kundschaft verkaufte.

StadtAM, Postkartenslg.

672 Zigarren- und Zigarettenverkauf am Eingang zum Wirtsbereich, 1910

Foto.

StadtAM, Hochbauslg. XXV 565

673 »BETTELN & HAUSIEREN ist strengstens verboten«, um 1920

Heliocolorpostkarte, 14×9 cm;
Verlag: Ottmar Zieher.

Hausierer auf der Festwiese, die mit umgehängten Bauchläden markt-

Kat. Nr. 671

schreierisch ihre Waren – Knöpfe, Nadeln, Kunstdrucke, Luftballons etc. – feilbieten. Hoch darüber, auf Sitzen, die an Fahnenmasten befestigt sind, haben sich biertrinkende Festbesucher vor den Händlern in Sicherheit gebracht. Als Erklärung bemerkt der Schriftzug links unten: »Gegen die Hausierer Hetz / Gibts schon reservierte Plätz.«

Trotz Bezugsverboten und polizeilichen Razzien während der Festzeit waren diese Händler als »billige Jakobs«, »Rappomacher« oder »Spezialisten« (Neuheitenverkäufer) verschrien, nicht vom Fest zu vertreiben. Die Akten vermerken vor allem den »Schund«, den dieses »Gesindel« lauthals an den Mann bringen wollte. Beweglich, mit umgehängten Bauchläden oder Klapptischen mit Schirmen, konnten sie nach Belieben ihre Plätze wechseln, durch die Zelte gehen und »ihr Geschäft gerade da aufschlagen, wo sie glaubten, den größten Profit zu machen«. Das Verkaufsangebot reichte von Haushalts- und Gebrauchsartikeln, Schmuck und Bijouteriewaren, chemischen Neuheiten wie Warzenwunder, Hühneraugentinktur oder Fleckenseife bis hin zu Banknotenpressen, Zauberfläschchen, Horoskopen und ähnlichen nutzbringenden Artikeln. SP

Lit.: StadtAM, Okt. 262/31
StadtAM, Postkartenslg.

Kat. Nr. 673

674 Legitimationsplaketten für städtische Verkaufseinrichtungen auf dem Oktoberfest, 1925–1959

Von seiten der Verwaltung wurden an die Verkäufer der städtischen Buden und Stände wie Brotzeit- und Brezenstandl, Andenken-, Süßwarenbuden usw. Plaketten ausgegeben, die jährlich neu gestaltet wurden.

Die von 1925 bis 1930 erhaltenen Stükke sind aus gedrücktem und bemaltem Blech, zum Teil nach guten künstlerischen Entwürfen. Die von 1931 bis 1933 sowie von 1948 bis 1959 erhaltenen sind aus bedruckter farbiger Pappe.

MSt, A 85/251

Kat. Nr. 674

Die Schaustellerei

Historischer Überblick

Die Geschichte der schaustellerischen Vergnügungen auf dem Oktoberfest spiegelt die Entwicklung des Schaustellergewerbes im 19. und 20. Jahrhundert wider.

Bezeichnend ist, daß die Belustigungseinrichtungen der Frühzeit von Ortsansässigen aufgestellt wurden. So brachte der Wirt Anton Gruber 1818 das erste Karussell und zwei Schaukeln auf das Fest (vgl. Kat. Nr. 475). 1839 waren es das Karussell eines Obsthändlers aus der Au und zwei Schaukeln eines Taglöhners. 1839 bis 1841 kam ein Sendlinger Büchsenmacher mit einer »Bolzschießstätte«, wohl einem offenen Schießstand. Wie dieses noch spärliche Vergnügungsangebot im einzelnen ausgesehen hat, wissen wir nicht, da es sich nur über Aktenbelege nachweisen läßt. Auf jeden Fall handelte es sich noch nicht um transportable Einrichtungen, die für die Reise geeignet gewesen wären.

Vereinzelt bereicherten reisende Artisten mit ihren Darbietungen das Fest. So zeigte 1826 ein Akrobat »gymnastische Vorstellungen«, 1827 produzierten sich ein Seiltänzer und eine Kunstreiterin. Die wahrscheinlich erste Schaubude auf dem Oktoberfest war 1838 ein Wachsfigurenkabinett. 1839 stellte ein Dachauer sein Kalb mit drei Füßen aus. – Das waren im großen und ganzen die Attraktionen der Frühzeit.

Bis in die 1850er Jahre spielten die Schaustellungen im Rahmen des gesamten Festes eine untergeordnete, fast marginale Rolle. Erst danach begann sich das Vergnügungsareal allmählich zu beleben. So wurden 1862 folgende Betriebe zugelassen: Drei »Caroussele«, ein »Zaubertheater«, ein »Panorama«, zwei »Schiffsmodelle« (wohl Vorführung von Schiffsminiaturen), sieben »Schießstätten«, eine »Ballwurfbude«, ein »Festungsspiel«(?). Die Platzgebühren, die vor Beginn der Festwochen an die Magistratskasse zu entrichten waren, errechneten sich nach der benötigten Stellfläche. So mußten für ein Karussell 3 Gulden 46 Kreuzer, für die Ballwurfbude 1 Gulden 7 Kreuzer oder für das Zaubertheater 10 Gulden 25 Kreuzer bezahlt werden. Von den 16 Unternehmern konnten insgesamt 52 Gulden 32 Kreuzer eingenommen werden. Im Vergleich dazu beliefen sich die Einnahmen von den 27 Käs-, Wurst- und Nudelständen auf 59 Gulden, von den 17 Wirtsbuden auf 141 Gulden 6 Kreuzer.

Die wachsende Zahl der Schaustellerbetriebe auf dem Oktoberfest im letzten Drittel des 19. Jahrhunderts läuft parallel zum Aufblühen des Schaustellergewerbes in diesem Zeitraum, für das verschiedene Faktoren ausschlaggebend waren. Vor 1870 erschwerte die Autonomie der deutschen Kleinstaaten die weiträumige Reise einzelner Unternehmungen. Jedes Land vergab nur in begrenztem Umfang Konzessionen an Schausteller, die damit die Erlaubnis hatten, in dem entsprechenden Territorium für eine bestimmte Zeit zu reisen. Nach der deutschen Einigung 1871 entfielen diese rechtlichen Beschränkungen auf Landesebene zugunsten der nun reichsweit gültigen Wandergewerbeverordnung. Dies führte zu einer enormen Ausweitung des Reisegebietes. Zusätzlich entstand durch die 1869 eingeführte Gewerbefreiheit für jedermann die Möglichkeit, sich der Schaustellertätigkeit zuzuwenden. Die Voraussetzung für die Überwindung großer Distanzen war wiederum erst durch die Verdichtung des Eisenbahnnetzes gegeben. Bei der früheren Form des Transportes mit Pferdegespannen konnten zwischen den einzelnen Plätzen nur kurze Wegstrecken zurückgelegt werden. Die Bahnverladung machte es kapitalkräftigen Schaustellern möglich, mit attraktiven Geschäften nur größere Plätze anzusteuern, die entsprechend gute Einnahmen sicherten.

Über konkrete Reiserouten früherer Schausteller weiß man sehr wenig. Von Franz Anton Bausch hat sich ein Heft erhalten, in dem er von 1910 bis 1938 die mit seinem Toboggan (vgl. Kat. Nr. 709) bereisten Plätze mit den jeweiligen Einnahmen notierte. Für das Jahr 1911 läßt sich folgende Route rekonstruieren: Berlin, Magdeburg, Metz, Esch (bei Luxemburg), Basel, Zürich, Dresden »Vogelwiese«, Mittweida (nördlich von Chemnitz), Nürnberg, München »Oktoberfest«, Freiburg, Basel, Hamburg »Dom«. Dieses Programm konnte nur durch Bahnverladungen der Wagen realisiert werden, anscheinend haben sich aber die enormen Transportkosten rentiert. Auf dem Oktoberfest nahm Bausch 6720 Mark ein, an Platzgeld hatte er 300 Mark zu zahlen.

In den 1880er Jahren institutionalisierte sich das Schaustellergewerbe durch eigene Interessenverbände. 1883 wurde in Hamburg der erste lokale Schaustellerverein gegründet, 1885 folgte die »Genossenschaft Deutscher Schaubudenbesitzer«. (Heute vertreten in der Bundesrepublik zwei Berufsorganisationen die Interessen der Schausteller: der »Deutsche Schaustellerbund e.V.« und die »Hauptvereinigung des ambulanten Gewerbes und der Schausteller in Deutschland e.V.«.)

Das Informationsnetz zwischen den auf der Reise verstreuten Schaustellern verdichtete sich 1883 durch das zentrale Fachorgan »Der Komet«. In diesem »Fachblatt für Reisegewerbe und Markthandel«, das noch heute in Pirmasens herausgegeben wird, konnten Berufsprobleme und -erfahrun-

Kat. Nr. 687

gen mit allgemeiner Tragweite besprochen werden, Gesellikeitsvereine und Interessenverbände konnten ihre Mitgliederschaft informieren, im Anzeigenteil erreichten Hersteller gezielt ihre potentiellen Kunden.

Zu dieser Zeit entstanden die ersten Spezialfirmen für den Schaustellersektor. Die Karussellbaufirmen, die ihren Schwerpunkt in Thüringen hatten, entwickelten in Zusammenarbeit mit Schaustellern laufend Neuheiten, die von nun an das Vergnügungsangebot der Festplätze bestimmten. Die bedeutendsten Hersteller waren die Firmen Friedrich Heyn in Neustadt an der Orla (1870 – ca. 1950) und Fritz Bothmann in Gotha (1883–1932).

Die Zunahme der Schaustellerbetriebe zog natürlich eine Verschärfung der Konkurrenz innerhalb des Gewerbes nach sich. Bis in die 1880er Jahre hielt sich auf dem Oktoberfest die Zahl der Bewerbungen mit den zur Verfügung gestellten Plätzen soweit die Waage, daß bis auf wenige Ausnahmen alle Interessenten eine Zusage vom Magistrat bekamen. Danach bestimmten die Festveranstalter *wer* mit *welchen* Geschäften zugelassen werden sollte. In den 1890er Jahren gab

es in München wie andernorts die Regelung, daß Standplätze öffentlich versteigert wurden. So gibt eine Anzeige im »Komet« die Auswahl der vom Magistrat für das Oktoberfest 1899 gewünschten Geschäftsarten bekannt, deren Plätze zur Versteigerung gelangten: 12 Plätze für Photographiebuden, 15 für Schießbuden, 5 für Schiffschaukeln, 6 für »Caroussels – Dampfbetrieb ausgeschlossen« (vgl. hierzu Kat. Nr. 694). Den gesamten Bereich der Schaubuden vergab man anscheinend direkt anhand der eingereichten Bewerbungsunterlagen. Von der Vergabepraxis mittels Versteigerung kam man allerdings bald wieder ab. Die Festveranstalter kamen dadurch zwar zu höheren Einnahmen, dafür lieferte das Höchstgebot eines Interessenten nicht die Gewähr, daß dessen Geschäft entsprechend attraktiv war und gut geführt wurde. Zu Beginn des 20. Jahrhunderts setzte sich für das Oktoberfest der seitdem allgemeingültige Modus für kommunale Veranstalter von Festen durch, bei dem aus den eingegangenen Bewerbungen die Geschäfte beziehungsweise die Schausteller ausgewählt werden, die der jeweiligen Konzeption der Veranstaltung entsprechen.

341

Das Fremdenverkehrsamt als Organisator des heutigen Oktoberfestes versucht eine Ausgewogenheit zwischen sogenannten »Traditionsgeschäften« und laufend angebotenen Neuheiten zu erreichen.

Die Devise bei der Platzvergabe lautet: »bekannt und bewährt«, wobei in der Regel Münchner Schausteller bevorzugt werden. Ein Problem ist dabei, daß weniger ältere Schausteller ihre angestammten Oktoberfestplätze aufgeben, als jüngere nachwachsen. Zudem bildet die Münchner Herkunft kein Privileg für einen Standplatz. Was die Präsentation von Neuheiten betrifft, gibt es nicht nur die Konkurrenz innerhalb der Münchner Schausteller, da auch auswärtige Unternehmer mit außergewöhnlichen Attraktionen berücksichtigt werden.

Im Laufe der vergangenen hundert Jahre hat sich das Angebot an Schaustellergeschäften proportional verändert. Bis in die 1960er Jahre ging die Zahl der Betriebe mit Schaustellungen laufend zurück, während die Fahrgeschäfte zahlenmäßig sukzessive zunahmen. Der prozentuale Anteil an Schieß- und Wurfgeschäften sowie Verkaufsständen für Imbiß- und Süßwaren blieb dagegen relativ konstant.

Folgende Zahlen vom Oktoberfest verdeutlichen diesen Prozeß:

	1881	1926	1960	1984
Schaugeschäfte	23	40	23	12
Fahrgeschäfte	6	74	96	71
Schieß-/Wurfgeschäfte	12	32	73	76

Im ausgehenden 19. Jahrhundert war das Bild des Festplatzes von den Schaustellungen wie Völker- und Abnormitätenschauen, Wachsfigurenkabinetten, Museen, Varieté- und Zaubertheatern, Panoramen und Menagerien geprägt. Für jede Sparte der Schaugeschäfte können im einzelnen Gründe für das Verschwinden von der Festplatzszene genannt werden. So verloren die Menagerien ihre Anziehungskraft, nachdem in allen Großstädten Tierparks gegründet wurden, in denen man das ganze Jahr über Tiere aus fremden Ländern besichtigen konnte. Die Präsentation menschlicher Abnormitäten wie Riesen, Zwerge, Siamesische Zwillinge, Arm- und/oder Beinlose gab es vereinzelt noch in den 1950er Jahren. Insgesamt aber hatte sich die Einstellung zum Betrachten derartiger Abnormitäten gewandelt. Während in früheren Jahren für solche körperlich aus dem Rahmen des Üblichen fallende Menschen die Zurschaustellung ihrer Mißgestaltung oft die einzige Existenzgrundlage war, wurden sie im 20. Jahrhundert mehr und mehr vom sozialen Netz aufgefangen. Dies wiederum bedeutete jedoch in steigendem Maße eine Aussonderung in spezielle Heime.

Die Hauptgründe für den Rückgang der Schaugeschäfte sind allerdings in der schrittweisen Einführung der neuen Medien des 20. Jahrhunderts zu suchen. Als die Schausteller ab 1896 in den Kinematographen auf den Festplätzen als bahnbrechende Neuheit die ersten Filme zeigten (vgl. Kat. Nr.

701), konnten sie sicher noch nicht abschätzen, daß sie damit ihrer eigenen Konkurrenz den Weg bahnten. Ein Großteil ihrer realiter vorgeführten Sensationen, wie etwa die Präsentation von Menschen exotischer Völker, verlor an Attraktivität, da das Publikum durch Filme mit derart ›Außergewöhnlichem‹ vertraut gemacht worden war. Auch in anderen Medien verdichtete sich die Bildinformation, wie etwa in den illustrierten Zeitungen, in denen nach der Jahrhundertwende bei aktuellen Reportagen statt der Holzstiche durch die Weiterentwicklung drucktechnischer Verfahren Fotografien wiedergegeben werden konnten. Ab 1925 sorgte der Rundfunk für noch schnellere Nachrichtenverbreitung. Ferner liefen in den Kinos die Wochenschauen als Vorprogramme. Einer solchen Informationsflut standen zum Beispiel die Panoramabesitzer, die zuvor das aktuelle Geschehen mittels gemalter Bilder auf den Festplätzen verbreiteten, machtlos gegenüber (vgl. Kat. Nr. 791).

Der Ausbau des Fernsehnetzes für die gesamte Bundesrepublik begann 1950 in Hamburg und endete mit dem Anschluß der Münchner Sendestation im Jahre 1954. Mit der Verbreitung dieses neuen Mediums wurde den noch verbliebenen Schaustellungen, bei denen es sich vor allem um Varietétheater und Kleinzirkusse handelte, ein geschäftliches Ende bereitet. Für das Fernsehpublikum, verwöhnt durch Unterhaltungssendungen mit Artisten der Weltklasse, verloren die Programme der Schaugeschäfte ihren Reiz. Die meisten der von dieser Entwicklung betroffenen Schausteller, deren Familien zum Teil schon seit Generationen als Artisten tätig waren, wurden zu Betreibern von Fahrgeschäften. Von den traditionellen Schaugeschäften haben sich in der Bundesrepublik circa 30 Unternehmungen gehalten, die im Zuge der allgemeinen »Nostalgiewelle« wieder neue Aufmerksamkeit erfahren.

Auf der anderen Seite gibt es für die Zunahme von Fahrgeschäften im Laufe des 20. Jahrhunderts eine einfache Erklärung: Es ist das körperliche Erlebnis von Bewegungsabläufen, die durch permanente Neuheiten auf diesem Sektor immer schneller und variationsreicher werden. Das Bedürfnis nach Geschwindigkeit kann man etwa durch Auto- oder Motorradfahren befriedigen. Eine Überkopffahrt, bei der man durch die Fliehkraft in den Sitz gepreßt wird, kann man im Alltag nicht erleben. Dieses Gefühl kann man nur durch das Fahren auf Schaustellergeschäften kennenlernen.

Hier liegt der Angelpunkt für die Veränderungen auf dem Schaustellersektor seit dem ausgehenden 19. Jahrhundert. Früher wurden die Besucher zu Jahrmärkten und Festplätzen mit Attraktionen gelockt, die sie das ganze Jahr über nicht sehen konnten. Die heutigen Sensationen reizen die Besucher durch Ansprache des Körpergefühls bei extremer Bewegung. Daß dieser Trend noch lange nicht ausgereizt ist, beweisen die jährlichen Neuentwicklungen auf dem Fahrgeschäftssektor.

Florian Dering

»Treten Sie näher« – Die Zeit vor 1900

675 »Amerikanischer Velocipède-Circus«, Plakat aus den Bewerbungsunterlagen von J. Jäger, 1873

Lithographie und Typendruck, 73,5×51 cm; Druck: Eichling'sche Buchdruckerei, Nürnberg.

Um 1870 tauchen entsprechend der damaligen Fahrrad-Euphorie die ersten Velocipedenkarussells auf. Bei dem vorliegenden geschah der Antrieb wohl dadurch, daß die Männer in die Pedale traten, während den Frauen das Mitfahren in Sitzen eingeräumt wurde. In späteren Jahren gab es riesige dampfgetriebene Geschäfte dieser Art. Die Darstellung auf dem Plakat zeigt die Konstruktion des Karussells in vereinfachter Form. Dem beigefügten Gedicht ist zu entnehmen, daß Jäger zur Fahrt auch musizieren ließ.

Abb. in: Chronik 1985, S. 48
StadtAM, Plakatslg.

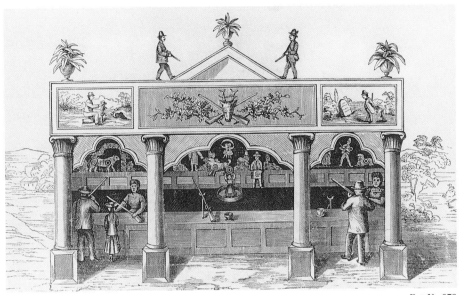

Kat. Nr. 678

676 »Die ersten Lappländer Polarmenschen«, gezeigt von Böhle und Willardt, 1876

Plakat mit Typendruck, 84×41 cm; Druck: Knorr u. Hirth, München.

»Die Lappländer Polarmenschen, bestehend aus 2 männlichen und 2 weiblichen, produzieren sich hier während des Oktoberfestes auf der Theresienwiese, und zwar mit ihren 4 Rentieren, Eishunden (Bärenfänger), Hütten, Fahrzeugen und vielen Originalgerätschaften in dem eigens zu diesem Zwecke elegant hergerichteten Theater. Es sind dieselben Lappländer, welche nur auf Veranlassung der Wiener Weltausstellung nach Deutschland kamen.«

Die Völkerschauen, die dem Mitteleuropäer Kulturen fremder Völker vermitteln sollten, bereisten seit den 1870er Jahren in den Sommermonaten die Großstädte. Deutsche Agenten stellten die Gruppen in den jeweiligen Ländern zusammen, schlossen mit den Reisenden Verträge ab und organisierten die Tournee. Führend war hier in den ersten Jahrzehnten der Hambur-

ger Tierhändler und Zoobesitzer Carl Hagenbeck, der mit seinen Schauen oft auf dem Oktoberfest vertreten war.

StadtAM, Plakatslg.

677 »CIRCUS-EQUESTRE von Mathias Schlegel«, illustrierter Briefkopf eines Bewerbungsschreibens, 1878

Lithographie, 28×22,2 cm.

Diese Zirkusgesellschaft, die mit 13 Pferden ausschließlich equestrische Vorführungen bot, erinnert an die Frühzeit des Zirkus im ausgehenden 18. und beginnenden 19. Jahrhundert. Andere Unternehmen hatten inzwischen die Reitnummern längst um weitere artistische Programmpunkte erweitert.

StadtAM, Okt. 59

678 »Schiesshalle von Jacob Jäger«, Bewerbungsschreiben mit illustriertem Briefkopf, 1879

Holzstich, 28×22 cm.

Die Halle hatte eine Front von 10 m Länge und eine Tiefe von 7 m. Sehr gut erkennt man die mechanischen Zielfi-

guren, die bei einem Treffer Bewegungen ausführten. Diese Art der mechanischen Schießhallen gab es bis in die 1920er Jahre. Erst danach setzte sich das heutige Schießen auf Tonröhren mit Papierblumen und ähnlichem als Preise durch.

StadtAM, Okt. 60

679 »Wilhelm Böhme / Renomirter Thierbändiger.«, Bewerbungsschreiben mit illustriertem Briefkopf, 1879

Holzstich, 28,5×22,5 cm.

Kat. Nr. 679

Vor den öffentlichen stationären zoologischen Gärten konnte man in den Menagerien Tiere fremder Länder bewundern. Neben den Erklärungen zu den Tieren wurden verschiedene Dressurakte vorgeführt.

StadtAM, Okt. 60

680 Telegraphische Bewerbung, 14. September 1880

»Bitte gehorsamst um Platz Theresienwiese fuer Riesenschwein 13 Ctr. schwer – Achtungsvoll Winkler Graz.« Diesem Bewerber konnte zur damaligen Zeit noch eine Woche vor Festbeginn ein Platz mit 54 m² zur Verfügung gestellt werden.

StadtAM, Okt. 61

681 »Weinreich's Original-Taucher- & Schwimmer-Truppe«, Ankündigungszettel aus den Bewerbungsunterlagen von R. del Conde (Geschäftsführer), Dietenhofen, 1880

Lithographie, 29,5×20 cm; Druck: Th. Gerbrach-'sche Buchdruckerei, Karlsruhe.

Die Illustration zeigt einen Taucher bei seiner Arbeit unter Wasser, der eine neuentwickelte »Submarine-Lampe« mit sich führt. Neben verschiedenen Seetaucherkünsten und der Demonstration neuartiger Gegenstände für die Taucherkunst präsentierte man dem Publikum in dem »10 Fuß tiefen Bassin, welches mit ca. 3000 Eimer Wasser angefüllt ist«, Arbeitsverrichtungen, »wie solche der Professionist auf dem Festen Lande vornimmt, als

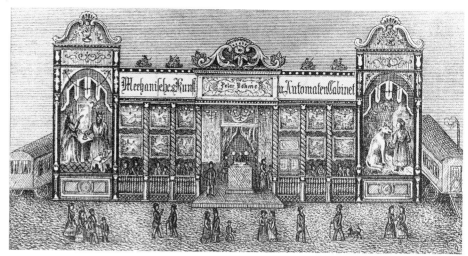

Kat. Nr. 684

feilen, hämmern, sägen, bohren u.s.w.«.

Die Präsentation von »Tauchern« gehört noch im frühen 20. Jahrhundert zu den gängigen Schaustellungen.

StadtAM, Okt. 61

682 »Die gelehrte Hunde-Familie«, Programmzettel aus den Bewerbungsunterlagen von M. Dendl, 1880

Lithographie, 26×14 cm; Druck: J. Edel, Passau.

Das Potpourri der hier angekündigten Hunde-Familie war breit gestreut. Die Astrachan-Spitze kannten nicht nur »die Photographien sämmtlicher Regenten von Europa«, spielten »jedes Spiel Karten«, sie waren auch »Farbenkenner und gute Geographen« sowie »Geldkenner« und legten zum Schluß jeder Vorstellung einen »Cancan, ausgeführt von den zwei vierfüßigen Künstlern ›Pepita‹ und ›Dorette‹« auf die Bretterbühne.

StadtAM, Okt. 61

683 »Scheffel's großes historisches Mechanisches Museum«, Ankündigungszettel aus den Bewerbungsunterlagen, 1880

Typendruck, 30×21 cm; Druck: E. F. Schubert in Kitzingen.

Die dargebotenen Szenen ähneln denen der Wachsfigurenkabinette und

Kat. Nr. 682

Panoramen. Auf welche Weise sie mechanisch beweglich ausgestattet waren, geht aus dem Zettel nicht hervor.

StadtAM, Okt. 61

684 »Mechanisches Kunst u. Automaten Cabinet«, Bewerbungsschreiben mit illustriertem Briefkopf von Peter Böhme, Ulm, 1883

Lithographie, 28,5×22,3 cm.

Frontalansicht der Schaubude mit Eingangsbereich und Kasse. Links und rechts sind Wohnwägen abgebildet. An Platzmiete mußte der Besitzer 72 Mark an die Gemeinde-Kasse zahlen. Das mechanisch-automatische Theater umfaßte eine Fläche von rund 120 m².

StadtAM, Okt. 66

685 Affen- und Hundetheater, 1883

Anton Ringler, Bleistiftzeichnung, 26×33 cm. Bez. u. r.: »23 October 83. A. Ringler«.

Vor einer Schaubude findet unter dem Vordach die Parade statt: Ein Rekommandeur mit Flüstertüte und zwei Dompteure zeigen kostümierte Affen auf Zwergpferden, dressierte Hunde verschiedener Rassen und einen Ziegenbock. Vor der Bude drängt sich eine lebhaft gemischte Schar von Schaulustigen. Einige Zuschauer steigen die

Treppe zum Podium hinauf und betreten den Theaterraum.

MSt, P 1863

686 Schaustellerbereich auf dem Oktoberfest, um 1885

Otto von Ruppert, Aquarell, 37,2×55 cm. Bez. u. r.: »O. v. Ruppert«.

Diese Ansicht und der Blick in die Schaustellerstraße (Kat. Nr. 687) sind die frühesten Gesamtschauen auf den Schaustellerbereich. Auffallend ist die noch lockere Plazierung der Geschäfte. Die Wohnwagen sind nicht wie in späterer Zeit dem Blick der Besucher entzogen, sie stehen direkt neben den Geschäften. Die Wagen auf der linken Seite zeigen den frühen Typus der Schaustellerwohnwagen mit den rundbogigen Fenstern und lamellierten Fensterläden. Auf einem Ofen wird im Freien gekocht. Schaustellerfrauen verrichten häusliche Tätigkeiten. Auf der rechten Seite steht eine einfache Bude, davor sind Verkaufsstände aufgeschlagen. Im Hintergrund die Alte Schießstätte.

Abb. in: Chronik 1985, S. 57
MSt, P 1864

Abbildung S. 341

687 »München Octoberfest. 1885«

Otto von Ruppert, Aquarell, 36,7×54,1 cm. Bez. u. l.: »O. v. Ruppert. 1885«.

Blick in eine Schaustellerstraße, die auf die Häuser am jetzigen Bavariaring mündet. Rechts im Vordergrund die Seite einer Bretterbude mit einem Menagerie-Plakat. Davor verkauft eine Frau Obst unter einem geflickten Schirm. Das schräge Sonnenlicht fällt auf eine bunte Menge von Wies'n-Besuchern und eine Zeile von Schaubuden; von links: eine »Photografie«-Bude, »Circus Soltheimer – Affentheater«, dann ein »Welttheater und Cosmorama«, eine weitere Schaubude und noch eine »Photographie«-Bude.
Bei den Fassaden erkennt man deutlich die einfachen Rahmengerüste, vor die die bemalten Rollbilder gehängt werden.

MSt, P 1865

688 Schaustellerbereich auf dem Oktoberfest, um 1885

Albert Kappis, Öl auf Holz, 18×26,5 cm. Bez. u. l.: »A. Kappis«, u. r.: »Oktoberfest. München.«

Die Ölskizze vermittelt ein Bild der lockeren Bestückung des Schaustellerareals dieser Jahre. Das linke Zelt, umstellt mit Wohnwagen, ist wohl ein Zirkuszelt. Auf der rechten Seite ragt aus der Dachspitze ein rauchender Kamin, der auf ein dampfmaschinengetriebenes Karussell schließen läßt. Da 1887 ein Verbot für Dampfkarussells auf dem Oktoberfest erlassen wurde, ist dieses Bild wohl vorher entstanden.

Spaten-Franziskaner-Bräu, München

689 »Amerikanisches Schiffs-Schaukel-Caroussel mit Dampf-Betrieb«, Bewerbungsschreiben mit illustriertem Briefkopf von W. Kietzmann, Harburg a. d. Elbe, 1886

Holzstich, 28×22 cm.

Das Schiffskarussell wurde 1880 in England erfunden. Im Zentrum des Fahrgeschäftes stand die Dampfmaschine, deren Schornstein zugleich den Mast des Daches bildete. Über »Ausleger«, also Verbindungsstangen, wurde die Kraft von der Dampfmaschine auf die Schiffe übertragen. Die Schiffe hatten große Räder, die auf einer kreisförmigen Schiene liefen. Durch eine Exzentermechanik an jeder Achse kamen die Schiffe während der Fahrt ins Schwanken. Das Schiffskarussell war *der* Schlager der 1880er Jahre auf den Festplätzen. Kietzmann führt in seinem Schreiben an: »Dasselbe ist neuester Construktion mit elektrischer Beleuchtung eingerichtet und würde mit zur Zierde des Festplatzes dienen. Da ich bereits vor 2 Jahren mit einem anderen Schiffs-Caroussel in München zum Feste war, möchte ich bitten mir meinen damaligen Platz zu bewilligen, da ich mit der schweren Locomobile nicht weit in das Terrain fahren kann.«

StadtAM, Okt. 69

Kat. Nr. 685

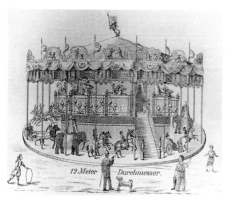

Kat. Nr. 690

690 Halbetagenkarussell, Bewerbungsschreiben mit illustriertem Briefkopf von Joseph Maier, Ulm, 1886

Lithographie, 28×21 cm.

Um 1870 kamen die ersten Karussells mit Etagen auf. Die Besatzung dieses Karussells besteht aus Pferden mit Wagen und Schlitten, Elefanten, Hirschen und Schwänen. Der Antrieb dieses relativ großen Fahrgeschäfts geschah sicherlich per Hand.

StadtAM, Okt. 69

691 »Meerfrau ›Sirene‹«, Ankündigungszettel aus den Bewerbungsunterlagen des Schaustellers Emil Lehmann, 1886

Lithographie, 23,8×16 cm; Druck: Dietzel und Schwenck, Mainz.

Unter der Abbildung dieser »größten Naturseltenheit«, erklärender Text: »Eine Meerfrau, ›Sirene‹, Halicore Dujong, wie sie in Brehm's Thierleben 3. Band 12. Heft beschrieben ist, wurde am 10. Mai 1881 im Kanal von Zanzibar an der Ostküste von Afrika gefangen. Die Sirene ist 3 Meter lang, 2 Meter Umfang, hat Arme, Hände, Finger mit Nägeln, Brüste, woran die Jungen gesäugt werden, ist überhaupt (außer der Schwanzfinne) ganz ähnlich wie eine Frau gebaut, auch die Haut des Thieres ist wie eine natürliche Menschenhaut. Diese höchst seltene Meeres-Erscheinung ist jedem Gebildeten zur Besichtigung zu empfehlen und sollte, da

thatsächlich kein zweites Exemplar existirt, wie die Kataloge vieler Museen nachweisen, von jedem Gebildeten besucht und empfohlen werden. [...]«

StadtAM, Okt. 69

692 Beim Kasperltheater, 1891

Viktor Tobler, Tuschzeichnung, 41,1×54 cm. Bez. u. l. auf der Kiste: »V. Tobler. 1891«.

Studie einer Zuschauermenge, die größtenteils mit dem Rücken zum Betrachter die Parade eines Handpuppentheaters verfolgt. Die Theaterfassade links im Bild trägt oben die Inschrift »MÜNCHNER CASPERL THEATER« und ist mit Figuren bemalt. Seitlich links ein Schild »Preise der Plätze I Platz 10 II Platz 5«. Auf der kleinen Paradebühne wendet sich der Kasperl mit einem Prügel über der Schulter ans Publikum, während neben ihm das Krokodil auftaucht. Das eine Bein hat der Kasperl über die Spielleiste geworfen; im Jahrmarkts-Handpuppenspiel hat die lustige Hauptperson oft als einzige Figur Beine – schon um Teufel, Tod und Schutzmann einen Tritt geben zu können. Während die allgemeine Aufmerksamkeit dem Theater gilt, reißt der orientalisch gekleidete Rekommandeur der »GROSSMEN[AGERIE]« auf der anderen Seite der Budenstraße vergeblich den Mund auf, denn niemand beachtet seine Affen und Papageien. Im Hintergrund weitere bewimpelte Buden und ein Karussell.

Kat. Nr. 691

Im Vordergrund links sitzt eine Frau an einem Verkaufsstand, zu dem ihr ein Küchentisch dient; eine Münze hält sie in der Hand über der offenen Geldkatze. Ein Sonnenschirm schützt ihre Ware: auf einem Holzbrett ein Ziegel türkischer Honig, in dem ein einfaches Messer steckt (nicht der heute übliche Halbmond zum Abspachteln!), drei Flaschen und ein Likörglas sowie flache runde Kuchen.

BK

MSt, P 1868

Kat. Nr. 694

Kat. Nr. 695.1

Kat. Nr. 695.2

693 Handpuppen aus dem Kasperltheater von Karl Birkenmaier, um 1900

Holzköpfe, Textilien, 45–70 cm.

Kasperl (sogenannter »Münchner Kasperl« mit grünem Geißbubenhut, blauer Leinenjoppe und schwarzer Hose mit grünem Seitenstreifen), Wildschütze, Metzger, Soldat, Großmutter, Chinese. Die Brüder Karl und Johann Birkenmaier gehörten zu Beginn des 20. Jahrhunderts zu den bekanntesten Kasperlspielern auf den Oktoberfesten und den Münchner Dulten.
Bisher konnten sich die Kasperltheater trotz der starken Lärmkulisse von den Lautsprecheranlagen der benachbarten Fahrgeschäfte noch auf der Wies'n behaupten. 1984 waren es die Theater von August Geier, Anna Schmid und Ludwig Trollmann.

MSt, PuMu

694 Hugo Haases Primärstation zur Erzeugung von elektrischem Strom, 1892

Foto.

Hugo Haase (1857–1933) war der erste Großunternehmer auf dem Schaustellersektor. 1887 errichtete er in Roßla am Harz seine eigene Produktionsstätte und baute sein erstes Schiffskarussell. Haases Geschäftssitz als Schausteller war bis 1909 Leipzig, danach Hannover. 1890 konnte er neben anderen deutschen Herstellern das erste Berg- und Talbahn-Karussell präsentieren. In der Folgezeit baute Haase seine Unternehmungen vor allem im Fahrgeschäftsbereich aus. So verfügte er 1912 über 17 Geschäfte, die über die Zentrale in Hannover organisiert und von Geschäftsführern betreut im In- und Ausland auf Reisen waren. Haase prägte so auch das Angebot auf dem Oktoberfest, das er meist mit mehreren Geschäften bezog.
1892 stellte Haase mit der Primärstation zur Erzeugung von elektrischem Strom eine technikgeschichtlich interessante Neuerung in München vor.
Die technischen Fortschritte, mittels Lokomobile mit integriertem Dynamo Strom für eine Karussellbeleuchtung zu erzeugen oder durch Dampfmaschinen Karussele anzutreiben, kamen in den 1880er Jahren auf. An manchen Orten – so in München 1887 – verbot man jedoch aus Sicherheitsgründen diese Antriebsform. Die Folgen des Verbotes bedeuteten, daß trotz der nunmehr bestehenden technischen Möglichkeit die Schausteller in München ihre Fahrgeschäfte wieder per Hand in Bewegung setzen mußten. Ein Antrieb durch Pferdekraft war nach stürmischen Protesten seitens der Tierschützer gegen diese Quälerei 1887 ebenfalls verboten worden.
Aus dieser Situation war Haases Primärstation ein genialer Ausweg.

Die Maschinen zur Erzeugung von Strom für den elektrischen Antrieb und die Beleuchtung des Schiffskarussells und der Berg- und Talbahn, die Haase zum Fest aufstellte, waren in einem eigenen ca. 300 m vom Verbrauchsort entfernten Bau untergebracht. Dort standen zwei 30-PS-Gasmotoren und die dazugehörigen Gleichstromgeneratoren. Der Strom lief über eine oberirdische Leitung zu den Fahrgeschäften. FD

MSt, PuMu

695 Festbesucher im Schaustellerareal, 1895

Fotos.

1. Ländliche Besucher vor einem verschlossenen Karussell, im Hintergrund rechts ein Schiffskarussell
2. Deutlich sichtbar ist der noch unbefestigte Weg, links ein kleiner Wohnwagen, in der Mitte Verkaufsstand, dahinter Karussell
3. Verkaufsstände, Karussell mit reicher Dachkante aus bemaltem Blech
4. Vorn eine Schaubude mit der Aufschrift »MAGNETA«, »DANUBIA«, dahinter »Theater. Liliputaner Truppe«

MSt, 55/619, 21, 9, 6, 11

696 »Orientalischer Irrgarten. Besitzer Georg Narten«, Bewerbungsschreiben mit illustriertem Briefkopf, 1896

Lithographie, 28,8×22,6 cm.

347

Kat. Nr. 698

Transportable Irrgärten mit Spiegelungseffekten kamen in den 1890er Jahren auf. Es waren die ersten sogenannten »Laufgeschäfte«, die in den folgenden Jahrzehnten mit weiteren Effekten wie schwankenden Fußböden, Wackeltreppen und sich drehenden Röhren ausgestattet wurden.

StadtAM, Okt. 92

697 Informationsheft »Heinrich Scholz's Große Menagerie«, aus den Bewerbungsunterlagen, 1896

15 S., mit Abb., 8°; Druck: Adolph Friedländer, Hamburg.

Auf dem Titel Portrait des Menageriebesitzers. Zu den gezeigten Tieren finden sich kurze Erklärungen, deren Inhalt in der Regel »Brehm's Tierleben« entnommen wurde. Den Texten sind einfache Holzstichillustrationen beigegeben.

Scholz's Menagerie gehörte zu den größten Unternehmungen dieser Art.

StadtAM, Okt. 92

Die Menagerie »Nouwa Hawa« auf dem Oktoberfest 1893

»In München trafen wir zum Oktoberfest ein. Dort hatten wir große Konkurrenz, da auch Ehlbeck dort war, der die Menagerie seines Schwagers Sonntag

noch zu seiner eigenen hinzugefügt hatte und nun über eine hundertundzehn Meter lange Bude verfügte. Ehlbeck hatte zwei Elefanten, einen kleinen und einen großen. Der erste gehörte mit zu der Menagerie, den großen dagegen sandte er mit einem Wärter allein auf Reisen, hatte ihn aber jetzt nach München kommen lassen, um das Tier als Zugstück für sein Unternehmen an die Kasse zu stellen. Während des Aufbauens stand der Elefant, mit einem Hinterfuß an einen Pfahl angekettet, mitten auf der Wiese und war dort von einer großen Menge Publikum umlagert, das das Tier anfangs anstaunte, dann aber zum Scherz mit Rasenstücken warf. Der Elefant ließ sich diese Späße auch eine Zeit lang ruhig gefallen, dann trat er mit einem Vorderfuß auf seine Kette, setzte den gewaltigen Stoßzahn darunter und hob so den Pfahl heraus, der etwa fünfundzwanzig Zentimeter im Durchmesser haben mochte und über einen Meter tief in der Erde stak. Als ich dies bemerkte, holte ich den Wärter namens Bauer herbei, der den Pfahl wieder in die Erde schlug und dafür sorgte, daß der Elefant nicht mehr vom Publikum beunruhigt wurde. Während des Okto-

berfestes hatte die Ehlbecksche Menagerie besonders in den Morgenstunden großen Zuspruch von seiten der Schulen, denen ein billiger Eintrittspreis eingeräumt worden war. Wir dagegen nahmen unsre vollen Preise und verwandten besondre Mühe auf die Rekommandation, wobei sich drei von uns, der Direktor, der Rekommandeur und ich, abwechselten. Wenn ich hinaustrat, nahm ich gewöhnlich irgendein Tier mit, zuerst einen jungen Löwen und später den Elefanten, der die fünf Stufen zur Kasse hinaufsteigen und dort auf dem beschränkten Raume seine Künste zeigen mußte. Zufälligerweise hatte ich bemerkt, daß August Schichtl, dieser große Meister in der Kunst, das Publikum anzulocken, hier in München ein ganz eigentümliches Verfahren einschlug. Er behandelte das Publikum, besonders die zahlreich erschienenen Bauern aus der Umgegend, mit unglaublicher Grobheit und erreichte damit, daß sich die Zuschauer geschmeichelt fühlten und seine Bude geradezu stürmten. Ich sagte mir, daß ich mit diesem seltsamen Mittel auch Erfolge erreichen könnte, und begann nun auch meinerseits die Bauern gehörig abzukanzeln. Ich ließ den Elefanten sich legen, legte mich auf seine Schultern und streckte die Beine über seinen Kopf weg. Dabei sagte ich: »Da schauts her, ihr Saurammel, ihr gescherten Kaffern, so a Kanapee müßt ihr euch aschaffe, da liegt sichs schee druff.« Die Bauern, die bisher bloß gegafft hatten, stürzten sich nun, nachdem ich sie so begrüßt hatte, die Stufen zur Kasse herauf und füllten in kurzer Zeit die Bude. Madame, die an der Kasse saß und sich diesen plötzlichen Erfolg meiner Rekommandation nicht erklären konnte, erkundigte sich beim Direktor danach, was ich gesagt hätte, und lachte Tränen, als ihr dieser meine Worte übersetzte. Allerdings machten wir bei diesem Publikum weder eine Explikation noch eine Fütterung, sondern beschränkten uns auf wenige Dressurnummern und die Schlangenapotheose, worauf wir die Zuschauer

Kat. Nr. 699

durch eine Seitentür schleunigst wieder ins Freie komplimentierten, um Platz für das neue Publikum zu bekommen.«

Zitat: Robert Thomas, Unter Kunden, Komödianten und wilden Tieren, Lebenserinnerungen, Leipzig 1905, S. 343–345

698 Schaustellerstraße 1899

Foto.

Links im Bild Schiffskarussell, daneben motorbetriebene »Russische Riesen Luft-Schaukel« (Riesenrad), rechts davon reihen sich verschiedene Schaubuden an.

StadtAM, Chronik-Bildband 1899/II, Nr. 57 f.

699 Pferde und Schwäne vom Karussell der Familie Stibor, um 1900

Holz, gefaßt, Pferd: 85×80×22 cm, Schwan: 63×97×67 cm.

Die relativ kleinen Pferde und Schwäne sind in der Machart typisch für die deutsche Karussellindustrie, die ihren Schwerpunkt ab den 1870er Jahren in Thüringen hatte. Das Stibor-Karussell stand bis Ende der 1950er Jahre auf dem Oktoberfest. Das komplette Geschäft ist heute im Besitz des Stadtmuseums.

MSt, PuMu 85/25

700 Teil eines Karussellschlittens, um 1910

Holz, gefaßt, 138×93 cm.

Bildfläche mit Landschaftsmalerei, aufgesetzte geschnitzte Kartusche mit geschliffenem Spiegeleinsatz, geschnitzte Bekrönung.
Die Herkunft dieses Schlittens ist nicht bekannt. Der Bezug zum Oktoberfest besteht jedoch, da dieses Karussellteil in Hochreiters »Haxenbraterei« als Dekorationsstück verwendet wurde.
Geschenk von Erwin Hochreiter an das Stadtmuseum.

MSt, PuMu 85/52, Münchener Schaustellerstiftung

349

Kat. Nr. 705

»Treffpunkt: Carrousel Noblesse« – Um 1900

**701 »EDISON-IDEAL.
DER CINEMATOGRAPH oder:
Die lebende Photographie«,
Bewerbungsschreiben mit Briefkopf
von J. Dienstknecht, Hamburg, 1896**
2 Bl., 28,5×22,5 cm.

Dienstknecht bewirbt sich um einen Platz »zur Aufstellung eines Cinematograph, die neueste und wunderbarste Schaustellung des Jahrhunderts«. Ab 1896 verbreitete sich die Erfindung des Films schlagartig auf den Festplätzen. Als neue Sparte der Schaustellungen entstanden die reisenden Kinemato-graphen. Erst einige Jahre später gab es die stationären Kinos in den Städten. Anfangs konnten nur kurze Szenen auf ca. 20 m langen Streifen gezeigt werden.

Für den noch Unkundigen erklärt Dienstknecht das neue Wunder auf der Rückseite seines Briefbogens:

»Es sind nicht todte Figuren, nicht etwa starre, kalte Bilder, sondern Alles lebt und ist in Bewegung, keineswegs als flache Schattenrisse, sondern vollkommen plastisch.

Alles, was in der Natur lebt und sich bewegt, der Verkehr, der auf Strassen und Plätzen fluthet, die Wogen des Weltmeeres, die sich thürmen und übereinanderwälzen, alles das sehen wir vor uns, greifbar nahe, in unnachahmlicher Natürlichkeit.

Und diese wundervollen, immer wechselnden Effecte sind erzielt worden durch eine ununterbrochene Reihe von Schnell-Moment-Photographien in Action befindlicher Objecte. Die Zahl der Aufnahmen beträgt 20 in der Secunde. Was sich also beispielsweise auf der Strasse oder sonst irgendwo in einer einzigen Minute abspielt, bedarf 1200 Photographien, wozu ein 18 Me-

ter langes und 3 cm. breites Celluloid-
band erforderlich ist.
In derselben Weise bringt der Cinematograph es wieder zur Schau.
Von electrischem Licht hell bestrahlt,
rollt sich das Band durch einen Präzi-
sions-Mechanismus mit ruckweisen
Bewegungen auf und so schnell arbeitet der Apparat, dass man meint, das
Band stände still und zeige nur ein einziges Bild, welches sich bewegt.«
StadtAM, Okt. 92

702 Kinematographen-Palais, um 1910

Fotos.

1. »Bio-Tableaux-Theater« von Peter
   Lindner, 1903 (Foto: Max Stuffler)
2. »GRAND THEATER KINEMATOGRAF«
   von M. Kunzel, 1910 (Foto: Georg
   Pettendorfer)
3. »TH. BLÄSER'S MARMOR-PALAIS KINE-
   MATOGRAPH«, 1910 (Foto: Georg Pettendorfer)

Der finanzielle Erfolg der Kinemato-
graphen spiegelt sich in der prächtigen
Aufmachung der Geschäfte. Die Eingänge flankieren riesige Engels- und
Frauenfiguren. Die architektonisch
reich gegliederten Fassaden zeigen
Malereien mit Genreszenen. Mit der
Dampfmaschine, die jeweils links vom
Eingang steht, wird der elektrische
Strom für die Vorführanlage, für die
Beleuchtung und für den Antrieb der
Orgel produziert. Ihr Kamin ragt über
die Zeltbedachung hinaus. Als technisches Schaustück wird sie in die Fassa-
denabwicklung integriert. Auf der
rechten Seite stehen jeweils die Or-
geln, deren Fassaden nochmals mit Figuren und Schnitzereien geschmückt
sind. Schilder weisen auf die Filmtitel
des laufenden Programms. Mit welch
kurzer Produktionszeit die Streifen hergestellt werden konnten, beweist das
Schild bei Bläser: »Neu! Oktober-Fest-
zug«. Der Film vom Jubiläumsfestzug
1910 wurde also noch in der zweiten
Festwoche auf der Wies'n vorgeführt!

Abb. von Nr. 1 in: Chronik 1985, S. 72
StadtAM, Chronik-Bildband 1903/I, Nr. 33; 1910/III,
Nr. 32

Kat. Nr. 704

703 Straßenlokomotive für den Kinematographen von Lindner aus Nürnberg, 1914

Fotopostkarte, 8,7×13 cm.

Lindners Dampfmaschine, die er für
den Betrieb seines Geschäftes benötigte (vgl. Kat. Nr. 702) war eine selbstfah-
rende Straßenlokomotive, die auch für
den Transport von Wagen eingesetzt
werden konnte. Hier zieht sie einen
Packwagen mit Schlafabteil für die Angestellten, dessen Doppelbetten durch

Kat. Nr. 702.2

351

Kat. Nr. 703

die geöffnete Tür erkennbar sind. Die meisten im Schaustellerbereich verwendeten Dampfmaschinen waren zwar auf Rädern beweglich, mußten aber beim Transport gezogen werden. Reiste ein Schausteller über weite Strecken, wurden die Wohn- und Packwagen von örtlichen Fuhrunternehmern mit Pferden vom Festplatz zum Bahnhof gezogen und dort auf Waggons verladen.

Für die großen Geschäfte wie Achterbahnen mit mehreren Packwagen oder Packcontainern ist die Bahnverladung bei langen Strecken noch heute üblich. Bei kleineren Geschäften mit zwei oder drei Transporteinheiten werden die Wagen mit der eigenen Zugmaschine nacheinander zum nächsten Festplatz gebracht.

Der Festbesucher erlebt in der Regel nur die fertig aufgestellten Vergnügungseinrichtungen. Daß diese »Fliegenden Bauten« laufend auf- und abgebaut und zu neuen Plätzen transportiert werden, daß während dieser Zeit für den Schausteller nur Unkosten entstehen, die wieder »hereingespielt« werden müssen, daß Regentage den Geschäftsbetrieb fast lahmlegen können, daß während der Reisesaison der Unterhalt für die Wintermonate mit hereinkommen muß – das alles ist den meisten nicht bewußt, wenn sie an einem sonnigen Tag vor der Kasse eines Geschäftes Schlange stehen müssen. FD

Hanna Lindner, München

704 »Knaf's Kinematograf / GROTTEN ZAUBER FANTASTISCHE FEERIE«, um 1900 Abbildung S. 351

Plakat, Farblithographie, 62,5×86,5 cm; Druck: William Rohd, Hamburg.

»In jeder Vorstellung das Lichtschauspiel / Ein Grottenzauber. Märchenhafte Lichtverwandlungen! Das schönste Farbenspiel, was Sie je gesehen haben! Zauberhafte Grotten!«

MSt, PuMu 85/51

705 »Juwelen Palast«, Palais des Illusions von Hugo Haase, 1901 Abbildung S. 350

Plakat, Farblithographie, 65×92,5 cm; Druck: Graphische-Kunst-Anstalt L. Stottmeister & Co., Braunschweig.

Im Inneren dieses Geschäftes wurde der Besucher durch einen enormen Einsatz von elektrischem Licht verblüfft, dessen allgemeiner Gebrauch damals noch lange nicht die Regel war. Der Lichteffekt einer dekorativen Anordnung von Glühbirnen und anderen Beleuchtungskörpern wurde durch Spiegelungen vervielfältigt. 1901 wurde zum ersten Mal der Strom von den städtischen Elektrizitätswerken geliefert. Der Festplatz war insgesamt mit 1100 Glühlampen und 233 Bogenlampen beleuchtet. Haase brauchte für seinen Juwelenpalast Strom »für ein Äquivalent von 700 Glühlampen zu 16 Normalkerzen«.

Lit.: Destouches, Säkularchronik, S. 140
StadtAM, Plakatslg.

706 Karussellpalast mit eingebauter Stufenbahn von Hugo Haase, 1903
Foto.

1895 baute Haase als eigene Erfindung die Stufenbahn, ein Karussell mit drei abgestuften Podien, die sich unterschiedlich schnell drehten. Die Besatzung bestand aus Sprungpferden und schaukelnden Gondeln. Diese Stufenbahnen erweiterte Haase zu seinen Karussellpalästen: Im Jahr 1900 brachte er das »Grand Carrousel Noblesse«, 1902 das hier gezeigte Geschäft. Die Fassade gehört zum Tollsten, was es je auf dem Schaustellersektor gegeben hat. Zwischen zwei riesigen Frauengestalten mit Harfe und Lyra gelangt man zur Kasse. Über dem Eingangsbereich ziehen drei springende Löwen einen Wagen, der von einem Fackelträger gelenkt wird, flankiert von vier Drachenfiguren. Darüber schwingt ein bekrönter Adler seine Flügel. Über den beiden Fassadenbildern schlagen Pfauen ihr Rad, unter ihnen Medaillons mit Hasen, die sich auf den Besitzer beziehen. Über den Seitenteilen kämpft jeweils Siegfried mit dem Drachen, darunter tanzen Mädchen zwischen Säulen. Die gesamte Fassade war nicht aus Holz geschnitzt, sondern aus Zink. Hinter der Fassade befindet sich ein großer Rundbau, dessen Zentrum die Stufenbahn einnimmt. Außenherum führt ein breiter Rundgang mit rundumlaufenden Sitzbänken, die durch kleine Abstelltische voneinander getrennt sind. An einem Büfett werden verschiedene Getränke verkauft. Für die musi-

Kat. Nr. 707

Kat. Nr. 706

kalische Unterhaltung sorgt eine mächtige Orgel. Das Raffinierte an dieser Vergnügungseinrichtung war, daß sich hier der sogenannte kleine Mann für 20 Pfennig Eintritt in einem Rahmen amüsieren konnte, der ihm in städtischen Etablissements mit ähnlicher Ausstattung durch soziale Schranken zum Teil verwehrt blieb. Bezeichnend ist, daß diese Karussellpaläste als Versatzstücke des Großbürgertums noch vor dem Ersten Weltkrieg von den Festplätzen verschwanden. Das hier gezeigte Geschäft verkaufte Haase 1911 nach Coney Island/New York. 1923 wurde die Fassade in Teile zerschnitten und verschrottet. Sein Kernstück, die Stufenbahn, kam in den 1960er Jahren in den Besitz eines japanischen Elektrounternehmers. Sie steht heute noch in der Nähe von Tokio.
(Zu Hugo Haase vgl. Kat. Nr. 694.)   FD

StadtAM, Chronik-Bildband 1903/I, Nr. 32

707 Stufenbahn im Inneren des Karussellpalastes von Hugo Haase
Foto.
MSt, PuMu

708 »VENETIANISCHER GONDEL-PALAST« von Henry Opitz, 1903
Max Stuffler, Foto.

Neben Hugo Haase reisten noch einige andere Schausteller mit eingebauten Karussells. Bei Opitz, dessen Fassade an Pracht dem Haase-Palast nicht nachstand, konnte man wahrschein-

lich auf einem Karussell mit schwingenden Gondeln fahren.

StadtAM, Chronik-Bildband 1903/I, Nr. 32

709 »TOBOGGAN-AMERICAN« von Anton Bausch, 1910
Foto.

1906 baute der Badenser Anton Bausch wahrscheinlich den ersten deutschen Toboggan, dessen Vorbild er auf einer Ausstellung in Paris gesehen hatte. Der Effekt dieser amerikanischen Turmrutschbahn liegt darin, daß die Fahrgäste bei ihren mehr oder weniger geschickten Bemühungen, die Turmplattform über das aufwärtslaufende Förderband zu erreichen, beobachtet werden können. Die neue Rutschbahn setzte sich schnell durch. So standen auf dem Oktoberfest 1908 drei Geschäfte dieser Art.
Innerhalb der BRD kann man nur mehr in München dieses Rutschvergnügen erleben. Rudolf Konrad stellt seinen Toboggan nur noch zum Oktoberfest auf als einen Teil der von den Festveranstaltern gewünschten »traditionellen Wies'n«. Für die Reise wäre dieses Geschäft nicht mehr rentabel.

StadtAM, Hochbauslg. XXV 586

Kat. Nr. 708

Kat. Nr. 711.2

tel seine 60. Bahn. In den Folgejahren wurde vor allem Hugo Haase der Spezialist für diese neuen Fahrgeschäfte.

Abb. in: Chronik 1985, S. 74
StadtAM, Plakatslg.

FD

711 Figur-8-Bahn von Max Stehbeck, 1909

Fotos.

1. Gesamtansicht der Bahn, rechts hinter dem Zaun steht der Wohnwagen.
2. Max Stehbeck (2. von links) und seine Angestellten haben sich bei der Turmauffahrt postiert. Die Wagen wurden mit dem Kettenaufzug zur höchsten Stelle der Bahn gebracht. Von dort liefen sie auf den Holzschienen nur mehr angetrieben durch ihre Schwerkraft.
3. Neben der Bahn stehen eine Lokomotive und eine Dampfmaschine der Fa. Lanz, mit denen der elektrische Strom für den Antrieb des Kettenaufzugs und für die allgemeine Beleuchtung des Geschäftes erzeugt wurde. Im Vordergrund die Kohlensäcke, in der Mitte Max Stehbeck.

MSt, 80/10/2, 4, 7

712 »Ausstellung Allaska Kanada. Seltsame Menschen u. Tiergeschöpfe.« 1907

Foto.

Die Bauweise der Bude weist auf einfache Zimmermannsarbeit hin; sie dürfte nicht transportabel gewesen sein. Die Unternehmer von Schaustellungen hatten bis in die zweite Hälfte des 19. Jahrhunderts noch kein transportables Geschäft, sondern ließen sich auf den jeweiligen Festplätzen von ortsansässigen Zimmerleuten Buden bauen, die sie dann mit eigenen Dekorationen ausstatteten. So entfiel der kostspielige Transport. Diese Bude, in der Abnormitäten gezeigt wurden, ist ein spätes Beispiel für diese Art der Reise. Auf dem Paradepodest in der Mitte weist der Rekommandeur mit einem Zeigestab auf das Wort »Menschen«. An der Hand hält er eine Frau, die als menschliche Abnormität mit »Vogelkopf« gezeigt wurde. Medizinisch betrachtet hat diese Frau Mikrokephalie, das heißt, sie hat nur ein geringes Gehirnvolumen und ist deshalb schwachsinnig. Durch die fliehende Stirn bekommen Mikrokephale eine große, nach

Kat. Nr. 712

710 »[...] zum ersten Mal am Oktoberfest [...] Original. amerik. Figur 8 Bahn« von Max Stehbeck, 1909

Plakat, Farblithographie, 95×70 cm.

1908 hatte Carl Gabriel im Vergnügungspark des Münchner Ausstellungsparks die erste Achterbahn Deutschlands aufgestellt, die als reine Zimmermannsarbeit noch nicht für die Reise bestimmt war. 1909 präsentierte Max Stehbeck, dessen Vater seit 1879 auf dem Oktoberfest mit einer Schießbude vertreten war, die erste transportable Achterbahn, »Figur-8-Bahn« genannt.

Für die Konstruktion hatte er den Ingenieur Erwin Vettel aus Sandusky/Ohio herangezogen. Die Amerikaner waren schon seit Jahren achterbahnerfahren. Mit Stehbecks Anlage konstruierte Vet-

vorne ragende Nase – die Gesichtspartie ähnelt einem Vogel. Im Gegensatz zu anderen Abnormen, die in Schaustellungen präsentiert wurden, war ihr Schicksal nicht so tragisch, da sie als Schwachsinnige zumindest nicht in Isolation leben mußte.

Neben dem Paradepodest steht eine Frau an der Kasse. Im linken Feld der Schaubude befindet sich eine fünfköpfige Kapelle. Dies ist ein weiteres Indiz dafür, daß der Bau nicht transportabel war. Die Besitzer von Fahrgeschäften, Museen und Kinematographen führten alle zu ihren Packwägen eine Orgel mit eigenem Wagen mit sich, die während der Öffnungszeiten auf den Plätzen spielte. FD

StadtAM, Chronik-Bildband 1907/I, Nr. 33

713 Ankündigungsplakat einer Abnormitätenschau mit »Collossus. Der schwerste Mensch aller Zeiten«, 1911

Farblithographie mit Typendruck, 91,5×48 cm. Bez. u. r.: »ALEX HOENIG«.

Der Besitzer J. Burghauser, der seine Schaubude in der Hauptreihe der Festwiese aufgeschlagen hatte, versprach seinem Publikum unter anderem: »Collossus [...] wiegt normal 307 Klg. 614 Pfund. Collossus wird in jeder Vorstellung vom Publikum gewogen. Collossus wiegt mehr als 5 normale Menschen! Gewogen im Berliner Vergnügungs-Palast am 14. 8. 1911«. Der Schriftzug umgibt die Darstellung dieses sensationell schweren Menschen, der von fünf Personen gewogen wird.

Abb. in: Chronik 1985, S. 190
StadtAM, Plakatslg.

714 Ankündigungsplakat einer Abnormitätenschau mit »Josefa – Rosa und Franz'l Blažek. Die zusammengewachsenen Zwillinge mit ihrem Kind«, 1912

Farbdruck, 100×47 cm.

Abb. in: Chronik 1985, S. 190
StadtAM, Plakatslg.

715 Seiltänzertruppe auf dem Hochseil, um 1908

Foto.

Kat. Nr. 715

Bis in die 1920er Jahre zeigten manche Artisten und Kleinzirkusse ihre Darbietungen noch in Freiluftarenen, die kein Zelt als Überbau hatten. Auffallend ist bei diesem Foto das Verhalten der Festbesucher, die sich zum Teil gemütlich auf der ›Wiese‹ niedergelassen haben, was heute undenkbar wäre. Die Aufnahme ist durch das Fliegerkarussell im Hintergrund datierbar, das als Besatzung Luftschiffe zeigt, die bei deutschen Karussells im Zuge der Zeppelin-Euphorie ab 1907 installiert wurden.

StadtAM, Fotoslg.

716 »Neu Zum ersten Male hier Neu: Theater Moderner Wunder«, Schaubude und Karussell, 1910

Foto.

Neben den prächtigen, sensationellen Vergnügungsbetrieben gab es noch immer kleinere Fahrgeschäfte und bescheidene Schaubuden.

StadtAM, Hochbauslg. XXV 585

717 Hinter den Kulissen, Alltagsleben der Schausteller, 1910

Foto.

StadtAM, Hochbauslg. XXV 634

Kat. Nr. 716

»Heute Hinrichtung« –
Schichtl's Zaubertheater

Zwei ungleiche, überaus spektakuläre Errungenschaften wurden dem revolutionär-aufklärungsgläubig endenden 18. Jahrhundert zum Symbol und gerieten in erstaunlicher Konsequenz während des nachfolgenden Jahrhunderts zur Sensation der Jahrmärkte: der Ballon des Luftschiffers und die Guillotine.

Mit dem Fallbeil als Requisit für die makaber-komische Illusionsnummer »Enthauptung einer lebenden Person« ist für München untrennbar der Name Schichtl verbunden, und der ›Schlachtruf‹ »Auf geht's beim Schichtl!« ist eine Art Synonym zu »Auf geht's zum Oktoberfest«. Nur der Wirt Hermann mit seinen Veranstaltungen (Kat. Nr. 487–494 und S. 251 f.) war als Wies'n-Institution von vergleichbarer Popularität; »Papa« Schichtls Ruf aber wurde sprichwörtlich und hat ihn um Generationen überlebt – bis heute.

Die Schichtls sind eine bis ins späte 17. Jahrhundert zurückzuverfolgende Dynastie von Schaustellern. Bis zu der um 1920 geborenen Generation immer weitervererbt wurden die spezifischen Begabungen des Einfallsreichtums, der Anpassungsfähigkeit an Situation und Publikumsgeschmack und dazu einer vielseitigen Handfertigkeit, zu der bei allen Schichtl-Söhnen der Grund durch solide Handwerkslehren gelegt wurde. Die späteren Schichtl-Unternehmen waren in ihrer oft beträchtlichen Personenzahl nur als Familienbetriebe mit möglichst wenigen bezahlten Angestellten denkbar. Die einheiratenden Familienmitglieder kamen fast ausnahmslos aus dem Schausteller- und Artistenmilieu.

Ein Urahn reiste von Innsbruck aus als Handschuhhändler und mit einem Naturalienkabinett umher. Die Darbietungen der darauffolgenden Generationen entwickelten sich vom wandernden Handpuppen- und Marionettentheater zum »Zauber- und Spezialitäten-Theater«, das ist die im letzten Viertel des 19. Jahrhunderts voll ausgeprägte Form des reisenden Großtheaters mit einem Nummern-Varieté-Programm. Von bedeutendem Ruf waren damals in Deutschland die Theater Schulz, Mellini, Augoston, Bruno Schmidt, Steiner's Illusionstheater sowie das Etablissement von Antonio Wallenda, das sich mit 1000 Sitzplätzen »Europas größtes Geister, Gespenster und Künstler-Theater« nannte und – wie auch Schulz – ebenfalls »Die Enthauptung einer lebenden Person auf freiem Theater« im Repertoire hatte. Auf der fotografischen Gesamtansicht des Oktoberfestes von 1895 (Kat. Nr. 94) ist die lange Fassade des »Volks Zauber Geistertheaters von Wilh. Witz« zu sehen. Zu solch einem Wandertheater hatte sich der in München beheimatete »Mechaniker« und »Musiker« Ignaz Schichtl (1798–1883) emporgearbeitet. Er betrieb es mit seiner Frau, vier Söhnen und zwei Töchtern. Der 1849 geborene Sohn Franz, genannt Xaver, zeigte ein Naturtalent zur Eskamotage (Zauberei) und trat

schon als Knabe als »Monsieur François aus Paris« auf. Er machte 1867/68 eine Zauberlehre beim »Salonmagier und Physiker« Anton Gaßner aus Regensburg; davon profitierte auch sein jüngerer Bruder *Michael August Schichtl* (1851 in München geboren), der das Korbmacherhandwerk erlernt hatte.

Nach gemeinsamen Theaterjahren, von denen das Programm Kat. Nr. 724.1 zeugt, trennte sich M. A. Schichtl von der Familientruppe, nachdem er Eleonore Karl, die Tochter einer »Seiltänzersfrau«, geheiratet hatte. Zur Gründung eines eigenen Unternehmens investierte er seine 58 Pf. Geschäftskapital in ein Kasperltheater, dessen Köpfe er aus Bierfaß-Spünden schnitzte. Von Jahr zu Jahr verbesserte er sich. 1886 kaufte er in Innsbruck um 1000 fl. die berühmten Kunstfiguren aus dem Nachlaß des Tiroler Mechanikers Christian Jos. Tschuggmall (1785–1845; Reste dieses Fundus im Puppentheatermuseum). Diese durch Federmechanismen frei beweglichen »Automaten« oder von einem Standpunkt abhängigen »Androiden« bildeten jahrelang eine Hauptattraktion in Schichtls sehr abwechslungsreichem Programm, zu dem eine eigene Kapelle in Uniform spielte. Das Repertoire umfaßte klassische Zaubernummern und Illusionen (von Schichtl selbst ausgeführt), Geistererscheinungen, lebende Bilder, Tänze, Pantomimen, Nebelbilder-Projektionen, Theatrum mundi und Metamorphosenfiguren sowie »Spezialitäten«, also verschiedenste artistische Darbietungen. Für letztere engagierte Schichtl Künstler und Athleten von einem gewissen zuverlässigen Rang, der sich freilich nicht mit dem der großen stehenden Varieté-Theater messen konnte. Eine spektakulär wechselnde Artistenschar konnte sich auch aus der Familie rekrutieren: So verbarg sich hinter den drei Künstlernamen »Miss Tara«, »Miss Eugenie« und »Miss Wanda, Königin der Lüfte« jedesmal die Tochter Wilhelmine, genannt Johanna, die Schichtls Frau mit in die Ehe gebracht hatte.

Während der Saison bezog das Schichtl-Theater Plätze in ganz Süd- und Mitteldeutschland. Routen und Truppenstärke (bis zu 25 Personen) kann man aus noch erhaltenen Kontobüchern und Wandergewerbescheinen ablesen. Das Winterquartier war in München-Sendling. Daß der Prinzipal seine Artisten dann nicht (wie üblich) entließ, sondern durch den Winter ›fütterte‹, trug ihm den liebevollen Beinamen »Papa Schichtl« ein.

Letzter Höhepunkt vor dem Winter war alljährlich das Oktoberfest. Hier überließen ihm seine ebenfalls mit erfolgreichen Geschäften reisenden Brüder das Feld, so daß Michael August *der Münchner Schichtl* war. Seine Vorstellungen waren wegen ihrer Gediegenheit geschätzt, doch seinen eigentlichen Ruhm begründeten die unvergleichlichen *Para-*

den (Anpreisen des Programms mit Vorzeigen der Artisten vor dem Theater). Seine Bude stand diagonal an der Ecke der Hippodrom- und Schaustellerstraße, so daß davor ein Dreieck entstand, auf dem sich das Publikum während der Parade herandrängen konnte. In einer grotesken Maske als Schmierendirektor (vgl. Kat. Nr. 720, 722), in der er nur in München auftrat (sonst ausschließlich in Frack und »Wichskasten« = Zylinder), verstand es er, die Zuschauer nicht nur mit unerschöpflichen Spassettln, sondern mit so ausgesuchten Grobheiten anzureden, so daß sie vor Vergnügen johlten und nach der kostenlosen Vorschau gern das Theater besuchten. Wegen dieser legendären Parade hatten Konkurrenten überall, wo Schichtl spielte, einen schweren Stand (über den sonderbaren Versuch eines findigen Sachsen, diesen Erfolg nachzuahmen vgl. den Textauszug nach Kat. Nr. 697, S. 348).

Die Parade dauerte gewöhnlich eine halbe Stunde, die Vorstellung eine Stunde. Die wichtigsten Mitwirkenden waren neben der schwergewichtigen Frau Direktor der Zwerg Anton Stumpf, der als unmusikalischer Tambourmajor »Stopsel« immer den falschen Taktteil betonte und in der Illusionsnummer »Die Riesenkanone von Chicago« von der Bühne auf die Galerie ›geschossen‹ wurde; ferner der »Dumme August«, der mit frechen Wortverdrehungen Schichtl bei der Parade Widerpart bot und bei der »Enthauptung mittels Guillotine« assistierte (vgl. Kat. Nr. 725, 729). Langjähriger August war der aus der Bamberger Gegend stammende Johann Eichelsdörfer (1877–1954); er verließ Schichtl 1907 im Streit und machte sich mit seinem Theater »Bavaria« selbständig. Als August sprang 1908–1911 Rudolf Biack ein.

Kat. Nr. 723

Als 1907 Mariele, das einzige leibliche Kind Schichtls, mit 13 Jahren starb, war das ein Schlag gegen seine Vitalität. Nach Schichtls plötzlichem Tod im Februar 1911 führte seine Frau das Theater noch durch die Saison; eine Woche nach dem Oktoberfest ersteigerte Eichelsdörfer es um 600 Mark. Er leitete als »Original M. A. Schichtl's Nachfolger« das in Dimension und Programm später immer mehr reduzierte Theater bis zu seinem Tod. Der zugkräftige Name »Schichtl«, den er trotz des Widerstandes der Witwe Schichtl (†1922) beibehielt, und eine nach wie vor attraktive Parade sorgten für anhaltenden Erfolg; er beruhte nicht wie bei anderen Schaustellern darauf, das Allermodernste zu bringen, sondern das altbeliebte Programm samt Hinrichtung, das zum Oktoberfest gehörte wie das Bier. Zudem stand Eichelsdörfer der Sohn der Wilhelmine Karl-Schichtl, Anton Roskowetz (1898–1976), zur Seite. Sein Einfall war der Parade-Spaß der »dicken Figur«, die in einem kolossalen Dirndl (über Bambus- und Weidenreifen) zierlich tänzelte. Eichelsdörfers Frau Franziska (geb. 1902) führt die ›Wies'n-Institution Schichtl‹ bis heute fort; außerhalb der Wies'n-Zeit lebt sie auf einem gemieteten Grundstück am Münchner Stadtrand in Wohnwägen, die zum Teil noch aus dem Jahr 1906 stammen.

Barbara Krafft

Lit.: Dokumente und Zeitungsausschnitte im Familienarchiv Toni Roskowetz, München; Xaver Schichtl, Von dem bewegten Leben der alten Puppenspielerfamilie Schichtl, in: Der Komet 1962 (Sonderdruck PuMu); Julius Schichtl und Ludwig Krafft, G'schichtl vom Schichtl, unveröffentlichtes Manuskript, um 1960; Ruth Schichtl, Erinnerungen der Geschwister Schichtl-Rulyans, unveröffentlichtes Manuskript, um 1975; Johannes Richter und Olaf Bernstengel, Familien-Stammbaum des Puppenspielers Xaver Schichtl, Magdeburg 1982

Kat. Nr. 719

718 Michael August Schichtl (1851–1911), Portraitfoto und Totenmaske

J. Seiling, Foto, um 1900, ca. 32×18 cm in Original-rahmen; Totenmaske, 1911, Gips.

Die ganzfigurige Atelieraufnahme zeigt Schichtl umgeben von Mobiliar im altdeutschen Stil. Mit Mantel, Stock, diversem Schmuck und abgelegter Pelzmütze präsentiert er sich als eleganter Herr.
Der Tod überraschte ihn am 16. Februar 1911 während der Hochzeitsfeier seines Pflegesohnes Pepi Wölfle mit der Artistin Lina Stey (»Miss Liani Tanzseil-Akt«). Außer der Totenmaske existieren ein Foto Schichtls auf dem Totenbett und die gedruckte Leichenpredigt des Cooperators von München-Sendling.

MSt, PuMu 8792 (Foto); Toni Roskowetz, München (Totenmaske)

719 »SCHICHTLˢ THEATER«, um 1900
Foto.

Die über 30 Meter lange, mit Stangen abgestützte Fassade des Theaters hat in der Mitte und an den Flanken polygone Vorbauten mit marmorierten Säulen, der mittlere mit bekrönender Balustrade. Über den ›Fries‹ zieht sich die Aufschrift »Künstler / Spezialitäten / Pantomimen/[…]/Deutschlands/Grösstes / Direktion M. A. Schichtl. / [Zauber-Theater] / Märchen / Illusionen / […]«. Zwei Treppen führen die Zuschauer zu den Eingängen. Die Bemalung der Fassade gibt durch Illusionsmalerei einen anregenden Vorgeschmack auf die Vorstellungen. Sie zeigt eine als Nischenstatue gemalte Tänzerin, Wappen- und Ornamentkartuschen, Zuschauerränge wie in einem großen Theater, dazwischen ›Bühneneinblicke‹ auf Zauberakt, Trapez- und Hochradartisten, Geistererscheinung auf nächtlichem Kirchhof bei Gewitter sowie das Verschwinden einer Dame. An den brückenartigen Treppengeländern sind in mehreren Rahmen Fotografien (wohl auch Muster der verkäuflichen Postkarten) der zum Ensemble zählenden Artisten aufgehängt. Vor der Fassade posieren 24 Mitglieder des Theaters, unter anderem Johann Eichelsdörfer als »August«, zwei Athleten mit Gewichten und die Musikkapelle in Uniform mit Tambourmajor. Schichtl selbst ist auf diesem Bild nicht zu sehen.

Die spätere Bude (um 1910, Abb. in: Chronik 1985, S. 70) hatte in ihrem loggiaartigen Vorbau nur noch *eine* Mittelplattform mit Kassenhäuschen und Portalen; die linke Tür führte zur Galerie. Das Podium und die Dachtraufe waren mit einer Balustrade versehen, die Arkadenzwickel mit Tierköpfen. Die Fassade selbst war mit Ornamenten und Artistenbildern bemalt, zusätzlich wurden Plakate der auftretenden Artisten angeschlagen. Die Dampfmaschine für die Stromerzeugung konnte man rechts selbst als Schaustück bestaunen. BK

MSt, PuMu

720 Schichtls Theatertruppe, um 1905
Foto.

Auf einer Bühne mit tropischer Kulisse stellt Michael August Schichtl 13 Mitglieder seiner Truppe vor. Darunter befinden sich der Hochradartist Pepi Wölfle, ein Neger, der sich wohltönend »Graf Pindo di Fari« nannte, und Johann Eichelsdörfer als August. Sein Musikinstrument ist ein Brett mit den Umrissen einer Baßgeige und einer einzigen ›Saite‹ in Form eines Stabes, über den er mit einer Zahnleiste als ›Bogen‹ rumpelnd streicht.
Hinter ihm ist die Tafel sichtbar, auf der aus einer Auswahl von fast 70 Repertoirestücken die Programmnummern für diese Vorstellung angegeben sind.

StadtAM, Fotoslg.

721 Die Trommel von Michael August Schichtl
Messingkörper, Höhe 16 cm, ⌀ 60 cm.

Schichtl beherrschte nicht nur vielerlei Vortragskünste und Handfertigkeiten, er war auch ein Virtuose auf der Trommel.

Valentin-Musäum, München

722 Papa Schichtl und sein Tambourmajor Stopsel, um 1910
Josef Widmann, Öl auf Holz, 45,5×49 cm. Bez. u. r.: »J. W.«; im hellgrauen Streifen der Unterkante Aufschrift »Schichtl.«

Wie zur Parade steht Schichtl in seiner charakteristischen Aufmachung als Schmierendirektor vor einem Stuhl mit der Trommel, gibt einen Wirbel zum besten und hat ausrufend den Mund aufgerissen. Er trägt eine wirre rothaarige Perücke unterm Zylinder, einen weinroten, silberverschnürten Frack, eine überdimensionierte Halsschleife, faltige Gamaschen über der schwarzen Hose und weiße Handschuhe, an denen die Mittelfinger fehlen (zum Trommeln). Neben ihm erhebt »Stopsel« den Tambourstab; er steckt in einer blaugrünen Uniform mit großen goldenen Epauletten und Zweispitz und macht ein wichtiges ernsthaftes Gesicht. Das Gemälde diente auch als Vorlage für farbige »Gruß vom Oktoberfest!«-Postkarten (Kunstverlag Emil Köhn). Sie wurden mit zwei verschiedenen Aufdrukken verkauft, die typische Wendungen aus Schichtls Paraden in Gedichtform zusammenfassen, zum Beispiel:

»Auf geht's beim Schichtl!
Hochmögende Stadtleut und Misthaufen-
       protzen
und die Herrn Kafalüre mit ihre Schätz,
wollts ihr den bloß da draußen glotzen?
Kommts rein! Die schönsten Schwartling als
       Plätz!
Und Zaubertheater ohne Kulissen!
Wo anders werds bei sowas bschissen,
bei mir is auf alle Fäll der Schwindel reell!«

Zur Provenienz der Tafel vgl. Kat. Nr. 495.
MSt, II c/163

Kat. Nr. 720

Abbildung S. 357

723 Parade beim Schichtl, um 1910

Richard Holzner, Tempera, 36,8×29,3 cm.

Schichtls Paradebühne ist in Seitenansicht dargestellt, aus einem Blickwinkel, der den Eindruck von ›Gedränge‹ schon von der perspektivischen Anlage her mit sich bringt. Theatervorbau und Balustrade sind mit aufgemalten Ornamenten veredelt; unter dem Schild »ZUM I. PLATZ« drängen sich Musikanten, ein feister Ringer mit Imponierschnurrbart, ein Clown und als dominante Figur, zum Publikum gestikulierend, Direktor Schichtl selbst im Frack, mit Zylinder und Zigarre. Vor ihm der

Zwerg »Stopsel«, der Tambourstab so groß wie er selbst. Die Zuschauergruppe zur Linken belebt der dekorative Kontrast von ländlichem Volk und einem prächtigen Schutzmann mit Pikkelhaube. Links öffnet sich der Hintergrund auf die Jubiläumswiese: Der Bierburg des Franziskaner-Leistbräu ist hier laut Tafel »Oberbayern« als einer der acht Kreise Bayerns zugeordnet. Von Fahnenschmuck umflattert der Triumphbogen am Haupteingang (Martin-Greif-Straße) mit der Inschrift »Bayern und Pfalz – Gott erhalts«; dahinter die Paulskirche. Aus der räumlichen Tiefenentwicklung einerseits und dem enggefaßten Bildausschnitt mit Bühnenaufbau, Tannenbaum und massiver Balkenabsperrung des Vordergrunds andererseits entsteht eine raffinierte kompositionelle Spannung. Ihr entspricht das eigenartige Verhältnis von leuchtender Buntheit, farbigen Reflexlichtern und einer leisen Melancholie in allen Gesichtern. Das Bild steht für den Oktober in einer Folge von zwölf Monatsbildern, alles genrehaft ausgeschmückte, nicht dokumentarisch-genaue Münchner Motive vom

Schäfflertanz über die Fremdensaison bis zum Christkindlmarkt.   BK

MSt, P 1871

724 Programme von Schichtls Zaubertheater, ca. 1875 und 1890

1. »Programm der Vorstellung in Schichtls Zauber-, Geister- und Gespenster-Salon.«, undatiert, um 1875

1 Bl., Typendruck von Const. Schäfer & Cie. in Worms, 46,7×22,1 cm.

Der Programmzettel, der 3 Kreuzer kostete, beginnt mit der Aufzählung von 100 verschiedenen Repertoirenummern, aus denen »zu jeder Vorstellung 12 Piecen gewählt werden«. Es handelt sich um humoristische Escamotage-, Karten-, Entfesselungs-, Kunstschützen- und Illusionsstückchen. Darunter sind bereits die Zugnummern »Der fliegende Holländer oder Schichtl läßt eine Person von d. Bühne bis zur Gallerie fliegen«, »Schichtl enthauptet eine lebende Person mittels Guillotine« und »Der lebende und sprechende Kopf eines Enthaupteten.«

»Zum Beschluß jeder Vorstellung: Grosse Geister-Pantomime, betitelt:

Der eiserne Ritter, oder: Die Macht der heil. Vehme. Große Geister- und Ritter Pantomime aus dem 14. Jahrhundert.« Es folgt die Inhaltsangabe einer Schauerromanze in zwei Akten, die in »einer erhabenen Scene«, mit »höllischem Gestöhn und teuflischen Erscheinungen« gipfelt. Der Nachsatz »Experimentirt durch Herrn Professor François Schichtl« zeigt, daß sich die Vorführer physikalisch-chemischer Effekte »Professor« nannten. Das Theater vereinte noch unter der Leitung ihres Vaters Ignaz (1798–1883) die Brüder Schichtl; »François« nannte sich seit 1869 der 1849 geborene Franz August Schichtl, der die Zauberlehre bei Anton Gaßner absolviert hatte. Viele der Repertoirenummern übernahm Michael August Schichtl, als er sein eigenes Theater aufbaute.

2. »Programm des Schichtl's weltberühmten Original-, Spezialitäten-, Künstler-, Zauber-, Geister- & Automaten-Theater verbunden mit den Original-Tschuggmall's-Automaten, Androiden & Metamorphosen nebst einer kleinen Biographie-Skizze d. Kunstmechanikers Tschuggmall aus Tyrol.«

12 S., 8°.

Das 1890 in Kempten gedruckte Programm weist Michael August Schichtl als Besitzer und Direktor des Theaters aus. Die 63 Nummern des Repertoires bieten eine Mischung aus Schichtls eigenen Zauberkunststücken, Illusionen, Artistenauftritten, Pantomimen, Geistererscheinungen, lebenden Bildern, Tschuggmallschen Automaten, Metamorphosen und »zwei wandelnden Panorama-Gemälden«, darstellend die »Nordtyroler- und Innthal-Bahn«.

MSt, 34/691; StadtAM, ZS   BK

725 Modell der Guillotine zu Schichtls Illusionsnummer »Enthauptung einer lebenden Person«

Holz, schwarz gestrichen, 57×50×22 cm.

Der verdienstvolle Pariser Arzt und ge-

mäßigte Politiker Joseph Ignace Guillotin (1738–1814) plädierte 1789 für die Vollstreckung der Todesstrafe durch einen sicheren, raschen und die Würde wahrenden Enthauptungsmechanismus. Obwohl Guillotin das Gerät weder erfunden noch konstruiert hat (die Grundidee dürfte bis ins 13. Jahrhundert zurückgehen), wurde es schon im selben Jahr durch eine Zeitungssatire mit seinem Namen bedacht: nicht etwa wegen des Blutinstruments an sich, sondern weil Guillotin damit dem hochadeligen und dem gemeinen Verbrecher zur Egalité verhalf. Die ganz zu Unrecht so benannte Guillotine erlaubte ab 1792 die Massenhinrichtungen in Rekordzeiten und übte auf die Zuschauer die Faszination des Grauens aus. Sicher nicht nur Goethes Mutter sah es mit Mißfallen, daß kleine Guillotinen sogar als Kinderspielzeug begehrt waren. Gegner der Fallbeil-Exekution versuchten in spektakulären Experimenten nachzuweisen, daß der abgetrennte Kopf noch längere Zeit zu Empfindungen und Reaktionen (Erröten, mimische Verzerrungen) fähig sei. Die schaustellerische Darbietung einer Enthauptung auf offener Bühne und die Präsentation eines lebenden und sprechenden ›abgetrennten‹ Kopfes wurden als Illusionsnummern schon lange vor Schichtl im frühen 19. Jahrhundert gegeben, für den ›Delinquenten‹ harmlos, aber für den Zuschauer echt genug aussehend, um den Schauder der grausigen Sensation wirken zu lassen. Ein Ankündigungszettel aus Augsburg (MSt, PuMu) belegt beispielsweise für 1836 eine Enthauptung als »Kunst-Produktion«: Ferdinand Becker »wird heute seinem 16jährigen Lehrling den Kopf vom Körper mit dem Schwerte abnehmen, und zur Bewunderung aller anwesenden Zuschauer den Kopf auf einer silbernen Schüssel zur gefälligen Untersuchung präsentieren und ihm dann wieder aufsetzen.« Fanden solche Vorstellungen mit bescheideneren Requisiten meist in Wirtshaussälen statt, so konnte man in größeren (reisenden) Theatern eine

Guillotine für diese Nummer präparieren, die die Schichtls möglicherweise der Ausbildung ihres Bruders Franz Xaver bei Anton Gaßner verdankten. Bis in die Gegenwart ist »Heute Hinrichtung« die ausdauernde Zugnummer und eigentlicher Höhepunkt des einst so abwechslungsreichen Schichtl-Programms. Zum Funktionieren des Guillotine-Tricks vgl. Kat. Nr. 729.   BK

Toni Roskowetz, München

726 Artisten, die bei M. A. Schichtl auftraten (Erinnerungspostkarten, ca. 1890–1910)

1. Pepi Wölfle, Kunstradfahrer
Foto, 13,8×9 cm.

Josef Wölfle, geb. 1888, war Schichtls Pflegesohn. Er zeigte Hochradkunststücke.

2. »Alberty, Phänomenaler Handequilibrist«
Druck nach Foto, 9×14 cm.

Albert Plösch, geb. 1887, war jahrelang bei Schichtl. Seine Hauptnummer gab er als »Kraftturner auf der Reck-Pyramide«.

3. »›Sascha‹ der berühmte Haar-Gladiator. Original-Aufnahme von dem Kunstmaler Wiesner, Gleiwitz O.-S.«
Druck nach Foto, 14,1×8,8 cm.

4. Jakob Morie
Foto, 13,5×8,5 cm. Bez. u.l.: »GGC°.« Auf der Rückseite handschriftliche Widmung: »Kempten, den 24. November 1906. Meinen lieben Vater und Mutter Schichtl zur herzlichen Eriñerung Jakob Morie.«

Morie trat als Jongleur um 1906 bei Schichtl auf; das Foto zeigt ihn in einer Nummer als Kleiderjuden, der seine Ware durch die Luft fliegen läßt.

5. »Laurello Der Mann mit dem drehbaren Kopf.«
Druck nach Fotomontage, 14,5×9,5 cm. Der Hals des Artisten ist als Schraubgewinde dargestellt.

»Laurello Sixt« hieß mit bürgerlichem Namen Martin Emmerling. Er trat als »Fangkünstler mit dem drehbaren Kopf« auf oder in einem »Kombinations-Akt« mit seiner schönen

Kat. Nr. 727

Frau und einem Hund. Laurello wanderte nach Amerika aus.

6. »Ellen Laurello Musikal. Gymnastik-Akt«

Aus 4 Fotos montierte Postkarte auf blauem Karton, 9,5×13,8 cm. Druck: Nordische Kunstanstalt, Ernst Schmidt & Co., Lübeck.

Laura geb. Prechtl war die erste Frau von »Laurello« Emmerling. Sie zeigte als »Kautschuk-Künstlerin« gymnastisch-akrobatische Darbietungen, unter anderem »Das lebende Rad‹ – 60 Drehungen in einer Minute.«

7. »Arthur Delbost Der brillante einbeinige Handakrobat«, 1907

Druck nach Foto, 13,8×8,8 cm.

Delbost trat wahrscheinlich auch bei Schichtl auf.

8. »2 Romanows – Kontorsionisten – Elegante Gentlemen – Tadellose Rück- und Vorwärtsarbeit«

Dreifach gefaltete Postkarte nach Fotos mit roten Schmuckleisten, 14,5×28,2 cm. Auf der Rückseite der mittleren Postkarte Aufdruck: »Wirkende Neuheit! Das ? lebende Handgepäck ? erzielt allabendlich wahre Stürme von Lachsalven und Succés. Versäumen Sie nicht, diese Originalnummer zu buchen.
2 Romanows 2 / Noch frei…«

Links Pepi (Josef) Ganzer, rechts Franz Morandi, beide elegant in Frack und Zylinder, in der Mitte die beiden »Romanows« (die sich auch »Morandis« nannten) in einer Kontorsions- und Balance-Nummer mit Mandoline auf der Spitze eines Kleiderständers, der auf einem Tisch steht. Morandi und Ganzer hatten bei Schichtl gelernt, letzterer trat auch als Kunstpfeifer auf; als Schlangenmensch zeigte er mit seiner Frau die Glanznummer »Der Mann in der Hutschachtel« (Künstlernamen Jos'e Reznag et Suleima; Reznag = Ganzer von rückwärts gelesen).

Toni Roskowetz, München

727 Serpentinentanz beim »Schichtl«, um 1938

Foto.

Der »Serpentinen- oder Schmetterlingstanz« als ästhetisches Erlebnis vor der gruseligen »Hinrichtung« ist eine Nummer aus dem alten Schichtl-Repertoire, die heute noch gezeigt wird. Als Schichtl seinerzeit diese Darbietung ins Programm aufnahm, trug er damit einer modischen Revolution des Tanzstils Rechnung: In den 1880er Jahren machte die berühmte amerikanische Tänzerin Loie Fuller mit dem Serpentinentanz Furore, weil sie mit den neuen Möglichkeiten der elektrischen Beleuchtungstechnik experimentierte und im Spiel beweglicher, farbiger Lichter tanzte.
Bei Schichtl wurde der Lichteffekt zunächst mit rotem und grünem bengalischen Feuer unter großer Rauchentwicklung erzielt. Die Solistennummer hieß im gedruckten Programm »Miß Leonore, indischer Serpentin-, Feuer- und Flammentanz«. Miß Leonore war Frau Direktor Eleonora Schichtl selbst. Ihr 40 Meter weites Gewand aus weißer Seide war zu beiden Seiten an langen Stäben befestigt, die bis unter die Achseln reichten und beim Tanzen in Wellen und Bögen geschwungen wurden. Da Frau Schichtl diese Nummer auch dann noch gab, als sie ein Gewicht von zwei Zentnern auf die Bühne

Kat. Nr. 729

brachte, war der Flammentanz stets ein Publikumserfolg und in seiner Art gewiß ein Unikum. Später wurden mit einer Laterna Magica handgemalte farbige Muster und Schmetterlinge auf das weiße schwingende Tanzgebilde geworfen. Heute projiziert man mit einem Diaprojektor Farbfotos von verschiedenen Schmetterlingen auf das Faltenspiel. Der barfüßige Schmetterling auf dem Foto ist Sonja, die als Tänzerin ausgebildete Tochter von Franziska Eichelsdörfer.   BK

Valentin-Musäum, München

728 Johann und Franziska Eichelsdörfer bei der Parade, um 1925

Harry Schultz, Öl auf Hartfaserplatte, 51×41 cm. Bez. u. l.: »Harry Schultz«.

Vor angedeuteter Zeltleinwand und Stangen machen Eichelsdörfer als August und seine Frau die Parade, beide mit dem charakteristischen niedrigen Zylinder. Mit weiß und rot geschminktem Gesicht, die Zigarre im Mundwinkel, schlägt der August im Frack die große Trommel mit Tschinellen; Franziska im honigfarbenen schulterfreien

Kleid mit Blumen am Dekolleté hebt in graziös-tänzerischer Bewegung mit der linken Hand ein Schild »Entree 30 Pf«. Die Höhe des Entrees ging später mit der Zeit; ein solches Schild wird heute noch bei der Parade herumgezeigt. Von Harry Schultz besitzt das Stadtmuseum noch eine Ölskizze von einer Parade beim alten Schichtl mit diesem selbst, Toni Stumpf, einem August, Musikanten, schönen Damen und starken Männern.

MSt, 69/1022

729 Hinrichtung mittels Guillotine bei Eichelsdörfer, um 1950   Abb. S. 361

W. Götz, Foto.

Dem Hinrichtungskandidaten (der früher zur Geheimhaltung des Tricks zum Ensemble gehörte, sich heute aber stets freiwillig aus dem Publikum meldet) wird eine schwarze Mütze über den Kopf gezogen und über den Augen mit einer Binde befestigt. Dann muß er sich an ein Brett schnallen lassen, mit dem er horizontal gekippt und unter das Fallbeil geschoben wird. Während der Kopf abwärts gebeugt in einer Aussparung unter einem Sicherheitsblock verborgen ist, saust nach allerlei Explikationen das Fallbeil herab. Auf dem Bild tupfen Johann und Franziska Eichelsdörfer eben das ›Blut‹ mit einem Schwamm von der Guillotine. Der schwarzverhüllte Kopf wird anschließend auf einem Teller gezeigt, von dem die rote Farbe herabrinnt. Unter Papa Schichtl wurden einzelne Herren aus dem Zuschauerraum auf die Bühne gebeten, um Kopf und ›Leichnam‹ zu begutachten, was manchen Unfug und Anekdotenstoff zeitigte. Ans Halsende des Holzkopfes waren Gurgel und Halswirbel eines Schlachttieres angenagelt, was besonders an heißen Tagen eindrucksvoll gewesen sein muß.

Der Anblick echter Luftröhrenquerschnitte wird den modernen Zuschauern erspart; freilich gibt es auch keine sprechenden Köpfe der Enthaupteten mehr. Abschließend wird der Kopf wieder aufgesetzt, natürlich zuerst einmal verkehrt herum, ein komisches Element, das die *immer* eintretende Beklemmung im Auditorium löst. Dann wird der ›Delinquent‹ mit dem Brett wieder aufgerichtet, von der stickigen Mütze befreit und ins Leben entlassen.

Valentin-Musäum, München   BK

730 Das Schichtl-Theater unter Franziska Eichelsdörfer, um 1965

Hans Schmied, Foto.

Quer über die Fassade geht die Aufschrift »Auf geht's beim Schichtl«. Rechts die Aufstellfigur des 1954 verstorbenen Johann Eichelsdörfer als August an der großen Trommel. Ihr entspricht links die Figur des Theatergründers Schichtl. In der Mitte zeigt während der Parade Franziska Eichelsdörfer das Schild »Heute Hinrichtung« herum, in der erhobenen Rechten eine Tafel mit dem Eintrittspreis. Hinter ihr ist eine Serpentinentänzerin abgebildet. Links am Mikrofon rekommandiert Fritz Huber im August-Kostüm. Huber arbeitete das Jahr über als Blumenbinder. Zur Wies'n-Zeit stand er Franziska Eichelsdörfer von 1958 bis 1984, also 26 Jahre lang bei der Parade zur Seite, führte die Zaubernummer durch und assistierte bei der Hinrichtung. Seine Hoffnung, das Geschäft übernehmen zu können, zerschlug sich aufgrund persönlicher Differenzen.

Die Schichtl-Bude hat diese Gestalt bis heute bewahrt, freilich bei zunehmender Baufälligkeit. Die Vorstellung gliedert sich in drei Programmpunkte: 1. die Zaubernummer, die seit den 1950er Jahren traditionell mit der Desillusionierung endet, also mit der Erklärung des Tricks; 2. der Serpentinentanz, von einem jungen Mädchen ausgeführt; 3. die Enthauptung einer »lebenden Person« aus dem Publikum. An den Haupttagen des Oktoberfestes gibt es bis zu 35 Vorstellungen täglich. Das Theater reist nicht mehr, sondern bezieht nur noch das Oktoberfest.   BK

StadtAM, Fotoslg.

731 Parade-Marionetten »Papa Schichtl« und »Tambourmajor«, 1957

Holz, Stoff und andere Materialien, Höhe 90 bzw. 80 cm; Entwurf und Ausführung: Hans Schichtl, Hannover.

Hans Schichtl (ein Sohn von Michael Augusts Bruder Franz) aus Hannover reiste mit einem großen Marionettentheater und bezog auch wiederholt das Oktoberfest. Seine Programmnummern waren teilweise für die Marionettenbühne umgesetzte Varieté-Nummern des Zauber- und Spezialitätentheaters der vorhergehenden Generation. Dementsprechend fertigte er für Auftritte auf seiner Paradebühne zwei Marionetten nach populären Gestalten an: Michael August Schichtl mit seiner Trommel und den Tambourmajor Toni Stumpf mit der großen Trommel und Tschinellen. Von den portraitähnlichen Figuren konnte »Papa Schichtl« richtiggehend rekommandieren dank einer beweglichen Mimik. Sowohl der Unterkiefer als auch Augenbrauen und -lider und (damit zusammenhängend) die Schnurrbartenden können durch Fäden bewegt werden.

Programmpunkte, die sowohl bei Schichtls Nachfolger Eichelsdörfer als auch im Schichtl-Marionettentheater in den 1950/60er Jahren gegeben wurden, waren Personen-Schattenspiele auf einer von hinten beleuchteten Leinwand und die Vorführung eines 3-D-Filmes. Zu dessen plastischem Genuß bekam man am Eingang eine Papierbrille mit einem roten und einem grünen Cellophan-›Glas‹, auf deren Ablieferung am Ausgang dann peinlich geachtet wurde. Der Schwarzweißfilm gipfelte in einer Szene, wo sämtliche Requisiten wie Besen, Wassereimer und Nachttopf ins aufkreischende Publikum geworfen wurden. (Die modernen 3-D-Kinos arbeiten mit Farbfilmen, Polarisations-Brillen und viel härteren Attacken auf Raumgefühl und Fluchtinstinkt der Zuschauer.)   BK

MSt, PuMu 32531, 32535

Die humoristischen Kunstausstellungen

732 Buden der »Modernen Kunst-ausstellung« 1900 und 1903 auf dem Oktoberfest

Fotos.

Eine kurzlebige, den kunstsinnigen Geist ihrer Zeit spiegelnde Erschei-nung beim Oktoberfest waren die »Mo-dernen Kunstausstellungen«. In der Nachbarschaft der »Museen« und Pa-noptiken waren den Wies'n-Besuchern Kunstausstellungen für das breite Volk durchaus vertraut. So tat sich zum Bei-spiel 1898 die »historische Kunst- und Gemäldeausstellung« von Baumgarten auch im Sinne einer volksbildenden Niveauhebung des Oktoberfestes her-vor. Die verschieden gestalteten Kunst-tempel aber, die sich nach der Jahr-hundertwende an der Haupteingangs-allee der Festwiese erhoben, waren ak-tuelle Parodien auf das Kunstleben Münchens mit seinen großen »Allge-meinen« und »Internationalen Kunst-ausstellungen« im Glaspalast, mit der Secession und den vielen einzelnen Künstlergruppen, -bünden und -genos-senschaften.

Den offiziellen Kunstbetrieb im Glas-palast mit parodistischen Veranstaltun-gen zu begleiten, war ein Münchner Usus, der vor allem im Umkreis der Künstlergesellschaft »Allotria« seinen Nährboden fand. Es erschienen die Hefte des »Spottvogels im Glaspalast« und komisch kommentierende Katalo-ge zu den Jahresausstellungen – zum Beispiel »Max und Moritz im Glaspalast und in der Secession 1893« – oder aber richtige kleine Ausstellungen mit Bild-parodien und eigenen Katalogen. Mit einer Mischung aus Wortspielen und Farbenulken boten sie unterhaltsame Kunstkritik. Die Kataloge wurden of-fenbar durch inserierende Künstlerbe-darfs- und Tabakgeschäfte mitfinan-ziert. So gab es 1895 die »I. Hinderna-tionale Kunstausstellung des Vereins ›Nachempfindender Künstler‹«, auch »Dachauer Secession« genannt, die in einer zweiten Zusammenstellung den

Kat. Nr. 733

Titel trug: »Menzinger Jahres-Ausstellung von sogenannten Kunstwerken aller Nationen. Glaspalast am Oktoberfest 1895.« Diese letztere Angabe ist wohl mehr anläßlich als örtlich zu verstehen; auf der Theresienwiese ist die »Moderne Kunstausstellung« erstmals 1900 und bis 1907 nachweisbar.

Auf bemerkenswert großzügiger Grundfläche steht das Ausstellungsgebäude von 1900 im Schmuck von zwei Lorbeer-Kübelbäumen. In Schrift und Ornament (Frauenköpfe mit geschlossenen Augen) zitiert die Fassade die Formensprache des Jugendstils; der Baumfries und der mit Blattwerk bemalte Halbkreis-Aufsatz des sich verjüngenden Mittel-›Risalits‹ spielen auf das Wiener Secessions-Gebäude von Josef Olbrich (vollendet 1898) mit seiner Kuppel aus schmiedeeisernen, vergoldeten Lorbeerzweigen an. (Diese Kuppel veranlaßte ihrerseits den Volksspott des nahegelegenen Wiener Naschmarkts zur Namengebung »Haus zum goldenen Krauthappel« = Kohlkopf.) Über dem Eingang hängt ein umkränztes Schild mit einer Eule (Attribut der Pallas Athene) auf einer Palette und der Inschrift »OKTOBERFEST MODERNE KUNST AUSSTELLUNG 1900« (Foto: Georg Pettendorfer).

Nach der Abbildung auf einer Ehrenkarte (MSt) läßt sich der abgewandelte Kunsttempel im ›ägyptisch-dorischen Jugendstil‹ auf 1903 ff. datieren. Der »Athenerich« hat seinen Maßkrug sorgsam im Schatten einer Brettersäule abgestellt. BK

Abb. der Bude von 1900 in: Chronik 1985, S. 71
Lit.: Destouches, Säkularchronik, S. 137–152; Trefz, Unten Gras und oben Kunst. »Moderne Kunstausstellung« um die Jahrhundertwende. In: Festschrift 1935 (Kat. Nr. 144), S. 26
StadtAM, Slg. Pettendorfer u. Fotoslg.

733 Der »Athenerich« der humoristischen Kunstausstellungen, um 1900/1905
Abbildung S. 363
Postkarte, 14×9 cm.

Eine Statue der Pallas Athene thronte als Schutzgöttin der Künste im Glaspalast; durch die von Franz von Stuck

Kat. Nr. 737.2

entworfenen Plakate war das Athene-Motiv zum Symbol der Internationalen Kunstausstellungen wie auch der Secession geworden.

So durfte sie auch auf dem Oktoberfest als Türsteher mit Helm, ›Speer‹ und Armspange nicht fehlen und war selbst ein solch gelungenes Schaustück, daß Postkarten davon verkauft wurden.

Eduard Stemplinger erinnert sich:

»Vor dem Kunsttempel schritt Pallas Athene langsam auf und ab, angetan mit einem blendendweißen Talar, auf dem mächtigen Haupt einen alten Kürassierhelm mit knallrotem Roßschweif, in der rechten Faust einen langen Schaft, den ein riesiger Maurerpinsel krönte, unter dem buschigen Schnurrbart eine brennende Stummelpfeife. Ein altes Modell, der Faltenhias von Giesing, mimte die Göttin der Kunst. Wie die elf Scharfrichter in der Türkenstraße alle künstlerischen Auswüchse od. Rückständigkeiten parodierten, so wurden in dieser Ausstellung Werke des Pinsels und Meißels

persifliert: *Stucks* ›Sisyphus‹, der den Felsblock bergaufwärts rollt, war hier in die hirschhäutene Kurze eines niederbayrischen Bierführers gesteckt, der einen mächtigen Bierbanzen auf den Wagen wälzte. *Lenbach* stellte damals im Glaspalast ein ›Fische-Stilleben‹ aus. Der Parodist machte daraus einen Hering und fügte die Notiz hinzu: ›dieser Prima-Delikateßhering wurde in der Handlung von Dallmayer gekauft und bei Grundsteinlegung der Oktoberfestausstellung verspeist.‹ *Ahdes* ›Magdalena‹ wurde zu einer wohlbeleibten Bäuerin, der eben ein Sturm das knusperige Brathenndl vom Teller wegfegt. Auf diese Weise wurden einmal auf der Wiese geistige Genüsse sozusagen verzapft.«

Zitat: Festschrift 1949 (Kat. Nr. 161)
MSt, 35/947 a

734 Ausstellungsräume der »Modernen Kunstausstellung«, um 1900
Max Stuffler, Fotos.

Sachgemäß mit Oberlicht präsentieren sich die Ausstellungsräume, mit Girlanden und Portieren garniert. In der Bretterbude ist »unten Gras und oben Kunst« zu sehen, im erhöhten Mittelsaal die Skulpturen- und Kunstgewerbeabteilung.

Leider sind gerade diese fotografisch überlieferten Bilder nicht mit entsprechenden Katalogeinträgen in Verbindung zu bringen. Die Kunstwerke, mit einem Minimum an Material- und Zeitaufwand, aber mit viel Witz hergestellt, waren sämtlich verkäuflich, bei starker Nachfrage auch in Kopien, respektive Abgüssen. »Die Preise sind in Anbetracht der schlechten Zeiten möglichst nieder [...] Um den Künstlern den Besuch der Hendlbratereien auch einmal zu ermöglichen, ist die Hälfte der Kaufsumme sogleich baar zu erlegen [...]«

Die mondäne Dame Nr. 30 im mittleren Bild, von einer dunklen Boa umschlängelt, ist eine Verkleidung des skandalumwitterten Gemäldes »Die

Sünde« von Franz von Stuck. Der Malerfürst Stuck lieferte häufig Vorbilder für Parodien – nicht nur in dieser »Modernen Kunstausstellung«. Sein berühmtes Gemälde »Der Krieg« mußte sich beispielsweise die oktoberfestgemäße Umwandlung in »De Krüg« gefallen lassen (vgl. die Postkarte Kat. Nr. 621.2). Gern wurden auch »Das Spiel der Wellen« oder »Triton und Nereide« von Arnold Böcklin komisch variiert; Motive daraus findet man sogar an Schaubudenfassaden dieser Zeit. Weitere bevorzugte Zielscheiben der humoristischen Kunstausstellungen waren die Maler Corinth, Diez, Habermann, Samberger, Slevogt, Strathmann, Zügel, Zuloaga sowie die Vertreter des Pointillismus; als Bildhauer Rodin und wieder der zentauren- und amazonenformende Stuck.
Bemerkenswert ist, daß auch ohne Katalog vielen Ausstellungsbesuchern die karikierten Originale ohne weiteres geläufig waren. Auf breiter Basis bestand damals ein viel selbstverständlicherer Umgang mit Kunst, auch in ständiger Auseinandersetzung mit dem aktuellen Kunstschaffen. In hohem Maße trugen dazu die verschiedenen humoristisch-satirischen Zeitschriften bei, allen voran die »Jugend« (seit 1896). Begünstigt durch die Entwicklung der Farbfotografie um die Jahrhundertwende erschienen zahlreiche Reproduktionen von Kunstwerken. BK

Abb. in: Chronik 1985, S. 71
Lit.: Offizieller Catalog der II. modernen Kunstausstellung auf dem Oktoberfest, München 1902
StadtAM, Fotoslg.

735 »IV. Moderne Kunstausstellung Oktoberfest München MDCCCCIV« (Umschlagtitel)

Innentitel: »Hoch-offizieller Katalog der IV. modernen Oktoberfest-Kunstausstellung MÜNCHEN 1904 veranstaltet von Christian Metzger (C. M.) Fritz Petersen (F. P.) Harry Schultz (H. S.)«

4 Bl. in Umschlag, 18,5×11,4 cm; Druck von Carl Aug. Seyfried & Comp., München.

Titelvignette: Männlicher Athene-Kopf mit Pfeife im Mund (seitenverkehrte Parodie auf Stucks achteckiges Secessions-Signet von 1893; auf der Rückseite Eulen.
Von dieser Ausstellung sind neun Kunstwerke in Fotos überliefert, manche in eigens gedruckten Postkarten. Soweit nicht schon die Bildtitel erraten lassen, worauf sie anspielen, sind bei einigen Werken die karikierten Vorbilder durch handschriftliche Vermerke von Christian Metzger identifizierbar.

Aus dem Inhalt:
»I. Ausstellung des deutschen Kunterbundes [= Künstlerbund] [z. B.:]
6) Corinthische Stuckatur [eine Salome-Parodie]
7) Die Krapplackfrau mit dem gebrannten Ockergatten
14) Der Streit der Bäume [vgl. Kat. Nr. 736]

II. Aus dem Glasscherbenviertel [= Glaspalast] [z. B.:]
33) Zugeknopfhht [Anspielung auf »I lock my door upon myself« von Fernand Khnopff, 1891]

III. Das Schreckenscabinett oder die Folterkammer [z. B.:]
49) A brennat's Modell [Karikatur auf Karl Strathmann]«

Von Zeichnungen:
»66) Flirt im Kleinhesseloher Meere [Tête-à-tête von zwei Seepferdchen]«

»Entwürfe aus einem Ober-Versuchsatelier für umgewandte Kunst [z. B.:]
102) Tapetenmuster (eierlegende Enten von unten gesehen)
103) Wandverkleidungsfliese, Musterschutz: ›Hirn mit Ei‹ [beide gegen die Jugendstil-Ornamentik]«

Ferner gibt es eine eigene Abteilung »Japanik« gegen die modische Kunstströmung des Japonismus. BK

MSt, 35/946/1

736 »Der Streit der Bäume«, 1904

Foto nach einem Ölgemälde von Christian Metzger, 11,8×15,5 cm. Dazu das parodierte Vorbild: Farbdruck nach einem Bild von Julius Diez in: Jugend. Münchner illustrierte Wochenschrift für Kunst und Leben, 1903, Nr. 28, S. 496 f.

Weidenbäume in einer Moorlandschaft bringen aus ihrer Rinde groteske Gesichter hervor, die sich gegenseitig zu beschimpfen scheinen. Das Vorbild ist das düster-komische Gemälde »Sumpfgespenster« von Julius Diez: Zerlumpte Gespenster hocken in den Ästen der bizarren Weiden und rauchen violette Flammen aus langen Pfeifen; am Boden flackern Irrlichter. BK

MSt, 35/945/1

737 Zwei Gemälde aus einer Auktion Münchner Künstler auf der Oktoberwiese 1905

1. »Napoleon«

Öl auf Leinwand, in blauem, dreieckigem Originalrahmen, Seitenlänge 95 cm.

Kopf Napoleons, finster in Kolorit und Waterloo-Blick. Die Rahmenform ist witzig auf den Umriß des Zweispitzes bezogen. Das Bild wurde laut Inventareintrag auf dem Oktoberfest 1905 verkauft. Inhaltlich könnte es aber auch mit der Nr. 39 aus dem »Offiziellen Catalog der II. modernen Kunstausstellung auf dem Oktoberfest« 1902 identisch sein, deren Titel lautet: »Napoleon nach der Schlacht bei Sendling«.

2. Pferd mit reitendem Kind

Ludwig von Herterich, Öl auf Leinwand, 110×70,5 cm.

Vor einer tiefer gelegenen Flußlandschaft trabt flott ein Pferd heran. Mit straffem Zügel wird es von einem nackten Kind geritten, das ein pathetischer Mantelwurf umflattert. Der parodistische Bezug des Kleinen mit dem verschmitzten Blick ist nicht überliefert.

MSt, 60/512, 513

»Was bringt Carl Gabriel zum Oktoberfest?«

Karl Gabriel (1857–1931) gehörte zu den interessantesten Schaustellerpersönlichkeiten. Er war nicht nur einer der ersten Großunternehmer im Bereich des reisenden Gewerbes, sondern prägte mit seinen Aktivitäten auch das stationäre Vergnügen Münchens im frühen 20. Jahrhundert.

Gabriels Vater betrieb als Schausteller unter anderem ein Wachsfigurenkabinett. Somit wurde der gelernte Mechaniker und Kunstschlosser mit der Wachsbildnerei vertraut. 1892 kam der gebürtige Schlesier auf der Reise zum Oktoberfest und wählte München zu seinem Wohnsitz. In der Neuhauser Straße im Zentrum der Stadt führte er zusammen mit dem bedeutenden Wachsmodellierer Emil Eduard Hammer das »Internationale Handels-Panoptikum und Museum«, das in fünf Etagen ca. 2000 Schauobjekte und zusätzliche artistische Vorführungen zeigte.

Ab 1896 verbreitete sich über die reisenden Kinematographen die sensationelle Neuheit des Films. Gabriel erkannte die Möglichkeiten dieses neuen Mediums und führte in München die ersten stationären Filmtheater ein. 1902 machte er von der Schlangenbändigerin Miß Clio und dem Kettensprenger Mr. Tomson, die gerade in seinem Panoptikum auftraten, wohl die ersten Münchner Filmaufnahmen in einem Garten an der Schillerstraße. Sein erstes Lichtspieltheater eröffnete Gabriel 1905 in Berlin. 1906 folgten dem Münchner Kino in der Dachauer Straße entsprechende Einrichtungen in Bochum, Passau und Augsburg. 1913 ließ Gabriel von der Fa. Heilmann und Littmann die »Sendlinger-Tor-Lichtspiele« als ersten Kinopalast erbauen. Auch in der Folgezeit war er auf diesem Gebiet rührig. So präsentierte er 1914 den Münchnern die ersten Dreifarbenfilmbilder. Bis 1927 gehörte er dem Direktorium der »Münchner Ufa-Theater« an.

Neben seinen Lichtspieltheaterunternehmungen war Gabriel im Schaustellerbereich aktiv. Berühmt sind seine Völkerschauen, die er ab 1901 auf das Oktoberfest brachte. Fast jährlich konnte er dem Publikum eine neue Schau präsentieren, die in der Regel von auswärtigen Unternehmern, zum Beispiel von Hagenbeck aus Hamburg, zusammengestellt worden waren. Dazu sorgte er für Neuheiten auf dem Oktoberfest wie 1895 mit der Hexenschaukel oder 1910 mit dem Teufelsrad.

Zur Eröffnung des Münchner Ausstellungsparks 1908 stellte Gabriel im dortigen Vergnügungspark die erste Achterbahn Deutschlands auf. In der Folgezeit war er bei dieser stationären Einrichtung mit seinen Geschäften vertreten.

Besonders engagiert war Gabriel als Fachvertreter seines Berufsstandes. So war er unter anderem Vorstand der 1897 gegründeten »Sektion München des Vereins reisender Schausteller und Berufsgenossen«.

Nach seinem Tod vererbte er seine Unternehmungen seinem langjährigen Geschäftsführer und vertrauten Mitarbeiter Franz Grego. FD

Lit.: StadtAM, ZA »Gabriel Karl«

---

738 Schreiben von »CARL GABRIEL Unternehmer für Riesen-Schaustellungen von Völkertruppen, Illusionen, Abnormitäten, Sehenswürdigkeiten u. Volksbelustigungen aller Art« an den Magistrat von München, 1912

Gedruckter Briefkopf mit Zierrahmen und handschriftlichem Text, 2 Bl., 29,5×22 cm.

»Verehrliches Magistrats-Kollegium der Haupt- und Residenzstadt *München.*

Anliegend gestatte ich mir 40 Stück ›Ehren-Einladungen‹ zu überweisen mit der Bitte, meinen Geschäfts-Unternehmungen ein geneigtes Wohlwollen nicht zu versagen. Hochachtungsvoll Carl Gabriel«.

StadtAM, Okt. 114

739 Ankündigungsplakat für Carl Gabriels »Beduinen-Lager«, 1901

Farblithographie und Typendruck, Farbplakat 87,5×62 cm, dazugehöriges Schriftplakat 84,5×62 cm; Druck: G. Schuh & Cie.

Schwungvolle Darstellung eines Arabers auf seinem Pferd. Der dazugehörige Textteil kündigt an: »Karawane von 70 Personen, Männer, Frauen, Kinder. Reiter, Handwerker, Tänzerinnen. Musiker, arabische Vollbluthengste, Dromedare, ägyptische Esel. Aus dem Programm: Scenen aus der Wüste, Reiterphantasie, Bazar mit Handwerkern, Arabisches Café mit heimathlichem Tanz und Musik [...]«

1901 präsentierte Carl Gabriel zum ersten Mal den Festbesuchern eine exotische Völkerschau. Auf einem Areal von rund 7500 m² – dem sogenannten Karawanenplatz – baute er ein Beduinendorf auf und bot seinen Besuchern neben speziellen Darbietungen aus seinem Rahmenprogramm Einblick in das Alltagsleben dieses fremdartigen Volksstammes. Seine lebenden Exponate, die von den Besuchern bestaunt und beobachtet wurden, hatte er mittels Agenturen angeworben. SP

Abb. in: Chronik 1985, S. 186
StadtAM, Plakatslg.

740 Gabriels Beduinendorf auf dem Karawanenplatz, 1901

Fotos.

StadtAM, Fotoslg.

741 »Tunis in München!«, 1904

Farblithographie, 85×93 cm; Druck: Adolph Friedländer.

Das Ankündigungsplakat wirbt mit einem tanzenden Medizinmann, der von Musikern und Araberinnen umgeben ist, und mit einem Schlangenbeschwörer für Gabriels dritte Völkerschau »Die Tunesen«. Hatte der Schausteller 1903 ein Aschantidorf auf dem Karawanenplatz errichten lassen, konfrontierte er die Besucher in diesem Jahr mit ›Sitten und Gebräuchen‹ der Nordafrikaner.

StadtAM, Plakatslg.

742 Fassade der Völkerschau »SAMOA IN MÜNCHEN«, 1910

Foto.

StadtAM, Hochbauslg. XXV 594

743 »Carl Gabriels Karawanenplatz TRIPOLIS«, 1912

Plakat, Farblithographie und Typendruck, 61×82 cm; Druck: G. Schuh & Cie.

Abb. in: Chronik 1985, S. 186
StadtAM, Plakatslg.

744 Fassade der Völkerschau »TRIPOLIS«, 1912

Foto.

Abb. in: Chronik 1985, S. 189
StadtAM, Fotoslg.

745 Ankündigungsplakat »Die Drei dicksten Mädchen«, 1926 Abbildung S. 369

Farblithographie, 70×96 cm; Druck: Beigat, Berlin.

Neben verschiedenen anderen Sehenswürdigkeiten zeigte Gabriel 1926 das »7. neueste Weltwunder«, die »drei dicksten und schwersten Kollosalmäd-

Kat. Nr. 741

chen der Gegenwart« Elsa, Bertha und Elvira, die zusammengenommen ca. 1200 Pfund Lebendgewicht auf die Waage brachten.

StadtAM, Plakatslg.

Kat. Nr. 740

746 Fotoalbum »CARL GABRIEL'S OKTOBERFEST-UNTERNEHMUNGEN 1928«

Das Album aus Gabriels Privatbesitz zeigt in 50 Fotos seine fünf Geschäfte auf dem Oktoberfest 1928:

1. »Carl Gabriel's und Ehrlich's Riesen-Völkerschau. Ca. 200 Männer, Weiber, Kinder. Afrikaner, Chinesen, Japaner, Tscherkessen, Die größte Völkerschau die bisher in Europa gezeigt wurde!« Interessant ist Gabriels Kommentar zu dieser Art Schauen, die in der Folgezeit ihre Bedeutung auf den Festplätzen verloren. »Das Kino zeigt Bilder aus allen Zonen, die Kamera dringt in Wüsten und Urwälder, sie entdeckt den Hottentottenkraal und nähert sich dem Buschmannslager. Aber im Kino ist alles schließlich doch nur ein Bild. Hier hingegen zeige ich die Wirklichkeit, das Leben!« – Hier zeigt sich der elastische, vielengagierte Unternehmer, der andererseits die ersten stationären Münchner Kinos betreibt.

2. »Carl Gabriel's Pracht-Reitbahn« (Hippodrom)

3. »Carl Gabriel's und L. Ruhe's Riesen-Orang-Utan-Schau«

4. »Carl Gabriel's Jagd- und Preis-Schiessen. Schiessen am Walde auf laufende Tiere mit echten Jagdgewehren und mit echter Munition!«

Lit.: Kat. Nr. 751.6
MSt, PuMu V 163

Kat. Nr. 747

Kat. Nr. 748

747 Carl Gabriel's Völkerschau 1928, Parade vor dem Haupteingang

Alfred Paul, Foto, aus Kat. Nr. 746.

MSt, PuMu V 163

748 »Carl Gabriel's Riesen Orang Utan Schau aus den Urwäldern Sumatras«, 1928

Alfred Paul, Foto, aus Kat. Nr. 746.

Typische, schlichte Front der 1920er Jahre mit Art-Deco-Elementen, mit der speziell für diese Schau gemalten Fassade. Darunter in der Mitte der Rekommandeur.

»Hat Darwin Recht? Die bekannte Tierfirma L. RUHE Alfeld brachte im Frühjahr dieses Jahres einen Transport von 85 Exemplaren dieser äußerst seltenen Orang-Utans von der Insel Sumatra nach Europa. Leider ging ein großer Teil dieser kostbaren Tiere ein. Einzelne Tiere wurden an verschiedene europäische zoologische Gärten verkauft. Der Rest dieser Herde wird in einem heizbaren Zentral-Käfig dem Publikum gezeigt.«

Lit.: Kat. Nr. 751.6
MSt, PuMu V 163

749 »Völkerschau der aussterbenden LIPPEN-NEGERINNEN vom Stamme der Sara-Kaba CENTRAL-AFRIKA«, 1930

Farblithographie, 118×94,5 cm; Druck: Beigat, Berlin.

Das Ankündigungsplakat wirbt mit einem Großbild einer Lippen-Negerin.

Zusammen mit Willy Siebold zeigte Carl Gabriel diese Völkerschau.

StadtAM, Plakatslg.

750 »GABRIEL u. RUPRECHTS Amerik. Steilwand Todesfahrt«, 1930

Farbplakat, 84,5×60 cm; Druck: Obpacher.

Zuschauer blicken auf zwei Fahrer, die freihändig auf ihrem Motorrad in der Steilwand ›hängen‹. Laut Plakattext zeigen die Zweirad-Artisten »in 60–100 km Tempo an der senkrechten Wand« ihre Kunststücke.

1930 konnte man in Deutschland die ersten Steilwandfahrer bewundern.

Abb. in: Chronik, 1985, S. 89
StadtAM, Plakatslg.

Kat. Nr. 749

751 »Was bringt Carl Gabriel zum Oktoberfest?« – die Reklame für seine Vergnügungsbetriebe

Als Großunternehmer, der bis zu fünf Geschäfte auf dem Oktoberfest betrieb, konnte sich Gabriel aufwendiger Werbemittel bedienen. Neben ausführlicher gehaltenen, illustrierten ›Gabriel-Nachrichten‹, die er mit einer Auflage von 300000 Stück herausbringen konnte, ließ er auch zumeist farbig gedruckte Reklamekärtchen verteilen, die neben allgemeinen Informationen über seine Tätigkeiten als ›Vergnügungsmacher‹ in München Programmpunkte der einzelnen Schauattraktionen auf dem Festplatz enthielten.

1. Werbekarte »Oktoberfest 1905. DIE FUTA«

Farblithographie und Typendruck, kartoniert, 11,4×8,5 cm; Druck: Adolph Friedländer.

StadtAM, ZS

2. Werbekarte »Oktoberfest München 1909. Wild-West Amerika / Wild-Süd Afrika«

Farblithographie und Typendruck, kartoniert 11,8×8,4 cm; Druck: G. Schuh & Cie.

StadtAM, ZS

3. Faltblatt »Was bringt Carl Gabriel zum Oktoberfest 1911?«

Farbdruck mit Typendruck, beidseitig bedruckt, 17,4×41 cm; Druck: Vereinigte Druckereien München.

StadtAM, ZS

Kat. Nr. 745

4. Illustrierte Zeitung »Extrablatt aus Wild-Afrika«, 1906

4 S., mit Abb., 4°.

StadtAM, ZS

5. »Illustrierte Münchner Oktoberfest-Nachrichten der Gabriel'schen […] Schaustellungen, Sportunternehmungen und Volksbelustigungen«, 1912

8 S., mit Abb., 4°.

StadtAM, ZS

6. »Illustrierte Münchener Oktoberfest-Nachrichten der Unternehmungen Carl Gabriel's 1928«

8 S., mit Abb., 4°.

Dieses Werbeblatt, das 10 Pfennig kostete, weist in den Anzeigen und Beiträgen auf die Geschäfte Carl Gabriels hin. Zusätzlich soll sich der Leser für ein Preisausschreiben mit dem Auffinden der Gabriel-Unternehmungen auf dem Fest befassen. Diese geschickte Art der Reklame eines Großschaustellers hat in Deutschland bis dahin nur Hugo Haase praktiziert.

Unter anderem enthält die Zeitung zwei Artikel von Oskar Maria Graf (Das Elefantenei, Die tätowierte Dame), bei denen es sich wohl um Originalbeiträge des damals noch wenig bekannten Schriftstellers handelt.

MSt, PuMu

7. Reklame-Fächer »Carl Gabriel's Oktoberfest-Unternehmungen 1928«

Zweifarbendruck, Karton, 12×5 cm (zusammengeklappt); Druck: Bickel.

MSt, PuMu

Kat. Nr. 751.3

»Jeder ist sein eigener Chauffeur« –
Die 1920/30er Jahre

**752 »MUENCHNER UNIVERSUM,
Besitzer Paul Pötzsch«,
um 1910**

Postkarte, Farblithographie, 9,5×13,9 cm. Bez. u. l.:
»Molwitz«; Druck: »Albert Lahl, Leipzig«, gestempelt 1912.

Das »Münchner Universum« des Leipzigers Paul Pötzsch konnte seit Beginn dieses Jahrhunderts auf dem Oktoberfest besucht werden. Von 1929 bis 1937 führte es die Witwe des Schaustellers. Die Schaustellung gehört zu den sogenannten *Museen*, die in thematisch gegliederten Abteilungen Wachsfiguren und -präparate zeigten.
Die Fassade zeigt drei Eingänge mit eigenen Kassen. Auf der linken Seite in der »Separat Ausstellung zur Hebung der Volksgesundheit« konnte man sich über Krankheitsbilder wie Geschlechtskrankheiten oder den »Magen eines Säufers«, über den Gebärvorgang und andere medizinische Probleme informieren. Wenn auch etwas sensationell präsentiert, trugen diese Abteilungen zur sexuellen Aufklärung bei. Bezeichnend ist, daß dieser Teil der Schaustellung im katholischen

München zum Oktoberfest nicht geöffnet werden durfte.
Die mittlere Abteilung bot das gängige Programm der Wachsfigurenkabinette mit den »Völkerrassen der Erde« als ethnografische Schau, dann die Reihe berühmter Persönlichkeiten, deren schauriger Anziehungspunkt die Verbrechergalerie bildete. Dazu gab es Genreszenen zu sehen, wie »Gorilla, ein Mädchen raubend«, »Des Wilderers Ende« oder »Heiratsantrag des Schornsteinfegers«.
Der rechte Teil der Schaubude wurde von Pötzsch für die Saison an einen Subunternehmer für 50 Prozent der Einnahmen vergeben. Pötzsch war für die Organisation der Reise, für behördliche Abgaben wie Platzgeld zuständig. Der Truppenchef engagierte und bezahlte die Artisten. In dieser »Abteilung für Abnormitäten« wurden abnorme Menschen wie Riesen, Zwerge und Siamesische Zwillinge vorgeführt. Später lief hier eine Artistenschau, in der unter anderem Brody, der Eisenkünstler, John Jäger mit seiner Elektroschau oder Sebastian Apfelkammer als Hundedresseur auftraten.   FD
MSt, PuMu

**753 »Katalog für Paul Pötzschs
Witwe Münchener Universum«,
1937**

7 S., 4°.

Der 45 Nummern umfassende Katalog beschreibt die im Museum zu sehenden Wachspräparate. Diese Kataloge konnten an der Kasse erworben werden und dienten dem Besucher als Leitfaden beim Gang durch die Schau.
Valentin-Musäum, München

**754 2 Wachsköpfe aus der Abteilung
»Völkerrassen der Erde« des
»Münchener Universums«, um 1910**

In Glaskästen, 47,5×40×37,5 cm.

Die Erklärung im Katalog (Kat. Nr. 753) lautet:
»13. Neuseeländer (Maori).
Sie gelten als die Aristokraten der Südsee, verzieren ihr Gesicht durch graziös geschwungene, symmetrische Linien, welche auch Europäische Schönheitsbegriffe nicht verletzen. Das Tätowieren findet man bei den Grönländern, bei den Bewohnern des Stukasundes, so gut wie unter den Feuerländern, ganz besonders auch auf den Inseln der Südsee.«
»14. Zulumädchen, aus dem Stamme der Zulukaffern.
Dieser kriegerische Volksstamm bewohnt die südliche Küste von Sofala (Südafrika) und ist besonders durch seine fortgesetzten Kämpfe gegen die Boers und Engländer berühmt geworden.«
Georg Pötzsch übergab die Köpfe 1985 dem Stadtmuseum.

MSt, PuMu 85/48, 85/49, Münchener Schaustellerstiftung

**755 Wachsbüste
Massenmörder Fritz Haarmann,
um 1930**

In Glaskasten, 81,5×62×43,5 cm.

Fritz Haarmann (geb. 1876 in Hanno-

Kat. Nr. 752

ver, hingerichtet 1925) wurde wegen
Mordes in 26 Fällen zum Tode verur-
teilt. Seinen Opfern, meist jungen Män-
nern, hatte er die Kehle durchgebissen.
Die Galerie berühmter Mörder und
Verbrecher gehörte zur Schreckensab-
teilung jedes Museums. Die hier ge-
zeigte Büste stand vormals in Pötzschs
Münchener Universum, wurde nach
Umwegen von Hannes König erworben
und 1984 dem Stadtmuseum ge-
schenkt.
Der Eintrag in Pötzschs Katalog (Kat.
Nr. 753) lautet:
»Nr. 18 Haarmann, die Bestie des
Hauptbahnhofs in Hannover.
Wie Sie ja bereits wissen, wurden
Haarmann nicht weniger als 23[!] Mor-
de an jungen Männern nachgewiesen.
Stand ihm auch nicht §51 zur Seite, so
handelte er doch in einem krankhaften
Triebe, was ja daraus hervorgeht, daß
er schon in seiner Jugend mehrmals
wegen Verfehlung gegen die Sittlich-
keit bestraft wurde. Ebenfalls war er
auch in der Irrenanstalt gewesen.
Haarmann wurde in Hannover durch
die Guillotine hingerichtet.«   FD

MSt, PuMu 84/200

Kat. Nr. 755

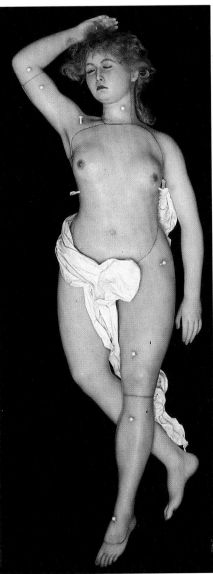

Kat. Nr. 756

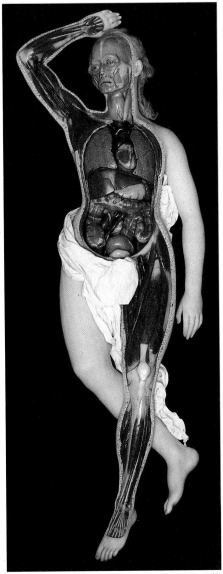

Kat. Nr. 756

**756 Wachsfigur »Venus«,
zerlegbares Anatomiemodell
aus der Schaubude
von F. Brumbach,
um 1930**

Länge 185 cm, in Glaskasten 48×85×200 cm.

Die Figur stammt aus dem Atelier des

Wachsmodelleurs Rudolf Pohl, Leute-
witz bei Dresden. Die Oberhaut der
Frau kann partiell weggehoben, jedes
einzelne Organ herausgenommen
werden. Solche Modelle wurden in den
Museen dem Publikum zur anatomi-
schen Aufklärung gezeigt.

Max Zierer, München

757 Wachsbüste
Resl von Konnersreuth, 1927

In Glaskasten, 38×79×54 cm.

Therese Neumann aus Konnersreuth/ Oberpfalz (1898–1962) erlebte seit 1926 als Stigmatisierte jeden Freitag die Leiden Christi, wobei ihr die Wundmale an Händen und Füßen entstanden sein sollen. Dieses spektakuläre Wunder wurde sogleich in das Programm eines Wachsfigurenkabinetts aufgenommen.

Im Glaskasten ist der Oberkörper der Leidenden, die auf einem Kissen liegt, zu sehen. An ihren über dem Bauch zusammengelegten Händen erkennt man die Wundmale.

In einer Notiz aus der Schaustellerzeitung »Der Komet« vom 1. Oktober 1927 heißt es: »Auf der Oktoberfestwiese war eine Wachsfigur der Therese Neumann von Konnersreuth ausgestellt, die nach einer Photographie hergestellt war und die Leidende in ekstatischem Zustand zeigte. Die Dargestellte hat nunmehr einen Gerichtsbeschluß erreicht, wonach diese Schaustellung verboten wurde.«

Bei der hier gezeigten handelt es sich wahrscheinlich um diese Figur, die Hannes König vom Valentin-Musäum vor Jahren von einem Schausteller erwarb und 1984 dem Stadtmuseum schenkte.   FD

MSt, PuMu 84/206

758 Nächtliches Oktoberfest, um 1925

Hans Lichtenberger, Öl auf Pappe, 55×66 cm. Bez. u. l.: »Lichtenberger«.

Den Vordergrund bildet die Gondel eines Riesenrades, deren Markise den oberen Bildrand begrenzt. Zwei Kinder blicken auf den nächtlichen Festplatz, auf dem ein Toboggan und die Konturen einer Achterbahn zu erkennen sind.

MSt, 67/235

759 Nächtliche Schaustellerstraße, um 1925

Hans Lichtenberger, Öl auf Leinwand, 47,5×63 cm. Bez. u. r.: »Lichtenberger«.

Kat. Nr. 759

Über einer dichten Besuchermenge erheben sich eine Schaubude, Kettenflieger, Karussell und Riesenrad. Die Beleuchtung der Geschäfte ist im Vergleich zu heute noch relativ spärlich; so fehlen etwa die Lichter an den Dachkanten der Karussells oder an der Fassade der Schaubude. Das Bild vermittelt einen guten Eindruck der damaligen Nachtstimmung auf dem Oktoberfest.

MSt, 67/236

760 »MÄRCHEN PRINZESSCHEN. RIESIN KAATJE VAN DYK«, Schaubude von Siebold und Herhaus, 1926

Foto.

Schon im 19. Jahrhundert wurde der

kontrastreiche Effekt genutzt, Riesen in Verbindung mit Liliputanern zu präsentieren. Die Fassadenmalerei, bei der die Riesin die kleinen »Prinzesschen« auf einem Tablett trägt, hat natürlich total übertrieben. Kaatje van Dyk hieß in Wirklichkeit Anny Haase, wurde wahrscheinlich um 1910 in Berlin geboren und war 215 cm groß. 1962 trat sie noch in Wien auf. Die Größe von Liliputanern liegt ungefähr bei 70 cm.

Die Fassade mit ihrer klaren architektonischen Gliederung gehört zu den Höhepunkten an Gestaltung von Schaustellergeschäften der 1920er Jahre. Hier sind besonders deutlich die Einflüsse des Art Deco zu spüren. Wie sehr sich die Zeitströmungen in diesen Fassaden widerspiegeln, ergibt die Reihe im 25-Jahre-Schritt von Haases Karussellpalast 1902 (Kat. Nr. 706), über dieses Geschäft zu Schäfers Liliputstadt 1952 (Kat. Nr. 790).

Lit.: Hans Scheugl, Show Freaks & Monster, Köln [2]1975, S. 94
StadtAM, Fotoslg.

761 »CIRKUS BUSCH«, 1927

Foto.

»Grosser Liliputaner CIRKUS BUSCH mit seinen fabelhaften grossartigen Dar-

Kat. Nr. 760

bietungen der kleinsten Künstler der WELT«.
Der Fassadenaufbau ist typisch für die 1920er Jahre.

StadtAM, Fotoslg.

762 »Schäfer's Märchenstadt Liliput«, 1935

Farbplakat, 95×60 cm, und dazugehöriges Schriftplakat, 43×60 cm.

»Das Original vom Berliner Weihnachtsmarkt! – Eine ganze Stadt in Liliput-Format mit Rathaus, Postamt, Geschäfts- und Wohnhäusern mit vollständigen Einrichtungen bewohnt von 40 LILIPUTANERN. Kleinste Menschen! Größte Artisten! mit ihrem Liliput-Zirkus und Liliput-Tierschau […].«
Heinrich Schäfers Liliputaner-Stadt war von 1931 bis 1961 auf dem Oktoberfest zu sehen (vgl. Kat. Nr. 790).

StadtAM, Plakatslg.

763 Liliputaner vor ihrem Wohnwagen, um 1938

Wilhelm Nortz, Foto.

StadtAM, Fotoslg.

Kat. Nr. 763

764 Moritatensänger auf dem Oktoberfest, um 1930

Hannes König, Öl auf Karton, 50×40 cm.

Der Moritatensänger steht auf einem Podium vor seiner Bildertafel, dem »Schild«, und dreht eine kleine Handdrehorgel. Dahinter Schiffschaukel, Toboggan und Verkaufsbuden.

Valentin-Musäum, München

Kat. Nr. 765

765 »W. STEFFENS Original FLOH-CIRCUS«, 1937

Otto von Zaborsky, Foto.

Auch heute gibt es auf dem Oktoberfest einen Flohzirkus. Inhaber ist das Nürnberger Ehepaar Ingrid und Hans Mathes.

MSt, PuMu

766 »Steilwand Auto-Todesfahrt«, 1931

Plakat, Zweifarbendruck mit Abb., 81,5×60 cm; Druck: Obpacher, München.

Ein Jahr nach der ersten Steilwand-Motorradfahrt brachten Josef Ruprecht und Franz Grego diese Sensation. »Die Auto-Todesfahrt im 100 km-Tempo‹. An der senkrechten steilen Wand eines großen, runden Hexenkessels zeigen da zwei junge Fahrer und eine hübsche junge Dame ihre tollkühnen Fahrkünste im Motorrad und Auto, daß es einem heiß und kalt überläuft. Die

Kat. Nr. 766

kleinste Unaufmerksamkeit bedeutet den sicheren Tod.«
Die »hübsche junge Dame« war die später so bekannte Kitty Mathieu.

Lit.: Oberbayerischer Generalanzeiger/Landsberger Tageszeitung vom 25. 9. 1931
MSt, PuMu 85/50

Kat. Nr. 767

767 Die »Steilwand-Kitty« – Akrobatin und Kunstfahrerin auf der »750er Indian«, um 1950

Georg Schödl, Fotos.

Kitty Mathieu, geborene Müller, war seit ihrem ersten Debüt 1931 in der »Trommel« – wie der Steilwandaufbau im Fachjargon heißt – die aufregendste und tollkühnste Fahrerin in diesem gefährlichen Metier. Als Kind eines Schaustellerehepaares war sie mit dem Rummelplatz-Milieu bestens vertraut und konnte schon als Teenager mit Motorrädern umgehen. Als sie in den 1920er Jahren in England zum ersten Mal Steilwand-Fahrer aus den Staaten sah, stand ihre Laufbahn als Zweirad-Artistin fest. Trotz der anfänglich chancenlosen Aussicht, als Frau in diese männliche Domäne des Rennsports einzusteigen, schaffte sie es, sich in England ausbilden zu lassen und fuhr als *die* Attraktion seit 1931 zusammen mit ihrem Partner Pitt II (Alois Höcherl) auf den Volksfestplätzen Europas.
Heute managt die wagemutige Frau – die bis zu ihrem 56. Lebensjahr selber noch in die Trommel gestiegen ist – ihre bekannte Truppe der »Steilwandfahrer« auf dem Oktoberfest.　　　SP

StadtAM, Fotoslg.

Kat. Nr. 768

768 Autodrom von Siebold, 1926

Max Wies, Foto.

Siebolds Geschäft hatte eine ovale Fahrbahn, in deren Zentrum die Orgel stand. Die Wagen in Form normaler Autos hatten zwar rundumlaufende Stoßstangen, waren aber nicht so sehr für Karambolagen ausgestattet wie die kompakt gebauten Chaisen der Skooter. Der Antrieb funktionierte wie bei den Autoskootern über die Stange an der Rückseite der Wagen, deren Stromabnehmerbügel das stromführende Netz an der Decke der Halle kontaktieren. Den Minuspol bilden die Stahlplatten der Fahrbahn.

MSt, PuMu

769 Autoskooter »RUPRECHTS ELEKTRODROM«, 1926

Georg Pettendorfer, Foto.

1926 brachte Hugo Haase den ersten Autoskooter als amerikanischen Import nach Deutschland, den er auch auf dem Oktoberfest aufstellte. Ruprecht hatte sich ebenfalls ein solches Geschäft besorgt, das unter dem Namen »Elektrodrom« lief. Die Form der ersten Skooterwagen erkennt man auf der Fassade mit karikierten Figuren.

Abb. in: Chronik 1985, S. 78
MSt, PuMu

770 Gebirgs-Achterbahn von Josef Ruprecht, um 1925

Foto.

Josef Ruprecht, der Zimmermeister war, bevor er sich dem Schaustellermetier zuwandte, war auf den Bau von Gebirgsbahnen spezialisiert. Seine Bahn auf dem Oktoberfest 1928 benötigte eine Grundfläche von 136×30 m; die spätere Himalaya-Bahn, mit der nach seinem Tod 1933 sein Sohn August Ruprecht reiste, stand auf einer Fläche von 156×30 m. Die derzeitigen, normalen Achterbahnen beanspruchen einen Standplatz von ca. 60×20 m. Ruprechts Bahnen waren reine Holzkonstruktionen, nur das Fahrgestell der Wagen, die Räder und die Aufzugsanlage waren aus Eisen gefertigt.

StadtAM, Fotoslg.

771 Schiffschaukel von Hans Ueberacker, um 1930

Fotopostkarte, 8,3×13 cm.

Die Konstruktion der noch heute üblichen Schiffschaukeln geht auf die 1890er Jahre zurück. Was sich geändert hat, ist die Art der Dekoration. Früher schmückten die Schaukeln sogenannte Perldekorationen. Diese Stoffteile aus schwarzem Samt trugen ornamentale Applikationen aus Glasperlen, die meist auf Leinwand gemalte Bildfelder umrankten. Zum Schutz dieser textilen Dekoration vor Witterungseinflüssen hatten die Schaukeln ein Leinwanddach. Die Orgel stand im Mittelfeld zwischen den Schiffen. Auf dem Oktoberfest stellt Karl Thomä noch heute seine Schaukel mit der kompletten Perldekoration auf. Hier kann man in situ noch einen detaillierten Eindruck von der Pracht früherer Schaukeln erleben.

StadtAM, Fotoslg.

772 Schaukelburschen vom Oktoberfest, um 1925

Fotopostkarte, 8,3×13 cm.

Vor einer Schaukel der Familie Ueberacker haben sich die Gehilfen von verschiedenen Geschäften zum Gruppenfoto postiert. Der Bursche im Vordergrund hält als Zeichen seiner Tätigkeit das Schwungrad einer Orgel, mit dem er während der Betriebszeit für den Antrieb der musikalischen Klangkulisse sorgte.

Maximilian Fritz, München

773 Perlstickereien von der Schiffschaukel des Ludwig Müller, um 1925

Samt, Leinwand, Walzenperlen, Mittelstück 150×390 cm, Zungen 160×120 cm.

Am Balken über der Orgel, dem sogenannten Orgelfeld, hing im Zentrum der Schaukel der Behang mit dem Schriftzug »Ludwig Müller München«. Weitere Dekorationsteile waren die Zungen, aufgehängt über den einzelnen Schiffen.

MSt, PuMu 84/262 (Zungen); Eugen Kübler, München (Mittelstück)

Kat. Nr. 770

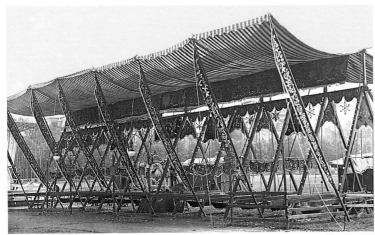

Kat. Nr. 771

Kat. Nr. 772

774 Dachkantenteil vom Kettenflieger des Karl Johann Kalb, 1919

Öl auf Leinwand, in Holzrahmen, 102×133 cm.

1919 ließ sich Kalb den Kettenflieger von der Fa. Gundelwein, Berlin, bauen. Die Malereien führte Konrad Ochs, ein bekannter Schaustellermaler, aus. Das Geschäft trägt die klassische Bemalung von Fliegern mit abwechselnden Frauenköpfen und Landschaften auf den Dachkanten und Frauengestalten und Blumenarrangements am Plafond und Trichter. Die Dachkanten wurden zwischenzeitlich durch Kopien ersetzt, die alten Teile übergab Anna Kalb dem Museum. Die übrige Malerei ist original, sie ist die älteste Schaustellermalerei, die auf dem Oktoberfest zu sehen ist! Zugleich ist der Kettenflieger, mit dem Hans Kalb noch immer bayerische Plätze bereist, das älteste Geschäft auf der Wies'n. FD

MSt, PuMu 83/179, Münchener Schaustellerstiftung

775 Kettenflieger »Schnellflug« von Franz Xaver Heinrich, um 1930

Foto.

Heinrich, ein gelernter Zimmermann, gehörte zu den Schaustellern, die sich ihre Geschäfte selbst bauten. 1925 entstand dieser Flieger, der mit 12 m Höhe eines der größten Geschäfte dieser Art war. Bekannt wurde Heinrich 1934 durch seine »Teufelskutsche«, eine Hochbahn, die später unter »Wilde Maus« lief.

Franz Xaver Heinrich jun. übergab dem Museum Fassadenteile dieses Fliegers.

MSt, PuMu 85/31, Münchener Schaustellerstiftung

776 Schrägflieger von Emil Bergert aus Chemnitz, um 1930

Foto.

Das 1925 gebaute Karussell hatte einen schräggestellten Oberbau, die flugzeugähnliche Besatzung kreiste somit auf einer schrägen Flugbahn. Unter dem Firmenschild lockt die mächtige

Kat. Nr. 775

Kat. Nr. 776

Kat. Nr. 778

Orgel mehrere Festbesucher an. Bergerts Schrägflieger dominierte zu dieser Zeit die Silhouette der Schaustellergeschäfte auf dem Oktoberfest. Die Straße entlang stehen eine Verkaufsbude mit »Echt-Orient-Zuckerwaren«, Esterls Riesenrad (vgl. Kat. Nr. 781), der »LACHTEMPEL« und der Reklameturm für eine Achterbahn von Hugo Haase.

StadtAM, Fotoslg.

777 Flugzeuge von Bergerts Schrägflieger während der Fahrt, 1937

Foto.

StadtAM, Fotoslg.

778 Krinoline von Michael Großmann, um 1930

Fotopostkarte, 8,8×13,8 cm.

Die Krinoline gehört zu den ältesten Schaustellergeschäften auf dem Oktoberfest. Michael Großmann stellte dieses Karussell 1924 zum ersten Mal auf der Wies'n auf. Die Art dieses Fahrgeschäftes mit der schwankenden Plattform gab es bereits um 1900. Ein technisches Problem blieb trotz mehrerer Anläufe der mechanische Antrieb der Krinolinen, die deshalb in der Regel von jungen Männern im Inneren des Karussells angeschoben werden mußten. Durch eine eigene Erfindung konnte Großmann seine Krinoline ab 1938 elektromechanisch antreiben. Sein Patent wurde allerdings kein finanzieller Erfolg, da zu diesem Zeitpunkt die Attraktivität der Krinoline schon längst von neueren Fahrgeschäften überholt worden war.

Nach Großmanns Tod 1961 führte seine Frau unter Mithilfe der Familie das Geschäft bis 1980. Die Krinoline mit der seit Jahrzehnten vertrauten Blasmusik als Fahrbegleitung reist schon lange nicht mehr. Sie wird von Großmanns Enkel Theodor Niederländer als vielgepriesenes Traditionsstück des Oktoberfestes nur dort aufgestellt.

Theodor Niederländer, Greding

779 Kindersportkarussell von Eugen Distel, 1936

Foto.

Bei den früheren Karussells drehte sich der Boden, auf dem die Besatzung wie Pferde und Kutschen fest montiert war. 1930 ließ sich Eugen Distel dieses Kindersportkarussell bauen, das sich als Karusselltyp bis heute mit jeweils aktualisierten Fahrzeugen erhalten hat. Auf dem feststehenden Boden laufen die Gefährte mit ihren eigenen Rädern, durch Ausleger sind sie mit dem Mittelbau im Zentrum verbunden, wo anfangs der Elektromotor plaziert war. Nicht nur für Kinder bestechend waren bei Distels Karussell die genauen Nachbildungen von BMW-Motorrädern, Mercedes-Limousinen und vor allem die prachtvolle Feuerwehr.

StadtAM, Fotoslg.

780 Zeppelin-Karussell von Hugo Haase, 1950

Foto.

1930 brachte Haase als Neuheit seinen Zeppelin, bei dem sich vier Luftschiffattrappen um einen riesigen Globus drehen. – 1929 war der sensationelle Flug des deutschen Luftschiffes »Graf Zeppelin« rund um die Erde. Der hohe Bau des Karussells wurde in der Folgezeit ein signifikanter Punkt des Schaustellerareals.

Bis 1978 betrieb Alois Höcherl den Zeppelin, der 1979 nach Italien verkauft wurde.

StadtAM, Fotoslg.

Kat. Nr. 779

781 Modell des Riesenrades von Heinz Koppenhöfer

Holz, bemalt, 115×84×80 cm.

Heinz Koppenhöfer baute dieses Modell 1950 als getreue Nachbildung seines Geschäftes für seinen Sohn. Das Riesenrad gehört zu den ältesten Fahrgeschäften auf dem Oktoberfest. Koppenhöfers Schwiegervater Josef Esterl ließ sich das 12 m hohe Rad mit den 12 Gondeln 1925 von einer thüringischen Karussellfabrik bauen. Ursprünglich hatte es eine geschnitzte Fassade mit Malereien, die in den 1950er Jahren gegen die heutige ausgewechselt wurde. Obwohl viele Teile im Laufe der Jahre erneuert wurden, sind die Konstruktion und der Antrieb mit einem Elektromotor gleichgeblieben. Zur musikalischen Untermalung der Fahrt steht links neben dem Eingang eine Orgel. Mit dem großen Riesenrad von Willenborg, das mit einer Gesamthöhe von 55 m 1979 von der Fa. Schwarzkopf gebaut wurde, kann Koppenhöfer auf dem Oktoberfest natürlich nicht mehr konkurrieren.

MSt, PuMu 82/62, Münchener Schaustellerstiftung

782 Schaustellerleben, um 1938

Fotos.

1. Schaustellerfamilie beim Kaffeetrinken unter dem Vordach des Wohnwagens.
2. Schaustellerfrauen beim Wäschewaschen mit Waschkessel im Freien.

StadtAM, Fotoslg.

783 Der »Vogeljakob«, um 1955

Serie von sechs Fotopostkarten mit der Aufschrift »Das Münchner Original: Der Vogel-Jakob«

Lorenz Tresenreiter, 1901 in München geboren, war gelernter Kellner und arbeitete in den 1920er Jahren im Café Monachia nahe dem Karlstor. (Karl Valentin war dort sein Kollege.) Neben der Bedienung der Gäste trat er als »Lorenz Terino« mit einer Miniatur-Mundharmonika auf und dann als Tierstimmenimitator mit den bis dahin wenig beachteten »Vogelpfeiferln«. Im Jahr 1928 stand er erstmals während der Auer Maidult auf ein paar leeren Obstkisten, unterhielt die Leute mit seinem Zwitschern und verkaufte Flötenplättchen. Allmählich entwickelten sich dazu im Zusammenspiel mit den Zuhörern die einzelnen humoristischen und zeitkritischen ›Nummern‹ seiner Verkaufsvorführung, die ihn zur Attraktion machten. Der damals noch namenlose Propagandist von Nachtigallenflöten wurde vom Dult-Publikum analog zum »Billigen Jakob« (der mit ähnlichem Sprüchereißen wirbt) und zum »Spitzenjakob« mit dem Namen »Vogeljakob« bedacht.

Nach Erfolgen auf der Dult bezog er das Oktoberfest und die großen deutschen Jahrmärkte.

Nach dem Zweiten Weltkrieg begann Tresenreiter die Flöten selbst anzufertigen, die er bislang vom Hersteller Felix Schlimper bezogen hatte. Die »EDERNA«-Flöten werden in 38 Länder rund um die Erde geliefert, hauptsächlich an europäische Grossisten. Tresenreiter starb 1960. Seine Tochter Inge und sein Schwiegersohn Rudolf Hermann, selbst gelernter Artist und dem alten Vogeljakob ähnlich in Erscheinung und Vortrag, führen Fabrikation und Versand des »kleinsten Sports-Instruments der Welt« fort und treten am Oktoberfest sowie bei Bunten Abenden auf.   BK

Lit.: Elly Waltz, Der Vogeljakob, München 1977
Inge Hermann, München

784 »Nachtigallenflöten« und Requisiten des Vogeljakob

Karton, Blech, Goldschlägerhäutchen, Breite ca. 2,5 cm, dazu Probe einer Goldschlägerhaut; grüner Filzhut, Holzhammer, Plüschvogel.

Viele Hilfsinstrumente zum Anlocken des Jagdwildes und zum Abrichten von Vögeln basieren darauf, daß eine gespannte Membran durch die Atemluft in Schwingung versetzt wird (»Blatten«). Grashalm und Buchenblatt sind die Primitivformen. Zur Vogelnachahmung kann man kleine Flötenplättchen benützen, die am Gaumen haften. Ihr Erfinder ist unbekannt. Der spätere

Das Münchner Original: *Der Vogel-Jakob*

Kat.Nr. 783

Vogeljakob lernte sie bei einem Tierstimmenimitator im Berliner Varieté »Wintergarten« kennen, der sich »Professional Schlimper« nannte und vermutlich der erste Hersteller dieser Flöten in Deutschland war. Tresenreiter und sein Schwiegersohn verbesserten das Instrument in langjährigen Experimenten. Es wird in Heimarbeit hergestellt. Eine Membran aus Goldschlägerhaut wird durch einen gezackten Blechring auf einem ausgestanzten Kartonplättchen festgeklemmt. Mittels des im Munde erweichten Kartons läßt sich die Flöte hinter den Zähnen festsaugen. Das Goldschlägerhäutchen ist eine außerordentlich dünne und zähe Haut des Rinderdarmes. Nach spezieller Präparierung wird sie beim Schlagen des Blattgoldes zwischen die Goldlagen geschoben. Nach dieser Verwendung kann sie als Flötenmembran weiterverarbeitet werden. Die in England hergestellten 12–20 cm großen Hautquadrate sind neuerdings nicht mehr erhältlich, weil eine Kunststofffolie entwickelt wurde, die dauerhafter, ebenmäßiger und wesentlich billiger ist als das Naturprodukt. Die Vorräte für die Vogelpfeiferl-Produktion reichen aber, nach Meinung der Hersteller, noch bis an deren Lebensende.

Der Markenname der Vogeljakob-Originalflöten »EDERNA« leitet sich von »Echo der Natur« ab. Eine zu den Flöten lieferbare »Imitatorschule« unterrichtet über die Mundstellungen und Lautfolgen, mit denen verschiedene Tierstimmen nachgeahmt werden können.

Das »Goaßbuamhüatl« ist Markenzeichen des Vogeljakobs seit seinen ersten Auftritten im Café Monachia, der Plüschvogel ist sein scheinbar zwit-

schernder Gesprächspartner und der Holzhammer dient dazu, um bei begriffsstutzigen oder kaufunlustigen Zuschauern scherzhaft »Privatunterricht« anzudrohen. Zu seiner Ausstattung gehörte noch ein beulenreiches Trichtergrammophon, zu dessen Musik er virtuos pfiff, und ein Koffer als Kasse und Bühne zugleich.

Dem vielstrapazierten Begriff des Münchner »Originals« entsprach der Vogeljakob auch insofern, als er selbst das Urbild einer Gestalt und eines Programms wurde, das sich viele Kopien gefallen lassen mußte (sogar Faschingsmasken sieht man ›als‹ Vogeljakob gehen).

Die Nachahmer des Vogelimitators übernahmen mit den Requisiten auch seine ›Nummern‹ und charakteristischen Redewendungen. Manche Sprüche sind freilich schon vom alten Schichtl her überliefert. Wie ein verlorener Prozeß klarstellte, kann der Name »Vogeljakob« nicht unter Schutz gestellt werden, weil er juristisch als »Volksgut« gilt.

Michael Bader, einer der schärfsten Konkurrenten, der Tresenreiters alten Stammplatz auf der Auer Dult innehatte und dort seiner pfiffigen Art wegen sehr beliebt war, starb 1985 mit fast 89 Jahren. BK

Inge Hermann, München

Kat. Nr. 785

»Kommen Sie, kommen Sie, das ist eine tolle Fahrt« 1950/60

785 »HOLLYWOOD MACHT SPASS«, Entwurf für die Fassade des Laufgeschäftes von Heinrich Feldl, 1946

Herbert Sommer, Gouache, 12,2×41 cm.

In dieser Fassade konzentriert sich die Aufbruchstimmung der unmittelbaren Nachkriegszeit mit der Begeisterung für amerikanische Kultur. Für die

Portraits der Filmschauspieler Greta Garbo, Gary Cooper und Marlene Dietrich mußte Sommer mangels anderer Vorlagen noch auf ein Zigarettenbilderalbum aus den 30er Jahren zurückgreifen. Herbert Sommer war später einer der bedeutenden Schaustellermaler. Diese Fassade war sein Debüt.

MSt, PuMu 85/10

786 Geist aus der Geisterbahn von Karl Judenhofer, um 1947

Holz, Blech, Textilkaschierung, in Kasten 153×78×39 cm.

Geistergestalt mit einfacher Bewegungsmechanik für Arme und Kinnlade, angekettet in Gefängnisgehäuse. Gebaut von Jo Muskat, Fürth, der auf die Herstellung von Figuren für den

Schaustellerbereich spezialisiert war. Die Geisterbahn kam 1931 als Neuheit. Auf dem Oktoberfest 1932 erschreckten bereits vier Geschäfte dieser Art das Publikum. Im Gegensatz zu den elektronisch gesteuerten Ungetümen der Gegenwart waren die früheren Geisterfiguren sehr einfach gebaut. Den Geist übergab die Familie Judenhofer-Kunz dem Museum.

MSt, PuMu 85/34, Münchener Schaustellerstiftung

787 »ROTOR DIE WELTSENSATION 1949! OKTOBERFEST«

Plakat in Farblithographie, 118×83 cm; Druck: Emil Falke, Hamburg.

Blick in das Innere mit dem Zylinder, der sich so schnell dreht, daß die Fahrgäste durch die Zentrifugalkraft an die Wand gepreßt werden und der Boden während der Fahrt abgesenkt werden kann. 1949 baute der Münchner Hoffmeister den ersten Rotor. 1970 übernahm der Hamburger Richard Pluschies die Patentrechte und reist seitdem als einziger mit diesem Geschäft, das jährlich auf dem Oktoberfest steht.

MSt, B(D) 7.6/1

△ Kat. Nr. 786 ▽ Kat. Nr. 788

788 »Das Marsweib! Lebend!«, Schaubude von L. Wittersheim, um 1950

Foto.

»Die grösste Sensation des XX. Jahrhunderts! Adroide, der erste lebende Marsbewohner auf Erden! Was heute noch Illusion und Kopie, kann morgen schon Wirklichkeit sein!«

StadtAM, Fotoslg.

789 »Adroide« im Inneren der Schaubude von L. Wittersheim, um 1950

Foto.

Adroide, das Marsweib mit dem langen Hals, war eine Illusion mit optischer Täuschung, in der zwei Frauen eingesetzt waren. Die eine stand auf dem Podest und bewegte ihren Körper, von

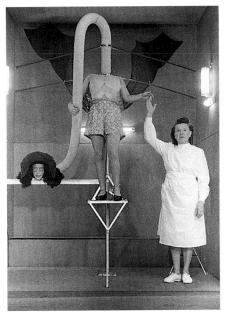

Kat. Nr. 789

der anderen war nur der Kopf zu sehen. Zwischen beiden verlief der lange Hals. Um der ganzen Schau ein wissenschaftliches Flair zu geben, war die vorführende Person mit einem Ärztekittel bekleidet.

StadtAM, Fotoslg.

Kat. Nr. 790

790 »CIRCUS STADT LILIPUT« von C. H. Schäfer, um 1955

Foto.

1952 entwarf der Schaustellermaler Herbert Sommer die Fassade für Schäfers Liliputschau, die von der Fa. Mack in Waldkirch ausgeführt wurde. Die Architektur erinnert noch sehr an den Klassizismus der 1930er Jahre. Wenige Jahre nach der ersten Bemalung, die nur geometrische Muster zeigte, gestaltete Sommer die beiden Seitenfelder in dieser Weise neu. Schäfers Geschäft wirkte mitunter auslösend für die Neugestaltung von Fassaden im ›gegenstandslosen‹ Stil der 1950er Jahre.

StadtAM, Fotoslg.

791 Modell des Panoramas von Hugo Haas, vormals Gustav Schopen

Holz, bemalt, 21×57×42,5 cm.

Neben den stationären Panoramabauten, in denen auf rundumlaufenden Gemälden eine Gesamtsituation gezeigt wird, gab es reisende Geschäfte gleichen Namens mit anderer Konzeption.

Bis 1968 konnte man in diesem Panorama auf zwei Etagen hinter 60 Linsen gemalte Bilder zu aktuellen Ereignissen betrachten. Schrifttafeln über den Linsen wiesen auf das Gezeigte: »Flugzeugkatastrophe bei Frankfurt a. M. 45 Tote«, »Die Kämpfe in Korea«, »Die Hochwasserkatastrophe in Bayern«. Vor dem Zweiten Weltkrieg war H. Wilfert in Jena auf die Malerei von Panoramabildern spezialisiert. Entweder bot er Schaustellern aktuelle Szenen an oder Panoramabesitzer schickten ihm Zeitungsfotos als Vorlage für gewünschte Bilder, die von Wilfert innerhalb weniger Tage auf ein Format von 100×100 (bis 150) cm gemalt wurden. Seit den 1950er Jahren konnte diese Form der Reportage natürlich nicht mehr mit dem neuen Medium Fernsehen konkurrieren.

Hugo Haas übernahm das Geschäft von Schopen 1960. Während seiner Betriebszeit wurden die Bilder bereits nicht mehr aktualisiert. Das Modell dieses Geschäftes hat er 1984 für das Museum gebaut.

MSt, PuMu 85/83, Münchener Schaustellerstiftung

792 Festbesucher, Ende der 50er Jahre

Walter Müller-Grah, Fotos.

Die Fotoserie des Münchner Fotografen Walter Müller-Grah ist eine Seltenheit in der Festdokumentation.

Im Unterschied zu seinen Kollegen befaßte er sich fast ausnahmslos mit dem Festbesucher. In seinen Momentaufnahmen hat Müller-Grah die Teddi-, Elvis-, Peter-Kraus- und Conni-Froboess-Typen und das Ambiente der 50er Jahre dokumentiert.

StadtAM, Fotoslg.

Kat. Nr. 792

Kat. Nr. 792

Kat. Nr. 793

793 Autoskooter, um 1955

Walter Müller-Grah, Foto.

Die Karosserien der Skooterwagen verändern sich bis heute entsprechend dem jeweils zeitgenössischen Design. Die hier gezeigten Wagen wurden von der Fa. Ihle, Bruchsal, in den Jahren 1954/55 gebaut.

StadtAM, Fotoslg.

794 Autoskooter von Heinz Distel, 1957

Foto.

Speziell bei den Fassaden der Autoskooter hat sich die Gestaltung mit Neonröhren und indirekt beleuchteten Elementen wie Säulen aus Kunststoff in den 1950er Jahren durchgesetzt. Effektvoll wirkten diese Geschäfte vor allem erst nachts.

StadtAM, Fotoslg.

795 Zwei Säulenfiguren von Lindners Autoskooter, um 1960

Willi List, Holz, weiß gefaßt, 180×140 cm.

Sehr eigenwillig gestaltete Willy Lindner seinen Autoskooter. Von dem Schaustellerbildhauer Willi List in Waldkirch ließ er sich für die drei Eckpfosten holzgeschnitzte Atlanten, für die Fassade in kleinerer Ausführung Sportlergestalten ausführen. Die weiß gefaßten Figuren wurden zum Kennzeichen des Lindner-Skooters.

Hanna Lindner, München

796 Auto aus der Autorennbahn von Heinrich Feldl, 1965

Polyester-Karosserie mit Chromteilen, 87×104×230 cm.

Diesen zweisitzigen Sportwagen, Modell BSW, baute die Fa. Ihle, Bruchsal, seit 1962. Sie waren dem Mercedes 300 SL nachempfunden. Auf Feldls Autorennbahn liefen die Autos mit Elektromotoren, die über Abnehmer mit verschieden gepolten Metallstreifen auf der Fahrbahn verbunden waren.

Geschenk der Familie Feldl-Dehner 1985.

MSt, PuMu 85/29, Münchener Schaustellerstiftung

797 Oktoberfest im Neonlicht mit Autoskooter von Georg Pötzsch und Karussell »Titan« von Georg Koch, 1958

Berthold Fischer, Foto.

Der Münchner Georg Koch leitete zusammen mit der Fa. Klaus in Memmingen nach dem Zweiten Weltkrieg eine neue Phase im Karussellbau ein. Durch die Einführung von Pneumatik und Hydraulik als neue Steuersysteme wurde die Grundlage für die Entwicklungsreihe bis zu den heutigen Rundfahrgeschäften gelegt. 1951 brachte Koch als erstes den »Hurricane«, bei dem die Fahrgäste die Höhenlage ihrer Gondeln am Ende der Ausleger während der Fahrt selbst variieren konnten. Beim »Titan« (1958) wurde bei Fahrbeginn der Mittelbau mit den Gondelauslegern an der Führungssäule angehoben, danach wurde die Säule mit gelenkiger Lagerung am Fuß schräggestellt. Die Gondeln vollzogen so eine Schrägfahrt, deren Höhe wiederum variiert werden konnte.

StadtAM, Fotoslg.

798 »MONT EVEREST«, Entwurf für die Berg- und Talbahn von Bausch, 1956

Heinz Opitz, Gouache, 49,5×77 cm.

Die Fassade zeigt Szenen aus dem Wintersport. Das Karussell wurde

Kat. Nr. 797

Kat. Nr. 802

dann 1956 von der Fa. Mack als »Cortina-Bob« gebaut. Der Schaustellermaler Heinz Opitz entwirft für diese Firma die Fassaden der Geschäfte.

MSt, PuMu 85/39, Münchener Schaustellerstiftung

799 »Calypso«, 1958

Foto.

1958 brachten Anton Bausch und Eugen Distel den »Calypso«, gebaut von der Fa. Mack in Waldkirch, auf die Wies'n. Das Karussell mit dem für die 1950er Jahre typischen Design hat sich bis heute in verschiedenen Ausführungen behaupten können.

MSt, PuMu

800 Fassade der Schießbude von Anna Rothfischer, 1952

Fritz Hilbert, Öl auf Blech, Mittelstück 245×330 cm.

Hilbert ist Schaustellermaler alter Schule. Er arbeitete früher unter anderem für Karussellfabriken in Thüringen. Diese Fassade mit dem reitenden Paar auf Falkenjagd ist ein gutes Beispiel für die in Schaustellerkreisen geschätzte Qualität der Hilbert-Malerei. Geschenk von Albert und Helmut Aigner an das Museum.

MSt, PuMu 85/30, Münchener Schaustellerstiftung

801 Schießbude »GLOBUS« von Walter Lettner, 1959

Foto.

Lettner baute sich die Fassade für seine Schießbude selbst.

MSt, PuMu

802 Schießbudenware aus den 1950er und 1960er Jahren

Neben den Papierblumen, die man von den Hülsen herunterschießen kann, gibt es bei Mehrfachtreffern eine bunte Auswahl von Siegertrophäen in den Schießbuden. Das Potpourri reicht von einem ›kunststoff-gläsernen‹ Bambi mit roten Ohren, über nackte bzw. fast nackte Schönheiten bis hin zu Stoffhunden und -bären oder Plastikskeletten als Schlüsselanhänger. Das Warensortiment an Schieß-Souvenirs hat sich bis heute immer wieder gewandelt, um dem gängigen Zeitgeschmack zu entsprechen.

Geschenk von Willy Gast und Gabriele Büchl-Graf an das Museum.

MSt, PuMu, Münchener Schaustellerstiftung

803 Fassadenteil vom Hundetheater des Sebastian Apfelkammer, 1962

Josef Wallner, Öl auf Hartfaser, 310×259 cm.

Bis 1966 stand das Ehepaar Apfelkammer mit seiner Schaubude »Wunderhunde« auf dem Oktoberfest. Die dressierten Hunde zeigten im ersten Teil der Vorstellung Einzelnummern, zum Beispiel der »Rechenhund«, im zweiten Teil wurde ein geschlossenes Theaterstück mit den Tieren geboten. Bei einer dieser Hundepantomimen ging es auch um das Fensterln, zu dem die Vierbeiner entsprechende oberbayerische Tracht trugen. Die Malerei stammt von Josef Wallner, der einer der bekanntesten Schaustellermaler der letzten Jahrzehnte war.

MSt, PuMu 80/273, 3

804 Bayernpaar von der Fassade des Karussells »Rund um den Tegernsee« von Wilhelm Hohmann, um 1970

Florian Dering, Foto.

Bei der Gestaltung der Schaustellergeschäfte ist auffällig, daß viele Fassaden auf dem Oktoberfest mit münchnerischen oder oberbayerischen Motiven bemalt sind. Bei den Schießbuden liegt der Bezug zum alpenländischen Jagdwesen mit entsprechender Gebirgslandschaft nahe. Bei Fahrgeschäften läßt sich diese Art der Ausstattung mitunter dadurch erklären, daß vom Festveranstalter ›Lokaltypisches‹ gerne gesehen wird. Das beste Beispiel hierfür bieten die Gondeln von Willenborgs

Kat. Nr. 799

Kat. Nr. 800

Kat. Nr. 803

Riesenrad, die im ›Almhüttenstil‹ gestaltet sind.

MSt, PuMu

805 »Gaudi in BAVARIA«, Laufgeschäft von Hans Drelischek, 1984

Wanda Zacharias, Foto.

Speziell bei Laufgeschäften mit Irrgärten, Rollenden Tonnen, Wackeltreppen und ähnlichem haben sich bei der Fassadengestaltung die bayerischen Stereotypen festgesetzt. Schon seit den 1950er Jahren gibt es die Geschäfte wie »Gaudi in Hintertupfing«, »Auf der Alm« oder »Das sündige Dorf«. – Die

Verquickung von ›bayrisch‹ und ›Laufgeschäfts-Gaudi‹ läuft und läuft. Die Fassade dieses Geschäftes malte 1982 der Maler K. Zimmass. Die Motive sind den bekannten Juxpostkarten entlehnt, die nebenan im Bierzelt verkauft werden.

Wanda Zacharias, Starnberg-Leutstetten

Kat. Nr. 804

Kat. Nr. 805

»Schreien zwecklos« – 1970/80

806 Modell der Vergnügungsschaukel »Pirat« von R. Bausch und E. Menzel, 1977

Günther Stritzel, 51×78×56 cm.

Bei Neuentwicklungen von Fahrgeschäften werden zuerst Modelle gebaut, die vor allem den platzvergebenden Behörden einen Eindruck der Neuheit verschaffen sollen. Erst wenn sich der Schausteller bestimmter großer Plätze sicher sein kann, wird er das finanzielle Risiko eingehen.

Dieses Originalmodell wurde von dem Schaustellermaler Günther Stritzel erstellt, der dann die Gestaltung des Geschäftes übernahm. Gebaut wurde der »Pirat« 1978 von der Fa. Huss in Bremen. Zum Oktoberfest stellten Bausch und Menzel die Schaukel mit zwei nebeneinanderliegenden Schiffen auf, mit denen sie während der Saison einzeln reisten.

Der »Pirat« hatte bei einer Höhe von 17 m einen Schaukelradius von 26 m. 1984 stellten Bausch und Menzel ihr neues »Traumschiff« auf mit einer Höhe von 34 m und einem Schaukelradius von 54 m. Der starke Konkurrenzkampf um die nicht anwachsenden Platzkapazitäten auf den großen Festplätzen führt zu diesen Überdimensionierungen, die mit einem Investitionsaufwand von mehreren Millionen verbunden sind. Der Größe dieser Riesenvergnügungsanlagen ist allerdings eine Grenze gesetzt, die von ihrer möglichst günstigen Transportfähigkeit bestimmt wird. FD

MSt, PuMu 85/37, Münchener Schaustellerstiftung

Kat. Nr. 806

807 »Cinema 180«, 1978

Florian Dering, Foto.

Die einzige, jedoch wirklich sensationelle Neuheit auf dem Schaugeschäftssektor war das Cinema 180, das Kino mit der 180-Grad-Leinwand. Edmund Radlinger und Max Zierer brachten diesen Schlager aus Amerika 1978 auf das Oktoberfest. In den Folgejahren wurde der Seheffekt durch vergrößerte Kinobauten verstärkt.

MSt, PuMu

808 Modell des Wellenfluges von E. und S. Kaiser

Holz, Metall mit Elektromotor, Höhe 87 cm, ⌀ 87 cm.

1972 wurde der Wellenflug als Weiterentwicklung des Kettenfliegers mit wellenförmiger Fahrweise von der Fa. Zierer in Neuhausen-Deggendorf konstruiert. Heinz Distel brachte dieses Geschäft zum ersten Mal auf das Oktoberfest. Die Gestaltung des Fahrgeschäftes mit den ›barocken‹ Polyester-Teilen der Dachkante und des Plafonds und der traditionellen Malerei mit Landschaften, Putten und ›schönen Frauen‹ ist typisch für die nostalgische Tendenz, die sich auch im Schaustellerbereich abzeichnet.

Eugen und Siegfried Kaiser betreiben ihren Wellenflug seit 1977. Siegfried Kaiser fertigte das Modell 1985 für das Stadtmuseum.

MSt, PuMu 85/45, Münchener Schaustellerstiftung

809 »Looping-Star« und Riesenrad, 1984

Herbert Hartmann, Foto.

»Looping-Star« von Rudi Bausch mit Science-fiction-Fassade (Baujahr 1981), dahinter das Riesenrad von Willenborg (Baujahr 1979).

Herbert Hartmann, München

810 Modell des »Dreier Looping« von Rudolf Barth, 1983

Eisendraht, lackiert, 67×154×70 cm.

Anton Schwarzkopf, Münsterhausen, der weltweit bekannte Hersteller von Achterbahnen, konstruierte dieses Geschäft, das im Frühjahr 1984 auf Reisen ging.

Auf dem Oktoberfest konnte man bereits 1953 auf der Achterbahn von Hilmar Gropengießer durch einen Doppellooping mit zwei nebeneinanderliegenden Schleifen fahren. Der Loopingteil der Bahn mußte allerdings 1954 entfernt werden, da sich bei einigen Fahrgästen Verletzungen an der Wirbelsäule eingestellt hatten. 1978 begann in der Bundesrepublik die Looping-Welle mit einer einfachen Schleife anzurollen.

Als Wies'n-Vergnügen präsentierte Barth seinen 1979 von Schwarzkopf gebauten Doppellooping 1980, 1982 und 1983. 1984 stürmten die Festbesucher dann den Dreier-Looping. Am Abend des zweiten Samstags war der Andrang so groß, daß der Betrieb eingestellt werden mußte, da Verletzungsgefahr für die andrängende Menge zu befürchten war. Danach wurde der abendliche Zustrom durch Sperrgitter und eine erhöhte Zahl von Wachleuten geregelt. Das Gemenge entstand allerdings nicht nur durch Fahrlustige, sondern auch durch Zuschauer, die das Durchfahren der Züge durch die im Vordergrund plazierten Schleifen fasziniert beobachteten.

Der höchste Punkt der Anlage liegt bei 34 m, danach stürzt der Zug in das erste Tal und durchfährt die ersten beiden Schleifen. Nach einigen Kurven wird der Zug nochmals über einen Berg nach oben gezogen, von dessen Scheitelpunkt aus er genügend Schwung für den dritten, den kleinsten Looping erhält. Die Fahrt auf den ca. 1000 m Schienenlänge dauert ca. 170 Sekunden. Als Höchstgeschwindigkeit werden dabei ca. 90 km/h erreicht. Fünf Züge zu je 24 Sitzplätzen können eine

Fahrgeschäft »Dreier-Looping«
Kat. Nr. 809

theoretische Kapazität von ca. 2500 Personen pro Stunde durch die Anlage jagen.

Gesamtansicht des Fahrgeschäfts in: Chronik 1985, S. 117
Fa. Rudolf Barth & Sohn, München

811 »Sprechender Kopf«, 1984

Peter Petz, Kunststoff, Höhe 172 cm, Sockel 72,5×72,5 cm.

Im Inneren des Kunststoffkopfes befindet sich eine elektronische Anlage, die pneumatisch die mimischen Bewegungen steuert. Die Lippen bewegen sich sprechsynchron zu den beliebig einzusetzenden Tonbändern. Der Kopf war nicht in Gebrauch. Das Museum erwarb ihn direkt vom Hersteller, dem Schausteller Peter Petz. Er steht als Zeichen für die Einführung der Elektronik im Schaustellerbereich.

MSt, PuMu 84/269

812 »Zur Erinnerung an das October-Volksfest in München 1822«

Steingravur auf rosa getöntem Papier, 7,6×11,1 cm.

Im Mittelfeld miniaturhafte Darstellung des Pferderennens; vor dem Königszelt ist deutlich die Ziellinie angegeben. Das Absprengtor links wird von einer Art Triumphbogen überwölbt. In der Volksmenge sind mehrere Preisfahnenträger und eine Obstverkäuferin erkennbar.

Der Rahmen des Bildchens zeigt auf schwarzem Grund ausgesparte Silhouetten: oben und unten Preisvieh sowie ein Rennpferd mit Jockey, rechts zwei Schützen mit Gewehr und Pistole (Schmauchwölkchen!) beim Sternschießen und Schießen auf den laufenden Hirsch, links wird mit Armbrust und Gewehr auf den Adler geschossen. Er steht auf festgepflockter Stange und man sieht die abgeschossenen Holzteile herabregnen. In den vier Ecken sind Preismedaillen abgebildet: links oben Landeswappen und Umschrift »MIT GOTT FÜR KÖNIG UND VATERLAND«; rechts oben der Kopf des Königs, Umschrift »MAXIMILIAN IOSEPH K.V.B.:«; links unten »Lohn dem Fleiße« im Kranz; rechts unten »LANDWIRTH-SCHAFTL. VEREIN« als Umschrift um den Pflug.

MSt, P 1836

813 Moralisch-satirische Schriften zum Oktoberfest, um 1830

Von 1828 bis in die 1830er Jahre hinein ist eine Anzahl von anonymen, moralisch-satirischen Kleinschriften überliefert, die auf der Festwiese verkauft wurden und mehr oder weniger inhaltlichen Bezug zum Oktoberfest haben.

1. »Oktoberfest-Moraltinctur, zu haben auf der Theresienwiese in der Bude des berühmten Doctor Dumdum«, o. O., 1829

15 S., 8° (StadtAM, Hist. Ver. Bibl.; BSB).

Im Rollenspiel ›kuriert‹ ein Jahrmarkts-Arzt durch seinen Tadel einen Wucherer, eine »sogenannte gnädige Frau«, einen »wichtigen Staatsdiener« und einen Pietisten (»Wie es deren in allen Ständen giebt«); »Madame Xanthippe« freilich gilt als unheilbar.

2. »Sonderbare Aeuserungen und unerwartete Schicksale des Jüdleins Nathan Fahrum und seines Ziehsohnes

Kat. Nr. 813

Jakob auf dem Oktoberfeste zu München 1828. Israelitische Zeitschrift, an's helle Tageslicht befördert vom reisenden Antiteufel.«, o. O.

16 S., 8° (BSB).

Die Anreise zum Oktoberfest und der Festablauf bieten die Szenerie für die gehässige Karikatur eines Juden als Wucherer und Kindsräuber.

3. »Die Hexen-Predigt am Oktoberfest, von der Erzhexe und Großmutter des Teufels. gehalten auf der Vogelstange des Sendlinger Hügels.« Gedruckt in der Franz Seraph Hübschmann'schen Buchdruckerei (München), o. J.

16 S., 8° (BSB).

4. »Der Teufel und die Hexe auf dem Oktober-Feste 1830«, o. O.

8 S., 8° (StadtAM, Hist. Ver. Bibl.; BSB).

5. »Pater Abraham's Predigt auf dem Oktoberfeste zu München, oder wie Pater Abraham die Bauern im ersten Kapitel kampelt, die Handwerksleute im zweiten Kapitel bürstet, und im dritten Kapitel die großen Vögel rupft und wascht.«, o. O., o. J.

8 S., 8° (BSB).

Die drei Titel der Hexen- bzw. Kapuzinerpredigt sind weitgehend identisch im Text. Sie wenden sich in Form einer Standesschelte an Bauern, Dienstboten, Handwerker, zum Teil an Richter und Beamte, zuletzt an die Bürgersfrauen. Der Oktoberfestbezug wird nur durch den Titel, nicht durch den Inhalt hergestellt.

6. »Eulenspiegel's Prophezeihung auf dem [Abbildung des Oktoberfestes] in München. Preis: 4 Kreuzer. 1832«,

Mich. Lindauersche Verlagsbuchhandlung in München

13 S., 8° (BSB).

7. »Wie die Frau Vitzlibutzli und die Frau Wischiwaschi [...] als Mannsbilda vokloadt, auf dem Oktoberfest d'Leut ausrichten thäten.«, o. O., o. J.

16 S., 8° (BSB).

Unterhaltungsbroschüren, deren Witz beim Lesen in den rebusartig anstelle von Worten eingestreuten Bildern besteht. Das Oktoberfest gibt den Schauplatz ab, die Illustrationen haben aber keineswegs den Wert von Bildquellen.

Soweit diese Broschüren illustriert sind, benützte man nicht die längst übliche Lithographie, sondern den ›volkstümlichen‹ Holzschnitt, häufig in Weiterverwendung älterer Druckstöcke. Mit ihrem moralisierend-satirischen Inhalt und den antiquierten Illustrationen stehen diese Hefte in der langlebigen Jahrmarkts-Tradition der volksbarocken Kolportagedrucke zu erbaulichen oder schauerlichen Gegenständen, von geistlichen Liedern bis zu Kometenbeschreibungen.

8. Eine scharf-witzige Teufelspredigt auf verschiedene europäische Nationen und bayerische Untugenden in kurioser Verbindung mit dem Veranstaltungsprogramm des Jubiläumsfestes samt Festzugsfolge ist die Schrift »Der Zeitgeist und die Menschen, ein Sündenspiegel für die Welt. Eine Oktoberfest-Predigt, sammt der Beschreibung aller Feyerlichkeiten und lustigen Dingen. Im Kometen-Jahre 1835.«

16 S., 8°, mit einem Holzschnitt, der auch bei Nr. 3 und 4 verwendet wurde (BSB; Mon).

Destouches hatte 1910 Anlaß zu bemerken, daß sonderbarerweise das 25jährige wie auch das 100jährige Jubiläum in ein »Kometenjahr« gefallen sei. Der Besuch des Halleyschen Kometen steht Ende 1985 wieder bevor.

BK

Lit.: Destouches, Säkularchronik, S. 60
StadtAM, Hist. Ver. Bibl.

814 »DAS OCTOBERFEST auf der Theresienwiese zu München, komisch dargestellt und zur Declamation mit Begleitung der Guitarre eingerichtet von C. L. Müller, D^{ctor}. Med.«, um 1835

Lithographie, 8 Bl. in Umschlag, 35×28 cm. Auf dem Umschlag Kopfvignette: Pferderennen im Darstellungstypus nach Heinrich Adam (Kat. Nr. 59).

Der Eichstätter Carl Müller, 1825 in München promovierter Mediziner und seit 1835 Landgerichtsphysikus in Kötzting, schildert facettenreich, was die Besucher auf dem Oktoberfest erleben. In Mundart-Szenen von humoristischer Grobheit stoßen verschiedene derbe Volkstypen aufeinander, es regnet natürlich und der Hof kommt mit Verspätung. Beim Rennen siegt Krenkls Pferd; vom Glückshafen bis zum Baumklettern werden an allen Vergnügungsstätten die Leute satirisch aufs Korn genommen. Berühmt sind die Vierzeiler bei der landwirtschaftlichen Prämiierung:

»Erster Preis.
Josephus Braun, beym Wirth genannt,
Die größte Sau im Bayerland,
Bekommt als ehrenden Beweis
Der Anerkennung diesen Preis!«[...]

Das Werk erschien erstmals um 1825 und nachweislich bis 1864 in vielen »allein rechtmäßigen« Auflagen, meist ohne Jahresangabe. Seltener ist die »zur Declamation« eingerichtete Ausgabe. Sie enthält den Text mit Noten (unter Verwendung bekannter Liedmelodien) und Vortrags-Anweisungen, zum Beispiel wie das Trommeln des Bürgermilitärs, Startschuß und Pferdegetrappel zu imitieren sind oder wie beim Baumklettern der Bub akustisch langsam aufsteigt und schnell herunterrutscht.

Müllers erfolgreiche Schrift erhielt 1834 ein nachahmendes Seitenstück in dem Mundartwerk »Das Octoberfest auf der Theresien-Wiese zu München originell und humoristisch dargestellt von Eduard Müller« (Mon); dessen vermutete Identität mit Dr. Carl Müller ist nicht bewiesen. C. Müller verfaßte um 1825 ähnliche Schriften auch über die Jacobidult zu München und den Keferloher Markt.

Ein weiterer ›Nachzieher‹ ist »Das OCTOBERFEST zu München« von Dr. W. Lindner (o.O., o.J., 24 S. mit 4 lithographierten Illustrationen, 8°), einer Darstellung in zehn Szenen unter dem deutlichen Einfluß Müllers, jedoch gröblicher mit weniger Witz. Unter anderem stiehlt ein Bursche seiner Freundin die Riegelhaube, versetzt sie und vergnügt sich mit dem Geld auf der Wies'n. Teilweise werden klassische Gedichte parodiert (Die Kraniche des Ibykus; Osterspaziergang; Lied von der Glocke: »Wohltätig ist des Bieres Macht...«). Die Imitation Müllers wird besonders bei der Preisverteilung deutlich (StadtAM, Hist. Ver. Bibl.).

Als Beispiel für dieses humoristische Genre ist ferner die »Schoberl«-Humoreske von Longinus anzuführen (vgl. Kat. Nr. 212 und 401) sowie »Das Münchner Oktoberfest in 8 komischen Szenen« von Josef Schweitzer (München o.J. [1885], 14 S., mit einer Lithographie »Beim Hermann auf der Wies'n.«, 8°); die acht Episoden umfassen den Weg zur Festwiese, Preisverteilung, Wiesenbetrieb, Schützenzug, Velozipedrennen, Trabrennen, Landwirtschaftliche Ausstellung (StadtAM, Hist. Ver. Bibl.).

BK

Lit.: Bruno Müller, Das »Oktoberfest auf der Theresienwiese« und andere Münchener Dult-Gedichte von Dr. med. Carl Müller, in: Oberbayerisches Archiv, Bd. 106, München 1981, S. 267–276
MSt, 35/1021

815 Erinnerungsmedaille mit Öse, 1888

Messingprägung, ⌀ 3 cm. Bez. auf der Rückseite im Abschnitt: »LAUER«.

Auf der Vorderseite Münchner Kindl mit rundumlaufendem Schriftzug »ERINNERUNG AN DAS OCTOBERFEST«, auf der Rückseite Blick auf die Isar mit dem Gebäude der »Deutsch-Nationalen-Gewerbe-Ausstellung« im Jahr 1888, dahinter die Silhouette der Stadt.

MSt, K 8764

Kat. Nr. 816.1

Kat. Nr. 816.3

816 Oktoberfestzeitungen

1883 erschien im Verlag Marchner eine »Illustrierte Oktoberfestzeitung«, der weitere Zeitungen von anderen Verlagen in loser Reihe folgten. Die illustrierten Zeitungen mit zumeist farbigem Deckblatt informierten über das Festprogramm und andere Wies'n-Attraktionen. Für Fremde wurde auf Sehenswürdigkeiten Münchens hingewiesen. Im Anzeigenteil warben Münchner Firmen, Hotels, Vergnügungsetablissements, aber auch Festwirte und Schausteller. Angereichert wurde das Ganze von humoristischen, meist oktoberfestbezogenen Beiträgen. Neben den jährlich erschienenen Zeitungen von Hermann Roth (1893 ff.) und Benno Sailer (1910 ff.) gab es Oktoberfest-Sondernummern verschiedener Zeitungsverlage.

1. »Grüass Enk Gott! Oktoberfestnummer 1895 des Reise Onkel«
Sondernummer der »Reise und Verkehrszeitung. Internationales illustriertes Organ für Fremdenverkehr« mit »Reise Onkel. Unterhaltungsblatt der Illustrierten Reise-Blätter«, Nr. 130, 3. Jg., Nr. 39, 1895.

16 S., mit 8 S. Anzeigen, farbiges, illustriertes Titelblatt, 31,5×23,5 cm.
MSt, PL 2189

2. »OCTOBERFEST-PROGRAMM und Zeitung 1896«
3. Jg., Redaktion und Verlag von Ludwig Neumüller, München.

22 S., farbiges, illustriertes Titelblatt, 36×26 cm, Entwurf: Eugen von Baumgarten.
MSt, PL 2191

3. »Octoberfest Zeitung 1903«
10. Jg., Verlag und Redaktion Hermann Roth, München.

21 S., farbiges, illustriertes Titelblatt, 28×24 cm, Entwurf: Eugen von Baumgarten.

Florian Dering, München

4. »Münchner Oktoberfest«, 1911
Herausgeber: Josef Benno Sailer, München.

7 S., farbiges, illustriertes Titelblatt, 45,5×31 cm, Entwurf: Herrmann.
MSt, PL 2181

5. »Offizielle Münchner Oktoberfest-Zeitung«, 1926
Herausgeber: Rudi Scheidler, München.

32 S. (nicht paginiert), farbiges, illustriertes Titelblatt, 46,5×32,5 cm, Entwurf: Carl Schilling.
MSt, PL 2185

6. »Münchner Illustrierte Presse, Oktoberfest 1938«
Sonderausgabe der »Münchner Illustrierten Presse«, Herausgeber: Hermann Seyboth, München.

36 S., farbiges, illustriertes Titelblatt, 36,5×27 cm, Entwurf: »WEM ENGELHARDT«.
StadtAM, ZS

817 »Oktober-Fest 1896«, Pappschuber mit Ferrotypie Abbildung S. 390
Foto auf Eisenblech, 8,5×6,5 cm.

Die Portraitfotos auf Eisenblech stecken in einem Pappschuber mit aufgedrucktem Münchner Kindl. In den »Bosco-Photographie-Automaten« bekam man diese Bilder nach circa drei Minuten.
MSt, PuMu

818 »Photographie«-Bude von Valentin Schäfer, 1910 Abbildung S. 390
Foto.

Die Außenfassaden und den Eingangsbereich der Bude schmücken Schaukästen, in denen der Fotograf Probestücke seiner Fertigkeiten den Kunden präsentiert.
Die ›Schnellphotographien‹ konnten von den Festbesuchern sofort als Festerinnerungen mitgenommen werden.
StadtAM, Hochbauslg. XXV 617

819 Grußpostkarten vom Oktoberfest, um 1900 Abb. auch S. 395, 398, 399

Die Karten sind verschiedenen Sammlungen entnommen.
Slg. Karl Sorg; MSt; Valentin-Musäum, München

820 »Ein ›Prosit‹ vom Oktoberfest«, Postkartenentwurf, um 1920
Öl auf Spanplatte, 37×46 cm.

Blick von der Bavaria in die Matthias-Pschorr-Straße; links im Bildvordergrund zuprostendes Münchner Kindl mit Maßkrug und Radi in den Händen.

1900

um 1900

1901

1904

um 1900

1908

Kat. Nr. 819

Kat. Nr. 818

Originalentwürfe für Postkarten sind sehr selten.

MSt, 70/323/1

821 Bierglas zum Oktoberfest 1910

Höhe 20,3 cm, ⌀ 8,3 cm.

Schriftzug »Gruß aus München« umge-

Kat. Nr. 817

ben von drei Medaillons mit Münchner Kindl, bayerischem Wappen und Frauenkirche.

Spaten-Franziskaner-Bräu, München

822 Teller »Münchener Oktoberfest 1912«

Steingut, bedruckt und bemalt, ⌀ 26,5 cm, Ausführung: Villeroy & Boch, Wallerfangen.

Das Münchner Kindl hält ein Schild mit der Jahreszahl, darunter Schriftzug, darüber bayerisches Wappen, im Hintergrund die Stadtsilhouette. Ornamentale Umrahmung.

Rupert Stöckl, München

823 Halbliterglas »Oktoberfest 1912«

Glas mit Emailmalerei, Höhe 20,2 cm, ⌀ 8,8 cm; Entwurf: Franz Ringer. Bez.: »FR«.

Konisches Halbliterglas mit Fuß. Darstellung eines schmunzelnden Wirtes mit Kappe, der mit beiden Händen einen Maßkrug umfaßt. In die Umrahmung eingebundener Schriftzug »WOHL BEKOMS«.

MSt, K 78/20

824 Gruß-Postkarte mit »Muschi«-Puppe, um 1935

Farbdruck nach Ölgemälde, Kunstkarte Nr. 54 von Ottmar Zieher, München, 14×9,5 cm; Foto der Puppen

Ein Mann mit Steckerlfisch und Maßkrug, hinter ihm eine lächelnde Frau, beide in Oberländer Tracht. Zwischen diesem ›rassische Gesundheit‹ ausstrahlenden Paar erscheint grotesk eine kulleräugige »Muschi«-Puppe, Verkaufsschlager der Spielzeugindustrie dieser Jahre und gerade auf dem Oktoberfest auch anzügliches Spielzeug für Erwachsene. Charakteristisch sind der weiche Stoffkörper, die Baby-Mütze und die drei Löckchen an Stirn und Schläfen. Die »Muschis« dürften eine dem Zeitgeschmack angepaßte Weiterentwicklung der 1912 von Rose O'Neill erfundenen »Kewpie«-Puppen (von »Cupido«) mit dem neckischen Seitenblick sein, die bis nach 1925 äußerst populär waren. **BK**

StadtAM, Postkartenslg., Fotoslg.

△ Kat. Nr. 823 ▽ Kat. Nr. 824

825 Ansteckzeichen ›Jagdausrüstung‹, um 1960

Abbildung S. 392

Plastik, bemalt, 6×6 cm.

MSt, PuMu

826 Erinnerungsplakette 1960

Bronzeprägung mit Öse, ∅ 3,8 cm.

Vorderseite: Maßkrug mit Jahreszahlen »1810« »1960«, Steckerlfisch, Breze, Münchner Kindl in Wappenschild, Umschrift »150 JAHRE OKTOBERFEST MÜNCHEN 1960«; Rückseite: Ansicht vom Alten und Neuen Rathaus, Frauentürme im Hintergrund.

Privatbesitz, München

827 »Die Zwölf getroffenen und sich selbst fotografiert«

Lückenlose Serie des Festbesuchers Karl Sorg, der sich von 1960 bis 1983 jährlich auf dem Oktoberfest an einer Schießbude mit »Foto-Schießen« portraitiert hat.

Karl Sorg, München

828 Oktoberfestmedaillen 1965 bis 1984

Metall, geprägt und versilbert, mit weiß-blauem Banddreieck, ∅ ca. 3,5 cm.

Herausgegeben vom Münchner Verkehrsverein-Festring, vgl. hierzu S. 409 ff.

Münchner Verkehrsverein-Festring e. V.

829 Souvenirkrüge der Festwirte, nach 1975

Die Krüge sind normale Keferloher mit künstlerisch gestaltetem farbigem Aufdruck, der sich auf das jeweilige Fest-

Kat. Nr. 829

zelt bezieht und in der Regel den Namen des Festwirts trägt. 1975 hat sich Richard Süßmeier für sein Armbrustschützenzelt von Rupert Stöckl den ersten Krug entwerfen lassen. Inzwischen geben einige Wirte sogar jährlich neugestaltete Krüge heraus, die an einem der Souvenirstände im Festzelt verkauft werden. Allein Stöckl hat bisher 17 verschiedene Keferloher dieser Art dekoriert.

MSt, A 84/357-361

830 Offizielle Festmaßkrüge 1978–1984

Steinzeug mit farbigem Siebdruck, Höhe 19 cm, Boden ∅ 11 cm. Hersteller »FS« (1978), rastal, Höhr-Grenzhausen (1979–1984).

Das Dekor entspricht dem offiziellen Oktoberfest-Plakat des Fremdenverkehrsamts der Stadt München des jeweiligen Jahres. Auf dem Boden sind meist Name und Signatur der Künstler aufgedruckt.

MSt, A 84/356/1–6

Jubiläumskrug 1985

831 Verkaufsstände für Souvenirs vom Oktoberfest, 1984

Fotos.

Neben den Händlern mit fliegenden Ständen gibt es entlang der Wirtsbudenstraße Unmengen von Andenkenläden und Souvenirständen, die als städtische Buden verpachtet sind. Das Angebot reicht von obligatorischen Festkrügen über T-Shirts, Herzerl, Stofftie-

Kat. Nr. 827

Kat. Nr. 827

Kat. Nr. 827

Kat. Nr. 825

re und Postkarten bis hin zu kuriosen Schlüsselanhängern, »I-bin-a-Bayer«-Schirmmützen, rosaroten Glücksschweinen, Schaumgummihämmern, Luftballons und Krieg-der-Sterne-Figuren. Je nach Geldbeutel, Käuferlaune, Betrunkenheitsgrad oder quengelnden Kindern finden sich für E.T., grüne Papptrachtenhüterln mit Feder oder für Drakula-Gebisse geeignete Abnehmer. Die am Ende eines Tages zahllos herumliegenden ›Kostbarkeiten‹, die als buntes Beiwerk unter anderem in Müllcontainern optisch herausfallen, sind Anzeichen für den rapiden Begeisterungsschwund, den diese Gegenstände – bei längerem Herumtragen – auslösen.   SP

MSt, PuMu

Kat. Nr. 833

832 Andenken-Maßkrug »Gruß vom Oktoberfest!«, 1984 im Verkauf
Steinzeug, Höhe 19 cm, Boden ⌀ 11 cm.

Darstellung eines zweispännigen

Kat. Nr. 831

Brauereiwagens vor der Kulisse von Frauenkirche, Altem Peter und Rathausturm. Das Bild ist umgeben von den Zeichen der sechs auf dem Oktoberfest vertretenen Brauereien mit jeweiliger Unterschrift »AUGUSTINER-BRÄU / SPATENBRÄU / PAULANERBRÄU / HACKER- PSCHORRBRÄU / HOFBRÄUHAUS / LÖWENBRÄU«.

MSt, A 84/331

833 Lebkuchenherzen, Lebkuchenfiguren, Schokoladeherzen, 1984

Höhe 10–44 cm, Gewicht 100–600 g. Herstellerfirmen: Becker, Uelzen; Kramer, Walldürn; Pahn, Lemgo; Schmidt, Mainbernheim; Tschernich, München; Weiß, Neu-Ulm.

Lebkuchenherzen: Konturen, Dekor und Schrift aus bunter Eiweiß-Spritzglasur. Aufschriften: »Herzliche Grüße vom Oktoberfest« / »Gruss vom Oktoberfest« / »Oktoberfest« / »Ich hab Dich lieb« / »I love you!« / »Ich liebe Dich« / »Alte sei friedlich« / »Dufte Biene«. Mit runder Persipan-Auflage: Pin-up-girl auf Motorrad und Aufschrift »Es gibt noch viel zu tun, mach mich an« (Parodie auf die Mineralöl-Werbung »Es gibt viel zu tun. Packen wir's an!«). Mit herzförmiger Persipan-Auflage »Komm

Kat. Nr. 839.1, 844

Kat. Nr. 835

zu mir, ich verschlumpf Dich« und Schlumpf-Figur. Mit Persipan-Herz »Glücklich sein heißt das Leben mit Dir zu verbringen« und Sarah-Kay-Figuren. In rotem Cellophan mit buntem Aufkleber »Eins Zwei Drei! g'suffa!«. Mit in der Mitte eingelassener Gebäckkapsel, darin Plastikfigürchen »Pumuckl«.
Lebkuchenfiguren mit bunter Eiweiß-Spritzgarnierung: Münchner Kindl, Kopf aus Papier aufgeklebt; Maßkrug »Gruß vom Oktoberfest«; »Schlumpf«; »Micky Maus«.
Schokoladenherz in Cellophan mit Aufkleber »Gruß aus München« und Darstellung der Bavaria.
Nach der Erfahrung der Hersteller verkaufen sich die Herzen mit ›altmodischen‹ Sprüchen und Motiven besser als die ›modernen‹. Aus der Mode gekommen sind die früher heißgeliebten »Guatlketten«, in halbtransparentes Papier fortlaufend gewickelte klebrigbunte Bonbons zum Umhängen.

834 Aufkleber »OKTOBERFEST MÜNCHEN« (Umschrift), 1984 im Verkauf

Selbstklebende Alufolie, bedruckt, auf Schutzpapier, ⌀ 8 cm.

MSt, A 84/350

835 T-Shirts, 1984 im Verkauf

Farbiger Druck oder Applikation auf Baumwolltrikot.

»Oktoberfest München 22.9.–7.10.1984« und Darstellung eines Wies'n-Besuchers mit Trachtenhut von hinten (nach dem offiziellen Oktoberfestplakat 1984).

»München Oktoberfest Löwenbräu« und Löwenbräu-Emblem.

»Oktoberfest Bavaria München« und Darstellung eines Brauereigespanns vor der Stadtsilhouette.

»Oktoberfest München« und Hofbräuhaus-Emblem.

»Oktoberfest / It's enough / I hab gnua / München« und Darstellung eines Bilderbuch-Bayern mit gefülltem Maßkrug.

»Oktoberfest München« und Brauereizeichen (Augustiner, Löwenbräu, Hacker-Pschorr, Hofbräuhaus, Spaten, Paulaner).

MSt, A 84/345/1–6

Kat. Nr. 836

836 Schlüsselbrett »Oktoberfest München«, 1984 im Verkauf

15×20,5 cm.

Postkartenfoto der Bavaria in Medaillon, Bergpickel, Rucksack mit Kuhglocke, montiert auf ›rustikal‹-holzimitierende Kunststoffplatte mit Kette zum Aufhängen.

MSt, A/343

837 Schlüsselanhänger, 1984

4,3×7 cm, »Made in England«.

Eingelassen in einen fernsehschirmförmigen Plexiglasrahmen ein individuelles Erinnerungsfoto. Auf der Rückseite Darstellung des Armbrustschützenzeltes mit Aufschrift »1984 Oktoberfest MÜNCHEN Armbrustschützenzelt Festwirt Richard Süßmeier«. An den Rahmen angenietete Schiebehülle aus Kunstleder, Kroko-Imitation, Kette mit Schlüsselring.

Die Fotos werden in den Bierzelten mit einer Sofortbild-Kamera auf Bestellung, sehr oft aber auch ohne Wissen des anvisierten Käufers aufgenommen. Der rasch fertig montierte Schlüsselanhänger wird dem Abgebildeten zu seiner Überraschung angeboten. Um Peinlichkeiten zu vermeiden, bezahlt der Überrumpelte dann meist den teuren Spaß.

MSt, A 84/351

838 Stocknägel, 1984 im Verkauf

»OKTOBERFEST MÜNCHEN«
Blech, gedrückt, 3,4×4,1 cm, Vierpaß quer.

»Oktoberfest MÜNCHEN«
Blech, gedrückt, 3,8×3 cm, Vierpaß hoch.

MSt, A 84/347/1, 2

839 Andenkenbretter, 1984 im Verkauf   Abbildung S. 393

1. »Gruß vom Oktoberfest«
   Auf schrägem Fichtenstammabschnitt mit Borke ist ein zweispänniger Brauereiwagen aus plastischem Kunststoff-Guß (Zinn-Imitation) aufgenagelt.
   17×37 cm.

2. »Grüße vom Oktoberfest«
   Auf schrägem Fichtenstammabschnitt mit Borke sind drei Ansichtskarten mit Oktoberfestmotiven (Augustiner-Festhalle, vierteilige Ansicht mit Münchner-Kindl-Medaillon, Löwenbräu-Prunkgespann) aufgezogen, die Übergänge durch aufgespritzte und gestupfte Birken verdeckt. Durchgehend aufgespritztes Himmelsblau verbindet die drei Bildchen zu einem ›Gesamteindruck‹.
   19×52 cm.

MSt, A 84/344, 345

840 »PLASTISKOP München – Oktoberfest«, 1984 im Verkauf

Kunststoff, 4,5×5,5×2,5 cm.

Farbiges Gehäuse in Form eines Fernsehgerätes, im Bildschirm Ansicht einer Budenstraße, auf der Rückseite Linse zum Betrachten von acht Miniatur-Diapositiven nach Postkartenansichten von Wies'n-Motiven. Unten Druckknopf zum Weiterbewegen der Dia-Scheibe. Die Bildvorlagen sind etwa zehn Jahre alt.

MSt, A 84/349

841 Flaschenöffner »OKTOBERFEST MÜNCHEN«, 1984 im Verkauf

Metallguß, vierfarbig handlasiert, Länge 10,5 cm.

Flaschenöffner mit Rosendekor (Relief) und Öse. Griff als Vierpaß-Medaillon gestaltet mit Reliefdarstellung eines Brauereigespanns vor der Stadtkulisse.

MSt, A 84/348

842 Stohhut mit Papierhutband »Gruß vom Münchner Oktoberfest«, 1984 im Verkauf

9,5×30 cm.

Auf dem Band Münchner Kindl, Fahnen und nahrhafte Wies'n-Symbole.

MSt, A 84/352

843 Stirnband, 1984 im Verkauf

Breite 3,5 cm.

Stretchband mit Frottee-Innenseite, Aufdruck »MÜNCHEN OKTOBERFEST« und Brauereizeichen Hofbräuhaus.

MSt, A 84/353

844 Souvenirgegenstände mit identischem Schmuckmotiv, 1984 im Verkauf   Abbildung S. 393

Unterschiedliche Gegenstände, die an sich nichts mit dem Oktoberfest zu tun haben, werden durch ein austauschbares Abziehbild- bzw. Siebdruckdekor zum »Gruß vom Oktoberfest!«. Dargestellt ist ein Prunkgespann vor der Kulisse von Fernsehturm, Frauenkirche und Rathaus. Träger dieses Motivs sind zum Beispiel ein Zierteller mit blauschattiertem Rand und Golddekor, ein Glas-Maßkrug, ein Weinglas in Römerform mit grünem Fuß, ein Aschenbecher aus Glas, ein Miniatur-Andenkenkrug aus Porzellan.

MSt, A 84/332, 337, 2, 338, 341, 342

845 »BEKANNTMACHUNG. Das Mitnehmen oder mutwillige Beschädigen von Bierkrügen wird strafrechtlich verfolgt. Der Polizeipräsident der Landeshauptstadt München. Wir verkaufen gerne die Bierkrüge. Bitte fragen Sie die Bedienung.«

Typendruck auf Karton, 61,5×43 cm.

Darunter derselbe Hinweis auf englisch, französisch und italienisch. Auf dem Oktoberfest 1984 in Gebrauch.

MSt

Gruss vom Oktoberfest!

A Rennats dös is hält
A sakrische Freud;
D'Bavaria reit a mit, —
Die hat halt a Schneid.

BAVARIA beim RENNEN.

Verlag von Jos. Seiling, München. Nr. 110

Kat. Nr. 819

»Senden Dir die herzlichst. Grüße von jenen bekannten Festgetrubel!«

Bildpostkarten vom Oktoberfest

In ihrer Ausgabe vom 6./7. Oktober 1984 meldete die Süddeutsche Zeitung: »Bierselige Besucher verschicken vom Wies'n-Postamt an jedem Werktag im Durchschnitt 40000, an den Wochenenden sogar bis zu 135000 Grüße in alle Welt. Dennoch gehen maximal nur 15 Prozent der Sendungen ins Ausland, heuer übrigens auffallend viele nach Italien. 95 Prozent der aufgegebenen Post sind Ansichtskarten mit allen möglichen Motiven und oft Dutzenden von Unterschriften.«

Das Schreiben und Versenden einer Ansichtskarte vom Oktoberfest gehört gewissermaßen zum brauchtümlichen Programm eines Wies'n-Besuchs, schriftliche Mitteilung und Promulgation über den Vollzug eines sich regelmäßig wiederholenden Vorgangs: »[...] sende Dir zum Beweise hiefür eine Karte, damit du siehst wie es bei mir zugeht.« (1897)[1] Geschrieben wird, wenn man zufällig Freunde oder Verwandte trifft, und dies gemeinsamen Bekannten mitteilen möchte: »[...] Habe Vaterln getroffen u. habe auf Dein Wohl ein Wiesenmaß im Löwenbräu getrunken.« (1927) Häufig sind auch die fast stereotypen Ausdrücke des Bedauerns »[...] Vergessen wir Euch heute nicht bei größter Hetz und Gaudi. Ich wöllt ihr könntet bei uns sein!« (1911) bzw. Einladungen, doch auch zur Wies'n-Zeit nach München zu kommen. Testiert wird stolz der eigene Bierkonsum: »Habe mich in München ganz eingelebt. Hier eine Ansicht von dem berühmten Oktoberfeste, wo ich heute zum ersten Male war

und 3 Maß Bier auf ihr Wohl getrunken habe. [...]« (1904) Die Kunstanstalt Emil Männer bringt ab 1900 Karten heraus, die wie Ehren-Urkunden gestaltet sind und einen vorgedruckten Text haben, in den der Absender nur noch die getrunkene Anzahl von Maß zur Ergänzung eintragen muß. Ansonsten sind die handschriftlichen Mitteilungen eher spärlich. Dominierendes Thema ist neben dem großen Gedränge vor allem das (schlechte) Wetter, das auch als Bildmotiv auf den Ansichten von Oktoberfestkarten gute Tradition ist: »[...] Wetter ist kalt und naß. Wir trinken viel Maß.« oder »Heute haben wir den ersten schönen Tag, aber auf alle Fälle nimm bitte auch deinen steifen Hut mit, gel, denn ich glaube das Wetter hält nicht an«. Eine Karte der Lithographischen Anstalt Ludwig Zrenner (ca. 1896) bezieht sich auf diese kritische Situation, wenn es regnet auf der Wies'n: Besucher im Freien sind dabei, nicht sich, sondern den Inhalt ihrer Maßkrüge zu schützen. Eine Karte der Firma Rosenhain (1901) zeigt eine verregnete Budenstraße, Kinder liegen in den Pfützen, Damen schürzen ihre Röcke, ein paar Herren mit Schirmen und in Paletots beobachten genießerisch. Zwischen 1900 und 1913 finden sich auf den Karten häufig Hinweise auf eine besondere Leidenschaft des Adressaten: »Zur Bereicherung deiner Sammlung, sende Dir diese offizielle Ansichtskarte vom Oktoberfeste« (1912) und »[...] wäre schließlich nicht einmal aufs Oktoberfest gegangen, nur daß ich dir eine Karte davon hole, daß Du auch was davon hast« (1913).[2]

München spielt für die Frühgeschichte der Bildpostkarte eine ganz besondere Rolle. Lange Zeit galt Ludwig Zrenner (Lithographische Anstalt, Münzstraße 8) als ihr Erfinder. So taucht in der Literatur sein Name in Verbindung mit einer Serie illustrierter Korrespondenzkarten aus dem Jahr 1872 auf. Dies wäre in der Tat ein sehr frühes Datum, eine Art »Schwarzer Einser« der Postkarte, denn die Einführung der allgemeinen (leeren) Postkarte geschah nur drei Jahre vorher, nämlich 1869/70. Starke Zweifel an diesem Termin erscheinen aber angebracht. Zum einen sind in den vom Verfasser eingesehenen Sammlungen Karten von Zrenner erst ab 1883 zu finden, just in dem Jahr, in dem auch sein Name zum ersten Male in den Münchner Adreßbüchern auftaucht. Zweitens scheint Zrenner selbst an dieser Legende mitgewirkt zu haben, vermutlich durch mehrere nachträglich hergestellte Karten, zum Beispiel zwei Motive anläßlich der Kunst-Ausstellung 1876 im Glaspalast. Die Art und Steifheit des Papiers, der Stil der Ornamente und vor allem die völlig unübliche zusätzliche Datierung hinter der Lithographen-

---

[1] Alle Texte stammen von gelaufenen Karten aus den Sammlungen der Herren Karl Sorg und Adolf Kugler, denen hiermit herzlich gedankt sei. Ferner wurden gesichtet die Bestände im Valentin-Musäum (Herr Hannes König), Stadtmuseum und Stadtarchiv München.
[2] Über das Sammeln von Bildpostkarten: Wolfgang Till, Alte Postkarten, München 1983, S. 7 ff.

adresse, lassen diese Ausgabe als suspektes Machwerk erscheinen. Zrenner scheint sie bis etwa 1920 als Beweis für seine Erfinderschaft verkauft zu haben. Immerhin feiert er 1929 mit seinem Postkartenstand auf dem Oktoberfest (bei der Bavaria in der Nähe des Thomasbräu-Zelts) das 50jährige Wies'n-Jubiläum. Dort verkaufte er zunächst seine eigenen Lithokarten, später die in anderen Verfahren hergestellten Karten fremder Verlage. Noch im selben Jahr stirbt er, und der »Illustrierte Sonntag« widmet ihm unter dem Titel »Tragisches Geschick« den folgenden Nachruf: »Der Münchner Lithograph Ludwig Zrenner hat vor 50 Jahren nach langem Widerstreben der Postverwaltung, den Gebrauch der Ansichtskarte durchgesetzt und dürfte damit als deren Erfinder gelten. Der Begründer einer blühenden und viele Tausende von Menschen beschäftigenden Industrie ist dieser Tage arm und vergessen in München gestorben. Das alte Lied: Erfinderlos.«

Die bislang älteste Münchner Bildpostkarte mit gesicherter Datierung ist in den untersuchten Sammlungen eine Darstellung des Restaurationszeltes Eckel auf dem Festplatz des 7. Deutschen Bundes-Schießens von 1881 (StadtAM). Die Frühzeit[3] der in München hergestellten und vertriebenen Ansichtskarten (1881–1896) verdient eingehendere Nachforschungen angesichts der Bedeutung Münchens als Druckerstadt. Zum Beispiel verzeichnet das Adreßbuch von 1902 allein unter den Herstellern von Ansichtskarten 29 Firmennamen, nicht gezählt die vielen übrigen Lithoanstalten und Druckereien, die gelegentlich Postkarten herstellten.

Karten mit Darstellungen, die sich auf das Oktoberfest beziehen, gibt es merkwürdigerweise erst seit 1896, also in dem Jahr, mit dem das »Goldene Zeitalter« der Bildpostkarte in Europa einsetzt. Das verwundert, weil es etwa Karten vom Hofbräuhaus in vielen Varianten seit 1883 gibt. Aber auch für den Schäfflertanz 1886 (bei Ludwig Zrenner), die Zentenarfeier Ludwigs I. (womit die Firma Zieher 1888 ins Postkartengeschäft einsteigt), die Kunstgewerbe-Ausstellung von 1888 und für das VII. Deutsche Turnfest, das 1889 auf der Theresienwiese stattfand, wurden eigens Ansichtskarten hergestellt.

Dennoch gibt es auf einer Karte aus dem Jahr 1888 eine Darstellung vom Oktoberfest, und zwar vom Pferderennen. Diese sehr seltene Karte stammt, wie aus dem rückseitigen Stempel hervorgeht, aus der Sammlung Karl Valentin (heute StadtAM). Im Bild befindet sich der Name der Klischeeanstalt Oscar Consée, München, und eine Seriennummer. Aus dem Vergleich mit anderen, im Stil sehr ähnlichen Karten kann man auf Wilhelm Loos als Verleger schließen. Er publizierte 1888 eine erste Münchner »Gruss aus«-Serie, für die unter anderen Lothar Meggendorfer die Entwürfe zeichnete. Diese Serie, und somit auch die betreffende Karte (deren Verwendungsdatum auch außerhalb der Oktoberfestzeit liegt), wurde nicht für einen bestimmten Anlaß, sondern wahrscheinlich als allgemeines München-Motiv hergestellt.

Kat. Nr. 819   (1888)

Der Zeitraum von 1896 bis etwa 1905 wird beherrscht von Lithokarten nach gezeichneten oder gemalten Vorlagen, meist mit mehrteiligen Darstellungen.[4] Sie sind im Typus den in ganz Deutschland verbreiteten Jahrmarktskarten verwandt, die allgemeinere, nicht lokalbezogene Situationen zeigen, und erst am jeweiligen Verkaufsort den betreffenden Eindruck in Buchdruck oder durch Stempelung erhielten. Beispielsweise gibt es eine vom vielbeschäftigten Atelier Arthur Thiele in Leipzig entworfene Oktoberfestkarte, die in keinem Detail auf die lokalen Umstände eingeht. Solche »Blankokarten« mit Gummistempelung gibt es für das Oktoberfest aber nicht allzu häufig, denn schon sehr bald scheint die Herstellung spezieller, nur auf das hiesige Fest bezogener Karten lukrativ geworden zu sein. Neben dem schon erwähnten Ludwig Zrenner spielt die Kunstverlags-Anstalt Carl Otto Hayd eine hervorragende Rolle. Qualitativ wie quantitativ beherrschend wird allerdings rasch der Verlag von Ottmar Zieher. Zieher ist der »Ansichtskartenkönig« von München, mit besten Beziehungen zu Künstlern und Gesellschaft. Seine Kunst- und Heliocolorkarten gehören zu den von Sammlern gesuchtesten und geschätztesten Stücken, die nur noch von den gleichzeitigen Produktionen der Wiener Werkstätten überboten werden. Ottmar Zieher, 1857 in Schwäbisch-Gmünd geboren, eröffnete 1880 in der Damenstiftstraße 6a eine Agentur und firmiert als »Papier- und Couvertenhändler«. 1882 erfolgt die Verlagsgründung und Eröffnung eines Ladens in der Sendlinger Straße 1 (Ruffinibazar). Ab 1911 gibt es einen auf Ansichtskarten spezialisierten Laden am Altheimer Eck 11. Zieher gewinnt für die Entwürfe junge vielversprechende Künstler: Zeno Diemer, Paul Hey, Heinrich Kley, Fritz Bergen und viele andere. Er bleibt Verleger, gedruckt werden seine Karten in Leipzig, das enorme Druckkapazitäten besaß, oder in München, zum Beispiel bei Karl Stücker und Hubert Köhler. Nach seinem Tode 1924 übernimmt Ottmar Zieher jun. den Verlag, der mit dessen Tod 1952 aufgelöst wird.

Ab 1897 dienen auch Fotos als Druckvorlagen (zuerst beim Verlag Theodor Jäger), ab 1903 treten verstärkt Fotokarten (zum Teil auch Fotomontagen) mit relativ langweiligen Darstellungen (zum Beispiel Innen- und Außenansichten einzelner Festzelte) an die Stelle der phantasievollen Lithokarten der Frühzeit. Besonders Franz Josef Hubers Postkartenhaus ist auf dieses Genre spezialisiert. 1898 erscheint, allerdings noch lithographiert nach künstlerischer Vorlage, eine schöne Serie mit einzelnen Bierzelten bei der »Act. Ges. Münchner Chromolith. Kunstanstalt«. 1899 gelangt die erste klappbare Panoramakarte in doppeltem Format in den Verkehr, ihr folgt 1901 eine dreiteilige Karte. Daneben gibt es in verstärktem Maße Luxus- bzw. Prägekarten und Passepartout-Karten. Den absoluten Höhepunkt in der Produktion bildet das Jubiläumsjahr 1910: »Daß der Ansichtskartensport bei der Jahrhundertfeier des Münchener Oktoberfestes ganz besonders auf seine Rechnung gelangt, war von Anfang an vorauszusehen und haben, außer dem Landwirtschaftlichen Verein selbst, eine Anzahl von Firmen, wie Ottmar Zieher, Huber, Schneider, Pettendorfer usw. auf dem Plane sich eingefunden. Erstgenannte Firma, welcher vom Magistrat und Festausschuß auch die Herstellung der offiziellen Postkarten übertragen worden war, hat nicht weniger denn 120 verschiedene, teils in Farb- oder Lichtdruck, teils in Kupferdruck-Imitation ausgeführt und in Handel gebracht.«[5] Die offizielle Serie bestand aus Reproduktionen historischer Darstellungen aus dem Stadtmuseum. Karten vom Oktoberfestbesuch des Prinzregenten (1910) oder des Prinzen Ludwig (1913) sollten wohl auch die vielen Sammler und Liebhaber dynastischer Motive ansprechen. Angeregt durch die vor allem finanziell erfolgreiche Kartenemission für die Ausstellung München 1908, erscheinen im selben Jahr zum ersten Mal Jugendstilentwürfe von Künstlern, die ihre Fähigkeiten für das Plakat auf das kleinere Format der Karte übertragen, zum Beispiel von Otto Obermeier (1883–1958) und Max Luber.

Nach dem Ersten Weltkrieg ist die Leidenschaft für die Bildpostkarte so plötzlich erloschen, wie sie vorher gekommen war. Der künstlerische und drucktechnische Verfall ist rapid. Auch für die Karten vom Oktoberfest trifft das zu. Zwar legt der Verlag Zieher weiter Motive aus der Vorkriegszeit auf, jedoch in sichtlich bescheidenerer Qualität. Die alten Druckverfahren waren auf einmal zu kostspielig geworden. Bemerkenswert sind lediglich die Fotokarten von Georg Pettendorfer. Diese Fotos, erkennbar am Prägestempel »G. Pettendorfer, Stettmayer Nachf. München. Zweibrückenstr. 5«, waren schon seit 1910 auf dem Oktoberfest erhältlich. Aber erst in den zwanziger Jahren bekommen die Aufnahmen größeren dokumentarischen Wert: Es gibt jetzt Bilder einzelner Fahrgeschäfte, von Schaubudenfassaden und anderen bisher auf Postkarten nicht wiedergegebenen Details.[6] Pettendorfer verstand seine fotografische Arbeit ziemlich modern. So fotografierte er Typen und Sonderlinge, die »Pe-

Ludwig Zrenner

Ottmar Zieher

tits Metiers«, also das Kleingewerbe (zum Beispiel den Kräutersammler Josef Mutzbauer, Kellnerinnen, den Sägefeiler Robl oder den Zeitungsverkäufer Neher, genannt »Kukkuck«) und versteckte Alt-Münchner Plätze.

Ab 1928 erscheinen beim Verlag Emil Köhn wieder gemalte Karten, zum Beispiel Stimmungsbilder aus den Bierzelten von F. Schlemo, deren Stil im Prinzip bis heute erhalten geblieben ist.

Das Jubiläum 1935 bietet nochmals Anlaß für eine Jubiläumskarte, die der Verlag Andelfinger herausgab (Entwurf: Edmund Liebisch). Nach dem Krieg erscheint 1947 erstmals wieder ein bescheidener Druck (A. Pötzschel), seither dominieren gemalte Bier- und Juxkarten neben simplen fotogra-

---

[3] Die Zeit bis 1896/97 gilt in der Literatur als Frühzeit. Statistische Auswertungen ergeben für diesen Zeitpunkt einen gewaltigen Anstieg gelaufener Karten; zugleich hatte sich mit der querformatigen »Gruß aus«-Karte mit mehreren kleinen Motiven ein gewisser Grundtyp herausgebildet.

[4] Viele Beispiele im Album: »Oktoberfestgrüße«. Historische Postkarten gesammelt und herausgegeben vom Stadtarchiv München. München 1981. (Enthält 60 Reproduktionen alter Vorlagen.)

[5] Destouches, Gedenkbuch 1912, S. 22.

[6] Fotografie auf dem Oktoberfest: Bayrischer Landbote vom 8. Oktober 1841: »Das bunte bewegte Leben auf der Theresienwiese am Oktoberfest hat schon viele Zeichner in Bewegung gesetzt und große und kleine Abbildungen sind davon erschienen. Der damals hier anwesende Maler Isenring aus St. Gallen hat diese Festzeit auch benützt und am Sonntag versuchsweise mehrere Lichtbilder mit dem Daguerreotyp aufgenommen, in einer Secunde gewonnen und in der Größe von 3 Zoll Höhe und 4 Zoll Breite, also auf ganz kleinen Raum gedrängt, können sie wohlinteressant genannt werden.« (Zitat nach: Heinz Gebhardt, Königlich bayerische Photographie, 1838–1918, München 1978, S. 76)

Kat. Nr. 819   (1911)

fischen Motiven von der Theresienwiese (unter anderem vom Verlag August Lengauer). Das neuerwachte Interesse an der Bildpostkarte bei Sammlern und Wies'n-Besuchern wird das ziemlich erstarrte Angebot hoffentlich bald positiv beeinflussen.

Verkauft wurden und werden Ansichtskarten auf dem Oktoberfest in Ständen oder durch fliegende Händler mit Bauchladen oder Kartenständer. Auf einer Ansicht von 1897 (Stadt-AM) ist im Getümmel ein solcher Bauchladenhändler zu sehen. Gelegentlich scheint aber diese Art des Verkaufs überhand genommen zu haben. Von einer Zieher-Karte des Jahres 1905 grüßen bierkrugschwenkende Männer von ihren Hochsitzen auf den Fahnenmasten, während sich unter ihnen die fliegenden Händler tummeln: »Gegen die Hausierer Hetz Gibts schon reservierte Plätz.« (Kat. Nr. 673) In der Regel tragen auf dem Oktoberfest gekaufte Karten einen inoffiziellen Stempel, ab 1897 etwa mit dem Text »Aufgabeort Oktoberfest«, der den Besuch der Wies'n damit gewissermaßen zusätzlich bestätigte. Spätere Rundstempel zeigen neben der Datierung ein stilisiertes Münchner Kindl. Ein eigenes Postamt gibt es erstmals im Jahre 1904.

»Bayerns Gebirgs- und Landvolk auf der Wiesen« zeigt eine Lithokarte »Gruß vom Oktoberfest« aus dem Jahr 1897 (Kunstverlagsanstalt C. O. Hayd). Die Darstellung könnte Brockhaus' Konversations-Lexikon entnommen sein, erinnert sie im Aufbau doch sehr stark an Chromolithotafeln wie »Afrikanische Völkertypen« und ähnliches. In der Tat bot die Wies'n dem zivilisierten Städter die Möglichkeit zur hautnahen Begegnung mit der aussterbenden »Urbevölkerung«. Stellvertretend für diese stand um die Jahrhundertwende prototypisch der Dachauer Bauer, der »Unterländer«. Wegen seiner Tracht war er ein Motiv für Maler (Dachauer Bauern warteten auf dem Modellmarkt an der Akademietreppe), wegen seines Dialekts ein Vorbild für Volkssänger (Weiß Ferdl und Konrad Dreher) und wegen seines originellen Verhaltens eine Witzfigur für die »Fliegenden Blätter« und

den »Simplicissimus«, wo der Zeichner Josef Benedikt Engl das Dachauer Milieu pflegte. »Mir san Gscheerte, koane Gelehrte« war das Motto der »Dachauer Kapelle« im »Platzl«.[7] So zeigt eine Karte (ca. 1898) das Aufeinandertreffen von Dachauer Bauersleuten mit »Stadtfräcken« in den Gondeln des Riesenrades. Der Maler Tony Welzl läßt eine vornehme Dame zum Riechfläschchen greifen, während ihre Begleiterin indigniert durch ihr Lorgnon auf eine ethnische Gruppe blickt, die mit einer Sau aufs Landwirtschaftsfest gekommen ist. Auch auf Postkarten mit Massenszenen macht man stets den malerischen »Gscherten« aus, der wie ein Korken im Wasser auf der Menge schwimmt, sich nicht zurechtfindet und lieber, ob des ungewohnten Gedränges verstört, etwas abseits steht.

Antisemitische Couplets, Parodien und Imitationen von Juden gehörten zum Standardrepertoire der Münchner Volkssänger, zum Beispiel bei Karl Maxstadt. (Es fällt auf, daß Karl Valentin von solchen Nummern stets Abstand genommen hat.) Emil Kneiß (1867–?), in seinen gezeichneten Witzen stark dem Volkssängerhumor verpflichtet, ist Autor einer Oktoberfestkarte, die jüdische Festbesucher vor dem Stand eines Isaak Knoblauch zeigt, der koschere Gänse am Spieß verkauft.

»Früh übt sich bei Zeiten – / Dös sieh'st schon von Weitem, / Wie bei so'n Münchner Kind / Dös Bier rasch verschwind.« steht als Spruch auf einer Zieher-Karte von 1909. Biertrinkende Kinder gehören zur Grundausstattung eines stereotypen Bayernbildes, speziell auch zu den Gepflogenheiten eines richtigen »Münchners«. Weiß Ferdls Lied von der Linie 8 ist so ein Beispiel für ein Konglomerat von altgedienten Vorurteilen, zutreffenden Beobachtungen, leiser Kritik, aber eben leider auch sympathisierender Zustimmung für ein Verhalten, das nicht zu billigen ist. Eine andere Karte (Zieher, 1902), »Ein Wiesen Idyll« von Eugen von Baumgarten (1865–1919), zeigt eine Familie mit vier Kindern vor der Silhouette der Theresienwiese beim gemeinsamen Biertrinken. Nicht früh genug kann damit begonnen werden, schon die Wickelkinder trinken:

> »In München zur Wiesenzeit
> Jeder Bamsen gut gedeiht
> Hast du solche Stücka vier
> Legst d'as unters Tropfabier.«

Der Mißstand, daß Bier auf der Wies'n leichter erhältlich ist als alkoholfreie Getränke, wird positiv umgedeutet: Man kann nie früh genug damit beginnen, ein richtiger Bayer/Münchner zu werden.

Hin und wieder werden aber doch auch die üblen Folgen eines Bierrausches angesprochen oder wenigstens ange-

---

[7] Siehe Benno Hubensteiner, Der Zeichner Josef Benedikt Engl, München o.J., S. 83 ff.

1910

1901

um 1895

1900

1898

um 1900

deutet. Eine Zieher-Karte von 1899 zeigt den Abtransport einer Bierleiche durch die Angehörigen. Erschütternd realistisch ist die »Heimkehr von der Wiesen« aus dem Verlag C. O. Hayd (um 1897): Eine Frau bringt ihren betrunkenen Mann im Kinderwagen nach Hause, zwei andere hängen an einem Telegrafenmast, einer liegt am Boden und faßt sich an den vollen Kopf, und ein besonders schwer getroffenes Opfer übergibt sich vor dem Schaufenster eines Modesalons. Ungemütlich! »Der Kunstverächter« (Lithokarte um 1905) gar, ein angetrunkener Fuhrknecht, übergibt sich vor einer Plakatwand, an der gerade für einen Beethoven-Zyklus im Odeon geworben wird. Genau dieselbe Idee steckt übrigens hinter einer Fotokarte von Hias Schaschko (Regenschein-Verlag 1980): Neben einer Tafel mit der Aufschrift »Frische Weißwürste« sind deutlich die Spuren eines Bieropfers zu sehen. Logischerweise wurde dieses Foto als nicht dezent empfunden und führte zu Protesten aus Kreisen der Münchner Wirte.

Erotische Anspielungen auf Oktoberfestkarten sind spärlich und beschränken sich meist auf zweideutige Formulierungen im Text: (an der Schießbude) »Bitte mein Herr versuchen Sie's mal mit meiner Büchse.« (1896) oder (am Lukas) »Plag dich net so Alter, nauf bringst'n doch net!« Allerdings gibt es eine 1899/1900 bei Konrad Fett erschienene Serie, die deutlich darauf hinweist, daß es auf der Wies'n nicht nur zur Begegnung von Stadt- und Landvolk, zur Verbrüderung von feinen Leuten mit Gscherten kommt, sondern auch Gelegenheiten zu amourösen Abenteuern existieren. Titel wie »Bei solchen Mädels fesch und dick…« oder »Ein verlockender Wink« mögen die Tendenz angeben. Lange haben sich solche Serien jedoch nicht gehalten. Erst neuerlich, in den 1960er Jahren, sind Derbheiten und Anzüglichkeiten in der Form allgemeiner Scherzkarten wieder zurückgekehrt.

Dauerhafter sind Themen bzw. Motive wie Bier, Maßkrug, Tracht, Dackel, das »Münchner Kindl« und natürlich die Bavaria. Als »Traum eines Münchners« serviert die Monumentalfigur auf einer Karte von 1913 als riesige Kellnerin Bier und Brezen. »Kruzitürken, do war i ja. Prosit sollst leben Bavaria.« (1900) Auf einer Karte von 1907 ist die Bavaria Ausgangspunkt einer überdimensionalen Rutschbahn. Auf einer Heliocolorkarte von Zieher springt der erzürnte Löwe vom Postament, um endlich auch zu einer Maß Bier zu kommen (Kat. Nr. 618.4). Der Verlag Josef Seiling bringt 1899 eine eigene Bavaria-Serie heraus, mit Zeichnungen von L. Bechstein und kleinen Gedichten mit Titeln wie »Bavaria beim Rennen« oder »Beim Schuhplatteln«.

Der »Verband zur Bekämpfung betrügerischen Einschenkens e.V.« brachte 1904/05 mindestens zwei Karten zum Dauerthema »Unterschank« heraus. Auf »Schenkkellner's Traum« schwebt, von einer Wolke umsäumt, das Bild vom »Grand Hotel« über dem Bierfaß, während der Mann darunter im Begriffe ist, der Erfüllung dieses Wunsches wieder einige Zentimeter näherzukommen. Der Hinweis »Nicht genügend gefüllte Krüge dürfen an der Wasserleitung nachgefüllt werden.« findet sich auf einer Karte des Verlags J. Moch. Von einem der meistbeschäftigten Postkartenkünstler der Zeit vor dem Ersten Weltkrieg, P. O. Engelhardt, stammt die Darstellung eines unter Polizeiaufsicht arbeitenden Schenkkellners: »Hier kriagst Freund a ›volles‹ Massl aus dem gut bewachten Fassl!« (1907) Auch vom Verlag Zieher gibt es einen höchst geistreichen Beitrag zu diesem Thema: Eine Schaubude mit Ausrufer und der Ankündigung: »Der einzige Schenkkellner der gut einschänkt. Eintritt: 30 Pfg / dafür eine volle Mass.« (Kat. Nr. 592)

Nicht nur durch das Bild, auch durch einen gelegentlichen Vers wird dem Postkartenschreiber ein Teil seiner Arbeit abgenommen.[8] Einige Proben zum Abschluß:

> »Auf der Oktoberfestwiesen
> Gibts Ochs'n grad gnua
> die oan die wern bratn
> und die andern schaugn zua.« (1894)

> »Beim Oktoberfest mit frohem Sinn
> Sitz ich unter Masskrüg drin,
> Nur ein Narr ein krasser
> Trinkt in München Wasser.« (1907)

> »Lustig ist es hier und schön
> Besten Gruß! Auf Wiedersehen.«

Wolfgang Till

---

[8] Eine Anthologie und Interpretation von Postkartenversen: Helmut Hartwig, »Weiter nichts Neues andermal Mehr«. Kommunikation per Postkarte. Siegen 1979 (= Massenmedium und Kommunikation, Heft 1., herausgegeben von Karl Riha).

»Ain Prousitt dör Gamjutlikait«

Das Fest wird exportiert

Es wäre gut möglich, daß das Bayerische Fernsehen für sein beliebtes Ratespiel »Bayernkini« in der Fußgängerzone in München eine Umfrage startet: Gesucht werden diesmal Assoziationen zum Oktoberfest. ›Gemütlichkeit‹, ›Stimmung‹, ›Bier‹, ›Blasmusik‹, ›Steckerlfisch‹ und ›Brathendl‹ wären mit Sicherheit die meistgenannten Attribute, wobei Passanten aus Übersee ohne Schwierigkeiten noch Schlagworte wie ›Schuhplatteln‹, ›Dirndl und Lederhose‹ sowie die als typisch für die bayerische cuisine erachteten Sauerkrautgerichte aufzählen würden.

Und damit nicht genug. Besucht man beispielsweise einen x-beliebigen bayerischen Heimatabend irgendwo zwischen Ruhpolding, Lenggries und Bodenmais, so sind es genau dieselben Wundermittel, die eigentlich dem Oktoberfest zugeschrieben werden, die das Publikum aber ebensogut dort zu finden hofft.

Natürlich, allmählich ist es nichts Neues mehr, immer wieder über die Bayern und ihre Klischees – die ihnen angedichteten sowohl wie diejenigen, die sie nur allzugern selbst über sich verbreiten – zu lästern. Dennoch, sich über den Warencharakter des mit Gütesiegel ›Gemütlichkeit‹ ausgezeichneten Marken- und Exportartikels ›Oktoberfest‹ einige Gedanken zu machen ist eine lohnende Angelegenheit.

Das Oktoberfest nämlich, als *das* bayerische Fest schlechthin erfreut sich in sozusagen eingedickter Version und als klarer stereotyper Begriff bei den Werbeleuten – und nicht nur bei ihnen – rund um den Globus ungemein großer Beliebtheit. Und so wurden allein im Raum Los Angeles 1973 knapp ein Dutzend ›Octoberfests‹ veranstaltet. Die geographische Distanz vom Geburtsort des Oktoberfestes scheint dabei in zweifacher Hinsicht von Bedeutung zu sein: zum einen für die Gestaltung, zum anderen für den Symbolcharakter.

So reduzieren sich mit zunehmender Entfernung die als typisch betrachteten Oktoberfestrequisiten; die meist sehr einfachen, klaren Vorstellungen (Blasmusik, Bier, Rautenstoff) vom weltweit größten Vergnügungsspektakel verfestigen sich. Demgegenüber erklimmt der Symbolcharakter ungeahnte Höhen. Dient zum Beispiel das jährliche Oktoberfest in der Bonner Landesvertretung des Freistaates dazu, Bayern zu repräsentieren, so vertritt ein derartiges Fest in Übersee zumeist die ganze Bundesrepublik, teilweise sogar Mitteleuropa. Eine seit Jahren betriebene bundesrepublikanische Selbstdarstellung im Ausland mit Blaskapellen, Le-

derhosen und Bier hat dieses Image redlich gepflegt. Ebenso tragen die Weltstadt mit Herz sowie die Privatwirtschaft – beide Nutznießer eines florierenden Münchner Oktoberfesttourismus – mit ihren internationalen Werbekampagnen zur Förderung eines exotischen, urtümelnden Bayernbildes oder auch der ›good old Germany‹-Vorstellung das Ihre zu diesem Klischee bei. Dazu aus einem Zeitungsbericht: »O'zapft is – in Montreal. Oberbürgermeister Kronawitter lud 1000 Gäste ins ›Old Munich‹. Drei Stunden vor Mitternacht schäumte die erste Maß in einem der 1000 gläsernen Bierkrüge, die eigens aus der Isarmetropole eingeflogen waren […] und auf zünftig bayrisch wurde die Stimmung getrimmt. 4000 Liter Bier, mit Sondergenehmigung der kanadischen Regierung importiert, lagerten in 80 Fässern, 30 Spanferkel, 10 Zentner Bratwürste, Berge von Roastbeef, Kasseler Rippchen, Sauerkraut, Salat, Obst und Torten waren aufgetürmt. Münchens Renommierkapelle, das Helmut-Högl-Sextett, gab sich auf bayerisch, und unter den Klängen des bayerischen Defiliermarsches waren Gastgeber Kronawitter mit sechs Stadträten im Gefolge in dem mit Münchner Motiven ausgemalten Saal einmarschiert.«[1] Auch die Wirtschaft steht nicht nach. Im Rahmen eines ›Octoberfest‹ im weiß-blau geschmücktem Pacific Ballroom des Hilton-Hotels in Los Angeles – dem Höhepunkt einer Werbekampagne des Münchner Hilton – erklärte dessen Generaldirektor, allein dadurch in einem Jahr 50000 Gäste nach München gebracht zu haben.

Seit einiger Zeit stellt man sich von seiten der Kulturwissenschaften die Frage, seit wann und warum Bayern respektive das Oktoberfest zum Werbeträger und zur Inkarnation urtümlichen stimmungsvollen Lebens geworden ist – sozusagen als Gegenpol zu einer fortschreitend verwalteten, technisierten Welt. Erste Hinweise bringen unter anderem die Tatsache, daß das Oktoberfest im frühen 19. Jahrhundert entstanden ist, zu einer Zeit also, als Bürger und Adel ihre Vorliebe fürs Volkstümliche entdeckt hatten. Hinzu kam die ökonomische Verwertbarkeit des Klischees vom Seppel und der Resi, die Unmengen Bier konsumieren und dabei zünftige Stimmung erzeugen. Profitiert haben beide, sowohl die

---

[1] Sämtliche hier verwendeten Zitate und Angaben sind – wenn nicht anders vermerkt – dem angeforderten Informationsmaterial der verschiedenen Oktoberfestorganisationen entnommen.

Bayern, die sich selbst als Werbeträger feilboten (mußten!), als auch diejenigen, die sie vermarkteten.[2]

Der Kulturwissenschaftler Hans Moser hat dazu angemerkt, daß das »Volkskulturgut« kaum mehr in »boden-, traditions- und funktionsgebundenem Brauch lebt, sondern vielmehr von der Brauchbarkeit für die Zwecke des Folklorismus her existiert, durch Vereine kultiviert, in kulturpolitischer Mission verschickt, zur Werbung verliehen, in den Dienst der heute für viele Länder sehr wichtig gewordenen Touristik gestellt und überall da eingesetzt wird, wo das für eine bestimmte Volksart geprägte und jedermann vertraute Vorstellungsbild bestätigt werden soll«.[3]

Das Rezept ist einfach: man nehme auffällige Erscheinungen einer Region, schreibe ihren Bewohnern bestimmte Eigenschaften als immanente Charaktermerkmale zu, blase das Ganze zur superlativen Ausformung auf, und fertig ist das Abziehbild.

In bezug auf das Münchner Oktoberfest garantiert dieses Abziehbild nicht nur jährlich wiederkehrende Besucherströme – es motiviert weltweit auch dazu, das größte und bayerischste aller Feste nachzuspielen und nachzuleben. Es ist nicht möglich, die Anzahl der jährlich gefeierten Oktoberfeste rund um den Globus festzustellen. Zwar wird in einem wissenschaftlich fundierten Ausstellungskatalog »So feiern die Bayern« von rund 170 Oktoberfesten gesprochen, aber diese quasi gesicherte Zahl kommt rasch ins Wanken, denn wo soll man die Grenzen ziehen? Welche Veranstaltungen, die sich Oktoberfest nennen, zählt man zusammen? Soll man all die Oktoberfeste, die von Surfclubs, Kindergärten, Militäreinheiten und ähnlichen Gruppen gefeiert werden hinzurechnen? Dann kann die Zahl der weltweit abgehaltenen Oktoberfeste genausogut bei 2000 oder 3000 liegen. Oder akzeptiert man als Oktoberfest nur diejenigen, die wie zum Beispiel in Ontario (USA) eine Besucherfrequenz von über 1 Million jährlich aufzuweisen haben? Dann schrumpft die Summe auf ein paar wenige Feste zusammen. Den besten Überblick über die weltweit veranstalteten Oktoberfeste hat sicherlich das Münchner Fremdenverkehrsamt (FVA). Aus aller Welt treffen hier Anfragen ein, in denen um Zusendung von »urbayerischen Utensilien« und »Oktoberfest-Requisiten« gebeten wird. Die Wünsche reichen von Bayernfahnen, Maßkrügen, Rautenstoff und Münchner Kindl über Bilder vom Landesvater und Grußworte des Oberbürgermeisters bis zu Kochrezepten von »Knackwürstel und Sauerkraut« sowie Musikkassetten mit »original bavarian music from Blasmusik oom-pah bands«.

Aufgrund werbe- und stadtpolitischer Aspekte sowie nach Bedeutung und Stellung der Veranstalter und Organisatoren kommt die Stadt München mehr oder minder diesen Wünschen nach. Um der Anfrageflut Genüge leisten zu können, stellte das FVA in früheren Jahren sogar sogenannte »Oktoberfest-Sets« bereit, die ein notwendiges Minimum an Festrequisiten enthielten (vgl. Kat. Nr. 860). Die Kisten – gestaffelt in drei Kategorien – wurden gefüllt mit Rautenstoff, Girlanden, Seidenbändern, Fähnchen und Plakatserien über die Landeshauptstadt und das Oktoberfest. Bei fremdenverkehrsrelevanten Anfragen werden ab und zu auch Schallplatten, Oktoberfestbücher und Münchner-Kindl-Puppen mitverschickt.

Wurden in den 1960er Jahren noch Stoffahnen in Landes- oder Stadtfarben verliehen, ist man heute auf die billigeren Papierfahndl und Wimpel umgestiegen, da die verborgten Fahnen meistens gar nicht oder beschädigt zurückkamen.

Bei Anfragen nach Bierkrügen, Servietten, Lampions und ähnlichem verweist das FVA auf einschlägige Festausstatter oder versucht die Brauereien als Spender von Krügen zu gewinnen. Die Flut von Oktoberfest-Korrespondenz im FVA gibt nicht nur Einblick in die Requisitenkiste der weltweit abgehaltenen Feste, sie ermöglicht auch, Aussagen über die Festveranstalter und die Art und Größe der Veranstaltungen zu machen.

Grob lassen sie sich in drei Gruppen einteilen: a) Kleinveranstalter, b) Wirtschaftsunternehmen und c) Vereine.

Bei der ersten Gruppe – den *Kleinveranstaltern* – handelt es sich zumeist um Schulen, Turnvereine, kleinere Militäreinheiten oder auch Einzelpersonen, die Gründungs-, Jahres- oder Abschlußfeiern mit einem – *ihrem* – Oktoberfest begehen. Viele organisieren das Fest als Benefizveranstaltung, so zum Beispiel die in Cagliari (Sardinien) stationierten Bundeswehrangehörigen, die den Reinerlös ihres zweitägigen Oktoberfestes dem Deutschen Blindenbund zuführten. Zu den Einzelveranstaltern gehört auch der deutsche Botschafter in Bangui (Zentralafrikanische Republik), der »am Ende der Regenzeit« für etwa 100 Personen – zentralafrikanische Deutschlandfreunde – 1982 ein Oktoberfest veranstaltete und dazu aus München Ausstattungsgegenstände benötigte. Ebenso ist dieser Gruppe die Kindergärtnerin aus einem kleinen Ort in Brasilien zuzurechnen, die in ihrer Erziehungsstätte eine ›Weltausstellung‹ 1981 organisieren wollte und für die Abteilung Europa ein Oktoberfest ausgewählt hatte.

Bei der zweiten Veranstaltergruppe – *Wirtschaftsunternehmen* – handelt es sich überwiegend um Hotelketten, Reisekonzerne, Gastronomie- aber auch Industrieunternehmen. Aus Werbewirksamkeit organisieren diese, zum Beispiel wie die Sheraton-Kette in den 29 Hotels ihres Unternehmens in Pennsylvania 1984, »Oktoberfeste«. Weiß-blaue Saaldekoration, bayerische Schmankerl, Folkloredarbietungen und Faßbier mit offiziellem Anstich – auch hier dürfen sie nicht fehlen. Als Mitveranstalter von derartigen Festen fungieren häufig Fluggesellschaften, wie zum Beispiel Lufthansa und Eastern Airlines, die während ihrer Flüge – etwa zum Oktoberfest in Orlando (vgl. Kat. Nr. 851) – »authentic entertainment« in 10000 Metern Flughöhe bieten. Weltweit beliebt sind Oktoberfeste auch als krönender Abschluß von Industrie- und Handelskongressen. Echt Bayerisches bzw. Deutsches findet nun einmal überall begeisterte Anhänger.

Als dritte Gruppe sind die zahllosen *Vereine* der ›Bayern- und Deutschlandfreunde‹ im Ausland zu nennen. Fast durchwegs wurden sie von deutschen Auswanderern gegründet, teilweise bereits Mitte des 19. Jahrhunderts. Und Oktoberfeste wurden von ihnen um die Jahrhundertwende wenn auch weniger, so doch schon regelmäßig veranstaltet, so etwa vom Bayerischen Volksfestverein in New York. Die Veranstalter der heutigen Feste tragen klingende Namen, wie »Gebirgstrachten- und Schuhplattler Verein Edelweiß«, Buffalo (USA), »German Club Gemuetlichkeit«, Rockford (USA) oder »Melbourne Oktoberfest and Exhibition Society« (USA). Wenngleich fast alle Vereine das Ziel haben, »deutsche Kultur« zu pflegen und via Oktoberfest ein »bißchen Heimat und bayerisches Brauchtum« zu reaktivieren, muß angemerkt werden, daß nur die wenigsten Mitglieder deutscher Abstammung sind, geschweige denn bayerischer. Speziell die Auswanderungswellen vor und nach dem Zweiten Weltkrieg haben die Vereine stark internationalisiert, so daß nur in den wenigsten Clubs deutsch gesprochen wird. Dennoch feiern sie lieber denn je ihre Oktoberfeste als Symbol mehr oder minder ›gemeinsamen europäischen Brauchtums‹.

Zahlenmäßig sind diese Vereine die größte Veranstaltergruppe. Allein 1983/84 kamen von den Freunden des Freistaats aus Australien vier, aus Brasilien und Canada je drei, aus Neuseeland, Israel, England, Colorado und Florida je zwei und aus Süd-Korea und Schweden jeweils eine Vereinsanfrage wegen Unterstützung für die dekorative Gestaltung ihrer Oktoberfeste beim FVA München an.

Lassen die Requisitenwünsche auch bereits zentrale Gestaltungsprinzipien erkennen, ist dennoch die Frage zu stellen: Wie sehen sie nun tatsächlich aus – die weltweit veranstalteten Oktoberfeste? Dazu aus einem kanadischen Fremdenverkehrsprospekt zum Fest in Kitchener, Waterloo: »Oktoberfest is a nine-day German celebration with oom-pahpah bands, Bavarian dancers, Black Forest cake and parades. The German clubs throw open their doors, so you can walk in, sit down eat everything from wiener schnitzel to bratwurst, bellow out a drinking song and wash whole experience down with great steins of lager. Prosit!«

Sicherlich, die Klischeevorstellungen von Bayern bzw. der Bundesrepublik stehen überall im Mittelpunkt.

Man trinkt, jodelt, schuhplattelt und schleppt den »König Ludwig« oder »die lustigen Holzhackerbuam« auf Umzugswägen mit. Die Palette an Variations- und Spielmöglichkeiten ist bei leichtverdaubarer und -produzierbarer Klischeekost groß. Gerade diese Spielmöglichkeiten sind es, die dabei auch Raum lassen für die Umsetzung eigener Oktoberfestvorstellungen und landesüblicher Festelemente. So werden zum Beispiel in Halltau (Österreich) Wettbewerbe im Palatschinkenessen und Biertrinken veranstaltet, in Cincinnati (USA) stehen unter anderem »stein race«, »beer-barrel-rolling«, »waltz- and German costume contest« auf dem Pro-

Kat. Nr. 858

gramm, und in Orlando (USA) ermittelt man die Sieger im Maßkrugstemmen und Holzsägen (vgl. Kat. Nr. 851). Die Spielelemente spiegeln dabei in hohem Maß das Engagement und den Einfallsreichtum der Veranstalter wider. Die deutschen Clubs feiern ihr Oktoberfest genauso wie Karneval und Silvester als festen Brauchtermin im Jahreslauf.

Der in Orillia lebende Max Neher zum Beispiel, ein rühriger ›Heimatpfleger‹ aus Mitteldeutschland – versetzt seine kanadischen Mitbewohner jährlich neu in Erstaunen. Er hat nicht nur den ›Nikolaus‹ nach Orillia gebracht – vor seiner Imbißstube im Alpin-Stil (»Zum Stein Krug«) stellte er auch den ersten Maibaum auf. Seit zwei Jahren organisiert er nun mit seinem Club Oktoberfeste. Der Superhit des Eröffnungsjahres war ein acht Fuß hoher Pappmaché-Maßkrug mit bayerischem Wappen. In dem von einem Cadillac gezogenen Krug steckte »Miss Oktoberfest« und grüßte die von weither angereisten Zuschauer des aus drei Wägen bestehenden Umzuges. Letztes Jahr verkleidete sich Neher gar als »monk« und verkörperte als *Münchner Kindl* »ceremonially Oktoberfest plenty« (vgl. Kat. Nr. 858).

Sind auch derartige Elemente nicht vom Münchner Fest entlehnt, so weisen die ihnen zugrunde liegenden Vorstellungen dennoch in diese Richtung. Nur puritanische Festfanatiker mögen sich noch darüber ereifern, ob ein Wettbewerb im Bierfaßrollen nun echt münchnerisch ist, oder ob ein Ok-

---

[2] vgl. dazu: Hermann Bausinger, Zur Kritik der Folklorismuskritik, in: Populus Revisus. Beiträge zur Erforschung der Gegenwart. Tübingen 1966. – Utz Jeggle und Gottfried Korff, Zur Entwicklung des Zillertaler Regionalcharakters. Ein Beitrag zur Kulturökonomie. In: Zeitschrift für Volkskunde 70 (1974), S. 39–57.
[3] Hans Moser, Vom Folklorismus in unserer Zeit, in: Zeitschrift für Volkskunde 58 (1962), S. 177–209, hier S. 186/187.

toberfest in Kuala Lumpur als Plagiat des einzigen und wahren Festes zu betrachten ist. Es geht hier allein darum, daß weltweit Oktoberfeste inszeniert werden, deren Requisiten und Rituale aufgrund ihrer Exotik und ›Volkstümlichkeit‹ den wichtigsten bayerischen Exportartikel hervorzaubern sollen, nämlich ›Gemütlichkeit‹. Die Grundmuster hierfür sind denkbar einfach, leicht transportabel und nicht selten der Welt vom ›schönen Schein‹ entnommen. Gerade hinsichtlich letzterem beginnt sich München offenbar den weltweiten Oktoberfesten anzugleichen. Ebenso wie hier die Fässer teilweise Attrappe sind, denn das Bier entströmt riesigen Containern, so ›zapft‹ man in Übersee den Gerstensaft hinter Pappmaché-Banzen aus Dosen.

Dennoch unterscheidet sich das Münchner Oktoberfest in einem Punkt grundsätzlich von allen anderen: in der Bewertung. Seine Inhalte und seine kulturelle Bedeutung nämlich werden in der Landeshauptstadt für derart wichtig – fast möchte man sagen lebenswichtig – erachtet, daß man bereits Vorsorge in Erwägung zieht, das Oktoberfest in seinen Urbestandteilen auch über einen atomaren Holocaust zu retten. Ein Bunker unter der Bavaria[4] für Karussellpferde, Budenfassaden, Schießscheiben, vielleicht auch für Maßkrüge, Fahnen und auf jeden Fall für Faßbier und eine Trachtenkapelle würde damit nicht nur die Elemente des Festes bewahren, sondern auch gleichzeitig den weltweiten Exportschlager ›bayerische Gemütlichkeit‹! Und ganz vielleicht findet sich zum Schluß noch die eine oder andere leere Ecke, um ein paar originale Festbesucher dazuzupakken…! *Susanne Preußler*

[4] Süddeutsche Zeitung vom 13. 9. 1983 (siehe Wortlaut des Artikels S. 16).

846 Festplakat »Oktoberfest im Sport Club Windhoek«, 1974

Farbdruck, 66×42 cm.

Auf dunkelgrünem Grund Abbildung eines Maßkruges, der mit dem Emblem des Sportvereins versehen ist; daneben eine Trompete. Unter sechs roten Herzen obiger Schriftzug und Terminangabe zu der zweitägigen Veranstaltung.

MSt, PuMu

847 Festkrug zum »19ᵉ WIEZE OKTOBERFEESTEN – BELGIUM«, 1976

Steingut, blau bedruckt, Höhe 30 cm, ⌀ 17 cm.

Der fünf Liter fassende Krug hat als Aufdruck einen Tubaspieler in Tracht, der auf einem Bierfaß sitzend in der rechten Hand eine schäumende Maß hochhält.

Münchner Verkehrsverein-Festring e.V.

848 Schmucktücher von »WIEZE OKTOBERFEESTEN, BELGIUM«

1. Farbig bedruckter Baumwollstoff, 39×77 cm, Entwurf: Ivan Doran, 1960.

Neben Arrangements aus Bierkrügen, Würsten mit Sauerkraut und anderen Festsymbolen, ist auf dem Bildertuch die Außenansicht der »WIEZE OKTOBER FEESTEN HALLE« zu sehen. Im linken unteren Drittel wird der Bezug zwischen München und Wieze hergestellt, indem eine Frau in belgischer Tracht mit dem ›Münchner Kindl‹ anstößt. Über beiden Figuren sind die Städtewappen gedruckt. Im oberen Drittel des Tuches findet sich eine pathetisch wirkende Bildkomposition. Es ist eine Menschenkette aus Indianer, Cowboy, Negerin, Europäer, Araber, Asiatin und Inder abgebildet, die den Aufruf ›Alle mensen worden broeders!‹ versinnbildlichen. Darüber kettenzerreißende und friedenstaubenbringende Figuren die zum Frieden mahnen.

2. Farbig bedruckter Baumwollstoff, 60×63 cm.

Auf dem grüngrundigen, mit weißem Rand versehenen Tuch sind acht kleine Bilder gedruckt, die Blasmusikinstrumente, Maßkrüge und Trachtenhüte in stilisierter Form zeigen.

In Wieze in Belgien wird seit 1947 jährlich ein Oktoberfest von der ortsansässigen Brauerei Van Roy organisiert. Die heutige Bierhalle faßt an die 6000 Besucher. Zur Unterhaltung des Publikums spielen zwei bayerische Blasmusikgruppen. Neben einem reichhaltigen Speisenangebot gibt es Verkaufsstände und Vergnügungsmöglichkeiten wie zum Beispiel Karusselle.

Daß zwischen Wieze und München eine Verbindung besteht, zeigt die Tatsache, daß bis Ende der 70er Jahre an dem Münchner Trachten- und Schützenzug eine Gruppe aus Wieze in flämischer Tracht teilnahm. SP

Lit.: StadtAM, Okt. 804
Münchner Verkehrsverein-Festring e.V.

849 Ankündigungsplakat für ein Oktoberfest in Nova Petrópolis, Südbrasilien, 1978

Farbdruck, 46×32 cm.

Auf dem Plakat ist eine Trompete neben einem schäumenden Bierkrug zu sehen, in dessen Mitte das Emblem des festveranstaltenden Schützenvereins prangt. Darunter sechs rote Herzen und Schriftzug »Oktoberfest – DOMINGO – 15 DE OUTUBRO DE 1978. SOCIEDADE CULTURAL RECREATIVA TIRO AO ALVO – NOVA PETRÓPOLIS«. Seit 1895 organisiert der »Deutsche uniformierte Schützenverein« in Nova Petrópolis ein Oktoberfest. Der Verein, dessen Emblem sich auf dem abgebildeten Bierkrug wiederfindet, war ursprünglich eine Art ›Heimwehr‹, die während der bürgerkriegsähnlichen Zustände nach 1889 (Ursache war der Sturz der Monarchie in Brasilien) von den deutschstämmigen Siedlern gegründet worden war. Im Laufe der Zeit übernahm er aber zunehmend gesellschaftliche und kulturelle Funktionen und legte die paramilitärische Ausrichtung ab.

Das jährlich stattfindende Fest wird heute von der Gesellschaft für Kultur und Freizeit »Sociedade Cultural e Recreativa Tiro ao Alvo« organisiert. Das angebotene Programm ist vielfältig. Neben Königsschießen und Meisterkegeln, Königs- und Meisterball, feiert man das Volksfest mit ›churrasco‹ (Spießbraten), ›chopp‹ (Faßbier) und Verlosungen. Parallel dazu findet ein Schützenfest statt. SP

Informationen dazu von Cornelius Wittmann.
MSt, PuMu

850 »Isartaler Blasmusik erobert Malta«, 1980

Foto.

»Bereits zum dritten Mal weilte die Kapelle mit ihrer Jodlerin Erika vom Isartal […] in Malta. Die Einladung erfolgt jeweils durch das dortige Ministerium für Kultur und Erziehung. Bayerische Volks- und Stimmungsmusik mit Jodlerin und Schuhplattler ist bei den Maltesern sehr beliebt und findet immer wieder begeisterte Aufnahme. Jeden Abend bot die Kapelle im Gobelinsaal des vornehmen Grand Hotel Verdala vor 300 englischen und maltesischen Besuchern ›Oktoberfeststimmung‹.«

Zeitungszitat
Adi Stahuber, Baierbrunn

851 Ankündigungsplakat »OKTOBERFEST« in Orlando, 1982

Fotoplakat mit Typendruck, 55×42 cm.

Das zweitägige Fest, das in der Umgebung der sogenannten »Church Street Station« in Orlando/Florida veranstaltet wurde, war eine Benefizveranstaltung für Multiple-Sklerose-Erkrankte und besteht als jährliche »Oktoberfest Street Party« seit 1978. Unterstützt von den Fluggesellschaften »Eastern Airlines« und »Lufthansa«, werden den Besuchern dieses Straßenfestes drei Bands »Bergholz Blaskopella Band«,

Kat. Nr. 850

»Andre Blumauer's Alpine Show Band« und »Isartaler Blasmusik's oom-pah Band from Munich Germany« präsentiert. Neben dem Angebot von ›traditional German Food‹ und ›ice cold beer‹ wird dieses Oktoberfest mit diversen Contests (Wettkämpfen) bereichert. Es werden nicht nur Sieger im Holzfällen, Faßrollen und Maßkrugstemmen ermittelt. Auch Volkstanzgruppen messen sich und der Mister Oktoberfest wird gekürt. SP

Adi Stahuber, Baierbrunn

852 Ankündigungsplakat »Festivals of all festivals Oktoberfest« in Amman, Jordanien, 1983

Fotoplakat mit Typendruck, 50×35 cm; Druck: »BASHA«.

Das Plakat zeigt eine Fotokollage mit den agierenden Personen des an drei Tagen veranstalteten Festes »Dinner Dance« im Hotel Jordan, Amman. Neben Adi Stahuber und seiner »Original Isartaler Blasmusik«, sind die Tanzgruppe »The Relayers«, die Jodlerin »Caroline Hasenknopf« und der österreichische Entertainer »Jörg Della-

cher« abgebildet, deren Namen links neben der Abbildung aufgeführt sind. Das Jordan Inter-Continental Hotel veranstaltete ein Oktoberfest anläßlich seines zwanzigjährigen Bestehens. Gesponsert von der königlichen Fluggesellschaft »ALIA«, die den kostenlosen Transport der fünfzehnköpfigen Isartaler Blasmusikkapelle von München nach Amman übernommen hatte, feierte man mit »family-oriented Oktoberfest« den Jahrestag der Hotelkette in Jordanien. Der Erfolg dieses ersten »Inter-Continental-Oktoberfestes« bewirkte eine Wiederholung im folgenden Jahr. SP

Adi Stahuber, Baierbrunn

853 Handzettel »The Munich Octoberfest at OHIO CENTER«, 1984

Druck, 28×22,5 cm.

Der gefaltete Infozettel wurde in Columbus und Umgebung verteilt und unterrichtete die Bevölkerung über das bevorstehende Fest. Neben Öffnungszeiten, Eintrittspreisen, Lageplan und anderem wird das Programm für die dreitägige Oktoberfestveranstaltung

405

vorgestellt. Mit Slogans »The Munich Octoberfest … a German good time!« und »We put the ›Munch‹ in Munich!« (Wortspiel, sinngemäß: Wir bieten Münchner Schmankerl) wird dem Leser ein Besuch schmackhaft gemacht. Neben der Beschreibung über »Crowd-pleasing entertainment!«, das ein Nonstop-Programm verspricht, in dem ein Potpourri der schönsten deutschen Musik, Tänze und Stimmung von dem deutschen Showmaster Heinz Probst präsentiert werden soll, werden unter anderem die neun verschiedenen »Music-Makers« angekündigt, die die Gäste ›in Stimmung versetzen‹, bis alles ›schunkelt, singt und tanzt‹. Dazu gibt der Zettel sechs Adressen von »Testmakers« (Restaurants und Imbißbuden, in denen man deutsche Spezialitäten probieren kann) an. Die Speisen reichen von Bratkartoffeln, Würstchen, Ochsenfleisch und Pfannkuchen bis zu deutschem Kaffee und deutschen Weinen. SP

MSt, PuMu

854 Ankündigungsplakat für das Oktoberfest in Columbus, Ohio, 1984

Farbdruck, 30×48,5 cm.

Auf gelbem Plakatuntergrund Schriftzug »The Munich Octoberfest at OHIO CENTER. The Food + Music Lovers Festival!«.
Darunter karikierte Festbesucher, die mit Tuba und Trompete, Würsten, Bier und Luftballons auf die Veranstaltung hinweisen. Das dreitägige Fest wurde in den 1970er Jahren von Geschäftsleuten aus Columbus eingeführt und seither jährlich in Räumlichkeiten des Einkaufscenters »Ohio Center« veranstaltet. Laut Begleitbrief kommen bis zu 30000 bis 40000 Besucher aus der Umgebung von Columbus zu diesem Fest. Die Dekoration des Festsaales ist in »original blauweißen Bayernfarben« gehalten, auch »deutsche Fahnen« zieren die Wände. Das kulinarische Angebot besteht aus den »sehr gefragten

deutschen Bratwürsten, Weißwürstchen, Hähnchen, Sauerbraten, Schnitzel u.s.w.«, auch »Bretzeln, Lebkuchen, Herzen u.s.w.« werden den Gästen offeriert. Dazu fließt Bier, denn »Bier muß sein«, und zwar von der Münchner Löwenbrauerei. Neben »Musik, Tanz, Unsere Kapellen spielen natürlich nur deutsche Musik«, treten »Schuhplattler-Gruppen in ihren zünftigen Trachten« der verschiedenen deutschen Clubs auf. Zusätzlich bieten die Veranstalter »Entertainment von Deutschland« an (vgl. Kat. Nr. 583). SP

MSt, PuMu

855 Abzeichen des »Bavarian Club Orillia«

Farbig bestickter Stoff, mit Vlieseline verstärkt, 9,5×7,5 cm.

Wappenförmiges Abzeichen mit gelbem Grund; der gestickte Schriftzug in roter Farbe »Bavarian Club Orillia« umschließt das Emblem des Clubs: Wappen aus weiß-blauem Rautenmuster mit rotem Ahornblatt (für Kanada). Links und rechts davon gestickter Lorbeer. Das Abzeichen ist mit grünem Garn eingefaßt.

MSt, PuMu

856 Anstecker »Orillia's OKTOBERFEST«, 1983 und 1984

Blauer (1983) und roter (1984) Druck auf Kunststoff, Rückseite Blech, ∅ 5,6 cm.

Auf dem ›Button‹ ist ein tanzendes Trachtenpaar in Dreiviertelfigur abgebildet, dazu ist der jeweilige Termin für das dreitägige Fest vermerkt.

MSt, PuMu

857 Ankündigungsplakat für das Oktoberfest 1983 in Orillia, Kanada

Schriftplakat, Xerokopie, 66×60 cm.

Im Mittelfeld des Plakates Maßkrug mit bayerischem Löwen und Teil des bayerischen Wappens, umgeben vom

Schriftzug »BAVARIAN CLUB ORILLIA Presents Oktoberfest 1983 / Saturday October 1st. 1983 / Adm. $ 5,00 / Open 600 pm / Door Prizes / Comunity Centre West St. / Proceeds to YMCA Building Fund / For Tickets & Information 325.8233«.

MSt, PuMu

858 Oktoberfestumzug in Orillia, Kanada, im Gründungsjahr 1983 Abbildung S. 403

Fotos.

Der Umzug, der zur Festgründung 1983 zusammengestellt wurde, bestand aus zwei geschmückten Wägen. Der erste Festwagen war mit einem acht Fuß hohen Riesen-Maßkrug dekoriert, um den man Holzfässer und Tannenbäumchen arrangiert hatte, und in dem »Miss Oktoberfest« steckte. Auf dem zweiten Wagen hatte man ein Holzhäuschen aufgebaut, um das sich ein Sägebock, Äxte und Tannengrün gruppierten, was ›Mir san die lustigen Holzhackerbuam‹ darstellte. Beide Anhänger wurden von Cadillacs durch die Innenstadt von Orillia gezogen. Die in Tracht gekleideten Clubmitglieder grüßten von den schmucken Vehikeln den Passanten zu. Als die voranschreitende Kapelle »neben Oktoberfest-Musik den bayerischen Ententanz spielte, fingen die Zuschauer zu tanzen« an.

1. Umzugswagen mit Riesenmaßkrug und der versteckten Miss Oktoberfest.
2. ›Holzhacker-Buam-Wagen‹.
3. Innenansicht des Clubraumes, in dem das ›Orillia Oktoberfest‹ stattfand. »Der Saal war festlich dekoriert. Überall sieht man die weiß-blauen Farben Bayerns. Beim Festabend gab es sogar Biergläser und natürlich auch Knackwürste, Sauerkraut, Kartoffelsalat und frische knusprige Semmeln. Die Kapelle spielte unermüdlich Oktoberfest-Musik und es wurde fleißig geschunkelt, und getanzt« (aus der Zeitung: Deutsche Presse, 5. 10. 1983). SP

MSt, PuMu

859 Oktoberfestzeitung, Orillia, Kanada, 1984

8 S., 4°, Zweifarbendruck mit Abbildungen; Druck: »The Packet & Times, Orillia«.

Titelblatt: Darstellung von sechs Musikern in Tracht mit Blasinstrumenten, darunter Schriftzug »Welcome to [...] ORILLIA'S ANNUAL Oktoberfest / Sept. 27th, 28th, 29th / Fun For ALL Ages [...]«. Darunter zieharmonikaspielende Frau in Tracht. Die von Geschäftsleuten unterstützte und vom »Bavarian Club Orillia« herausgegebene Zeitung ist ein Ankündigungsblatt für das bevorstehende Oktoberfest in dem Ort und enthält neben dem Festprogramm für die drei Tage allgemeine Informationen zur Geschichte des Münchner Oktoberfestes und mehrere Werbeanzeigen von verschiedenen Hotels, Restaurants und Firmen, die mit »special Oktoberfest Breakfast«, »Oktoberfest for German Cuisine« oder für »wunderbar Oktoberfest Fare Specials« werben, wie zum Beispiel für »Wine Sauerkraut, German Bratwurst, European Wieners«, die man in dieser Zeit in den jeweiligen Geschäften kaufen oder genießen kann. Darüber hinaus informiert man den Leser über den Gründer, den Deutschen Max Neher, und dessen unermüdlichen Einsatz, in Orillia diese Art von Zivilisation – wie man sie in Bayern kennt – eingeführt zu haben. Zwischendurch werden Rezepte für »typical Bavarian cakes« wie »Krümel Torte«, »Blitzkuchen (Lightening Cake)«, »Apple Cake« und »Bavarian Stew« verraten sowie über die Festvorbereitungen berichtet. Die verstreut angeordneten Abbildungen wecken Assoziationen zu dem bevorstehenden Spektakel. Neben Trachtenpaaren und Schuhplattlern sind Kellnerinnen mit Maßkrügen und Blasmusikanten abgebildet. Auch der Gerstensaft, von dem man in Orillia zu berichten weiß, daß er für die Bayern Nahrung und nicht Alkohol bedeutet, zeigt sich in Darstellungen von schäumenden Maßkrügen. Auf der letzten Seite der Zeitung mit der Überschrift »Oktoberfest SONG SHEET« und blau gedruckten Reizworten »GEMUTLICHKEIT / ENJOY YOURSELF« sind zehn Liedtexte abgedruckt, die als Vorlage zum Mitsingen gedacht sind. Bei den Songs handelt es sich um ›typisch bayerische Lieder‹, die teilweise in englische Sprache übersetzt sind. Neben dem abgewandelten ›oans, zwoa g'suffa‹ mit »In Orillia it's Oktoberfest« findet man die englische Version von »Drink, drink Bruederlein drink, leave all your troubles at home...« genauso wie den »Happy Wanderer« oder »Prost, prost my friends«. Als sechstes Lied kann der Besucher bei »Lili Marlen« mit einstimmen oder sich bei den nicht übersetzten Texten von »O du lieber Augustin« oder »Du du liegst mir am Herzen« versuchen. SP

MSt, PuMu

Kat. Nr. 859

860 ›Überraschungskiste‹ des Fremdenverkehrsamtes München, 1984

Transportkarton der Firma »Einzinger – alles für Feste und Gestaltung München«, 85×34,5×22 cm.

Um der Anfrage- und Bittstellerflut nach Oktoberfestrequisiten im Fremdenverkehrsamt München Herr zu werden, hat man in den letzten Jahren Versand-Sets zusammengestellt, die den Grundbedarf an Oktoberfest-Ausstattungsgegenständen beinhalten. Je nach Größe, Umfang und Relevanz der einzelnen Anfragen reagierte man auf Dekorationswünsche mit drei verschieden umfangreichen Festkisten. Der hier ausgestellte Karton entspricht ungefähr dem ›Set II‹ und wurde beispielsweise nach Columbus, Ohio (vgl. Kat. Nr. 854) versandt.

Inhalt:

3×4 m Girlande aus grünem Kunstbast;

10 schwarz-gelbe Papierfähnchen;

10 weiß-blaue Papierfähnchen;

1 Rolle weiß-blaues Moiré-Band, ca. 4 m lang, 7,5 cm breit;

1 Münchner-Kindl-Puppe in durchsichtigem Verkaufsbehälter, ca. 30 cm hoch, Hersteller: »Qualitäts EGRO Erzeugnisse«. Das Püppchen in schwarz-gelber Kutte mit Kapuze hält in der rechten Hand einen grün-weißen Plastikradi, in der linken einen grauen Plastikmaßkrug.

1 sogenannte »10er Serie« von München: Plakatserie mit verschiedenen Münchner Motiven, vom Fremdenverkehrsamt herausgegeben;

5 offizielle Oktoberfest-Plakate;

5 m weiß-blauer Rautenstoff, Baumwolle, 80 cm breit;

1 Stoß verschiedene Oktoberfest-Prospekte, Prospekte der Stadt München und Veranstaltungskalender (je nach Region in englisch, französisch oder italienisch).

Darüber hinaus wurden gelegentlich

– Oktoberfest-Krüge mit offiziellem Aufdruck,

– Oktoberfestbücher (Maria von Welser, Münchner Oktoberfest, Augsburg 1982; Karl Baur, Oktoberfest, München 1970) mitgeschickt.

Die Kisten – deren Wert zwischen 100 und 300 DM liegt – wurden unentgeltlich, als großzügiges Geschenk der Landeshauptstadt verschickt. Zusammenstellung und Versand übernahm die Festausstatterfirma Einzinger. In diese Bestandteile zerlegt und bequem verschickt, kann dieses Fest auf der ganzen Welt veranstaltet werden. SP

MSt, PuMu

◁ Nr. 2 ▷

Medaillen und Gedenkmünzen
auf das Münchner Oktoberfest

Nach der allgemein gebräuchlichen Definition sind Medaillen (von italienisch »medaglia«, lateinisch »metallum«) kleine plastische Kunstwerke aus Metall. Sie besitzen regelmäßig zwar die gleiche Form wie Münzen, sollen aber nicht als Geld dem öffentlichen Zahlungsverkehr dienen, sondern werden ausschließlich zur Erinnerung an bestimmte Begebenheiten oder auch Personen für die Mit- und Nachwelt hergestellt. Da die Medaillen weder Geldzwecken dienen noch Geldeigenschaft besitzen, unterliegen sie nicht den Einschränkungen der Geldgesetze und können deshalb grundsätzlich von Privatpersonen und Firmen ebenso in Auftrag gegeben werden wie von öffentlich-rechtlichen Körperschaften, Anstalten und Stiftungen.

Seit dem 19. Jahrhundert ist es Brauch geworden, anläßlich besonderer Ereignisse sogenannte »offizielle Medaillen« herauszubringen, die entweder von dem jeweiligen Veranstalter selbst oder aber von einer durch ihn eigens lizenzierten Prägeanstalt, Bank usw. ausgegeben werden. Dabei ist es dann üblich, neben der Darstellung, der Aufschrift, der Größe und dem Metall die Höhe der Auflage und vor allem auch den Verkaufspreis und die Lizenzgebühr vertraglich festzulegen. Die Lizenzgebühr dient in der Regel der Deckung der bei solchen Veranstaltungen entstehenden allgemeinen Unkosten, so daß also in mehrfacher Hinsicht ein erhebliches eigenes Interesse des Veranstalters an der ordnungsgemäßen Herstellung und dem Vertrieb der Medaillen besteht. Als Gegenleistung gestattet er dafür die Verwendung etwaiger geschützter Embleme, Wahlsprüche usw. Während die Medaillen heute nahezu ausschließlich über Banken und Sparkassen verkauft werden und grundsätzlich für jedermann bei entsprechender Bezahlung frei erhältlich sind, wurden früher – vor allem aber während der Monarchie – Medaillen in verschiedenen Metallen (in der Regel handelte es sich um Bronze, Silber oder Gold) ähnlich wie Orden an bestimmte Personen, die sich besonders ausgezeichnet hatten, verliehen.

Angesichts der großen Bedeutung, die das Münchner Oktoberfest von Anfang an besessen hat, verwundert es nicht, daß auch dieses Ereignis seinen Niederschlag auf einer ganzen Reihe von Medaillen unterschiedlicher Herausgeber gefunden hat. Besonders aber die jeweiligen Jubiläen wurden gerne auf solchen privaten und amtlichen Prägungen festgehalten. Im Jahre 1830 bildete das Münchner Oktoberfest für König Ludwig I. von Bayern sogar den Anlaß zur Ausgabe einer eigenen Gedenkmünze. Dieser sogenannte »Geschichtskonventionstaler« mit einer Allegorie der Bavaria und der Aufschrift »BAYERNS TREUE« besaß als einziges aller dieser Stücke gesetzliche Zahlungskraft und konnte wie eine Umlaufmünze in den Geldverkehr gebracht werden. Da er allerdings schon damals von der Bevölkerung als Rarität angesehen wurde, ist er nicht ausgegeben, sondern sorgfältig aufbewahrt worden. Dies erklärt, warum sich eine Reihe von solchen Geschichtskonventionstalern in vorzüglicher oder sogar stempelglänzender Qualität bis in die Gegenwart erhalten hat.

Die nachstehende Aufstellung erfaßt alle dem Verfasser bislang bekannt gewordenen Medaillen, Gedenkmünzen und Jetons, die mit dem Oktoberfest unmittelbar in Verbindung stehen. Es ist durchaus möglich, daß es darüber hinaus noch weitere Stücke gibt, die bislang im einschlägigen Schrifttum nicht aufgetaucht sind. Über ihre Mitteilung würde sich das Münchner Stadtmuseum freuen.

Walter Grasser

Katalog der Medaillen, Gedenkmünzen und Jetons auf das Münchner Oktoberfest

1 Jeton (Auswurfmünze) *1810* auf die Vermählung von Kronprinz Ludwig von Bayern (geb. als ältester Sohn Max Josephs am 25.8.1786) mit der sächsischen Prinzessin Therese, Tochter des Herzogs Friedrich von Sachsen-Hildburghausen. Diese Vermählung im Oktober 1810 gab den Anlaß zum ersten Oktoberfest. Aus diesem Grund wird die zur Erinnerung an die Hochzeit unter die Bevölkerung verteilte Auswurfmünze hier mit aufgeführt. Prägungen mit einem unmittelbaren Hinweis auf das erste Oktoberfest in diesem Jahr sind nicht bekannt.
Vs.: LVDOVICI | PRINC. HÆRED. BAV. | ET | THERESIAE | SAXON. NVPTIAE | CELEB. MONACH. | XII OCTOB. | MDCCCX (in acht Zeilen).
Rs.: LAETITIA | PVBLICA zwischen einem Gebinde aus einem Lorbeer- und einem Rosenzweig. Unten Buchstabe D (Münzstätte München).
Metall: Silber und Gold
Durchmesser: 22 mm
Gewicht: 2,2 g (Silber), 2,6 g (Gold)
Literatur: Wittelsbach 2619
Standort: Privatbesitz
(Abb. siehe Kat. Nr. 5)

2 Geschichtskonventionstaler
(Gedenkmünze mit Zahlungskraft) *1830* »BAYERNS TREUE« von König Ludwig I. von Bayern. Der König war in diesem Jahr wegen befürchteter Unruhen der Bevölkerung gewarnt worden, das Oktoberfest zu besuchen. Trotz der Warnungen erschien er aber am 3. Oktober 1830 mit dem jungen Kronprinzen Maximilian und dem Hofstaat und wurde von einer auf etwa 60000 Menschen geschätzten Volksmenge mit großem Jubel begrüßt. An diesem Tag soll der König zu den ihn umgebenden Hofbeamten angesichts des erst kurz vor dem Fest aufgeklärten Wetters gesagt haben: »Der Himmel ist mit uns, er ist rein und blau, wie Bayerns Treue.« Um die Treue der Bayern, die übrigens auch in den Gedichten König Ludwigs I. eine große Rolle spielt (siehe dazu Charitas, Festgabe von Eduard von Schenk), zu ehren, ließ der Monarch 1830 einen eigenen Geschichtskonventionstaler in

der bekannten Serie von 38 Gedenkprägungen (fünf weitere folgten unter König Maximilian II.) herstellen. Er wurde 1831 in einer nicht näher bekannten Auflage (vermutlich etwa 10000 Stück) ausgegeben.
Vs.: Innerhalb eines gezähnten Randes der Kopf des Königs nach rechts und die Umschrift LUDWIG I. KŒNIG VON BAYERN. Unten die Wertangabe: ZEHN EINE FEINE MARK (Silber) und unter dem Halsabschnitt der Name des Stempelschneiders C(arl Friedrich) VOIGT.
Rs.: Innerhalb eines gezähnten Randes die an einem antiken Säulenschaft sitzende Bavaria, in der rechten Hand einen Eichenkranz hochhaltend. Zu ihren Füßen liegt als Symbol der Treue ein Hund. Die Umschrift lautet zur Erinnerung an den Anlaß: BAYERNS-TREUE. Im Abschnitt steht die Jahreszahl 1830.
Metall: nur Silber
Durchmesser: 38 mm
Gewicht: 28,06 g
Literatur: AKS 125; Davenport 566; Hauser 865; Jaeger 40; Wittelsbach 2734
Standort: Privatbesitz (viele); Staatliche Münzsammlung München

3 Medaille 1835 auf die 25jährige Feier des Oktoberfestes und die gleichzeitige silberne Hochzeit König Ludwigs I.
Vs.: Die gegeneinander sehenden Köpfe des Königs und der Königin, mit der Umschrift: Z. SILBERN. HOCHZEIT KÖNIG LUDWIG I. U. THERESE KÖNIG. V. BAY. Unter den Köpfen: GEFEYERT 12 OCT. | 1835.
Rs.: Die Vorstellung des Festes mit dem Pferderennen. Im Hintergrund die Stadt München. Überschrift: OKTOBERFEST IN MÜNCHEN. Im Abschnitt Arabeske.
Metall: Messing versilbert
Durchmesser: 30 und 31 mm
Literatur: Eyb 75, Hauser 504 (Taf. III, 42 nur Vs.)
Standort: MSt, 8375 BS 1269 und 8947 III a/70
(Abb. siehe Kat. Nr. 66)

4 Medaille 1835 auf das 25jährige Jubiläum des Landwirtschaftlichen Vereins in Bayern und des Oktoberfestes.
Vs.: BEI | DER XXV | IAHRESFEYER | DES OCTOBERFESTES | UND | DER WIRKSAMKEIT | DES VEREINS (in sieben Zeilen). Darunter Pflug in einem Kranz von Getreide, Weinlaub, Obst u.a.

Rs.: UNTER DEM | PROTECTORATE | KŒNIG LUDWIGS I | DER | LANDWIRTHSCHAFTL: | VEREIN IN BAYERN | SEINEN | MITGLIEDERN | 1835.
Metall: Bronze, vermutlich auch in Silber und Gold hergestellt
Durchmesser: 35 mm
Gewicht: 21,6 g (Bronze)
Literatur: Wittelsbach 2669 (fehlt bei Hauser)
Standort: MSt, K 8373; Privatbesitz

Die folgenden Preismedaillen des Landwirtschaftlichen Vereins (Nrn. 5–9) wurden von dem privaten Münzprägewerk Carl Poellath in Schrobenhausen hergestellt. Mit Schreiben vom 8.3.1985 teilte diese Firma dem Verfasser mit, daß keinerlei Unterlagen über die seinerzeitigen Prägungen mehr zur Verfügung stehen.
(Vgl. Kat. Nr. 304)

5 Große Preismedaille o. J. des im Jahre 1810 errichteten Landwirtschaftlichen Vereins mit dem Sitz in München. Diese und die folgenden Medaillen (Nrn. 6–9) verteilte der Landwirtschaftliche Verein anläßlich des Oktoberfestes. Die Preismedaillen weisen selbst keine Jahres-

◁ Nr. 4 ▷

zahl auf, jedoch erscheint der Pflug auch auf der anläßlich des 25jährigen Jubiläums (1835) ausgegebenen Medaille, so daß die Stücke spätestens seit diesem Zeitpunkt verteilt worden sind. Vermutlich sind zumindest eine Anzahl von Stücken bereits mehrere Jahre vorher verwendet und das Motiv des Pfluges ist auf der Gedenkmedaille lediglich wiederholt worden. Im übrigen ist bei dem Entwicklung deutlich eine stilistische Fortentwicklung zu beobachten. Nachstehend wurde die Ordnung des 1905 erschienenen Buches von Hauser beibehalten.

Vs.: Innerhalb eines abgestuften Randes die Umschrift: DER LAND-WIRTSCHAFTLICHE VEREIN. Im Feld der Medaille ein Pflug vorne links mit einem schmalen Stück Acker auf einer Leiste. Im Abschnitt: IN BAIERN.

Rs.: In einem Früchtekranz, der oben in Getreideähren ausläuft, Schrift in sieben Zeilen: DEM | VERDIENSTE | UM | VATERLÆNDI-SCHE | LANDWIRTHSCHAFT | UND | GEWERBE.

Metall: Bronze und Silber
Durchmesser: 48 mm
Literatur: Hauser 660; Wittelsbach 2488
Standort: Privatbesitz

6 Große Preismedaille o. J. des Landwirtschaftlichen Vereins.

Vs.: Innerhalb eines abgestuften Randes: DER LANDWIRTSCHAFT-LICHE VEREIN IN BAYERN★. Im Feld ein Pflug auf einem Stück Ackerland von der rechten Seite. Am Pflug der Name des Stempelschneiders J. RIES.

Rs.: Innerhalb eines oben in Wein und Hopfen auslaufenden Früchtekranzes *fünf* Zeilen Schrift: DEM | VERDIENSTE | UM DIE | VATERLÆNDISCHE | LANDWIRTHSCHAFT.

Metall: Bronze und Silber
Durchmesser: 47 mm
Literatur: Hauser 661
Standort: Privatbesitz

7 Große Preismedaille o. J. des Landwirtschaftlichen Vereins.

Vs.: Zwischen abgestuftem Rand und Linienkreis: DER LANDWIRTSCHAFTLICHE VEREIN IN BAYERN★. Im Feld ein etwas größerer Pflug von der rechten Seite, auf etwas breiterem Grund als vorher.

Rs.: Innerhalb eines Früchtekranzes, in der Zeichnung etwas von der vorigen Nummer abweichend und die Schrift in *sechs* Zeilen: DEM | VERDIENSTE | UM DIE | VA-TERLÆNDISCHE LANDWIRTH- | SCHAFT. Unten die Anfangsbuchstaben des Stempelschneiders J. R(ies).

Metall: Bronze und Silber
Durchmesser: 47 mm
Literatur: Hauser 662 (Taf. XXX, 325)
Standort: MSt, K 8329, K 3288, K 8330; Privatbesitz
(Vgl. Kat. Nr. 308)

8 Preismedaille o. J. des Landwirtschaftlichen Vereins.

Vs.: DER LANDWIRTSCHAFTLICHE VEREIN. Im Feld auf einer Leiste ein Pflug von der linken Seite. Im Abschnitt: IN BAIERN.

Rs.: In einem spärlichen Früchtekranz, der oben in Getreideähren ausläuft, Schrift in *sieben* Zeilen: DEM | VERDIENSTE | UM | VATERLÆNDISCHE LANDWIRTH-SCHAFT UND GEWERBE. Beiderseits breiter Rand.

Metall: Silber und Gold im Gewicht von 4 Dukaten
Durchmesser: 36 mm (Stärke 5,5 mm)
Gewicht: 17,4 g
Literatur: Hauser 663 (Taf. XXX, 326) kennt auch Variante mit LOSCH unter dem Pflug; Wittelsbach 2489
Standort: MSt, K 1635, K 1818 (Losch); Privatbesitz
(Vgl. Kat. Nr. 305, 306)

9 Preismedaille o. J. des Landwirtschaftlichen Vereins.

Vs.: DER LANDWIRTSCHAFTLICHE VEREIN IN BAYERN★ innerhalb eines abgestuften Randes. Im Feld ein Pflug von der rechten Seite, auf einem Stück Ackerland. An letzterem der Name des Stempelschneiders J. RIES.

Rs.: Innerhalb eines Früchtekranzes wie bei Nr. 6, Schrift in *fünf* Zeilen: DEM | VERDIENSTE | UM DIE | VATERLÆNDISCHE | LANDWIRTH-SCHAFT.

Metall: Silber
Durchmesser: 36 mm
Literatur: Hauser 664 (Taf. XXX, 327)
Standort: Privatbesitz

10 Medaille o. J. auf das Pferderennen anläßlich des Oktoberfestes.

Vs.: Auf einer Leiste ein sogenannter Rennknabe zu Pferd nach rechts

sprengend. An der Leiste unter dem Pferd rechts der Hinweis auf den Stempelschneider: LOSCH JUN: F.

Rs.: Innerhalb eines Eichenkranzes Schrift in fünf Zeilen: ZUR FEYER | DES | OCTOBERFESTES | IN | MÜNCHEN.

Metall: Bronze, Bronze versilbert, Silber
Durchmesser: 45 mm
Literatur: Eyb 33; Hauser 648 (Taf. XXIX, 322)
Standort: MSt, 999

11 Medaille 1860 auf das Pferderennen anläßlich des 50jährigen Oktoberfestjubiläums.

Vs.: In einem breiten Eichenkranz Schrift in neun Zeilen: ZUR | ERINNERUNG | AN DAS | 50 JÆHRI-GE | BESTEHEN DES | OCTOBERFE-STES | IN MÜNCHEN | IM JAHRE | 1860.

Rs.: Auf einer Leiste der bereits von Nr. 10 bekannte Rennknabe zu Pferd nach rechts reitend. Über demselben in fünf durch Arabesken gebildeten Kreisen verschiedene Preistiere. Im Abschnitt auf Arabesken das königliche und das Stadtwappen. Auf der Leiste: LOEWENBACH.

Metall: Zinn und Silber
Durchmesser: 45 mm
Literatur: Eyb 144; Hauser 533 (Taf. XXIII, 243)
Standort: MSt, 950, K 8083
(Abb. siehe Kat. Nr. 79)

12 Medaille 1861 auf das einundfünfzigste Oktoberfest.

Vs.: In einem breiten Eichenkranz Schrift in neun Zeilen: ZUR | ERINNERUNG | AN DAS | 51JAEHRI-GE | BESTEHEN DES | OCTOBERFE-STES | IN MÜNCHEN | IM JAHRE | 1861.

Rs.: Gleiche Darstellung wie auf der Rückseite der Medaille Nr. 11 anläßlich des 50jährigen Oktoberfestjubiläums.

Metall: Zinn
Durchmesser: 45 mm
Literatur: Hauser 535 (Taf. XXIII, 245)
Standort: Privatbesitz

13 Kleine Medaille o. J. (1864) zum Andenken an das erste Oktoberfest unter König Ludwig II.

Vs.: Brustbild des Königs, bartlos, in Uniform und mit Ordensband.

Rs.: Im Feld Schrift in sechs Zeilen: ZUM | ANDENKEN | AN DAS ERSTE

| OCTOBERFEST | UNTER | LUD-WIG II.

Metall: Bronze
Durchmesser: 22 mm
Literatur: Eyb 156; Hauser 685 (Taf. XXIX, 338)
Standort: Staatliche Münzsammlung, München

14 Medaille o. J. (1886) zur Erinnerung an das Oktoberfest.

Vs.: LUITPOLD PRINZ REGENT V. BAY-ERN und das Brustbild des Regenten nach rechts.

Rs.: In einem mit einer Bandschleife verzierten Kranz aus Eichen- und Lorbeerzweigen, Schrift in vier Zeilen: ZUR | ERINNERUNG | AN DAS | OCTOBERFEST.

Metall: Neusilber
Durchmesser: 33 mm
Literatur: Gebert 1891, 36; Hauser 704 (Taf. XXIX, 346) mit dem Hinweis, daß diese Medaille 1886 auf der Festwiese verkauft wurde. Die Stücke sind offensichtlich zum Anhängen gehenkelt.
Standort: MSt, 1760, 8142, 9797

15 Gehenkeltes Abzeichen o. J. (1887) auf das Oktoberfest.

Vs.: Zwischen einem Linien- und einem Perlenkreis die Umschrift: LUITPOLD · PRINZREGENT VON BAYERN. Unten zwei gekreuzte Eichenzweige. Im Feld der Kopf des Regenten nach rechts.

Rs.: Innerhalb eines gezähnten Randes, oben bogig: OKTOBERFEST. Auf einem Blumenzweig der Mönch. Unten: 1887.

Metall: Zinn
Durchmesser: 33 mm
Literatur: Gebert 1891, 42; Hauser 566 (Taf. XXIV, 262); Wurzbach 5727
Standort: MSt, 8088

16 Medaille o. J. (1888) zur Erinnerung an das Oktoberfest.

Vs.: LUITPOLD PRINZREGENT v. BAY-ERN. Brustbild des Regenten von vorne. Daneben Hinweis auf die Prägeanstalt: LAUER NÜRNBERG.

Rs.: .:.. ERINNERUNG AN DAS OCTO-BERFEST. Im Feld das Münchner Kindl.

Metall: Messing versilbert
Durchmesser: 30 mm
Literatur: Gebert 1891, 59; Hauser 706
Standort: MSt, 8125

17 Gehenkeltes Abzeichen o. J. (1888) auf das Oktoberfest.
Vs.: Innerhalb eines gezähnten Randes die Ansicht der Stadt. Im Abschnitt: MÜNCHEN.
Rs.: Gleiche Darstellung wie auf der vorherigen Nr. 15 (Rückseite).
Metall: Bronze
Durchmesser: 30 mm
Literatur: Hauser 950 (Taf. XXXVIII, 573)
Standort: MSt, 832

18 Medaille o. J. (1889) auf das Oktoberfest in München, zweiseitige Neusilberprägung (gehenkelt).
Metall: Legierung (Neusilber)
Durchmesser: 30 mm
Standort: MSt, 8125

19 Gehenkeltes Abzeichen 1898 zur Erinnerung an das Oktoberfestschießen für Zimmerstutzenschützen.
Vs.: Im vertieften Feld die Umschrift: Sicher Ziel ruhig Hand starke Wehr dem Vaterland.
Schütze mit Gewehr auf der linken Schulter, mit der rechten Hand den Hut hochhaltend. Im Hintergrund die Ansicht von München von der Westseite. Unten: B.
Rs.: Schrift in zehn Zeilen, davon die erste bogig: ERINNERUNG | AN DAS | OKTOBERFEST- | ★SCHIESSEN★ | FÜR ZIMMERSTUTZEN- SCHÜTZEN | MÜNCHEN | 25.–30. SEPTEMBER | B | ★1898★.
Metall: Aluminium
Durchmesser: 39 mm
Literatur: Hauser 1000 (Taf. XXXIX, 538)
Standort: unbekannt

20 Marke 1899 vom Festwirt Lang aus Nürnberg beim Oktoberfest.
Vs.: Brustbild des Festwirtes Lang nach rechts. Innerhalb eines gezähnten Randes die Umschrift FEST WIRTH LANG AUS NÜRNBERG.
Rs.: In einem gezähnten Rand wie vorher eine Arabeske und die dreizeilige Inschrift: OCTOBER- FEST | 1899 | MÜNCHEN.
Metall: Bronze
Durchmesser: 22 mm
Literatur: Hauser 1193 (Taf. XXXXII, 644)
Standort: unbekannt
(Vgl. auch Kat.Nr. 606)

21 Preismedaille o. J. (seit 1901 verwendet) des Landwirtschaftlichen Vereins für Dienstboten.
Vs.: Innerhalb eines abgestuften Randes und Linienkreises: DER LANDWIRTHSCHAFTLICHE VEREIN IN BAYERN. Im Feld ein Pflug nach rechts, auf einem Stück Akkerland.
Rs.: Innerhalb eines breiten Eichenkranzes Schrift in vier Zeilen: LOHN | DER TREUE | UND DES | FLEISSES.
Metall: Silber
Durchmesser: 47,5 mm
Literatur: Hauser 668 mit dem Hinweis, daß diese Medaille vom landwirtschaftlichen Verein sowohl beim Oktoberfest als auch bei Bezirksfesten verteilt wurde.
Standort: Privatbesitz
(Vgl. auch Kat.Nr. 308)

22 Marke 1901 vom Festwirt Lang aus Nürnberg beim Oktoberfest.
Vs.: Innerhalb eines gezähnten Randes die Umschrift: FESTWIRT · LANG · MÜNCHEN – NÜRNBERG. Brustbild des Festwirtes nach rechts.
Rs.: In einem gezähnten Rand wie vorher eine Arabeske und die dreizeilige Inschrift: OKTOBER- FEST | 1901 | MÜNCHEN. Die letzte Zeile ist bogig.
Metall: Bronze
Durchmesser: 19 mm
Literatur: Hauser 1194 (vgl. auch 1193)
Standort: unbekannt

23 Marke 1903 von der Bodega zur Erinnerung an das Oktoberfest.
Vs.: Innerhalb eines gekerbten Randes die Schutzmarke der Bodega.
Rs.: Innerhalb eines gekerbten Randes Schrift in sechs Zeilen: ZUR | ERINNERUNG | AN DAS | OCTOBER- FEST | MÜNCHEN | 1903.
Metall: Messing
Durchmesser: 33 mm
Literatur: Hauser 1195 (Taf. XXXXII, 627)
Standort: unbekannt

24 Marke o. J. (vor 1905) von der Ochsenbraterei J. Rössler beim Oktoberfest.
Vs.: Zwischen gezähntem Rand und Perlenkreis die Umschrift: OCHSENBRATEREI J. RÖSSLER ★MÜNCHEN★. Im Feld der Kopf eines Ochsen nach links.

Rs.: Innerhalb eines Perlenkreises die Umschrift: GILTIG FÜR ★ PORTION BRATEN ★. Im Feld die Zahl 1.
Metall: Neusilber
Durchmesser: 30 mm
Literatur: Hauser 1219 (Taf. XXXXII, 654)
Standort: unbekannt

25 Ovale Medaille 1910 zur Erinnerung an das 100. Oktoberfest.
Vs.: Brustbild von König Maximilian I. Josef nach links mit Schrift.
Rs.: ZUR | ERINNERUNG | AN DAS | 100. OKTOBERFEST | MÜNCHEN | I. UNTER KÖNIG MAX JOSEF I | 1810 | 100. UNTER PRINZREGENT LUITPOLD | 1910 (zehn Zeilen).
Metall: helle Bronze
Größe: 40×33 mm
Kommt mit und ohne Schrift auf der Vs. vor.
Standort: MSt, 1820, K 8127, K 8128; Staatliche Münzsammlung, München
(Vgl. Kat.Nr. 124)

26 Medaille 1910 zum 100jährigen Oktoberfestjubiläum; Medailleur Karl Goetz (München).
Vs.: Brustbilder der Prinzessin Therese, des Kronprinzen Ludwig und des Prinzregenten Luitpold (von links nach rechts).
Rs.: Zweispaltige Inschrift: 1810 | OKTOBERFEST | I. | Z. VERMÄHLUNG | D. KRONPRINZEN | LUDWIG U. | PRZ THERESE | – | 1910 | ZU MÜNCHEN | 100. | UNTER PRINZ | REGENT | LUITPOLD | VON BAYERN. Im Feld Baum mit Schützenadler und den Wappen der damaligen acht Kreisstädte. Daneben zwei Rennknaben zu Pferd nach rechts reitend und im Hintergrund Zelte.
Prägeanstalt: Deschler
Metall: als Prägung in Aluminium, Zinn (als Anhänger) und Silber; ferner auch als Bronzeguß
Durchmesser: als Prägung 33 mm als Bronzeguß 85 mm
Metall: Bronzeguß
Standort: MSt, 522, K 8393, 62/484/17
(Abb. siehe Kat.Nr. 123)

27 Medaille 1910 zum 100jährigen Oktoberfestjubiläum; Medailleur Max Dasio (München).
Vs.: Brustbilder der Prinzessin Therese und des Kronprinzen Ludwig gegenüber dem Brustbild von Prinzregent Luitpold. Umschrift: LVIT – POLD. LVDWIG – THERESE. Im Abschnitt die Jah-

reszahlen MDCCCX (1810) und darunter MCMX (1910) sowie der Buchstabe D als Hinweis auf die Prägung im Bayerischen Hauptmünzamt, München.
Rs.: Zwischen zwei Perlenkränzen die Umschrift: MVNCHEN · OKTOBERFEST · GEWIDMET · V·D Z·E·A·D.IAHRHVNDERTFEIER. Zwei Rennknaben zu Pferd vor dem sogenannten »Türkenzelt« der königlichen Familie. Darüber das Münchner Kindl in einem Wappenschild. Im Hintergrund die Silhouetten der Frauenkirche und der Peterskirche. Im Abschnitt: STADT MÜNCHEN.
Metall: Bronze (2270 Exemplare), Silber (1300 Exemplare), Gold (2 Exemplare für den Prinzregenten)
Durchmesser: 32 mm
Gewicht: 16,97 g (in Silber)
Literatur: Blätter für Münzfreunde 1910, Spalte 4558; Destouches Seite 25
Standort: MSt, 254, K 64/229/7; Privatbesitz (viele)
(Abb. siehe Kat. Nr. 118)

28 Kleine Medaille 1910 zum 100jährigen Oktoberfestjubiläum. (Abb. siehe Kat.Nr. 118)
Vs.: Kopf des Prinzregenten nach links und Umschrift: LVITPOLD PRINZREGENT VON BAYERN. Außen Lorbeerkranz.
Rs.: Sechszeilige Inschrift: JAHRHUNDERT- FEIER DES OKTOBER FESTES 1910. Außen Lorbeerkranz.
Metall: Silber und Gold
Durchmesser: 23 mm
Standort: MSt, K 8143, 8144 (Silber); Privatbesitz (Gold)
(Vgl. Kat.Nr. 122)

29 Medaille 1910 zum 100jährigen Oktoberfestjubiläum (Zimmerstutzen). Entwurf vom Münchner Kunstmaler Georg Ritzer. Die Modelle stammen aus dem kunstgewerblichen Atelier des Goldschmiedes Matthias Heinloth (München).
Vs.: Brustbild des Prinzregenten in einem Baum über der Frauenkirche. Kleine Schrift: LVITPOLD PRINZREGENT V. BAYERN. Links und rechts neben dieser Darstellung die Inschrift: JUBILÄ- | UMS= | OKTOBER | -FEST. Unten: ZIMMERSTUTZEN | 1910.
Rs.: Brustbilder der Prinzessin Therese und des Kronprinzen Ludwig unter einer Krone. Um-

schrift mit den Namen der Dargestellten und der Jahreszahl 1910.
Prägeanstalt: Karl Poellath (Schrobenhausen)
Metall: Silber (1200 Exemplare)
Durchmesser: 33 mm
Gewicht: 15 g
Standort: MSt, 695
(Vgl. Kat.Nr. 121)

30 Medaille 1910 auf das Feuerschießen anläßlich des 100jährigen Oktoberfestjubiläums; von Medailleur Max Dasio (München). Geprägt im K. Hauptmünzamt.
Vs.: Porträt von Kronprinz Ludwig und dem Prinzregenten Luitpold nach links. Umschrift: LVDWIG · KRONPRINZ · LVITPOLD REG · ★OK-TOBERFEST | IVBI – LÄVM 1810 · 1910★.

25jährigen Jubiläum hat der Landwirtschaftliche Verein auch für die Säkularfeier eine eigene Denkmünze prägen lassen.
Vs.: Kopf des Prinzregenten Luitpold nach rechts. Umschrift: · PROTEKTOR · LVITPOLD PRINZREGENT VON BAYERN (Entwurf von dem Münchener Bildhauer Aigner).
Rs.: Pflug vor Ährenkranz Inschrift: · DER · LANDWIRT-SCHAFT- | LICHE · VEREIN · IN | BAYERN. | 1810 · 1910 (Entwurf von dem Münchener Bildhauer Waldemar Schuetky).
Metall: Silber und Bronze
Durchmesser: 60 mm
Prägeanstalt: Karl Poellath (Schrobenhausen)
Literatur: Destouches Seite 25 (mit Abb.)
Standort: unbekannt

auf einem Hakenkreuz, daneben Getreide und Hopfen. Seitlich unter der Schrift: 125 – JAHRE | OKTOBER – FEST 1935, ein Rennknabe mit galoppierendem Pferd nach links und ein preisgekrönter Ochse nach rechts, darunter zwei Schießscheiben.
Rand: BAYER · HAUPTMÜNZAMT · FEIN-SILBER (nur bei den Silberprägungen)

Metall: Silber
Durchmesser: 36 mm
Gewicht: 19,5 g

Metall: Bronze (klein)
Durchmesser: 36 mm

Metall: Bronze (groß)
Durchmesser: 120 mm
Gewicht: 369,2 g

Vs.: Löwe mit Rautenwappen in Kartusche OKTOBERFEST – LANDES-SCHIESSEN 1955.
Rs.: Zwei zu einem Kranz geformte Eichenzweige.
Standort: MSt, Inv. Nr. 286

34 Medaille 1960 auf das 150jährige Oktoberfestjubiläum
Es handelte sich hierbei um die private Prägung einer Münchner Bank, nicht um eine offizielle Medaille der Landeshauptstadt oder einer anderen amtlichen Stelle. Geprägt wurde die Medaille im Bayerischen Hauptmünzamt, München. Sie konnte auf dem Oktoberfest oder auch an Bankschaltern in München erworben werden. Insgesamt sind drei verschiedene Größen in Feingold und eine Größe in Feinsilber hergestellt worden.
Vs.: Ansicht von der Festwiese mit Bavaria, Riesenrad, Festzelt, Brauereigespann u.a. Schrift: 1810–1960 und seitlich umlaufend: 150 JAHRE MÜNCHENER OK-TOBERFEST.
Rs.: Stadtansicht von München vom Isartor aus.

Metall: Gold
Durchmesser: 20 mm
Gewicht: 3,5 g

Metall: Gold
Durchmesser: 25 mm
Gewicht: 10,5 g

Metall: Gold
Durchmesser: 40 mm
Gewicht: 35 g

Metall: Silber
Durchmesser: 38 mm
Gewicht: 20 g

Standort: MSt, 1268, K 60/511 Privatbesitz (viele)
(Vgl. Kat. Nr. 169)

◁ Nr. 29   ▷ Nr. 35

Rs.: Stehender Feuerschütze mit Gewehr und Schießscheibe, Umschrift: IVBILÄVMSMVNZE FVR – DAS FEVERSCHIESSEN, im Abschnitt bez. MD.
Metall: Silber (1600 Exemplare)
Durchmesser: 35 mm
Literatur: Blätter für Münzfreunde 1910, Spalte 4558
Standort: MSt, 255, K 9692, 1, 3
(Abb. siehe Kat.Nr. 120)

31 Medaille 1910 des Landwirtschaftlichen Vereins. Wie beim

32 Medaille 1935 anläßlich des 125jährigen Oktoberfestjubiläums.
Vs.: Brustbilder von Prinzessin Therese und Kronprinz Ludwig von Bayern von vorne. Umschrift: PRZ · THERESE · KRONPRINZ · LVDWIG · V · BAYERN · Im Abschnitt: 1. Oktoberfest 1810 · Neben den Brustbildern rechts klein die Anfangsbuchstaben des Münchener Medailleurs K(arl) G(oetz).
Rs.: Auf einer Säule oder Stange mit dem Münchener Kindl ein die Schwingen ausbreitender Adler

Literatur: Kienast 513
Die Vorderseite dieser Medaille wurde als Motiv für den Zinndeckel (Durchmesser 72 mm) des offiziellen Jubiläums-Oktoberfestkruges 1985 des Vereins Oktoberfestmuseum e.V. ausgewählt.
Standort: MSt, 589, K 37/1310, K 37/100; Privatbesitz (viele)
(Abb. siehe Kat.Nr. 150)

33 Medaille 1955 auf das Landesschießen anläßlich des Oktoberfestes.

35 Gehenkeltes Abzeichen 1960 auf das 150jährige Oktoberfestjubiläum.
Vs.: Bierzelt, schäumender Maßkrug (mit den Jahreszahlen 1810 bis 1960), Steckerlfisch, Brezen, Bude. Davor das Münchner Kindl im Wappenschild. Schrift: 150 JAHRE OKTOBERFEST – MÜNCHEN 1960.
Rs.: Stadtansicht von München mit Dom, neuem Rathaus mit Marienplatz und altem Rathaus.
Metall: Legierung
Durchmesser: 39 mm
Gewicht: 18 g
Standort: Privatbesitz (viele)

36 Oktoberfest-Medaillen des Münchner Verkehrsverein-Festring e.V. (Pestalozzistraße 3A, 8000 München 5). Die Einnahmen aus dieser Medaille sind für die Finanzierung des festlichen Rahmenprogramms des Münchner Oktoberfestes (insbesondere des Festzuges) bestimmt. Die Medaillen sind massiv reliefgeprägt, Messing versilbert und oxidiert mit Öse. Sie werden mit Kordel, mit Schlüsselkettchen und mit weißblauem Banddreieck verkauft. Außerdem gibt es von den Jahrgängen ab 1973 auch Ausprägungen in Feinsilber.

a) MÜNCHNER OKTOBERFEST 1965
Vs.: Oberländer Fahnenträger nach einem Motiv von Paul Ernst Rattelmüller.
Rs.: Herzoglich-bayerisches Wappen.
Prägeanstalt: Deschler, München
Durchmesser: 39 mm
Gewicht: 19,2 g

b) MÜNCHNER OKTOBERFEST 1966
Vs.: Schützenkönig mit Schützenkette und Gewehr, mit der rechten Hand eine Schießscheibe haltend, nach einem Motiv von Paul Ernst Rattelmüller.
Rs.: Wappen des Königreichs Bayern von 1806–1835 nach einem Motiv von Paul Ernst Rattelmüller.
Prägeanstalt: Deschler, München
Durchmesser: 39 mm
Gewicht: 19,1 g

c) MÜNCHNER OKTOBERFEST 1967
Vs.: Oberländer Trommler nach einem Motiv von Paul Ernst Rattelmüller.
Rs.: Wappen des Freistaates Bayern (ein Teil der Auflage für den Export mit der Inschrift WIEZE OKTOBERFESTEN BELGIUM).
Prägeanstalt: Deschler, München
Durchmesser: 39 mm
Gewicht: 17,7 g

d) MÜNCHNER OKTOBERFEST 1968
Vs.: Hochzeitslader, im Hintergrund die Silhouette von München, nach einem Motiv von Paul Ernst Rattelmüller.
Rs.: Herzoglich-bayerisches Wappen wie bei der Ausgabe 1965.
Prägeanstalt: Deschler, München
Durchmesser: 39 mm
Gewicht: 19,2 g

e) MÜNCHNER OKTOBERFEST 1969
Vs.: Oberbayerisches Trachtenpaar, einem Motiv von Paul Ernst Rattelmüller nachempfunden.
Rs.: Bayerischer Löwe mit Rautenwappen.
Prägeanstalt: Deschler, München
Durchmesser: 39 mm
Gewicht: 19,8 g

f) MÜNCHNER OKTOBERFEST 1970
Vs.: Zwei Schäffler nach einem Motiv von Paul Ernst Rattelmüller.
Rs.: Marienplatz mit altem Rathaus, neuem Rathaus und Dom.
Prägeanstalt: Deschler, München
Durchmesser: 39 mm
Gewicht: 17,9 g

g) MÜNCHNER OKTOBERFEST 1971
Vs.: Reiter mit Fanfare nach einem Motiv von Paul Ernst Rattelmüller.
Rs.: Ansicht von München von der Ludwigstraße mit Feldherrnhalle, Theatinerkirche und Dom.
Prägeanstalt: Deschler, München
Durchmesser: 39 mm
Gewicht: 19,7 g

h) MÜNCHNER OKTOBERFEST 1972
Vs.: Armbrustschützenpaar in Landsknechttracht nach einem Motiv von Paul Ernst Rattelmüller.
Rs.: Königlich-bayerisches Wappen wie bei der Ausgabe 1966 (Nr. 35 b).
Prägeanstalt: Deschler, München
Durchmesser: 39 mm
Gewicht: 19,2 g

i) MÜNCHNER OKTOBERFEST 1973
Vs.: Paar in Altmünchner Bürgertracht (um 1800), dahinter der Dom, nach einem Motiv von Paul Ernst Rattelmüller.
Rs.: Stadtansicht von München über den fünf Olympischen Ringen. Umschrift: MÜNCHEN WELTSTADT MIT HERZ.
Prägeanstalt: Deschler, München
Auch in Silber hergestellt
Durchmesser: 42 mm
Gewicht: 19,8 g

j) MÜNCHNER OKTOBERFEST 1974
Vs.: Büste eines jungen Mädchens in Miesbacher Tracht nach links. Entwurf Bildhauer Ludwig Rösch, München.
Rs.: Wappen der sieben Regierungsbezirke.
Prägeanstalt: Deschler, München
Auch in Silber hergestellt
Durchmesser: 36 mm
Gewicht: 18,8 g

k) MÜNCHNER OKTOBERFEST 1975
Vs.: Oberländer Bauernreiter als »Hochzeitslader« nach einem Motiv von Paul Ernst Rattelmüller.
Rs.: Wappen des Herzogtums Bayern bis 1623 (Paul Ernst Rattelmüller).
Prägeanstalt: Deschler, München
Begrenzte Auflage: 5000 Stück versilbert, 200 Stück in Feinsilber
Durchmesser: 36 mm
Gewicht der versilberten Stücke: 15,3 g

l) MÜNCHNER OKTOBERFEST 1976
Vs.: Gäubodenfesttracht nach einem Motiv von Paul Ernst Rattelmüller.
Rs.: Kurfürstlich-Bayerisches Wappen 1624–1805 (Paul Ernst Rattelmüller).
Prägeanstalt: Deschler, München
Begrenzte Auflage: 5000 Stück versilbert, 200 Stück in Feinsilber (925 fein)
Durchmesser: 36 mm
Gewicht der versilberten Stücke: 17,0 g

m) MÜNCHNER OKTOBERFEST 1977
Vs.: Münchner Schäffler nach einem Motiv von Paul Ernst Rattelmüller.
Rs.: Kleines Königlich-bayerisches Wappen nach einem Motiv von Paul Neu.
Prägeanstalt: Deschler, München
Begrenzte Auflage: 5000 Stück versilbert 100 Stück in Feinsilber
Durchmesser: 39 mm
Gewicht der versilberten Stücke: 16,4 g

n) MÜNCHNER OKTOBERFEST 1978
Vs.: Tambour des Straubinger Bürgermilitärs 1798 nach einem Motiv von Paul Ernst Rattelmüller.
Rs.: Kurfürstlich-bayerisches Wappen von 1780–1800 nach einem Motiv von Paul Ernst Rattelmüller.
Prägeanstalt: Souval, Wien
Begrenzte Auflage: 7500 Stück versilbert, 150 Stück in Feinsilber
Durchmesser: 36 mm
Gewicht der versilberten Stücke: 17,2 g

o) MÜNCHNER OKTOBERFEST 1979
Vs.: Oberländer Fahnenreiter um 1850 nach einem Motiv von Paul Ernst Rattelmüller.
Rs.: Großes Münchner Stadtwappen 1966 nach einem Motiv von Paul Ernst Rattelmüller.
Prägeanstalt: Souval, Wien
Begrenzte Auflage: 7000 Stück versilbert, 150 Stück in Feinsilber
Durchmesser: 36 mm
Gewicht der versilberten Stücke: 17,2 g

p) MÜNCHNER OKTOBERFEST 1980 (Sonderprägung zum Wittelsbacher Jahr)
Vs.: Münchner Bürgerwehr nach einem Motiv von Paul Ernst Rattelmüller.
Rs.: Königlich-bayerisches Wappen 1835 bis 1918; Inschrift 1180–1980, einem Motiv von Paul Ernst Rattelmüller nachempfunden.
Prägeanstalt: Souval, Wien
Begrenzte Auflage: 7000 Stück versilbert, 150 Stück in Feinsilber
Durchmesser: 36 mm
Gewicht der versilberten Stücke: 16,9 g

q) MÜNCHNER OKTOBERFEST 1981
Vs.: Berchtesgadener nach einem Motiv von Paul Ernst Rattelmüller.
Rs.: Herzoglich-bayerisches Wappen wie Ausgaben 1965 und 1968 (Nr. 36 a), d)).
Prägeanstalt: Deschler, München
Begrenzte Auflage: 6000 Stück versilbert, 150 Stück in Feinsilber
Durchmesser: 36 mm
Gewicht der versilberten Stücke: 19,2 g

r) MÜNCHNER OKTOBERFEST 1982
Vs.: Dachauerin, einem Motiv von Paul Ernst Rattelmüller nachempfunden.
Rs.: Wappen des Herzogtums Bayern bis 1623 wie bei der Ausgabe von 1975 (Nr. 36 K).
Prägeanstalt: Deschler, München
Begrenzte Auflage: 6000 Stück versilbert, 150 Stück in Feinsilber
Durchmesser: 36 mm
Gewicht der versilberten Stücke: 18,4 g

s) MÜNCHNER OKTOBERFEST 1983
Vs.: Fränkischer Hochzeitslader nach einer Zeichnung von Paul Ernst Rattelmüller.
Rs.: München-Silhouette nach einem Entwurf der Zinngießerei Mory.
Prägeanstalt: Deschler, München
Begrenzte Auflage: 6000 Stück versilbert, 150 Stück in Feinsilber
Durchmesser: 36 mm
Gewicht der versilberten Stücke: 16,5 g

◁ Nr. 39 ▷

Vs.: Brustbilder des Kronprinzen Ludwig und der Prinzessin Therese von vorne.

Rs.: Zeitgenössische Darstellung des 1810 veranstalteten ersten Pferderennens mit dem berühmten »Türkenzelt«. Im Hintergrund die Silhouette von München.

Metall: Gold (986 fein)
Durchmesser: 35 mm
Gewicht: 15 g

Metall: Silber (999,9 fein)
Durchmesser: 35 mm
Gewicht: 15 g

Begrenzte Auflage in Silber 10000 Exemplare und in Gold 500 Exemplare. Die Stempel werden nach der Herstellung der gesamten Auflage dem Stadtarchiv München übergeben.
Standort: Privatbesitz (viele)

t) MÜNCHNER OKTOBERFEST 1984
Vs.: Tanzpaar in oberbayerischer Gebirgstracht nach einem Entwurf von Liselotte Siegert.
Rs.: Wappen des Freistaates Bayern 1923–1936 nach einer Zeichnung von Paul Ernst Rattelmüller.
Prägeanstalt: Deschler, München
Begrenzte Auflage: wie 1983, 200 Stück in Feinsilber
Durchmesser: 36,5 mm
Gewicht der versilberten Stücke: 19,9 g

u) MÜNCHNER OKTOBERFEST 1985
Vs.: Heraldische Allegorie mit den Jahreszahlen 1810 und 1985 zum 175jährigen Oktoberfestjubiläum.
Rs.: Bürgerlicher Reiter mit den Jahreszahlen 1835 und 1985 zum 150jährigen Trachtenfestzugjubiläum.
Entwurf beider Seiten von Paul Ernst Rattelmüller.
Prägeanstalt: Firma Reu, Heubach
Stempel: Firma Müller, München
Begrenzte Auflage: 6000 versilbert, 200 Feinsilber
Durchmesser: 41 mm
Gewicht der versilberten Stücke: ca. 20 g
Standort für alle Oktoberfestmedaillen der Nr. 36: Münchner Verkehrsverein-Festring e.V.; ferner Privatbesitz (viele)

37 Medaille 1984 auf das »150. Oktoberfest« (nach der Zählung, die nur die wirklich veranstalteten Oktoberfeste berücksichtigt, vgl. S. 47). Es handelt sich dabei um eine private Prägung, die in vier verschiedenen Größen als »einmalige Jubiläumsprägung in begrenzter Auflage nur bis 7. 10. 1984 lieferbar« von der Münzprägestatt GmbH München vertrieben wurde. Die Prägestempel erhielt laut Prospekt das Oktoberfest-Museum in München.

Vs.: Über das gesamte Feld sind unter zwei das bayerische Rautenwappen tragenden Löwen einzelne Gebäude (Dom und Bavaria) und Gruppen (Reiter, Festwagen, Reiter) verteilt. Darunter Schrift: 150. Oktoberfest München 1984.
Rs.: Die Köpfe des Kronprinzen Ludwig und der Prinzessin Therese in einem Kranz zwischen zwei weiblichen Gestalten. Umschrift: Vermählung von König Ludwig und Königin Therese – 1. Oktoberfest 1810 –.

Metall: Gold (585 fein)
Durchmesser: 20 mm
Gewicht: 4 g

Metall: Gold (585 fein)
Durchmesser: 35 mm
Gewicht: 16 g

Metall: Silber (999 fein)
Durchmesser: 35 mm
Gewicht: 15 g

Metall: Silber (999 fein)
Durchmesser: 50 mm
Gewicht: 35 g

Standort: Privatbesitz (viele)

38 Medaille 1985 auf das Jubiläums-Oktoberfest · Nicht in den Handel gelangte Gesellenarbeit von Romano Burini (geb. 16. 3. 1965 in Ancona) · Nur wenige Stücke
Vs.: Vierspänniges Brauereifahrzeug vor Wies'n-Zelten und Bavaria, davor zwei kleine Wappenschilde.
Rs.: In einem Kreis der Wappen der acht großen Münchner Brauereien das Münchner Kindl.
Metall: Silber
Durchmesser: 40 mm
Gewicht: 30 g
Standort: Privatbesitz

39 Offizielle Medaille 1985 auf das 175jährige Jubiläum des Oktoberfestes (nach der offiziellen Zählung der Landeshauptstadt München) hergestellt von der Firma Medaillen-Kunst in Fürth im Auftrag der Stadtsparkasse München und des Fremdenverkehrsamtes der Landeshauptstadt.

Lit.: Arnold/Küthmann/Steinhilber, Großer Deutscher Münzkatalog von 1800 bis heute, 7. Auflage, München 1982; John S. Davenport, European Crowns and Talers since 1800, London 1964; Ernst von Destouches, Gedenkbuch 1912; Otto Freiherr von Eyb, Die Münzen und Medaillen der Stadt München, München 1875; Walter Grasser, Bayerische Geschichtstaler von Ludwig I. und Maximilian II., Rosenheim 1982; Josef Hauser, Die Münzen und Medaillen der Haupt- und Residenzstadt München, München 1905; Kurt Jaeger, Die neueren Münzprägungen der deutschen Staaten vor Einführung der Reichswährung (1806–1871), Band 5: Bayern, Basel 1978; G. W. Kienast, The Medals of Karl Goetz, Cleveland 1967 (Nachdruck 1980); Wittelsbach, Die Medaillen und Münzen des Gesamthauses Wittelsbach, auf Grund eines Manuskriptes von J. P. Beierlein, bearbeitet und herausgegeben vom Königlichen Konservatorium des Münzkabinetts, 2 Teile, München 1897 und 1901.